**COMM. VALENCIENNE
ET MURCIE**
pages 232-253

ARAGON
pages 216-231

CATALOGNE
pages 196-215

Donostia
(San Sebastián)

Iruña
(Pamplona)

0   100 km

Zaragoza

Lleida

Barcelona

L'ESPAGNE
ORIENTALE

BARCELONE
pages 132-185

Cuenca

LES BALÉARES

Palma de
Mallorca

Valencia

Albacete

Alacant
(Alicante)

Murcia

LES BALÉARES
pages 482-503

ería

LES CANARIES

LES CANARIES
pages 504-527

ANDALOUSIE
pages 434-477

D0362986

GUIDES ✦ VOIR

ESPAGNE

HACHETTE TOURISME
43, quai de Grenelle, 75905 Paris Cedex 15

DIRECTION
Cécile Boyer-Runge

RESPONSABLE DE PÔLE ÉDITORIAL
Amélie Baghdiguian

RESPONSABLE DE COLLECTION
Catherine Laussucq

ÉDITION
Aurélie Pregliasco

TRADUIT ET ADAPTÉ DE L'ANGLAIS PAR
Dominique Brotot et Marie-Hélène Alfonsi
avec la collaboration de Stella Maris Changuitté
et Michèle Fernandez

MISE EN PAGES (PAO)
Maogani

CE GUIDE VOIR A ÉTÉ ÉTABLI PAR
John Ardagh, David Baird, Vicky Hayward,
Adam Hopkins, Lindsay Hunt, Nick Inman,
Paul Richardson, Martin Symington, Nigel Tisdall,
et Roger Williams

Publié pour la première fois en Grande-Bretagne
en 1996, sous le titre :
Eyewitness Travel Guides : Spain
© Dorling Kindersley Limited, London 2006
© Hachette Livre (Hachette Tourisme) 2006
pour la traduction et l'édition française.
Cartographie © Dorling Kindersley 2006

IMPRIMÉ ET RELIÉ EN CHINE PAR SOUTH CHINA PRINTING CENTRE

Aussi soigneusement qu'il ait été établi, ce guide
n'est pas à l'abri des changements de dernière heure.
Faites-nous part de vos remarques, informez-nous
de vos découvertes personnelles : nous accordons
la plus grande attention au courrier de nos lecteurs.

Éditions Libre Expression
7, chemin Bates
Outremont (Québec) H2V 4V7

DÉPÔT LÉGAL : 1er trimestre 2006
ISBN : 2-7648-0279-X

SOMMAIRE

Alphonse X le Sage

PRÉSENTATION DE L'ESPAGNE

L'ESPAGNE DU NORD

BARCELONE

Pages précédentes : Pèlerinage de la Vierge des Ponts à Belalcázar, près de Cordoue en Andalousie

Statue d'Alphonse XII, Madrid

D'immenses vignobles s'étendent dans la Manche

Église Santa María del
Naranco dans les
Asturies

COMMENT UTILISER CE GUIDE

Ce guide a pour but de vous aider à profiter au mieux de vos visites de l'Espagne. L'introduction, *Présentation de l'Espagne*, situe le pays dans son contexte historique et culturel. Dans les chapitres consacrés aux provinces espagnoles, et ceux décrivant *Barcelone*, *Madrid* et *Séville*, textes, plans et illustrations présentent en détail les principaux sites et monuments et apportent de nombreuses informations sur les fêtes, les vins ou les plages. Les *Bonnes adresses* conseillent hôtels et restaurants et les *Renseignements pratiques* vous aideront à régler, ou à éviter, les problèmes de la vie quotidienne.

BARCELONE, MADRID ET SÉVILLE

Nous avons divisé ces villes en quartiers. À chacun correspond un chapitre qui s'ouvre sur une liste des monuments présentés. Des numéros les situent clairement sur un plan. Ils correspondent à l'ordre dans lequel les monuments sont décrits en détail dans le corps du chapitre. Un chapitre spécial, *En dehors du centre*, est consacré à la périphérie de chacune de ces cités.

Le quartier d'un coup d'œil donne une liste par catégories des centres d'intérêt : églises, musées, rues, places, édifices et jardins.

2 Plan du quartier pas à pas
Il offre une vue aérienne détaillée du quartier.

Des étoiles signalent les sites à ne pas manquer.

Un repère vert signale toutes les pages concernant Madrid. Ce repère est rose pour Barcelone et rouge pour Séville.

Une carte de localisation indique la situation du quartier dans la ville.

1 Plan général du quartier
Un numéro désigne sur ce plan les monuments et sites de chaque quartier. Ils apparaissent également sur les plans des Atlas des rues *de Barcelone (p. 175-181), Madrid (p. 297-303) et Séville (p. 429-433).*

Le meilleur itinéraire de promenade apparaît en rouge.

3 Renseignements détaillés
Chaque site des trois villes principales a sa rubrique précisant notamment les informations pratiques telles qu'adresse, numéro de téléphone, heures d'ouverture, accès en fauteuil roulant ou dessertes par les transports publics.

1 Introduction
Elle présente les principaux attraits touristiques de chacune des régions du guide et décrit ses paysages et sa personnalité en montrant l'empreinte de l'histoire.

L'ESPAGNE RÉGION PAR RÉGION
Ce guide divise l'Espagne (hors Madrid, Barcelone et Séville) en douze régions, et donc en douze chapitres. Les localités et sites les plus intéressants ont été recensés sur une *Carte illustrée*.

2 La carte illustrée
Elle offre une vue de toute la région et de son réseau routier. Les sites principaux sont répertoriés et numérotés. Des informations pour visiter la région en voiture, en car ou en train sont fournies.

Des encadrés sont consacrés aux fêtes traditionnelles de la région.

Un repère de couleur correspond à chaque région. Le premier rabat de couverture en donne la liste complète.

3 Renseignements détaillés
Les localités et sites importants sont décrits individuellement dans l'ordre de la numérotation de la carte illustrée. Les notices présentent en détail ce qu'il y a d'intéressant à visiter.

Un mode d'emploi vous aide à organiser votre visite.
La légende des symboles figure sur le dernier rabat de couverture.

4 Les principaux sites
Deux pleines pages, ou plus, leur sont réservées. La représentation des édifices en dévoile l'intérieur. Des vues aériennes du cœur des villes les plus belles en détaillent les monuments.

PRÉSENTATION DE L'ESPAGNE

L'Espagne dans son environnement

Au sud-ouest de l'Union européenne, dont elle est le deuxième pays par la superficie, l'Espagne occupe la majeure partie de la péninsule Ibérique et comprend deux groupes d'îles, les Baléares en Méditerranée et les Canaries dans l'Atlantique, ainsi que deux petits territoires en Afrique du Nord. Le détroit de Gibraltar qui sépare sa pointe sud du Maroc ne fait que 13 km de large.

La péninsule ibérique vue de l'espace

Golfe de Gascogne

LÉGENDE

✈	Aéroports internationaux
⛴	Liaisons par ferries
▬	Autoroutes
▬	Routes principales
▬	Routes secondaires
—	Voies ferrées principales
╌	Liaisons par AVE

◁ *Toits, Fortna Lux, Majorque* (1969) par Frederick Gore

Les Canaries
Situé dans l'Atlantique à 150 km du Maroc, cet archipel de sept îles se trouve à 1 150 km au sud-ouest de Cadix.

ÎLES CANARIES

Cádiz

Cádiz

Arrecife

Santa Cruz de la Palma

Puerto de la Cruz

Santa Cruz de Tenerife

Puerto del Rosario

Las Palmas de Gran Canaria

San Sebastián de la Gomera

Valverde

Maspalomas

Biarritz

Bilbo (Bilbao)

Donostia (San Sebastián)

Iruña (Pamplona)

F R A N C E

Perpignan

ANDORRA

N111

N240

N230

N240

N330

Huesca

Girona

Soria

N234

A15

Ebro

Zaragoza

Lleida

NII A2 (E90)

A2 AP2 (E90)

A2 AP2 (E90)

NII

Barcelona

Genoa

Calatayud

N234

Tarragona

C32

G N E

N232

alajara

A7 AP7 (E15)

Maó

N320

Cuenca

N330

N301

A3 (E901)

(E901)

M
e
r

M
é
d
i
t
e
r
r
a
n
é
e

Palma de Mallorca

Valencia

Júcar

Albacete

N430 A31

N330 A31

A7 AP7 (E15)

N322

Eivissa (Ibiza)

0   100 km

Segura

N340 A7 (E15)

N301

Alacant (Alicante)

Murcia

Oran

Les frontières de l'Espagne
L'Espagne possède des frontières communes avec la France, le Portugal, la principauté d'Andorre et le territoire britannique de Gibraltar. Le détroit de Gibraltar n'est large que de 13 km entre Tarifa et le Maroc.

Almería

EUROPE ET AFRIQUE DU NORD

NORVÈGE

FINLANDE

SUÈDE

ESTONIE

RUSSIE

DANEMARK

LETTONIE

LITHUANIE

IRLANDE

ROYAUME-UNI

PAYS-BAS

RUSSIE

BIÉLORUSSIE

POLOGNE

BELGIQUE

ALLEMAGNE

LUXEMBOURG

RÉPUBLIQUE TCHÈQUE

SLOVAQUIE

UKRAINE

FRANCE

SUISSE

AUTRICHE

HONGRIE

SLOVÉNIE

ROUMANIE

ITALIE

CROATIE

BOSNIE HERZÉGOVINE

SERBIE

MONTÉNÉGRO

BULGARIE

PORTUGAL

Madrid

ESPAGNE

ALBANIE

GRÈCE

MAROC

TUNISIE

ALGÉRIE

LIBYE

L'Espagne et ses régions

D'une superficie de 504 782 km², l'Espagne a environ 41 millions d'habitants et reçoit plus de 57 millions de visiteurs chaque année. Dominé par un plateau central où naissent trois grands fleuves, le Duero, le Tage et le Guadania, le pays a pour capitale Madrid, la ville la plus importante avant Barcelone et Valence. Ce guide divise l'Espagne en 15 régions, mais elle compte officiellement 17 *comunidades autónomas* réunissant 52 provinces.

CIRCULER

Des vols réguliers desservent les capitales provinciales et les îles, et il existe un service de navettes entre Madrid et Barcelone. En train, les lignes locales et régionales viennent renforcer les services rapides assurés par les trains à grande vitesse TALGO et AVE. Les autoroutes sont chères, mais rapides. Des ferries assurent un service régulier vers les îles Baléares et les Canaries. À noter : l'Espagne est en train de changer la numérotation des routes et il se peut que certaines routes de la carte ci-contre portent désormais un nouveau nméro.

LÉGENDE

— Autoroutes

— Routes principales

= Routes secondaires

0   100 km

Les régions du guide Voir
Signalés, chacun, par un onglet
de couleur, les chapitres qui leurs
sont consacrés sont regroupés en
cinq parties : l'Espagne du Nord,
l'Espagne orientale, l'Espagne
centrale, l'Espagne méridionale
et les îles espagnoles. Madrid
et Barcelone font l'objet
de sections particulières.

LES CODES DE COULEUR

L'Espagne du Nord
- Galice
- Asturies et Cantabrie
- Pays basque, Navarre et Rioja

L'Espagne orientale
- Barcelone
- Catalogne
- Aragon
- Comm. valencienne et Murcie

L'Espagne centrale
- Madrid
- Castille-León
- Castille-La Manche
- Estrémadure

L'Espagne méridionale
- Séville
- Andalousie

Les îles espagnoles
- Baléares
- Canaries

LES ÎLES BALÉARES

LES ÎLES CANARIES

L'archipel de l'Atlantique
Bien que situées au large de l'Afrique, les îles Canaries appartiennent à
l'Espagne depuis 1479. Décalage horaire d'une heure avec le pays.

UNE IMAGE DE L'ESPAGNE

*C*orrida, flamenco, bars à tapas… Derrière les clichés qui viennent tout d'abord à l'esprit quand on évoque l'Espagne se cache un pays complexe qui possède quatre langues officielles et des paysages plus contrastés qu'aucun autre État d'Europe. Ses habitants allient un sens aigu du tragique à un goût inégalé pour la fête, et un ardent désir de modernisme à un profond attachement à leurs traditions.

Entre Méditerranée et Atlantique, l'Espagne a une superficie légèrement inférieure à celle de la France. Des Pyrénées, où le pic d'Aneto s'élève à 3 404 m, à la cordillère Bétique que prolonge au sud le Rif marocain, elle est le pays d'Europe le plus montagneux après la Suisse. Soulevé par plusieurs plissements orientés du sud-ouest au nord-est, un haut plateau, la *meseta*, occupe tout le centre de la péninsule Ibérique, dont le point culminant, le Mulhacén (3 482 m), se trouve au sud de Grenade dans la Sierra Nevada.

Ces reliefs ont de tout temps dressé un obstacle à la circulation, et

Statue de Don Quichotte et Sancho Pança, Madrid

jusqu'à la construction d'un réseau de voies ferrées, il restait plus facile d'envoyer depuis Barcelone des marchandises en Amérique du Sud qu'à Madrid. En isolant les peuples, ils ont marqué l'histoire de l'Espagne et ni les Romains, ni les musulmans venus d'Afrique du Nord qui s'emparèrent de la majorité de la péninsule au VIIIe siècle, ni même les rois chrétiens qui achevèrent la Reconquête au XVe siècle, n'ont réussi, au-delà de l'unité politique, à imposer une culture unique. Aujourd'hui, le Pays basque, la Catalogne et la Galice conservent ainsi chacun leur propre langue, tandis que Barcelone se pose en rivale

Paysage caractéristique du plateau central, près d'Albacete en Castille-La Manche

◁ Pendant le carnaval de Laza, en Galice, la rue appartient aux *peliqueiros*

Le château de Peñafiel (x^e-xiiie siècles) dans la vallée du Duero, Castille-León

de Madrid par sa puissance économique et commerciale, ainsi que par son rayonnement culturel et artistique.

L'ART DE VIVRE ESPAGNOL

S'il est une caractéristique que les Espagnols partagent malgré leurs différences, c'est le goût de la fête, et ils en organisent plus de 25 000 chaque année. Le formidable essor économique qu'a connu le pays ces quatre dernières décennies suffit à témoigner de la capacité de travail de ses habitants, mais ceux-ci ne laissent pas le labeur rythmer leur vie et le temps obéit en Espagne à des règles édictées

« Face de vinaigre » à la féria de Pampelune

par le climat et les relations sociales. Hors des zones touristiques, le déjeuner se prend à partir de 13 h 30 et le dîner commence à 21 h. La nuit dure longtemps, souvent jusqu'à la *madrugada*, l'aube, moment où les rues des villes restent souvent très animées. Rien de surprenant, donc, si l'Espagne compte plus de bars et de restaurants par habitant qu'aucun autre pays.

La famille étendue demeure le fondement de l'organisation sociale. Trois générations vivent encore fréquemment sous le même toit, entretenant des relations étroites avec les tantes, oncles, cousins, parrains ou marraines. Malgré les progrès enregistrés ces vingt dernières années dans le domaine de la protection sociale, ce réseau de solidarité se révèle d'une importance cruciale dans un pays qui connaît un taux de chômage de plus de 20 %. De nombreux citadins gardent également un attachement profond pour le *pueblo* (village) dont leur famille est issue et où ils retournent chaque fois qu'ils le peuvent. L'ouverture au monde moderne, à ses contraintes et à ses tentations, est cependant en train de remettre en question ces valeurs et ce mode de vie. Beaucoup de jeunes couples hésitent aujourd'hui à fonder

Sur la Plaza Mayor à Madrid

de larges familles et l'Espagne, qui avait en 1975 un des taux de fécondité les plus élevés d'Europe avec 2,72 enfants par femme, possède aujourd'hui l'un des plus bas du monde (1,24 en 2002).

Moulins à vent au-dessus de Consuegra dans La Manche

Cette évolution reflète aussi en partie la perte d'influence de l'Église catholique sur la société depuis la fin du franquisme. Un quart seulement des Espagnols de moins de trente-cinq ans assiste encore régulièrement aux offices... Mais ils sont beaucoup plus nombreux à participer aux innombrables fêtes et célébrations d'origine religieuse qui représentent un lien vivant avec un passé et des traditions que même les incroyants refusent de sacrifier sur l'autel du progrès.

Vierge de Guadalupe en Estrémadure

LES ARTS ET LE SPORT

La création a connu une période noire en Espagne pendant la dictature de Franco. La guerre civile avait poussé à l'exil la majorité des artistes et des écrivains et le régime allait jusqu'à interdire les carnavals par peur de débordements. Avec l'instauration de la démocratie, toute une génération grandie après la guerre a enfin pu s'exprimer. C'est par le cinéma qu'elle s'est surtout fait connaître à l'étranger, grâce aux réalisateurs Pedro Almodóvar et Bigas Luna, mais elle comprend aussi de nombreux auteurs de littérature contemporaine, et ceux-ci touchent un public de plus en plus large, car aujourd'hui les Espagnols montrent globalement plus d'intérêt pour la lecture (bien qu'un sur dix seulement achète un quotidien).

Censure et manque d'infrastructure avaient également étouffé les arts vivants, mais gouvernement, régions et collectivités locales ont multiplié les

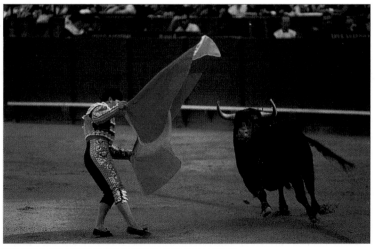

Un haut lieu de la corrida, la plaza de Toros de la Maestranza à Séville

Affiche d'un film de Pedro Almodóvar

Les Espagnols sont les plus gros con-sommateurs de télévision d'Europe après les Britanniques et ils reçoivent seize chaînes publiques nationales, des chaînes privées et de nombreuses chaînes régionales. Le sport occupe une place de choix dans les programmes, en particulier le football, même si le tennis ou le cyclisme comptent de nombreux amateurs. Plus qu'un sport, la corrida est un rite, l'expression de l'attachement des Espagnols à leurs racines. Pour les étrangers que ne rebute pas la mise à mort du taureau, c'est également un spectacle haut en couleur où l'action se déroule autant sur les gradins que dans l'arène.

investissements, permettant l'ouverture ou la modernisation de nombreuses salles de spectacle. Madrid devrait inaugurer en 1997 le Teatro Real, le grand opéra qu'attend depuis le début du siècle la capitale d'un pays d'où sont issus des chanteurs tels que Montserrat Caballé, Placido Domingo et José Carreras. Il suffit d'une visite aux magasins de décoration intérieure de Barcelone pour s'apercevoir que l'Espagne possède aussi d'excellents stylistes.

L'Espagne aujourd'hui

Aucun pays d'Europe occidentale n'a connu autant de changements ces quarante dernières années que l'Espagne. En 1950, moins de 40 % de la population habitait dans des villes de plus de 10 000 habitants. La proportion est actuellement de plus de 65 %. S'appuyant au début sur le tourisme et les revenus envoyés par les émigrés, l'économie du pays a commencé à se développer dans les années 1960, après que le gouvernement franquiste eut

Maïs séchant devant une ferme des collines d'Alicante

Plage de la Costa Brava près de Tossa de Mar

accordée en 1979 et 1983 aux dix-sept *comunidades autónomas* (communautés autonomes) espagnoles dont les gouvernements régionaux, élus au suffrage universel, possèdent un large pouvoir. Trois d'entre elles, la Catalogne, le Pays basque et la Galice, possèdent leur propre langue placée sur un plan d'égalité avec la langue nationale, le castillan.

renoncé à imposer protectionnisme et autarcie. En dix ans, la proportion du nombre de propriétaires de voitures passa de 1 % à 10 % de la population. À partir de 1975, l'instauration de la démocratie, sous forme d'une monarchie constitutionnelle, a permis au pays de rejoindre le concert des États modernes. Pour beaucoup d'observateurs, son entrée dans le Marché commun en 1986 paraissait prématurée. Dix ans plus tard, le succès est indéniable, même si le taux de chômage (plus de 20 %) assombrit le tableau. En 1996, l'ONU a publié un rapport classant 174 nations selon un « indicateur de développement humain » qui évalue la qualité de vie de leurs ressortissants selon des critères tels qu'espérance de vie, accès à l'éducation, etc. Il plaçait l'Espagne au 10ᵉ rang (la France au 7ᵉ) alors qu'elle n'arrive qu'au 31ᵉ rang (la France au 14ᵉ) selon le seul critère du revenu par habitant. Cette utilisation efficace des fruits de la croissance peut être en partie attribuée aux gouvernements socialistes de Felipe González, Premier ministre de 1982 à 1996.

Ceux-ci n'ont toutefois pas réussi à mettre un terme aux attentats de l'organisation indépendantiste basque ETA, et ce, malgré l'autonomie de gestion

**Le roi Juan Carlos Iᵉʳ
et la reine Sofia**

En 1992, pour le 500ᵉ anniversaire du voyage de Christophe Colomb, l'Espagne, en organisant les Jeux olympiques de Barcelone et l'Exposition universelle de Séville, a prouvé qu'elle avait retrouvé une place de premier plan. La mise en valeur de ses richesses culturelles contribue à inciter de nombreux visiteurs à ne plus venir seulement y profiter du soleil et de la mer.

Manifestation pour l'indépendance de la Catalogne

L'architecture en Espagne

Les Espagnols ont de tout temps importé de l'étranger leurs styles architecturaux, mais ils ont toujours su donner des déclinaisons originales aux influences extérieures, qu'elles proviennent d'Afrique du Nord pour le style maure, de France pour le roman et le gothique, ou d'Italie à la Renaissance. Malgré de nombreux particularismes locaux, les bâtiments, même somptueusement décorés, gardent souvent des formes austères et s'ouvrent peu sur l'extérieur pour protéger leurs occupants de la canicule estivale. Beaucoup d'édifices civils s'organisent autour d'un patio entouré d'arcades.

La Casa de Conchas du XVᵉ siècle à Salamanque (p. 343)

PRÉROMAN ET ROMAN (VIIIᵉ-XIIIᵉ SIÈCLES)

Un art original se développa au IXᵉ siècle dans les Asturies (p. 102), tandis que les chrétiens des territoires musulmans créaient le style mozarabe (p. 335). Les églises romanes furent surtout bâties en Catalogne et sur le chemin de Saint-Jacques-de-Compostelle (p. 79).

Arc roman   Absides

Sant Climent à Taüll (p. 201)

MAURE (VIIIᵉ-XVᵉ SIÈCLES)

Les plus beaux exemples d'architecture maure (p. 404-405) s'admirent dans le sud de l'Espagne. À des extérieurs dépouillés s'opposent de riches décorations intérieures, en stuc ou en carreaux de céramique appelés *azulejos*, où dominent les motifs géométriques, calligraphiques et végétaux. L'arc en fer à cheval est un héritage des Wisigoths (p. 46-47).

Le Salón de los Embajadores de l'Alhambra (p. 466) possède une décoration raffinée.

GOTHIQUE (XIIᵉ-XVIᵉ SIÈCLES)

Fenêtre en ogive gothique

Importé de France au XIIIᵉ siècle, le style gothique permit, grâce à la voûte en ogive et l'utilisation d'arcs-boutants, de construire des édifices aux nefs plus élevées. La décoration sculptée prit toute sa richesse à la fin du XVᵉ siècle dans le cadre du gothique flamboyant. Après la chute de Grenade se développa le style isabelin, marqué d'influences flamandes, tandis que les artisans maures travaillant dans les territoires reconquis créaient l'art mudéjar (p. 51), métissage de traditions chrétiennes et musulmanes.

Rosace   Entrelacs   Arc en ogive   Arc-boutant

La décoration sculptée, au-dessus des portails de la façade sud de la cathédrale de León, illustre des épisodes de la Bible.

La nef de la cathédrale de León (p. 336-337), bâtie au XIIIᵉ siècle, possède une voûte à nervures et le plus bel ensemble de vitraux d'Espagne.

RENAISSANCE (XVIe SIÈCLE)

À partir de 1500, les relations entretenues avec l'Italie facilitèrent l'importation du style inspiré de la Rome antique, et caractérisé par l'utilisation des canons classiques dans la quête d'une harmonie des proportions, qui s'était développé en Toscane. La première Renaissance prit en Espagne le nom de plateresque (de *platería*, argent repoussé) à cause de la finesse des décorations qui évoquait l'art des orfèvres.

Le Palacio de las Cadenas d'Ubeda (p. 473) *présente une sévère façade classique.*

Médaillons — Colonnes classiques — Parapet sculpté — Arc semi-circulaire

L'Hostal de San Marcos de León *(p. 335)*, l'un des plus beaux édifices plateresques d'Espagne

BAROQUE (XVIIe-XVIIIe SIÈCLES)

Marqué par une décoration exubérante et des façades rythmées par des jeux d'ombre et de lumière, le baroque évolua en Espagne en un style appelé churrigueresque, d'après la famille des Churriguera. Ils n'en furent toutefois pas les représentants les plus excessifs.

L'ornementation de la façade baroque de l'université de Valladolid (p. 348) met en relief son portail.

Épi de faîte — Parapet orné de statues

Détail de la façade du Museo Municipal de Madrid *(p. 294-295)*

MODERNE (À PARTIR DE LA FIN DU XIXe SIÈCLE)

Le Modernisme *(p. 136-137)* est une interprétation catalane de l'Art nouveau dont les plus beaux exemples s'admirent à Barcelone. Il a toutefois peu marqué l'architecture espagnole récente où le fonctionnalisme domine avec des édifices peu décorés et dont la forme reflète l'usage.

Torre de Picasso à Madrid

Parapet curviligne — Cheminée en spirale — Décoration en fer forgé

La Casa Milà de Barcelone (p. 161), *aux lignes inspirées de la nature, est une œuvre (1910) du plus célèbre des représentants du Modernisme : Antoni Gaudí.*

Les architectures rurales

Fenêtre en Navarre

À côté des édifices de prestige tels que palais et cathédrales, il existe en Espagne de nombreux bâtiments pleins de charme élevés par des artisans anonymes pour remplir les besoins de communautés rurales. Plus que des styles ou des modes, ce sont les besoins de leurs habitants, les contraintes climatiques et les matériaux disponibles sur place qui déterminèrent leurs esthétiques. Les maisons présentées ci-dessous illustrent trois des architectures régionales les plus caractéristiques d'Espagne.

Église troglodytique à Artenara (p. 521), sur Gran Canaria

MAISONS DE PIERRE

Le climat est humide dans le Nord et les maisons, comme ici à Camona (p. 107) en Cantabrie, s'ouvrent au soleil et à la lumière par un balcon que protège de la pluie une avancée du toit.

Détail d'un mur

***Habitation et ferme** partagent souvent le même bâtiment, le rez-de-chaussée abritant animaux et matériel.*

Pilier

Portes à la taille d'une charrette

Murs en pierres irrégulières

MAISONS À COLOMBAGE

Les arbres assez gros pour fournir du bois d'œuvre sont rares en Espagne, et il n'y a guère qu'en Castille-León que se découvrent des maisons à colombage ressemblant à celle-ci, bâtie à Covarrubias (p. 352). Un mortier grossier de chaux et de sable ou des briques séchées au soleil remplissent les vides de la charpente.

Mur à pans de bois

Les bouts des poutres du plancher sont apparents.

Des socles en pierre protègent les piliers de l'humidité.

Portique

Toit en pente douce

La terrasse fait toute la longueur du bâtiment

Balcon

***Les maisons de village**, grâce à leur portique, offrent autour des places un endroit ombragé où bavarder ou discuter affaires.*

MAISONS BLANCHIES

Souvent faites d'argile, les maisons du sud de l'Espagne, en particulier celles des Pueblos Blancos d'Andalousie (p. 444), reçoivent régulièrement un badigeon blanc qui réfléchit la lumière et la chaleur.

Tuiles romanes

***Les fenêtres**, petites et rares, sont profondément enfoncées pour préserver la fraîcheur de l'intérieur.*

Maisons attenantes de formes différentes.

Toit en pente douce

Fenêtres petites et rares

Murs blanchis

LA PLAZA MAYOR

Quasiment tous les villages d'Espagne se serrent autour d'une grand-place comparable à celle de Pedraza de la Sierra *(p. 347)* près de Ségovie. Bordée par l'église, l'hôtel de ville, des boutiques, des bars et les demeures des familles aristocratiques, elle est le centre de la vie sociale et accueille le marché.

Hôtel de ville
(ayuntamiento)

Les portiques médiévaux des maisons forment une galerie où déambuler à l'ombre.

Église

Des armoiries décorent les maisons des familles nobles.

La place sert de cadre aux fêtes, concerts et autres événements publics.

BÂTIMENTS PARTICULIERS

La diversité des climats régnant en Espagne, ainsi que des possibilités et des besoins locaux, a conduit les paysans à trouver des solutions très variées à leurs problèmes. Dans les régions chaudes et sèches, et là où la roche est meuble, ils ont creusé des abris troglodytiques où ils se protégeaient des températures extrêmes. De nombreuses constructions utilitaires parsèment les champs, tels les *teitos* d'Asturies aux toits de chaume et les *hórreos*, greniers à grain supportés par des piliers pour protéger leur contenu des incursions des rats. Ils sont en pierre en Galice et en bois en Asturies. Des moulins à vent se dressent toujours dans les régions venteuses telles que la Manche et les Baléares. Partout en Espagne, les campagnes recèlent des *ermitas*, chapelles ou autels dédiés au saint local.

Maison troglodytique à Guadix près de Grenade *(p. 469)*

Teito de la valle de Teverga dans les Asturies *(p. 101)*

Hórreo dans les rías Baixas *(p. 91)* de Galice

Moulin au-dessus de Consuegra *(p. 376)* dans la Manche

Les campagnes espagnoles

Âne d'Estrémadure

De la Méditerranée à l'Atlantique et des Pyrénées au Maroc, les différences de climat, d'altitude et de nature du sol créent des paysages ruraux qui vont de gras pâturages évoquant la Normandie française à des terres arides et désertiques. Dans beaucoup de régions, les exploitations restent familiales bien que la mécanisation se développe. Si la vigne et l'olivier apprécient la sécheresse, agrumes, riz et légumes poussent en terrain irrigué *(regadío)*.

Les céréales, *blé sur les terres plus arrosées de l'Ouest, orge au Sud, constituent les principales cultures du vaste plateau* (meseta) *au centre de l'Espagne.*

Des chênes-lièges poussent en Estrémadure et dans l'ouest de l'Andalousie.

MADRID

SEVILLA

0   200

Le lait des brebis *broutant les pâturages arides de l'Espagne centrale sert à la fabrication de fromages tels que le* manchego *de la Manche* (p. 321).

L'ANNÉE AGRICOLE

Printemps	Été	Automne	Hiver
Juin-juil. Moisson en Espagne centrale	**Sept.** Récolte du riz en Espagne orientale. Vendanges	**Oct.** Récolte du maïs en Espagne du Nord **Oct.-nov.** Récolte des olives de table	**Déc.-mars** Récolte des olives à huile
Mars-avril Floraison des orangers sur la côte méditerranéenne		**Nov.-déc.** Récolte des oranges	**Fév.** Floraison des amandiers
Juin-août Fenaison en Espagne du Nord	**Sept.** Début de la saison des champignons	**Déc.** Abattage des cochons dans les fermes	

Dans le Nord,
une importante
pluviométrie et
des étés tempérés
permettent
l'élevage laitier.
Les exploitations
restent petites, en
particulier en Galice,
l'une des régions du
pays où l'agriculture
a le moins évolué.

La Catalogne donne son meilleur
mousseux à l'Espagne qui produit
maints autres vins *(p. 576-577).*

BARCELONA ●

Le riz pousse
principalement
dans le delta de
l'Ebre, dans le
Marismas del
Guadalquivir, autour de
l'Albufera près de Valence
et à Calasparra en Murcie.

L'écorçage des chênes-lièges a lieu tous les dix ans

LES RICHESSES DES ARBRES

Si les amandiers, les orangers et les oliviers
donnent ses paysages les plus caractéristiques à
l'Espagne rurale, d'autres arbres jouent un rôle
économique. Les chênes-lièges restent exploités
pour les bouchons, des espèces comme l'avocat
et la chirimoya (délicieux petit fruit peu connu
hors d'Espagne) ont été introduites sur la Costa
Tropical *(p. 459)* de l'Andalousie. Les bananes
constituent une des principales cultures des
Canaries. Figuier et caroubier, arbre dont les
fruits servent de fourrage et de substitut au
chocolat, poussent à l'état semi-sauvage.

Les amandiers
prospèrent sur les coteaux
arides. Leurs fruits
servent à la préparation
de nombreuses
friandises, tel le
turrón de Noël
(p. 191).

Les oliviers *vivent*
plusieurs fois centenaires.
Leurs fruits, en saumure
ou pressés pour obtenir
de l'huile,
forment la
base de la
cuisine
espagnole.

Les agrumes sont cultivés dans
les plaines irriguées bordant la
Méditerranée. Valence est au
cœur de la première région
productrice d'oranges du pays.

Les orangers *poussent*
dans des vallées bien
irriguées qu'ils
embaument au
printemps. Il existe aussi
des orangers produisant
des fruits amers
plantés pour leurs
fleurs, la
décoration
ou l'ombrage.

Des oliveraies *s'étendent sur des collines*
entières en Andalousie, notamment dans la
province de Jaén. L'Espagne est le premier
producteur d'huile d'olive du monde.

Les parcs nationaux espagnols

Torrent de montagne à Ordesa

Peu de pays d'Europe occidentale ont conservé autant de lieux restés sauvages que l'Espagne où survivent loups et ours bruns. Il s'agit toutefois du résultat d'une politique délibérée et plus de 200 réserves naturelles protègent une grande variété d'écosystèmes. Les douze parcs nationaux en sont les plus importantes, mais les *parques naturales* gérés par les gouvernements régionaux jouent également un rôle essentiel.

Orchidée géante

MONTAGNES

Les parcs des Picos de Europa, d'Ordesa et d'Augüestortes occupent une des parties les plus spectaculaires des Pyrénées. La Sierra Nevada est le domaine privilégié de la vie sauvage.

Dans le parc des Picos de Europa

Les grands ducs, *reconnaissables aux aigrettes de leur tête, sont les plus grands rapaces nocturnes d'Europe.*

Les chamois *vivent par petits groupes et se nourrissent d'herbe et de lichen. Même sur les pentes les plus isolées, ils restent en alerte.*

MARÉCAGES

Qu'il s'agisse de marais d'eau douce ou, en bord de mer, de lagunes, les marécages offrent un milieu particulièrement propice à la vie et à la reproduction de nombreuses espèces d'animaux, en particulier d'oiseaux. Le plus beau parc où les admirer est celui de Doñana. Celui de Tablas de Daimiel, dans la Manche, est beaucoup plus petit.

Le lynx, *mis en danger par la chasse et la disparition de son habitat, survit à* Doñana (p. 440-441).

L'échasse blanche *se nourrit entre autres de petits crustacés d'eau douce.*

Laguna del Acebuche, Parque Nacional de Doñana

ÎLES

Au large de Majorque, Cabrera offre un refuge à des oiseaux de mer, des reptiles et des plantes rares. Une flore et une faune marines importantes prospèrent dans ses eaux.

Archipel de Cabrera, dans les Baléares

Les lézards *préfèrent les terrains rocheux et les falaises.*

PARCS NATIONAUX

① Montagnes

⑤ Marécages

⑦ Îles

⑨ Forêts

⑪ Paysages volcaniques

MONTAGNES

① Picos de Europa *p. 104-105*

② Ordesa y Monte Perdido *p. 222-223*

③ Aigüestortes y Estany de Sant Maurici *p. 201*

④ Sierra Nevada *p. 461*

MARÉCAGES

⑤ Tablas de Daimiel *p. 381*

⑥ Doñana *p. 440-441*

ÎLES

⑦ Archipiélago de Cabrera *p. 493*

⑧ Islas Atlánticas de Galicia *p. 91*

FORÊTS

⑨ Cabañeros *p. 369*

⑩ Garajonay *p. 509*

PAYSAGES VOLCANIQUES

⑩ Caldera de Taburiente *p. 508*

⑪ Teide *p. 514-515*

⑫ Timanfaya *p. 524-525*

MODE D'EMPLOI

Tous les parcs sauf un sont gérés par le Ministerio de Medio Ambiente. 📞 *915 96 46 00. Le Parque Nacional d'Aigüestortes y Estany de Sant Maurici est géré par le département de l'Environnement de Catalogne.* 📞 *973 62 40 36. Presque tous les parcs nationaux ont un centre d'information.*

FORÊTS

Le pin d'Alep et le pin d'Écosse sont les essences les plus répandues de la majorité des montagnes espagnoles, mais des bois de feuillus poussent au Nord-Ouest. Sur le plateau central, la *meseta*, le Parque Nacional de Cabañeros renferme des bois de chênes verts et de chênes-lièges. Sur Gomera, l'une des plus petites des îles Canaries, le Parque Nacional de Garajonay permet de découvrir la *laurasilva* dense et verdoyante.

Parque Nacional de Garajonay

Le vautour moine est un charognard dont l'envergure peut atteindre 2,5 m.

Les hérissons se nourrissent des insectes et des vers qu'ils dénichent sous les feuilles.

PAYSAGES VOLCANIQUES

Trois parcs très différents protègent certains des sites les plus étonnants des Canaries. Sur La Palma, la Caldera de Taburiente est un cratère entouré de forêts ; sur Tenerife, le mont Teide abrite une flore alpine unique ; et sur Lanzarote, des champs de lave s'étendent à Timanfaya.

Les lapins, très prolifiques, peuvent mettre en danger des écosystèmes délicats lorsqu'ils colonisent des lieux où ils n'ont pas de prédateurs.

Le canari au chant si mélodieux est un descendant domestique du serin des Canaries.

Espèces végétales s'implantant sur le mont Teide (Tenerife)

L'art en Espagne

Trois peintres espagnols on marqué l'histoire de l'art occidental. *Les Ménines* offrent un aperçu du talent de coloriste et de l'art de la composition de Velázquez (1599-1660), portraitiste très apprécié à la cour. Francisco de Goya (1746-1828) sut décrire avec une grande force dramatique certaines des heures les plus tragiques que connut son pays. Pablo Picasso (1881-1973) est un des fondateurs de l'art moderne. À ces noms, il faut ajouter celui d'El Greco, né en Crête mais qui vécut en Espagne. Les œuvres de ces artistes, et de beaucoup d'autres, s'admirent dans des musées dont le plus prestigieux est celui du Prado *(p. 282-285)*.

Ce tableau de Pablo Picasso fait partie de la série des Ménines (1957) que la composition de Velázquez lui inspira. Elle comprend 44 peintures visibles au Museu de Picasso de Barcelone (p. 149).

L'ART SACRÉ EN ESPAGNE

L'influence de l'Église catholique en Espagne s'exprime notamment par l'importance des thèmes religieux dans l'art. Des retables romans, surtout visibles en Catalogne, aux compositions exaltées du baroque ornant maintes églises, cet art sacré suivit de grandes évolutions. Il trouva en El Greco *(p. 373)*, qui alliait un profond mysticisme à un style très personnel, l'un de ses plus grands représentants.

L'Enterrement du comte d'Orgaz par El Greco (p. 372)

Autoportrait de Velázquez

Le roi et la reine, qui se reflètent dans u[...] miroir, posaient peut-être pour leur portrai[...]

LES MÉNINES *(1656)*

Velázquez a donné à ce port[...] de l'Infante Marguerite et de [...] suite une composition qui entraîne le regard vers le mir[...] où se reflète Philippe IV, commanditaire de ce tableau visible au Prado *(p. 282-285[...])*

CHRONOLOGIE DES GRANDS ARTISTES

1285-1348 Ferrer Bassá	**1390-1410** Pere Nicolau	Le Sauveur par *José de Ribera*	**1598-166[...]** Francisco de Zurbar[...]
	1363-1395 Jaume Serra	**1428-1460** Luis Daimau	**1591-1652** José de Ribera
1300		**1400**	**1500**
	1388-1424 Luis Borrassa	**1474-1495** Bartolomé Bermejo	**1565-162[...]** Francisco Ribalta
		1450-1504 Pedro Berruguete	**1599-166[...]** Diego [...] Velázqu[...]
Vierge à l'Enfant *par Ferrer Bassà*	**1427-1452** Bernat Martorell	**1541-1614** El Greco	

José Nieto, le chambellan de la reine, se détache sur une tache claire qui accentue l'impression de profondeur.

Nain de cour

ART MODERNE

Artistes du début du XXᵉ siècle, Joan Miró *(p. 168)*, Salvador Dalí *(p. 205)* et Pablo Picasso *(p. 148)* appartenaient tous trois à l'école de Paris. Parmi les créateurs plus récents figurent Antonio Saura et Antoni Tàpies *(p. 160)*. Les artistes contemporains jouissent d'un grand prestige en Espagne et leurs œuvres ornent places et édifices publics. À côté de collections prestigieuses telle celle du Centro de Reina Sofia de Madrid *(p. 288-289)*, de nombreuses villes possèdent un musée dédié à un peintre local.

Colosse de Rhodes (1954) **par Salvador Dalí**

Collage (1934) **par Joan Miró**

La famille du roi Charles IV *fut peinte en 1800 par Francisco de Goya (p. 229), près de 150 ans après* Les Ménines. *La composition frontale et l'inclusion d'un autoportrait rendent leur filiation manifeste.*

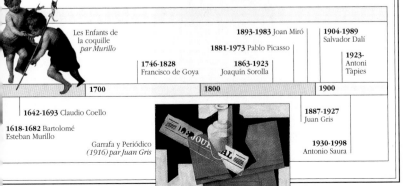

Les Enfants de la coquille *par Murillo*

1893-1983 Joan Miró

1904-1989 Salvador Dalí

1881-1973 Pablo Picasso

1746-1828 Francisco de Goya

1863-1923 Joaquín Sorolla

1923- Antoni Tàpies

1700 | 1800 | 1900

1642-1693 Claudio Coello

1618-1682 Bartolomé Esteban Murillo

Garrafa y Periódico *(1916) par Juan Gris*

1887-1927 Juan Gris

1930-1998 Antonio Saura

La littérature espagnole

El Libro de Buen Amor
(XIVᵉ siècle)

L'œuvre littéraire espagnole la plus célèbre, *Don Quichotte*, ne date que du début du XVIIᵉ siècle, mais son auteur, Cervantes, avait eu d'illustres prédécesseurs puisque les Romains Sénèque, Lucain et Martial étaient nés dans la péninsule Ibérique où se développa au Moyen Âge, sous la domination maure, une littérature florissante. Si le castillan est devenu la langue nationale, de nombreux ouvrages de première importance ont été écrits en galicien ou en catalan. Issue d'une culture orale, la littérature basque ne se développe que depuis peu. Alexandre Dumas et Ernest Hemingway ont laissé le récit de leurs voyages en Espagne.

MOYEN ÂGE

À la chute de l'Empire romain, le latin évolua en plusieurs langues romanes dont celle des Mozarabes, chrétiens vivant dans les territoires conquis par les musulmans, dans laquelle furent écrits les *jarchas*, fragments de poésies d'amour issus d'une tradition orale antérieure au Xᵉ siècle.

Au XIIᵉ siècle apparurent les premiers poèmes en castillan et, pendant les trois cents ans suivants, les deux écoles distinctes s'épanouirent. Tandis que les troubadours chantaient des épopées chevaleresques, notamment le célèbre *El Cantar del Mío Cid*, qui relate les exploits héroïques du Cid Campeador *(p. 352)* pendant la Reconquête, des clercs puisaient dans la Bible l'inspiration d'une poésie religieuse, dont le *Milagros de Nuestra Señora* de Gonzalo de Berceo, récit de la vie de la Vierge,

offre un bon exemple.

Au XIIIᵉ siècle, Alphonse X le Sage fait du castillan la langue officielle du pays, mais, poète lui-même, écrit en roman galicien.

Un auteur domine le XIVᵉ siècle, Juan Ruiz, appelé aussi l'Archiprêtre de Hita, qui jette un regard ironique sur son époque dans *El Libro de Buen Amor*. Avec le personnage de

Alphonse X le Sage (1221-1284)

Trotaconventos, il crée dans ce poème le prototype de l'entremetteuse qui, à partir de *La Celestina*, premier chef-d'œuvre en prose de langue espagnole paru en 1499, deviendra un ressort essentiel du roman picaresque.

LE SIÈCLE D'OR

Félix Lope de Vega, prolifique dramaturge du Siècle d'or

Le XVIᵉ siècle voit affluer dans les ports et les grandes villes espagnoles une foule d'aventuriers. Ce milieu sans pitié va fournir son inspiration réaliste au roman picaresque, genre littéraire dont *El Lazarillo de Tormes*, publié au milieu du siècle par un anonyme, dresse le modèle.

À cette description des travers de la société s'oppose toutefois la ferveur mystique des écrits de sainte Thérèse d'Avila et de son disciple saint Jean de la Croix.

Miguel de Cervantes Saavedra *(p. 315)* publie *Don Quichotte* en 1615 après avoir connu une vie aventureuse et difficile. Son œuvre en porte la marque. Parmi les autres grands auteurs de son époque figurent Francisco de Quevedo et Luis de Góngora.

Les *corrales* (théâtres publics) apparaissent au XVIIᵉ siècle, offrant leurs scènes aux créations de Lope de Vega *(p. 280)* et Calderón de la Barca (1600-1681).

Les aventures de Don Quichotte peintes par José Moreno Carbonero

XVIIIᵉ ET XIXᵉ SIÈCLES

Influencée par l'esprit des Lumières français, la littérature du XVIIIᵉ siècle se veut porteuse de savoir, une intention manifeste dans la comédie El Sí de las Niñas de Leandro Fernández de Moratín. Le journalisme se développe et l'essai devient une forme littéraire reconnue. La verve satirique de Larra lui donne ses lettres de noblesse au début du XIXᵉ siècle.

Le romantisme dure peu en Espagne. José Zorrilla en écrit l'œuvre la plus célèbre : la pièce Don Juan Tenorio.

Le roman se penche à la fin du siècle sur les problèmes d'un pays étouffé par son clergé et une monarchie traditionaliste. À côté d'écrivains tels que Juan Valera ou Clarín, auteur notamment de La Regenta, se détache Benito Pérez Galdós.

Son œuvre, en particulier le cycle des Episodios nacionales, met en perspective les destins individuels par rapport au cours de l'histoire.

José Zorrilla (1817-1893)

XXᵉ SIÈCLE

Les écrivains du tournant du siècle, entre autres Pío Baroja (p. 60), Miguel de Unamuno et Antonio Machado, décrivent une Espagne en train de prendre du retard sur le reste de l'Europe. Ramón María del Valle-Inclán ne voit d'autre moyen de décrire la société que par le grotesque. Il jette ainsi les fondements du théâtre moderne espagnol. La poésie de Juan Ramón Jiménez lui vaudra le prix Nobel en 1956.

Le groupe qui se donne pour nom « Génération de 1927 » associe dans ses recherches les démarches expérimentales européennes et les formes traditionnelles de la littérature espagnole. Son membre le plus célèbre, le poète et dramaturge Federico García Lorca, est exécuté par les troupes franquistes en 1936 (p. 63).

La victoire du « Caudillo » pousse à l'exil de nombreux intellectuels. Le régime impose une censure tatillonne et favorise une culture de propagande ou de pure distraction. Avec le néo-réalisme, des auteurs comme Camilo José Cela, qui décrit dans La Colmena la vie quotidienne des Madrilènes après la guerre, trouvent cependant le moyen de contourner ces contraintes. Bien qu'à partir des années 1960, des écrivains

Affiche d'une pièce de Lorca

tels que Juan Goytisolo, Joan Benet, Julio Llamazares, Antonio Munõz Molina, José Manuel Caballero Bonald et Juan Marsé aient apporté en Espagne un renouveau à la littérature, c'est l'Amérique latine qui a donné nombre des plus grands créateurs en langue espagnole, entre autres Jorge Luis Borges et Gabriel García Márquez.

Le prix Nobel Camilo José Cela peint par Alvaro Delgado

La tauromachie

Affiche de corrida

Issue des sacrifices rituels de taureaux pratiqués à l'époque païenne sur tout le pourtour de la Méditerranée, et des jeux qui les accompagnaient, la corrida reste, malgré les protestations des défenseurs des animaux, l'un des spectacles préférés des Espagnols. Elle obéit à des règles fixées au XVIIIe siècle, mais a toutefois évolué depuis lors, le farouche combat des origines cédant la place à des passes raffinées où l'élégance du mouvement compte plus que la violence de l'affrontement entre l'homme et l'animal. Les taureaux ont suivi cette évolution. Ils sont moins puissants et combattent plus jeunes que jadis.

La plaza de Toros de la Maestranza de Séville est l'une des plus prestigieuses arènes d'Espagne avec celle de Las Ventas à Madrid.

Le matador porte un *traje de luces* (habit de lumière) orné de paillettes dorées.

La muleta sert aux dernières passes avant l'estocade.

Le toro bravo (*taureau de combat*), *sélectionné pour son courage et son agressivité, vit en semi-liberté dans son élevage. Comme le remarquent les aficionados pour défendre la corrida, il connaît une vie heureuse d'au moins quatre ans avant de combattre vingt minutes dans l'arène.*

LA CORRIDA

La corrida se déroule en trois phases appelées *tercios*. Pendant la première, ou *tercio de varas*, le matador, les *picadores* (lanciers à cheval) et les *peones* (assistants) fatiguent le taureau avant que les *banderilleros* ne lui plantent trois paires de banderilles pendant le *tercio de banderillas*. L'*estocada*, mise à mort de l'animal, conclut le *tercio de muleta* où le matador effectue des passes avec la *muleta*.

Le matador *excite le taureau avec sa capa pendant le tercio de varas. Les peones l'attirent ensuite vers les picadores.*

Les chevaux sont protégés.

Les picadors *affaiblissent les muscles de la nuque du taureau avec leurs lances garnies d'une pointe d'acier.*

L'ARÈNE

Le public de la corrida prend place sur les *tendidos* (gradins) ou aux *palcos* (balcons) qui renferment la *presidencia* (loge du président). En face s'ouvrent l'*arrastre de toros* (sortie des taureaux) et la *puerta de cuadrillas* que franchissent le matador et ses aides pour entrer. Ils peuvent se réfugier dans le corridor appelé *callejón* ou derrière les *barreras* ou les *burladeros* (barrières). Les taureaux attendent dans les *corrales*.

Plan d'une arène

LÉGENDE

- ☐ Gradins
- ☐ Balcons
- ☐ Loge du président
- ☐ Porte des « cuadrillas »
- ☐ Sortie des taureaux
- ☐ Couloir
- ☐ Barrières
- ☐ Refuge
- ☐ Cour des chevaux
- ☐ Enclos

Les banderilles contribuent à affaiblir le taureau en lui faisant perdre son sang.

Manolete, l'un des plus grands matadors de tous les temps, succomba en 1947 à Linares à un coup de corne du taureau Islero.

Le taureau, s'il combat avec courage, peut être épargné. Les spectateurs le demandent au président de la corrida en agitant des mouchoirs blancs.

Joselito, l'un des plus prestigieux toreros actuels, est célèbre par sa démarche puriste et son adresse avec la capa et la muleta.

Le taureau pèse environ 500 kg.

Les banderilleros provoquent l'animal blessé et plantent lors de leur esquive des banderilles dans ses épaules.

Le matador effectue des passes lors du dernier tercio, puis tue le taureau d'un coup d'épée.

L'estocada recibiendo est une mise à mort difficile. Le matador attend la charge du taureau au lieu de s'approcher.

Les fêtes en Espagne

Il ne se passe pas un jour sans que se déroule au moins une fête quelque part en Espagne car tous les prétextes sont bons, de l'hommage à la Vierge au solstice de printemps, pour briser le train-train de la vie quotidienne et fermer bureaux et magasins. Villes et villages possèdent tous leur saint patron, parfois célébré par une *romería*, pèlerinage jusqu'à un sanctuaire de campagne, et rivalisent tous d'énergie dans l'organisation de processions, corridas, feux d'artifice et reconstitutions de batailles ou de rites séculaires.

La Passion, Semana Santa

De nombreuses *romerías* ont lieu à travers la campagne pendant l'année

PRINTEMPS

La fin de l'hiver et le début du printemps se célèbrent à Valence par des feux, *las fallas (p. 245)*, où sont brûlés de grands mannequins de papier mâché, rituel symbolisant la destruction qu'impose toute résurrection.

D'innombrables fêtes commémorent les victoires de la Reconquête, mais les reconstitutions de batailles entre Maures et chrétiens organisées à Alcoy *(p. 245)* en avril sont les plus spectaculaires. À Séville, une grande foire *(p. 413)* conclut la semaine sainte.

Pour Los Mayos, le 30 avril et les jours suivants, on dresse dans certaines régions des croix décorées de fleurs.

PÂQUES

Pâques est la fête religieuse qui donne lieu aux cérémonies les plus solennelles dans presque toutes les localités d'Espagne. À Elche, le dimanche des Rameaux, les palmes coupées dans la plus vaste palmeraie d'Europe *(p. 251)* servent à tresser des sculptures délicates, tandis qu'à Séville *(p. 413)*, à Málaga, à Murcie et à Valladolid les processions de la Semana Santa, menées par des confréries portant les *pasos*, statues représentant la Vierge, le Christ ou des scènes de la Passion, s'accompagnent de cortèges de pénitents en cagoule ou de gens costumés en personnages bibliques. Dans certaines villes sont interprétés des mystères de la Passion, dans d'autres les pénitents portent de lourdes croix. Il arrive encore que certains défilent en se flagellant.

ÉTÉ

La première grande célébration de l'été se déroule à la Pentecôte, sept semaines après Pâques. Elle est particulièrement spectaculaire à El Rocío *(p. 439)*.

Le jour de la Fête-Dieu (fin mai ou début juin), des processions (les principales ont lieu à Valence, Tolède et Grenade) traversent de nombreuses villes en portant une hostie consacrée dans un ostensoir en argent.

Souvenir des rituels païens organisés pour fêter le solstice d'été, des feux de joie s'allument partout en Espagne la veille de la Saint-Jean (24 juin).

En juillet, pour la feria de Los Sanfermines *(p. 128)*,

Confrérie de la Chandeleur à Séville pour la Semana Santa

Pampelune vit pendant dix jours au rythme des *encerrios*, lâchers de taureaux, le matin, qui permettent aux audacieux de prouver leur bravoure.

La Vierge de Carmen est vénérée comme la patronne des pêcheurs dans beaucoup de ports le 16 juillet.

Le 15 août, la grande fête catholique de l'Assomption donne lieu à de nombreuses réjouissances et à des représentations de mystères.

AUTOMNE

Il y a peu de fêtes en automne hormis celles qui accompagnent les vendanges dans la plupart des régions vinicoles. L'abattage du cochon, qui se pratique à cette époque, est aussi devenu prétexte à des réjouissances publiques dans certains villages, notamment en Estrémadure.

Fleurir les tombes pour la fête des Morts reste une coutume très suivie.

NOËL ET JOUR DE L'AN

La période de Noël permet d'admirer de nombreuses crèches, ou *belenes*, et même des « crèches vivantes » mettant en scène des acteurs en costumes. Pour la *Nochebuena* (nuit de Noël), les familles se rassemblent autour d'un repas avant d'aller assister à la messe de minuit qui porte le nom de *misa del gallo* (messe du coq).

Le 28 décembre, le jour des

Les perdants tombent dans le port de Dénia lors de la fête de juillet *(p. 245)*

Saints-Innocents est aussi celui des farces. Parfois, dans les rues, des personnages burlesques tournent le maire en ridicule ou se moquent des passants.

Pour le réveillon du jour de l'an *(Noche Vieja)*, une grande fête se tient à la Puerta del Sol *(p. 262)* de Madrid. Les jeunes mangent 12 raisins, chacun à chaque coups de minuit pour porter bonheur à la nouvelle année.

Les petits Espagnols ne reçoivent leurs cadeaux de Noël qu'à l'Épiphanie, le 6 janvier.

HIVER

Troupeaux et animaux domestiques reçoivent la bénédiction le 17 janvier, jour de la Saint-Antoine, leur protecteur. À la Sainte-Agathe (5 février), patronne

des femmes mariées, maintes célébrations donnent une fois le premier rôle aux femmes. À Zamarramala (Ségovie), par exemple, deux d'entre elles jouissent des privilèges et des pouvoirs du maire pendant une journée *(p. 350)*.

La Saint-Antoine à Villanueva de Alcolea (province de Castellón)

CARNAVAL

Après avoir été interdit par le régime franquiste qui craignait qu'il prenne un tour politique, le carnaval offre de nouveau l'occasion d'échapper à ses soucis alors que s'achève l'hiver. Selon la date de Pâques, il se tient en février ou début mars et finit généralement le mercredi des Cendres, parfois par l'*Entierro de la Sardina* (Enterrement de la sardine) symbolisant la mort de l'hiver.

Les plus beaux carnavals d'Espagne ont lieu à Santa Cruz de Tenerife *(p. 512)* et à Cadix *(p. 439)*.

Chorale costumée au carnaval de Cadix

L'ESPAGNE AU JOUR LE JOUR

Réjouissances, manifestations culturelles et rencontres sportives offrent à tout moment en Espagne l'occasion de se distraire. Même dans les plus petits villages, le travail cesse pendant au moins une semaine *(p. 34-35)* lors de la fête patronale au profit des processions et des réjouissances. Maintes localités rurales ou côtières organisent en outre des fêtes

La corrida reste un spectacle très apprécié

gastronomiques permettant de découvrir les produits locaux, tandis que les grandes cités proposent des festivals de musique, de théâtre, de danse et de cinéma. Tous les principaux sports donnent lieu à des championnats nationaux et internationaux.

Les dates de certaines manifestations variant selon les années, mieux vaut en demander confirmation sur place.

PRINTEMPS

Avec l'arrivée des beaux jours, les terrasses des cafés se remplissent, tandis que les fleurs sauvages donnent à la campagne ses plus beaux atours avant la chaleur de l'été. L'eau court dans les canaux irriguant les plantations et de grandes cérémonies ponctuent la célébration de Pâques dans tout le pays.

MARS

Rallye international de voitures anciennes
(1er w.-e.) de Barcelone à Sitges.
Las Fallas *(15-19 mars)*, Valence *(p. 245)*. Une grande fête marque le début de la saison tauromachique *(p. 32-33)*.
Fiestas de Castellón de la Plana *(13-21 mars)*. En l'honneur de Marie-Madeleine.

AVRIL

Musique sacrée *(4-11 avril)*, Cuenca.

Feria del Caballo (Fête du cheval) à Jerez de la Frontera

Trofeo Conde de Godó
(mi-avril), Barcelone. Premier championnat international de tennis d'Espagne.
Moros y Cristianos *(21-24 avril)*, Alcoy *(p. 249)*. Célébration d'une victoire contre les Maures en 1276.
Fête d'avril *(2 sem. après Pâques)*, Séville. L'occasion de danser la *sevillana (p. 413)*.
Feria Nacional del Queso
(fin avril-début mai), Trujillo (Cáceres). Fête nationale du fromage *(p. 389)*.

MAI

Feria del Caballo *(1re sem.)*, Jerez de la Frontera. Spectacles hippiques et Andalouses en robes traditionnelles lors d'une grande fête du cheval.
Grand Prix motocycliste d'Espagne *(6-8 mai)*, circuit de Jerez de la Frontera.
Fiesta de San Isidro
(8-15 mai), Madrid *(p. 280)*. Corridas prestigieuses dans l'arène de Las Ventas.
Concours national de flamenco *(mi-mai, une année sur trois : 2004, 2007)*, Cordoue.
Peugeot Open de España
(mi-mai), Club de Campo, Madrid. Tournoi international de golf.
Grand Prix de Formule 1 d'Espagne *(fin mai-début juin)*, circuit de Montmeló, Barcelone.
A Rapa das Bestas *(mai et juin)*, Pontevedra (Galice). Les éleveurs de chevaux font preuve de leur savoir-faire *(p. 94)*.

Fin d'étape sur le parcours de la Vuelta Ciclista a España *(p. 38)*

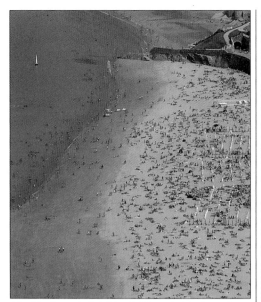

Saint-Sébastien, station balnéaire très fréquentée de la côte nord

ÉTÉ

Août reste en Espagne le principal mois des vacances, celui où les cités se vident au profit du bord de mer et des résidences de campagne. Aux touristes espagnols s'ajoutent des millions d'étrangers, et plages et campings sont souvent bondés. Il règne une telle chaleur dans le Sud et le centre que manifestations et distractions attendent les heures plus fraîches de la

Servir et goûter le cidre est un art dans les Asturies

soirée. La période des récoltes donne lieu à des fêtes gastronomiques offrant l'occasion de découvrir un large éventail de spécialités, du cidre des Asturies aux saucisses des Baléares.

JUIN

Festival international de musique et de danse *(mi-juin-début juil.)*, Grenade : musique classique et ballets à l'Alhambra ou au Generalife.
Festival du GREC *(juin-août)*, Barcelone. Festival international de théâtre, musique et danse.
Copa del Rey *(avril-juin)*. Finale de la coupe de football.

JUILLET

Festival de théâtre classique *(juil.-août)*, Mérida. Dans le théâtre et l'amphithéâtre romains *(p. 392)*.
Festival de guitare *(2 prem. sem.)*, Cordoue. Du classique au flamenco *(p. 406-407)*.
Festival international de théâtre classique d'Almagro *(4-28 juil.)*. Pièces du répertoire classique dans l'un des plus vieux théâtres d'Europe *(p. 381)*.

Fête du cidre *(2ᵉ samedi des années paires)*, Nava (Asturies). Dégustation et concours d'adresse.
Festival international de Santander *(juil.-août)*. Musique, danse et théâtre.
Festival de folklore pyrénéen *(fin juil.-début août, années impaires)*, Jaca (Aragon). Danses, musiques et costumes traditionnels.
Festivals internationaux de jazz de Saint-Sébastien *(3ᵉ sem.)*, Getxo *(1ʳᵉ sem.)* et Vitoria *(mi-juil.)*.

AOÛT

Certamen Internacional de Habaneras y Polifonia *(fin juil.-début août)*, Torrevieja (Alicante). Concours de chants de marins du XIXᵉ siècle.
HM the King's International Cup *(1ʳᵉ sem.)*, Palma de Majorque. Régate à laquelle le roi participe.
Descente du río Sella *(1ᵉʳ sam.)*. Course de kayaks d'Arriondas à Ribadasella dans les Asturies *(p. 103)*.
Assomption *(15 août)*. Célébrations dans tout le pays, en particulier à Elche (Alicante) et La Alberca (Salamanque).
Semanas Grandes *(début à*

Participants à la descente en kayak du río Sella

mi-août), Bilbao et Saint-Sébastien. « Grandes semaines » sportives et culturelles.
Misteri d'Elx *(11-15 août)*, Elche *(p. 251)*. Dans une église, drame chanté à la gloire de la Vierge avec effets spéciaux spectaculaires.

L'automne à Larouco, village de la région viticole de Valdeorras en Galice *(p. 74)*

AUTOMNE

Après la chaleur de l'été, les premières pluies d'automne permettent à la nature de reverdir, alors qu'avec la fin de la haute saison touristique de nombreuses stations balnéaires se transforment en villes fantômes.

Champignons   Les vendanges offrent le prétexte à de grandes fêtes. Le premier vin pressé est béni et, dans certains endroits, la production locale servie gratuitement.

C'est le début de la saison musicale et théâtrale dans les grandes cités. À la campagne, les champignons apparaissent sur la carte des restaurants. La saison de la chasse dure de la mi-octobre au mois de février.

L'actrice Lana Turner au festival du film de Saint-Sébastien

SEPTEMBRE

Gala international de folklore *(fin août-début sept.)*, Ronda (Málaga). Musique et danses.
Fête des vendanges *(1er sem.)*, Jerez de la Frontera.
Vuelta Ciclista a España. Le tour d'Espagne cycliste.
Festival d'automne de Madrid *(mi-sept.-mi-nov.)*. Danse, théâtre et musiques classique et moderne.
Festival du film de Saint-Sébastien *(2 der. sem.)*. Découverte d'inédits du monde entier *(p. 119)*.
Bienal de Arte Flamenco *(2 der. sem., années paires)*, Séville. Le meilleur du flamenco.

OCTOBRE

Dia de la Hispanidad *(12 oct.)*. La fête nationale espagnole célèbre la découverte du Nouveau Monde en 1492. Les réjouissances les plus exubérantes ont lieu à Saragosse pour le Día del Pilar *(p. 229)* qui marque la fin de la saison tauromachique.

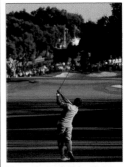

Un concurrent du Volvo Masters Golf Championship

Maures et chrétiens *(mi-oct.)*, Callosa D'en Sarria (Alicante). Défilés en l'honneur de la sainte locale.
Fête du safran *(fin oct.)*, Consuegra (Tolède).
Volvo Masters Golf Championship *(fin oct.)*, Valderrama (Cadix).

NOVEMBRE

Toussaint *(1er nov.)*. Début de la *matanza* (abattage du porc) dans les campagnes.
Os Magostos *(11 nov.)*. Fêtes de la châtaigne en Galice.
Festival du film latino-américain *(2 der. sem.)*, Huelva *(p. 438)*.

Le jour de l'Assomption à La Alberca

Jours fériés

Aux jours fériés nationaux s'ajoutent celui de la fête de chaque région *(communidad autónoma)* et celui de la fête du saint patron de chaque ville ou village. La pratique du « pont » reste largement répandue lorsque le jour férié correspond à un mardi ou un jeudi. Boutiques, bureaux et monuments restent alors fermés quatre jours.

Año Nuevo *(nouvel an)* (1ᵉʳ jan.)
Día de los Reyes *(Épiphanie)* (6 jan.)
Jueves Santo *(jeudi saint)* (mars-avril)
Viernes Santo *(vendredi saint)* (mars-avril)
Día de Pascua *(dimanche de Pâques)* (mars-avril)
Día del Trabajo *(Fête du Travail)* (1ᵉʳ mai)
Asunción *(Assomption)* (15 août)
Día de la Hispanidad *(Fête nationale)* (12 oct.)
Todos los Santos *(Toussaint)* (1ᵉʳ nov.)
Día de la Constitución *(Fête de la Constitution)* (6 déc.)
Immaculada Concepción *(Immaculée Conception)* (8 déc.)
Navidad *(Noël)* (25 déc.)

Hiver

L'hiver accentue les différences entre les régions d'Espagne. Alors que dans les montagnes, les skieurs dévalent les pistes enneigées, au bord de la Méditerranée, on récolte les olives et les agrumes. Un froid vif règne sur les hauteurs du centre du pays, mais en Andalousie, sur la côte orientale et dans les Baléares, le soleil maintient des températures tempérées. Il fait chaud aux Canaries. À Noël, les familles se réunissent pour le dîner traditionnel qui précède la messe de minuit.

Sur les pentes de la sierra de Guadarrama au nord de Madrid *(p. 311)*

Tirage d'« El Gordo », le plus gros lot de la loterie nationale

Décembre

El Gordo *(22 déc.)*. Tirage du plus gros lot de la loterie nationale espagnole *(p. 622)*.
Noche Buena *(24 déc.)*. La veille de Noël se passe en famille et se conclut par la messe de minuit *(p. 35)*.
Santos Innocentes *(28 déc.)*, le jour des farces, équivalent de notre 1ᵉʳ avril.
Noche Vieja *(31 déc.)*. Grande fête du nouvel an à la Puerta del Sol de Madrid.

Janvier

Festival international de musique des Canaries *(jan.-fév.)*. Concerts classiques à la Palma et Tenerife.
Saison d'opéra *(jan.-avr.)*, Palacio de la Musica y Congresos Euskeldura, Bilbao.
Festival de vidéo de Vigo *(der. sem.)*. Tous les aspects de la création en vidéo.

Février

Festival de musique ancienne *(fév.-mars)*, Séville. Musique et instruments d'antan.
ARCO *(mi-fév.)*, Madrid. Cette foire internationale d'art contemporain réunit artistes et galeries du monde entier.
Pasarela Cibeles (semaine de la mode) *(mi-fév.)*, Madrid. Défilés de mode masculine et féminine.
Carnaval *(fév.-mars)*. Une grande fête colorée avant le carême. Les carnavals de Santa Cruz de Tenerife et de Cadix font partie des plus beaux.

Les climats de l'Espagne

Des Pyrénées à Gibraltar, l'Espagne possède une grande variété de climats. Sur le vaste plateau intérieur, des hivers glacés succèdent à des étés torrides. L'influence de la Méditerranée adoucit les hivers sur le littoral oriental et méridional ainsi que dans les Baléares. L'Atlantique donne aux régions côtières du Nord un climat plus humide que celui du reste du pays.

MADRID

Moyenne mensuelle des températures maximales

Moyenne mensuelle des températures minimales

0°C

Durée moyenne d'ensoleillement quoti[dien]

Moyenne mensuelle des précipitations

PAYS BASQUE, NAVARRE ET RIOJA

°C	25 / 1	36 / 10	26 / 2	15 / -7
☀	6 h	9 h 30	5 h	2 h 30
☂	83 mm	46 mm	107 mm	120 mm
mois	Avril	Juil.	Oct.	Janv.

ARAGON

°C	26 / 4	37 / 14	27 / 5	18 / -4
☀	8 h	8 h	6 h 30	5 h
☂	34 mm	15 mm	34 mm	17 mm
mois	Avril	Juil.	Oct.	Janv.

CATALOGNE

°C	28 / 3	38 / 13	28 / 3	18 / -5
☀	8 h 30	11 h 30	6 h 30	4 h
☂	46 mm	24 mm	30 mm	22 mm
mois	Avril	Juil.	Oct.	Janv.

BALÉARES

°C	24 / 6	33 / 17	27 / 9	18 / 2
☀	7 h 30	11 h 30	6 h	5 h
☂	32 mm	3 mm	77 mm	39 mm
mois	Avril	Juil.	Oct.	Janv.

onostia
(Sebastián)

ruña
(mplona)

Zaragoza

Lleida

Barcelona

ca

Valencia

te

Palma de Mallorca

Alacant (Alicante)

Santa Cruz de Tenerife

Las Palmas de Gran Canaria

CASTILLE-LA MANCHE

°C	24 / -2	36 / 8/46	26 / -1	16 / -10
☀	7 h 30	12 h	6 h	4 h 30
☂	48 mm	19 mm	52 mm	43 mm
mois	Avril	Juil.	Oct.	Janv.

VALENCE ET MURCIE

°C	27 / 7	36 / 17	30 / 9	23 / 1
☀	8 h 30	11 h 30	7 h	6 h
☂	40 mm	4 mm	52 mm	30 mm
mois	Avril	Juil.	Oct.	Janv.

CANARIES

°C	26 / 12	32 / 17	30 / 16	25 / 11
☀	7 h 30	9 h 30	7 h	6 h 30
☂	13 mm	0 mm	28 mm	36 mm
mois	Avril	Juil.	Oct.	Janv.

HISTOIRE DE L'ESPAGNE

Habitée depuis 800 000 ans, la péninsule Ibérique voit les Phéniciens puis les Grecs et les Carthaginois s'implanter à partir du XIe siècle av. J.-C. sur son littoral oriental, tandis que plusieurs ethnies, notamment des Celtes, des Ibères et des Basques, se partagent l'intérieur et l'ouest. Les Romains arrivent en 218 av. J.-C. pour combattre les Carthaginois qui viennent de déclencher la deuxième guerre punique. Leurs principaux ennemis vaincus, il leur faut encore deux siècles pour soumettre la totalité du territoire.

Statue aztèque en or

Les premières vagues barbares déferlent en 264 et 276 et les Wisigoths imposent leur domination au début du Ve siècle. Leurs luttes intestines favorisent cependant en 711 une invasion par des Berbères. Ces « Maures » contrôlent bientôt presque toute la péninsule où s'épanouit la brillante culture d'Al Andalus qui fait de Cordoue la cité la plus raffinée d'Europe aux IXe et Xe siècles.

À partir du petit royaume des Asturies, les chrétiens ont toutefois entrepris la *Reconquista* dès 722 et, en 1469, le mariage de Ferdinand d'Aragon et Isabelle de Castille, les « Rois Catholiques », donne son unité à l'Espagne. En 1492, le dernier bastion maure, Grenade, tombe l'année où Christophe Colomb découvre l'Amérique. Le royaume passe aux Habsbourg, et Charles Quint et ses successeurs dépensent sur les champs de bataille de l'Europe les fabuleuses richesses arrachées au Nouveau Monde. Au XVIIe siècle, l'Espagne perd le Portugal, le Roussillon et les Pays-Bas. L'économie entre en déclin.

Les Bourbons montent sur le trône en 1700 et engagent une politique de réformes qui permet au pays de se redresser au XVIIIe siècle, mais son annexion par Napoléon en 1808 marque pour l'Espagne le début d'une longue période d'instabilité. Ses colonies prennent leur indépendance et plusieurs guerres de succession ôtent sa crédibilité à la monarchie. En 1936 éclate la guerre civile qui oppose les républicains aux nationalistes d'extrême droite du général Franco. Celui-ci l'emporte et sa dictature étouffe tout esprit d'initiative jusqu'à l'instauration de la démocratie en 1975.

Course de taureaux sur la Plaza Mayor de Madrid au XVIIe siècle

◁ **Maures rendant hommage à Ferdinand et Isabelle, les Rois Catholiques**

L'Espagne préhistorique

Casque d'un guerrier celtibère

À partir du VIᵉ millénaire av. J.-C, les chasseurs-cueilleurs qui habitaient la péninsule Ibérique depuis environ 800 000 ans se voient supplantés par des agriculteurs néolithiques. Les Phéniciens arrivent en 1100 av. J.-C., suivis des Grecs et des Carthaginois. Franchissant les Pyrénées, des Celtes se mêlent au peuple autochtone des Ibères. Les tribus celtibères offriront pendant deux siècles une formidable résistance aux Romains.

L'ESPAGNE EN 5000 AV. J.-C.

☐ *Colonies agricoles du néolithique*

Poignard en fer *(VIᵉ s. av. J.-C.)*
Cette arme trouvée à Burgos témoigne de la maîtrise acquise dans le travail du fer, connu dans la péninsule Ibérique à partir du VIIIᵉ siècle av. J.-C.

Crâne de l'âge de la pierre
Ce crâne appartenait à un homme qui chassait au paléolithique avec des armes en bois et en pierre.

Les 28 bracelets sont ornés de perforations et de reliefs.

Petite bouteille en argent

Motifs géométriques

La Dame d'Elche
Bel exemple d'art ibère, cette statue du IVᵉ siècle révèle une légère influence grecque.

LE TRÉSOR DE VILLENA

Découverts en 1963 lors de travaux à Villena *(p. 250)* près d'Alicante, ces 66 objets fabriqués, pour la plupart en or, vers 1000 av. J.-C. offrent un superbe aperçu de l'artisanat de l'âge du bronze.

CHRONOLOGIE

800 000 av. J.-C. L'*Homo erectus* atteint la péninsule Ibérique

300 000 av. J.-C. Des tribus d'*Homo erectus* établissent des camps de chasse à Soria et Madrid

35 000 av. J.-C. L'homme de Cro-Magnon en Espagne

2500 av. J.-C. Des artisans du cuivre croyant à une vie après la mort habitent Los Millares *(p. 477)*

1800-1100 av. J.-C. civilisation agraire d[...] Argar s'épanouit da[...] le sud-est de l'Espag[...]

800 000 av. J.-C.		2500	2000

500 000 av. J.-C. Des hominidés (probablement l'*Homo erectus*) utilisent des pierres comme outils

Peinture rupestre d'un bison, Altamira

100 000-40 000 av. J.-C. L'homme de Néanderthal à Gibraltar

5000 av. J.-C. Début de l'agriculture dans la péninsule Ibérique

18 000-14 000 av. J.-C. Peintures rupestres à Altamira (Cantabrie), près de Ribadesella (Asturies) et à Nerja (Andalousie)

Céramique grecque
Les colons grecs importèrent le tour de potier et des canons artistiques plus évolués. Leurs créations, tel ce vase du VIe siècle av. J.-C. illustrant les travaux d'Hercule, fournirent aux autochtones des modèles sophistiqués.

La plus grande des cinq bouteilles en argent a une hauteur de 22,5 cm.

Les bols d'or martelé proviendraient du sud-ouest de l'Espagne.

Broche aux agrafes indépendantes

Objets à l'usage inconnu.

Ashtar *(VIIIe siècle av. J.-C.)*
Les religions locales adoptèrent des divinités phéniciennes, notamment Ashtar (l'Astarté grecque), déesse de la fertilité sur ce bronze du royaume de Tartessos.

OÙ VOIR L'ESPAGNE PRÉHISTORIQUE

Si l'accès aux célèbres peintures rupestres d'Altamira *(p. 108)* est restreint, il existe des dolmens dans plusieurs régions d'Espagne. Les plus grands se dressent à Antequera *(p. 451)*. La culture des Guanches a laissé dans les îles Canaries des vestiges plus récents *(p. 523).*

La Naveta d'es Tudons est l'un des nombreux monuments mégalithiques dispersés sur l'île de Minorque (p. 503).

Ces fouilles d'un village celte se trouvent près d'A Guarda (Pontevedra) (p. 92).

Bijou d'or phénicien

1100 av. J.-C. Des Phéniciens fondent l'actuelle Cadix

600 av. J.-C. Des colons grecs s'installent sur la côte du nord-est

228 av. J.-C. Les Carthaginois occupent le sud-est de l'Espagne

1500	1000	500

1200 av. J.-C. La culture « talaïotique » de Minorque érige trois sortes de monuments mégalithiques sans équivalent : les *taulas*, les *talaiots* et les *navetas*

Taula de Minorque

775 av. J.-C. Colonies phéniciennes sur le littoral près de Málaga

v. 300 av. J.-C. Sculpture de la Dame d'Elche *(p. 286)*

700 av. J.-C. Le royaume mal connu de Tartessos atteint son apogée

Collier en verre carthaginois

Romains et Wisigoths

L'HISPANIA EN L'AN 5 AV. J.-C.

☐ *Tarraconaise*

☐ *Lusitanie*

☐ *Bétique*

Venus sur la péninsule Ibérique pour combattre les Carthaginois, les Romains ne résistèrent pas à la tentation de s'emparer de ses richesses minérales et d'étendre leur empire. La conquête leur prit toutefois 200 ans. Partagée en trois provinces, la Tarraconaise, la Lusitanie et la Bétique, l'Espagne romaine, l'Hispania, connut plusieurs siècles de prospérité avant de tomber aux mains des Wisigoths au Vᵉ siècle. Désunis, ceux-ci ne purent résister aux envahisseurs maures débarqués d'Afrique du Nord.

Vase romain

Trajan *(53-117)*
*Premier empereur romain
(98-117) né en Hispania,
Trajan agrandit l'Empire et
améliora son
administration.*

Portique entourant le jardin

L'acoustique était partout excellente

La façade
servait de
décor aux
tragédies. Les
comédies
exigeaient
d'autres
éléments.

Sénèque *(4 av. J.-C.-
65 apr. J.-C.)
Né à Cordoue, ce philosophe
fut le précepteur de Néron.*

**L'orchestra
semi-circulaire
abritait le
chœur**

5 000 spectateurs,
placés selon leur
position sociale,
tenaient sur les
gradins.

Relief wisigothique
*Cette sculpture primitive
inspirée d'un relief romain
orne l'église du VIIᵉ siècle de
Quintanilla de las Viñas,
près de Burgos (p. 352).*

CHRONOLOGIE

218 av. J.-C. Scipion l'Africain débarque à Emporion *(p. 206)* avec une armée romaine. Début de la 2ᵉ guerre punique

v. 200 av. J.-C. Les Romains atteignent l'actuelle Cadix après avoir chassé les Carthaginois d'Hispania

155 av. J.-C. Début des guerres lusitaniennes. Les Romains envahissent le Portugal

26 av. J.-C. Fondation d'Emeritana Augusta (Mérida) qui devient la capitale de la Lusitanie

19 av. J.-C. Fin de 200 ans de guerre avec la con par Auguste de la Cantabrie et des Asturies

200 av. J.-C.	100	1 apr. J.-C.	100 apr.

219 av. J.-C. Le Carthaginois Hannibal prend Sagonte *(p. 239)*

Hannibal

133 av. J.-C. Les Celtibères de Numantia, près de Soria *(p. 359)*, brûlent leur propre ville

61 av. J.-C. Jules César, gouverneur de l'Hispania Ulterior, commence la conquête finale de la Galice et du nord du Portugal

82-72 av. J.-C. Guerre civile à Rome. Pompée fonde Pompaelo (Pampelune) en 75 av. J.-C.

74 L'empereur Vespasien accorde aux villes d'Hispania le statut de cités romaines

Mosaïque
Sur cette mosaïque du IVe siècle, des vignettes indiquent les noms des gladiateurs en action et précisent s'ils sont vivants ou morts.

OÙ VOIR L'ESPAGNE ROMAINE

D'importants vestiges romains subsistent à Mérida, à Tarragone *(p. 214)* et à Italica *(p. 452)*. En Galice, Lugo *(p. 95)* a conservé une superbe enceinte fortifiée. Le pont construit sous Trajan au-dessus du Tage à Alcántara *(p. 392)* porte un temple.

D'Emporion, cité romaine fondée au IIIe siècle av. J.-C. près d'une ancienne colonie grecque, ont été dégagées les ruines de villas et du forum (p. 206).

L'aqueduc de Ségovie (p. 347) *est un immense ouvrage d'art de la fin du Ier siècle. Il compte 163 arches.*

Le jardin accueillait la noblesse pendant les entractes.

Mur de scène en marbre et en granit

***Proscaenium,** plate-forme où jouaient les acteurs*

Croix wisigothique
L'art et l'architecture chrétiens prirent un grand essor sous les rois wisigoths.

THÉÂTRE ROMAIN, MÉRIDA
Les dimensions du théâtre bâti à Mérida *(p. 392)* en 16-15 av. J.-C. et reconstitué sur ce dessin montrent la popularité de cet art en Hispania.

Mosaïque de Mérida

415 Les Wisigoths installent leur cour à Barcelone

409 Les Vandales et leurs alliés pénètrent en Tarraconaise

446 Tentative romaine de reconquête de l'Hispania

476 Fin de l'Empire romain d'Occident avec le renversement de Romulus Augustule

200	300	400	500

313 L'empereur Constantin reconnaît le christianisme

258 Les Francs franchissent les Pyrénées et pillent Tarragone

Enluminure chrétienne du Codex Vigilianus

589 Arien, le roi wisigoth Reccared Ier se convertit au catholicisme au 3e concile de Tolède

Al Andalus : l'Espagne islamique

L es Arabes et leurs alliés berbères qui envahirent la péninsule en 711 donnèrent naissance à la plus brillante civilisation d'Europe au haut Moyen Âge. Unifié par les émirs de Cordoue, capitale où les arts et les sciences s'épanouissent, le territoire contrôlé par les « Maures » prend le nom d'Al Andalus. Il devient un califat en 929, mais finit par se diviser en petits royaumes incapables de résister à la Reconquête menée depuis les territoires chrétiens du nord.

Vase de l'Alhambra
(p. 467)

L'ESPAGNE EN 750

☐ *Limite de la conquête maure*

Noria
Les techniques d'irrigation des Maures permirent l'introduction de nouvelles cultures comme le riz et les agrumes.

Astrolabe
Les Arabes mirent au point vers l'an 800 cet instrument utilisé par les navigateurs et les astronomes.

Bassins et jardins
entouraient le palais du XIᵉ siècle.

Vestige d'un amphithéâtre romain

Cassette d'Hisham II
Cette cassette en argent témoigne du raffinement de l'artisanat qui s'épanouit dans le califat de Cordoue.

Entrée fortifiée

Enceinte extérieure

CHRONOLOGIE

711 Conduits par Tarik, des Berbères battent les Wisigoths à Guadalete

732 Charles Martel arrête à Poitiers l'avance des Maures en France

778 Les Basques vainquent l'arrière-garde de Charlemagne à Roncevaux (p. 130)

785 La grande mosquée de Cordoue est entreprise

Charlemagne (742-814)

750	800	850

722 Victoire à Covadonga des chrétiens conduits par Pélage (p. 105)

756 Abd al-Rahman Iᵉʳ établit un émirat indépendant à Cordoue

744 Le roi chrétien Alphonse Iᵉʳ des Asturies conquiert le León

822 Début du règne d'Abd al-Rahman II, grand patron des arts et des sciences

v. 800 Le tombeau de saint Jacques est « découvert » à Saint-Jacques-de-Compostelle

Pélage (718-737)

Puerta de Sabbath, Mezquita de Cordoue
La calligraphie est un élément décoratif essentiel de l'art islamique, en particulier dans les mosquées, comme ici celle de Cordoue (p. 456-457).

OÙ VOIR L'ESPAGNE ISLAMIQUE

C'est en Andalousie, en particulier dans les villes de Cordoue *(p. 454-457)* et Grenade *(p. 462-468)*, que s'admirent les plus beaux édifices islamiques. À Almería *(p. 477)* subsistent les ruines d'un *alcazaba* et Jaén *(p. 469)* a conservé des bains. Saragosse renferme le palais de La Aljaferiá *(p. 227)*.

Medina az Zahara (p. 453), *pillée au XIᵉ siècle mais en partie restaurée, fut le dernier palais des califes de Cordoue.*

Le donjon, la torre del Homenaje, fut construit par Abd al-Rahman Iᵉʳ (756-788).

Bains

Patio à la décoration maure

ALCAZABA DE MÁLAGA

Un alcazaba était une forteresse intégrée aux remparts d'une cité maure. Bâti du VIIIᵉ au XIᵉ siècle sur le site d'une place forte romaine, celui de Málaga *(p. 450)*, le principal port du royaume de Grenade, a conservé d'importants vestiges de sa double enceinte ponctuée de tours de défense et de portes.

Épée maure
Bel exemple d'artisanat islamique, cette épée a un pommeau doré et une lame gravée de caractères arabes.

Casque de guerrier
Mariant fer, or et argent, ce casque d'un membre de la noblesse avait une fonction ornementale autant que guerrière.

905 Sanche Iᵉʳ fait de la Navarre un royaume chrétien

976 Le dictateur militaire Al Mansour ravage Barcelone. Achèvement de la Mezquita de Cordoue

1010 Des Berbères ravagent Medina az Zahara

900 | 950 | 1000

913 La capitale chrétienne s'établit à León

936 Le palais de Medina az Zahara est entrepris près de Cordoue

Cerf en bronze de Medina az Zahara

1013 Abolition du califat de Cordoue qui se fractionne en petits royaumes dit de *taifas*

La Reconquête

Les jeunes royaumes chrétiens du Nord, León, Castille, Navarre, Aragon et Catalogne, s'étendirent vers le Sud au XIe siècle, menant une guerre sainte qui conduisit les Maures, après la chute de Tolède en 1085, à appeler en renfort des fanatiques musulmans d'Afrique du Nord : les Almoravides puis les Almohades. Ceux-ci prirent le contrôle d'Al Andalus au XIIe siècle. Ils ne purent toutefois arrêter l'avance chrétienne et le royaume de Grenade resta bientôt seul sous domination islamique.

Croix des chevaliers de Saint-Jacques

L'ESPAGNE EN 1173

☐ *Royaumes chrétiens*

▨ *Al Andalus*

Gobelet en or
Le gobelet (1063) de Doña Urraca, fille d'Alphonse VI, montre la qualité de l'artisanat des royaumes chrétiens.

Ferdinand Ier
Il fonda la première puissance militaire chrétienne d'importance en unissant en 1037 la Castille et le León.

Armées de Castille, Aragon et Navarre

Les Almohades combattent jusqu'à la dernière extrémité.

L'Alhambra, palais des Nasrides
L'art et l'architecture restèrent florissants dans le royaume nasride de Grenade. Le superbe palais de l'Alhambra (p. 466-467) en est le fleuron.

LAS NAVAS DE TOLOSA
Pour une fois réunies, les troupes de Sanche VII de Navarre, Pierre II d'Aragon et Alphonse VIII de Castille écrasèrent en 1212, à Las Navas de Tolosa, l'armée almohade commandée par Muhammad II al Nasir. À Roncevaux *(p. 130)*, un vitrail dépeint cette bataille dont l'Espagne maure ne se releva pas.

CHRONOLOGIE

Uniformes d'ordres de chevalerie

1037 Ferdinand Ier unit la Castille et le León	**1065** La mort de Ferdinand Ier conduit à une guerre fratricide entre ses fils	**1086** Venus du Maroc, les Almoravides prennent le contrôle d'Al Andalus	**1158** Fondation de l'ordre de Calatrava, premier ordre de chevalerie d'Espagne

1050	**1100**	**1150**	12

1085 Alphonse VI de Castille prend Tolède	**1137** Raimond Bérenger IV, comte de Barcelone, épouse Pétronille d'Aragon. Leur fils Alphonse II unira les deux États	**1147** Maîtres d'Al Andalus, les Almohades font de Séville leur capitale	**1212** Unies les troupes chrétiennes défont les Almohades à La
1094 Le Cid Campeador *(p. 352)* s'empare de Valence		**1143** Le Portugal devient un royaume indépendant	Navas de Tolosa

Le Cid

Cantigas d'Alphonse X *(1252-1284)*
Ce détail d'un manuscrit par Alphonse X le Sage montre face à face les cavaleries musulmane et chrétienne. Ce roi érudit encouragea l'étude de la culture arabe et la traduction des textes grecs transmis par les Maures.

Sanche VII de Navarre conduit les troupes chrétiennes.

Saint Jacques
Surnommé le Tueur de Maure (Matamoros), *le saint patron de l'Espagne serait intervenu de façon miraculeuse à la bataille de Clavijo en 844.*

OÙ VOIR L'ESPAGNE MUDÉJARE

Musulmans demeurés dans les territoires conquis par les chrétiens, les Mudéjars développèrent un style architectural caractérisé par une riche ornementation en brique, stuc et céramique. Certaines de leurs œuvres les plus remarquables s'admirent en Aragon, notamment à Saragosse *(p. 226-227)* et Teruel *(p. 230-231)*, mais c'est l'Alcázar de Séville *(p. 422-423)* qui offre le plus bel exemple de leur art.

Le clocher mudéjar de la cathédrale de Teruel présente une élégante décoration mariant briques et céramique.

Santa Maria la Blanca (p. 373), *à Tolède, est une ancienne synagogue transformée en église.*

---

15 Fondation de
niversité de Salamanque

1230 Ferdinand III réunit la Castille et le León

Blason de la Castille et du León

1385 Cherchant à s'emparer du Portugal, Jean Ier de Castille est vaincu à Aljubarrota

1388-1389 Fin de la participation de l'Espagne à la guerre de Cent Ans

1250	1300	1350	1400

1250 À l'instigation d'Alphonse X le Sage, Tolède est un grand centre de traduction et d'érudition

1386 Invasion de la Galice par les Anglais. Le traité de Bayonne y met fin

1232 Grenade devient la capitale du futur royaume nasride. Le palais de l'Alhambra est entrepris

Alphonse X

1401 À Séville est entreprise la plus grande cathédrale gothique de l'époque

Les Rois Catholiques

Ferdinand d'Aragon

En unissant leurs royaumes en 1479, Isabelle Ire de Castille et Ferdinand II d'Aragon *(p. 66)*, les « Rois Catholiques », jettent les fondements de l'État espagnol. Ils achèvent la Reconquête en prenant Grenade à Boabdil, puis instaurent l'Inquisition et obligent les juifs et les Maures à se convertir au christianisme ou à s'exiler. Le soutien qu'ils apportent à Christophe Colomb permet la découverte du Nouveau Monde.

L'EXPLORATION PAR L'ESPAGNE DU NOUVEAU MONDE

— *Trajet de Christophe Colomb*

Tombe d'el Doncel *(XVe siècle)*
Page d'Isabelle la Catholique, le commandeur Martin Vázquez, dit el Doncel, périt devant Grenade en 1486.

L'Inquisition
Isabelle instaura l'Inquisition (p. 264) *en 1478 en Castille. Ce membre de la Confrérie de la Mort accompagnait les condamnés au bûcher.*

Alhambra

Boabdil s'approche avec les clés.

Baptême de juifs
Les conversos, *juifs qui avaient préféré le baptême à l'exil, restèrent suspects aux yeux de l'Inquisition et des catholiques.*

LA CHUTE DE GRENADE *(1492)*
Cette interprétation romantique de l'événement par Francisco Padrilla (1846-1921) montre la conclusion d'une guerre d'usure de dix ans : Boabdil remettant les clés du dernier royaume maure d'Espagne aux Rois Catholiques Ferdinand et Isabelle.

CHRONOLOGIE

1454 Henri IV, demi-frère d'Isabelle, monte sur le trône de Castille

1465 Guerre civile en Castille

1478 Une bulle papale instaure l'Inquisition en Castille. Tomás de Torquemada en sera le 1er inquisiteur général.
Torquemada

1450	1460	1470	1480

1451 Naissance d'Isabelle de Castille

Ferdinand et Isabelle sur une pièce du XVe siècle

1469 Mariage à Valladolid d'Isabelle de Castille et de Ferdinand d'Aragon

1474 Mort d'Henri IV. Sa fille, Jeanne la Beltraneja, dispute le trône à Isabelle qui l'emporte

1479 Ferdinand devient roi d'Aragon

Arrivée de Christophe Colomb en Amérique
*Les Rois Catholiques financèrent l'expédition de
Christophe Colomb dans l'espoir d'ouvrir une
nouvelle route commerciale avec l'Orient.*

Boabdil
*Selon la
légende, sa mère lui aurait
dit : « Ne pleure pas comme un
enfant ce que tu n'as pas su
défendre comme un homme. »*

Ferdinand
d'Aragon

Isabelle de Castille
est entourée d'une
cour brillante.

OÙ VOIR L'ESPAGNE GOTHIQUE

Parmi les grandes cathédrales gothiques
figurent celles de Séville (*p. 418-419*),
de Burgos (*p. 354-355*), de Barcelone
(*p. 144-145*), de Tolède (*p. 374-375*) et
de Palma de Majorque (*p. 496-497*). Il
existe aussi des édifices profanes
comme La Lonja de Valence (*p. 241*) ou
de nombreux châteaux (*p. 326-327*).

La cathédrale de León (p. 336-337)
*présente une riche décoration sculptée. Le
Christ préside ici au Jugement dernier.*

Couronne d'Isabelle
*La couronne portée par
Isabelle à la reddition
de Boabdil s'admire à
la Capilla Real de
Grenade (p. 462).*

1494 Le traité de
Tordesillas divise les
territoires du Nouveau
Monde entre Espagne et
Portugal

1496 Fondation de Saint-
Domingue, première ville
espagnole du Nouveau
Monde

1509 Les troupes
du cardinal
Cisneros
attaquent Oran
et l'occupent
temporairement

*Le cardinal
Cisneros*

1490   **1500**   **1510**

1492 Chute de
Grenade. Christophe
Colomb découvre
l'Amérique.
Expulsion des juifs

1502 Expulsion
des musul-
mans non
convertis

*La Santa Maria de
Christophe Colomb*

1504 Mort d'Isabelle,
Jeanne la Folle devient
reine de Castille et
Ferdinand régent

1516 Mort
de Ferdinand

1512 L'annexion
de la Navarre
achève l'unification
de l'Espagne

L'âge des découvertes

**Dieu aztèque
(v. 1540)**

L a découverte par Christophe Colomb des Antilles en 1492 ouvre la voie aux conquistadors qui s'emparent du Mexique (1519), du Pérou (1532) et du Chili (1541), détruisant par avidité les brillantes civilisations indiennes. Avec les richesses qu'ils arrachent au continent, Charles Ier (l'empereur Charles Quint) et son fils Philippe II s'efforcent d'accroître leur puissance en Europe et de contenir l'empire turc des Ottomans.

L'EMPIRE ESPAGNOL EN 1580

☐ *Territoires de Philippe II*

Le monde s'agrandit
Cette carte allemande du XVIe siècle n'aurait pu être tracée avant l'époque des conquistadors.

Leurs canons
offraient aux galions leur meilleure défense.

Masque aztèque
L'ignorance et l'avidité des conquérants espagnols détruisirent au Mexique la civilisation des Aztèques, et au Pérou celle des Incas.

La vigie
repérait les ennemis et les amers.

**Gaillard
d'avant**

Séville
Le monopole du commerce avec les Amériques fit de Séville, sur le Guadalquivir, le plus riche port d'Europe au début du XVIe siècle.

CHRONOLOGIE

1519 L'Espagne finance la tentative de tour du monde du Portugais Magellan

1520-1521 Charles Ier nomme Adrien d'Utrecht régent. Les villes castillanes se révoltent

1532 Pizarro s'empare du Pérou et détruit l'empire inca avec 180 hommes

Pizarro

1554 Le mariage du futur Philippe II et de Marie Tudor d'Angleterre conduit à la guerre avec la France

1520	1530	1540	1550

1519 Conquête du Mexique par Cortés. Charles Ier devient l'empereur Charles Quint

Le conquistador Hernán Cortés

1540 Le père Bartolomé de Las Casas dénonce l'oppression des Indiens

Bartolomé de Las Casas

Défaite de l'Invincible Armada
*La flotte de 133 vaisseaux armée
par Philippe II pour envahir l'Angleterre
connut un échec désastreux en 1588.*

LES PLANTES DU NOUVEAU MONDE

L'exploitation du Nouveau Monde n'apporta pas que de l'or et de l'argent, mais également la richesse des plantes. Certaines,

Plant de cacao

comme le maïs et la pomme de terre, furent acclimatées en Espagne. D'autres, tels le tabac et le cacao, restèrent principalement cultivées sur place mais leur consommation se répandit en Europe.

Armure de Philippe II
*Brillant administrateur,
Philippe II (1556-1598)
prétendait diriger
le monde davantage
par la plume que
par les armes.*

Drapeau espagnol (jusqu'en 1785)

Cale

Présentation exotique d'un fruit

GALION
ESPAGNOL
Conçus pour le transport des marchandises, ces navires ne manœuvraient bien que par vent arrière, un défaut que ne possédaient pas les bateaux des pirates, plus petits et plus élancés.

Charles Ier (1516-1556)
*Tout au long de son règne,
l'empereur Charles Quint
chercha à réduire par
la force le protestantisme.*

1557 Première banqueroute partielle de l'Espagne

1561 L'Escorial est entrepris près de Madrid

L'Escorial (p. 312-313)

1588 Échec de l'Invincible Armada

1560	1570	1580	1590

1561 Madrid devient capitale de l'Espagne

1571 Victoire navale de Lépante sur les Turcs

1580 Le Portugal et l'Espagne sont unifiés pour 60 ans

1568 Révolte des Morisques (musulmans convertis) dans les Alpujarras (Grenade)

1569 Première bible publiée en castillan

Le Siècle d'or

A u XVIᵉ siècle et au début du XVIIᵉ siècle, art et culture espagnols connaissent une période brillante avec des peintres comme El Greco et Velázquez *(p. 28-29)*, des dramaturges tels que Lope de Vega et Calderón de la Barca, et la publication du *Don Quichotte* de Cervantès. L'économie, toutefois, se détériore, les guerres avec les Pays-Bas et la France ruinent le pays qui perd de l'influence en Europe, alors que la dynastie des Habsbourg entre en déclin.

L'EMPIRE ESPAGNOL EN EUROPE EN 1647

☐ *Territoires espagnols*

Don Quichotte et Sancho Pança
L'œuvre de Cervantès opposant les folles aspirations de Don Quichotte au réalisme de son valet ouvrit la voie au roman moderne.

Une horloge évoque l'inévitable écoulement du temps.

Le chevalier porte des vêtements du milieu du XVIIᵉ siècle.

L'argent représente l'opulence d'ici-bas.

Le duc de Lerma
Ce Premier ministre de Philippe III (1598-1618) fut responsable de l'expulsion des Morisques.

LE RÊVE DU CHEVALIER *(1650)*
Ce tableau attribué à Antonio de Perda développe un des thèmes favoris du Siècle d'or : la vanité de l'existence. Un jeune homme dort à côté d'objets symbolisant la richesse, le pouvoir ou le savoir, mais le crâne rappelle que les plaisirs de la vie n'ont pas plus de réalité qu'un songe.

CHRONOLOGIE

Philippe III		**1609** Philippe III expulse les Morisques	**1621** La guerre des Pays-Bas reprend après 12 ans de trêve	**1643** Grave défaite face à la France à Rocroi. Disgrâce du comte-duc d'Olivares
	1600 Valladolid est temporairement capitale	**1619** Construction de la Plaza Mayor, Madrid	**1625** Prise de Breda après un an de siège	
	1600	**1610**	**1620**	**1630**	**1640**
	1605 Publication de la première partie de *Don Quichotte*	**1609** Lope de Vega publie un poème sur l'art de la comédie	**1622** Velázquez s'installe à Madrid et devient peintre de la cour l'année suivante	**1640** Sécession du Portugal uni à l'Espagne depuis 1580

Lope de Vega (1562-1635)

Fête sur la Plaza Mayor de Madrid
Sur cette célèbre place (p. 263) *avaient lieu cérémonies royales, courses de taureaux et exécutions capitales.*

L'ÉCOLE DE SÉVILLE

Enrichie par le commerce avec le Nouveau Monde, Séville devint le plus grand centre artistique d'Espagne après la cour royale. Velázquez y naquit et y suivit la formation de Pacheco. Le Museo de Bellas Artes (p. *412*) expose les œuvres de grands peintres et sculpteurs tels que Martínez Montañés, Zurbarán et Murillo.

San Diego de Alcalá nourrissant les pauvres (v. 1646) par Murillo

Un ange prévient que la mort est proche.

Le ruban dit : « Elle (la mort) perce sans cesse, vole vite et tue. »

Un masque symbolise les arts.

Expulsion des Morisques
Les Maures convertis au christianisme furent contraints à l'exil en 1609.

Des armes représentent le pouvoir.

Le crâne sur le livre appelle que la mort triomphe du savoir.

La Reddition de Breda
La ville hollandaise se rendit le 5 juin 1625 après un an de siège, un événement peint en 1634-1635 par Velázquez.

1652 L'Espagne reprend la Catalogne à la France

Calderón de la Barca

1669 Publication de la dernière œuvre de Calderón de la Barca : *La Estátua de Prometeo*

1683-1684 Louis XIV attaque la Catalogne et les Pays-Bas espagnols

1650	1660	1670	1680	1690	1700

1648 Les traités de Westphalie entérinent l'indépendance des Provinces-Unies et mettent fin à la guerre de Trente Ans

1659 Paix des Pyrénées avec la France. Louis XIV épouse Marie-Thérèse, fille de Philippe IV

Pièce du règne de Philippe IV

1700 Mort de Charles II. Lui succède un Bourbon, Philippe V, petit-fils de Louis XIV

Des Bourbons à la Ire République

Isabelle II

L a guerre de Succession d'Espagne s'achève en 1714 par le triomphe des Bourbons. Ils font du pays un État centralisé, et le despote éclairé Charles III engage des réformes salutaires. L'invasion menée par Napoléon déclenche en 1808 la guerre d'indépendance. Les conflits de succession qui suivent le rétablissement de Ferdinand VII en 1814 conduisent à l'éphémère première République.

L'ESPAGNE EN 1714

☐ *Découpage du traité d'Utrecht*

Les Lumières
La philosophie des Lumières ouvrit de nouveaux horizons. Cette montgolfière s'éleva au-dessus de Madrid le 5 juillet 1784.

La posture du condamné évoque la Crucifixion.

Un franciscain fait partie des victimes.

La reine Marie-Louise
Peinte ici par Goya, cette femme autoritaire força en 1792 son mari Charles IV à nommer Premier ministre son amant Manuel Godoy.

Bataille de Trafalgar
En écrasant en 1805 la flotte franco-espagnole au large du cap de Trafalgar, l'amiral Nelson mit fin à la puissance navale de l'Espagne.

Des civils périrent par centaines, la répression durant plusieurs jours.

CHRONOLOGIE

1702-1714 Guerre de Succession d'Espagne. L'Espagne perd des provinces des Pays-Bas et Gibraltar au traité d'Utrecht

1724 Louis Ier, couronné à l'abdication de son père Philippe V, meurt dans l'année. Son père reprend son trône

1767 Charles III expulse les jésuites d'Espagne et des colonies

1700   1720   1740   1760   17

1714 Siège et conquête de Barcelone par Philippe V

1762-1763 L'Angleterre dispute à l'Espagne ses colonies d'Amérique

Philippe V, premier Bourbon roi d'Espagne (1700-1724)

Comte de Floridablanca (1728-1808)

1782 Le comte de Floridablanca participe à la reconquête de Minorque

Le départ de Naples de Charles III

Ferdinand VI mourut sans héritier en 1759, et son demi-frère, Charles VII de Naples, devint le roi d'Espagne Charles III. Il fonda les Académies des sciences et des arts et libéralisa le commerce.

Les soldats français obéissaient aux ordres du maréchal Murat.

Le général Prim *(1814-1870)*

Cet officier joua un rôle essentiel au XIXe siècle. Il contraignit Isabelle II à l'abdication et mena une politique libérale jusqu'à son assassinat à Madrid.

Casque de l'infanterie française

LE TROIS MAI 1808 PAR GOYA *(1814)*

Le 2 mai 1808, le peuple de Madrid se souleva contre les forces d'occupation napoléoniennes. Le lendemain, l'armée française exerça une répression féroce, exécutant des centaines de civils, manifestants comme simples passants. Cet événement déclencha la guerre d'indépendance.

Magnificence baroque

Le baroque fut en Espagne d'une somptuosité inégalée en Europe comme en témoigne la sacristie de la chartreuse de Grenade.

1805 Bataille de Trafalgar. Nelson bat la flotte franco-espagnole

1809 Les troupes de Wellington se joignent aux Espagnols pour battre les Français à Talavera

Duc de Wellington

1841-1843 À la suite de Marie-Christine, le général Espartero fait fonction de régent d'Isabelle II

1868 Le général Prim contraint Isabelle II à l'exil. Amédée Ier règne jusqu'en 1870

1800	1820	1840	1860

1808-1814 Règne de Joseph Bonaparte. Guerre d'indépendance

1812 La promulgation d'une constitution libérale à Cadix entraîne un soulèvement militaire

1821 Le Pérou et le Mexique proclament leur indépendance

1833-1839 Première guerre carliste

1836 Mendizábal confisque les biens monastiques

1847-1849 Deuxième guerre carliste

Soldats carlistes

Républicains et anarchistes

En 1873, quatre présidents se succèdent à la tête de la Ire République espagnole qui ne dure pourtant qu'une année. La perte de Cuba en 1898 marque le point culminant d'une période de déclin qui voit l'anarchisme se développer en réaction à la corruption des politiques. Alphonse XIII exerce le pouvoir à partir de 1902, mais le pays ne retrouve un peu de stabilité qu'au début de la dictature de Primo de Rivera. Celui-ci est toutefois contraint de s'exiler et, en 1931, les partis de gauche remportent les élections dans les villes. La IIe République est instaurée.

Primo de Rivera

L'HÉRITAGE DE LA COLONISATION EN 1900

☐ *Pays de langue espagnole*

Propagande anarchiste
L'anarchisme trouva un formidable écho en Espagne, notamment dans le Sud. L'affiche proclame : « Les livres anarchistes sont des armes contre le fascisme. »

Pio Baroja *(1872-1956) Romancier parmi les plus talentueux de son époque, il resta trop original pour rejoindre les écrivains de la « Génération de 1898 » qui aspiraient à une renaissance nationale après la perte des colonies.*

Les travailleurs réclament des réformes radicales.

LE POUVOIR AU PEUPLE

Le mécontentement social et politique prend de multiples formes pendant la IIe République. Aux aspirations séparatistes de régions comme la Catalogne s'ajoutent les revendications des ouvriers, ici une manifestation au Pays basque en 1932. Socialistes, communistes et anarchistes jouissent d'un important soutien populaire, mais l'armée se rapproche des mouvements fascistes.

CHRONOLOGIE

1873 La Ire République ne dure qu'un an

Emilio Castelar (1832-1899), dernier président de la Ire République

1888 Le parc de la Ciutadella, entre autres, est construit à Barcelone pour l'Exposition universelle

1897 Un anarchiste italien assassine le Premier ministre Cánovas del Castillo

| 1870 | 1880 | 1890 | 1900 |

1875 Restauration des Bourbons avec Alphonse XII

1870-1875 Troisième guerre carliste

Alphonse XII et la reine María

1893 Une bombe anarchiste explose à l'opéra de Barcelone

1898 L'Espagne perd Cuba et les Philippines soutenus par les États-Unis

La semaine tragique
En 1909, des manifestants protestant contre une conscription tiennent pendant une semaine les rues de Barcelone. La répression est brutale.

Expositions internationales
Les grandes expositions organisées en 1929 à Séville et Barcelone transformèrent ces deux villes.

La bannière
appelle à un front unitaire.

Picasso
Né à Málaga en 1881, Pablo Picasso passa ses années de formation à Barcelone (p. 148) avant de s'installer à Paris en 1904.

Guerre d'indépendance cubaine
À l'instigation de patriotes comme Natonio Maceo, Cuba se révolte en 1895. La campagne est désastreuse pour l'Espagne qui perd 50 000 soldats et sa flotte.

Le garrot
Ce mode d'exécution servit à tuer par strangulation des milliers de républicains.

1912 Des anarchistes tue le Premier ministre José Canalejas à Madrid

Affiche électorale

1921 Terrible défaite à Anual, au Maroc

1931 Proclamation de la IIe République dirigée pendant deux ans par une coalition de gauche

1933 Gouvernement de droite après des élections générales

1910	1920	1930

1909 Semana Trágica à Barcelone. L'armée écrase la révolte d'ouvriers protestant contre l'envoi de troupes au Maroc

1923 Coup d'État de Primo de Rivera entériné par Alphonse XIII

1930 Primo de Rivera perd le soutien de l'armée et démissionne

1931 Alphonse XIII s'exile après la victoire des républicains aux élections municipales

1934 Franco dirige la répression d'une révolte de mineurs dans les Asturies

La guerre civile et l'ère franquiste

Franco

La victoire du front populaire aux élections de 1936 déclenche une insurrection des troupes stationnées au Maroc sous les ordres du général Franco. Le mouvement s'étend, mais les républicains résistent, notamment à Madrid. Aidés en sous-main par Hitler et Mussolini, les nationalistes finissent par prendre la capitale en 1939. La répression est sanglante, toute l'élite intellectuelle prend la route de l'exil. L'Espagne reste à l'écart de la Deuxième Guerre mondiale et la dictature étouffe tout esprit d'initiative.

L'ESPAGNE LE 31 JUILLET 1936

☐ *Territoires tenus par les républicains*

▨ *Territoires occupés par les nationaliste*

L'idéal franquiste
Sous Franco, l'Église reprit le contrôle de la société et de l'éducation.

Mère serrant
son enfant mort

La composition
évoque violence
et chaos

Affiche nationaliste
Sous le faisceau, symbole de la Phalange, elle invite à lutter « pour la patrie, le pain et la justice ».

GUERNICA *(1937)*
À la demande des nationalistes, les avior de la légion nazie Condor bombardèrent la ville basque de Gernika *(p. 114)* le 26 avril 1937, un jour de marché. C'éta le premier raid aérien prenant en Europe des civils pour cible. Ce massacre inspira à Picasso son célèbre tableau *(p. 289)* peint pour une exposition organisée à Paris afin de soutenir les républicains.

CHRONOLOGIE

1936 Le front populaire remporte les élections du 16 janvier. Le 17 juillet, Franco déclenche l'insurrection depuis le Maroc	**1938** Les républicains perdent la bataille de Teruel le 8 janvier **1939** En mars, les troupes de Franco prennent Madrid, Valence et Alicante	**1945** À la fin de la guerre, l'Espagne se retrouve politiquement et diplomatiquement isolée **1947** La constitution restaure la monarchie, mais institue Franco ré

1935	1940	1945	1950

1936 Franco déclaré chef de l'État le 29 septembre **1937** L'aviation nazie bombarde la ville basque de Gernika le 26 avril	**1939** Le 1er avril, Franco réclame une reddition inconditionnelle des républicains **1938** Les nationalistes bombardent Barcelone le 23 décembre	**1953** Les États-Unis échangent leur aide contre des bases militaires *Reddition de combattants républicains*

Scène de *Noces de sang*

GARCÍA LORCA

Federico García Lorca (1899-1936) fut le plus brillant des poètes et dramaturges espagnols des années 1920 et 1930. Son homosexualité et ses rapports avec la gauche en faisaient toutefois une cible de choix pour les nationalistes qui le fusillèrent près de Grenade.

Affiche anarchiste
Malgré l'hostilité des communistes, les anarchistes jouèrent un rôle majeur dans la défense de la République.

Un cheval blessé symbolise le peuple espagnol

Les témoins du massacre restent hébétés.

Geste de crucifiement

La fleur représente l'espoir prêt à renaître malgré tout.

Réfugiés espagnols
À l'approche de la victoire nationaliste, des milliers de républicains, notamment des artistes et des intellectuels, fuirent l'Espagne.

Les années affamées
Ces cartes de rationnement datent de l'après-guerre où l'Espagne connut une situation économique désastreuse jusqu'aux accords hispano-américains de 1953.

Bain de soleil

1962 Un changement de politique économique favorise le développement du tourisme

1969 Franco choisit le prince Juan Carlos comme successeur

1973 L'ETA abat le Premier ministre, l'amiral Carrero Blanco

| 1955 | 1960 | 1965 | 1970 | 1975 |

1959 Création de l'organisation séparatiste basque ETA

1970 Procès expéditif d'opposants à Burgos

1955 L'Espagne entre à l'ONU

Funérailles de Franco le 23 novembre 1975

1975 Mort de Franco. Le roi Juan Carlos assure la transition vers un régime démocratique

L'Espagne moderne

L'ESPAGNE AUJOURD'HUI

☐ *Espagne*

☐ *Autres pays de l'Union européenne*

Après la mort de Franco, et malgré une tentative de coup d'État militaire en 1981, l'Espagne s'ouvre remarquablement vite à la démocratie grâce, notamment, à la fermeté et à l'habileté du roi Juan Carlos. En 1982, le parti socialiste (PSOE) de Felipe González remporte une victoire électorale écrasante et entreprend les dernières grandes réformes nécessaires à l'entrée du pays dans le monde moderne. Si l'autonomie accordée aux régions ne suffit pas à désarmer le terrorisme basque, l'ouverture des frontières et un formidable élan économique permettent à l'Espagne d'entrer dans le Marché commun en 1986 et de devenir un des piliers de l'Union européenne.

L'élégance espagnole d'aujourd'hui

Le coup d'État du 23 février 1981
Le colonel Antonio Tejero retint le Parlement en otage pendant plusieurs heures. Juan Carlos sauva la démocratie en refusant son soutien aux conjurés.

Le pavillon de Castille-León était l'un des 150 construits pour l'exposition.

Lampadaire

Manifestation contre l'OTAN
L'adhésion à l'Alliance atlantique en 1982 divisa une population qui se souvenait du soutien américain au régime de Franco.

EXPO '92
Plus de cent pays participèrent à l'Exposition universelle organisée à Séville en 1992, année où Madrid était capitale culturelle de la Communauté européenne et où Barcelone accueillait les Jeux olympiques.

CHRONOLOGIE

1977 Légalisation des partis politiques. Les premières élections libres portent le centriste Adolfo Suárez au pouvoir

1981 Échec d'un coup d'État militaire

1982 L'Espagne rejoint l'OTAN et accueille la coupe du monde de football

Felipe González

1980

1985

1982 Le parti socialiste de Felipe González remporte une victoire électorale écrasante

1983 Le Parlement accorde un semi-statut d'autonomie au Pays Basque et à la Catalogne

1986 L'Espagne entre dans la Communauté européenne

1989 L'Espagne préside la Communauté européenne

Famille royale espagnole

Tourisme
Entre 1959 et 1973, le nombre de visiteurs se rendant en Espagne chaque année passa de 3 millions à 34 millions.

Élection de Felipe González
Vainqueur des élections de 1982, le parti socialiste espagnol de Felipe González conservera le pouvoir pendant 13 ans.

Cette tour penchée domine le pavillon de l'Andalousie.

Ana Belén
La place et le rôle des femmes ont profondément évolué en Espagne depuis 1975. Selon un sondage des années 1980, la chanteuse et actrice Ana Belén était la femme que les Espagnoles admiraient le plus.

El País
Fondé à Madrid en 1976, ce quotidien est le plus vendu en Espagne. Pendant la transition vers la démocratie, il eut une grande influence sur l'opinion publique.

Un monorail transportait les visiteurs.

Jeux olympiques de Barcelone
La cérémonie d'inauguration offrit une vitrine mondiale au dynamisme créatif de l'Espagne moderne.

1992 500ᵉ anniversaire du voyage de Christophe Colomb	1993 González est élu pour la 3ᵉ fois	1994-1995 Des affaires de corruption affaiblissent le gouvernement	1996 Une coalition menée par Aznar remporte les élections
			1998 L'ETA, groupe terroriste séparatiste basque, annonce un cessez-le-feu qui durera un an.

0	1995	2000
1992 Les Jeux olympiques de Barcelone et l'Exposition universelle de Séville témoignent du modernisme de l'Espagne		2000 L'Espagne célèbre 25 ans de démocratie et de règne pour Juan Carlos Iᵉʳ
1991 Madrid accueille le sommet Bush-Gorbatchev		

Cobi, mascotte des jeux de Barcelone

Les souverains espagnols

Prémisse de l'unification des deux royaumes, c'est le mariage d'Isabelle de Castille et de Ferdinand d'Aragon en 1469 qui établit les fondements de l'État espagnol. Avec Charles Iᵉʳ, petit-fils d'Isabelle, la dynastie des Habsbourg en prend les rênes en 1516, mais, en 1700, Charles II meurt sans laisser d'héritier direct. Après la guerre de Succession d'Espagne, c'est un petit-fils de Louis XIV, Philippe V de Bourbon, qui monte sur le trône. Le roi actuel, Juan Carlos Iᵉʳ, est un de ses descendants. Souverain d'une monarchie constitutionnelle, il a joué un rôle essentiel dans l'instauration de la démocratie.

1665-1700
Charles II

1479-1516
Ferdinand, roi d'Aragon

1474-1504 Isabelle, reine de Castille

1516-1556 Charles Iᵉʳ d'Espagne (empereur Charles Quint)

1598-1621
Philippe III

1400	1450	1500	1550	1600	1650
ROYAUMES INDÉPENDANTS		**HABSBOURG**			
1400	1450	1500	1550	1600	1650

1469 Mariage de Ferdinand d'Aragon et Isabelle de Castille

1504-1516 Jeanne la Folle (Ferdinand est régent)

1621-1665
Philippe IV

Ferdinand et Isabelle, les Rois Catholiques

L'UNIFICATION DE L'ESPAGNE

Le mariage en 1469 d'Isabelle et Ferdinand, les « Rois Catholiques », ouvrait la voie à l'union des deux plus importants royaumes chrétiens de la péninsule Ibérique : la Castille, principale puissance militaire, et l'Aragon, qui comprenait Barcelone et la Sicile péninsulaire. Les deux souverains menèrent une politique déterminée qui conduisit à la conquête, en 1492, du royaume nasride de Grenade, contrôlé par les Maures (p. 52-53). En s'emparant de la Navarre en 1512, Ferdinand unit l'Espagne.

1556-1598
Philippe II

1843-1868 Règne d'Isabelle II après les régences de sa mère Marie-Christine (1833-1841) et d'Espartero (1841-1843)

1814-1833 Première restauration des Bourbons : Ferdinand VII

1871-1873 Amédée Ier de Savoie

1724 Louis Ier après l'abdication de Philippe V

1759-1788 Charles III

1931-1939 Deuxième République

1939-1975 Dictature du général Franco

1875-1885 Deuxième restauration des Bourbons : Alphonse XII

| 1700 | 1750 | 1800 | 1850 | 1900 | 1950 |

BOURBONS — BOURBONS — BOURBONS

| 1700 | 1750 | 1800 | 1850 | 1900 | 1950 |

1746-1759 Ferdinand VI

1808-1813 Joseph Bonaparte

1724-1746 Philippe V reprend le trône après la mort de son fils Louis Ier

1788-1808 Charles IV

1902-1931 Alphonse XIII

1886-1902 Marie-Christine de Habsbourg, régente durant la minorité d'Alphonse XIII

1700-1724 Philippe V

1873-1874 Première République

1868-1870 Coup d'État du général Prim

1975 Troisième restauration des Bourbons : Juan Carlos Ier

L'Espagne
du Nord

Présentation de l'Espagne du Nord

Délaissant la Méditerranée, de plus en plus de visiteurs découvrent les rochers déchiquetés et les plages de sable du littoral atlantique de l'Espagne du Nord, particulièrement beau en Galice où de nombreuses *rías* le creusent. Conséquence d'un climat doux et humide, à l'intérieur des terres s'étendent des forêts d'arbres à feuilles caduques et de gras pâturages. Au plaisir d'admirer les églises préromanes des Asturies ou les sanctuaires romans jalonnant le chemin du célèbre pèlerinage de Saint-Jacques-de-Compostelle, s'ajouteront ceux offerts à table par les produits de la mer, les fromages, ainsi que les superbes vins rouges de la Rioja.

À Oviedo (p. 102) *s'admirent une belle cathédrale gothique et plusieurs églises préromanes, dont la gracieuse Santa María del Naranco.*

Lugo

La Corogne

Asturies

GALICE
(p. 80-95)

ASTURIES ET CANTABRIE
(p. 96-109)

Pontevedra

Ourense

Les Rías Baixas (p. 91) *forment une des plus jolies côtes d'Espagne. Dans les champs se dressent encore des greniers à grains surélevés appelés hórreos.*

Saint-Jacques-de-Compostelle (p. 86-89) *attire chaque année dans sa cathédrale entreprise en 1074 des milliers de pèlerins et de touristes.*

Les Picos de Europa (p. 104-105) *dominent de leurs cimes majestueuses les Asturies et la Cantabrie. Les nombreux sentiers qui les parcourent permettent de découvrir de superbes paysages.*

0   50 km

◁ **La côte galicienne au sud du cabo Fisterra**

Santillana del Mar
(p. 108) *est l'une des villes
anciennes les mieux
préservées d'Espagne.
Le Convento de Regina
Coeli abrite un petit musée
d'art religieux qui présente
notamment des statues
de bois peintes.*

Saint-Sébastien (p. 118),
*la plus élégante station
balnéaire du Pays basque,
propose dans une baie
magnifique d'importantes
manifestations culturelles,
dont le plus important
festival du film d'Espagne.*

Biscaye

Cantabrie

Guipúzcoa

Álava

Navarre

**PAYS BASQUE,
NAVARRE ET RIOJA**
(p. 110-131)

Rioja

Pampelune (p. 128-129), *capitale
de la Navarre depuis le IXe siècle,
ne vit que pour la fête pendant
la féria de Los Sanfermines. Tous
les matins, les amateurs les plus
courageux courent devant les
taureaux lâchés dans les rues
pour l'encierro.*

Le Monasterio de Leyre (p. 131) *offrait déjà refuge
aux pèlerins au IXe siècle. Entreprise au XIe siècle,
l'église abrite les tombeaux de plusieurs rois de
Navarre. Sa crypte est un des plus beaux exemples
d'architecture romane primitive d'Espagne.*

Les spécialités de l'Espagne du Nord

Asperges blanches

La cuisine de l'Espagne du Nord se distingue par le rôle qu'y jouent le poisson et les fruits de mer pêchés dans l'Atlantique. Ils n'en constituent toutefois pas les seuls ingrédients, les hauteurs de l'intérieur offrant truites, saumons, gibier et charcuterie traditionnelle, tandis que l'humidité du climat permet la production de nombreux fromages et la culture de légumes tels que les choux ou le maïs. Si les spécialités galiciennes tendent à privilégier la simplicité, le Pays basque, où les gourmets s'assemblent en sociétés gastronomiques, est réputé pour la sophistication de certains de ses plats. La morue s'y prépare selon des recettes très variées et souvent originales. Le cidre reste fabriqué artisanalement aux Asturies, tandis que la Navarre exporte ses asperges blanches dans le monde entier et fournit l'Espagne en *pimiento del piquillo* (petit poivron).

Le txangurro relleno, spécialité basque, est de l'araignée de mer gratinée dans sa carapace.

Les haricots jouent un rôle essentiel dans la cuisine du Nord et il en existe de nombreuses variétés. Cultivés aux Asturies, les haricots de La Granja sont sans doute les meilleurs du monde, mais ils coûtent deux fois plus cher que l'agneau. Très réputés également, ceux de Tolosa, dans le Pays basque, sont rouges et noirs.

Le revuelto, brouillade d'œufs servie sur toute la côte nord, se garnit parfois de crevettes et d'asperges.

Porc

Haricots

Morcilla

Chorizo

La fabada, spécialité des Asturies, se prépare traditionnellement avec des haricots, du porc salé, une saucisse appelée morcilla et du chorizo. Certains cuisiniers utilisent cependant aussi du bœuf, du gibier ou des fruits de mer pour proposer des fabadas plus sophistiquées.

L'empanada, tourte galicienne, peut avoir une farce à la morue, au thon, aux coquillages ou au porc.

Les angulas (civelles), plat de luxe du Pays basque, se dégustent à peine saisies avec de l'ail et du piment.

Les pimientos rellenos, *poivrons farcis au poisson, aux fruits de mer ou à la viande, se dégustent en Navarre.*

La trucha à la Navarra, *truite de montagne désossée et farcie au jambon cru, se sert grillée ou frite.*

Les vieras de Santiago *(coquilles Saint-Jacques) se préparent avec une sauce à la tomate et à l'eau-de-vie.*

Le lacón con grelos, *à base de lard, de saucisse et de fanes de navets, est le plat national galicien.*

Le chilindrón de cordero, *ragoût de mouton mijoté avec des poivrons frais ou séchés, se cuisine en Navarre.*

Casadielles   Carajitos

Sobaos

Les pâtisseries comprennent les *sobaos de Cantabrie*, les *carajitos aux noisettes* et les *casadielles à la crème de marrons*.

LES FROMAGES

Les montagnes d'Asturie produisent le *picón* et le *cabralesa*. Les fromages galiciens comme la *tetilla* sont plus doux. À recommander également : le *roncal* et l'*idiazábal* (un fromage fumé) basques et le *san simón*.

Idiazábal

Cabrales

Tetilla

PRODUITS DE LA MER

Parmi les fruits de mer pêchés sur la côte nord figurent les moules, les huîtres, les coquilles Saint-Jacques, les homards, les araignées de mer, les tourteaux, les langoustes et les langoustines. Le poulpe est une spécialité très appréciée. Anchois et thon se consomment souvent en conserve, tandis que les Basques vont jusqu'en mer d'Islande pêcher le cabillaud qui donnera la morue *(bacalao)*.

Moules

Coquille Saint-Jacques

Thon

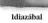

Morue   Anchois   Araignée de mer

Les vins de l'Espagne du Nord

L a région viticole la plus prestigieuse d'Espagne, la Rioja, est particulièrement réputée pour ses rouges mis au point au XIXᵉ siècle en collaboration avec des viticulteurs du Bordelais, mais produit aussi de bons crus blancs et rosés. En Navarre, un programme gouvernemental a permis aux rouges et à quelques blancs de connaître récemment une grande amélioration. Tiré en faible quantité de vignes peu ensoleillées, le *txakoli (chacolí)* basque a un goût piquant. Les meilleurs vins de Galice sont des blancs bien charpentés.

Réparation de fûts à Haro, en Rioja

Le ribeiro, vin galicien de consommation courante légèrement pétillant, se sert souvent à la tasse.

LÉGENDE

- Rías Baixas
- Ribeiro
- Valdeorras
- Txacoli de Guetaria
- Rioja
- Navarre

Le lagar de cervera provient des Rías Baixas où le cépage albariño produit les blancs les plus en vogue d'Espagne.

LES RÉGIONS VITICOLES

Les régions viticoles de l'Espagne du Nord forment des ensembles dispersés. Au pied des Pyrénées à l'intérieur des terres, l'Ebre divise la Rioja en Rioja Alavesa, Rioja Alta et Rioja Baja. C'est aussi près du fleuve que s'étendent les vignes de Navarre. Au nord, le Pays basque ne possède qu'une minuscule région de production, le Txacoli de Guetaria, tandis qu'à l'ouest, il en existe quatre en Galice : les Rías Baixas, le Ribeiro, les Valdeorras et la Ribera Sacra de création récente.

Village viticole d'El Villar de Álava en Rioja Alta

Vendanges traditionnelles en Navarre

Remelluri, l'un des « châteaux » de la Rioja, propose des crus bien équilibrés en tanin.

Le chivite, vinifié à partir de raisin tempranillo et vieilli en fût dans une exploitation familiale navarraise, s'apparente à un rioja.

Le viña ardanza, comme beaucoup de rouges de la Rioja, est un mélange vieilli, pour les meilleurs crus, de 2 à 3 ans en fût de chêne.

CE QU'IL FAUT SAVOIR SUR LES VINS D'ESPAGNE DU NORD

Sol et climat
Partout sauf dans la plaine de l'Ebre, la vigne pousse sur des sols pauvres et pierreux. La Rioja et la Navarre subissent toutes deux des influences climatiques atlantiques, dans les collines du nord-ouest plus humides, et méditerranéennes, dans la plaine de l'Ebre. Une forte pluviosité caractérise les régions viticoles du Pays basque et de la Galice.

Cépages
En Rioja comme en Navarre, le tempranillo est le grand cépage des vins rouges. Les viticulteurs de la Rioja le complètent, en plus faibles quantités, de guarnacha, de graciano et de mazuelo, tandis qu'il se marie à merveille avec le cabernet sauvignon en Navarre, où

le guarnacha donne d'excellents rosés *(rosados)*. Dans les deux régions, les blancs sont principalement issus du viura. Parmi les cépages galiciens figurent l'albariño, le loureira et le treixadura qui remplace de plus en plus le palomino de qualité inférieure.

Quelques producteurs réputés
Rías Baixas : Fillaboa, Lagar de Fornelos, Morgadío, Santiago Ruiz. *Ribeiro :* Cooperativa Vinícola del Ribeiro. *Rioja :* Bodegas Riojanas (Canchales, Monte Real), CVNE (Imperial, Viña Real Oro), Faustino Martínez, Federico Paternina, Marqués de Cáceres, Marqués de Murrieta, Martínez Bujanda, Remelluri, La Rioja Alta (Viña Ardanza). *Navarre :* Bodega de Sarría, Guelbenzu, Julián Chivite (Gran Feudo), Magaña, Ochoa, Príncipe de Viana.

Les forêts du Nord

Forêt au nord de l'Espagne en automne

Grand mars

La forêt s'étendait jadis sur la majeure partie de la péninsule Ibérique, mais il ne reste qu'un dixième de ce couvert boisé, principalement dans les montagnes du nord aux précipitations élevées et aux pentes trop raides pour l'agriculture. En particulier en Cantabrie et au Pays basque, les feuillus y dominent, en majorité des hêtres, des chênes et des châtaigniers, auxquels se mêlent quelques frênes et tilleuls. De nombreuses espèces d'insectes, de mammifères et d'oiseaux vivent dans les sous-bois où subsistent les derniers ours bruns d'Espagne (*p. 100*).

LA FORÊT ET SON ÉQUILIBRE

Moisissures, bactéries et insectes sont indispensables au cycle écologique d'une forêt car ce sont eux qui fournissent aux plantes les éléments nutritifs nécessaires à leur croissance en décomposant des matériaux tels qu'excréments ou feuilles mortes.

Amanites tue-mouches

Les lichens, sensibles à la pollution, sont de bons indicateurs de l'état de santé d'une forêt.

Les lucanes ne présentent aucun danger pour l'homme malgré l'aspect menaçant des mandibules du mâle.

Le sol, un habitat vivant

FORÊT DE HÊTRES

Essence dominante sur les sols bien drainés des montagnes de Cantabrie et des Pyrénées, le hêtre garde parfois tout l'hiver des feuilles cuivrées. Ses faînes servent à l'alimentation des porcs.

Feuilles et faîne

Le feuillage dense freine la croissance du sous-bois.

Longs bourgeons orange

Les loriots, difficiles à apercevoir car ils se tiennent le plus souvent à couvert dans le sous-bois, font partie des oiseaux les plus colorés d'Europe. Femelles et jeunes sont plus ternes et possèdent une queue brune.

La fouine dort pendant la journée dans un tronc creux ou le terrier abandonné par un autre animal et se nourrit la nuit de fruits, d'oiseaux et de petits mammifères.

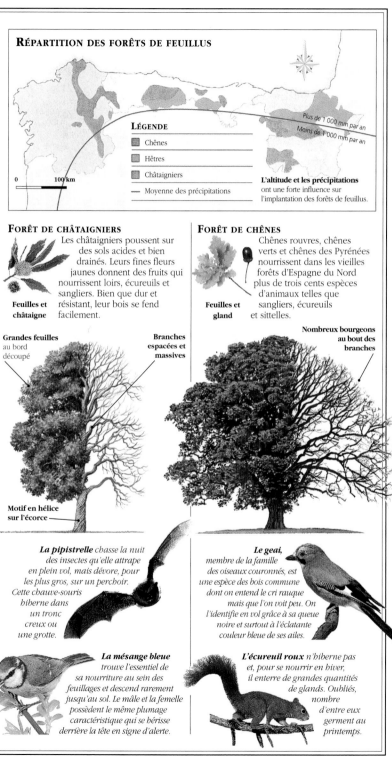

RÉPARTITION DES FORÊTS DE FEUILLUS

LÉGENDE

- Chênes
- Hêtres
- Châtaigniers
- Moyenne des précipitations

Plus de 1 000 mm par an
Moins de 1 000 mm par an

0   100 km

L'altitude et les précipitations ont une forte influence sur l'implantation des forêts de feuillus.

FORÊT DE CHÂTAIGNIERS

Les châtaigniers poussent sur des sols acides et bien drainés. Leurs fines fleurs jaunes donnent des fruits qui nourrissent loirs, écureuils et sangliers. Bien que dur et résistant, leur bois se fend facilement.

Feuilles et châtaigne

FORÊT DE CHÊNES

Chênes rouvres, chênes verts et chênes des Pyrénées nourrissent dans les vieilles forêts d'Espagne du Nord plus de trois cents espèces d'animaux telles que sangliers, écureuils et sittelles.

Feuilles et gland

Grandes feuilles au bord découpé

Branches espacées et massives

Nombreux bourgeons au bout des branches

Motif en hélice sur l'écorce

La pipistrelle chasse la nuit des insectes qu'elle attrape en plein vol, mais dévore, pour les plus gros, sur un perchoir. Cette chauve-souris hiberne dans un tronc creux ou une grotte.

Le geai, membre de la famille des oiseaux couronnés, est une espèce des bois commune dont on entend le cri rauque mais que l'on voit peu. On l'identifie en vol grâce à sa queue noire et surtout à l'éclatante couleur bleue de ses ailes.

La mésange bleue trouve l'essentiel de sa nourriture au sein des feuillages et descend rarement jusqu'au sol. Le mâle et la femelle possèdent le même plumage caractéristique qui se hérisse derrière la tête en signe d'alerte.

L'écureuil roux n'hiberne pas et, pour se nourrir en hiver, il enterre de grandes quantités de glands. Oubliés, nombre d'entre eux germent au printemps.

Sur le chemin de Compostelle

S elon la tradition, le corps de saint Jacques le Majeur fut rapporté en Galice, où il aurait prêché, après son martyre à Jérusalem en 44. En 813, une étoile indique l'emplacement de sa sépulture et Alphonse II y fait élever une cathédrale *(p. 88-89)*. Au Moyen Âge, un demi-million de pèlerins franchissaient chaque année les Pyrénées à Roncevaux *(p. 130)* ou au col de Somport *(p. 220)* pour venir s'y recueillir. Ils portaient le plus souvent la coquille Saint-Jacques, devenue le symbole du saint, après qu'il s'en fut servi pour sauver de la noyade un seigneur chrétien poursuivi par des Maures.

Saint Jacques Matamore

Astorga *(p. 334)*, ancienne cité romaine, devint une étape importante sur le chemin du pèlerinage. Sa cathédrale abrite un musée qui présente notamment un reliquaire du XIIIe siècle en filigrane d'or et d'argent.

Représentation (XIXe s.) du Portico da Gloria de la cathédrale de Saint-Jacque

Un certificat est délivré aux pèlerins qui parcourent au moins 100 km à pied, à vélo ou à cheval.

O Cebreiro *(p. 95)* renferme une église du IXe siècle et des *pallozas*, cabanes celtes primitives.

León était une des principales étapes du pèlerinage. Sa cathédrale *(p. 336-337)* renferme de superbes vitraux.

SANTIAGO DE COMPOSTELA

Chemin maritime

Chemin portugais

PORTO LISBOA

Vigo

Ligonde

Chemin d'argent

A Coruña

Ribadeo

Oviedo

Vilar de Donas

O Cebreiro

Villafranca del Bierzo

À Ponferrada, un château templier date de 1178 *(p. 334)*.

Ponferrada

Astorga

Hospital de Órbigo

LEÓN

Sahagún

La coquille, le bâton de marche et la gourde étaient les symboles du pèlerin.

0   50 km

SALAMANCA

L'ARCHITECTURE ROMANE

Aux xᵉ et xiᵉ siècles, l'architecture romane *(p. 20)* se répandit en Espagne depuis la France et, le long des routes empruntées par les pèlerins de Saint-Jacques-de-Compostelle, de nombreux édifices religieux furent bâtis dans ce style caractérisé par des arcs semi-circulaires, des murs massifs percés de peu de fenêtres et une décoration sobre.

Chapiteau

Lanterne octogonale

Tours symétriques

Voûte en berceau

Murs massifs

Arc

Façade

Coupe

San Martín de Frómista *(p. 350), bâtie au xiᵉ siècle, est l'exemple le plus pur d'architecture romane de « pèlerinage » avec ses nefs de hauteurs proches et ses trois absides partageant le même axe.*

Absides

Nef latérale

Nef centrale

Plan

*À **Pampelune** (p. 128), les pèlerins purent se recueillir dans la cathédrale gothique à partir du xvᵉ siècle.*

*À **Santo Domingo de la Calzada** (p. 124), un parador occupe l'ancien hospice.*

Puente la Reina *(p. 127) doit son nom à son pont (puente) bâti au xiᵉ siècle et toujours emprunté par les piétons.*

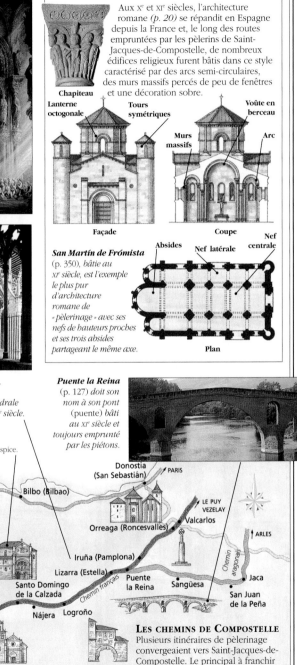

Frómista a l'une des plus belles églises romanes du Chemin français.

Santander

Donostia (San Sebastián)

↗ PARIS

Chemin du Nord

Bilbo (Bilbao)

LE PUY
VEZELAY

Valcarlos

Orreaga (Roncesvalles)

↑ ARLES

Iruña (Pamplona)

Lizarra (Estella)

Puente la Reina

Sangüesa

Chemin aragonais

Jaca

Santo Domingo de la Calzada

Chemin français

San Juan de la Peña

San Juan de Ortega

Nájera

Logroño

ómista

BURGOS

Burgos possède une superbe cathédrale gothique *(p. 354-355).*

LES CHEMINS DE COMPOSTELLE

Plusieurs itinéraires de pèlerinage convergeaient vers Saint-Jacques-de-Compostelle. Le principal à franchir les Pyrénées portait le nom de Chemin français.

GALICE

·····························

LUGO · LA COROGNE · PONTEVEDRA · OURENSE

À l'angle nord-ouest du trapèze formé par la péninsule Ibérique, la Galice est la région la plus verte d'Espagne. De souche celte, sa population défend avec fierté son langage et sa culture. La mer joue un grand rôle dans sa vie économique et les rías qui creusent la côte déchiquetée abritent de nombreux ports. Dans les collines de l'intérieur, l'agriculture reste souvent traditionnelle.

La Galice ne commence que depuis peu à sortir de l'isolement imposé par ses reliefs et le visiteur éprouve parfois l'impression d'y remonter dans le temps. Au sein de paysages émeraude, villages aux pierres taillées dans le granit, anciennes demeures seigneuriales appelées *pazos* et greniers à grain sur pilotis *(hórreos)* prennent un aspect magique quand l'Atlantique les nimbe d'un voile de brume.

L'Océan offre depuis des siècles d'autres richesses aux Galiciens et leur cuisine réputée accorde une large place aux produits de la mer. Le premier port de pêche d'Espagne, Vigo, s'abrite dans l'une des superbes Rías Baixas, golfes profonds qui découpent la côte occidentale. Saint-Jacques-de-Compostelle, où l'on aurait découvert les reliques de saint Jacques le Majeur au IXᵉ siècle, fut au Moyen Âge le plus grand centre de pèlerinage d'Europe après Rome. Il a perdu de son importance, mais la foi des Galiciens reste forte, à l'instar de leur attachement à leurs traditions et à leur langue, le *gallego*, proche du portugais. C'est toujours au son de la cornemuse que l'on danse pendant les *romerías*, fêtes patronales qui se déroulent souvent près d'un sanctuaire isolé dans la campagne.

Les maigres terres de Galice, ici près du cabo Fisterra, exigent un dur travail des hommes qu'elles nourrissent

◁ **La façade ouest de la cathédrale de Saint-Jacques-de-Compostelle domine la praza do Obradoiro**

À la découverte de la Galice

Principal centre d'intérêt touristique de la Galice, et superbe cité ancienne, Saint-Jacques-de-Compostelle occupe le cœur d'une région riche en jolies villes telles que Betanzos, Mondoñedo, Lugo et Pontevedra. Au nord, des collines boisées dominent les stations balnéaires des Rías Altas. Les Rías Baixas forment le sud de la côte occidentale et abritent ports de pêche et plages de sable. L'intérieur des terres, où la vie semble avoir peu changé depuis des siècles, offre un cadre idéal à des vacances paisibles dans une atmosphère rurale.

Orchestre d'étudiants en costumes traditionnels à Pontevedra

LA GALICE D'UN COUP D'ŒIL

Monastère de Ribas de Sil

MALPICA

A CORU

COSTA DA MORTE

SANTA COMBA

CORCUBION

C552

C545

⑤

SANTIAGO DE COMPOSTELA ❻

NOIA

PADRÓN ❼

Ulla

A ESTRADA

A TOXA ❽

PONTEVEDRA ❾

RÍAS BAIXAS

VIGO ❿

BAIONA ⓫

TUI ⓭

Miño

Braga
Viana do Castelo

A GUARDA ⓬

N550

N541

VOIR AUSSI

- *Hébergement* p. 536-538
- *Restaurants et bars* p. 578-579

CIRCULER

Les principaux aéroports sont à La Corogne, Saint-Jacques-de-Compostelle et Vigo. Un réseau d'autoroutes relie Verín, Vigo, La Corogne et O Cebreiro, mais la circulation sur le littoral peut être dense. Des trains et des autocars relient la plupart des grandes villes de Galice et les villes de la côte nord sont desservies par le FEVE *(p. 631)*. L'Espagne est en train de changer la numérotation des routes et il se peut que certaines routes de la carte ci-contre portent maintenant un nouveau numéro.

RÍAS ALTAS

ORTIGUEIRA
CEDEIRA
C646
C642
VIVEIRO
C642
OUROL
C641
C640
Eume
C640
N634 (E70)
MONDOÑEDO
Oviedo Gijón

BETANZOS
N634 (E70)
A6 (E70)
Miño
C634
N640
Tambre
Eo
LUGO
C630
Navia
VILAR DE DONAS
N547
N540
Embalse de Belesar
SARRIA
A6
O CEBREIRO
ALÍN
CRG21
MONASTERIO DE OSEIRA
CRG2
N540
N120
MONASTERIO DE RIBAS DE SIL
N120
O BARCO
Ponferrada León
URENSE
N540
A52
C536
CASTRO CALDELAS
Sil
N536
CELANOVA
Limia
Embalse de Prada
Palencia Valladolid
INZO DE LIMIA
A52
Embalse das Portas
A52
VERÍN
N532
Vila Real

0 —————— 25 km

Calvaire de la praza de la Herreria, à Pontevedra

LÉGENDE

▰	Autoroute
▰	Route principale
▰	Route secondaire
▰	Parcours pittoresque
≈	Cours d'eau
☙	Point de vue

Armoiries sculptées d'une façade de Mondoñedo

Rías Altas ❶

Lugo et A Coruña. 🏛 10 000.
🚉 Ribadeo. 🚌 Viveiro. 🛈 Foz, 982 14 06 75. 🏖 mar.

L'Atlantique a creusé les roches anciennes de la côte galicienne de golfes étroits appelés *rías*, notamment dans la région de collines boisées de pins et d'eucalyptus qui s'étend au nord entre Ribadeo et La Corogne.

Embouchure du rio Eo, la ravissante **ría de Ribadeo** forme la frontière avec les Asturies. À l'ouest, le petit port de pêche de **Foz** possède deux belles plages. Non loin, l'église San Martín de Mondoñedo se dresse, isolée, sur une hauteur. Datant du Xᵉ siècle, elle abrite au transept des chapiteaux sculptés de scènes bibliques. Remarquez l'histoire de Lazare.

Station balnéaire animée, **Viveiro**, à 35 km, a conservé, derrière une porte Renaissance, un agréable quartier ancien aux rues dominées par des *galerías*, galeries vitrées typiques de la Galice. L'église romane date du XIᵉ siècle. Au nord du pittoresque petit village de pêche d'El Barquero s'étend le cap de la Estaca de Bares.

En continuant vers l'ouest sur la côte, on atteint une autre belle ville aux maisons blanches : **Ria de Ortigueira**. Dans la *ría* où elle s'abrite s'étendent de nombreuses plages préservées.

De hautes falaises tombent dans la mer près de **San Andrés de Teixido** dont l'église devient, chaque 8 septembre, un

important lieu de pèlerinage. Selon une légende, ceux qui omettent de s'y rendre de leur vivant y viendront sous forme animale après leur mort. Au creux d'une baie protégée, **Cedeira** est une station balnéaire prospère.

Mondoñedo ❷

Lugo. 🏛 4 900. 🚉 🛈 Plaza de la Catedral 34, 982 50 71 77. 🏖 jeu. et dim. 🎪 Nuestra Señora de los Remedios (le dim. qui suit le 8 sept.), San Lucas (18 oct), As Quendas (1ᵉʳ mai).

Dans une vallée fertile à l'intérieur des terres, cette ancienne capitale provinciale a gardé beaucoup de charme avec ses maisons patriciennes ornées d'armoiries et de *galerías*. Sur la grand-place, la **cathédrale** entreprise en pierres dorées en 1219 a conservé un portail et un intérieur de style roman, mais ses tours sont baroques et sa rosace fut restaurée au XVIᵉ siècle. Des fresques du XIVᵉ siècle représentant le massacre des saints Innocents ornent l'intérieur. Une des chapelles renferme la statue de Nuestra Señora la Inglesa provenant de la cathédrale Saint-Paul de Londres.
Le **Museo Diocesano** présente, entre autres, des œuvres de l'école de Zurbarán et d'El Greco.

🏛 **Museo Diocesano**
Plaza de la Catedral. 📞 982 50 70 90. ⭕ L'été (hors saison, appeler pour visite). ♿

Betanzos ❸

A Coruña. 🏛 13 000. 🚉 🚌 🛈 Calle Emilio Romay 1, 981 77 36 93. 🏖 mar., jeu. et sam. 🎪 San Roque (14-25 août).

Cernées de collines au fond d'une *ría*, Betanzos a conservé dans les rues étroites de sa vieille ville d'élégantes maisons seigneuriales et d'intéressantes églises gothiques. Reconstruite au XVᵉ siècle par la corporation des tailleurs, l'**Iglesia de Santiago** présente au portail une statue de saint Jacques Matamore (tueur de Maures). L'**Iglesia de San Francisco** date de 1387. Ornée de belles sculptures, elle renferme le tombeau du comte Fernán Pérez de Andrade, posé sur un sanglier et un ours, emblèmes de la puissante famille des Andrade.

Aux environs
À 20 km au nord, **Pontedeume** a gardé son charme et le pont médiéval qui lui donna son nom. La route qui l'emprunte conduit à **Ferrol**, grand port de guerre depuis la fondation d'un arsenal au début du XVIIIᵉ siècle. Plusieurs édifices néo-classiques datent de cette époque, en particulier la cathédrale. Sur la praza de España, une imposante statue équestre rappelle que le général Franco (*p. 62-63*) est né à Ferrol en 1892.

Tombeau de Fernán Pérez de Andrade à Betanzos

Terrasses de cafés sur la plaza de García Hermanos à Betanzos

Sur la Costa do Morte, une croix rappelle les dangers créés par les rochers

La Corogne ❹

A Coruña. 🏛 246 000. ✈ 🚌 🚢
ℹ️ *Avda. de la Marina 18, 981 18
43 44.* 🎭 *Fiestas de María Pita
(août).* 🌐 *www.turismocoruna.com*

Port actif fondé par des
Ibères, A Coruña (La
Coruña) a joué dans l'histoire
navale espagnole un rôle
important mais pas toujours
heureux puisque c'est là que
Philippe II rassembla son
Invincible Armada *(p. 55)* en
1588. Il faut aujourd'hui
traverser de vastes faubourgs
industriels avant d'atteindre le
quartier chic qui s'est
développé sur l'isthme
conduisant au promontoire où
s'élève la **Torre de Hércules**.
Bâti par les Romains et
reconstruit au XVIIIᵉ siècle, c'est
le plus ancien phare en service
d'Europe. Gravir ses
242 marches permet de
découvrir un large panorama
de la baie.

Au sud, la vieille ville le
sépare du port. Elle renferme
deux églises romanes
entreprises au XIIᵉ siècle :
l'**Iglesia de Santiago** ornée,
au-dessus du portail principal,
d'un relief de saint Jacques à
cheval, et l'**Iglesia de Santa
María**, au tympan sculpté
d'une Adoration des Mages. La
façade gothique du **Convento
de Santa Bárbara** porte un
relief du Jugement dernier. Elle

borde une place minuscule
mais ravissante. Derrière l'église
baroque de **Santo Domingo**,
le paisible jardín de San Carlos
offre une belle vue sur la mer.

Élégant édifice du début du
siècle, l'*ayuntamiento* (hôtel
de ville) domine la praza María
Pita, grand-place entourée
d'arcades. Les *galerías*
surplombant la promenade
de **La Marina** ont valu à
La Corogne le surnom de « cité
de verre ».

**La Torre de Hércules, phare
d'origine romaine à La Corogne**

Costa da Morte ❺

A Coruña. 🚌 *A Coruña, Malpica,
Santiago de Compostela.* ℹ️ *A Coruña,
981 22 18 22.*

Entre Malpica et Fisterra, à
l'ouest de La Corogne,
s'étend un littoral sauvage où
les tempêtes ont envoyé tant
de navires se déchirer sur les
rochers qu'il a pris le nom de
« côte de la Mort ». Aucune
ville ne s'y est développée et il
n'existe que des villages de
pêcheurs au fond de ses *rías*
que dominent des collines
couvertes de forêts de pins et
d'eucalyptus.

À **Malpica** se découvrent
une longue plage de sable, un
sanctuaire pour les oiseaux de
mer et les panoramas offerts
par le cabo de San Adrián.
Laxe propose une plage
longue de plus d'un kilomètre.
Camariñas est un agréable
village aux murs blanchis où
les femmes continuent à
fabriquer des dentelles
traditionnelles dans la rue. Sur
le cabo Vilán, des éoliennes
futuristes forment un tableau
étonnant près du phare.

Au sud, Corcubión a
conservé une élégance fanée.
Vers l'ouest, il n'y a plus
ensuite que Fisterra et le **cabo
Fisterra**, pointe la plus
occidentale de l'Europe et lieu
idéal où venir admirer le soleil
se couchant sur l'Atlantique.

Saint-Jacques-de-Compostelle pas à pas ❻

Sur le « champ de l'étoile » *(campus stellae)* où, selon la légende, un ermite découvrit la sépulture de saint Jacques, Santiago de Compostela devint au Moyen Âge un haut lieu de pèlerinage *(p. 78-79)*. La praza do Obradoiro en constitue le cœur et les majestueux édifices qui la bordent forment un ensemble d'une grande harmonie malgré la diversité des styles architecturaux. Compact, le centre historique qui entoure la place se visite aisément à pied. Deux monuments justifient toutefois d'en sortir, à l'est : le Convento de Santo Domingo, qui abrite le musée du Peuple galicien, et l'église romane de la Colegiata del Sar.

Sur le marché de Saint-Jacques

★ **Le Convento de San Martiño Pinario**
Son église abrite, derrière une façade au foisonnant décor plateresque, une somptueuse décoration baroque.

Pazo de Xelmírez

RÚA DA TROI

RUELA DO VAL DE DEUS

RÚA DE SAN FRANCISCO

PRAZA DA INMACULA...

★ **L'Hostal de los Reyes Católicos**
Aménagé en parador (p. 537), cet ancien hospice construit par les Rois Catholiques possède un superbe portail plateresque.

PRAZA OBRADO...

Praza do Obradoiro
Dominée par la façade baroque de la cathédrale, l'une des plus belles places du monde offre un cadre majestueux aux rassemblements de pèlerins.

Le Pazo de Raxoi
(Palacio de Rajoy) bâti en 1772 abrite la mairie.

Convento de San Paio de Antealtares
Fondé au IXe siècle pour abriter les reliques de saint Jacques désormais à la cathédrale, c'est un des plus vieux monastères de la ville.

MODE D'EMPLOI

A Coruña. 🏢 97 000. ✈ 12 km au nord. 🚌 Calle Hórreo, 75a, 902 24 02 02. 🚉 Avenida Rodríguez de Viguri, 981 54 24 16. 🛈 Calle Rúa do Villar 63, 981 55 5129. 🛒 mer. (bestiaux), sam. 🎉 Semana Santa (semaine de Pâques) Fêtes de Saint-Jacques (15-31 juil.)

La praza da Quintan est une place élégante dominée par la tour de l'horloge de la cathédrale.

Praza das Praterias
Le Portail des Orfèvres de la cathédrale ouvre sur cette place charmante ornée d'une fontaine du XVIIe siècle.

LÉGENDE

– – –   Itinéraire conseillé

– – –   Itinéraire des pèlerins

La rúa Nova bordée de galeries conduit de la cathédrale aux quartiers plus récents.

Vers l'office du tourisme

0   100 m

Colegio de San Jerónimo

À NE PAS MANQUER

★ **Le Convento de San Martiño Pinario**

★ **L'Hostal de los Reyes Católicos**

★ **La cathédrale**

★ **La cathédrale**
Depuis près d'un millénaire, ce sanctuaire a accueilli des millions de pèlerins. L'extérieur a connu de nombreux remaniements, mais le cœur de l'édifice n'a pratiquement pas changé depuis le XIe siècle.

La cathédrale de Saint-Jacques-de-Compostelle

Bâti à partir de 1074 à l'emplacement de la basilique fondée au IXe siècle par Alphonse II, cet édifice majestueux, l'un des principaux sanctuaires de la chrétienté, présente sur la praza do Obradoiro une façade baroque conçue à l'image d'un immense retable. Chef-d'œuvre de l'art roman, le Pórtico da Gloria qu'elle encadre ouvre toujours sur l'intérieur dépouillé où venaient se recueillir les pèlerins du Moyen Âge.

Le botafumeiro, encensoir géant

Document attestant un pèlerinage

Les deux tours de la façade ont une hauteur de 74 m.

Statue de saint Jacques

★ La façade ouest
De style churrigueresque (p. 21), elle date du XVIIIe siècle.

★ Le Pórtico da Gloria
Orné de statues d'apôtres et de prophètes, le Portique de la Gloire remonte au XIIe siècle.

Palais épiscopal

Le « saint aux Bosses » sculpté au XIIe siècle donnerait mémoire et sagesse aux étudiants qui le frappent du front.

À NE PAS MANQUER

★ La façade ouest

★ Le Pórtico da Gloria

★ La Porta das Praterias

Musée des Tapisseries
Ses collections comprennent des tapisseries (les plus anciennes datent du début du XVIe siècle), et des tapis orientaux des XIIIe et XIVe siècles.

Le *botafumeiro* est balancé par huit hommes grâce à un système de poulies pendant les cérémonies importantes.

La chapelle Mondragon (1521) possède de belles grilles en fer forgé.

MODE D'EMPLOI

Praza do Obradoiro. 981 58 35 48. de 7 h à 22 h t.l.j. 9 h 30, midi lun.-ven. 10 h-12 h; 13 h-18 h et 19 h 30 les sam. et dim. Musée 981 56 05 27. 1er et 6 janv., 25 juil., 15 août, 25 déc. t.l.j.

Tour de l'Horloge

Maître-autel
Il faut passer derrière le maître-autel pour embrasser la pèlerine de la statue de saint Jacques (XIIIᵉ siècle).

Cloître

★ La Porta das Praterias
Le Portail des Orfèvres présente à l'extérieur un superbe décor sculpté au XIIᵉ siècle.

Crypte
Les reliques de saint Jacques se trouveraient sous l'autel de la crypte, dans des fondations du IXᵉ siècle.

Salle capitulaire

Padrón ❼

A Coruña. 👥 9 500. 🚌 🚉 ℹ️
Avenida Compostela, 627 21 07 77.
🚌 *dim.* 🎭 *San Isidro (15 mai)*
Santiago (24-5 juil.).

Cette ville paisible réputée
pour ses poivrons verts fut
un port maritime actif avant
que l'estuaire de l'Ulla ne
s'envase. Selon la légende, le
bateau qui rapportait la
dépouille de saint Jacques
(p. 78) y accosta. La pierre
(padrón) à laquelle il aurait été
amarré se trouve sous l'autel
de l'église bâtie près du pont.
　L'un des plus grands auteurs
de Galice, Rosalia de Castro
(1837-1885), évoqua dans ses
poèmes l'avenue ombragée
qui longe le sanctuaire. Sa
maison est devenue un musée.

Aux environs
À 20 km à l'ouest sur la côte, à
Noia (Noya), l'église gothique
San Martiño possède un
magnifique portail sculpté. À
l'est de Padrón, des jardins
agrémentés d'un lac entourent
le manoir du Pazo de Oca.

🏛️ **Museo Rosalia de Castro**
La Matanza. 📞 *981 81 12 04.*
🔵 *mar.-dim.* ♿ 📷

Les jardins et le lac originaux du Pazo de Oca

A Toxa ❽

Près de O Grove. 🚌 ℹ️ *Ayuntamiento,*
O Grove, 986 73 14 15. 🚌 *ven.*

Accessible par un pont, la
petite île couverte de pins
d'A Toxa (La Toja) est, avec
son palace Belle Époque
(p. 537) et ses luxueuses villas,
l'un des centres de villégiature
les plus élégants de Galice. Les
coquilles Saint-Jacques qui la
couvrent donnent un aspect
pittoresque à sa petite église.
De l'autre côté du pont, O
Grove (El Grove) allie les
atouts d'un port de pêche
réputé pour sa cuisine et d'une
station balnéaire aux plages
splendides.

Pontevedra ❾

Pontevedra. 👥 80 000. 🚌 🚉
ℹ️ *Calle General Gutierrez Mellado 1,*
986 85 08 14. 🚌 *sam.* 🎭 *Fiestas de*
la Peregrina (2ᵉ semaine d'août).

Au fond d'une *ría* entourée
de collines verdoyantes,
Pontevedra a conservé une
vieille ville au cachet
typiquement galicien avec ses
ruelles et ses placettes pavées
bordées d'arcades, de balcons
fleuris et de bars à tapas.
　Au sud du centre, les **Ruinas
de Santo Domingo** abritent
un musée lapidaire qui
présente des stèles romaines,
des tombeaux et des armoiries
sculptées. À l'ouest, l'**Iglesia de
Santa María la Mayor** bâtie au
xviᵉ siècle possède une façade
plateresque *(p. 21)* dont le
décor rappelle que le
sanctuaire fut fondé par la
confrérie des mariniers.
　Sur la **Praza de la Leña**,
deux demeures patriciennes
du xviiiᵉ siècle forment le
Museo de Pontevedra, l'un
des plus intéressants musées
de Galice.
　Ses collections comprennent
des bijoux celtes découverts
dans la région et, parmi les
peintures, des œuvres de
primitifs espagnols du
xvᵉ siècle et des tableaux par
Zurbarán et Murillo. Au dernier
étage, une large place est
accordée aux dessins et
peintures d'Alfonso Castelao,
caricaturiste galicien du
xxᵉ siècle.

🏛️ **Museo de Pontevedra**
Calle Pasantería 10–12. 📞 *986 85 14*
55. 🔵 *oct.-mai : 10h-13h30, 16h30-*
20h mar.-sam. ; juin-sept. : 10h-14h15,
17h-20h45 mar.-sam, 11h-14h dim.
📷 *pour les non-ressortissants de l'UE.*

Le pittoresque toit de l'église d'A Toxa

Rías Baixas

Quatre vastes *rías* enserrées dans des collines couvertes de pinèdes découpent la partie sud de la côte occidentale de la Galice. Elles abritent de belles plages où la baignade est sûre et jouissent d'un climat plus doux que le littoral septentrional plus sauvage. Bien que des villes comme Vilagarcía de Arousa et Panxón soient devenues des stations balnéaires très fréquentées, une grande partie de la côte reste préservée, notamment entre Muros et Noia. La pêche demeure une activité importante des Rías Baixas (Rías Bajas) ; leurs eaux poissonneuses et leurs parcs à coquillages alimentent en produits de la mer les tables des restaurants.

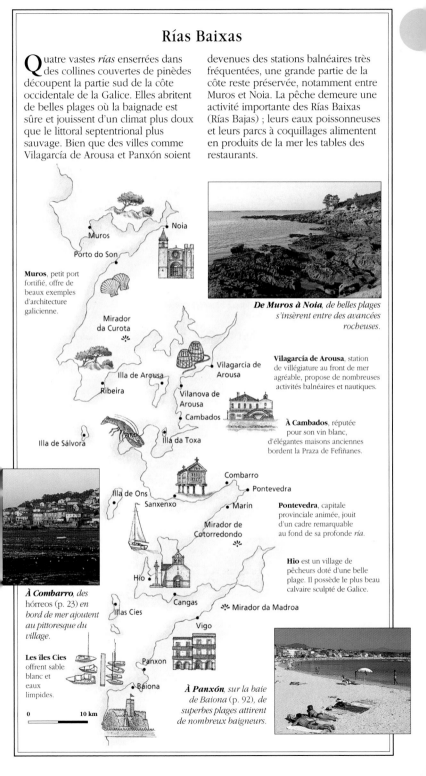

Noia

Muros

Porto do Son

Muros, petit port fortifié, offre de beaux exemples d'architecture galicienne.

De Muros à Noia, de belles plages s'insèrent entre des avancées rocheuses.

Mirador da Curota

Illa de Arousa

Ribeira

Vilagarcía de Arousa

Vilanova de Arousa

Cambados

Vilagarcía de Arousa, station de villégiature au front de mer agréable, propose de nombreuses activités balnéaires et nautiques.

Illa de Sálvora

Illa da Toxa

À Cambados, réputée pour son vin blanc, d'élégantes maisons anciennes bordent la Praza de Fefiñanes.

Combarro

Pontevedra

Illa de Ons

Sanxenxo

Marín

Mirador de Cotorredondo

Pontevedra, capitale provinciale animée, jouit d'un cadre remarquable au fond de sa profonde *ría*.

Hio est un village de pêcheurs doté d'une belle plage. Il possède le plus beau calvaire sculpté de Galice.

Hio

Cangas

Mirador da Madroa

À Combarro, des hórreos (p. 23) en bord de mer ajoutent au pittoresque du village.

Illas Cíes

Vigo

Les îles Cíes offrent sable blanc et eaux limpides.

Panxón

Baiona

À Panxón, sur la baie de Baiona (p. 92), de superbes plages attirent de nombreux baigneurs.

0   10 km

Canons sur les remparts de la forteresse de Monterreal, Baiona

Vigo ⑩

Pontevedra. 🏛 *300 000.* ✈ 🚌
🚌 🛈 *Calle Teófilo Llorente 5, 986 22 47 57.* 🛥 *mer., dim.* 🎉 *Cristo de los Afligidos (3ᵉ dim. de juil) Cristo de la Victoria (1ᵉʳ dim. d'août).*

Plus grande ville de Galice et premier port de pêche d'Espagne, Vigo occupe un site magnifique sur la rive sud d'une profonde *ría* que franchit un pont suspendu. Près du port s'étend le vieux quartier, le barrio del Berbès, où une joyeuse animation règne en soirée dans les ruelles pavées. Les bars à tapas, souvent excellents, y servent surtout des spécialités à base de produits de la mer. Les étals du mercado de la Piedra proposent à des prix raisonnables une grande variété de poissons et de coquillages, notamment des huîtres. Si Vigo

Les chevaux de bronze d'Oliveira sur la Praza de España de Vigo

possède peu de monuments remarquables, plusieurs sculptures modernes ornent la ville, en particulier, sur la praza de España, une œuvre en bronze de Juan José Oliveira, un artiste local.

Baiona ⑪

Pontevedra. 🏛 *11 000.* 🚌 🛈 *Calle Ventura Misa 17, 986 38 63 85.* 🛥 *lun. à Sabaris (tout près)* 🎉 *Santa Liberata (20 juil) Virgen de la Anunciada (1ᵉʳ dim. d'août).* 🌐 *www.baiona.org*

C'est dans ce petit port situé à l'embouchure de la *ría* de Vigo que la *Pinta*, l'une des caravelles de la flotte de Christophe Colomb, apporta le 10 mars 1493 la nouvelle de la découverte du Nouveau Monde. Baiona est aujourd'hui une station balnéaire animée où bateaux de pêche et de plaisance voisinent dans le port. Son quartier ancien a toutefois gardé son cachet.

De style romano-gothique, la **collégiale de Santa Maria** porte aux arcs les emblèmes des corporations qui aidèrent à sa construction aux XIIᵉ et XIIIᵉ siècles.

Au nord de la ville se dressent sur le promontoire de Monterreal les murailles d'une ancienne forteresse royale bâtie au début du XVIᵉ siècle. Un luxueux parador *(p. 536)* l'occupe, mais il reste possible d'accéder aux remparts.

À 3 km plus au sud sur la côte, l'immense statue en granit de la **Virgen de la Roca** fait face aux îles Cíes. Pendant les grandes fêtes religieuses,

les visiteurs peuvent grimper à l'intérieur jusqu'à l'embarcation qu'elle porte.

A Guarda ⑫

Pontevedra. 🏛 *10 000.* 🚌 🛈 *Praza do Reló, 986 61 00 00.* 🛥 *sam.* 🎉 *Monte de Santa Tecla (2ᵉ sem. d'août).* 🌐 *www.concellodaguarda.com*

Le petit port de pêche d'A Guarda (La Guardia) est particulièrement réputé pour la saveur de ses langoustes.

Sur le flanc du monte de Santa Tecla se visitent les vestiges d'un village celtique dont les habitants bâtirent près d'un millier de maisons circulaires entre 600 et 200 av. J.-C. Au sommet d'une colline voisine, le **Museo de Monte de Santa Tecla** présente une partie des objets découverts sur le site.

Aux environs
À quelque 10 km au nord, le petit **Monasterio de Santa María** se dresse près d'une plage à Oia, village où se déroule en mai et juin une fête où les éleveurs de chevaux font preuve de leur adresse *(p. 94)*.

Fondations circulaires de maisons celtiques à A Guarda

🏛 **Museo de Monte de Santa Tecla**
A Guarda. 📞 *986 61 00 00.* 🕐 *mars-déc. t.l.j.* 🚗 *accès à la colline.*

Tui ⑬

Pontevedra. 🏛 *17 500.* 🚌 🚌 🛈 *Calle Colon, 986 60 17 89.* 🛥 *jeu.* 🎉 *San Telmo (lun. après Pâques) ; descente du Río Miño (août).*

Principale ville frontière avec le Portugal, Tui (Tuy) domine le Miño depuis une haute colline que ses ruelles anciennes escaladent en

Déchargement à Vigo, premier port de pêche d'Espagne

LA PÊCHE EN ESPAGNE

Les Espagnols sont en Europe les plus gros mangeurs de produits de la mer après les Portugais et c'est la flotte galicienne qui fournit la moitié de la consommation nationale. Quelque 90 000 pêcheurs à bord de 20 000 bateaux rapportent chaque année plus d'un million de tonnes de poisson et de fruits de mer. Bien que très poissonneuses, les eaux espagnoles souffrent d'une surexploitation et les chalutiers doivent partir pour le Canada ou l'Islande.

sinuant jusqu'à la **cathédrale**. Bâti aux XIIe et XIIIe siècles, le sanctuaire a gardé ses tours et ses créneaux. Un riche décor sculpté orne son portail ouest, de style gothique à l'instar du cloître.

Non loin, l'**Iglesia de San Telmo** dédiée au saint patron des pêcheurs possède une décoration baroque marquée d'influences portugaises. En contrebas de la cathédrale, un pont construit par Gustave Eiffel en 1884, le **Puente Internacional**, franchit le fleuve jusqu'à Valença do Minho de l'autre côté de la frontière.

Située près du Parque de la Alameda et dominant le rio Miño, l'**Iglesia de Santo Domingo** mêle styles roman, gothique et baroque et comprend un joli cloître.

Celanova ⓮

Ourense. 🏘 6 200. 🚌 🚋 Plaza Mayor 1, 988 43 22 01. 🚋 jeu. 🎪 San Roque (15 août).

La masse imposante du **Monasterio de San Rosendo** domine la place principale de cette petite ville. Ce monastère bénédictin fondé en 936 et reconstruit entre le XVIe et le XVIIIe siècle comprend deux superbes cloîtres et une vaste église qui abrite de beaux retables et de superbes stalles sculptées.

Dans le jardin se dresse l'**Iglesia de San Miguel** (Xe siècle), sanctuaire mozarabe très bien conservé.

Aux environs
À 26 km au sud, à **Santa Comba de Bande**, s'admire une petite église encore plus ancienne. Caractéristique du style wisigothique *(p. 46-47)* avec un arc en fer à cheval porté par des piliers en marbre sculpté, elle date du VIIe siècle.

Verín ⓯

Ourense. 🏘 14 500. 🚌 🚋 Avenida San Lazaro 26-8, 988 41 16 14. 🚋 3e, 11e et 23e jour du mois. 🎪 Santa María la Mayor (15 août).

Ce bourg agricole entouré de vignobles a gardé beaucoup de cachet avec ses maisons du XVIIe siècle dotées d'arcades. Ses sources thermales ont donné naissance à une dynamique industrie d'embouteillage. L'austère silhouette du **Castillo de Monterrei** couronne à l'ouest une éminence rocheuse. Bâtie pendant les guerres avec le Portugal, cette forteresse renferme un donjon carré du XVe siècle, un ancien hôpital de pèlerins de style romano-gothique et une église du XIIIe siècle.

Pavement en céramique de l'Iglesia de San Miguel

Le Castillo de Monterrei domine la ville de Verín

FÊTES GALICIENNES

Os Peliqueiros *(Carnaval, fév.-mars)*, Laza (Ourense). Vêtus de costumes grotesques et portant des masques grimaçants et des clarines accrochées à la ceinture, *Os Peliqueiros* prennent possession des rues le dimanche du carnaval. De leur badine, ils cinglent les passants qui n'ont pas le droit de répliquer. Le lendemain matin, farine, eau et fourmis vivantes volent au cours d'une grande bataille. Le mardi, le carnaval de Laza s'achève par la lecture du « testament de l'âne » puis l'embrasement d'une effigie.

Les costumes grotesques d'*Os Peliqueiros* à Laza

A Rapa das Bestas *(mai et juin)*, Oia (Pontevedra). Les éleveurs locaux rassemblent des chevaux laissés en liberté pour leur couper crinières et queues. Ce qui était jadis un travail est devenu une fête.
Tapis de fleurs *(Fête-Dieu, mai-juin)*, Pontearas (Pontevedra). Dans les rues de la ville empruntées par la procession de la Fête-Dieu, des pétales de fleurs dessinent sur le sol des motifs élaborés aux couleurs éclatantes.
Fête de la Saint-Jacques *(25 juil.)*, Saint-Jacques-de-Compostelle. Le 24 au soir, un feu d'artifice embrase la praza do Obradoiro. Les célébrations sont intenses quand le 25 juillet tombe un dimanche.

Ourense ⑯

Ourense. 🏛 *110 000.* 🚊 🚌
ℹ️ *Calle as Burgas 12, 988 36 60 64.*
📅 *les 7 et 17 de chaque mois.* 🎭
Os Maios (3 mai) ; San Martín (11 nov).

L e vieux quartier d'Ourense (Orense) s'est construit autour des sources thermales de Las Burgas dont les eaux chaudes (plus de 65° C) jaillissent de trois fontaines.

Non loin, près de la Plaza Mayor entourée d'arcades, s'élève la **cathédrale** fondée en 572 et reconstruite aux XIIe et XIIIe siècles. Elle abrite un grand retable attribué à Cornelis de Holanda et, dans le vestibule, un triple portail intérieur dont le splendide décor sculpté polychrome évoque le Pórtico da Gloria de Saint-Jacques-de-Compostelle *(p. 88)*. De l'autre côté de la jolie plaza del Trigo se trouve le **Claustro de San Francisco**, élégant cloître gothique du XIVe siècle.

Le **Puente Romano** franchit le Miño au nord de la ville. Bâti en 1230 et restauré en 1449, il repose sur des fondations romaines.

Aux environs
Allariz, à 25 km au sud, et Ribadavia, à l'ouest, ont conservé d'anciens quartiers juifs renfermant des églises romanes.

Réputée pour ses crus de ribeiro *(p. 74)*, un blanc sec et un rouge liquoreux, Ribadavia possède un musée du vin.

Retable gothique ornant la cathédrale d'Ourense

Monasterio de Ribas de Sil ⑰

Ribas de Sil. 🚌 *San Esteban de Sil.*
🚌 *depuis Ourense.* 📞 *988 01 01 01 (hôtel de ville).* 🕐 *merc.-dim.*

A vant de se jeter dans le Miño, le río Sil creuse dans le granit de profondes gorges. Accessible par une route en lacet, un monastère fondé au début du Xe siècle par des bénédictins les domine depuis un à-pic. Récemment restauré afin de le transformer en parador *(p. 534)*, le monastère comporte dans l'un de ses trois cloîtres un immense mur de verre qui offre de beaux points de vue.

Les gorges du Sil

Le cadre créé par les forêts de la valle de Arenteiro ajoute à la majesté du Monasterio de Oseira

Monasterio de Oseira ⑱

Oseira. 🚉 🚌 depuis Ourense.
📞 988 28 20 04. ⏰ 10h-midi
lun.-sam., 17h30 -18h30 t. l. j. ✍

Près du village d'Oseira qui tire son nom des ours *(osos)* qui vivaient dans la région, ce monastère isolé dans une vallée boisée est un corps de bâtiments en granit gris dont la façade baroque date de 1708. Sa fondation remonte toutefois au XIIᵉ siècle et l'église a gardé son dépouillement cistercien. Construits entre le XVᵉ et le XVIIIᵉ siècle, les cloîtres et la salle capitulaire sont spectaculaires.

Fresque d'une *dona* dans l'église de Vilar de Donas

Vilar de Donas ⑲

Lugo. 🚉 80. 🄸 Avda de Compostela
28, 982 38 00 01. ⏰ Église 11h-
14h, 15h-18h t.l.j. 📅 San Antonio
(13 juin), San Salvador (6 août).

Dans ce hameau sur le chemin de Saint-Jacques-de-Compostela *(p. 78-79)*, à quelques pas de la grand-route, une petite église au portail roman abrite les tombeaux de chevaliers de l'ordre de Santiago et des peintures murales (XVᵉ siècle). On a également découvert des fresques (XVᵉ siècle), réalisées par les religieuses qui vécurent ici jusqu'au XVᵉ siècle.

Au nord-ouest, le **Monasterio Sobrado de los Monjes**, fondé au Xᵉ siècle, a conservé, malgré une reconstruction baroque, une cuisine et une salle capitulaire médiévales.

Lugo ⑳

Lugo. 🚉 90 000. 🚉 🚌 🄸 Praza
Maior, 982 29 71 87. 📅 mar. et ven.
📅 San Froilán (4-12 oct.).
🌐 www.concellodelugo.org

Capitale de la plus vaste des provinces galiciennes, Lugo était un centre stratégique à l'époque des Romains qui élevèrent la plus belle **enceinte romaine** à avoir subsisté en Espagne. Larges d'environ six mètres et hauts de onze, les remparts comportent dix portes dont six possèdent un escalier menant au chemin de ronde et aux jolies vues qu'il offre sur la ville.

À l'intérieur des murs, dans un angle de la plaza de España, la **cathédrale** d'origine romane s'inspire de celle de Saint-Jacques-de-Compostela. Son cloître et la chapelle de Nuestra Señora de los Ojos Grandes (Vierge aux grands yeux) sont deux splendides réalisations du baroque galicien.

Le cloître de l'église San Francisco abrite le **Museo Provincial** dont les collections comprennent des torques celtiques en or, des objets romains, la reconstitution de la cuisine d'une ferme et des peintures modernes d'artistes galiciens.

Aux environs
À 11 km à l'ouest de Lugo, a été mis au jour en 1924 sous le hameau de **Santa Eulalia de Bóveda** un curieux édifice : une sorte de petit temple voûté orné de peintures murales représentant des branchages, des fleurs et des oiseaux. Il pourrait s'agir d'un nymphée romain du IIIᵉ siècle transformé en lieu de culte paléochrétien.

🏛 **Museo Provincial**
Praza da Soidade. 📞 982 24
21 12. ⏰ t.l.j. ⏰ dim. en août. ♿

O Cebreiro ㉑

Lugo. 🚉 16. 🚌 🄸 982 36 70 25.
📅 Santo Milagro (8 sept.), Santa
Maria Real (17 sept.).

Dans les collines situées à l'est de la Galice, près de la frontière avec le León, O Cebreiro (El Cebrero) est l'un des villages les plus surprenants du chemin de Compostelle. Près de son église du IXᵉ siècle où, en 1300, une hostie se serait transformée en chair et en sang, se dressent plusieurs *pallozas*, cabanes circulaires au toit de chaume d'origine celte. L'une d'elles abrite un musée consacré aux traditions locales.

Gourde peinte au musée d'O Cebreiro

🏛 **Museo Etnográfico**
O Cebreiro. ⏰ 11h-14h,
15h-18h (17h en été)
mer.-dim.

ASTURIES ET CANTABRIE

ASTURIES · CANTABRIE

Les Asturies et la Cantabrie partagent le majestueux massif des Picos de Europa où, dans les villages de vallées de montagne, les habitants continuent de pratiquer des artisanats traditionnels. Sur la côte se découvrent de jolis ports de pêche et des villes historiques. Des peintures rupestres, telles celles d'Altamira, témoignent d'une présence humaine il y a environ 25 000 ans.

En 722, Pélage triompha d'une armée maure à Covadonga, dans les Asturies, et fonda un petit royaume chrétien. Point de départ de la Reconquête, celui-ci se para d'églises au VIIIᵉ siècle et un style préroman original s'y développa. Il en existe encore quelques exemples dans l'ancienne capitale, Oviedo, et sa périphérie. Les activités économiques de la région se sont aujourd'hui concentrées sur la côte. Les habitants de l'arrière-pays rural préservent la richesse de leur folklore, continuant à fabriquer leur cidre et, pour certains, à parler le dialecte appelé *bable*.

Si sa capitale, Santander, a beaucoup souffert d'un incendie en 1941, la Cantabrie compte plusieurs belles villes anciennes telles que Santillana del Mar, Carmona et Bárcena Mayor. L'élevage bovin reste la principale ressource des campagnes, riches en églises romanes.

La montagne couvre plus de la moitié de la superficie des deux régions, offrant aux randonneurs de superbes paysages, notamment dans les forêts de feuillus où survivent les derniers ours bruns d'Espagne. Truites et saumons abondent dans les rivières. Jalonné de criques et de plages de sable, le littoral attire en été de très nombreux touristes qu'accueillent d'agréables ports de pêche et des stations balnéaires comme Castro Urdiales, Ribadesella et Comillas.

Pâturage près du lago de la Ercina dans le massif des Picos de Europa

◁ Santillana del Mar, en Cantabrie, est restée superbement préservée

À la découverte des Asturies et de la Cantabrie

Culminant à 2 648 m et creusé d'impressionnants défilés, le massif des Picos de Europa constitue sans nul doute la partie la plus belle de la région. Bien que plusieurs routes y pénètrent, permettant de découvrir en voiture ou à vélo des paysages superbes, il offre aux randonneurs et aux alpinistes un vaste territoire sauvage à explorer. Parmi les innombrables villages plein de charme dispersés dans les campagnes et sur la côte, Santillana del Mar séduira tous les amateurs d'architecture ancienne, qui ne manqueront pas non plus les églises préromanes de la périphérie d'Oviedo. Cette ville universitaire possède, à l'instar de Santander, une vie culturelle animée. Pour ceux qui préfèrent le soleil et la mer, le littoral propose criques pittoresques et belles plages de sable.

Balcon fleuri typique dans le village de Bárcena Mayor

Sur la playa del Camello à Santander

LA RÉGION D'UN COUP D'ŒIL

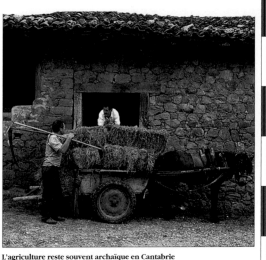

L'agriculture reste souvent archaïque en Cantabrie

RIBADESELLA
LLANES
GAS DE ONÍS N634 (E70)
COMILLAS ⑬
⑲ SANTANDER
A8 (E70)
SANTOÑA
⑳ LAREDO
SANTILLANA DEL MAR ⑰
CUEVAS DE ALTAMIRA ⑯
CASTRO URDIALES ㉑ A8 (E70)
RQUE NACIONAL DE LOS PICOS DE EUROPA
⑱ PUENTE VIESGO
VALLE DE CABUÉRNIGA ⑭
⑪ ⑫
POTES
VILLACARRIEDO
Donostia (San Sebastián)
Bilbo (Bilbao)
ALTO CAMPOO ⑮
REINOSA
Burgos
Embalse del Ebro

0   25 km

Palencia

CIRCULER

La principale route à traverser la région est la N 634. Les autres grandes routes suivent des vallées orientées nord-sud. Les routes secondaires sont bien entretenues, mais lentes et sinueuses. La ligne de chemin de fer privée de la FEVE qui suit la côte de Bilbao à Ferrol, en Galice, est à la fois pratique et pittoresque. Deux fois par semaine, la Brittany Ferries relie Santander à Plymouth. Les Asturies ont un petit aéroport international près d'Avilés. L'Espagne est en train de changer la numérotation des routes et il se peut que certaines routes de la carte ci-contre portent maintenant un nouveau numéro.

Sculpture du Convento de Regina Coeli, Santillana del Mar

VOIR AUSSI

- *Hébergement* p. 538-540
- *Restaurants et bars* p. 580-581

LÉGENDE

═══ Autoroute

▬▬ Route principale

▬▬ Route secondaire

▬▬ Parcours pittoresque

〜 Cours d'eau

🌼 Point de vue

Fabrication artisanale de lames de couteaux dans une forge de Taramundi

Taramundi ❶

Asturias. 👥 850. 🚩 *Plaza del Poyo, 985 64 68 77 (lun. : 685 64 67 02).* 🎉 *San José (19 mars).* 🌐 *www.taramundi.net*

Situé dans une région isolée, Los Oscos, ce petit village possède un centre de tourisme rural qui propose de nombreux hébergements et organise des excursions en forêt à bord de véhicules tout terrain. Les Romains extrayaient déjà du minerai de fer près de Taramundi et treize forges produisent toujours des couteaux façonnés à la main.

Aux environs
À quelque 20 km à l'est, **San Martín de Oscos** renferme un palais du XVIIIᵉ siècle. À **Grandas de Salime**, 10 km plus loin au sud-ouest, le Museo Etnográfico propose une exposition sur l'artisanat local et les modes de vie traditionnels.

🏛 **Museo Etnográfico**
Avenida el Ferreiro 17. 📞 *98 562 72 43.* 🕐 *mar.-dim.* 📷 ♿

Castro de Coaña ❷

Asturias. 🚌 *5 km depuis Navia.* 📞 *985 97 84 01.* 🕐 *mar.-dim.* 📷

Ce village fondé à l'âge du fer sur une colline de la vallée de la Navia fut, avant de passer sous contrôle romain, une des plus importantes colonies celtes d'Espagne. Il en subsiste les fortifications, les rues, le système d'écoulement des eaux et les fondations de plusieurs habitations circulaires. Les pierres creuses que l'on remarque dans les murs servaient probablement soit d'urnes funéraires, soit de meules à grain.

Un musée présente une partie des objets découverts lors des fouilles sur le site. Parmi les plus intéressants figurent des poteries, des outils et des pièces de monnaie romaines.

Fondations d'une maison circulaire du Castro de Coaña

Costa Verde ❸

Asturias. 🚉 *Avilés.* ✈ *Oviedo, Gijón.* 🚩 *Plaza del Ayuntamiento, Aviles, Calle Ruiz Gomez 21, 985 54 43 25.*

Succession d'accueillantes plages de sable et de falaises majestueuses creusées de profonds estuaires, cette portion du littoral doit son nom de « Côte Verte » aux pâturages et aux forêts de pins et d'eucalyptus qui s'étendent entre l'Atlantique et les montagnes de l'intérieur. Elle reste une des côtes les moins abîmées d'Espagne et les stations balnéaires, comme les hôtels, tendent à y garder des dimensions modestes.

Sur la rive orientale de la ría de Ribadeo formant frontière avec la Galice, **Castropol** et **Figueras** sont deux jolis ports de pêcheurs, à l'instar de Tapia de Casariego et d'Ortiguera situés plus à l'est. À l'embouchure du río Negro, **Luarca** étage ses maisons à toits d'ardoises en contrebas de l'église paroissiale et un cimetière dominant la mer. Une vingtaine de kilomètres avant Avilès, **Cudillero** possède encore plus de charme avec ses terrasses de cafés et ses restaurants de poissons qui se serrent au fond d'une crique sur la petite place bordant le port.

Au nord-est d'Avilès s'étend le cabo de Peñas, cap rocheux où le village de pêcheurs de **Candas** organise des courses de taureaux sur sa belle plage de sable. À l'est de Gijón, **Lastres** occupe un site remarquable et la station balnéaire de **Isla** attire en été

L'OURS BRUN

Il restait encore quelque 1 000 ours bruns *(Ursus arctos)* en Espagne au début du XXᵉ siècle. Les chasseurs et la destruction des forêts formant leur habitat naturel ont fait chuter leur population à environ 100 aujourd'hui. La création de réserves naturelles telle celle de Somiedo et la promulgation de lois instaurant leur protection devraient toutefois permettre d'éviter la disparition de ces superbes plantigrades.

L'un des derniers ours des forêts des Asturies

L'église et le cimetière de Luarca sur la Costa Verde

de nombreux touristes. Après Ribadesella, **Llanes** a conservé au pied de la sierra de Cuera une vieille ville pittoresque où subsistent les vestiges de fortifications du XIIIᵉ siècle.

Teverga ❹

Asturias. 🏘 2100 🚉 La Plaza. 🛈 Dr Garcia Miranda, Sam Martin de Taverga, 985 76 42 02.

Riche en gibier, cette belle région boisée au sud-ouest d'Oviedo recèle quelques églises anciennes telle l'Iglesia de San Pedro, sanctuaire préroman asturien (p. 102) entrepris au XIIᵉ siècle à **La Plaza**, ville située près de l'extrémité sud des étroites gorges de Teverga.

À l'ouest de La Plaza, **Villanueva** abrite l'Iglesia de Santa María de style roman. Le chemin Senda del Oso, long de 20 km, contourne une réserve d'ours.

Aux environs

À la frontière avec le León, le vaste **Parque Natural de Somiedo** s'étend sur des montagnes creusées de dix-huit lacs glaciaires et parsemées de *teitos (p. 23)*, abris de bergers traditionnels. Dans des forêts de feuillus, il offre un refuge à des animaux tels que le loup, l'ours brun ou le coq de bruyère. Des espèces rares de fleurs sauvages y prospèrent.

Avilés ❺

Asturias. 🏘 84 000. ✈ 🚉 🚌 🛈 Calle Ruiz Gomez 21, 985 54 43 25. 🛒 lun. 🎉 San Agustín (28 août).

Malgré les usines installées à sa périphérie, Avilès, qui devint la capitale asturienne de l'industrie métallurgique au XIXᵉ siècle, a conservé un centre ancien non dénué d'intérêt, en particulier autour de la plaza de España, quartier où de nombreux bars s'ouvrent dans les rues bordées d'arcades. L'**Iglesia de San Nicolás Bari**, ornée de fresques, possède un cloître Renaissance. L'**Iglesia de Padres Franciscanos** abrite une jolie chapelle du XIVᵉ siècle et le tombeau de Don Pedro Menéndez, premier gouverneur de Floride.

À quelques kilomètres de la ville se trouve le petit aéroport international des Asturies.

Gijón ❻

Asturias. 🏘 270 000. 🚉 🚌 🛈 Calle Rodriguez San Pedro, sin, 985 34 17 71. 🛒 dim. 🎉 San Antonio (13 juin) ; La Vírgen de Begoña (15 août).

Ce grand port industriel a connu une importante reconstruction après avoir été bombardé par la flotte nationaliste pendant la guerre civile. Son vieux quartier de pêcheurs, Cimadevilla, s'étend sur un petit isthme et un promontoire autour de la Plaza Mayor entourée d'arcades. Au bout du port, à côté de la Colegiata bâtie en 1702, s'élève le **Palacio de Revillagigedo** remanié dans le style baroque à la fin du XVIIᵉ siècle. Une longue plage de sable s'étend au nord de la ville.

🏛 Palacio de Revillagigedo
Plaza del Marqués. 📞 985 34 69 21. 🕐 10h30-13h30 ; 16h-20h ; 12h-14h30 le dim. ♿

La gracieuse Iglesia de San Pedro (XIIᵉ siècle) de La Plaza

Oviedo ❼

🏛 *200 000.* 🚉 🚌 **ⓘ** Marqués de Santa Cruz 1, 985 22 75 86. 🍴 *jeu., sam. et dim.* 🎉 *San Mateo (14-21 sept)*

Ville universitaire et capitale culturelle et commerciale de la région, Oviedo est au cœur d'une plaine fertile un important centre industriel. Fondée au milieu du VIIIᵉ siècle, elle devint en 810 la capitale du petit royaume des Asturies, seule enclave chrétienne dans la péninsule Ibérique. Ses souverains firent édifier vers 850 un palais d'été sur le monte Naranco. Il en subsiste deux des plus beaux édifices que nous a laissés l'art préroman asturien.

En ville, la Cámara Santa remonte aussi au IXᵉ siècle. Devenue une chapelle de la **cathédrale**, au centre du quartier historique, elle en abrite le trésor, notamment deux croix asturiennes.

Entreprise en 1388, la cathédrale elle-même est de style gothique flamboyant. Sa haute tour et sa façade asymétrique dominent la plaza Alfonso II bordée d'élégants palais anciens.

L'**Iglesia de San Tirso** se dresse également sur la place. Après une reconstruction au XVIIᵉ siècle, le sanctuaire actuel n'a gardé de l'édifice original, bâti au IXᵉ siècle, que la fenêtre

Croix des Anges du trésor de la cathédrale d'Oviedo

du chevet.

Derrière la cathédrale, le **Museo Arqueológico** occupe le Convento de San Vincente dont Juan de Badajoz commença au XVIᵉ siècle le beau cloître. Ses collections comprennent des objets préhistoriques, romains, préromans, romans et gothiques.

Le palais baroque de Velarde abrite le **Museo de Bellas Artes** qui présente d'intéressantes peintures asturiennes et espagnoles, notamment un portrait de Charles II par Juan Carreño *(p. 66)* et des œuvres modernes de Nicanor Piñole.

Au nord de la ville, le monte Naranco culmine à plus de 1 200 m. Son flanc sud porte les deux édifices préromans, aujourd'hui des églises, qui appartenaient jadis au palais d'été des rois des Asturies. Érigée vers 850, **Santa María del Naranco** comprend une grande salle voûtée encadrée de

SANTA MARÍA DEL NARANCO

Construite au IXᵉ siècle pour servir de résidence ou de salle de justice à Ramiro Iᵉʳ et transformée en église en 905, Santa María del Naranco, bâtiment étroit dont la décoration reste marquée par l'art wisigoth, offre un exemple caractéristique de l'architecture préromane asturienne.

La salle a un plafond d'une hauteur inhabituelle.

Les portiques encadrant l'édifice, une innovation architecturale, laissaient entrer beaucoup de lumière.

Les colonnes sculptées d'un motif en forme de corde sont typiques du style asturien.

Les voûtes sont d'une ampleur rarement atteinte en Europe à cette époque.

Chapelle dominant la mer à Ribadesella

deux portiques aux colonnes coiffées de chapiteaux sculptés. Un peu plus haut, **San Miguel de Lillo** possède des montants de portes représentant des dignitaires romains assistant aux jeux du cirque.

La plus grande des églises préromanes à avoir subsisté borde la route sortant d'Oviedo au nord-est. Construite au début du IX⁰ siècle, **San Julián de los Prados** est réputée pour les fresques qui recouvraient jadis tous ses murs intérieurs.

🏛 **Museo Arqueológico**
Calle San Vicente 5. 📞 985 21 54 05. ⬤ mar.-dim. (en rénovation jusqu'en 2006)

🏛 **Museo de Bellas Artes**
Calle Santa Ana 1. 📞 985 21 30 61. ⬤ mar.-dim. ♿

Valdediós ❽

Asturias. 👥 150. ℹ Villaviciosa, 985 89 23 24.

Dans un enclos proche de ce hameau se dresse l'**Iglesia de San Salvador** (IX⁰ siècle), petit joyau de l'art préroman au plafond décoré de fresques asturiennes et aux

chapiteaux influencés par le style mozarabe. Le monastère voisin comprend une église cistercienne du XIII⁰ siècle et un cloître entrepris au XV⁰ siècle.

Aux environs
À 11 km au nord, de belles maisons seigneuriales dominent les ruelles de **Villaviciosa**, jolie station balnéaire entourée de vergers de pommiers. Non loin, à **Amandi**, l'Iglesia de San Juan construite sur une hauteur a conservé un élégant portail roman.

L'Iglesia de San Salvador (IX⁰ siècle), Valdediós

Ribadesella ❾

Asturias. 👥 6 400. 🚌 🚂 ℹ Calle Marqueses de Argüelles, 985 86 00 38. 🗓 Wed. 🎉 descente du Río Sella (1er sam. d'août).

Cette charmante petite ville borde une large *ría*. D'un côté de l'estuaire, une église domine la falaise, le vieux port et ses bars à tapas. Sur l'autre rive s'étend une station balnéaire. Le 1er samedi d'août, l'arrivée des kayaks descendant la Sella depuis Arriondas donne lieu à des défilés et des concours de danse. À la périphérie de la ville, la **cueva de Tito Bustillo** présente un double intérêt : ses concrétions calcaires et les peintures préhistoriques, notamment de cerfs et de chevaux, qu'on y a découvertes en 1968. Elles ont environ 20 000 ans. Pour les protéger, les autorités ne laissent entrer que 360 visiteurs par jour. Des tickets numérotés sont distribués à partir de 10 h.

🕳 **Cueva de Tito Bustillo**
Ribadesella. 📞 985 86 11 20. ⬤ mer.-dim. ⬤ caves : oct-avr. ♿

Cangas de Onís ❿

Asturias. 👥 6 000. 🚌 ℹ Plaza del Ayuntamiento 1, 985 84 80 05. 🗓 dim. 🎉 San Antonio (13 juin), Santina (8 sept.)

Cangas de Onís est l'une des portes des Picos de Europa (p. 104-105) et la ville où le Wisigoth Pélage, héros de la bataille de Covadonga (p. 48), installa sa cour au VIII⁰ siècle. Le pont roman date du XIII⁰ siècle. La crypte de la chapelle de la Santa Cruz abrite les vestiges, gravés, d'un dolmen de l'âge du bronze.

Aux environs
À 5 km à l'est se visite la **cueva del Buxu** aux parois ornées de peintures et de gravures vieilles de plus de 10 000 ans. La visite n'est autorisée qu'à 25 personnes par jour, par groupes de 5.

🕳 **Cueva del Buxu**
📞 608 17 54 67 (mobile). ⬤ 10h-15h mer.-dim. 🎫 libre le mer.

Parque Nacional de los Picos de Europa ⓫

Selon la légende, ces superbes montagnes doivent leur nom de « pics d'Europe » aux marins pour qui elles étaient le premier signe qu'ils approchaient de la terre natale. Devenu la plus grande réserve naturelle d'Europe, le massif s'étend sur trois régions : les Asturies, la Cantabrie et la Castille-León. De profondes gorges ajoutent à la majesté de ses cimes calcaires, tandis que dans les vallées, prés et vergers créent un décor verdoyant. C'est là qu'est fabriqué le *cabrales* (*p. 73*), fromage de chèvre évoquant le roquefort. La découverte du parc est bien organisée.

Satyre de Lefebvre

Covadonga
Une basilique néo-romane fut construite entre 1886 et 1901 sur le site de la victoire historique de Pélage.

Lago de la Ercina
Avec le lago Enol voisin, ce lac offre au pied de la Peña Santa un agréable but de promenade depuis Covadonga.

Desfiladero de los Beyos
Longé par la route principale entre Cangas de Onís et Riaño, le río Sella a creusé ces gorges spectaculaires longues de dix kilomètres.

LÉGENDE

═══	Route principale
═══	Route secondaire
– –	Chemin
──	Limites du parc national
🚠	Téléphérique
ℹ	Information touristique
🅿	Parador
☀	Point de vue

Desfiladero del río Cares
Le chemin de randonnée qui permet de découvrir les gorges du Cares emprunte des tunnels et des ponts dont le plus haut domine la rivière de 1 000 mètres.

es Picos de Europa offrent de nombreux panoramas **extraordinaires**

Bulnes, un des villages les plus isolés d'Espagne,
dévoile de magnifiques vues sur le Naranjo de
Bulnes ; on peut maintenant y accéder par un
funiculaire souterrain qui part de Puente Poncebos,
mais aussi à pied.

PÉLAGE

Une statue de ce noble
Wisigoth qui devint roi des
Asturies monte la garde à
la basilique de Covadonga
construite près du
site où Pélage et
ses 300 guerriers
réussirent à
surprendre et à
vaincre une force
maure supérieure
en nombre. Cette
victoire marqua
le début de la
reconquête de la
péninsule par
les chrétiens
(p. 48-51).
La grotte qui
abrite son
tombeau est
devenue
une chapelle
dédiée à
la Vierge.

**Statue de
Pélage**

Le Naranjo de Bulnes culmine
à 2 519 m et forme avec sa crête
déchiquetée le cœur du massif.

**Téléphérique
du Fuente Dé**
*Depuis le cirque du Fuente
Dé, il conduit à un plateau,
900 m plus haut, d'où se
découvre un panorama
exceptionnel des pics et
des vallées du massif.*

Carte de la région :
Panes
SAN VICENTE DE
LA BARQUERA
DESFILADERO
DE LA HERMIDA
Arenas de Cabrales
AS114
AS264
Poncebos
Bulnes
Santa María
de Lebeña
Deva
Parador de
Fuente Dé
Potes
Monasterio de
Santo Toribio
de Liébana
N621
to de Pandetrave
LE243
RIAÑO
Puerto de San Glorio
0   5 km

Procession de la Folía à San Vicente de la Barquera

FÊTES DES ASTURIES ET DE LA CANTABRIE

La Folía *(avril)*, San Vicente de la Barquera (Cantabrie). Tous les ans, vers la fin avril, à une date dépendant des horaires des marées, on porte en procession dans un bateau de pêche la Virgen de la Barquera, statue qui serait miraculeusement arrivée à San Vicente sur une barque sans voiles et sans équipage. Sur la plage, des groupes de jeunes filles appelés *picayos* interprètent des chants traditionnels en l'honneur de la Vierge.

Fiesta de los Pastos y los Lagos *(25 juil.)*, près de Cangas de Onís (Asturies). Dans le parc national des Picos de Europa, chants et danses folkloriques au bord du lac Enol *(p. 104)* pour la fête des bergers.

Bataille de fleurs *(der. ven. d'août)*, Laredo, Cantabrie. Derrière un défilé de chars fleuris, la bataille fait rage dans cette petite station balnéaire.

Nuestra Señora de Covadonga *(8 sept.)*, Picos de Europa (Asturies). Une foule immense se rassemble au sanctuaire de Covadonga *(p. 104)* pour célébrer la protectrice des Asturies.

Potes ⑫

Cantabria. 🏔 1 620. 🛈 Plaza de la Serra, sin, 942 73 07 87. 🚌 lun. 🎉 Ntra Sra du Valmayor (15 août),, Santísima Cruz (14 sept.).

Dans la large vallée de Liébana dont les sols fertiles se prêtent à la culture des noyers, des cerisiers et de la vigne, cette petite ville ancienne où subsistent de belles maisons à blasons sculptés et une puissante tour du XVᵉ siècle, la **Torre del Infantado**, est la principale localité de la partie orientale des Picos de Europa. Spécialité locale, l'eau-de-vie appelée *orujo* est particulièrement forte.

Aux environs
Entre Potes et le littoral court le **desfiladero de la Hermida**. À mi-chemin, **Santa María de Lebeña** (Xᵉ siècle) possède des arcs en fer à cheval et une galerie extérieure caractéristiques de l'architecture mozarabe *(p. 335)*.
À l'ouest de Potes, le

monastère de **Santo Toribio de Liébana**, fondé au VIIᵉ siècle et désormais occupé par des franciscains, conserverait dans un reliquaire en argent un gros fragment de la vraie croix. Dans la chapelle qui l'abrite se trouvent aussi les *Commentaires de l'Apocalypse* écrits en 786 par le moine Beatus et maintes fois recopiés et enluminés. Reconstruite au XIIIᵉ siècle dans le style gothique, l'église du monastère incorpore deux portails romans plus anciens.

Comillas ⑬

Cantabria. 🏔 2 500. 🛈 Calle la Aldea 6, 942 72 07 68. 🚌 ven. 🎉 El Cristo (16 juil.). **Palacio** ⏰ juil.-9 sept : 10h-21h t.l.j.; 10 sept.-juin : 10h30-14h, 16h-19h mer.-dim.

Cette jolie station balnéaire présente la particularité de renfermer plusieurs édifices dessinés par des architectes modernistes catalans *(p. 136-137)*. Joan Martorell réalisa ainsi en 1881 pour Antonio López y López, armateur qui

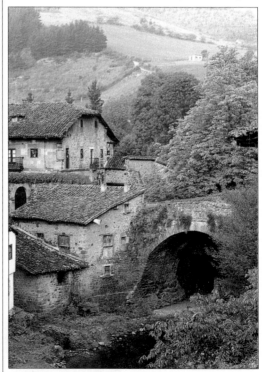

Pont de pierre et maisons anciennes à Potes

Ruines de la ville romaine de Juliobriga près de Reinosa

devint le premier marquis de Comillas, le **Palacio Sobrellano** néo-gothique. Il construisit également, sur des plans de Domènech i Montaner *(p. 136)*, l'**Universidad Pontifica** qui domine la mer depuis une colline. Le monument le plus remarquable de la ville demeure toutefois une œuvre d'Antoni Gaudí *(p. 160)* : **El Capricho**. Un restaurant *(p. 580)* occupe désormais ce pavillon d'inspiration mudéjare où s'exprime toute la fantaisie du célèbre architecte.

Carreau de la façade d'El Capricho à Comillas

Aux environs
Le port de pêche de **San Vicente de la Barquera** recèle des rues à arcades et une église romano-gothique : Nuestra Señora de los Angeles.

Valle de Cabuérniga ⑭

Cantabria. 🚌 *Bárcena Mayor.* ℹ *Ayuntamiento, 942 70 60 87, 942 70 60 01.*

La vallée de la Cabuérniga renferme deux villages au cachet exceptionnel. Une route a sorti **Bárcena Mayor** de son isolement et boutiques et restaurants de spécialités régionales bordent ses rues pavées dominées par les balcons de maisons aux rez-de-chaussée occupés par des étables.

À environ 20 km au nord-ouest, les solides demeures en pierre de **Carmona** offrent un exemple caractéristique d'architecture rurale cantabrique *(p. 22)* avec leurs toits à pannes et leurs balcons en bois. Leurs habitants continuent de pratiquer la sculpture sur bois, artisanat traditionnel de la région, et les hommes s'installent dehors pour fabriquer bols, *albarcas* (sabots) ou sièges. Au centre du village, le Palacio de los Mier, maison seigneuriale du XIIIᵉ siècle, abrite un hôtel depuis sa restauration.

La vaste forêt de **Saja** est devenue une réserve naturelle et cerfs et coqs de bruyère peuplent ses bois de chênes verts et de feuillus.

Maisons traditionnelles à balcons en bois à Bárcena Mayor

Alto Campoo ⑮

Cantabria. 🏔 *1 900.* 🚌 🅿 ℹ *Estación de Montaña, 942 77 92 22 (matin seul.).* 🎿 *Nuestra Señora de las Nieves (5 août), San Roque (16 août).*

Les 19 pistes de cette petite station de sports d'hiver offrent un domaine skiable de 17 km. Le pico de Tres Mares (2 175 m) qui la domine doit son nom de « pic des Trois Mers » aux fleuves qui y prennent naissance et se jettent l'un dans la Méditerranée, l'autre dans le golfe de Gascogne et le troisième dans l'Atlantique. Son sommet, qui s'atteint par la route ou en télésiège, offre une vue exceptionnelle sur les montagnes de la Cantabrie. À Fontibre, l'Ebre prend sa source dans un très joli cadre.

Aux environs
À quelque 26 km à l'est d'Alto Campóo, **Reinosa** est une élégante ville de marché aux rues à arcades bordées de vieilles maisons. Un peu plus loin au sud-ouest, près du hameau de Retortillo, s'étendent les ruines de **Juliobriga**, cité fondée par les Romains pour contenir les tribus des montagnes de la Cantabrie.

Au sud de Reinosa, la route principale conduit à **Cervatos** dont la collégiale romano-gothique possède de magnifiques chapiteaux et présente en façade, juste sous le toit, des sculptures érotiques.

Arroyuelo et **Cadalso**, au sud-est, recèlent deux églises des IXᵉ et Xᵉ siècles inscrites dans des parois rocheuses.

L'un des nombreux bisons dessinés dans les grottes d'Altamira

Cuevas de Altamira ⑯

Cantabria. ☎ 942 81 80 05 ▣
Santilliana del Mar. **Grottes** ◕
Musée ○ *oct-mai : 9h30-17h mar.-
sam. ; juin-sept : 9h30-19h30 mar.-
sam.(15h dim.)* ● *24, 25, 31 déc.,
1er et 6 janv., 1er mai.* 🎦 🛇 📷
🖳 www.museodealtamirancu.es

Découvertes en 1879,
les grottes
d'Altamira abritent parmi
les plus belles peintures
préhistoriques. Les plus
anciennes datent
d'environ 18 000 av.
J.-C. L'accès aux
grottes est
désormais interdit
au public.
Cependant, le
musée situé sur
place propose
des reproductions de peintures
préhistoriques. On trouvera
également des sites similaires,
qui restent ouverts au public,
dans les proches alentours, à
Puente Viesgo et Ribadesella
(*p. 103*) dans les Asturies, et à
Nerja en Andalousie (*p. 459*).

**Christ exposé au Convento
de Regina Coeli**

Santillana del Mar ⑰

Cantabria. 🚶 4 000. ▣ 🛈 *Calle
Jesus Otero 20, 942 81 88 12.*
🎦 *Santa Juliana (28 juin), San Roque
(16 août).*

Située malgré son nom à
quelques kilomètres à
l'intérieur des terres, Santillana
del Mar doit au charme que lui
donnent ses maisons bâties du
XVe au XVIIIe siècle d'être devenue
très touristique. En dépit des
boutiques de souvenirs,
découvrir, à pied, ses rues
pavées bordées de demeures
seigneuriales blasonnées ou
agrémentées de balcons en
bois garde toutefois la saveur
d'un voyage dans le passé.

La ville s'est développée au
haut Moyen Âge autour
d'un monastère à
l'emplacement duquel
s'élève aujourd'hui la
Colegiata bâtie au
XIIe siècle. Ce majestueux
édifice roman abrite
le tombeau
gothique de sainte
Julienne, un
retable de 1453 et
un devant d'autel
en argent du
XVIIe siècle.
Achevé peu de temps après
l'église, le cloître recèle de
beaux chapiteaux.

Sur la superbe **Plaza Mayor**,
un parador (*p. 540*) occupe

l'élégante Casa de los Barredo
Bracho (XVIIe siècle). À l'est du
centre, le **Museo Diocesano**
aménagé dans le Convento de
Regina Coeli présente une
collection d'art religieux.

🏛 Museo Diocesano
El Cruce. ☎ 942 84 03 17. ○ *mar.-
dim.* 🎦

Puente Viesgo ⑱

Cantabria. 🚶 2 500. ▣ 🛈 *Calle
Manuel Pérez Mazo 2, 942 59 81 05.*
🎦 *San Miguel (28-29 sept.).*

Cette petite station thermale
s'étend au pied d'une
colline calcaire creusée de
plusieurs grottes décorées de
dessins préhistoriques. Utilisées,
pense-t-on, comme sanctuaires
par des chasseurs du
paléolithique, elles renferment
de nombreuses représentations
polychromes de taureaux, de
cerfs, de chevaux et de bisons,
ainsi que des empreintes de
mains (presque toujours la
gauche). La visite la plus
intéressante est celle de la
cueva de El Castillo.

Aux environs
Dans la verdoyante vallée du
Pas, au sud-est de Puente
Viesgo, le peuple des vachers
Pasiegos entretient des
traditions différentes de celles
de la région. Vous pourrez
goûter à **Vega de Pas**, la
principale localité, les gâteaux
appelés *sobaos* (*p. 73*) et les
quesadas, tartes à l'anis et à la
cannelle. À **Villacariedo**, les
deux façades baroques
(XVIIIe siècle) du palais de Juan
Antonio Diaz cachent une tour
médiévale.

🏰 El Monte Castillo
Puente Viesgo. ☎ 942 59 84 25.
● *lun.* 🎦 🛇

Façade principale de la Colegiata de Santillana del Mar

Le Palacio de la Magdalena à El Sardinero

Santander ⑲

Cantabria. 🏠 *180 000.* ✈ 🚉 🚌 ⛴ 🛈 *Hernán Cortés 4, 942 31 07 08.* 🚌 *mar.-jeu.* 🎇 *Santiago (25 juil.).*

L a capitale de la Cantabrie jouit d'une superbe situation à l'embouchure d'une baie profonde. Un incendie ravagea en 1941 son centre historique qui dut être entièrement rebâti, notamment la **cathédrale**, reconstruite dans le style gothique. Elle conserve cependant une crypte du XIIᵉ siècle.
Les collections du **Museo de Bellas Artes**, bien que riches surtout en peintures d'artistes locaux, comprennent des tableaux par Goya, Zurbarán et Mengs.
Le **Museo de Prehistoria e Arqueología** expose des objets préhistoriques, des stèles païennes et des vestiges romains. Le **Museo Marítimo** présente des squelettes de baleines et 350 espèces de poissons.

Sur la península de la Magdalena, un parc entoure le **Palacio de la Magdalena**, palais d'été construit pour Alphonse XIII en 1912.
Au nord de la presqu'île s'étendent deux superbes plages que séparent des jardins plantés sur un promontoire rocheux.
Le casino Belle Époque de l'élégante station balnéaire d'**El Sardinero** fait face à l'une d'elles. Près du port, une ambiance plus populaire règne au **barrio Pesquero**, le quartier des pêcheurs.

🏛 **Museo de Bellas Artes**
Calle Rubio 6. 📞 *942 20 31 20.* 🕐 *lun.-sam.* ♿ 🗸
🏛 **Museo de Prehistoria y Arqueología**
Calle Casimiro Saenz 4. 📞 *942 20 71 09.* 🕐 *mar.-dim.* ♿ 🗸
🏛 **Museo Marítimo**
San Martin de Bajanar.
📞 *942 27 49 62.* 🗸

Laredo ⑳

Cantabria. 🏠 *13 500.* 🚌 🛈 *Calle Lopez Seña, 942 61 10 96.* 🎇 *Batalla de Flores (der. ven. d'août), Fête du débarquement de Charles Quint (3ᵉ week-end de sept.).*

U ne plage longue de 5 km a fait de cet ancien village de pêcheurs une station balnéaire très fréquentée mais aux immeubles modernes dénués de charme. Dans le quartier ancien, plus typique, l'**Iglesia de la Asunción**, construite au XIIIᵉ siècle et mainte fois remaniée, abrite deux grands lutrins de bronze offerts par Charles Quint. En été, une grande bataille de fleurs (*p. 106*) a lieu à Laredo.

Castro Urdiales ㉑

Cantabria. 🏠 *25 000.* 🚌 🛈 *Avenida de la Constitución 1, 942 87 15 12.* 🚌 *jeu.* 🎇 *Coso Blanco (1ᵉ ven. de juin) Semana Grande (juin), San Andrés (dernier ven. de nov.).* **Église** 🕐 *16h-18h t.l.j.*

P ort de pêche animé et plaisante station balnéaire, Castro Urdiales étend son quartier ancien sur une péninsule rocheuse que domine le plus grand sanctuaire gothique de Cantabrie, l'**Iglesia de Santa María**. Récemment restauré, le château édifié à proximité par des Templiers a été aménagé en phare. De belles maisons à galeries vitrées bordent la promenade.
Les plages les plus vastes, telle la playa de Ostende, se trouvent à l'ouest de la ville.

Aux environs
Près du village de **Ramales de la Victoria**, à 40 km au sud, une route de montagne grimpe jusqu'à des grottes décorées de dessins et de gravures préhistoriques.

L'Iglesia de Santa María domine le port de Castro Urdiales

PAYS BASQUE, NAVARRE ET RIOJA

BISCAYE · GUIPÚZCOA · ÁLAVA · RIOJA · NAVARRE

*D*ans les vertes collines qui dominent l'Atlantique au Pays basque vit un peuple tourné vers la mer, mais qui a su préserver sa culture depuis des millénaires. Des Pyrénées à la vallée de l'Èbre, la Navarre offre de beaux paysages ruraux ponctués de petites villes anciennes. Au sud, la Rioja produit certains des meilleurs vins d'Espagne.

Si l'origine des Basques commence désormais à être connue – ils descendraient de tribus installées dans les Pyrénées depuis la préhistoire –, celle de leur langue, l'*euskera*, reste plus mystérieuse. Leur culture a résisté à toutes les invasions qu'a connues la péninsule Ibérique. Son originalité se manifeste notamment dans la cuisine, considérée comme la meilleure d'Espagne. Les produits de la mer y jouent un grand rôle, car la pêche fut pendant des siècles l'activité principale des habitants du littoral. L'industrie est aujourd'hui devenue la première ressource de la région, mais elle demeure concentrée autour de quelques villes.

Le Pays basque (Euskadi) comprend officiellement trois provinces jouissant d'une grande autonomie politique et administrative, la Biscaye, le Guipúzcoa et l'Álava, mais l'*euskera* reste aussi parlée dans une partie de la Navarre qui fut au Moyen Âge un puissant royaume indépendant. Des villes comme Olite et Estella, et des monuments tels que le monastère de Leyre, entretiennent le souvenir de sa grandeur d'antan. En juillet, la fête prend le pouvoir à Pampelune, sa capitale, pour *los San Fermines*.

Réputée pour ses vins, la Rioja recèle aussi de beaux édifices historiques, tels les monastères de Yuso et de San Millán de la Cogolla et la cathédrale de Santo Domingo de la Calzadal.

Ferme basque près de Gernika-Lumo

◁ **Ruelle du village de Roncal, sur les contreforts des Pyrénées navarraises**

À la découverte du Pays basque, de la Navarre et de la Rioja

Ces vertes régions offrent de nombreuses possibilités aux visiteurs. Les Pyrénées navarraises permettent en hiver la pratique du ski et, en été, celle de l'escalade, de la spéléologie ou du canoë. Dans le Pays basque, criques et larges baies aux plages de sable fin creusent la côte rocheuse. Dans l'arrière-pays, des routes de campagne sinuent au creux de vallées paisibles et de gorges ponctuées de châteaux et de manoirs isolés. En Rioja, elles relient à travers des vignobles des villes et villages serrés autour d'églises et de monastères séculaires.

Vallée du Cárdenas en aval du village de San Millán de la Cogolla, Rioja

VOIR AUSSI

- *Hébergement* p. 540-542

- *Restaurants et bars* p. 581-583

LÉGENDE

▰▰▰	Autoroute
▰▰▰	Route principale
▰▰▰	Route secondaire
▰▰▰	Parcours pittoresque
⌁	Cours d'eau
☆	Point de vue

0   25 km

LE PAYS BASQUE, LA NAVARRE ET LA RIOJA D'UN COUP D'ŒIL

CIRCULER

Au nord, la route la plus importante est l'A 8 (E5).
L'A 68 (E804) part de Bilbao et suit la vallée de l'Èbre,
en passant par Haro. Des embranchements
permettent de rejoindre Vitoria et Pamplona. Le
train dessert toutes les localités principales,
et les autres peuvent souvent s'atteindre
en car. L'Espagne est en train de
changer la numérotation
des routes et il se peut
que certaines routes de la
carte ci-contre portent
maintenant un
nouveau numéro.

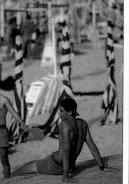

L'élégante playa de Ondarreta, l'une
des trois plages de Saint-Sébastien

Bilbao s'est développée sur les rives du río Nervión

Bilbao **❶**

Vizcaya. 🏛 *360 000*. ✈ 🚇 🚌 ⛴
ℹ *Pl. Ensanche 11, 944 79 57 60.*
🎫 *Santiago (25 juil.), La Asunción (15 août). Semana Grande (fin août).*
🌐 *www.bilbao.net*

P remier port commercial d'Espagne et plus grande ville du Pays basque, Bilbao (Bilbo) est au pied de collines dénudées le cœur d'une zone industrielle qui s'étend sur 16 km le long du Nervión (Nerbioi) et de son estuaire. Entre la banlieue résidentielle de Las Arenas et Portugalete, le fleuve peut se franchir sur le **puente Colgante**, pont transbordeur haut de plus de 60 m construit en 1893.

Fondée en 1300, Bilbao a commencé à prendre son importance actuelle pendant la deuxième moitié du XIXᵉ siècle grâce à l'exploitation des mines de fer de Somorrostro, au nord-ouest. Son développement industriel lui a valu de connaître des problèmes de pollution qui se sont aujourd'hui atténués. Malgré sa prospérité, ce n'est pas une belle cité, mais le *casco viejo* (quartier ancien) forme sur la rive droite du Nervión un réseau de ruelles pittoresques et animées autour de la plaza Nueva entourée d'arcades et de la **Catedral Basílica de Santiago**.

Non loin, le **Museo Arqueológico, Etnográfico e Histórico Vasco** propose, entre autres, des tableaux vivants illustrant des modes de vie traditionnels basques. Son cloître abrite l'Idole de Mikeldi, forme animale sculptée vers 200 av. J.-C.

Dans la partie plus récente de la ville, de l'autre côté du fleuve, le **Museo de Bellas Artes** présente une des plus belles collections d'art d'Espagne, allant de peintures catalanes du XIIᵉ siècle aux tableaux d'artistes modernes tels que Vasarely, Kokoschka, Bacon, Delaunay et Léger. Plusieurs salles sont consacrées aux peintres basques.

Le joyau de cette ville est le **Museo Guggenheim Bilbao** *(p. 116-117)* qui a ouvert en 1997. Il fait partie d'un développement de la ville qui comprend l'extension du port et un nouveau métro futuriste dessiné par Norman Foster. Le nouveau **Palacio de la Música y Congresos Euskalduna** a été dessiné sur la forme d'un navire. Il a un auditorium de 2 200 places et abrite l'orchestre symphonique de Bilbao.

À l'ouest de la ville, le village de La Reineta s'atteint par la route ou en funiculaire. Il offre une large vue sur les anciens docks. Sur la rive orientale de l'estuaire, Algorta est une station balnéaire aux élégantes résidences de villégiature.

🏛 **Museo Arqueológico, Etnográfico e Histórico Vasco**
Plaza Miguel Unamuno 4. 📞 *94 415 54 23.* 🕐 *mar.-dim.* ⬤ *jours fériés.*
🖼 ♿

🏛 **Museo de Bellas Artes**
Plaza del Arenal. 📞 *94 439 60 60.* 🕐 *mar.-dim.* 🖼 ✔ ♿

🎵 **Palacio de la Música y Congresos Euskalduna**
Avenida Abandoibarra 4. 📞 *94 403 50 00.* 🕐 *pour les concerts.* 🖼 ✔ ♿

Gernika-Lumo **❷**

Vizcaya. 🏛 *15 400*. 🚇 🚌
ℹ *Artekalea 8, 94 625 58 92.*
🗓 *lun.* 🎫 *Aniversario del Bombardeo de Guernica (26 avr.) San Roke (15 et 16 août).*

L a petite ville de Gernika-Lumo a pour les Basques une grande importance symbolique. Pendant des siècles, les rois de Biscaye vinrent en effet y prêter serment de respecter les institutions garantissant l'autonomie de la région : les *fueros*. Le 26 avril 1937, elle fut la cible du premier bombardement visant des populations civiles. Mené par les nazis de la Légion Condor à la demande de Franco, il fit plus de 2 000 victimes et inspira à Picasso le tableau poignant *(p. 62-63)* exposé à Madrid *(p. 289)*. Reconstruite, Guernica offre peu d'intérêt architectural, mais conserve dans un jardin le tronc du *Gernikako Arbola*, chêne sous lequel se sont tenues pendant des siècles les assemblées des représentants du peuple basque. Un nouvel arbre a été planté à côté de l'ancien en 1860.

Condesa Mathieu de Noailles (1913) par Zuloaga

Pêcheurs basques sur le vitrail de la Casa de Juntas à Guernica

Depuis 1979, les réunions du Parlement de la Biscaye ont lieu à proximité dans la **Casa de Juntas**, une ancienne chapelle. Au plafond d'une des salles, un vitrail représente une assemblée traditionnelle sous le Chêne de Gernika.

Des sculptures par Henry Moore et Eduardo Chillida célèbrent la paix dans le parc voisin.

Aux environs
À 5 km au nord-est de Guernica, près de Kortézubi (Cortézubi), se trouvent les **cuevas de Santimamiñe**, l'un des nombreux dédales, pour la plupart fermés au public, creusés par les eaux dans cette région montagneuse. Leur visite, guidée, permet d'admirer dans une petite salle souterraine des peintures rupestres d'animaux tels qu'ours et bisons exécutées vers 11 000 av. J.-C. et découvertes en 1917. On s'enfonce ensuite dans la Longue Galerie, tunnel où stalactites et stalagmites composent un décor étrange.

⚑ Casa de Juntas
C/ Allende Salazar. **℆** 94 625 11 38.
◐ t.l.j. **●** 1er et 6 janv., 24, 25, 31 déc. **&**

⛪ Cuevas de Santimamiñe
Barrio Basondo, Kortézubi. **℆** 94 625 58 92. **◐** lun.-ven. **●** jours fériés.

Costa Vasca ❸

Vizcaya & Guipúzcoa. **◫** Bilbao. **◫** Bilbao. **ℹ** Getxo, 94 491 08 00.

Entre océan et collines boisées, les hautes falaises creusées de criques de la côte basque offrent sur 176 km des paysages contrastés. Certains des villages de pêcheurs qui jalonnent le littoral ont perdu de leur charme ces dernières années, mais l'arrière-pays reste préservé.

À proximité de Bilbao, de belles plages s'étendent au nord d'Algorta et, plus à l'est, à Plentzia, station balnéaire dotée d'un port de plaisance, et à Bakio. La BI 3101 devient ensuite une impressionnante route de corniche qui sinue

Pêcheurs à Lekeitio, port de la Costa Vasca

au-dessus de la mer, dépassant le petit ermitage de San Juan de Gaztelugaxte établi sur un îlot et le phare de Matxitxaco. Elle atteint Bermeo, port où se visite le **Museo del Pescador** (musée du Pêcheur), puis Mundaka, rendez-vous de surfeurs. La paisible ría de Guernica propose deux plages de sable à Laida et Laga.

Plus à l'est, dans le port de pêche de **Lekeitio**, des demeures anciennes bordent un front de mer agréable au-dessous de l'église Santa María (XVe siècle). Une longue plage de sable s'étend de part et d'autre de **Saturrarán** et d'**Ondarroa**, port de pêche où subsistent de pittoresques maisons à balcon de bois. **Zumaia** a gardé un quartier ancien. Installé dans l'ancienne demeure d'un peintre basque mort en 1945, le **Museo de Ignacio Zuloaga** présente une collection d'art remarquable. À **Getaria**, le port recèle de nombreux restaurants animés. Sa vaste plage a fait de **Zarautz** une importante station balnéaire.

🏛 Museo del Pescador
Plaza Torrontero 1. **℆** 94 688 11 71.
◐ mar.-dim. **●** jours fériés. **&**
🏛 Museo de Ignacio Zuloaga
Santiago Auzoa 50, Zumaia. **℆** 943 86 23 41. **◐** Pâques-15 sept. : mer.-dim. 🈂

Bilbao : le musée Guggenheim

L e musée Guggenheim est le joyau de la couronne culturelle de Bilbao. L'édifice, conçu par l'architecte américain Frank Gehry, est à lui seul une attraction majeure : un surprenant alignement de courbes argentées rappelant la forme d'un navire ou celle d'une fleur. La collection du musée Guggenheim représente un large éventail d'œuvres d'art contemporain et moderne, dont celles d'impressionnistes abstraits tels que Willem de Kooning et Mark Rothko. La plupart des pièces sont exposées successivement au biais d'expositions temporaires et de rétrospectives majeures. Tournantes, elles permettent d'exposer les œuvres dans les autres musées Guggenheim à New York, Venise, Las Vegas et Berlin.

Les toîts
Ayant l'aspect d'une proue et construit avec des matériaux le Guggenheim évoque la silhouette d'un bateau.

La tour, à l'extrémité du pont, a été conçue pour figurer une voile. Aucune exposition ne s'y tient.

Le pont de la Salve a été intégré dans le design de l'édifice qui s'étend en dessous.

★ La façade de titane
Rarement utilisé dans le bâtiment, le titane a surtout été développé dans l'imagerie aéronautique. En tout, 60 tonnes de titane ont été nécessaires, mais la couche a seulement 3 mm d'épaisseur.

Le Serpent, de Richard Serra, est en acier laminé. Il mesure plus de 30 m de long.

La galerie au Poisson
Dominée par le Serpent de Richard Serra, la galerie est la pièce la plus vaste du musée. Le motif de poisson représenté ici est l'un de ceux que Frank Gehry préfère.

★ **L'atrium**
L'espace qui fait office de vestibule au musée est l'extraordinaire atrium de 60 m de haut. Il sert de point d'orientation et sa hauteur en fait une scène grandiose pour l'exposition d'œuvres de grandes dimensions.

MODE D'EMPLOI

Avenida Abandoibarra 2.
944 35 90 80. Moyua.
1, 10, 11, 13, 18, 27, 38, 46, 48, 71.
10h-20h t.l.j. lun. (sept-juin), 25 déc., 1er janv.
www.guggenheim-bilbao.es

Puppy, de l'artiste américain Jeff Kooas, porte un manteau de fleur irrigué par un système interne. À l'origine destinée à être temporaire, la sculpture a gagné sa place définitive ici grâce à sa popularité auprès du public de Bilbao.

Balcon du 2e étage

Entrée principale

Le restaurant du musée, au chef très en vue, le Basque Martin Berastegui, sert des spécialités locales.

Jardin d'eau jouxtant la rivière Nervión

À NE PAS MANQUER

★ **La façade en titane**

★ **L'atrium**

Au cœur de la ville
Depuis la calle de Iparraguirre, on découvre le « Guggen » comme l'appellent les habitants, s'élevant en contraste au milieu des bâtiments traditionnels.

La playa de Ondarreta à Saint-Sébastien

Saint-Sébastien ❹

Guipúzcoa. 🚶 *180,000.* 🚉 🚌
ℹ️ *Reina Regente 3, 943 48 11 66.*
🛒 *Sun.* 🎭 *San Sebastián (20 janv.);
Semana Grande (fin août).*
🌐 *www.sansebastianturismo.com*

La plus élégante et la plus animée des cités balnéaires espagnoles occupe un site magnifique, la Bahía de la Concha (baie de la Coquille) enclose entre deux collines couronnées d'une tour : le monte Urgull à l'est et le monte Igueldo à l'ouest. Au milieu de l'anse, la petite île de Santa Clara assure des eaux paisibles aux deux principales plages de sable.

Saint-Sébastien (Donostia, San Sebastián) acquit sa renommée à la fin du XIXᵉ siècle quand la reine Marie-Christine de Habsbourg y établit sa résidence d'été. Bien qu'elle reste prisée de l'aristocratie et abrite toujours de nombreuses boutiques de luxe et l'un des plus prestigieux palaces du pays, le María Cristina *(p. 542),* la station balnéaire attire désormais une clientèle plus familiale.

Elle est réputée pour ses manifestations estivales : un festival de jazz en juillet ; la Semana Grande, prétexte à des animations très variées ; un festival de musique classique à la fin du mois d'août ; et le festival du Film en septembre. Les gourmets apprécieront également les spécialités basques proposées dans une ville qui compte de nombreux clubs gastronomiques.

La vieille ville

Située entre la Bahía de la Concha et le río Urumea, la Parte Vieja de Saint-Sébastien a gardé beaucoup de cachet. Une intense animation règne la nuit dans ses ruelles bordées de restaurants et de bars à tapas. Un grand marché au poisson témoigne de l'importance accordée aux produits de la mer dans l'excellente cuisine locale.

Cœur du quartier, la **plaza de la Constitución** est une belle place entourée d'arcades et de maisons aux volets bleus et orange. Les nombres portés par les balcons datent de l'époque où elle servait de cadre à des courses de taureaux. À quelques pas au nord, l'église **Santa Maria del**

Coro possède un portail baroque. Couronné par le **Castillo de Santa Cruz de la Mota**, le **monte Urgull** domine la vieille ville. Il offre un superbe panorama de la baie.

Les plages

Les deux principales plages de Saint-Sébastien occupent le fond de la Bahía de la Concha jusqu'au **monte Igueldo**. La plus chic est la **playa de Ondarreta**, la plus étendue, la **playa de la Concha**. Au sommet se dresse le **Palacio Miramar** construit en 1889 par José Goicoa sur des dessins de l'architecte anglais Selden Wornum. Ancienne résidence d'été de la reine Marie-Christine, le palais appartient désormais à la ville qui y organise à l'occasion des manifestations. Son jardin est ouvert au public. Au bord de l'eau, près de la playa de Ondarreta, s'admire le *Peigne des vents,* sculpture moderne par Eduardo Chillida. Un petit parc d'attractions occupe le sommet du monte Igueldo, accessible par la route ou en funiculaire.

À l'est de la playa de la Concha, le **monte Ulía** domine la **playa de la Zurriola**, la préférée des surfeurs .

Aquaruim

Plaza Carlos Blasco de Imaz, 1. 📞 *943 44 00 99* 🕐 *sept.-juin : 10h-20h ; juil.-août : 10h-22h t.l.j.* ⬤ *25 déc., 1ᵉʳ janv.* ♿ ✅

Un tunnel aménagé sous l'eau permet d'observer quelque 5 000 poissons, dont deux

Le Peigne des vents par Eduardo Chillida

Peinture de José María Sert dans l'église du Museo de San Telmo

requins. Billets d'entrée valables aussi pour le Musée naval où est présentée l'histoire maritime du Pays basque.

Kursaal
Avenida de la Zurriola 1. 943 00 30 00 Créés par Rafael Moneo, ces cubes géants abritent de vastes auditoriums.

Museo de San Telmo
Plaza Zuloaga. 943 48 15 80. du mar. au dim.
Installé dans un monastère Renaissance édifié au XVIᵉ siècle au pied du monte Urgull, il présente dans le cloître, un ensemble rare de pierres tombales circulaires basques datant du XIVᵉ au XVIIᵉ siècle.

Riche en œuvres d'artistes locaux tels qu'Antonio Ortiz Echagüe et Ignacio Zuloaga *(p. 115)*, l'exposition de peintures comprend aussi des tableaux par El Greco, le Tintoret ou Vicente López.

Dans l'église, 16 panneaux muraux or et sépia exécutés en 1930-1932 par le Catalan José María Sert illustrent les talents et l'histoire du peuple basque.

Chillida-Leku
Caserío Zabalaga, Bᵒ Jáuregui 66, Hernani. 943 33 60 06. mar.
www.museochillidaleku.com
Installé dans une demeure du XVIᵉ siècle entourée de jardins, ce musée présente une collection de 40 sculptures de l'artiste basque Eduardo Chillida.

Aux environs
À 5 km à l'est de Saint-Sébastien, le pittoresque village de pêcheurs de **Pasaia Donibane** (Pasajes de San Juan) serre ses maisons à balcons peints autour d'une grand-rue bordée de quelques bons restaurants de poisson.

Front de mer du petit village de pêche de Pasaia Donibane

LE FESTIVAL DU FILM DE SAINT-SÉBASTIEN

Fondé en 1953, c'est l'un des cinq plus grands festivals internationaux de cinéma organisés en Europe et il attire chaque année plus de 100 000 spectateurs qui viennent découvrir des productions du monde entier. *Sueurs froides*, d'Alfred Hitchcock, y fut un des premiers films primés. Un prix spécial, le prix Donostia, rend également hommage à l'ensemble de l'œuvre d'un acteur ou d'un metteur en scène. Le site web du festival est www.sansebastian festival.ya.com

Lauren Bacall à Saint-Sébastien

Balcons fleuris dans la ville haute de Hondarribia

Hondarribia ❺

Guipúzcoa. 16 000. Calle Javier Ugarte 6, 943 64 54 58. La Kutxa Entrega (25 juil.), Alarde (6-8 sept.).

Sur l'estuaire de la Bidassoa, Hondarribia (Fuenterrabia) subit au cours de son histoire de nombreux assauts menés par les Français et la ville haute reste protégée par des remparts du XVᵉ siècle. On les franchit par la **puerta de Santa María** pour découvrir ses ruelles bordées de maisons blasonnées. Elles s'organisent autour de l'église **Nuestra Señora de la Asunción y del Mangano**. Édifice gothique remanié dans le style Renaissance et doté d'une haute tour baroque, elle abrite un retable en or.

Au terme de la calle Mayor, sur la plaza de Armas, le **palais** fondé au Xᵉ siècle et reconstruit aux XVᵉ et XVIᵉ siècles est devenu un parador *(p. 541)*.

Dans le quartier des pêcheurs, La Marina, une joyeuse animation règne dans les cafés en bord de mer. Une station balnéaire s'est développée le long des plages qui s'étendent au nord.

Aux environs
Une route grimpe à l'ouest jusqu'au sanctuaire de la Vierge de Guadalupe. Elle offre plus loin de jolies vues. À 9 km au sud, l'**Ermita de San Marcial** domine depuis une colline la plaine de la Bidassoa et la frontière, aisée à situer : les villes françaises sont plus blanches.

Façade Renaissance de l'université d'Oñati

Santuario de Loiola ❻

Loiola (Guipúzcoa). 943 02 50 00.
10h-13h, 15h-17h t.l.j.
www.santuariodeloiola.org

Vers 1490, saint Ignace de Loyola, fondateur de l'ordre des jésuites, naquit près d'Azpeitia dans la demeure seigneuriale de sa famille, incorporée, sous le nom de Santa Casa, au sanctuaire actuel. Une chapelle a été aménagée dans la pièce de la maison où le jeune noble, blessé à la jambe, se convertit pendant sa convalescence. Un diorama illustre les principaux épisodes de sa vie : sa décision, au monastère de Montserrat *(p. 208-209)*, de vouer sa vie au Christ ; sa retraite dans une grotte de Manresa où il écrivit les *Exercices spirituels* ; son emprisonnement par l'Inquisition et son pèlerinage en Terre Sainte.

Édifiée entre 1681 et 1738, la basilique coiffée d'une coupole churriguerresque est de plan circulaire. Elle possède une très riche décoration polychrome de style baroque.

Oñati ❼

Guipúzcoa. 10,600.
Calle San Juan 14, 943 78 34 53.
sam. Corpus Christi (mai-juin), San Miguel (29 sept.).

Dans la vallée de l'Udana, la ville historique d'Oñati (Oñate) fut entre 1833 et 1839, pendant la première guerre carliste *(p. 59)*, le siège de la cour de Don Carlos, frère de Ferdinand VII à qui il disputait le trône. Fondée vers 1540, son **université** resta pendant des siècles la seule du Pays basque. Derrière sa façade Renaissance ornée de statues de saints s'ouvre une élégante cour intérieure. Sur la plaza de los Fueros, l'**hôtel de ville** *(ayuntamiento)* baroque fait face à l'**Iglesia de San Miguel**, sanctuaire gothique dont le cloître de style plateresque renferme le tombeau de l'évêque Zuázola d'Avila, fondateur de l'université.

Aux environs
Une route de montagne grimpe sur 9 km jusqu'au **Santuario de Arantzazu** fondé dans un paysage sauvage à l'endroit où un berger aurait eu une vision de la Vierge en 1469. L'église est un bel exemple d'architecture religieuse moderne.

Universidad de Sancti Spiritus
Avenida de la Universidad Vasca.
943 78 34 53. visites guidées du lun. au sam. (s'inscrire par tél.).
seul. les après-midi en août.

L'imposant Santuario de Loiola et sa coupole baroque

LA FONDATION DE L'ORDRE DES JÉSUITES

Ignace de Loyola fonda en 1539 la Compagnie de Jésus dont il devint le supérieur général après l'approbation de l'ordre par le pape Paul III en 1540. La vocation missionnaire des jésuites les amena à devenir le fer de lance de la Contre-Réforme menée par l'Église catholique face au protestantisme, puis à créer des collèges dans le monde entier. Ils sont aujourd'hui environ 24 000, présents dans 110 pays. L'enseignement reste leur première activité.

Saint Ignace de Loyola

La culture basque

Certains anthropologues estiment que les Basques pourraient descendre directement d'hommes de Cro-Magnon qui vivaient dans les Pyrénées il y a 40 000 ans. Ils formeraient ainsi le plus vieux peuple d'Europe. Un peuple qui a préservé jusqu'à aujourd'hui une identité génétique, culturelle et linguistique unique.

Les *fueros* ont longtemps été l'expression politique de

Policier basque

cette identité. L'abolition, en 1867, de ces lois en accord avec les traditions basques, puis la répression par le gouvernement franquiste de tout particularisme, ont entraîné la naissance d'un mouvement nationaliste prêt à la violence. Le statut d'autonomie accordé au Pays basque en 1979 n'a pas réglé toutes les contradictions entre aspirations indépendantistes et contraintes imposées par le fonctionnement d'un pays moderne.

LE PAYS BASQUE

░ *Territoire de culture basque*

La Ikurriña, le drapeau basque, porte une croix blanche symbolisant le christianisme et la croix de saint André verte qui commémore une victoire remportée le jour de sa fête.

Les bertsolaris *sont des bardes qui improvisent, souvent dans le cadre de joutes, des vers inspirés par l'actualité ou des légendes. La tradition orale a joué un rôle essentiel dans la préservation de la langue basque et la transmission des mythes et de l'histoire, les premiers textes écrits en euskera ne datant que du XVIe siècle.*

L'économie basque a longtemps reposé sur la pêche et l'agriculture, puis s'est tournée au XIXe siècle vers l'industrie, en particulier la métallurgie et la construction navale.

Les sports traditionnels *sont, avec les danses, une des grandes formes d'expression de la spécificité basque. Outre la pelote, il existe de nombreux sports mettant en valeur la force ou l'habileté au travail.*

GASTEIZ (VITORIA) :
LE CENTRE-VILLE

Catedral de Santa María ③
Iglesia de San Miguel ⑥
Museo de Arqueología ②
Museo de Naipes ⑤
Palacio de Escoriaza-Esquibel ④
Plaza de la Virgen Blanca ⑦
El Portalón ①

0   250 m

LÉGENDE

🚊   Gare

🅿   Parc de stationnement

✝   Église

Vitoria ❽

Álava. 🏛 *222 329.* ✈ 🚊 🚌 🛈
Plaza General Loma, 945 16 15 98.
🎲 *jeu.* 🎭 *Romería de San Prudencio
(28 avr.), Fiestas de la Virgen Blanca
(4-9 août).* 🌐 *www.vitoria-gasteiz.org*

Bâtie au sommet d'une
colline, le point le plus
haut de la province, Gasteiz
(Vitoria), la capitale
administrative du Pays basque,
s'est enrichie à partir du
xvᵉ siècle grâce au commerce.

On pénètre dans la vieille
ville par la **plaza de la Virgen
Blanca** bordée de maisons
anciennes dont les *miradores*
(galeries vitrées) dominent un
monument qui commémore la
victoire remportée en 1813 par
les troupes anglaises du duc de
Wellington sur une armée
napoléonienne. Au-dessus de
la place se dresse l'**Iglesia de
San Miguel** entreprise au
xivᵉ siècle. Une niche dans le
mur extérieur abrite la Vierge
blanche, protectrice de la ville.
Une grande fête en son
honneur *(p. 128)* commence le
4 août. Depuis la belle **plaza
de la Machete**, la calle Fray
Zacarias Martínez mène à l'une
des deux cathédrales de
Gasteiz, la **Catedral de Santa
María** gothique (en
restauration) au portail ouest
richement sculpté. Avant de
l'atteindre, la rue longe, au
nᵒ 72, l'un des plus beaux
palais Renaissance de Vitoria :
le **Palacio de Escoriaza-**
Esquibel (xviᵉ siècle) à la
façade et à la cour intérieure
plateresques *(p. 21).* Sur la
calle Correría, **El Portalón**,
ravissante maison en bois du
xvᵉ siècle, abrite désormais un
restaurant. De très nombreux
bars bordent la calle de la
Cuchirellía, très animée en
soirée. Au nᵒ 22, la **Casa del
Cordón** date du xvᵉ siècle et
accueille des expositions
temporaires. La rue conduit
au bel ensemble formé par
Los Arquillos et la **plaza de
España** aménagés à la fin
du xviiiᵉ siècle pour servir de
liaison entre la vieille ville et
les nouveaux quartiers alors
en cours de construction.
La **plaza de los Fueros** est
une réalisation résolument
moderne inaugurée en 1981.
Au sud-ouest, près des jardins
de La Florida, la **Catedral
Nueva de María Immaculata**,
entreprise dans le style néo-
gothique en 1907, fut achevée
en 1973.

🏛 **Museo de Arqueología**

Calle Correría 116. 📞 *945 18 19 22.*
⭘ *mar.-dim.*
Dans une maison à colombage
du xviᵉ siècle, ce musée
présente des dolmens érigés
il y a plus de 4 000 ans, des
sculptures romaines, des objets
du Moyen Âge, etc.

La plaza de España au centre de Gasteiz (Vitoria)

Le portail ouest, gothique, de la Catedral de Santa María à Gasteiz

🏛 Museo de Naipes

Palacio de Bendaña, C/ Cuchillería 54. 📞 945 18 19 20. ⏰ mar.-dim ♿
En 1868, Heraclio Fournier fonda à Gasteiz une fabrique de cartes à jouer. Aujourd'hui, son petit-fils présente une collection de plus de 6 000 pièces allant de cartes italiennes de la fin du XIVᵉ siècle à des tarots dessinés par Salvador Dalí.

🏛 Museo de Armería

Paseo Fray Francisco 3. 📞 945 18 19 25. ⏰ mar.- dim.
Ce musée retrace l'histoire des armes depuis la préhistoire, mais son principal intérêt réside dans ses collections du Moyen Âge et de la Renaissance. Une exposition est consacrée à la bataille de Vitoria (1813).

🏛 Museo Diocesano de Arte Sacro

Catedral Nueva de María Inmaculada, Calle Cadena y Elta 2. 📞 945 15 06 31. ⏰ 10h-14h, 16h-18h30 mar.-ven., 10h-14h sam., 11h-14h dim. et jours fériés. ♿
Le bâtiment qui abrite le musée se confond avec la cathédrale. À l'intérieur, les objets d'art religieux sont présentés en fonction de leur technique : œuvres de pierre, de bois ou d'argenterie.

Castillo de Mendoza ⑨

Mendoza (Álava). 📞 945 18 16 17. ⏰ mar.-dim.

Au centre du village de Mendoza, à 10 km à l'ouest de Gasteiz, se dresse cette petite forteresse très restaurée, ancienne résidence ducale qui remonte au XIIIᵉ siècle. Les sommets de ses quatre tours ménagent de superbes vues et elle abrite le **Museo Heráldica** où sont exposées les armoiries de familles de la noblesse basque.

Aux environs

Sur l'A 2622 qui relie Pobes et Tuesta, les **Salinas de Añana** produisent du sel par évaporation sur des terrasses en escalier inondées par des sources. Le village voisin de **Tuesta** possède une église romane au portail sculpté qui abrite des chapiteaux ornés de scènes historiques.

Laguardia ⑩

Álava. 🚶 1 500. 🛈 Plaza San Juan, 945 60 08 45. 🚌 mar.
🎉 San Juan et San Pedro (24 juin).

Dans le sud de la province de l'Álava, cette petite ville domine la Rioja Alavesa réputée pour ses vins (p. 74-75). De hautes collines s'élèvent au nord de la plaine et la route qui grimpe jusqu'au col de Herrera offre de belles vues.
Laguardia a conservé son enceinte médiévale dont les tours et les portes fortifiées s'aperçoivent de loin. Les nombreuses **bodegas** (caves) ouvrant sur ses ruelles pavées bordées de maisons anciennes proposent tout au long de l'année dégustations et visites.
Gothique, l'**Iglesia de Santa María de los Reyes** possède une façade austère percée d'un portail avec des sculptures polychromes. Elle abrite un retable du XVIIᵉ siècle et une délicate Vierge à l'Enfant.

Vierge à l'Enfant à Laguardia

Vignobles près de Laguardia en Rioja Alavesa

Haro ⓫

La Rioja. 🏠 *10 300.* ▯ ▯ 🚻 *Plaza Monseñor Florentino Rodriguez, 941 30 33 66.* 🕿 *mar. et sam.* 🎆 *Bataille du vin (29 juin), San Pedro (29 juin), Virgen de la Vega (8 sept.).*

J olie ville au bord de l'Èbre, Haro possède un vieux quartier animé riche en demeures anciennes, notamment sur la calle del Castillo bordée de maisons gothiques. Gothique également, l'**Iglesia de San Tomás**, au sommet de la colline, présente en façade un superbe portail plateresque (*p. 21*).

Au cœur de la Rioja Alta, plus fraîche que la Rioja Baja (*p. 74-75*), mais elle aussi protégée des vents du nord par une *sierra*, Haro est un grand centre vinicole et de nombreuses *bodegas* proposent dégustations et visites guidées de leurs caves. Il faut généralement s'inscrire à l'avance, sur place ou à l'office du tourisme. Les cafés de la grand-place servent aussi les crus locaux, dans une atmosphère particulièrement conviviale le soir. Une bataille du vin conclut la fête patronale (*p. 128*) qui a lieu en juin.

Des vignobles couvrent les collines proches de Haro en Rioja

Tombeau de saint Dominique, cathédrale de Santo Domingo de la Calzada

Santo Domingo de la Calzada ⓬

La Rioja. 🏠 *6 000.* ▯ 🚻 *Calle Mayor 70, 941 34 12 30.* 🕿 *sam.* 🎆 *Día del Patron (12 mai), San Jerónimo Hermosilla (19 sept.) Immaculada Concepción (8 déc.).*

C ette ville ceinte de remparts du XIVᵉ siècle sur le chemin de Saint-Jacques-de-Compostelle (*p. 78-79*) porte le nom du saint ermite qui la fonda au XIᵉ siècle et qui entretenait pour les pèlerins les ponts et les routes (*calzadas*).

Il édifia également un hôpital aujourd'hui transformé en parador (*p. 542*).

Il repose dans la **cathédrale** romano-gothique dotée d'un clocher baroque et d'un portail néo-classique. Les reliefs de son tombeau évoquent, à l'instar des peintures murales du chœur, les miracles qui lui sont attribués. L'un d'eux (*voir ci-dessous*) est à l'origine du sompteux poulailler qui fait face au mausolée. La dernière œuvre de Damià Forment, un majestueux retable en noyer doré (1541), décore le maître-autel.

LE COQ ET LA POULE DE SAINT DOMINIQUE

Depuis des siècles, un coq et une poule vivants (sacrifiés et remplacés chaque 12 mai) commémorent dans la cathédrale de Santo Domingo de la Calzada un miracle attribué à saint Dominique. Selon une version de la légende, les parents d'un innocent condamné à la pendaison le retrouvèrent en vie sur le gibet. Ils se précipitèrent chez le juge qui refusa de les croire. Pour lui, leur fils ne pouvait qu'être aussi mort que le coq et la poule en train de cuire dans sa cuisine. Les volailles se mirent aussitôt à chanter.

Le poulailler gothique de la cathédrale

San Millán de la Cogolla ⓭

La Rioja. 🚶 *300.* ℹ️ *Monasterio de Yuso, Edificio Aula de la Lengua, 941 37 32 59.* 📷 *Traslación de las Reliquias (26 sept.), San Millán (12 nov.).* W *www.fsanmillan.com*

Sur le chemin de Compostelle, ce village s'est développé autour de deux monastères. Édifié au Xᵉ siècle, le **Monasterio de San Millán de Suso** occupe contre une falaise le site où San Millán avait réuni une communauté d'ermites en 537. En partie creusée dans le calcaire, l'église marie des traits mozarabes et romans. Elle contient le sarcophage sculpté dans l'albâtre du saint et le tombeau de Gonzalo de Berceo *(p. 30)*, moine et écrivain du XIIIᵉ siècle.

En contrebas, dans la vallée du Cárdenas, le **Monasterio de San Millán de Yuso**, fondé en 1050, a connu une complète reconstruction et ses bâtiments datent du XVIᵉ au XVIIIᵉ siècle. Entreprise en 1504, l'église est marquée d'influences Renaissance et possède des portes dorées baroques et une sacristie rococo ornée de peintures du XVIIᵉ siècle.

Dans le trésor s'admirent les plaques d'ivoire sculptées qui faisaient partie de deux reliquaires du XIᵉ siècle et la reproduction d'un des premiers textes connus rédigés en roman castillan : le commentaire d'un ouvrage de San Cesáreo d'Arles, les *Glosas Emilianenses*, écrit par un moine de Suso au Xᵉ siècle.

Le Monasterio de San Millán de Yuso dans la vallée du Cárdenas

Cloître du Monasterio de Santa María la Real, Nájera

Nájera ⓮

La Rioja. 🚶 *7 200.* 🚌 ℹ️ *Plaza de San Miguel, sin, 941 36 00 41.* 🛒 *jeu.* 📷 *San Prudencio (28 avril), Santa María la Real (16 et 17 sept.).*

Cette petite ville ancienne à l'ouest de Logroño fut la capitale de la Navarre et de la Rioja jusqu'en 1076, et le **Monasterio de Santa María la Real** renferme les tombeaux de plusieurs membres des familles royales de Navarre et du León, notamment le splendide mausolée roman de Blanche de Navarre, épouse de Sanche III, morte en 1155.

Sous les stalles sculptées du chœur, une petite grotte abrite une Vierge à l'Enfant gothique. La découverte, dans cette grotte, d'un portrait de la Vierge, entraîna la fondation du monastère au XIᵉ siècle.

🔒 **Monasterio de Santa María la Real**
Nájera. 📞 *941 36 36 50.* 🕐 *mar.-dim.* ⬛ 📷

Logroño ⓯

La Rioja. 🚶 *140 000.* 🚉 🚌 ℹ️ *Paseo del Espolon, Principe de Vergara 1, 941 29 12 60.* 📷 *San Bernabé (11 juin), San Mateo (21 sept.).*

Pôle commercial d'une vallée fertile, la capitale de la Rioja, cité animée percée de larges boulevards, doit sa prospérité au négoce du vin. Au bord de l'Èbre, son vieux quartier renferme une **cathédrale** gothique aux tours et à la façade baroques. Non loin, une immense statue équestre de Saint Jacques Matamore *(p. 51)* domine le portail sud de l'**Iglesia de Santiago el Real**.

Aux environs
À une cinquantaine de kilomètres au sud de Logroño, la N 111 s'enfonce dans la **vallée de l'Iregua**, où gorges étroites et rochers aux formes torturées offrent des paysages spectaculaires, avant de gravir les pentes de la sierra de Cameros.

Portail baroque de la façade ouest de la cathédrale de Logroño

Enciso ⓰

La Rioja. 🚶 *175.* 🚌 *depuis Logroño.* ℹ️ *Plaza Mayor, 941 39 60 05.* 📷 *San Roque (16 août).*

Près de ce petit village perché à l'ouest de Calahorra, des panneaux conduisent aux *huellas de dinosaurios*, empreintes de dinosaures, dont certaines longues de 30 cm, gravées dans les rochers dominant un ruisseau. Les géants qui les ont laissées, ainsi que dans d'autres endroits de la région, vivaient il y a 150 millions d'années, époque où la mer occupait l'actuelle vallée de l'Èbre.

Aux environs
À 10 km au nord, **Arnedillo** est une station thermale fréquentée pour ses bains. À **Autol**, à l'est, se dressent deux pics calcaires aux formes inhabituelles.

**Détail du Jugement dernier,
portail de la cathédrale de Tudela**

Tudela ⓱

Navarra. 32 000. Calle de Jucio 4, 948 84 80 58. sam. Santa Ana (26-30 juil.).

La deuxième ville de Navarre est le principal centre commercial de la Ribera, vaste espace agricole de la vallée de l'Èbre. Malgré l'importance de ses quartiers modernes, elle a des origines très anciennes et d'importantes communautés juive et musulmane y prospérèrent jusqu'à la fin du XVᵉ siècle. Sur la route arrivant de Pampelune, un pont du XIIIᵉ siècle jette dix-sept arches au-dessus du fleuve.

Pleine de charme avec ses balcons en fer forgé, la grand-place de la vieille ville, la **plaza de los Fueros**, servait jadis de cadre à des courses de taureaux comme le rappellent ses façades peintes. Entreprise en 1194, la **cathédrale** de style gothique primitif présente au portail ouest une magnifique illustration sculptée du Jugement dernier. Son cloître roman incorpore les vestiges d'une mosquée du IXᵉ siècle et une chapelle mudéjare.

Aux environs
Au nord se dressent les rochers déchiquetés des **Bárdenas Reales**. À 20 km à l'ouest de Tudela, la station thermale de **Fitero** renferme le Monasterio de Santa María (XIIᵉ siècle).

Monasterio de La Oliva ⓲

Carcastillo (Navarre). 948 72 50 06. depuis Pampelune. t.l.j.

Des cisterciens venus de Gascogne fondèrent en 1149 ce petit monastère. Au dépouillement de l'église en croix latine répondent

Cloître gothique du Monastero de La Oliva

l'harmonieuse sobriété de la salle capitulaire construite au XIIIᵉ siècle et l'élégance du cloître gothique du XVᵉ siècle.

Longtemps abandonné, le monastère abrite de nouveau une communauté cistercienne qui vend son miel, son fromage et son vin et accepte des hôtes payants (p. 532).

Ujué ⓳

Navarra. 240. Plaza Municipal, 948 73 90 46. Virgen de Ujué (8 sept.).

Village perché sur un haut promontoire au terme d'une route sinueuse, Ujué a gardé beaucoup d'authenticité avec ses façades inégales, ses ruelles pavées et ses escaliers. L'**Iglesia de Santa María**, aux absides romanes mais à la nef gothique, abrite la statue de la Vierge d'Ujué à qui viennent rendre hommage, le dimanche qui suit le 25 avril, des pèlerins en cape noire.

Le sanctuaire domine une forteresse en ruine dont la terrasse offre un superbe panorama des Pyrénées.

Olite ⓴

Navarra. 3 000. Pl. de Teobaldos 10, 948 74 17 03. mer. Marché médiéval (fin août) Exaltación de la Santa Cruz (14-20 sept.).

Ancienne résidence des rois de Navarre, Olite, l'*Oligocus* romaine, a conservé des vestiges de ses remparts. À l'intérieur des murs, ruelles pentues et placettes forment

---

LE ROYAUME DE NAVARRE

Le royaume chrétien de Navarre assure son indépendance au Xᵉ siècle après que Sanche Iᵉʳ Garcés est devenu roi de Pampelune. Les conquêtes de Sanche III el Mayor (v. 994-1035) l'étendent de Ribagorza, en Aragon, à Valladolid. Sanche VI le Sage règne de 1150 à 1194 et reconnaît les *fueros*, droits traditionnels, de nombreuses villes. Sanche VII meurt sans héritier et c'est une dynastie française qui monte sur le trône en 1234. Charles III le Noble (1381-1425) fait construire le château d'Olite. Son petit-fils, Carlos de Viana, écrit en 1455 *Les Chroniques des rois de Navarre*. Annexée en 1512 par Ferdinand le Catholique, la Navarre gardera ses propres lois jusqu'au XIXᵉ siècle.

**Carlos de Viana,
petit-fils de Charles III**

un charmant dédale où se niche le **Monasterio de Santa Clara** entrepris au XIIIᵉ siècle. Des maisons construites du XVIᵉ au XVIIIᵉ siècle bordent la rúa Cerco de Fuera et la rúa Mayor.

Édifié au début du XVᵉ siècle pour Charles III, le **Palacio Real de Olite** a valu à la ville son surnom de « cité gothique ». Puissamment fortifié, il possédait néanmoins une brillante décoration de style mudéjar associant *azulejos* (carreaux de céramique) et plafonds marquetés. Ses jardins suspendus plantés de vigne et d'orangers comprenaient une volière et une fosse aux lions. Les rois de Navarre assistaient aux tournois depuis la tour des Quatre Vents.

Incendié par ses défenseurs en 1813 pour empêcher qu'il tombe aux mains des Français, puis mis à sac par les carlistes *(p. 58-59)*, il a connu une importante restauration, mais n'a pas retrouvé toute sa splendeur d'origine. Un parador *(p. 541)* en occupe une partie.

Élevée au XIIIᵉ siècle, l'ancienne chapelle du château, l'**Iglesia de Santa Maria**, possède un portail gothique sculpté de scènes de la vie de la Vierge. Située dans la région viticole de Navarre *(p. 74-75)*, Olite a quelques bonnes bodegas.

♣ Palacio Real de Olite
Plaza de Carlos III. ☎ 948 74 00 35.
◻ *t.l.j.* 🖼

Tours et courtine du Palacio Real de Olite

Pont en dos d'âne du XIᵉ siècle de Puente la Reina

Puente la Reina ㉑

Navarre. 🏘 *2 500.* ℹ *Mayor 105, 948 34 08 45, 948 34 00 07 (en hiver).* 🚌 *sam.* 🎉 *Santiago (25 juil.).*

Peu de villes du chemin de Compostelle évoquent aussi intensément le passé que Puente la Reina, bourg agricole qui doit son nom à son pont en dos d'âne construit au XIᵉ siècle pour permettre aux pèlerins de franchir le río Arga.

Dans la rue principale, l'**Iglesia de Santiago**, de style roman, est ornée au portail ouest d'une statue dorée représentant saint Jacques en pèlerin.

Édifiée au XIIᵉ siècle par les chevaliers du Temple à la périphérie de la ville, et remaniée dans le style gothique au XIVᵉ siècle, l'**Iglesia del Crucifijo** abrite un crucifix

Crucifix de l'Iglesia del Crucifijo

offert par un pèlerin allemand vers 1400.

Aux environs
Au milieu des champs, à quelque 5 km à l'est de Puente la Reina, l'**Iglesia de Santa María de Eunate** est un remarquable édifice du XIᵉ siècle de plan octogonal. Les dépouilles qu'on y a mis au jour révèlent que ce sanctuaire entouré d'un cloître en forme de portique servait d'ossuaire sur le chemin de Compostelle. À l'ouest de Puente la Reina, le village perché de **Cirauqui**, bien que très restauré, garde beaucoup de charme avec ses élégantes petites maisons à balcons dominant des ruelles sinueuses reliées par des escaliers. L'Iglesia de San Román qui se dresse au sommet de la colline possède un portail sculpté.

FIESTAS DU PAYS BASQUE, DE LA NAVARRE ET DE LA RIOJA

Los Sanfermines

(6-14 juil.), Pampelune, Navarre. Une fête qu'Ernest Hemingway rendit célèbre dans *Le soleil se lève aussi*. Pendant une semaine, défilés, concerts et bals populaires entretiennent jour et nuit une ambiance exaltée partout dans la ville. Le vin coule à flots et, chaque matin, pour l'*encierro*, six taureaux de la corrida de l'après-midi sont lâchés dans les rues étroites du centre menant à la Plaza de Toros.

Encierro de Pampelune, une course devant des taureaux

Bataille du vin *(29 juin)*, Haro, la Rioja. Habillés de blanc, les participants s'aspergent de vin avec des gourdes en cuir.
Danza de los Zancos *(22 juil. et dernier sam. de sept.)*, Anguiano, la Rioja. Juchés sur des échasses, des danseurs en jupes jaunes et gilets chatoyants descendent en tournoyant la ruelle pentue qui relie l'église à la grand-place.
La Virgen Blanca *(4 août)*, Vitoria, Álava. Un mannequin portant un parapluie (le *celedón*) est descendu de l'église San Miguel jusqu'à une maison d'où sort un homme vêtu à l'identique. Le maire allume une fusée et les spectateurs des cigares.

Devant la fontaine à vin près du monastère d'Irache

Lizarra ㉒

Navarra. 🏠 *13 000.* 🚌 🚻 *Calle de San Nicolás 3, 948 55 63 01.* 🏛 *jeu.* 🎉 *San Andrés (début août).*

Résidence des rois de Navarre au Moyen Âge et importante étape sur le chemin de Compostelle *(p. 78-79)*, Lizarra (Estella) devint au XIXᵉ siècle une place forte des carlistes *(p. 59)*.

Ses principaux monuments se dressent à la périphérie du centre, de l'autre côté du pont franchissant le río Ega. Sur la plaza de San Martín, entourée d'arcades, le **Palacio de los Reyes de Navarra** offre un exemple rare d'édifice civil de style roman. Remarquez sur sa façade le chapiteau où Roland affronte en combat singulier le Sarrasin Ferragut.

Depuis la place, une longue volée de marches conduit à l'**Iglesia de San Pedro de la Rúa** dont l'harmonieuse façade date du XIIᵉ siècle. Endommagé en 1592 par la destruction d'un château dominant l'église, son cloître roman, restauré, comprend deux galeries aux chapiteaux délicatement sculptés historiés.

Dans le centre-ville, l'**Iglesia de San Juan Bautista**, sur la plaza de los Fueros, possède un portail roman. L'**Iglesia de San Miguel** s'atteint par la rue Ruiz de Alda. Des sculptures romanes représentant entre autres saint Michel terrassant le dragon ornent son portail nord, mais l'intérieur est gothique.

Aux environs

À 3 km au sud-ouest d'Estella, le **Monasterio de Nuestra Señora de Irache** fut construit au XIᵉ siècle par des moines bénédictins pour offrir un abri aux pèlerins sur le chemin de Compostelle. Principalement gothique, l'église possède des absides romanes et un cloître platéresque. Un robinet dans le mur d'une bodega permet aux visiteurs de se servir du vin.

Au nord d'Estella, une petite route s'écarte de la NA 120 et sinue dans une gorge boisée avant d'atteindre le **Monasterio de Iranzu** construit au XIIᵉ siècle. Son église possède toute la sobriété du style cistercien.

Sur la NA 120, le col du Lizarraga offre un panorama intéressant.

Pampelune ㉓

Navarra. 🏠 *200 000.* ✈ 🚌 🚇 🚻 *C/ Eslava 1, 848 420 420.* 🎉 *Sanfermines (6-14 juil.) San Saturnio (29 nov.).* 🌐 *www.pamplona.net*

Fondée, selon la tradition, par Pompée au Iᵉʳ siècle av. J.-C., Pampelune (Iruña, Pamplona) devint au IXᵉ siècle la capitale de la Navarre. Tous les ans, le 6 juillet, elle semble basculer dans la folie pour la célèbre fiesta de Los Sanfermines.

Le chemin de ronde des **remparts** *(murallas)* offre de belles vues de la cité. La **cathédrale** s'élève près des fortifications. Édifiée sur les fondations d'un sanctuaire

L'intérieur fastueux du Palacio de Navarra, Pampelune

Entrelacs gothiques du cloître de la cathédrale de Pampelune

roman, elle possède, derrière une façade néo-classique, une haute nef gothique très dépouillée qui contient le magnifique tombeau en albâtre de Charles III (1361-1425) et de son épouse, Éléonore de Castille. D'une grande élégance, le cloître (1286-1472) s'ouvre au sud par la Puerta de la Preciosa ornée de sculptures rendant hommage à la Vierge.

Le Museo Diocesano occupe la cuisine et le réfectoire (XIVᵉ siècle) des chanoines. Ses collections comprennent, entre autres, des sculptures gothiques, des statues en bois peint venant de toute la Navarre et le reliquaire du Saint-Sépulcre offert par Saint Louis en 1258.

À l'ouest de la cathédrale s'étend la vieille ville où le **Palacio del Gobierno de Navarra** se dresse non loin de la place principale, la plaza del Castillo. Un portrait de Ferdinand VII par Goya décore la salle du trône. Devant l'édifice, un monument financé en 1903 par une souscription représente une reine symbolique tenant les *fueros* de Navarra. Au nord de la place, l'**hôtel de ville** *(ayuntamiento)* baroque ne se trouve qu'à quelques pas

de l'**Iglesia de San Saturnino** érigée sur le site où saint Saturnin aurait baptisé 40 000 païens.

Sous le mur d'enceinte, le **Museo de Navarra** occupe un hôpital du XVIᵉ siècle au portail plateresque. Musée régional d'archéologie, d'histoire et d'art, il présente, entre autres, des mosaïques romaines, un coffre en ivoire musulman exécuté à Cordoue au début du XIᵉ siècle, des fresques provenant de diverses églises et du réfectoire de la cathédrale, un portrait par Goya et des peintures d'artistes basques.

Au sud-est de la ville, la **Ciudadela** comprend cinq bastions disposés en étoile. Érigée au XVIᵉ siècle par Philippe II, elle accueille désormais des expositions temporaires et des manifestations culturelles. Elle domine les larges boulevards de la ville moderne et le campus de l'université.

Hommage au toro bravo à Pampelune

🏛 **Museo de Navarra**
Calle Santo Domingo. 📞 848 42 64 92. ◯ *mar.-dim.* 📷 ♿
♨ **Palacio de Navarra**
Avenida Carlos III 2. 📞 848 42 70 00. ◯ *sur rendez-vous.* ♿

PAMPELUNE : LE CENTRE-VILLE

Cathédrale ③
Hôtel de ville ④
Iglesia de San Saturnino ⑤
Museo de Navarra ①
Palacio de Navarra ⑥
Remparts ②

LÉGENDE

▬ Itinéraire de l'*encierro*
🚌 Gare routière
🅿 Parc de stationnement
ℹ Information touristique
✝ Église
⛪ Couvent ou monastère

Maisons basques typiques à
Etxalar, Regata de Bidasoa

Las Cinco Villas Del Valle de Bidasoa ㉔

Navarra. 🚉 Pamplona, San Sebastián.
🅸 Bera, 948 63 12 22, 948 63 00 05
🆆 www.cfnavarra.es

D ans la vallée de la Bidasoa,
cinq jolis villages basques
méritent une visite. Le plus au
nord, **Bera** (Vera), est aussi le
plus important. **Lesaka**, où de
larges avant-toits protègent les
balcons en bois, et **Igantzi**
(Yanci), aux maisons à
colombage rouges et blanches,
sont aussi très pittoresques.
Arantza occupe un site
spectaculaire et **Etxalar**, où la
palombe se chasse au filet
depuis le XIIe siècle, a beaucoup
de cachet au fond d'une gorge
étroite. Le sommet de la Rhune,
à la frontière française, offre un
large panorama des Pyrénées.

Elizondo ㉕

Navarra. 🚶 3 000. 🚉 🅸 Casa
Cultura, 948 58 12 79. 🔔 jeu. 🎆
Santiago (25 juil.), Feria (fin oct.).

P rincipale localité de la
splendide vallée du Baztán,
Elizondo dresse au bord de la
rivière des demeures blasonnées.
Plus haut dans la vallée, **Arizkun**
a conservé des maisons fortifiées
et un couvent du XVIIe siècle. Près
de Zugarramurdi, la **Cueva de
Brujas** aurait jadis servi de
rendez-vous de sorcières.

La Vierge de Roncevaux sous son
dais, Colegiata Real

Roncevaux ㉖

Navarra. 🚶 27. 🅸 Roncesvalles,
Antiguo Molino, 948 76 03 01. 🎆 Día
de la Virgen de Roncesvalles (8 sept.).

L a Chanson de Roland,
poème épique écrit au
XIIe siècle et inspiré d'une
bataille qui opposa les
Basques à l'arrière-garde de
Charlemagne en 778, a rendu
célèbre le col de Roncevaux
(Orreaga, Roncesvalles). Sans
le monastère fondé à sa sortie
en 1130, de nombreux
pèlerins franchissant les
Pyrénées vers Compostelle
(p. 78-79) y auraient eux aussi
perdu la vie.
 Dans la **Colegiata Real**
(XIIIe siècle) de style gothique,
pierres et métaux précieux
parent une Vierge à l'Enfant
sous un dais en argent. Le
cloître mène à la salle
capitulaire qui abrite le
tombeau de Sanche VII le Fort
(1154-1234) sous un vitrail
décrivant sa victoire à la
bataille de Las Navas de
Tolosa (p. 50-51). Le trésor de
l'église comprend un triptyque
attribué à Jérôme Bosch et de
nombreux objets précieux,
notamment un reliquaire
émaillé surnommé
« l'Échiquier de Charlemagne ».

Valle de Roncal ㉗

Navarra. 🚉 depuis Pampelune.
🅸 Roncal, Paseo Julian Gayarre, 948
47 52 56.

A u cœur des Pyrénées,
près de la frontière avec
l'Aragon, l'élevage reste une
activité importante dans cette
vallée de montagne, dont les
habitants continuent à porter
leurs costumes régionaux les
jours de fête et le village de

Campagne boisée près de Roncevaux

Roncal est réputé pour son fromage. Quelques kilomètres plus au nord, la station de vacances d'**Isaba** propose un musée consacré à l'histoire et aux traditions locales. Une route spectaculaire sinue entre Isaba et le village d'Ochagavia dans la **Valle de Salazar**. Au nord, **Selva de Irati**, l'une des plus vastes forêts d'Europe, s'étend jusqu'en France sous le sommet enneigé du monte Ori (2 017 m).

Balcons fleuris dans le village de Roncal

Monasterio de Leyre ㉘

Yesa (Navarra). 📞 948 88 41 50. 🚌 Yesa. ⬜ t.l.j. 📷

A u pied de falaises calcaires, le monastère San Salvador de Leyre domine un paysage grandiose au-dessus d'un lac artificiel. Sanche III (v. 992-1035) et ses successeurs en firent un haut lieu spirituel et politique, mais il entra en déclin au XIIᵉ siècle et fut abandonné au XIXᵉ siècle. Des bénédictins ont entrepris sa restauration en 1954 et transformé une partie de l'abbaye en hôtel aux prix modiques *(p. 542)*. Ils proposent des visites guidées, seul moyen de découvrir le monument.

Construite sur un sanctuaire antérieur, l'église a conservé des absides romanes du XIᵉ siècle, mais possède une nef gothique. Son portail ouest présente une riche décoration sculptée. Des colonnes trapues coiffées de larges chapiteaux donnent à la crypte une majesté rustique. Les moines interprètent pendant les offices des chants grégoriens *(p. 358)* d'une grande beauté.

Castillo de Javier ㉙

Javier (Navarra). 📞 948 88 40 00. 🚌 depuis Pampelune. ⬜ t.l.j. (la basilique depuis 2005)

S aint François Xavier, patron de la Navarre et fondateur, avec Ignace de Loyola, de la Compagnie de Jésus *(p. 120)*, naquit en 1506 dans ce château à l'enceinte crénelée du XIIIᵉ siècle. Démantelé en 1516, mais entièrement restauré, il abrite aujourd'hui un collège jésuite. Les visiteurs peuvent découvrir la chambre du saint et le musée aménagé dans le donjon. Un Christ polychrome du XIIIᵉ siècle et une *Danse macabre* du XVᵉ siècle ornent l'oratoire.

Crucifix ornant l'oratoire du Castillo de Javier

Sangüesa ㉚

Navarra. 🏠 4 500. 🚌 🛈 Calle Mayor 2, 948 87 14 11. 🗓 ven. 🎉 San Sebastián (11 sept.).

L es pèlerins aragonais qui y faisaient étape sur le chemin de Compostelle *(p. 78-79)* ont fondé au Moyen Âge la prospérité de cette petite ville établie près d'un pont franchissant le río Aragón. L'**Iglesia de Santa María la Real** s'ouvre au sud par un portail dont le décor sculpté est un chef-d'œuvre de l'art roman : anges, musiciens, soldats, artisans, motifs géométriques et animaux mythiques encadrent une représentation au tympan du Jugement dernier.

L'**Iglesia de Santiago**, romane, et l'**Iglesia de San Francisco**, gothique, méritent également une visite. Dans la rue principale, l'**hôtel de ville** *(ayuntamiento)* occupe l'ancien palais des princes de Viana, l'une des résidences des rois de Navarre. À côté de la place, les vestiges du palais abritent une bibliothèque, ouverte au public.

Aux environs
Deux gorges étroites et profondes creusent le rocher au nord de Sangüesa. La NA 178 offre au nord de Domeño un beau point de vue sur la plus spectaculaire, l'**Hoz de Arbayún**, peuplée de vautours. L'**Hoz de Lumbier** se contemple depuis la N 240.

Dans la crypte du Monasterio de Leyre

BARCELONE

Présentation de Barcelone

Barcelone est plus que la capitale d'une région espagnole. Port actif de la Méditerranée, grande rivale économique de Madrid, elle est un pôle culturel à la créativité bouillonnante et une cité qui se tourne vers l'Europe pour affirmer et défendre l'identité catalane. Le succès des Jeux olympiques organisés en 1992 dans le parc de Montjuïc a prouvé le dynamisme et l'efficacité de ses habitants. Attachés à leurs racines, ils ont aussi le goût de la modernité comme en témoignent la statuaire des espaces publics, la décoration et l'atmosphère des bars, jusque dans la vieille ville riche en monuments historiques, et les immeubles dont le Modernisme (*p. 136-137*) a paré vers 1900 le quartier d'Eixample.

La Casa Milá (p. 161) *est l'immeuble le plus avant-gardiste d'Antoni Gaudí (p. 160). Aucune ville ne possède autant d'édifices Art nouveau que Barcelone.*

Le Palau Nacional (p. 168), *sur la colline de Montjuïc, domine l'avenue ornée de fontaines et les pavillons monumentaux construits pour l'Exposition internationale de 1929. Il abrite le Museu Nacional d'Art de Catalunya, avec une collection exceptionnelle d'art gothique et roman.*

MONTJUÏC
(p. 164-169)

Le château de Montjuïc (p. 169), *forteresse massive du XVIIᵉ siècle, crée au sommet de la colline de Montjuïc un contraste frappant avec les installations ultramodernes des Jeux olympiques de 1992. Il ménage une vue panoramique de la ville et du port.*

Christophe Colomb *surveille le front de mer depuis une colonne de 60 m (p. 152) érigée sur le Port Vell (vieux port). Depuis son sommet se découvrent les quais et les promenades aménagées pour les Jeux olympiques de 1992.*

0   1 km

◁ **Les Ramblas et la vieille ville derrière le monument de Christophe Colomb**

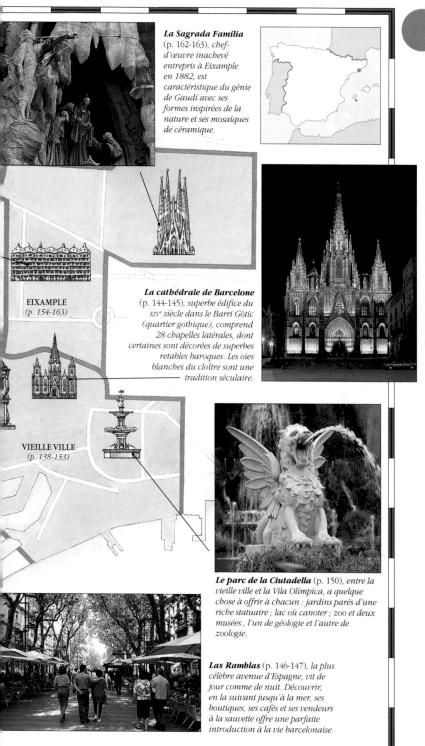

La Sagrada Família (p. 162-163), chef-d'œuvre inachevé entrepris à Eixample en 1882, est caractéristique du génie de Gaudí avec ses formes inspirées de la nature et ses mosaïques de céramique.

EIXAMPLE (p. 154-163)

La cathédrale de Barcelone (p. 144-145), superbe édifice du XIVᵉ siècle dans le Barri Gòtic (quartier gothique), comprend 28 chapelles latérales, dont certaines sont décorées de superbes retables baroques. Les oies blanches du cloître sont une tradition séculaire.

VIEILLE VILLE (p. 138-153)

Le parc de la Ciutadella (p. 150), entre la vieille ville et la Vila Olímpica, a quelque chose à offrir à chacun : jardins parés d'une riche statuaire ; lac où canoter ; zoo et deux musées , l'un de géologie et l'autre de zoologie.

Las Ramblas (p. 146-147), la plus célèbre avenue d'Espagne, vit de jour comme de nuit. Découvrir, en la suivant jusqu'à la mer, ses boutiques, ses cafés et ses vendeurs à la sauvette offre une parfaite introduction à la vie barcelonaise.

Gaudí et le Modernisme

Cheminée, Casa Vicens

À la fin du XIXe siècle, l'Art nouveau révolutionna en Europe les rapports entre architecture et arts décoratifs. Il prit à Barcelone une forme originale portée par l'aspiration nationaliste catalane : le Modernisme. Parmi ses principaux représentants figurent Josep Puig i Cadafalch, Lluís Domènech i Montaner et, surtout, Antoni Gaudí i Cornet *(p. 160)*. La création du quartier d'Eixample *(p. 154-163)* offrit un vaste terrain vierge à leur fièvre créatrice.

La décoration et l'architecture étaient intimement liées dans le Modernisme. Cette porte et son entourage de céramique se trouvent dans la Casa Battló (p. 160).

***Une coupole** au sommet conique couvre la salle centrale qui s'étage sur trois niveaux. Elle est percée de petits oculi d'inspiration islamique évoquant un ciel étoilé.*

Les galeries supérieures ont une riche décoration de bois sculpté et de pisé.

La rampe en hélice des écuries témoigne de la prédilection de Gaudí pour les courbes, un goût qui s'exprime avec force et brio dans l'étonnante façade de la Casa Milá (p. 161).

L'ÉVOLUTION DU MODERNISME

1859 L'ingénieur civil Ildefons Cerdà i Sunyer soumet un projet d'expansion de Barcelone

1878 Gaudí diplômé d'architecture

1900 Josep Puig i Cadafalch construit la Casa Amatller *(p. 160)*

1903 Lluis Domènech i Montaner construit l'Hospital de la Santa Creu i de San Pau *(p. 161)*
Détail de l'hôpital

1850	1865	1880	1895	1910	1925

1883 La continuation de la Sagrada Familia *(p. 162-163)* est confiée à Gaudí
Détail de la Sagrada Familia

1888 L'Exposition universelle de Barcelone donne son élan au Modernisme

1912 Achèvement de la Casa Milá

1905 Casa Lleó Morera *(p. 160)* de Lluis Domènech i Montaner. Casa Terrades *(p. 161)* de Josep Puig i Cadalfach

1926 Mort de Gaudí

Les cheminées prirent des formes échevelées dans les dernières œuvres de Gaudí, comme ici sur le toit de la Casa Battló.

Des lampes en fer forgé éclairent la grande salle.

Des carreaux de céramique ornent les cheminées.

LES MATÉRIAUX DE GAUDÍ

Gaudí concevait la décoration de ses constructions en même temps qu'il en créait les plans, associant matériaux bruts tels que bois, pierre taillée, mortier et brique à des éléments ouvragés comme le fer forgé, le vitrail ou les carreaux et mosaïques de céramique.

Vitrail de la Sagrada Familia

Mosaïque de céramique, **Parc Güell** *(p. 174)*

Détail d'un portail, Casa Vicens *(p. 160)*

Carreaux de céramique **d'El Capricho** *(p. 107)*

Les arcs paraboliques, que Gaudí commença à utiliser dans le Palau Güell, dérivent de l'architecture gothique (p. 20). Ce corridor appartient au Collegio Teresiano, école religieuse à l'ouest de Barcelone.

L'écusson s'inspire des armoiries catalanes.

PALAU GÜELL *(1889)*

Le premier édifice majeur que Gaudí construisit dans le centre-ville *(p. 147)* établit la réputation internationale de cet architecte d'une exceptionnelle originalité. Commandée par son principal mécène, l'industriel Eusebi Güell, l'ancienne demeure borde une ruelle, ce qui rend sa façade difficile à contempler. Le jeu des volumes intérieurs, la décoration et le mobilier rendent sa visite fascinante.

Les fers forgés du portail, caractéristiques du travail de Gaudí, s'inspirent de formes organiques, comme ce dragon couvert de fragments de carreaux polychromes qui garde l'escalier du Parc Güell.

VIEILLE VILLE

Traversée par La Rambla, avenue la plus célèbre de Barcelone, la vieille ville est l'un des centres médiévaux les plus étendus d'Europe. Dans le Barri Gòtic, un dédale de rues et de places entoure la cathédrale. De l'autre côté de la Via Laietana, le quartier d'El Born dominé par l'église Santa Maria del Mar et riche en demeures du XIVe siècle est bordé par le parc verdoyant de la Ciutadella qui renferme le zoo de la ville. Sur le front de mer redynamisé, l'ancien voisine avec le moderne. Boutiques et restaurants branchés se succèdent dans la marina en vogue qui tranche sur le vieux quartier maritime de Barceloneta et le nouveau port olympique.

LE QUARTIER D'UN COUP D'ŒIL

Musées
Museu d'Art Contemporani **8**
Museu Frederic Marès **2**
Museu de Geologia **21**
Museu Marítim et
  Drassanes **28**
Museu Picasso **13**
Museu de la Xocolata **17**
Museu de Zoologia **20**

Rues et quartiers
Barceloneta **24**
El Born **12**
Carrer Montcada **15**
Las Ramblas **9**
El Raval **7**

Sites portuaires
Golondrinas **27**
Port Olímpic **23**
Port Vell **25**

Églises
Basílica de Santa Maria
  del Mar **14**
Cathédrale (p. 144-145) **6**

Bâtiments historiques
Casa de l'Ardiaca **1**
Casa de la Ciutat **4**
La Llotja **11**
Mercat del Born **16**
Palau de la Generalitat **5**
Palau de la Música Catalana **10**
Palau Reial et Museu
  d'Història de la Ciutat **3**

Monuments
Arc del Triomf **18**
Monument a Colom **26**

Parcs et jardins
Parc de la Ciutadella **19**
Parc Zoològic **22**

COMMENT Y ALLER

Les lignes 1, 3 et 4 du métro desservent le quartier et la station Jaume I est au cœur du Barri Gòtic. Des bus passent par la plaça de Catalunya, centre de la ville moderne.

LÉGENDE

  Plan pas à pas *p. 140-141*

Ⓜ Station de métro

🚉 Gare

🚌 Arrêt de bus important

ℹ Information touristique

🅿 Parc de stationnement

🚋 Arrêt de tramway

0   500 m

◁ **Colonnes ornées de motifs floraux du Palau de la Música Catalana de Domènech i Montaner**

Le Barri Gòtic pas à pas

Partie la plus ancienne de Barcelone, le quartier gothique s'étend sur le site choisi par les Romains sous le règne d'Auguste (27 av. J.-C.– 14 apr. J.-C.) pour fonder une nouvelle colonie et où se trouvent depuis lors les bâtiments administratifs de la ville. Les deux axes de la cité antique se croisaient à l'emplacement de la plaça de Sant Jaume où se font face le Palau de la Generalitat médiéval, siège du Parlement catalan, et la Casa de la Ciutat, hôtel de ville. Tout près se dressent la cathédrale gothique et le palais royal où, en 1492, les Rois Catholiques reçurent Christophe Colomb à son retour des Amériques *(p. 53)*.

**Bougie,
Cereria
Subirà**

Casa de l'Ardiaca
Bâtie sur l'enceinte romaine, cette ancienne demeure gothique et Renaissance abrite les archives historiques de Barcelone ❶

Vers la plaça de Catalunya

★ La cathédrale
L'édifice gothique original a reçu au XIXᵉ siècle sa façade et la flèche. Entre autres œuvres d'art, il abrite des peintures médiévales catalanes ❻

Palau de la Generalitat
Le parlement catalan a conservé de beaux éléments gothiques, notamment une chapelle et un escalier extérieur menant à une galerie d'arcades ❺

Vers Las Ramblas

SANT SEVER

SANT DOMÈNEC DEL CALL

SANT HONORAT

CARRER DEL BISBE

PIE

PLAÇA DE SANT JAUME

CARRER DE FERRAN

CARRER DE LA CIUTAT

Casa de la Ciutat
Construit aux XIVᵉ et XVᵉ siècles, l'hôtel de ville reçut sa façade néoclassique en 1840. Une œuvre de Joan Rebull (1899-1981), Trois jeunes Gitans, copie (1976) d'une sculpture de 1946, orne l'entrée ❹

Légende

– – – Itinéraire conseillé

Museu Frederic Marès
Ce portail médiéval fait partie de la riche collection de sculptures espagnoles qui constitue le clou de ce musée extraordinairement éclectique ❷

CARTE DE SITUATION
Voir l'atlas des rues, plan 5

Rempart romain

Saló del Tinell

★ Le Palau Reial
Ornée d'un retable de 1466, la Capella Reial de Santa Àgata (XIVᵉ siècle) est une des parties les mieux préservées du palais ❸

Capella Reial de Santa Àgata

Plaça del Rei

Palau del Lloctinent

Cereria Subirà, cirier

CARRER DELS COMTES DE BARCELONA

TAPINERIA

VIA LAIETANA

CARRER DE JAUME I

Métro Jaume I

CARRER DAGUERIA

SOTS-TINENT NAVARRA

Museu d'Història de la Ciutat
Installé dans une demeure du XIVᵉ siècle, il constitue le plus grand site au monde de ruines romaines. En parcourant une galerie souterraine, les visiteurs pourront découvrir la Barcelone romaine. ❸

Le Centre Excursionista de Catalunya renferme, dans sa cour, quatre colonnes romaines du temple d'Auguste. Dans la rue, une borne indique l'ancien emplacement du sanctuaire.

À NE PAS MANQUER

★ La cathédrale

★ Le Palau Reial

0   100 m

Boîte aux lettres moderniste, Casa de l'Ardiaca

Casa de l'Ardiaca ❶

Carrer de Santa Llúcia 1. **Plan** 5 B2. ☎ 933 18 11 95. Jaume I. 9 h-21 h lun. au ven., 9 h-13 h sam. j. fériés.
www.bcn.es/arxiu/arxiuhistoric

C onstruite au XII⁰ siècle près de ce qui était à l'origine la porte de l'Évêque percée dans l'enceinte romaine, la maison de l'Archidiacre doit son apparence actuelle à un remaniement vers 1500. La colonnade élevée en cette occasion fut étendue en 1870 pour former, autour d'une fontaine, un patio de style gothique flamboyant. À côté du portail Renaissance se remarque une boîte aux lettres en marbre conçue par l'architecte moderniste Domènech i Montaner (1850-1923). L'Institut municipal d'histoire se trouve à l'étage.

Museu Frederic Marès ❷

Plaça de Sant Iu 5. **Plan** 5 B2. ☎ 933 10 58 00. Jaume I. de 10 h à 17 h du mar. au sam., de 10 h à 15 h le dim. jours fériés. gratuit le 1er dim. de chaque mois et le mer. après-midi. sur rendez-vous.

I nstallé dans un bâtiment qui faisait partie du palais royal, ce musée est un monument à l'éclectisme et à la passion de la collection et des voyages du sculpteur Frederic Marès i Deulovol (1893-1991).

Les antiquités s'admirent au fond du patio. Au rez-de-chaussée, les salles d'art roman

abritent plus de 400 sculptures sur bois peintes. La crypte renferme les sculptures sur pierre, notamment deux portails romans, tandis que le premier étage offre un large aperçu de la sculpture espagnole du Moyen Âge au XIX⁰ siècle.

Vierge, Museu Frederic Marès

Le « Musée sentimental » occupe les deux niveaux supérieurs. Il présente, réunis par thèmes, un ensemble exceptionnel d'objets du monde entier tels que montres, pendules, crucifix, bas de femme, bijoux, pipes, pots à tabac, cannes, cartes postales ou jouets.

Palau Reial et Museu d'Història de la Ciutat ❸

Plaça del Rei. **Plan** 5 B2. ☎ 933 15 11 11. Jaume I. de juin à sept. : de 10 h à 20 h du mar. au sam., de 10 h à 15 h le dim. ; oct. à mai : de 10 h à 14 h et de 16 h à 20 h du mar. au sam., de 10 h à 15 h le dim. 1er jan., 25 et 26 déc. gratuit pour les moins de 16 ans et le premiers samedi de chaque mois après 15h. sur rendez-vous.

A u cœur du Barri Gòtic se trouve la très belle Plaza del Rei, dominée par le palais royal. Fondée à la fin du X⁰ siècle, mais datant en majeure partie du XIV⁰ siècle, l'ancienne résidence des comtes, puis des rois de Barcelone s'organise autour du Saló del Tinell (1359-1362).

Nef gothique de la Capella de Santa Àgata, Palau Reial

L'ANCIENNE COMMUNAUTÉ JUIVE DE BARCELONE

Tablette en hébreu

Du XI⁰ au XIII⁰ siècle, les juifs, qui donnaient à la ville ses médecins et fondèrent le premier établissement éducatif, dominèrent la vie commerciale et culturelle de Barcelone. En 1243, une violente crise d'antisémitisme conduisit à leur enfermement dans un ghetto, El Call, qui ne possédait qu'une seule entrée donnant sur la plaça Sant Jaume. Malgré de lourdes taxes imposées par le roi, qui les considérait comme des « serfs royaux », les juifs conservèrent le contrôle de la majeure partie du négoce entre la Catalogne et l'Afrique du Nord. Les persécutions, officielles ou populaires, finirent toutefois par entraîner la disparition du ghetto en 1401, près d'un siècle avant que ne soit interdite la pratique du judaïsme en Espagne (p. 53).

La principale synagogue (il y en avait trois) bordait la carrer Sant Domènec del Call. Il n'en reste que les fondations. Au n⁰ 5 de la carrer de Marlet, une tablette en hébreu du XIV⁰ siècle dit : « Sainte fondation de Rabbi Samuel Hassardi, pour qui la vie ne finit jamais ».

C'est dans cette salle de banquet longue de plus de 30 m sous des arcs en plein cintre d'une portée de 17 m que les Rois Catholiques *(p. 66)* reçurent Christophe Colomb à son retour des Amériques en 1493. Dans l'antichambre, des fresques d'époque illustrent la vie de la noblesse vers 1300.

Construite dans le rempart romain, la Capella de Santa Àgata abrite le retable du connétable Pierre de Portugal achevé en 1466 par Jaume Huguet. À droite de l'autel, des escaliers mènent au **Mirador del Rei Martí**. Formée de cinq étages de galeries, cette tour du XVIe siècle porte le nom du dernier souverain catalan, Martin Ier l'Humain, qui régna de 1396 à 1410. Du sommet, jolie vue sur le palais.

Le musée d'histoire de Barcelone occupe la Casa Clariana-Padellàs, édifice gothique construit sur la carrer del Mercaders et transporté pierre par pierre en 1931 jusqu'à son emplacement actuel où des fouilles mirent au jour les vestiges, notamment, de thermes romains et d'une basilique paléochrétienne. Une galerie souterraine permet de les découvrir. Une courte portion de la muraille romaine s'atteint depuis les étages dont l'exposition illustre le développement de la ville.

Casa de la Ciutat ❹

Plaça de Sant Jaume 1. **Plan** 5 A2. [C]
934 02 73 00. 🚇 *Jaume I, Liceu.* ◯
10 h-13 h 30 dim. et jours fériés ; 10 h-
20 h le 12 fév. et le 23 avr. ou sur r.-v.
(93 402 73 64). [Z] [♿]

L'hôtel de ville *(ajuntament)* de Barcelone dresse en face du Palau de la Generalitat une façade néoclassique datant de 1840, mais il a conservé son aspect gothique d'origine sur la carrer de la Ciutat.

Au 1er étage, un portail Renaissance ouvre sur le Saló de Cent, majestueuse salle inaugurée en 1373, à la décoration baroque. Commandé à l'occasion de l'Exposition internationale de 1929, le Saló de Flor est orné de peintures murales par José Marià Sert. Elles évoquent l'expédition en Orient, au début du XIVe siècle, de troupes catalanes commandées par Roger de Flor.

Palau de la Generalitat ❺

Plaça de Sant Jaume. **Plan** 5 A2.
[C] 934 02 46 00. 🚇 *Jaume I.*
◯ 23 avr. (St Jordi), le 2e et le 4e sam.
et dim. du mois 10 h 30-13 h 30 [♿]
[Z] [W] www.gencat.es

Siège du gouvernement catalan depuis 1403, la Generalitat présente une façade

Façade Renaissance du Palau de la Generalitat

Renaissance ornée, au-dessus du portail, d'une statue du saint patron de la Catalogne, Sant Jordi (saint Georges), terrassant le dragon.

Marc Safont dessina au début du XVe siècle le bel escalier gothique menant, depuis la cour, jusqu'à la Capella de Sant Jordi qu'il édifia de 1432 à 1436. Elle fut remaniée vers 1620. Œuvre de Pere Blai, le Saló de Sant Jordi est de style classique. Il ouvre sur le *Pati dels Tarongers* (patio des Orangers) par Pau Mateu. Le clocher qui le domine date de 1568. Le Saló Daurat (salon doré) possède un beau plafond peint.

Un pont de style gothique construit en 1928 au-dessus de la carrer del Bisbe relie le palais à la Casa del Canonges (maison des chanoines).

Le Saló de Cent, grande salle du conseil à la Casa de la Ciutat

La cathédrale de Barcelone ❻

Sainte Eulalie

Entreprise en 1298 sur un site qu'avaient occupé un temple romain et une église wisigothique, la construction de cette harmonieuse cathédrale gothique flanquée d'un beau cloître et d'une chapelle romane ne s'acheva qu'au XIXᵉ siècle. La clôture du chœur, sculptée au XVIᵉ siècle, évoque le martyre de sainte Eulàlia, patronne de Barcelone. Près des fonts baptismaux, une plaque commémore le baptême de six Indiens des Caraïbes ramenés par Colomb en 1493.

Les deux tours octogonales datent de 1386-1393. Celle-ci reçut ses cloches en 1545.

La façade principale, achevée en 1899, fut construite d'après les plans dessinés en 1408 par l'architecte français Charles Galters.

Nef
De style gothique catalan, l'intérieur ne comprend qu'une seule et large nef haute de 26 m et bordée de 28 chapelles latérales.

★ Les stalles du chœur
Sculptées au XVᵉ siècle, elles présentent dans leur partie supérieure les blasons (1518) des chevaliers de la Toison d'or.

Capella del Santíssim Sagrament
Cette petite chapelle abrite le Christ de Lépante (XVIᵉ siècle).

Capella de Sant Benet
Dédiée à saint Benoît, patron de l'Europe et fondateur de l'ordre des bénédictins, elle abrite le splendide retable de la Transfiguration *(1452) par Bernat Martorell.*

MODE D'EMPLOI

Plaça de la Seu. **Plan** 5 A2. 📞 933 15 15 54. Ⓜ Jaume I. 🚌 17, 19, 45.
⬤ de 8 h à 19 h 30 t.l.j. 💶 libre de 8 h à 12 h 45 ; 17 h 15 - 19 h 30
📷 13 h - 17 h
♿ **Musée de la sacristie**
⬤ 9 h-13 h, 16 h-19 h t.l.j. 💶
Chœur ⬤ ✝ nombreux offices journaliers.

★ La crypte
Sous le chœur s'admire le sarcophage en albâtre (1339) de sainte Eulàlia martyrisée à Mérida vers l'an 300.

★ Le cloître
Une statue de saint Georges orne la fontaine du cloître gothique planté de palmiers.

Porta de Santa Eulàlia, entrée des cloîtres

Le musée de la sacristie
expose notamment des fonts baptismaux du XIᵉ siècle et de précieux objets liturgiques.

Capella de Santa Llúcia

À NE PAS MANQUER

★ Les stalles du chœur

★ La crypte

★ Le cloître

CHRONOLOGIE

400	700	1000	1300	1600	1900
	559 Basilique dédiée à sainte Eulàlia et à la Sainte Croix	**1339** Transfert des reliques de sainte Eulàlia dans un sarcophage en albâtre		**1913** Achèvement de la flèche centrale	
	877 Translation dans la cathédrale des reliques de sainte Eulàlia	**1046–58** Raymond Bérenger Iᵉʳ fait bâtir une église romane		**1889** Achèvement de la façade d'après les plans (1408) de Charles Galters	
IVᵉ siècle Construction d'une basilique paléochrétienne	**985** Les Maures détruisent l'église	**1257-1268** Construction de la Capella de Santa Llúcia romane	**1493** Baptême d'Amérindiens venus avec Colomb		
		1298 Jacques II entreprend la cathédrale gothique		*Plaque du baptême des Indiens*	

El Raval 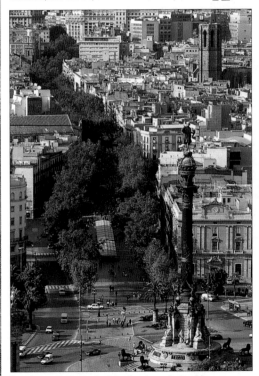 ❼

Plan 2 F3. Ⓜ *Catalunya, Liceu.*

À l'ouest des Ramblas, ce secteur englobe le vieux quartier « chaud » proche du port, appelé jadis Barri Xinès (quartier chinois). Dès le XIVᵉ siècle, l'hôpital municipal se trouvait sur la Carrer de l'Hospital, toujours bordée de boutiques de phytothérapie. Gaudí *(p. 160)* y fut transporté après avoir été mortellement renversé par un tramway en 1926. L'édifice abrite aujourd'hui la Biblioteca de Catalunya (bibliothèque catalane) mais l'élégante salle de dissection d'antan a été entièrement restaurée. Le Palau Güell de Gaudí *(p. 137)* s'élève Carrer Nou de la Rambla, en allant vers le port. Au bout de la rue, Sant Pau, l'église romane du XIIᵉ siècle la plus complète de la ville, appartient aux Franciscains qui pratiquent toujours le chant grégorien pendant la messe.

Museu d'Art Contemporani ❽

Plaça dels Angels 1. **Map** 2 F2. ☎ 93 412 08 10. Ⓜ *Universitat, Catalunya.* ◷ 11 h-19 h 30 lun. et mer.-ven., 10 h-20 h sam., 10 h-15 h dim. et j. fériés. ● 1ᵉʳ janv., 25 déc. 🎫 ♿ 🔊 18 h mer. et sam. et midi le dim. ⓦ www.macba.es **Centre de Cultura Contemporània** Montalegre 5. ☎ 93 306 41 00. ⓦ www.cccb.org

Ce bâtiment spectaculaire à la façade en verre est l'œuvre de l'américain Richard Meier. Ses galeries aérées en font La Mecque des amateurs d'art contemporain. La collection permanente, comprenant surtout des peintures, sculptures et installations d'artistes espagnols de 1950 à nos jours, est agrémentée d'expositions temporaires d'artistes étrangers tels le peintre américain Susana Solano ou le photojournaliste sud-africain David Goldblatt. À côté, un hospice rénové (XVIIIᵉ s.) abrite le **Centre de Cultura Contemporània**, qui reçoit des festivals d'art et met en place des spectacles d'avant-garde.

Las Ramblas ❾

De belles maisons et des édifices tels que l'opéra du Gran Teatre del Liceu et l'immense marché de la Boqueria bordent l'avenue historique de Las Ramblas (Les Rambles en catalan) jalonnée de cafés, de kiosques à journaux et de marchands de fleurs, mais c'est son animation continuelle, encore plus intense le soir et les week-ends, qui en constitue le principal intérêt.

Histoire de Las Ramblas
Le nom de cette longue avenue, parfois simplement appelée Les Rambles, vient du mot arabe *ramla* qui désigne un torrent cessant de couler en saison sèche. L'enceinte fortifiée de Barcelone suivait au XIIIᵉ siècle la rive gauche d'un tel cours d'eau, canalisé à partir de 1366. Des monastères et l'université s'établirent au XVIᵉ siècle sur la rive opposée. Le souvenir de ce torrent et de ces édifices demeure dans les noms des cinq Ramblas (de Canaletes, dels Estudis, de Sant Josep, dels Caputxins et de Santa Monica) qui forment la prestigieuse avenue actuelle entre la plaça de Catalunya et le Port Vell (vieux port).

Palau Güell C/ Nou de la Rambla 3-5. **Plan** 2 F3. ☎ 93 317 39 74. Ⓜ *Liceu.* ◷ mi-mars à sept. : 10h-18h15 lun.-sam. ; oct. à mi-mars : 10h-16h30 lun.-ven. ● jusqu'à fin 2006 🎫
Museu de Cera Pg de la Banca 7. **Plan** 2 F4. ☎ 93 317 26 49. Ⓜ *Drassanes.* ◷ juil à sept. : 10h-22h t.l.j. ; oct. à juin : 10h-13h30, 16h-19h30 du lun. au ven., 11h-14h, 16h30-20h30 les sam., dim. et jours fériés. 🎫 ♿

Le monument à Christophe Colomb au terme des Ramblas

Font de Canaletes ①
Ceux qui boivent l'eau de cette fontaine du XIXᵉ siècle, dit-on, reviennent à Barcelone.

Reial Acadèmia de Ciènças i Arts ②
Ce théâtre (depuis 1910) possède la première horloge publique officielle de Barcelone.

Palau de la Virreina ④
Ce palais (1778) eut pour première occupante la *virreina* (la femme du vice-roi d'Espagne au Pérou).

Mercat de Sant Josep ⑤
Appelé « La Boqueria », c'est le marché d'alimentation le plus coloré de Barcelone.

Palau Moja ③
Le grand salon baroque de cet édifice néoclassique (1790) accueille des expositions.

Gran Teatre del Liceu ⑦
L'opéra a gardé sa grandeur malgré les incendies de 1861 et 1994.

Palau Güell ⑨
C'est l'une des œuvres majeures d'Antoni Gaudí *(p. 137)*.

Plaça de la Boqueria ⑥
Un pavement en mosaïque par Miró (1976) et un dragon Art déco destiné à une boutique de parapluies ornent cette place.

LÉGENDE

⊘ Gare FGC

Ⓜ Station de métro

🅿 Parc de stationnement

✝ Église

0 _____ 100 m

Plaça Reial ⑧
Des réverbères par Gaudí décorent la place la plus vivante de Barcelone, aménagée entre 1848 et 1859.

Museu de Cera ⑩
Le musée de Cire présente plus de 300 mannequins dans un bâtiment du XIXᵉ siècle plein d'atmosphère.

Coupole renversée en vitrail du Palau de la Música Catalana

Palau de la Música Catalana ⑩

Carrer de Sant Francesc de Paula 2. **Plan** 5 B1. 📞 90 244 28 82 Ⓜ *Urquinaona.* ⏰ *sept.-juin : 10 h-15 h 30 t.l.j. ; juil.-août : 10 h-18 h t.l.j. et pour les concerts.* 📷 ♿ *limité.* 🎧 *toutes les heures (réserver).* Ⓦ www.palaumusica.org

C'est un véritable palais de la musique, un feu d'artifice moderniste de mosaïques, de sculptures et de merveilleux vitraux. Conçu par Lluís Domènech i Montaner et achevé en 1908, il abrite l'unique salle de concert d'Europe éclairée par la lumière du jour. Malgré quelques agrandissements, il a conservé son aspect d'origine. L'étroitesse de la rue ne permet pas d'apprécier pleinement la façade de brique rouge, couverte de piliers ornés de mosaïques et surmontés de bustes des grands compositeurs. À l'angle de l'édifice, le groupe de pierre sculpté par Miquel Blay, représentant saint Georges et d'autres personnages, est une allégorie de la chanson populaire catalane. C'est l'intérieur du bâtiment qui est le plus remarquable. La salle est éclairée par une énorme coupole renversée en vitrail, ornée d'anges chanteurs. Les bustes des compositeurs Wagner et Clavé, sur l'arc de scène, ont été conçus par Domènech et terminés par Pau Gargallo. La scène a pour toile de fond les superbes « Muses du Palau », un groupe de 18 jeunes musiciennes très stylisées, en terre cuite et en *trencadís* (fragments de céramique).

L'œuvre de Josep Anselm Clavé (1824-1874) pour la promotion du chant catalan a abouti en 1891 à la création de la chorale Orfeó Català, foyer du nationalisme catalan et origine du Palau.

L'Orfeó est aujourd'hui basé à L'Auditori plus moderne de Plaça de les Glòries (p. 185)

mais le Palau propose un concert presque tous les soirs. C'est la salle principale de la ville pour les festivals de jazz et de guitare, et des orchestres symphoniques nationaux et internationaux s'y produisent régulièrement. Une ère nouvelle commence pour le Palau avec l'achèvement des travaux signés Oscar Tusquets, le meilleur architecte de la région. La salle de concert souterraine et l'espace en plein air pour les concerts estivaux, en cours de réalisation, confirment la réputation du Palau comme salle favorite de Barcelone.

La Llotja ⑪

Carrer del Consolat de Mar 2. **Plan** 5 B3. 📞 93 319 24 12. Ⓜ *Barceloneta, Jaume I.* ⏰ *10 h-14 h lun.-ven.* ⏰ *appeler pour connaître les heures d'ouverture.*

Installée dans d'anciens magasins portuaires bâtis au XIVᵉ siècle, l'ancienne Bourse de Barcelone jusqu'en 1994 doit son aspect néoclassique à une reconstruction effectuée en 1771. Dans le Saló de Contractació, qui s'aperçoit au travers des grandes vitres du rez-de-chaussée, les opérations se font toutefois dans trois nefs gothiques magnifiquement préservées.

L'académie catalane des Beaux-Arts occupa les étages supérieurs entre 1849 et 1970. Elle eut pour élève Picasso *(p. 28)* et Joan Miró *(p. 168).* La Llotja abrite aujourd'hui une librairie et des bureaux administratifs.

Statue de Poséidon dans la cour de La Llotja

El Born ⓬

Map 5 B3. Ⓜ *Jaume I.*

Cette minuscule enclave du quartier Ribera doit son nom aux joutes qui se tenaient jadis sur son boulevard principal. Avec son atmosphère de village, le quartier est apprécié des résidents et des jeunes citadins. Bars branchés, boutiques de mode et de design voisinent avec l'architecture médiévale. Les demeures du XIVᵉ siècle de la Carrer Montcada, restées intactes, abritent aujourd'hui de remarquables galeries et musées, tandis que ruelles et placettes piétonnières déployées en éventail autour du Mercat del Born accueillent la majorité des cafés de la ville. Les nombreux bars et restaurants attirent les fêtards au grand dam des riverains dont les doléances s'expriment visuellement par les bannières accrochées aux balcons du quartier.

Museu Picasso ⓭

Carrer Montcada 15-23. **Plan** 5 B2. Ⓒ 93 319 63 10. Ⓜ *Jaume I.* ☐ 10 h-19 h 30 mar.-sam. et j. fériés, 10 h-14 h 30 le dim. ☑ gratuit le 1ᵉʳ dim. de chaque mois. ● 1ᵉʳ janv., ven. saint, 1ᵉʳ mai, 24 juin, 25 et 26 déc. ♿ Ⓦ www.museupicasso.bcn.es

Trois palais de la Carrer Montcada, datant du Moyen Âge, abritent le musée Picasso inauguré en 1963 : le Palau Berenguer d'Aguilar, le Palau Baró de Castellet qui connut un remaniement néoclassique et le Palau Meca.

Le fond de la collection riche de 3 000 pièces est constitué de la donation faite en 1960 par Jaime Sabartes, ami intime du peintre, d'œuvres de jeunesse offertes par Picasso lui-même en 1968, de dessins et de gravures qu'il légua à sa mort et de 141 céramiques données par sa veuve Jacqueline.

Organisée en trois départements : peintures et dessins, gravures et céramiques, l'exposition permet de découvrir les premiers travaux d'un artiste dont le génie s'affirme dès l'adolescence dans des toiles pourtant académiques comme la *Première communion* (1896) et *Science et Charité* (1897). La série des *Ménines* (1957) comprend 44 tableaux d'après le chef-d'œuvre de Velázquez *(p. 28)*.

Basílica de Santa Maria del Mar ⓮

Plaza Sta Maria 1. **Plan** 5 B3. Ⓒ 93 310 23 90. Ⓜ *Jaume I.* ☐ 9 h-13 h 30 et 16 h 30-20 h t.l.j. ; 10 h le dim.

Ce superbe édifice entrepris en 1328 offre le seul exemple d'église bâtie entièrement dans le style gothique catalan, une unité esthétique due à la rapidité de sa construction : 55 ans. Par la qualité de son acoustique, il se prête merveilleusement à l'organisation de concerts. Plusieurs beaux vitraux, notamment un *Couronnement de la Vierge* du XVᵉ siècle à la rosace ouest, éclairent la large nef centrale et les deux hauts collatéraux. L'intérieur a retrouvé son dépouillement original après la destruction, pendant la guerre civile *(p. 63)*, de sa décoration et de son mobilier baroques.

Mariage dans la basilique gothique Santa Maria del Mar

Autoportrait **au fusain (1899-1900) par Pablo Picasso**

PABLO PICASSO À BARCELONE

Né à Málaga, Picasso (1881-1973) avait près de 14 ans quand il s'installa à Barcelone où son père, professeur de dessin, avait trouvé un emploi à l'académie des Beaux-Arts. Génie précoce, son fils en suivit les cours. Il exposa au Els Quatre Gats, café d'artistes de la carrer Montsió, et à la galerie Sala Parks, sur la carrer Petritxol. Tous deux existent toujours. Sa famille habitait carrer Mercé, mais il avait un atelier carrer Nou de la Rambla. Ce furent les prostituées de la carrer d'Avinyò qui nourrirent l'inspiration des célèbres *Demoiselles d'Avignon* (Museum of Modern Art de New York), tableau qui marqua en 1907 le début du cubisme. Après son déménagement à Paris en 1904, Picasso revint plusieurs fois à Barcelone, jusqu'à ce que la guerre civile et son opposition à Franco le tiennent éloigné de l'Espagne. En 1962, il conçut cependant des frises pour le collège des Architectes de la plaça Nova et se laissa convaincre d'autoriser la ville à ouvrir un musée consacré à son œuvre. L'inauguration eut lieu l'année suivante.

Façades Renaissance (XVIIᵉ s.) de la Carrer Montcada

Carrer Montcada ⑮

Plan 5 B3. ⟨M⟩ *Jaume I.* **Museu Tèxtil i de la Indumentària** ⟨C⟩ *933 10 45 16.* ⟨⟩ *de 10 h à 18 h du mar. au sam., de 10 h à 15 h les dim. et jours fériés.* ⟨⟩ *1ᵉʳ et 5 jan., ven. saint, 1ᵉʳ mai, 24 juin, 25 et 26 déc.* ⟨⟩ ⟨⟩ ⟨⟩ *sur rendez-vous.*

L es palais gothiques aux superbes cours intérieurs qui dominent, de leurs gargouilles et de leurs avant-toits, la rue médiévale la plus authentique de Barcelone furent entrepris pendant la période d'expansion que connut la Catalogne au XIIIᵉ siècle. Au nᵒ 25 se dresse la Casa Cervelló-Guidice, unique immeuble de la rue à avoir conservé sa façade originale. Au nᵒ 12, le **Museu Tèxtil i de la Indumentària** expose des tissus et des vêtements remontant pour les plus anciens au IVᵉ siècle. El Xampanyet, au nᵒ 22, est le plus connu des bars à champagne de la ville.

Robes exposées au Museu Tèxtil i d'Indumentària

Mercat del Born ⑯

Map 5 C3. ⟨M⟩ *Jaume I, Barceloneta.*

A vec sa ferronnerie chargée et son toit de cristal inspirés des premières Halles de Paris, ce marché couvert fut le marché central de Barcelone jusqu'au début des années 1970. Les noms des rues environnantes reflètent les anciennes activités marchandes : Argenteria était bordée par les orfèvres, Flassaders vendait des couvertures tissées et Vidrieria était jadis éclairé par les torches des souffleurs de verre. Certains établissements sont conservés mais ils cèdent rapidement la place à des magasins touristiques.

Le marché a fait l'objet d'un débat acharné. Les travaux entamés en 2002 pour le transformer en bibliothèque mirent au jour de substantiels vestiges du XVIIIᵉ siècle. L'importance architecturale des rues et des demeures souterraines fut contestée, mais la portée historique des fouilles décida du sort du marché qui deviendra un musée. En 1714, El Born subit de très lourdes pertes quand Barcelone tomba aux mains des troupes franco-espagnoles et fut occupée lors de la Guerre de Succession d'Espagne (*p. 58*). Cet évènement majeur de l'histoire catalane est commémoré tous les ans le 11 septembre par des cérémonies patriotiques qui ont lieu près du marché.

Museu de la Xocolata ⑰

Comerç 36. Plan 5 C2. ⟨M⟩ *Jaume I, Arc de Triomf.* ⟨C⟩ *932 68 78 78* ⟨⟩ *10 h-19 h lun., mer.-sam., 10 h-15 h dim. et fêtes.* ⟨⟩ *1ᵉʳ janv., 1ᵉʳ mai, 25 et 26 déc..* ⟨⟩ ⟨⟩ ⟨⟩ *sur rendez-vous.* ⟨⟩ ⟨W⟩ *www.museudelaxocolata.com*

F ondé par le syndicat des chocolatiers et des pâtissiers de Barcelone, ce musée raconte l'histoire d'un des aliments les plus appréciés du monde : de la découverte du cacao en Amérique du Sud à l'invention de la première

machine à chocolat à Barcelone. La présentation, très réussie, fait appel à de vieilles affiches, des photos et des séquences. L'original est exposé en hommage à l'art du *mona*. Cette invention catalane est un gâteau de Pâques traditionnel qui, au cours des siècles, est devenu une sculpture comestible. Tous les ans, les pâtissiers rivalisent d'imagination pour réaliser des bâtiments et des personnalités célèbres en chocolat qu'ils décorent de bijoux, de plumes et autres matériaux.

Façade de l'Arc del Triomf, portail érigé à la fin du XIXᵉ siècle

Arc del Triomf ⑱

Passeig Lluís Companys. **Plan** 5 C1. ⟨M⟩ *Arc de Triomf.*

L 'entrée principale de l'Exposition universelle de 1888, tenue au parc de la Ciutadella, fut conçue en brique par Josep Vilaseca i Casanovas dans le style mudéjar (*p. 51*). Les allégories sculptées évoquent les métiers, l'industrie et le commerce. Sur la façade principale, la frise de Josep Reynés représente la ville accueillant les visiteurs étrangers.

Parc de la Ciutadella ⑲

Avda del Marquès de l'Argentera. **Plan** 6 D2. ⟨M⟩ *Barceloneta, Ciutadella-Vila Olimpica.* ⟨⟩ *8 h-22 h 30 t.l.j.* ⟨⟩

C e parc très populaire planté d'orangers et peuplé de perroquets offre aux promeneurs des allées bordées de palmiers et un petit lac où l'on canoter. Il s'étend sur le site d'une citadelle pentagonale construite entre 1715 et 1720 par Prosper Verboom pour Philippe V, le premier des Bourbons d'Espagne *(p. 58)*, qui n'avait pu entrer dans Barcelone qu'au terme de treize mois de siège. Transformée en prison, la forteresse acquit une sinistre réputation pendant l'occupation napoléonienne *(p. 59)* et la répression des mouvements nationalistes du XIXᵉ siècle. Elle devint pour les Catalans le symbole haï des dominations étrangères. Le général Prim la démantela et offrit le terrain à la ville en 1868. Sa statue équestre se dresse au milieu du parc ouvert au public en 1882 et réaménagé en 1888 pour l'Exposition universelle.

Trois bâtiments de l'ouvrage militaire subsistent néanmoins. Remanié et agrandi, l'ancien arsenal (aussi appelé Palau Reial) devint, en 1932, le siège du Parlement catalan.

Le dimanche après-midi, on se retrouve dans le parc pour écouter des musiciens, danser, se détendre, visiter les musées et le zoo. On peut y découvrir les sculptures de nombreux artistes catalans tels que Marès, Arnau, Carbonell ou Clarà ainsi que des œuvres d'artistes contemporains comme Tapies ou Botero.

Les jardins de la Plaça de Armes furent dessinés par le Français Jean Forestier. Ils s'organisent autour d'une fontaine monumentale de style néoclassique, œuvre de l'architecte Josep Fonseré. Antoni Gaudí, qui était alors étudiant, participa à sa décoration.

Le Museu de Zoologia occupe un bâtiment dessiné par Montaner

Museu de Zoologia ⑳

Passeig de Picasso. **Plan** 5 C2. 📞 *93 319 69 12.* 🚇 *Arc de Triomf ou Jaume I.* 🕐 *10 h-15 h mar.-dim. (18 h 30 le jeu.) et jours fériés.* 📷 ♿ ✓ *10 h 30 dim.; gratuit 1ᵉʳ dim. du mois.* 🌐 *www.museuzoologia.bcn.es*

Pour l'Exposition universelle de 1888, Lluís Domènech i Montaner édifia à l'entrée du Parc de la Ciutadella le Castell dels Tres Dragons (château des Trois Dragons) nommé d'après une pièce de Frederic Soler très populaire à l'époque. L'architecte moderniste s'inspira de la Lonja gothique de Valence *(p. 241)* pour concevoir ce bâtiment en briques qui marie ossature métallique et décorations évoquant le Moyen Âge. Il abrite les collections du musée de zoologie de Barcelone.

Museu de Geologia ㉑

Parc de la Ciutadella. **Plan** 5 C3. 📞 *93 319 68 95.* 🚇 *Arc de Triomf, Jaume I.* 🕐 *10 h-15 h mar.-dim. (18 h 30 le jeu.) et jours fériés.* 🔴 *1ᵉʳ janv., ven. saint, 1ᵉʳ mai, 25 et 26 déc.* 📷 ✓ *10 h 30 dim.; gratuit 1ᵉʳ dim. du mois.*

Inauguré en 1882, le plus ancien musée de la ville présente une riche collection de fossiles et d'échantillons minéralogiques. À côté, l'Hivernacle, belle serre dessinée en 1884 par Josep Amargós, accueille concerts et expositions temporaires. Une autre serre, l'Umbracle, construite en brique et en bois par Josep Fontseré, abrite des plantes tropicales.

Parc Zoològic ㉒

Parc de la Ciutadella. **Plan** 6 D3. 📞 *93 225 67 80.* 🚇 *Ciutadella-Vila Olímpica.* 🕐 *oct.-fév. : 10 h-17 h, mars : 10 h-18 h, avr. : 10 h-19 h, mai-août : 9 h 30-19 h 30.* 📷 ♿ 🌐 *www.zoobarcelona.com*

Le zoo de Barcelone, créé dans les années 1940, bénéficie d'une configuration, plutôt agréable. L'un des aquariums propose des spectacles de cétacés. Les enfants apprécieront les tours en poney. Près de l'entrée se trouve la *Demoiselle au parapluie* (1888), une sculpture de Roig i Soler devenue un des symboles de la ville.

La fontaine néoclassique du parc de la Ciutadella conçue par Josep Fontseré et Antoni Gaudí

Bateaux et gratte-ciel au Port Olímpica

Port Olímpic ㉓

Plan 6 F4. Ⓜ *Ciutadella-Vila Olímpica*.

Le plus spectaculaire des aménagements entrepris pour les Olympiades de 1992 fut celui du vieux front de mer industriel du Poble Nou, un quartier aujourd'hui appelé Vila Olímpica. Quatre kilomètres de plages bordées d'une promenade ont remplacé d'anciens docks décrépits, tandis que les 2 000 logements du village olympique forment une zone résidentielle aérée par des parcs.

Deux gratte-ciel de 44 étages dominent un port de plaisance bordé de cafés et de restaurants.

Barceloneta ㉔

Plan 5 B5. Ⓜ *Barceloneta*.

Relié au centre-ville par le passeig Nacional et le passeig Maritim, le quartier populaire de la Barceloneta s'étend sur une langue de terre triangulaire qui s'enfonce dans la mer. Restaurants de poissons et cafés en bord de plage y créent l'ambiance.

C'est un ingénieur militaire, Juan Martín de Cermeño, qui l'aménagea en 1753, après que la construction de la forteresse de La Ciutadella *(p. 150)* eut chassé de nombreux Barcelonais de leurs logis, et il donna aux maisons bordant ses ruelles en damier un plan systématique. Jusqu'à ce que leurs habitants obtiennent en

1837 le droit de les agrandir, elles ne comportèrent qu'un rez-de-chaussée et un étage.

Sur la petite plaça de la Barceloneta, lieu de marché, l'église baroque de Sant Miquel del Port est aussi une réalisation de Cermeño. Aujourd'hui, le port de pêche est toujours près des quais industriels que sépare une grande horloge. De l'autre côté, il reste la Torre de Sant Sebastià, terminus des téléphériques.

Port Vell ㉕

Plan 5 A4. Ⓜ *Barceloneta, Drassanes.* **Aquàrium** Ⓒ *93 221 74 74.* ⏰ *oct.-mai : 9 h 30 -21 h du lun. au ven., 9 h 30-21 h 30 sam., dim. et jours fériés ; juin-sept. 9 h 30-21 h 30 t.l.j. ; juil-août : 9 h 30 à 23 h t.l.j.* 📷 ♿ Ⓦ *www.aquariumbcn.com*

Le nouveau port de plaisance de Barcelone s'étend au terme des Ramblas qu'une longue passerelle piétonnière appelée La Rambla de Mar relie aux clubs nautiques du Moll d'Espanya. Ce port a été construit à l'origine en 1902 au Portal de la Pau, l'entrée maritime principale vers la ville, où des escaliers mènent à la mer. Au sud, le Moll de Barcelona avec son tout nouveau World Trade Center (centre d'affaires) sert de pilier central aux visiteurs. Un pont pivotant permet le passage des bateaux. Au bout du quai d'Espagne, le vaste complexe du Maremagnum propose des restaurants, des boutiques, un cinéma Imax et le plus grand aquarium d'Europe.

Un tableau de Vincent Van Gogh a inspiré les ponts rouges agrémentant le Moll de la Fusta, sur deux niveaux. Les terrasses des cafés installés sur le plus haut offrent une belle vue du port. La sculpture *El Cap de Barcelona* (20 m), de l'Américain Lichtenstein, marque le bout du quai.

Un nouveau téléphérique passe au-dessus du Port Vell entre la Barceloneta et Montjuïc.

Monument a Colom ㉖

Plaça del Portal de la Pau. **Plan** 2 F4. Ⓒ *93 302 52 24.* Ⓜ *Drassanes.* ⏰ *oct.-mars : 10 h-13 h 30 et 15 h 30-18 h 30 du lun. au ven. ; 10 h -18 h 30 sam., dim. et jours fériés ; avr-mai : 10 h-19 h 30 t.l.j. ; juin-sept. : 9 h -20 h 30 t.l.j.* 📷

Dessiné par Gaietà Buigas pour l'Exposition universelle de 1888, le monument à Christophe Colomb du Portal de la Pau (Portail de la Paix) marque l'endroit où l'explorateur débarqua en 1493, à son retour des Amériques, avec les six Indiens des Caraïbes qu'il ramenait avec lui. Une plaque dans la cathédrale *(p. 144-145)* rappelle qu'ils y reçurent le baptême.

Haut de 60 m, le monument se compose d'un socle en pierre et d'une colonne en fer forgé supportant, posée sur un globe, une statue par Rafael Arché de Christophe Colomb tendant le doigt vers la mer. Au sommet, une plate-forme panoramique s'atteint en ascenseur.

Bateau de pêche amarré à un quai de Barceloneta

Une *golondrina* s'éloignant de la plaça del Portal de la Pau

Golondrinas ㉗

Plaça del Portal de la Pau. **Plan** 2 F5.
📞 93 442 31 06. 🚇 *Drassanes.*
🕐 *horaires variables, se renseigner par téléphone.* 📷

L'un des meilleurs moyens de découvrir le port de Barcelone consiste à prendre les petits bateaux-mouches appelés *golondrinas* (hirondelles) qui partent des escaliers de la plaça del Portal de la Pau devant le monument à Colomb. La promenade dure environ une demi-heure et les vedettes accostent généralement à la digue prolongeant la Barceloneta pour laisser les passagers se dégourdir les jambes. On peut également s'inscrire pour une croisière commentée de deux heures qui passe par le port commercial et les plages, et fait escale au Port Olímpic.

Museu Marítim et Drassanes ㉘

Avinguda de les Drassanes.
Plan 2 F4. 📞 93 342 99 20.
🚇 *Drassanes.* 🕐 *10 h-19 h t.l.j.*
⬤ *1ᵉʳ et 6 janv., 25 et 26 déc.* 📷 ♿
📷 *sur rendez-vous.*

Fondés au XIIIᵉ siècle et plusieurs fois agrandis jusqu'à leur fermeture au XVIIIᵉ siècle, les anciens chantiers navals de Barcelone, les Drassanes, forment, avec leurs immenses salles voûtées, l'ensemble médiéval de ce type le plus important et le mieux préservé du monde. Ils ont conservé trois des quatre tours et abritent désormais le Musée maritime.

Maintes galères glissèrent de leurs pannes, dont la *Real*, vaisseau amiral de la flotte commandée par Don Juan d'Autriche, le fils illégitime de Charles Quint qui remporta en 1571 la victoire historique de Lépante contre les Turcs *(p. 55)*. Construite en 1971, une réplique grandeur nature du bâtiment décoré de rouge et d'or constitue le fleuron des collections du musée, mais celui-ci présente également de nombreuses maquettes.

Le *Llibre del Consulat de Mar*, recueil de codes et pratiques maritimes, et 18 portulans (cartes marines anciennes), dont le portulan de la Méditerranée dessiné en 1439 par Gabriel de Vallseca et utilisé par Amerigo Vespucci, offrent un aperçu des conditions dans lesquelles naviguaient les marins et les explorateurs d'autrefois.

Vitrail à découvrir au Museu Marítim

EIXAMPLE

La démolition, en 1859, de la majeure partie de l'enceinte fortifiée qui étouffait le développement de Barcelone permit d'entreprendre sur un terrain militaire l'agrandissement de la ville selon des plans dessinés par l'ingénieur civil Ildefons Cerdà y Sunyer (1815-1876). Ils prévoyaient un quadrillage rigoureux de rues délimitant des pâtés de maisons d'une centaine de mètres de côté et quelques grandes avenues assurant la fluidité de la circulation, notamment l'avinguda Diagonal qui relie le quartier de Pedralbes à la mer. L'aménagement de cette extension urbaine, l'Eixample, se fit au moment où une génération d'architectes inventaient une déclinaison

Christ à la colonne,
Sagrada Família

spécifiquement catalane de l'Art nouveau, le Modernisme, style caractérisé par des influences gothiques et mauresques et une décoration exubérante très inspirée de la nature. Ces architectes trouvèrent auprès d'une haute bourgeoisie éprise de nouveauté de riches clients prêts à leur commander immeubles d'habitation et édifices publics ou à usage professionnel.

Parmi les plus importants figurent l'Hospital de la Santa Creu i de Sant Pau dessiné par Domènech i Montaner (1850-1923), la spectaculaire Sagrada Família *(p. 162-163)*, immense église inachevée d'Antoni Gaudí, et les étonnantes maisons élevées le long ou à proximité du passeig de Gràcia.

LE QUARTIER D'UN COUP D'ŒIL

Musées
Fundació Antoni Tàpies ❷

Église
Sagrada Família p. 162-163 ❻

Bâtiments modernistes
Casa Milà, « La Pedrera » ❸
Casa Terrades, « Casa de
  les Punxes » ❹
Hospital de la Santa
  Creu i de Sant Pau ❺
Illa de la Discòrdia ❶

LÉGENDE

▨ Plan pas à pas p. 178-179

Ⓜ Station de métro

🚆 Gare

🚌 Arrêt de bus important

ℹ Information touristique

🅿 Parc de stationnement

COMMENT Y ALLER
La ligne de métro 3 a des stations qui jalonnent Passeig de Gràcia (Catalunya et Diagonal) et l'une qui passe par Illa de la Discòrdia (Passeig de Gràcia).
La ligne 5 dessert la Sagrada Família et l'Hospital Sant Pau loin des autres sites.

0   500 m

◁ **La façade de la Nativité de la Sagrada Família fut la seule achevée du vivant de Gaudí**

Le Quadrat d'Or pas à pas

Flacon de parfum, Museu del Perfum

Formé de la centaine de pâtés de maisons créés à la fin du XIXᵉ siècle à proximité du passeig de Gràcia, le « Carré d'Or » doit son surnom au fait qu'il renferme nombre des plus beaux édifices modernistes de Barcelone *(p. 136-137)*. Cette partie de l'Eixample était à l'origine le quartier résidentiel des bourgeois éclairés qui adoptèrent avec enthousiasme ce style architectural témoignant du particularisme catalan. Quatre maisons contrastées font de l'Illa de la Discordia l'ensemble le plus intéressant. Plusieurs bâtiments ouverts au public permettent de découvrir les vitraux, céramiques et fers forgés de leur décoration intérieure.

Métro Diagonal

Vinçon, magasin de design *(p. 183)*

Le passeig de Gràcia est bordé d'édifices modernistes et de boutiques de luxe. Pere Falqués (1850-1916) dessina ses gracieux réverbères.

RAMBLA DE CATALUNYA

PASSEIG DE GRÀCIA

Fundació Tàpies
Surmonté de la sculpture Nuage et chaise, un édifice par Domènech i Montaner abrite ce musée consacré au plus grand artiste catalan contemporain : Antoni Tàpies ❷

Casa Amatller

Museu del Perfum

Casa Ramon Mulleras

★ **L'Illa de la Discòrdia**
Ce pâté de maisons comprend quatre immeubles modernistes bâtis entre 1900 et 1910. Cette tour orne la Casa Lleó Morera par Domènech i Montaner ❶

Vers plaça de Catalunya

Casa Batlló

Casa Lleó Morera

Métro Passeig de Gràcia

Le Museu de la Música
et ses collections
d'instruments anciens
occupent le Palau Baró
de Quadras construit
par Puig i Cadafalch en
1904. Cette sculpture
orne l'entrée.

CARTE DE SITUATION
Voir l'atlas des rues, plan 3

AVINGUDA DIAGONAL

CARRER DE PAU CLARIS

CARRER DE PROVENÇA

CARRER DE MALLORCA

CARRER DE ROGER DE LLÚRIA

CARRER DE VALÈNCIA

CARRER DEL BRUC

CARRER D'ARAGÓ

Casa
Thomas

Vers la
Sagrada
Família

Palau Ramon
de Montaner

Casa Terrades
*Puig i Cadafalch s'est inspiré du
gothique du nord de l'Europe pour
concevoir en 1905 cette maison en
brique et pierre de taille* ❹

★ La Casa Milà « La Pedrera »
*Sa façade tout en courbes et ses cheminées
traitées comme des sculptures ont rendu célèbre
cet immeuble où s'exprime toute l'audace
architecturale d'Antoni Gaudí* ❸

0   100 m

LÉGENDE

--- Itinéraire conseillé

À NE PAS MANQUER

★ **L'Illa de la Discòrdia**

★ **La Casa Milà
« La Pedrera »**

Décor moderniste de la Casa Lleó Morera, Illa de la Discòrdia

Illa de la Discòrdia ❶

Passeig de Gràcia, entre la Carrer d'Aragó et la Carrer del Consell de Cent. **Plan** 3 A4. Ⓜ *Passeig de Gràcia.* **Casa Amatller** 📞 *93 488 01 39.* ◐ *10 h-19 h lun.-sam., 10 h-14 h dim. et jours fériés.* 🎫

Ce pâté de maisons doit son surnom d'« Îlot de la Discorde » aux contrastes offerts par les immeubles modernistes *(p. 136-137)* qui l'ont rendu célèbre. Les trois plus marquants bordent le passeig de Gràcia. Remaniements d'édifices antérieurs, ils ont gardé le nom de leur propriétaire d'origine.

Première résidence réalisée par Lluis Domènech i Montaner, la **Casa Lleó Morera** (1902-1906), au n° 35, a souffert de la création de boutiques au rez-de-chaussée, mais a conservé la somptueuse décoration de son vestibule et de l'escalier. Le premier étage est désormais ouvert au public. Deux maisons la séparent de la Casa Amatller ; celle du n° 39 abrite un institut de beauté et un musée du parfum.

Dessinée par Puig i Cadafalch

en 1898, la **Casa Amatller** présente une façade harmonieuse s'inspirant à la fois du gothique catalan et de celui de l'Europe du Nord. Derrière le portail en fer forgé s'élève un bel escalier en pierres éclairé par une verrière. L'Institut Amatller d'Art Hispànic et le Centre del Modernisme occupent désormais une partie du bâtiment. Des billets pour la visite des maisons

sont en vente à cet endroit.

Juste à côté, au n° 43, Antoni Gaudí a donné vers 1905 à la **Casa Batlló** une façade curviligne où mosaïques polychromes, balcons en fer forgé et ouvertures évoquant des bouches créent une composition remarquable. Le toit et une cheminée pourraient représenter un dragon et saint Georges. Franchissez la porte pour découvrir l'entrée carrelée de bleu.

Fundació Antoni Tàpies ❷

Carrer d'Aragó 255. **Plan** 3 A1. 📞 *93 487 03 15.* Ⓜ *Passeig de Gràcia.* ◐ *10 h-20 h mar.-dim. et jours fériés.* ● *1er et 6 janv., 25 et 26 déc.* 🎫 ♿

Domènech i Montaner construisit en 1880 pour la maison d'édition de son frère le premier édifice privé de Barcelone à structure métallique. Il abrite aujourd'hui le musée consacré à Antoni Tapiès (né en 1923), l'un des grands artistes espagnols du XXᵉ siècle, bien que son œuvre, souvent très intellectuelle *(p. 156)*, puisse paraître d'un abord difficile.

Le dépouillement du décor intérieur met en valeur la richesse de couleurs et de matières de ses tableaux abstraits où la peinture se mêle à des matériaux très variés.

ANTONI GAUDÍ (1852-1926)

Né à Reus (Tarragone) dans une famille d'artisans, Gaudí est le plus célèbre, et le plus original, des représentants du Modernisme. Après un apprentissage de forgeron, il fit ses études d'architecte à Barcelone, ville où il réalisa la quasi-totalité de son œuvre, de la Casa Vicens (1888) du n° 24 de la carrer de les Carolines, son premier édifice important, jusqu'à la Sagrada Família *(p. 162-163)*, église à laquelle il consacra sa vie à partir de 1914. Mêlant intimement architecture et décoration, ses créations visent à fonder un art « naturaliste » dont l'apparente fantaisie repose sur des structures très étudiées dérivant du gothique

Cheminée de la Casa Vicens

◁ **Cheminées sculptées de la Casa Milà de Gaudí**

Façade la Casa Milà, immeuble d'habitation dessiné par Gaudí

s'inspire des châteaux médiévaux et utilise des éléments architecturaux du gothique de l'Europe du Nord, notamment tours et pignons. Le décor floral, sculpté dans de la pierre de taille mise en valeur par la brique utilisée comme principal matériau de construction, reste néanmoins typique du Modernisme.

Hospital de la Santa Creu i de Sant Pau ❺

Carrer de Sant Antoni Maria Claret 167. **Plan** 4 F1. 📞 93 291 91 99. Ⓜ Hospital de Sant Pau. **Parcs** ⬭ t.l.j. demander par écrit l'autorisation. ♿ 📷 ⓦ www.hspau.com

L uis Domènech i Montaner commença en 1902 la construction d'un nouvel hôpital en accord avec les conceptions thérapeutiques du début du xxᵉ siècle. Il disposa ainsi dans un vaste parc 26 pavillons indépendants qu'il relia par des passages souterrains. Marqués d'influences mudéjares, les bâtiments possèdent une riche décoration, notamment celui de la réception orné de sculptures par Paul Gargallo et de panneaux muraux en mosaïque. Domènech i Montaner mourut avant l'achèvement de ce vaste projet et ce fut son fils, Pere, qui termina les travaux en 1930.

Casa Milà ❸

Passeig de Gràcia 92. **Plan** 3 B3. 📞 90 240 09 73. Ⓜ Diagonal. ⬭ 10 h-20 h t.l.j. ● jours fériés. ⓦ http://obrasocial.caixacatalunya.es

S ouvent appelée la Pedrera (carrière de pierres) à cause du matériau utilisé pour sa façade et des formes des ouvertures qui s'y découpent, la Casa Milà (1906-1910) est le plus important des édifices civils construits par Antoni Gaudí à Barcelone et sa dernière œuvre avant qu'il ne se consacre entièrement à la Sagrada Família *(p. 162-163)*.

Ressemblant à une immense sculpture avec ses superbes balcons en fer forgé par Josep Maria Jujol, cet immeuble d'habitation haut de huit étages ne possède aucun mur rectiligne et suscita de nombreuses controverses. Il s'organise autour de deux cours intérieures et son sous-sol recèle le premier parc de stationnement souterrain jamais aménagé dans la capitale catalane.

Des visites guidées (s'inscrire au bureau du rez-de-chaussée) permettent de découvrir les terrasses du toit et leurs étonnantes cheminées. Gaudí cherchait, pense-t-on, à créer un décor évoquant des nuages. Les cheminées ont toutefois été surnommées les *espantabruixes* (épouvantails à sorcières).

Casa Terrades ❹

Avinguda Diagonal 416. **Plan** 3 B3. Ⓜ Diagonal. ● au public.

C et immeuble d'appartements hexagonal occupant tout un pâté de maisons, l'édifice le plus important dessiné par Puig i Cadafalch, doit son surnom de Casa de les Punxes (Maison des Pointes) aux flèches en forme de chapeau de sorcière qui coiffent ses six tourelles d'angle. Bâti de 1903 à 1905 à partir de trois maisons occupant déjà le site, il

Flèche de la tour principale, Casa Terrades

Statue de la Vierge, Hospital de la Santa Creu i de Sant Pau

Sagrada Família ❻

Buccin sculpté

L'église la moins conventionnelle d'Europe, le Temple Expiatori de la Sagrada Família, est devenu l'emblème d'une cité qui a toujours défendu son particularisme. Gaudí commença à y travailler en 1883, un an après que l'architecte Francesco Vilar eut entrepris sur le site un sanctuaire néo-gothique, et il ne cessa tout au long de sa vie de modifier un projet où il pouvait à la fois mettre en œuvre ses recherches sur l'amélioration des structures portantes gothiques et exprimer son profond mysticisme dans un décor chargé de symbolisme. Il vécut 16 ans en reclus sur le chantier et repose dans la crypte. Des trois façades initialement prévues, il ne put achever que celle de la Nativité, mais les travaux ont repris selon ses plans, financés par une souscription publique.

Mosaïques vénitiennes
Sur les 12 tours dédiées aux apôtres, 8 ont été édifiées et ornées de mosaïques vénitiennes.

L'ÉGLISE TERMINÉE

Bien que moins ambitieux que ce qu'imaginait à l'origine son génial créateur, le sanctuaire devrait comprendre à son achèvement une haute tour centrale en l'honneur du Christ encadrée de cinq tours dédiées à la Vierge et aux évangélistes. Des douze tours (quatre par façade) symbolisant les apôtres, il ne reste plus à construire que celles de la façade de la Gloire du Christ. Un déambulatoire courra à l'extérieur de l'édifice.

Tour avec ascenseur

L'abside fut la première partie qu'acheva Gaudí. Un escalier conduit à la crypte.

Le dais de l'autel est une œuvre de Gaudí.

★ La façade de la Passion
L'artiste Josep Maria Subirachs s'est vu confier son achèvement en 1986, mais, de l'avis de certains, ses sculptures dénaturent l'œuvre originale de Gaudí.

Entrée principale

Escalier d'une tour
400 marches ou des ascenseurs permettent de découvrir le splendide anorama offert depuis le sommet des tours.

MODE D'EMPLOI

C/ Mallorca 401. **Plan** 4 E3. ⬛ 93
207 30 31. Ⓜ Sagrada Familia. 🚌
19, 43, 51. 🔲 t.l.j., avr.-sept. : 9 h-
20 h ; oct-mars : 9 h-19 h. 🔴 1er et
6 jan., 25 et 26 déc. 🎫 ✝ avr.-
sept. : à 9 h, 10 h 30, 11 h 45, 13 h,
20 h 15 ; d'oct à mars, même
horaires et 19 h. ♿ rez-de-chaussée
🔳 www.sagradafamilia.org

**Tour avec
ascenseur**

★ **La façade de la Nativité**
*La seule façade achevée par Gaudí,
sur les trois initialement
prévues, possède trois portails
représentant la Foi, l'Espérance
et la Charité. Son décor
comprend entre autres des scènes de
la Nativité et de l'enfance du Christ.*

★ **La crypte**
Construite en 1882 par le premier
architecte du sanctuaire, Francesco
Vilar, elle accueille les offices
religieux. Son niveau inférieur
abrite un petit musée retraçant
l'histoire mouvementée de l'édifice et
la carrière de ses deux architectes.

La Nef
Dans la nef en construction,
des colonnes supporteront
quatre galeries au-dessus
des bas-côtés, et les lucarnes
laisseront passer la lumière.

**Entrée du musée
de la Crypte**

À NE PAS MANQUER

★ **La façade de la Passion**

★ **La façade de la Nativité**

★ **La crypte**

MONTJUÏC

Haute de 213 m, la colline de Montjuïc s'élève, au sud de la ville, au-dessus du port commercial et offre à Barcelone son plus vaste parc de loisirs, doté de superbes équipements sportifs depuis les Jeux olympiques de 1992. Ses musées, sa fête foraine et ses boîtes de nuit en font un lieu animé aussi bien en soirée que pendant la journée.

Une colonie celtibère occupa probablement la hauteur avant que les Romains, en y construisant un temple à Jupiter, n'en fassent le Mons Jovis dont découlerait le nom de Montjuïc. Selon une autre hypothèse, une communauté juive installée au pied de la colline au Moyen Âge lui aurait valu le surnom de Mons Judaïcus. Malgré la construction d'une citadelle en 1640, le site ne connut de réel développement qu'au début du XXe siècle quand y fut organisée l'Exposition internationale de 1929.

Depuis la plaça d'Espanya, la large avinguda de la Reina María Cristina, bordée des pavillons où se tiennent les foires commerciales, conduit à la Font Màgica dont les jets d'eau servent en étés de support à des spectacles. Le Palau Nacional la domine. Il abrite une exceptionnelle collection d'art médiéval. Pour l'Exposition de 1929, le peintre Utrillo participa à la création du Poble Espanyol, village d'artisans qui réunit des exemples d'architectures régionales de toute l'Espagne.

Statue des jardins du Palau Nacional

LE QUARTIER D'UN COUP D'ŒIL

Bâtiment historique
Castell de Montjuïc ❼

Architecture moderne
Estadi Olímpic de Montjuïc ❽
Pavelló Mies van der Rohe ❹

Musées et galeries
Fundació Joan Miró ❶
Museu Arqueològic ❷
Museu Nacional d'Art de Catalunya ❸

Place
Plaça d'Espanya ❻

Parc à thème
Poble Espanyol ❺

COMMENT Y ALLER

Depuis la plaça d'Espanya desservie par les lignes 1 et 3 du métro, les bus 13 et 50 conduisent aux principaux sites de la colline. Un funiculaire relie la station de métro Parallel et la fête foraine. Un téléphérique rejoint ensuite la citadelle. Tous deux fonctionnent de 9 h à 20 h en hiver et tous les jours en été jusqu'à 22 h.

LÉGENDE

▨	Plan pas à pas *p. 166-167*
Ⓜ	Station de métro
🚡	Gare de téléphérique
🚋	Gare de funiculaire
🚌	Ligne de bus
🅿	Parc de stationnement

◁ **Jeux d'eau et de lumière à la Font Màgica sur la principale avenue menant à Montjuïc**

Montjuïc pas à pas

D epuis la plaça d'Espanya, deux tours inspirées du campanile de la basilique Saint-Marc de Venise marquent l'entrée du parc de Montjuïc aux jardins dessinés par Jean Forestier. Les bâtiments les plus intéressants se dressent autour du Palau Nacional qui abrite la plus belle collection d'art roman d'Europe. Alors que le Poble Espanyol réunit divers exemples d'architectures traditionnelles, Josep Lluís Sert a donné à la fondation Miró un aspect résolument moderne.
Outre ses musées, la colline propose un parc d'attractions et un théâtre de verdure. La citadelle offre un superbe panorama.

Pavelló Mies van der Rohe
Cette statue par Georg Kolbe (p. 169) orne le pavillon dessiné par un maître du Bauhaus pour l'exposition de 1929 ❹

AVINGUDA DEL MARQUES DE COMILLAS

AVINGUDA DELS MONTANYANS

PASSEIG DE LES CAS

AVINGUDA DE L'ESTADI

★ Le Poble Espanyol
Animé par des artisans, ce « village » réunit les répliques de maisons typiques des régions espagnoles ❺

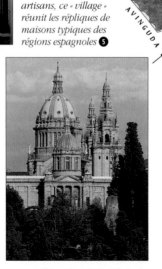

★ Le Museu Nacional d'Art de Catalunya
Le principal édifice construit pour l'Exposition internationale de 1929 abrite la plus riche collection d'Europe de peintures murales du début du Moyen Âge. Elles furent une importante source d'inspiration pour Joan Miró (p. 168) ❸

Vers le château de Montjuïc et le stade olympique

À NE PAS MANQUER

★ Le Poble Espanyol

★ Le Museu Nacional d'Art de Catalunya

★ La Fundació Joan Miró

Des cascades
descendent en terrasses entre le Palau Nacional et la Font Màgica conçue par Carles Buigas (1898-1979) pour l'Exposition internationale de 1929. Les semaines d'été, du jeudi au dimanche, ces jeux d'eau s'illuminent sur un accompagnement musical.

CARTE DE SITUATION
Voir l'atlas des rues, plan 1

rs la Plaça d'Espanya

Le Museu Etnològic
expose des objets d'Océanie, d'Asie, d'Afrique et d'Amérique latine.

RIUS I TAULET

CARRER DE LA GUARDIA URBANA

CARRER DE LLEIDA

Théâtre du Mercat de les Flors
(p. 185)

PASSEIG DE LA SANTA MADRONA

PASSEIG DE LA SANTA MADRONA

PASSEIG DE LA SANTA MADRONA

PASSEIG DE LA SANTA MADRONA

Le Teatre Grec est un théâtre de verdure au milieu de jardins.

AVINGUDA DE MIRAMAR

Museu Arqueològic
Il présente notamment des objets laissés par les cultures préhistoriques de Catalogne et des pièces grecques et puniques des Baléares, telle la Dama de Ibiza *(IVᵉ siècle) retrouvée dans une nécropole carthaginoise* ❷

★ **La Fundació Joan Miró**
Cet institut d'art moderne mérite une visite pour les œuvres de Joan Miró exposées, telle cette tapisserie, ainsi que pour son architecture par Josep Lluís Sert ❶

Vers le parc d'attractions, le château et le téléphérique

LÉGENDE

0   100 m

— — — Itinéraire conseillé

Flamme dans l'espace et femme nue (1932) par Joan Miró

Fundació Joan Miró ❶

Parc de Montjuïc. **Plan** 1 B3. 93 443 94 70. Espanya, puis bus 50. juil.-sept. : 10 h-20 h les mar., mer., ven. et sam., le jeu. jusqu'à 21 h 30 ; oct.-juin : 10 h-19 h les mar., mer., ven. et sam. ; toute l'année 10 h-21 h 30 le jeu., 10 h-14 h 30 le dim. et les jours fériés. 1er janv., 25 et 26 déc. W www.bcn.fjmiro.es

Fils d'un orfèvre, Joan Miró (1893-1983) étudie à l'école d'art de la Llotja (p. 148). Il s'installe à Paris en 1920, mais reste attaché à ses racines et, bien qu'opposé à Franco, revient en Espagne en 1940. Jusqu'à sa mort, il habite principalement à Majorque.

Admirateur de l'art primitif catalan et du Modernisme de Gaudí (p. 136), Miró développe après sa rencontre avec les surréalistes un style poétique où le rêve transcende la réalité. Il fonde en 1971 le centre d'art moderne de la Fondació Joan Miró, et son ami Josep Lluís Sert, l'architecte de la Fondation Maeght de Saint-Paul-de-Vence, conçoit à sa demande un superbe édifice où la lumière naturelle crée l'éclairage approprié aux dessins, lithographies, peintures, sculptures et tapisseries donnés par l'artiste qui constituent la collection permanente du musée.

Museu Arqueològic ❷

Passeig Santa Madrona 39-41. **Plan** 1 B3. 93 424 65 77. Espanya, Poble Sec. 9 h 30-19 h mar.-sam., 10 h-14 h 30 dim. et jours fériés. 1er janv., 25 et 26 déc. sauf 11 fév., 23 avr., 18 mai, 11 et 24 sept.

Installé dans un palais néo-Renaissance de l'Exposition internationale de 1929, ce musée présente une riche collection archéologique allant de la préhistoire à l'époque wisigothique (415-711). Parmi les pièces les plus intéressantes figurent les découvertes faites à Empúries (p. 206), un trésor ibère et des bijoux helléniques et wisigothiques.

Museu Nacional d'Art de Catalunya ❸

Parc de Montjuïc, Palau Nacional. **Plan** 1 A2. 93 622 03 60. Espanya. 10 h-19 h mar.-sam., 10 h-14 h 30 dim. et jours fériés. 1er janv., 1er mai, 25 et 26 déc. à midi sur rendez-vous (93 622 03 75) Sauf le 1er jeu. de chaque mois.

Construit pour l'Exposition internationale de 1929, l'austère Palau Nacional abrite depuis 1934 une collection d'art devenue la plus prestigieuse de Barcelone.

Elle comprend en particulier le plus bel ensemble d'œuvres romanes du monde, des sculptures sur bois, mais surtout des peintures murales déposées d'églises des Pyrénées catalanes et exposées de manière à reconstituer leur cadre d'origine. Celles provenant de Santa Maria de Taüll (p. 201) et de Sant Climent de Taüll (p. 20) sont les plus remarquables.

La section d'art gothique présente des retables provenant de toute l'Espagne. Elle permet principalement de découvrir l'école de peinture catalane avec des artistes majeurs, Jaume Huguet et Lluís Dalmau.

Le musée a récemment aménagé un espace afin d'accueillir une collection d'œuvres d'art, de mobilier et de sculptures du XXe siècle, autrefois exposée au musée d'art moderne du parc de la Ciutadella.

Christ en majesté (XIIe siècle), **Museu Nacional d'Art de Catalunya**

Matin par Georg Kolbe (1877-1945), Pavelló Mies van der Rohe

Pavelló Mies van der Rohe ❹

Avinguda del Marqués de Comillas. **Plan** 1 B2. 93 423 40 16. Espanya. 50. 10 h-20 h t.l.j. 1er janv., 25 déc. Sauf pour les moins de 18 ans.

L es lignes élégantes et simples du pavillon de l'Allemagne de l'Exposition de 1929 n'ont rien perdu de leur modernité. Dessiné par Ludwig Mies van der Rohe (1886-1969), cet édifice, démonté comme il était prévu à la fin de l'exposition, eut une telle influence sur l'architecture du xxe siècle qu'il fut reconstruit en 1985. Il abrite la célèbre *Chaise de Barcelone* de son créateur.

Poble Espanyol ❺

Avinguda del Marqués de Comillas. **Plan** 1 A2. 93 508 63 00. Espanya. 9 h-20 h le lun., 9 h-2 h du matin du mar. au jeu., 9 h-4 h du matin ven. et sam., 9 h-minuit le dim. www.poble-espanyol.com

D estiné à offrir aux visiteurs de l'Exposition internationale de 1929 une synthèse des styles architecturaux traditionnels des différentes régions d'Espagne, le Village Espagnol n'a rien perdu de sa popularité aussi bien auprès des touristes étrangers que des Barcelonais.
Le long de rues rayonnant d'une place centrale, 116 maisons y présentent les aspects typiques et contrastés des demeures aragonaises, andalouses ou castillanes. Dans leurs ateliers ouverts au public, des artisans produisent verre soufflé, céramique, sculpture, objets damasquinés ou vannerie. Reconstitution d'une porte de l'enceinte médiévale d'Avilà, les Torres de Avila (*p. 185*) qui forment l'entrée monumentale du Poble Espanyol abritent un des bars de nuit les plus en vue de la ville depuis son aménagement par les décorateurs Alfredo Arribas et Javier Mariscal. Le village renferme également des boutiques, des cafés et un théâtre pour enfants.

La Plaça d'Espanya vue depuis le Palau Nacional

Plaça d'Espanya ❻

Avinguda de la Gran Via de les Corts Catalanes. **Plan** 1 B1. Espanya.

A ménagée sur le site où se dressèrent les gibets de Barcelone, jusqu'à leur transfert à la Ciutadella en 1715, la place d'Espagne est un important carrefour routier orné en son centre d'une fontaine par Josep Maria Jujol, un disciple de Gaudí. Miquel Blay exécuta les sculptures. Désaffectées, les arènes que Font i Carreras édifia en 1899 en s'inspirant des architectures arabe et médiévale accueillent désormais des concerts.
Ramon Raventós construisit pour l'Exposition de 1929 les deux tours en brique hautes de 47 m copiées sur le campanile de la basilique Saint-Marc de Venise. Elles encadrent l'avinguda de la Reina Maria Cristina qui monte jusqu'aux jeux d'eaux de la *Font Màgica* créée par Carles Buigas au pied du Palau Nacional.

Castell de Montjuïc ❼

Parc de Montjuïc. **Plan** 1 B5. 93 329 86 13. Paral . lel, puis funiculaire et téléphérique (sam. et jours fériés en hiver). **Musée** nov.-15 mars : 9 h 30-17 h du mar. au dim. ; 16 mars-oct. : 9 h 30-20 h. 1er janv., ven. saint, 1er mai, 25 et 26 déc.

L a forteresse qui couronne le sommet de la colline de Montjuïc fut édifiée au xviiie siècle pour les Bourbons sur les ruines d'un fortin érigé en 1640 et détruit par Philippe V en 1705. Les nationalistes y exécutèrent en 1940 le président de la Généralité de Catalogne, Lluís Companys.
L'édifice abrite aujourd'hui un musée militaire. La citadelle offre un beau panorama de la ville et du port.

Estadi Olímpic de Montjuïc ❽

Passeig Olímpic 17-19. **Plan** 1 A3. 93 426 20 89. Espanya, Poble Sec. 50, 51. oct.-mai : 10 h-18 h t.l.j. ; juin-sept. : 10 h-20 h t.l.j. 1er janv., 25 déc.

C onstruit en 1936 pour des jeux qui devaient faire concurrence aux Olympiades de Berlin, mais que la guerre civile empêcha, le stade olympique de Barcelone, remanié en 1992 pour accueillir 70 000 spectateurs, a conservé la façade néo-classique que lui donna Pere Domènech i Roura.
Non loin se trouvent le **Palau Sant Jordi**, stade couvert conçu par l'architecte japonais Irata Isozaki, et des piscines par Ricardo Bofill.

Entrée du stade olympique remanié en 1992

EN DEHORS DU CENTRE

Détails du portail
du Parc Güell

Barcelone connaît depuis quelques années un développement impétueux qui a conduit notamment à la reconstruction de la gare principale, Sants, et à la création du Parc de l'Espanya Industrial et du Parc de Joan Miró, agrémentés de plans d'eau et de sculptures contemporaines. Situé au-delà du nouveau théâtre national *(p. 184)*, le parc de Clot possède lui aussi un aspect résolument contemporain. À l'ouest de la ville, des rues de plus en plus pentues conduisent au monastère et au palais royal de Pedralbes. Une promenade dans le parc Güell ravira tous les amateurs de Gaudí. Au-dessus s'étend la Serra de Collserola, la zone boisée la plus proche de Barcelone. Deux funiculaires en escaladent les pentes jusqu'à de magnifiques points de vue sur la cité, en particulier depuis le sommet du Tibidabo où une tour de communication étincelante et l'église néogothique du Sagrat Cor voisinent avec un parc d'attractions très apprécié des Barcelonais.

LES SITES D'UN COUP D'ŒIL

Musées
Museu de la Ciència **8**
Museu del Futbol Club
  Barcelona **3**

Bâtiments historiques
Monestir de Pedralbes **5**
Palau Reial de Pedralbes **4**

Architecture moderne
Torre de Collserola **6**

Parcs et jardins
Parc de l'Espanya Industrial **2**
Parc Güell **9**
Parc de Joan Miró **1**

Parc d'attractions
Tibidabo **7**

0   500 m

LÉGENDE

Plan pas à pas

Zone construite

Gare

Gare de funiculaire

Autoroute

Route principale

Route secondaire

LES SITES EN DEHORS DU CENTRE

Parc de l'Espanya Industrial ❷

Plaça de Joan Peiró. Ⓜ️ *Sants-Estació.*

Dessiné par l'architecte basque Luis Peña Ganchegui, ce parc porte le nom de l'ancienne usine textile dont il occupe le site de 5 ha.

Sa création fait partie d'un des plus ambitieux projets d'urbanisme de ce siècle : ouvrir au cœur de Barcelone de nouveaux espaces de détente en accordant une large place à l'art contemporain. Un lac orné en son centre d'une statue classique de Neptune permet d'y canoter. Des gradins entourent le plan d'eau, dominés d'un côté par dix tours. Support des projecteurs assurant l'éclairage, elles offrent aux promeneurs des plates-formes panoramiques d'où contempler les sculptures du parc, œuvres de six artistes contemporains, notamment le dragon-tobboggan d'Andrès Nagel.

Tours d'éclairage dominant le lac du Parc de l'Espanya Industrial

Dona i Ocell (1983) par Joan Miró, au Parc de Joan Miró

Parc de Joan Miró ❶

Carrer d'Aragó 1. Ⓜ️ *Tarragona.*

Ce parc créé dans les années 1980 par les architectes Solanas, Quintana, Galé et Arriola porte également le nom de Parc de l'Escorxador à cause des abattoirs *(escorxador)* du XIXᵉ siècle dont il occupe l'emplacement.

Il est aménagé en deux niveaux. Sur le plus bas, des aires de jeu s'intercalent entre des espaces fleuris et boisés de palmiers, de pins et d'eucalyptus. Au pied d'une superbe sculpture polychrome conçue en 1983 par l'artiste catalan Joan Miró *(p. 168)*, *Dona i Ocell* (Femme et oiseau), un plan d'eau occupe le centre du niveau supérieur entièrement pavé.

Museu del Futbol Club Barcelona ❸

Avda de Aristides Maillol. 📞 93 496 36 08. Ⓜ️ *Maria Cristina, Collblanc.* 🕐 10 h-18 h 30 du lun. au sam., 10 h-14 h le dim. et les jours fériés. ⬤ 1ᵉʳ et 6 janv., 24 sept., 25 et 26 déc. 🎫 ♿ 🆆 www.fcbarcelona.com

Entrepris en 1954 sur des plans de Francesc Mitjans, Nou Camp est le plus grand stade de football d'Europe et un monument à la gloire du F. C. Barcelona (Barça pour les Barcelonais), club fondé en 1899 et qui compte aujourd'hui plus de 100 000 membres. Depuis un agrandissement en 1982, le stade s'étend sur 2,8 ha et peut accueillir 98 000 spectateurs assis et 17 000 debout.

Le musée du club est sans doute le plus populaire de la ville. Il possède une boutique de souvenirs et l'exposition, qui occupe deux étages, comprend les nombreux trophées remportés par l'équipe. On peut également découvrir les peintures et sculptures exécutées par de célèbres joueurs pour la Blaugrana Biennal, une manifestation organisée en 1985 et 1987. Sous le régime franquiste qui avait interdit le drapeau catalan, les fanions aux couleurs de la Barça, le bleu *(blau)* et l'écarlate *(grana)*, devinrent l'expression du sentiment nationaliste.

Nou Camp propose également un centre ouvert à d'autres sports et une patinoire.

Le stade du Nou Camp, siège prestigieux du Futbol Club Barcelona

Palau Reial de Pedralbes ❹

Avinguda Diagonal 686. 🚇 *Palau Reial.* ⬤ *au public.* **Museu de Ceràmica et Museu de Arts Decoratives** ☎ 93 280 50 24. ◷ *10 h-18 h mar.-sam., 10 h-15 h dim. et jours fériés.* ⬤ *1er janv., 1er mai, 24 juin, 25 et 26 déc.* 🎫 ♿ 📷 *sur rendez-vous.*

Sur un terrain cédé par le comte Eusebi Güell, la couronne d'Espagne fit construire à partir de 1919 ce palais où Alphonse XIII résida en 1926. La demeure renferme le trône porté par des lions.

Ouvert au public en 1937, l'édifice abrite un musée des arts décoratifs où meubles, objets d'art et tapisseries provenant de plusieurs maisons nobles de Barcelone composent dans les salons de luxueux décors. Un arbre généalogique retrace l'histoire de la dynastie des comtes-rois de Catalogne.

Un musée de la céramique occupe également le palais de Pedralbes. Remarquables, ses collections comprennent aussi bien des pièces historiques datant pour les plus anciennes du XIe siècle que des œuvres de Miró et Picasso *(p. 148).*

Gaudí *(p. 136-137)* dessina la Font del Drac qui se trouve dans les jardins très appréciés des Barcelonais. Derrière le parc passe l'avinguda de Pedralbes où s'ouvre l'entrée de l'ancienne propriété des Güell. Gaudí en dessina le portail en fer forgé orné d'un dragon et les deux pavillons.

Vierge d'humilité, Monestir de Santa Maria de Pedralbes

Monestir de Santa Maria de Pedralbes ❺

Monastère ◷ *10 h - 14 h mar.-dim..* 📷 *sur rendez-vous (93 315 11 11)* **Thyssen-Bornemisza Collection** *Baixada del Monestir 9.* ☎ *93 280 14 34.* 📷 *Reina Elisenda.* ◷ *10 h-14 h mar.-dim.* ⬤ *jours fériés.* 🎫 ♿ *sauf 1er étage.*

Avec son enceinte le protégeant de l'agitation de la vie moderne, le monastère de Pedralbes a gardé l'atmosphère qui sied à une communauté de recluses. Le bon état de conservation de ses cellules, de ses cuisines, de son infirmerie et de son réfectoire renforce cette impression. Les clarisses qui l'occupaient ont cependant emménagé dans un bâtiment adjacent en 1983.

De style gothique catalan, l'église à nef unique renferme le tombeau en albâtre d'Elisenda de Montcada de Piñós, quatrième femme de Jacques II d'Aragon, qui fonda le couvent en 1326. Construit autour d'un remarquable cloître de trois étages, le monastère a pour pièces principales un dortoir, un réfectoire, un chapitre, une abbaye et des cellules de jour. À l'intérieur du monastère des nombreuses œuvres d'art sont exposées, notamment des ornements liturgiques, des poteries, des meubles, des nappes d'autel, ainsi que des objets et or et argent.

Ne manquez surtout pas de visiter la plus belle partie du monastère : la Capella de Sant Miquel, ornée de superbes peintures murales.

Torre de Collserola ❻

Carretera de Vallvidrera al Tibidabo. ☎ 93 406 93 54. 📷 *Peu de Funicular, puis Funicular de Vallvidrera et bus 211.* ◷ *11 h-14 h 30 et 15 h 30-18 h (19 h ou 20 h en été) mer.-dim.* ⬤ *jours fériés.* 🎫 ♿

Érigée pour les Jeux olympiques de 1992 près du sommet du Tibidabo *(p. 174),* la tour de communication dessinée par l'architecte anglais Norman Foster évoque une aiguille d'acier posée sur un pilier en béton. Elle possède treize étages. Au dernier se trouvent un observatoire doté d'un puissant télescope et une plate-forme panoramique offrant une vue impressionnante sur Barcelone, la mer et la serra de Collserola. Un ascenseur vitré met moins de deux minutes pour atteindre le sommet de la tour, haute de 288 m et perchée sur une colline à 445 m d'altitude. Une expérience à déconseiller aux personnes sensibles au vertige.

F. C. Barcelona contre Real Madrid

F. C. Barcelona

Més que un club (« Plus qu'un club »), telle est la devise du F. C. Barcelona (« Barça ») dont l'équipe, depuis près d'un siècle, est le symbole le plus populaire de la résistance catalane face au gouvernement central. Ne pas remporter le championnat est attristant, se faire battre par le Real Madrid tient du désastre total. La compétition entre les deux équipes devient parfois un enjeu où s'oublie le sport. En 1941, sous le régime franquiste, Barça gagna sur son terrain un match mémorable par 3 buts à 0. Le jour de la revanche, une foule très hostile emplissait les gradins du stade de Madrid et la police et l'arbitre « conseillèrent » aux joueurs catalans d'éviter des troubles. Ils perdirent par 11 à 1 !

Real Madrid

Manège, Tibidabo

Tibidabo ❼

Plaça del Tibidabo 3-4. ☎ 93 211 79 42. 🚊 Avda Tibidabo, puis Tramvia Blau et Funicular. **Parc d'attraction** ⬤ horaires variables, téléphoner. ⬤ oct.-avr. : lun.-ven. ♿ **Temple del Sagrat Cor** ☎ 93 417 56 86. ⬤ 10 h-20 h lun.-ven. ♿

À moins d'emprunter la route de Sant Cugat, il faut prendre le tramway bleu, dernier tram circulant à Barcelone, et un funiculaire, pour atteindre le sommet du Tibidabo (532 m) qui doit son nom à la vue qu'elle offre. Il reprend en effet la traduction latine des paroles de Satan : *tibi dabo* (« je te le donnerai ») quand il chercha à corrompre le Christ en lui présentant le monde étalé à ses pieds.

Inauguré en 1908 et rénové en 1980, le Parc d'Atraccions *(p. 185)* jouit d'une immense popularité. Son Museu d'Automates possède une belle collection de jouets mécaniques, de marionnettes, de juke-boxes et de jeux.

Enric Sagnier a construit entre 1902 et 1911 le Temple Expiatori del Sagrat Cor. Un ascenseur conduit au pied du Christ qui domine le sanctuaire.

Museu de la Ciència ❽

Carrer Teodor Roviralta 55. ☎ 93 212 60 50. 🚊 Avinguda del Tibidabo, puis Tramvia Blau. ⬤ 10 h-20 h mar.-dim. 🎟 gratuit le 1er dim. du mois. ♿

Le nouveau musée de la Science, entouré d'un vaste jardin, offre aux visiteurs la possibilité de participer à des expériences interactives, très appréciées des enfants. L'une d'entre elles, la plus moderne en son genre, consiste à questionner et à explorer, à travers cinq galeries souterraines, toutes les formes de matières, des matières inertes aux matières vivantes et intelligentes.

Parc Güell ❾

Carrer d'Olot. ☎ 93 413 24 00. 🚇 Lesseps. ⬤ en été : 10 h-21 h t.l.j., en hiver : 10 h-18 h t.l.j. ♿ 🎟 **Casa-Museu Gaudí** ☎ 93 219 38 11. ⬤ avr.-sept : 10 h-20 h t.l.j. ; oct.-mars : 10 h-18 h t.l.j. ⬤ 1er janv., 25 déc. 🎟

L'Unesco a classé « bien culturel du patrimoine mondial » le parc issu du projet de cité-jardin entrepris par Antoni Gaudí *(p. 136-137)* pour le comte Eusebi Güell sur un terrain de 20 ha, projet qui prévoyait la construction de 60 villas et

d'édifices publics tels que restaurants et écoles. L'architecte y travailla dix ans, mais la mort de son mécène mit un terme au chantier alors qu'une seule maison, œuvre de Francesc Berenguer, avait été bâtie. Gaudí l'habita de 1906 à 1926 et elle abrite aujourd'hui un musée qui lui est consacré. Outre des dessins, l'exposition permet de découvrir ses meubles et certains de ceux qu'il dessina.

Depuis l'entrée du parc, où se dressent deux pavillons de garde, un escalier double bordé de sculptures conduit à la place du marché couverte supportée par 84 colonnes. La Gran Plaça Circular offre une vue panoramique de Barcelone. Partout, des mosaïques de céramique et de verre créent un décor féerique, notamment sur le balcon qui sinue autour de la Plaça Circular. Exécuté par Josep Jujol, l'un des cinq collaborateurs de Gaudí, il passe pour avoir le plus long banc du monde.

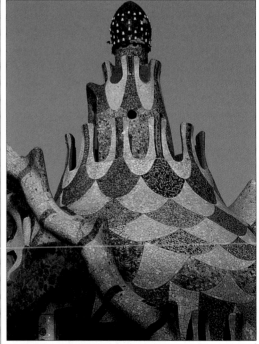

Cheminée par Gaudí à l'entrée du Parc Güell

ATLAS DES RUES DE BARCELONE

La carte ci-dessous précise la zone couverte par les plans de l'atlas des rues de Barcelone. Toutes les références cartographiques données dans les articles décrivant les sites, monuments, boutiques et salles de spectacle de la capitale catalane renvoient à ces plans qui vous permettront également de situer hôtels *(voir p. 543-545)*, et bars et restaurants *(voir p. 584-586)*. La liste des symboles utilisés dans les plans de l'atlas des rues figure ci-dessous.

LÉGENDE DE L'ATLAS DES RUES

Site exceptionnel	Téléphérique	Voie ferrée
Site intéressant	Gare de funiculaire	Rue à sens unique
Autre édifice	Station de taxis	Rue piétonnière
Gare du réseau national	Parc de stationnement	Arrêt du tramway
Gare du réseau local (FF CC)	Information touristique	
Station de métro	Hôpital de garde	**ÉCHELLE DES PLANS**
Arrêt d'autobus important	Poste de police	
Gare routière	Église	0 250 m
Embarcadère des *golondrinas*	Bureau de poste	

FAIRE DES ACHATS À BARCELONE

Ville du design, Barcelone ravira tous ceux qui ont un intérieur à décorer. Leurs recherches les conduiront tout d'abord dans les prestigieux établissements installés autour du Passeig de Gràcia, un quartier commerçant où ils trouveront également grands couturiers, des bijouteries et des galeries d'art à côté de boutiques plus anciennes et plus modestes possédant parfois une façade

Céramique murale, La Manual Alpargatera

moderniste : épiceries fines, herboristeries ou pharmacies. Plus populaire, le Barri Gótic, cœur de la vieille ville, est particulièrement animé l'après-midi. Il s'y vend de tout, mais les magasins les plus intéressants sont certainement les antiquaires et ceux proposant des objets artisanaux tels que masques de carnaval, céramiques ou espadrilles. Le marché aux puces se tient près du nouveau théâtre national.

La tentation devient un art chez Escribà

NOURRITURE ET BOISSONS

Dans une ville où les vitrines des pâtisseries offrent partout des spectacles alléchants, **Escribà** atteint des sommets avec ses sculptures en chocolat. Autre magasin d'alimentation plein de caractère : **Colmado Quilez** dans l'Eixample. Ce merveilleux établissement ancien propose un large choix de charcuteries, de fromages, de conserves, de vins et d'alcools espagnols.

GRANDS MAGASINS ET GALERIES MARCHANDES

La plus puissante chaîne de grands magasins d'Espagne, **El Corte Inglés**, possède plusieurs succursales à la périphérie de la ville, mais son établissement le plus important borde la plaça Catalunya où il constitue un des principaux pôles commerçants de Barcelone, l'endroit où tout trouver sous un même toit. Très bien

approvisionnés également, les hypermarchés se trouvent loin du centre, au sud, le long de la Gran Via vers l'aéroport, au nord, sur l'avinguda Meridiana. Ils sont donc difficiles à atteindre sans voiture.

De construction récente pour la plupart, les galeries marchandes connaissent un immense succès. Les deux **Bulevard Rosa**, sur le passeig de Gràcia et l'avinguda Diagonal, où s'ouvre aussi **La Illa**, proposent ainsi des centaines de boutiques de mode.

MODE

Dans le quartier de l'Eixample, aux alentours du passeig de Gràcia, les boutiques de grands couturiers internationaux voisinent avec celles de stylistes espagnols tels qu'**Adolfo Domínguez** qui propose aux hommes comme aux femmes une ligne moderne, mais sans

extravagance. Pour des articles de mode dégriffés, essayez **Contribuciones**. **Armand Basi** vend des tenues de loisir et de sport de qualité, et **Calzados E Solé**, dans la vieille ville, des chaussures et des bottes faites main.

BOUTIQUES SPÉCIALISÉES

Barcelone compte de nombreuses boutiques proposant de l'artisanat, telle **La Caixa de Fang** où vous trouverez un large choix de céramiques espagnoles, en particulier de beaux carreaux et des marmites traditionnelles catalanes. **L'Estanc** est pour les fumeurs un paradis où les attendent jusqu'aux meilleurs havanes. À **La Manual Alpargatera**, les espadrilles, de toutes couleurs, restent fabriquées sur place et à la main. La plus vieille boutique de la ville, **Cereria Subirà** *(p. 140-141)*, vend des bougies de toutes les formes imaginables.

Boutique de mode masculine d'Adolfo Dominguez

DESIGN, ART ET ANTIQUITÉS

Si vous aimez les créations actuelles, ou cherchez simplement un cadeau, essayez **Vinçon**, sur le passeig de Gràcia, qui propose tout ce qu'il faut pour embellir une maison, y compris de superbes meubles et tissus.

Installée dans un immeuble dessiné par Domènech i Montaner, **BD-Ediciones de Diseño** possède l'atmosphère d'une galerie d'art. À côté de mobilier basé sur les dessins de Gaudí et Charles Rennie Mackintosh, vous y découvrirez de splendides réalisations contemporaines.

La plupart des galeries d'art privées de Barcelone bordent la carrer Consell de Cent dans l'Eixample, tandis que le Barri

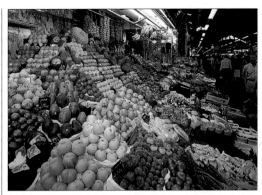
Éventaires du marché de La Boqueria

Présentation de meubles chez Vinçon

Gòtic recèle de petits magasins d'antiquités, notamment dans la carrer de la Palla et la carrer del Pi. Outre de beaux meubles et des poupées anciennes, **L'Arca de l'Avia** vend des soieries et des dentelles merveilleusement présentées.

LIVRES ET JOURNAUX

La plupart des kiosques du centre-ville vendent des journaux français, mais c'est chez **Crisol**, qui propose également livres, cassettes vidéo, CD et matériel photographique, que vous trouverez le plus large choix de quotidiens et de magazines étrangers.

MARCHÉS

Même sans intention d'acheter, une visite à **La Boqueria** s'impose. Situé sur les Ramblas, c'est l'un des marchés d'alimentation les plus spectaculaires d'Europe. Les 1er et 3e vendredis, samedis et dimanches du mois, un marché d'alimentation occupe la plaça del Pi. Le dimanche matin, des vendeurs de monnaies et de livres anciens s'installent plaça Reial, tandis qu'un marché aux artisans a lieu près de la Sagrada Família. Le marché aux puces, **Encants Vells**, près de la plaça des Glories catalanes, se tient les lundis, mercredis, vendredis et samedis.

SE DISTRAIRE À BARCELONE

La vitalité de Barcelone se manifeste aussi par la richesse de sa programmation de spectacles vivants. L'étonnant Palau de la Música Catalana offre régulièrement à des publics avertis et critiques certains des plus grands artistes du monde, entre autres Montserrat Caballé et José Carreras, deux Barcelonais. De jeunes compagnies de théâtre et de danse proposent

**Musicien de rue,
Barri Gòtic**

toute l'année leurs créations dans diverses salles, jouant parfois en plein air l'été. Les amateurs de rock, de jazz ou de salsa trouveront d'innombrables clubs accueillant des groupes, sans compter les musiciens de rue qui s'installent aux beaux jours sur les Ramblas ou les places du Barri Gòtic. Plusieurs cabarets, dont le célèbre *El Molino*, entretiennent la tradition populaire du music-hall.

Le superbe intérieur du Palau de la Música Catalana

MAGAZINES DE SPECTACLES

Mis en vente le jeudi, *Guía del Ocio* est le guide le plus complet des spectacles et des films présentés à Barcelone chaque semaine. Le vendredi, *El País* propose un supplément divertissements.

SAISONS ET BILLETS

La saison de théâtre et de danse des salles les plus importantes dure de septembre à juin mais certaines exhibitions ont toutefois lieu dans l'année. En général, les villes offrent des spectacles de différentes origines culturelles et artistiques. En été, la ville organise le Festival del Grec, festival international de musique, de théâtre et de danse qui se tient en plein air dans des lieux tels que le Teatre Grec de Montjuïc et la plaça del Rei dans le Barri Gòtic. En septembre, la Festa de la Mercé *(p. 153)* donne

lieu à des concerts variés.

Le moyen le plus simple de se procurer une place est de l'acheter directement auprès de la billetterie de la salle de spectacle, mais les succursales de la Caixa de Catalunya ou les caisses d'épargne de La Caixa vendent également les billets de nombreux théâtres. Pour le Festival, s'adresser aux offices du tourisme.

MUSIQUE CLASSIQUE

L'Orquestra Simfònica de Barcelona se produit pendant toute la saison au **Palau de la Música Catalana** *(p. 149)*, l'une des plus belles salles de concert du monde. L'**Auditori de Barcelona**, ouvert en 1999, donne également des représentations dans deux salles, l'une très grande pour les concerts, l'autre plus petite pour la musique de chambre. Il accueille désormais l'orchestre symphonique de Barcelone qui donne des représentations durant toute l'année. Depuis l'incendie du

Gran Taetre del Liceu en 1994, et pendant que la reconstruction se poursuit, l'opéra a rouvert en octobre 1999, avec une représentation de *Turandot*, de Puccini. Pour plus de renseignements, adressez-vous aux offices du tourisme.

THÉÂTRE ET DANSE

Des compagnies comme Els Comediants ou La Cubana, qui associent dans leur travail théâtre, musique, mime et éléments de fêtes traditionnelles méditerranéennes, donnent un grand dynamisme au théâtre catalan actuel. Ancien marché aux fleurs de Montjuïc, le **Mercat de les Flors** *(p. 167)* présente des pièces de qualité, classiques et modernes, en catalan. Autre salle importante, le **Teatre Nacional de Catalunya** se trouve près de la Plaça de Toros Monumental.

Le ballet classique a souffert à Barcelone de la destruction

Spectacle dans l'un des nombreux clubs de Barcelone

La façade moderne du Teatre Nacional de Catalunya

du Liceu, mais il existe plusieurs compagnies de danse contemporaine qui donnent régulièrement des représentations au Mercat de les Flors de Montjuïc.

CAFÉS, BARS ET CLUBS

Les cafés au décor hi-tech ouverts à Barcelone dans les années 1980, furent le signe d'une bonne économie, tels que le **Torres de Ávila** du Poble Espanyol *(p. 169)*, ou le **Mirablau** qui offre une vue panoramique sur la ville, sont devenus de véritables attractions touristiques. Des musiciens animent l'**Otto Zutz**. Moins chic, mais à voir également : l'**Apolo** et **La Paloma**, salle de bal datant de 1904 où le paso doble règne en maître.

La vieille ville recèle deux bars à champagne et à cocktails réputés : **Boadas** et **El Xampanyet. El Bosc de les Fades,** fascinant, décoré à la manière d'une grotte au fond d'un bois.

ROCK, JAZZ ET MUSIQUE DU MONDE

Des vedettes comme Paul McCartney ont joué au **Razzmatazz. La Boîte** propose du folk et du blues. Des concerts en plein air ont lieu partout en ville en été. Pour du jazz, essayez le **Harlem Jazz Club**, et pour de la salsa, l'**Antilla Barcelona**.

FOIRES

En été, les parcs d'attractions et les foires de **Tibidabo** *(p. 174)* à Barcelone restent bondés jusqu'au petit matin. S'y rendre en tramway, en funiculaire ou en téléphérique ajoutera aux plaisirs qu'ils offrent.

SPORTS

L'équipe sportive la plus populaire est le **F. C. Barcelona**, doté, avec Nou Camp *(p. 173)*, du plus grand stade de football d'Europe, mais Barcelone possède également une excellente équipe de basket-ball.

Jour de match agité au stade Nou Camp

CARNET D'ADRESSES

MUSIQUE CLASSIQUE

Auditori de Barcelona
Carrer de Lepant 150.
Plan 4 E1.
[93 247 93 00.
w www.auditori.com

Gran Teatre del Liceu de Barcelona
Las Ramblas 51–59.
Plan 2 F3.
[93 485 99 00.
w www.liceubarcelona.com

Palau de la Música Catalana
Carrer de Sant Francesc de Paula 2. **Plan** 5 B1.
[90 244 28 82.
w www.palaumusica.org

THÉÂTRE ET DANSE

Mercat de les Flors
Carrer de Lleida 59.
Plan 1 B3.
[93 426 18 75.

Teatre Nacional de Catalunya
Pl de les Arts 1. **Plan** 4 F5.
[93 306 57 00.
w www.tnc.es

CAFÉS, BARS ET CLUBS

Apolo
Carrer Nou de la Rambla 113. **Plan** 2 E3.
[93 441 40 01.

El Bosc de les Fades
Pas de Banca 7.
Plan 2 F4.
[93 317 26 49.

Boadas
C/ dels Tallers 1. **Plan** 5 A1.
[93 318 88 26.

Mirablau
Plaça Doctor Andreu.
[93 418 58 79.

Otto Zutz
Carrer de Lincoln 15.
Plan 3 A1.
[93 238 07 22.

La Paloma
C/ Tigre 27. **Plan** 2 F1.
[93 301 68 97.

Torres de Ávila
Poble Espanyol, Avinguda M de Comillas. **Plan** 1 A1.
[93 424 93 09.

El Xampanyet
Carrer Montcada 22.
Plan 5 B2.
[93 319 70 03.

ROCK, JAZZ ET SALSA

Antilla Barcelona
Carrer de Aragó 141-143.
[93 451 45 64.

Jamboree
Plaça Reial 17.
Plan 5 A3.
[93 301 75 64.

Harlem Jazz Club
Carrer de la Comtessa de Sobradiel 8.
[93 310 07 55.

Razzmatazz
Carrer de Almogàvers 122.
Plan 6 F2.
[93 320 82 00.

FOIRES

Tibidabo
[93 211 79 42.

SPORTS

FC Barcelona
Nou Camp, Avinguda Aristides Maillol.
[93 496 36 00.

L'ESPAGNE
ORIENTALE

Présentation de l'Espagne orientale

Des sommets enneigés des Pyrénées, en Aragon, aux plages de la Costa Blanca et de la Costa Cálida, deux côtes réputées pour la douceur de leurs hivers, l'Espagne orientale offre une extraordinaire variété de paysages et de climats. Elle recèle de nombreuses richesses historiques : monastères cisterciens près de Barcelone, ruines romaines à Tarragone, églises et tours mudéjares en Aragon et belles cathédrales à Valence et Murcie. Peu visité, l'arrière-pays a souvent beaucoup de charme.

Saragosse

ARAGON
(p. 216-231)

Teruel

Le parc national d'Ordesa (p. 222-223), *dans les Pyrénées, offre aux randonneurs de magnifiques paysages sauvages.*

Saragosse (p. 226-227) *possède de belles églises, notamment la Basílica de Nuestra Señora del Pilar, l'Iglesia de la Magdalena de style mudéjar et la cathédrale.*

Valence (p. 240-243), *troisième ville d'Espagne, a conservé un centre historique riche en maisons anciennes et en monuments. En mars s'y déroule une fête spectaculaire : Las Fallas.*

**COMMUNAUT[É]
VALENCIENNE [ET]
MURC[IE]**
(p. 232-25[?])

Valence

La cathédrale de Murcie
(p. 252) entreprise au XIVe siècle possède une façade et un clocher baroques et deux chapelles latérales très ornementées, l'une de la fin du gothique, l'autre Renaissance. En ville se visite aussi le Casino, élégant club privé du XIXe siècle.

Alicant[e]

0   50 km

Murcie

◁ **Monastère du XIIe siècle à Gerri de la Sal en Catalogne**

Lleida

uesca

CATALOGNE
(p. 196-215)

Gérone

*Province de
Barcelone*

Tarragone

astellón

La Costa Brava
(p. 206-207) *propose
criques boisées et plages
de sable au sud de
la frontière française.
Lloret de Mar en est
la station balnéaire
la plus animée.*

Poblet (p. 212-213)
*est un monastère
cistercien resté
pratiquement intact
depuis le Moyen Âge.
Sa basilique abrite
les tombeaux de six
rois d'Aragon.*

Tarragone
(p. 214-215)
*conserve, entre
autres vestiges
de l'époque où
elle fut capitale
romaine, un
amphithéâtre et un aqueduc.
Une statue de Roger de Llúria,
grand commandant naval
catalan du XIIIᵉ siècle, domine
la plage.*

La Costa Blanca (p. 248-251) *est
une superbe côte très touristique.
Un immense rocher, le Penyal
d'Ifach, domine la ville de Calp.
À La Vila Joiosa, une rangée de
maisons arbore des couleurs vives
qui aidaient les pêcheurs à les
reconnaître du large.*

Les spécialités de l'Espagne orientale

Poivrons ñora

Des influences maures marquent encore la cuisine de l'Espagne orientale, notamment ses sucreries souvent à base de fruits confits ou d'amandes. La gastronomie catalane accorde une large place aux produits de la mer et aux saucisses, mais les escargots sont aussi une spécialité très appréciée. Des sauces épicées comme le *romesco*, où entrent poivrons rouges, tomates et piment, relèvent les plats. La paella est la spécialité la plus célèbre des régions de Valence et de Murcie où la simplicité de nombreuses recettes respecte la saveur de produits locaux réputés comme les poivrons ñora. La viande de porc, la charcuterie et les œufs jouent un rôle primordial dans la cuisine aragonaise.

L'amanida Catalana *est une salade associant légumes et charcuterie, fromage ou produits de la mer.*

Les oranges *constituent la principale richesse agricole des régions de Valence et de Murcie, bien qu'elles produisent aussi des clémentines et les trois quarts des citrons espagnols. Plus acide, la valencia sert surtout aux jus. La navel, sucrée et facile à éplucher, est un fruit de table.*

La parillada de mariscos *est un assortiment de fruits de mer grillés et servis avec un* allioli *(mayonnaise à l'ail).*

Crevettes   **Moules**

Riz au safran

Le suquet, *ragoût de poissons et de fruits de mer, incorpore safran, vin, tomates et pommes de terre.*

Poivron

La paella, *spécialité valencienne célèbre dans le monde entier, cuit dans une grande poêle spéciale. Ses ingrédients, mis à mijoter avec un riz rond d'Espagne parfumé au safran, peuvent être très variés : fruits de mer, poulet, lapin, tomates, poivrons ou haricots.*

Le fideus a la cassola *est un plat de pâtes aux poivrons rouges qu'accompagnent saucisses, côtelettes ou rôti de porc.*

La butifarra amb mongetes *catalane est une saucisse noire grillée et accompagnée de haricots blancs.*

Le cochifrito, *plat paysan aragonais, a pour base de l'agneau revenu avec du citron, de l'ail et du paprika.*

Le pollo al ajillo, *poulet à l'ail grillé, se sert avec une sauce au vin blanc ou au xérès.*

Le pastel de carne, *spécialité de Murcie, est un pâté en croûte garni de viande émincée et d'œufs durs écrasés.*

La llagosta i pollastre *catalane marie homard et poulet dans une sauce à la tomate et aux noisettes.*

La crema catalana, *riche crème brûlée couverte de caramel croustillant, se sert très froide.*

Poire
Pomme
Cerise
Orange
Citrouille

Les fruits confits (frutas escarchadas), *délicieuse forme de conserve, se présentent souvent enveloppés de chocolat en Aragon.*

Almendras garrapiñadas
Guirlache

Des friandises *comme les* almendras garrapiñadas *(amandes caramélisées) et la* guirlache *aux amandes grillées sont des héritages de l'occupation maure. Le nougat* (turrón) *prend deux formes : blanc et dur avec des fruits entiers ou plus mou et garni d'amandes pilées.*

Butifarra blanca
Butifarra negra
Chorizo
Fuet

SAUCISSES ET SAUCISSONS

Les saucisses et saucissons catalans, en particulier ceux de la ville de Vic, ont acquis une haute réputation. La *butifarra* peut obéir à de multiples recettes. Blanche, elle associe pignons, viande de porc et tripes ; noire, c'est un boudin à la panse de porc épicé. Les deux variétés se dégustent grillées avec des haricots. Parmi les saucisses sèches figurent la *llangonisseta* à la fine texture et le *fuet*. Particulièrement apprécié en Aragon et en Murcie, le chorizo aromatisé au paprika se mange aussi bien coupé en tranches fines sur du pain qu'en ragoût ou en soupe.

Les vins de l'Espagne orientale

Plusieurs régions viticoles produisent à l'est de l'Espagne des vins de styles très variés. En Catalogne, la plus importante est la Penedès, terre du mousseux appelé *cava* et de crus non pétillants de qualité. En Aragon, Cariñena produit de bons rouges, et l'implantation de cépages français donne des résultats intéressants au Somontano, sur les contreforts des Pyrénées. Parmi les crus les plus réputés des régions de Valence et de Murcie figurent les rosés d'Utiel-Requena, les moscatels valenciens et les rouges puissants et charpentés de Jumilla.

Plants de cabernet sauvignon

Le somontano *doit son succès à l'implantation par la société COVISA de cépages français tels que le chardonnay et le pinot noir.*

Borja

Calatayud

0   100 km

Monastère de Poblet et vignobles de Las Murallas en Catalogne

CE QU'IL FAUT SAVOIR SUR LES VINS D'ESPAGNE ORIENTALE

Situation et climat
La Penedès jouit en bord de mer d'un climat méditerranéen qui devient plus sec à l'intérieur des terres, une situation permettant à des cépages différents de trouver des conditions favorables. L'altitude donne au Somontano des températures plus fraîches propices à la culture de variétés françaises comme le pinot noir. Chaleur et sécheresse favorisent les cépages locaux dans la Communauté valencienne et en Murcie.

Cépages
Pour les rouges, les cépages locaux les plus répandus sont le garnacha, le tempranillo (appelé Ull de Llebre en Catalogne), le monastrell et le cariñena. En Utiel-Requena, le bobal, principalement utilisé pour les rosés, produit aussi des rouges. Les blancs se font traditionnellement en Catalogne à partir de parellada, de macabeo et de xarello, tandis qu'en Valence, le meseguera et le moscatel dominent. Dans les régions les plus au sud sont aussi cultivés l'airén et le pedro ximénez. Des variétés françaises comme le chardonnay, le merlot, le cabernet sauvignon et le sauvignon blanc donnent de bons résultats en Penedès, dans les Costers del Segre et dans le Somontano.

Quelques producteurs réputés
Somontano : COVISA (Viñas del Vero), Viñedos del Altoaragón. **Alella :** Marqués de Alella, Parxet. **Penedès :** Codorníu, Conde de Caralt, Freixenet, Juvé y Camps, Masía Bach, Mont-Marçal, René Barbier, Miguel Torres. **Costers del Segre :** Castell del Remei, Raimat. **Priorato :** Cellers Scala Dei, Masía Barril. **Valence :** Vicente Gandía. **Utiel-Requena :** C. Augusto Egli. **Alicante :** Gutiérrez de la Vega. **Jumilla :** Asensio Carcelén (Sol y Luna), Bodegas Vitivino.

Raimat est un domaine près de Lleida où la famille Raventós produit un large éventail de vins dont un cava à base de chardonnay.

Livraison de tonneaux à Cariñena, Aragon

Légende

- Campo de Borja, Calatayud et Cariñena
- Somontano
- Ampurdán-Costa Brava
- Alella
- Penedès
- Conca de Barberà
- Costers del Segre
- Tarragona et Terra Alta
- Priorato
- Valence
- Utiel-Requena
- Alicante, Yecla et Jumilla

Torres fut un des premiers producteurs de la Penedès à planter des variétés françaises.

Utiel-Requena, outre des rosés, produit des rouges charpentés comme ce cru issu de garnacha et de tempranillo.

À Jumilla, le monastrell, bien exposé sur des coteaux, donne des rouges puissants et parfois liquoreux.

LES RÉGIONS VITICOLES

La Penedès, première région viticole de Catalogne, produit, en plus du *cava*, un large éventail de crus allant de blancs délicats à des rouges corsés. Les vins des Costers del Segre et de la Conca de Barberà, situés à l'intérieur des terres, leur apportent une concurrence grandissante. Au nord-est de Saragosse, le Somontano est la principale région productrice d'Aragon. Plus au sud s'étendent les vignobles de production de masse de Valence, d'Utiel-Requena, d'Alicante, de Jumilla et de Yecla.

Les fleurs du matorral

Ophrys frelon

De vastes forêts de chênes verts couvraient jadis la côte de l'Espagne orientale. Détruites au fil des siècles par les incendies ou pour servir de bois d'ouvrage ou de chauffage, elles ont laissé place au *matorral*, un maquis méditerranéen caractéristique. C'est au printemps qu'il prend ses plus belles couleurs quand fleurissent la bruyère, les genêts ou la sauge. Avec l'été, leur parfum s'estompe devant celui de plantes aromatiques telles que les cistes, le romarin et le thym. Comme la végétation, la faune s'est adaptée à la sécheresse qui règne en été.

Le genêt d'Espagne produit au printemps des fleurs jaunes et odorantes qui se transforment en gousses noires.

La fleur d'agave peut atteindre une taille de 10 m.

Pin d'Alep   Romarin

La sauge, *souvent cultivée dans les jardins, était au Moyen Âge une plante réputée pour ses vertus médicinales.*

L'ail sauvage *se reconnaît à la floraison à sa longue tige portant une boule de petites fleurs roses.*

Le thym se cueille de préférence au printemps quand les fleurs augmentent son parfum.

EN TERRE ÉTRANGÈRE

Plusieurs plantes du Nouveau Monde ont réussi à s'implanter sur les terres arides où croît le *matorral*. Le figuier de Barbarie, rapporté, pense-t-on, par Christophe Colomb, produit des fruits délicieux, mais garnis de très fines aiguilles. Leur cueillette exige des gants épais. Originaire du Mexique, l'agave a une croissance rapide pendant 10 ou 15 ans, puis il dresse vers le ciel une fleur unique avant de mourir.

Fruits de figuier de Barbarie

Fleurs d'agaves

L'ophrys miroir se distingue aisément des autres orchidées par la brillance de son labelle bleu entouré de duvet brun.

Temp.
(° C)

Précipitations
(mm)

—80	—60
—70	2—50
—60	1.5—40
—50	1—30
—40	0.5—20
	—10
	0

J F M A M J J A S O N D

— **Température**   ▢ **Précipitations**

LE CLIMAT

Les plantes du *matorral* fleurissent en majorité au printemps, chaud et arrosé. Des bulbes contenant des réserves d'eau, ou des feuilles vernissées et des résines visqueuses limitant l'évaporation, leur permettent de survivre l'été.

LA FAUNE DU MATORRAL

Les insectes sont les animaux du *matorral* les plus aisés à observer, les oiseaux qu'ils nourrissent se montrant en général très discrets. Les petits mammifères comme les souris et les campagnols ne sortent que la nuit pour se protéger de leurs prédateurs, en particulier les serpents.

Les chênes verts
aux feuilles
vernissées sont bien
adaptés au climat de
l'Espagne orientale.

L'arbousier
produit des fruits comestibles mais sans grande saveur hormis en confiture.

Bruyère

La couleuvre jarretière *se nourrit de rongeurs, d'oiseaux et d'insectes. Les jeunes se reconnaissent à des traits noirs évoquant les barreaux d'une échelle. Les adultes ne portent que deux bandes.*

Les scorpions *recherchent l'humidité sous des pierres ou des morceaux de bois. Leur piqûre peut provoquer chez l'être humain œdème et irritation.*

Le ciste cotonneux *aux fleurs délicates et colorées a besoin de soleil pour se développer.*

Le ciste à laudanum *secrète une résine aromatique utilisée en parfumerie.*

La fauvette pitchou *se montre peu, mais a un chant mélodieux pendant la saison des amours. Le mâle arbore des couleurs plus vives que la femelle.*

Le chardon étoilé *donne des fleurs souvent rose pâle, puis des gousses en forme d'étoile.*

Le machaon *est l'un des superbes papillons du matorral où abondent fourmis, abeilles et sauterelles.*

CATALOGNE

LLEIDA · ANDORRE · GÉRONE
PROVINCE DE BARCELONE · TARRAGONE

*N*ation à l'intérieur d'une nation, la Catalogne affirme avec fierté son identité forgée au Moyen Âge où elle devint une grande puissance navale sous l'autorité des comtes de Barcelone, puis des rois d'Aragon. Cette identité s'exprime notamment à travers la langue catalane qui a quasiment remplacé le castillan sur les panneaux et enseignes.

C'est à Empúries, ville fondée par des Grecs de Marseille, que les Romains jetèrent leur première tête de pont sur la péninsule Ibérique. Ils ont laissé de majestueux monuments à Tarragone et dans ses alentours et fondé Barcino, qui deviendra Barcelone, capitale régionale aujourd'hui en mesure de rivaliser avec Madrid dans les domaines économique et culturel.

Le tourisme de masse qui se développa dans les années 1960 sur la Costa Brava a en partie défiguré cette « côte sauvage », mais à côté de stations balnéaires surpeuplées telles que Lloret de Mar, des villages comme Cadaqués gardent leur cachet. À l'intérieur des terres se découvre un important héritage historique : superbes monastères tels ceux de Montserrat et de Poblet, ou villes médiévales riches en musées et monuments comme Montblanc, Besalú et Gérone.

Du delta de l'Èbre, refuge de trois cents espèces d'oiseaux, aux vignobles du Penedès, région où est produite la majeure partie du mousseux espagnol, la campagne a elle aussi beaucoup à offrir au visiteur. Dans les hautes vallées pyrénéennes où survivent des papillons rares, de petits villages isolés se serrent autour de charmantes églises romanes.

Parc Nacional d'Aigüestortes i Eslany de Sant Maurici, Pyrénées orientales, province de Lleida

◁ **Pêcheur inspectant ses filets à Cadaqués, sur la Costa Brava**

À la découverte de la Catalogne

L es Pyrénées occupent une grande partie du Nord et les parcs nationaux du Vall d'Aran et d'Aigüestortes sont de véritables paradis pour les naturalistes. À Baqueira-Beret, on pratique le ski. Si vous préférez la mer, vous choisirez entre les criques de la Costa Brava et les longues plages de sable de la Costa Daurada. Dans l'arrière-pays de Tarragone, à l'ouest des vignobles de la Penedès, se visitent les monastères cisterciens de Poblet et de Santes Creus.

Ferme isolée près de La Seu d'Urgell

Légende

═══ Autoroute

═══ Route principale

═══ Route secondaire

═══ Parcours pittoresque

〜 Cours d'eau

❧ Point de vue

CIRCULER

Un tunnel près de Puigcerdà a rendu le cœur des Pyrénées catalanes aisément accessible. Des cars desservent la plupart des villes. La principale voie ferrée suit le littoral au sud de Blanes, d'autres lignes relient Vic, Lleida et Tortosa à Barcelone. Attention : l'Espagne a récemment changé la numérotation de ses routes. Il se peut que certaines cartes ou atlas et certaines régions rurales utilisent encore les anciens numéros.

(carte)

↑ Pau, Toulouse

N230

❶ VALL D'ARAN

VIELHA ❷

❸ BAQUEIRA-BERET

N230

❹ VALL DE BOÍ

❺ PARC NACIONAL D'AIGÜESTORTES

C13

ANDOR

❼

LA SEU D'URGELL

C14

Segre

Noguera Ribagorçana

Noguera Pallaresa

N260

N260

TREMP

SOLSONA ❷❸

C26

C1412

C14

N230

N240

LLEIDA ❷❹ N II A2

N240

N11a

Canal d'Urgell

N II

C14

C241

A2 AP2 (E90)

Zaragoza →

Segre

POBLET ❷❺

C242

❷❻ MONTBLANC

❷❼ SANTES C

A2 AP2 (E90)

AP7 (E15)

N420

TARRAGONA ❸❶

N340

SALOU

CAMBRILS

❸⓪

A7 AP7 (E15)

Ebro

N420

C12

COSTA DAURADA

TORTOSA ❸❷

N340

AP7 (E15)

N340

❸❸ DELTA DE L'EBRE

SANT CARLES DE LA RÀPITA

↓ Valencia

VOIR AUSSI

- **Hébergement** p. 545-547

- **Restaurants et bars** p. 586-588

Église dominant la mer à Sitges

Vignobles de Gandesa, à l'ouest de Tarragone

LA CATALOGNE D'UN COUP D'ŒIL

La Vall d'Aran au cœur des Pyrénées

PAPILLONS DE LA VALL D'ARAN

L'isolement des hautes vallées des Pyrénées offre un refuge à de très nombreux papillons. Dans la Vall d'Aran, en particulier, survivent plusieurs espèces d'une grande rareté. La meilleure période où les observer s'étend entre mai et juin.

Hespérie de la mauve
(*Pyrgus malvae*)

Échiquier
(*Carterocephalus palæmon*)

Semi-Apollon
(*Parnassius mnemosyne*)

Vall d'Aran ➊

Lleida N230. 🚌 Vielha. 🛈 Vielha 973 64 01 10.

Au pied de majestueuses montagnes, forêts et pâturages fleuris composent de magnifiques paysages dans cette vallée de 600 km², paradis des randonneurs où la Garonne prend sa source à Guells del Joeu.

Jusqu'en 1924 et la construction de la route du col de Bonaigua, la Vall d'Aran resta très isolée du reste de l'Espagne et ses habitants continuent de parler un dialecte proche du gascon. Aujourd'hui encore, la neige rend le col impraticable de novembre à avril. Le Túnel de Vielha permet toutefois un accès relativement aisé (il faut parfois des chaînes) depuis El Pont de Suert.

Tournée vers la France, la vallée jouit d'influences océaniques et d'un climat propice à la survie d'espèces rares de papillons et de fleurs sauvages, notamment les narcisses.

Des villages se sont établis le long de la Garonne (Riu Garona), souvent autour d'une église romane comme **Bossòst, Salardú, Escunhau** et **Arties**, petit centre thermal apprécié des skieurs fréquentant la station voisine de Baqueira-Beret.

Vielha ➋

Lleida. 🏠 2 700. 🚌 🛈 Carrer Sarriulera 10, 973 64 01 10. 🚆 jeu. 🎉 Fiesta de Vielha (8 sept.), Feria de Vielha (8 oct.).

La capitale de la Vall d'Aran, moderne station de sports d'hiver, a conservé de nombreux témoignages de son riche passé. L'église romane **Sant Miquel** abrite le splendide *Christ de Mig Aran* (XIIᵉ siècle) qui faisait jadis partie d'une Descente de Croix en bois sculpté aujourd'hui perdue. Le **Museu de la Vall d'Aran** est consacré à l'histoire et aux traditions de la vallée et de ses habitants.

🏛 **Museu de la Vall d'Aran**
Carrer Major 26. 📞 973 64 18 15.
⬜ t.l.j. ⬛ jours fériés.

Christ de Mig Aran (XIIᵉ siècle), église Sant Miquel, Vielha

Baqueira-Beret ❸

Lleida. 🎿 100. 🚌 🛈 *Baqueira-Beret, 973 63 90 00.* 🎉 *Romería de Nuestra Señora de Montgarri (2 juil.).* Ⓦ www.baqueira.es

A uparavant Baqueira et Beret étaient deux villages de montagne indépendants. Ils s'unirent pour former une grande station de sports d'hiver parmi les plus réputées d'Espagne, aussi populaire auprès du public que de la famille royale espagnole.

Pour se remettre de leurs efforts sur plus de 40 pistes situées entre 1 520 et 2 470 m d'altitude, les skieurs disposent de sources thermales qu'appréciaient déjà les Romains.

Vall de Boí ❹

Lleida N230. 🚌 *La Pobla de Segur.* 🚌 *El Pont de Suert.* 🛈 *Barruera, 973 69 40 00.*

C ette petite vallée en bordure du Parc Nacional d'Aigüestortes renferme de minuscules villages souvent construits autour d'églises offrant de magnifiques exemples d'architecture romane. Édifiées aux XIᵉ et XIIᵉ siècles, elles se distinguent par la hauteur de leurs tours, telle l'**Església de Santa Eulàlia**, à Erill-la-Vall, dont le clocher comporte six étages.

Consacrées en 1123, les deux églises de Taüll, **Sant Climent** *(p. 20)* et **Santa Maria**, abritent de superbes fresques, copies des peintures murales originales déposées entre 1919 et 1923 et visibles à Barcelone au Museu Nacional d'Art de Catalunya *(p. 168)*. Gravir l'escalier de la tour de Sant Climent permet de découvrir un magnifique panorama de la campagne environnante.

D'autres églises de la vallée méritent une visite, notamment celles de **Coll**, aux belles ferroneries de **Barruera** et de **Durro**. Petite station thermale où se pratique le ski, **Caldes de Boí** constitue une bonne base d'où explorer le Parc Nacional d'Aigüestortes dont l'entrée ne se trouve qu'à 5 km.

Le haut clocher de Sant Climent, église de Taüll dans la Vall de Boí

Parc Nacional d'Aigüestortes ❺

Lleida. 🚌 *La Pobla de Segur.* 🚌 *El Pont de Suert, La Pobla de Segur.* 🛈 *Barruera, 973 69 61 89.*

L 'unique parc national de Catalogne *(p. 26-27)*, d'une superficie de 10 230 ha, protège des paysages parmi les plus beaux des Pyrénées.

Fondé en 1955, il porte officiellement le nom de Parc Nacional d'Aigüestortes i Estany de Sant Maurici, car il s'étend du lac *(estany)* Sant Maurici, à l'est, au lieu-dit Aigüestortes (à l'ouest), site baptisé « eaux tortueuses » à cause des ruisseaux qui sinuent dans les prairies.

Depuis le principal village, Espot, situé à la frontière orientale du parc, une route conduit au lac Sant Maurici que dominent les cimes de la Serra dels Encantats (montagne des Ensorcelés). Plusieurs itinéraires de promenade en partent. L'un d'eux suit au nord un chapelet de lacs en direction des pics majestueux d'Agulles d'Amitges. Au sud, dans un cadre spectaculaire, l'Estany Negre est le plus élevé et le plus profond (50 m) des quelque 150 lacs glaciaires du parc.

Au début de l'été fleurissent dans les vallées les plus basses d'innombrables rhododendrons roses et rouges. Plus tard dans la saison, les lis sauvages s'épanouissent dans les forêts de sapins, de hêtres et de bouleaux. Les chamois passent l'été sur les pentes les plus escarpées, ne se risquant dans les combes que lorsque la nourriture vient à manquer.

Près des plans d'eau s'aperçoivent parfois castors et loutres. Des aigles royaux nichent sur des corniches rocheuses, guettant depuis le ciel les grouses et les coqs de bruyère tapis dans les bois.

Partout dans le parc, des cascades ajoutent en été au plaisir de la randonnée. En hiver, elles créent pour les amateurs de ski de fond des sculptures de glace.

L'eau court partout dans le Parc Nacional d'Aigüestortes

LA LANGUE CATALANE

Emblème de la Catalogne

Langue romane issue directement du latin, le catalan compte aujourd'hui plus de huit millions de locuteurs. Support d'une riche littérature depuis le Moyen Âge, il fut interdit en 1717 par Philippe V, mais connut une période de renaissance au XIXe siècle grâce à des auteurs tels que Jacint Verdaguer (1845-1902). Franco *(p. 62-63)* réprima toute forme d'expression spécifique aux Catalans, mais ne réussit pas à leur faire cesser de parler leur langue qui, depuis l'instauration du statut d'autonomie en 1979, tend de plus en plus à supplanter le castillan.

Andorre ❻

Principauté d'Andorre. 🏠 72 000. 🚗 Andorra la Vella. ℹ️ Plaça de la Rotonda, Andorra la Vella, 00 376 82 71 17. 🌐 www.andorra.ad

D'une superficie de 462 km², la principauté d'Andorre, État autonome depuis 1278, devint soumise en 1607 à la souveraineté conjointe de l'évêque de La Seu d'Urgell et du comte de Foix (titre imparti au président de la République française). Ils en restent les chefs d'État en titre bien que ce petit pays ait, en 1993, accédé à l'indépendance et organisé ses premières élections démocratiques.

L'Andorre a pour langue officielle le catalan, et pour monnaie l'euro, mais on y parle aussi le français et le castillan. Comme en témoignent les magasins et supermarchés de la capitale, **Andorra la Vella**, ou de villes comme Sant Julià de Lòria, Les Escaldes ou El Pas de la Casa, la vente de produits détaxés a longtemps constitué une ressource importante de la principauté. Celle-ci a toutefois davantage à offrir que ses commerces, notamment de superbes itinéraires de randonnée en montagne. L'un des principaux conduit à l'est aux lacs du **Cercle de Pessons** et permet de découvrir des chapelles romanes telle celle de **Sant Martí** à La Cortinada. Au nord, dans la pittoresque vallée du Sorteny, d'anciennes fermes pyrénéennes abritent de confortables restaurants.

La Seu d'Urgell ❼

Lleida. 🏠 13 000. 🚗 ℹ️ Avda Valles de Andorra 33, 973 35 15 11. 🚗 mar. et sam. 🎫 Fiesta Mayor (août).

Siège d'un puissant évêché au Moyen Âge, La Seu d'Urgell a conservé un beau quartier historique autour de sa **cathédrale** entreprise en 1116 et en partie construite par un maître d'œuvre lombard. Elle abrite la statue romane de Santa Maria d'Urgell, objet d'un culte fervent. Le **Museu Diocesà** présente une riche collection d'art religieux, du Moyen Âge au XVIIIe siècle, dont un manuscrit enluminé au Xe siècle du *Commentaire de l'Apocalypse* par le moine Beatus de Liébana *(p. 106)*.

🏛 **Museu Diocesà**
Plaça del Deganat. 📞 973 35 32 42. 🕐 t.l.j. 🚫 jours fériés. 📷 ♿

Relief, cathédrale de La Seu

Puigcerdà ❽

Girona. 🏠 7 000. 🚗 🚉 ℹ️ Carrer Querol 1, 972 88 05 42. 🚗 dim. 🎫 Fiesta de l'Estany (3e dim. d'août). 🌐 www.puigcerda.com

En catalan, *puig* signifie colline, et bien que Puigcerdà occupe une hauteur relativement basse (1 152 m) par rapport aux montagnes qui l'entourent et

s'élèvent jusqu'à près de 3 000 m, elle offre une belle vue sur la vallée de la Cerdagne.

Fondée en 1177 par Alphonse II d'Aragon, place forte proche de la frontière française et capitale de la plus large vallée pyrénéenne, Puigcerdà a subi de nombreux assauts et il ne subsiste qu'une tour de ses anciennes fortifications. À 6 km à l'intérieur du territoire français, l'enclave espagnole de **Llívia** possède un musée comprenant une pharmacie du XVIIe siècle. Dans la réserve naturelle de **Cadí-Moixeró** vivent des chocards des Alpes.

Portail du Monastir de Santa Maria

Ripoll ❾

Girona. 🏠 11 000. 🚉 🚗 ℹ️ Plaça Abat Oliva, 972 70 23 51. 🚗 sam. 🎫 Fiesta Mayor (11-12 mai). 🌐 www.elripolles.com

Petite ville industrielle au confluent du Ter et du Freser, Ripoll s'est développée autour du **Monastir de Santa Maria** entrepris vers 880 par Guifré el Pelós (Wilfred le Velu), fondateur de la maison de Barcelone qui repose dans le bras gauche du transept de l'église. Ripoll lui doit son surnom de « berceau de la Catalogne ».

Consacré au XIIe siècle, le sanctuaire a connu une importante restauration au XIXe siècle. Le décor de son portail forme sans doute le plus bel ensemble de sculptures romanes d'Espagne. Dominé par un Christ en majesté, il évoque au travers de scènes bibliques, certaines très dégradées, la reconquête de la Catalogne sur les Maures. Achevé à l'époque gothique, le cloître comprend une aile romane.

Le bourg médiéval de Besalú au bord du riu Fluvià

Sant Joan de les Abadesses ⑩

Girona. 🏘 3 800. 🚍 ℹ *Plaza de Abadía 9, 972 72 05 99.* 🚌 *dim.* 🎉 *Fiesta Mayor (2ᵉ semaine de sept.).* 🌐 *www.santjoandelesabadesses.com*

U n beau pont gothique jeté au-dessus du Ter conduit à ce bourg industriel dont le **monastère** constitue le principal intérêt.

Wilfred le Velu, premier comte de Barcelone, le fonda vers 885 pour faire de sa fille la première abbesse. Consacrée en 1150, l'église possède une décoration dépouillée, mais abrite une magnifique *Descente de Croix* (v. 1250) en bois sculpté. Brûlé pendant la guerre civile, l'un des larrons dût être remplacé : une superbe restauration. Le musée du monastère présente entre autres des retables Renaissance et baroques.

Descente de Croix, monastère de Sant Joan de les Abadesses

Aux environs

Au nord, **Camprodon** recèle de belles maisons anciennes et des magasins de produits locaux tels que les *llonganisses* (saucisses sèches).

Olot ⑪

Girona. 🏘 28 000. 🚍 ℹ *Hospici 8, 972 26 01 41.* 🚌 *lun.* 🎉 *Corpus Christi (juin), Fiesta del Tura (8 sept.).* 🌐 *www.olot.org/turisme*

D ans une région où les silhouettes coniques d'anciens volcans créent des paysages caractéristiques, cette petite ville de marché subit en 1474 un tremblement de terre qui détruisit son centre médiéval.

Elle acquit son renom dans la deuxième moitié du XIXᵉ siècle quand des peintres réunis autour de Joaquim Vayreda fondèrent une école paysagiste souvent comparée à celle de Barbizon. De nombreux tableaux de cette école s'admirent au **Museu Comarcal de la Garrotxa** installé dans un hospice du XVIIIᵉ siècle. Il possède également des œuvres du sculpteur moderniste Miquel Blay, auteur des demoiselles qui soutiennent le balcon du n° 38, passeig Miquel Blay.

🏛 **Museu Comarcal de la Garrotxa**
Calle Hospici 8. 📞 *972 27 91 30.* ⏰ *mer.-lun.* ⚫ *1ᵉʳ janv., 25 déc.* 📷 ♿

Besalú ⑫

Girona. 🏘 2 000. 🚍 ℹ *Plaça de la Llibertat 1, 972 59 12 40.* 🚌 *mar.* 🎉 *Sant Vicenç (22 janv.), Fiesta Mayor (dernier week-end de sept.).* 🚩

U n pont piétonnier fortifié datant du Moyen Âge donne accès à ce bourg médiéval au bord du riu Fluvià. Du monastère bénédictin fondé au Xᵉ siècle, mais démoli en 1835, il ne subsiste que l'église romane **Sant Pere**. Bâtie au XIIIᵉ siècle, l'église **Sant Vicenç** associe éléments romans et gothiques. Le hasard a permis en 1964 la découverte d'une **mikvah**, bain rituel juif datant de 1264. Il n'en subsiste que trois de cette période en Europe. L'office du tourisme détient les clés de tous les monuments de la ville.

Au sud, les rives du vaste lac de **Banyoles** offrent un cadre idéal à un pique-nique.

Étal de spécialités régionales à Camprodon

GÉRONE : LE CENTRE-VILLE

Banys Arabs ②
Cathédrale ④
Centre Bonastruc Ça Porta ⑦
Església de Sant Feliu ③
Església de Sant Pere de
    Galligants ①
Museu d'Art ⑤
Museu d'Història
    de la Ciutat ⑥

LÉGENDE

🅿 Parc de stationnement

0 ————————— 250 m

Girona ⑬

Girona. 🏛 *75 000.* ✈ 🚉 🚌 ℹ
*Rambla de la Llibertat 1, 972 22 65
75.* 🍴 *mar. et sam.* 🎿 *El Pedal (dern.
quinzaine de sept.), San Narciso (fin
oct).* 🅦 *www.ajuntament.gi/turisme*

Cette jolie ville tourne son
visage le plus souriant du
côté du riu Onyar aux maisons
pastel. Datant du XIXᵉ siècle,
elles remplacèrent des remparts
endommagés en 1809 par une
résistance de 7 mois aux
assauts de troupes françaises.
Derrière, dans le quartier
ancien, boutiques et cafés
animés bordent la Rambla de
la Llibertat.
    La majeure partie du reste de
l'enceinte fortifiée, d'origine

romaine, est encore intacte et a
été aménagée en **Passeig
Arqueològic**. Le point de
départ de cette agréable
promenade est situé du côté
nord de la ville près de **Sant
Pere de Galligants** (Saint-
Pierre-des-Chants-du-Coq),
une église romane qui abrite le
musée archéologique.
    Du sanctuaire désaffecté,
une rue étroite franchit la
muraille par une porte qui
incorpore d'énormes blocs de
pierre romains. Ils bordaient
jadis la Via Augusta qui reliait
Tarragone à Rome.
    L'ancienne collégiale Saint-
Félix, l'**Església de Sant Feliu**,
reste un lieu de culte très
fréquenté. Cette église
gothique entreprise au

XIVᵉ siècle s'élève sur le site
d'une chapelle romane bâtie
sur les tombes des saints Félix
et Narcisse, patrons de la ville.
Près du maître-autel sont
encastrés dans un mur huit
sarcophages romains et
paléochrétiens.
    Malgré leur nom, les **Banys
Arabs** (bains arabes) voisins,
éclairés par une lanterne
octogonale, datent de la fin du
XIIᵉ siècle, près de 300 ans
après la reconquête de Gérone
sur les Maures.

🏛 Centre Bonastruc Ça
Porta

Carrer de la Força 8. 📞 *972 21 67
61.* ⬜ *t.l.j.* ⬤ *jours fériés.* ♿ 📷
♿ 🅦 *www.ajuntament.gi/turisme*
En partie restauré, l'ancien
quartier juif, El Call, s'étend au
cœur du dédale de ruelles et
d'escaliers de la vieille ville. Le
Centre illustre l'histoire de la
communauté juive de Gérone,
réputée pour son école
cabalistique, jusqu'à son
expulsion à la fin du XVᵉ siècle.

ⓘ Cathédrale

⬜ *10 h-14 h, 16 h-19 h lun.-sam.,
10 h-14 h le dim.*
🅦 *www.lacatedraldegirona.com*
Derrière une majestueuse façade
typique du baroque catalan, cette
église, bâtie à l'emplacement
d'un sanctuaire roman dont
subsiste le cloître, possède une

Maisons peintes de Gérone sur la rive du riu Onyar

nef unique construite en 1426 par Guillem Bofill et couverte de la plus large voûte gothique de la chrétienté. Derrière l'autel se trouve le « trône de Charlemagne » en marbre dont le nom rappelle que l'empereur franc conquit Gérone en 785. Un magnifique retable du XIVe siècle en argent incrusté de pierres précieuses et d'émaux orne le chœur. Le musée de la cathédrale présente des œuvres d'art superbes, notamment un manuscrit enluminé au Xe siècle du *Commentaire de l'Apocalypse* du moine Beatus de Liébana et la célèbre *Tapisserie de la Création* brodée vers 1100.

Tapisserie de la *Création*

🏛 Museu d'Art

Pujada de la Catedral 12. 📞 *972 20 95 36.* 🕐 *mar.-dim.* 🌙 *1er et 6 janv., 25 et 26 déc.* 📷 ♿
🌐 *www.museuart.com*

L'ancien palais épiscopal abrite une riche collection d'œuvres d'art exécutées de la période romane au XXe siècle. Beaucoup ornaient jadis des églises. Parmi les plus belles figurent l'autel recouvert d'argent de San Pere de Rodes (Xe siècle), une poutre décorée au XIIe siècle de personnages humoristiques et le superbe retable gothique de Sant Miquel de Cruïlles peint par Lluís Borassa en 1416.

🏛 Museu d'Història de la Ciutat

Carrer de la Força 27. 📞 *972 22 22 29.* 🕐 *10 h-14 h t.l.j., 17 h-19 h mar.-sam.* 🌙 *1er, 6 janv., 25 et 26 déc.* 📷
Le musée d'histoire de Gérone occupe un ancien couvent du XVIIIe siècle dont subsistent des parties du cimetière, notamment les niches où les corps des capucins décédés étaient mis à sécher de manière à pouvoir être assis dans des fauteuils.
La collection comprend des instruments de musique anciens.

Figueres ⑭

Girona. 🏘 *35 000.* 🚉 🚌 ℹ *Plaça del Sol, 972 50 31 55.* 🎉 *jeu.* 🎊 *Santa Cruz (3 mai), San Pedro (29 juin).* 🌐 *www.figueresciutat.com*

Figueres (Figueras) se trouve au nord de l'Empordà (Ampurdan), plaine fertile s'ouvrant sur le golfe des Roses, et les fruits et légumes produits dans la région couvrent chaque jeudi les étals de son marché.

Dans la rue principale, la Rambla, le **Museu de Joguets** (musée des Jouets) occupe le dernier étage du vieil Hotel de Paris. Ses collections proviennent de toute la Catalogne. Au bas de la Rambla s'élève une statue de Narcís Monturiol i Estarriol (1819-1895) qui aurait inventé le sous-marin.

Le fils le plus célèbre de Figueres reste néanmoins Salvador Dalí qui transforma en 1974 le théâtre municipal (1850) en un « gigantesque objet surréaliste », le **Teatro-Museu Dalí**, musée le plus visité d'Espagne après le Prado. Il ne présente aucun des chefs-d'œuvre de Dalí, mais forme un monument

***Rainy Taxi*, sculpture dans le jardin du Teatro-Museu Dalí**

approprié à l'inventeur de la « méthode paranoïaque-critique » qui repose sous une dalle blanche de la salle centrale.

🏛 Museu del Joguet

Calle Sant Pere 1. 📞 *972 50 45 85.* 🕐 *t.l.j.* 📷 ♿

🏛 Teatre-Museu Dalí

Plaça Gala-Salvador Dalí. 📞 *972 67 75 00.* 🕐 *oct.-juin : mar.-dim. ; juil.-sept. : t.l.j.* 🌙 *1er janv., 25 déc.* 📷 📷 *sur rendez-vous.* 🌐 *www.salvador-dali.org*

SALVADOR DALÍ

Salvador Dalí e Domènech naquit à Figueras en 1904 et organisa sa première exposition à l'âge de 15 ans. Après avoir étudié à l'Escuela de Bellas Artes de Madrid, il rejoint en 1929 le mouvement surréaliste dont il devient le peintre le plus célèbre. Il écrira également des scénarios avec Luis Buñuel et plusieurs livres développant sa « méthode paranoïaque-critique », technique d'investigation de l'irrationnel par le délire. Elle inspirera maintes de ses œuvres hallucinatoires, telle *Symbiose femme-animal*. Si Dalí doit beaucoup de sa popularité à ses excentricités, sa richesse d'inspiration, dont témoigne le musée qu'il créa dans sa ville natale, où il mourut en 1989, en fait un des artistes marquants du XXe siècle.

Fresque du plafond de la salle du Palais des vents, Teatro-Museu Dalí

Cadaqués ⑮

Girona. 🏛 2 000. 🚌 ℹ️ *Carrer Cotxe 2 (972 25 83 15).* 🚐 *lun.* 🎭 *Fiesta major de Verano (1ʳᵉ sem. de sept.), Santa Esperança (18 déc.).*

D ans les années 1960, cette charmante station dominée par l'église baroque **Església de Santa Maria** était surnommée la « Saint-Tropez espagnole » à cause des foules de jeunes qui se rendaient à Port Lligat, tout proche, pour voir Salvador Dalí. La maison qu'il habita de 1930 à sa mort en 1989, la **Casa-Museu Salvador Dalí**, est un labyrinthe fait de cabanes de pêcheurs. On y visite l'atelier du peintre, la bibliothèque, les chambres et le jardin avec sa piscine. Mieux vaut réserver car les visites en groupe ne sont autorisées qu'en petit nombre. L'été, un « train-bus » dessert la maison au départ de Cadaqués (retour non assuré).

🏛 **Casa-Museu Salvador Dalí**
Port Lligat. ☎ *972 25 10 15.* 𝙵𝙰𝚇 *972 25 10 83.* ⏰ *sur rendez-vous.* 🖼

Empúries ⑯

Girona. 🚌 *L'Escala.* ☎ *972 77 06 03.* ⏰ *Pâques, juin-sept. : 10 h-20 h t.l.j. ; oct.-mai : 10 h-18 h t.l.j.* 🖼 *ruines.*

L es vastes ruines de cette cité gréco-romaine *(p. 47)* occupent près de la mer un site imposant où trois établissements se sont succédés du VIIᵉ au IIIᵉ siècle av. J.-C. : la **vieille ville** (Palaiapolis), la **nouvelle ville** (Neapolis) et la ville romaine.

Colonne romaine du site archéologique d'Empúries

La **vieille ville** fondée par les Grecs en 600 av. J.-C. était un port commercial sur la petite île qui abrite aujourd'hui le minuscule hameau de Sant Martí de Empúries. Une nouvelle ville plus vaste, nommée par les Grecs Emporion ou « comptoir commercial », lui succéda sur la côte en 550 av. J.-C. Débarqués à Empúries en 218 av. J.-C., les Romains édifièrent une cité à côté. Quelques objets trouvés sur le site sont exposés au musée voisin mais l'essentiel est au Museu Arqueològic de Barcelone *(p. 168)*.

Peratallada ⑰

Girona. 🏛 *150.* ℹ️ *C/Unió 3, Ajuntament de Forallac, Vullpellac (972 64 55 22).* 🎭 *Feria Peratallada (dern. sem. d'avr. ou 1ʳᵉ sem. de mai), Festa Major (6 et 7 août), marché médiéval (1ᵉʳ week-end d'oct.).*

À l'intérieur des terres mais tout près de la Costa Brava, ce superbe et minuscule village forme, avec Pals et Palau Sator, le « triangle d'or » des villages médiévaux. Du haut de la montagne, il offre des vues spectaculaires sur la région. Un dédale de rues pavées monte au château et à la tour de guet bien conservés qui figurent dans les archives depuis le XIᵉ siècle. Pour mieux se protéger des attaques, les comtes et les rois de Peratallada ont entouré le village entier d'un mur robuste qui empêche toujours le centre de s'étendre ; il conserve ainsi son cachet médiéval.

Falaises de la Costa Brava au sud de Tossa de Mar

Tossa de Mar ⑱

Girona. 🏛 *4 000.* 🚌 ℹ️ *Avinguda Pelegri 25, 972 34 01 08.* 🚐 *jeu.* 🎭 *Fiesta de Verano (29 juin-2 juil.), Fiesta de Invierno (22 janv.).* 🌐 *www.infotossa.com*

A u bout d'une corniche, la ville romaine de Turissa est l'une des plus belles de la Costa Brava. Dans la Vila Vella (vieille ville), monument national protégé, au-dessus de la ville moderne, le **Museu Municipal** possède une collection d'objets archéologiques locaux et d'art moderne, notamment le *Violoniste volant* de Chagall.

🏛 **Museu Municipal**
Plaça Roig y Soler 1. ☎ *972 34 07 09.* ⏰ *mar.-dim. (téléphoner avant).* 🖼

Blanes ⑲

Girona. 🏛 *30 000.* 🚆 🚌 ℹ️ *Passeig de Catalunya 21, 972 33 03 48.* 🚐 *lun.* 🎭 *El Bilar (6 avr.), Sta Ana (fin juil.).* 🌐 *www.blanes.net*

P ort de pêche et de plaisance, Blanes possède une des plus longues plages de la Costa Brava, mais c'est le **Jardí Botànic Mar i Murtra** qui en constitue le principal intérêt avec ses 7 000 espèces de plantes méditerranéennes et tropicales. Aménagé en 1928 par l'Allemand Karl Faust au sommet d'une falaise, il offre une vue magnifique.

🌿 **Jardí Botànic Mar i Murtra**
Passeig Karl Faust 10. ☎ *972 33 08 26.* ⏰ *t.l.j.* 🚫 *1ᵉʳ et 6 janv., 24 et 25 déc.* 🖼 ♿

La Costa Brava

Depuis Blanes, la Costa Brava (« côte sauvage ») s'étend sur quelque 200 km jusqu'à la frontière française. Criques boisées, plages de sable et stations balnéaires surpeuplées s'y succèdent. Parmis ces dernières, les plus fréquentées, Lloret de Mar, Tossa de Mar et La Platja d'Aro, se trouvent au sud. Les villes de Sant Feliu de Guíxols et Palamós restent actives hors de la période d'été. L'arrière-pays recèle de jolis villages médiévaux comme Peralda, Peratallada et Pals. Le tourisme a toutefois mis à mal les activités traditionnelles : pêche et culture de la vigne et de l'olivier.

Cadaqués est un petit port de pêche qui a gardé son charme, surtout en hiver, car il reste d'accès difficile et ne possède que de petites plages de galets.

De l'Estartit on peut se rendre aux Illes Medes, un ancien repère de pirates aujourd'hui une réserve marine aux eaux limpides.

Palamós est un port commercial offrant au sud des hôtels modernes, et au nord des criques et des plages aux eaux limpides.

La Platja d'Aro est une des stations les plus populaires de la côte avec sa longue plage de sable et ses hôtels modernes.

Tossa de Mar, ville fortifiée, domine une plage et une crique.

Roses et sa plage de sable, la plus longue de la Costa Brava, offrent un cadre idéal à la pratique des sports nautiques.

L'Escala, où des filets sèchent encore au soleil sur le port, reste surtout appréciée des touristes locaux.

Begur ménage depuis une colline un superbe panorama et domine de petites criques.

Llafranc est une des stations les plus agréables de la côte avec ses maisons blanches et sa promenade rejoignant le village voisin de Calella.

Cadaqués
Roses
L'Escala
L'Estartit
Illes Medes
Begur
Llafranc
Calella de Palafrugell
Palamós
Platja d'Aro
S'Agaró
Sant Feliu de Guixols
Tossa de Mar
Lloret de Mar
Blanes

0   10 km

Lloret de Mar est la plus grosse concentration d'hôtels de la Costa Brava, mais des criques plus intimes prolongent sa plage.

Monestir de Montserrat ➓

**Moine
bénédictin**

Accroché dans un cadre sublime aux parois abruptes de la « Montagne sciée » culminant à 1 236 m d'altitude, le monastère de Montserrat est le centre religieux le plus cher au cœur des Catalans. Sur le site d'un ermitage du VIIIᵉ siècle, des moines bénédictins fondèrent vers 1030 une abbaye qui devint indépendante en 1409. Les troupes napoléoniennes en détruisirent la majeure partie en 1811. Reconstruit à partir de 1844, le monastère fut sous le régime franquiste un des symboles de la défense de la culture catalane. Il abrite toujours une communauté bénédictine. Vous pouvez entendre le *Salve Regina y Virolai*, l'hymne de Montserrat, à 11 h et 18 h 45 tous les jours (le dimanche à midi seulement), dans la basilique, sauf en juillet et à Noël.

Plaça de Santa Maria
À côté de la façade moderne du monastère dessinée par Françesc Folguera subsistent deux ailes du cloître gothique bâti en 1477.

Cloître gothique

**Funiculaire vers le site
sacré de Santa Cova**

Le musée présente des peintures catalanes des XIXᵉ et XXᵉ siècles et de nombreuses œuvres italiennes et françaises. On peut également y admirer des objets liturgiques provenant de la Terre Sainte.

Chemin de croix
Quatorze statues marquent les stations du chemin de croix qui part près de la plaça de l'Abat Oliba.

À NE PAS MANQUER

★ La façade de la
 basilique

★ La Vierge noire

Vue de Montserrat
L'ensemble comprend des cafés et un hôtel. Un deuxième funiculaire conduit à des sentiers de randonnée sous le monastère.

★ La façade de la basilique

Agapit et Venanci Vallmitjana sculptèrent le Christ et les apôtres de la façade néo-Renaissance qui remplaça en 1900 celle, platéresque, de l'église originale consacrée en 1592.

★ La Vierge noire

Protégée par une vitre, la Moreneta domine l'autel. En signe de vénération, les pèlerins baisent le globe qu'elle tient.

Intérieur de la basilique
Des peintures d'artistes catalans et un autel paré d'émaux ornent le sanctuaire entrepris en 1565.

Le train à crémaillère, mis en service en 2003, suit le tracé d'une ancienne voie ferrée de 1880.

Téléphérique pour la gare d'Aeri de Monserrat

LA VIERGE DE MONTSERRAT

Selon la légende, saint Luc sculpta cette petite statue en bois, et saint Pierre l'apporta en Catalogne en l'an 50. Dissimulée pendant l'époque de la domination maure, elle fut miraculeusement retrouvée dans la Santa Cova (Sainte Grotte) voisine. Une datation au carbone 14 suggère néanmoins qu'elle date du XIIᵉ siècle. En 1881, la Vierge noire de Montserrat, ou Moreneta, est devenue la patronne de la Catalogne.

La Moreneta de Montserrat

Parvis
Une porte à droite de la basilique mène à la Vierge noire. Des sculptures par Carles Collet décorent le baptistère (1902).

Vic ㉑

Barcelona. ㊟ 31 000. 🚉 🚌 🅸 *Calle Ciutat 4, 93 886 20 91.* 🚌 *mar. et sam.* 📅 *Mercat del Ram (le sam. avant Pâques), Sant Miquel (5-15 juil.), Música Viva (sept.), Mercat Medieval (6-8 déc.).*

Au cœur d'une plaine agricole verdoyante, Vic est particulièrement agréable à visiter le mardi et le jeudi, jours de marché où les étals de produits locaux, tels les excellents saucissons *(embotits)*, se serrent sur la vaste Plaça Major gothique.

Ancienne colonie ibère, la ville prit le nom d'Ausa lorsqu'elle devint une cité romaine dont subsistent les vestiges d'un temple. Siège d'un évêché dès le haut Moyen Âge, elle conserve de sa cathédrale romane entreprise en 1038 la crypte et le clocher appelé El Cloquer. Le reste du sanctuaire fut reconstruit dans le style néo-classique entre 1781 et 1803. Un vaste cycle de peintures murales dans les tons sépia et or par Josep Maria Sert (1876-1945) décore l'intérieur.

Attenant à la cathédrale, le **Museu Episcopal de Vic** présente une superbe collection d'art roman, notamment des fresques et des sculptures sur bois provenant d'églises rurales de Catalogne. On peut également y admirer plusieurs retables de maîtres gothiques tels que Lluís Borrassà et Jaume Huguet.

🏛 **Museu Episcopal**
Plaça Bisbe Oliba. 📞 93 886 93 60. 🕐 *t.l.j. (sauf lun. avr.-sept.).* ♿ 📷

Perchée sur une colline, la citadelle de Cardona domine la ville

Cardona ㉒

Barcelona. ㊟ 6 000. 🚉 🅸 *Avinguda Rastrillo, 93 869 27 98.* 🚌 *dim.* 📅 *Fiesta Mayor (2ᵉ dim. de sept.).* 🆆 www.salcardona.com

Bâti au XIIIᵉ siècle pour les comtes de Cardona et reconstruit au XVIIIᵉ siècle, un château austère domine cette bourgade industrielle qui a gardé une partie de son enceinte médiévale. Il abrite aujourd'hui un luxueux parador *(p. 534)*. Incluse dans la citadelle, l'**Església de Sant Vicenç** est un beau sanctuaire de style roman primitif.

Du château se découvre un large panorama de la ville et de la Montanya de Sal (montagne de sel), insolite rareté géologique au bord du riu Cardener.

Solsona ㉓

Lleida. ㊟ 7 000. 🚉 🅸 *Carrelera de Bassella 1, 973 48 23 10.* 🚌 *mar.*

et ven. 📅 *Carnaval (fév.) ; Corpus Christi (mai/juin), Fiesta Mayor (8-11 sept.).* 🆆 www.elsolsonesinvita.com

À l'intérieur de remparts qui ont conservé neuf tours et trois portes, cette ville ancienne recèle une cathédrale romano-gothique qui abrite une superbe Vierge sculptée dans de la pierre noire. Le **Museu Diocesà i Comarcal** présente, entre autres, des fresques romanes.

🏛 **Museu Diocesà i Comarcal**
Plaça Palau 1. 📞 973 48 21 01. 🕐 *mar.-dim.* ● *1ᵉʳ janv. et 25-26 déc.* ♿

Lleida ㉔

Lleida. ㊟ 120 000. 🚉 🚌 🅸 *Plaça Ramón Berenguer IV, s/n, 973 24 88 40.* 🚌 *jeu. et sam.* 📅 *Sant Anastasi (11 mai), Sant Miquel (29 sept.).* 🆆 www.lleidatur.es

Capitale de l'unique province de Catalogne sans débouché sur la mer, Lleida (Lérida) s'étend au pied d'une vaste forteresse, la **Suda**, prise aux Maures en 1149. À l'intérieur de son enceinte s'élève l'ancienne cathédrale, la **Seu Vella**, fondée en 1203. Malgré sa transformation en caserne par Philippe V en 1707, elle offre un magnifique exemple du passage de l'art roman au gothique. Remarquez les fenêtres du cloître.

Un ascenseur descend de la Seu Vella jusqu'à la plaça Sant Joan, centre d'une rue commerçante animée et piétonnière que bordent la **Paeria**, hôtel de ville du XIIIᵉ siècle maintes fois

Devant d'autel du XIIᵉ siècle, Museu Episcopal de Vic

remanié, et la nouvelle cathédrale édifiée à partir de 1761 par Pedro Martín Cermeño.

Poblet ㉕

Voir p. 212-213.

Montblanc ㉖

Tarragona. 🚶 6 000. 🚌 🚉
ℹ *Antigua Iglesia de Sant Francesc, 977 86 17 33.* 🏪 *mar. et ven.* 📷 *Fiesta Mayor (8-11 sept.).*

À l'intérieur de remparts considérés comme le plus bel exemple d'architecture militaire de Catalogne, Montblanc a conservé de superbes édifices médiévaux. **Le Museu Comarcal de la Conca de Barberà** présente d'intéressants exemples d'artisanat local.

🏛 Museu Comarcal de la Conca de Barberà
Carrer Josa 6. 📞 *977 86 03 49.*
🕐 *mar.-dim. et jours fériés.* 📷

Santes Creus ㉗

Tarragona. 🚶 150. 🚉 **ℹ** *Plaça de Sant Bernard 1, 977 63 81 41.* 🏪 *sam. et dim.* 📷 *Sta Llúcia (13 déc.).*

Fondé au milieu du XIᵉ siècle, le **Monestir de Santes Creus** forme, avec Vallbona de les Monges et Poblet *(p. 212-213)*, le « triangle cistercien » de Catalogne.
L'abbatiale romano-gothique

(1171-1221), dont une splendide rosace atténue l'austérité, renferme plusieurs tombeaux sculptés, notamment ceux de Pierre III, mort en 1285, de Jacques II (1327) et de son épouse, Blanche d'Anjou.
Édifié à partir de 1313, le cloître gothique, au lavabo roman, est très harmonieux avec ses chapiteaux aux motifs figuratifs.

🔒 Monestir de Santes Creus
📞 *977 63 83 29.* 🕐 *mar.-dim.* 📷 📷 *sur rendez-vous* ♿

Vilafranca del Penedès ㉘

Barcelona. 🚶 30 000. 🚌 🚉
ℹ *Carrer Cort 14, 93 892 03 58.*
🏪 *sam.* 📷 *Fiesta Mayor (29-31 août).* 🌐
www.turismevilafranca.com

Au cœur de la principale région viticole de Catalogne *(p. 192-193)*, cette ville de marché animée possède un musée du vin **(Museu del Vi)** installé dans un ancien palais des rois d'Aragon (XIIᵉ-XIVᵉ siècle). Des *bodegas* proposent des dégustations.
À 8 km au nord, **Sant Sadurní**, riche en édifices modernistes, est réputé pour son *cava*, mousseux de méthode champenoise.

🏛 Museu del Vi
Plaça Jaume I. 📞 *93 890 05 82.*
🕐 *mar.-dim. et jours fériés.* 📷

Anxaneta grimpant au sommet d'une tour de *castellers*

FÊTES DE CATALOGNE

Castellers *(divers lieux et dates).* La tradition catalane d'organiser des concours de « châteaux humains » à l'occasion des fêtes principales reste particulièrement vivante dans la province de Tarragone, notamment à Vilafranca del Penedès et Valls. Au sommet de ces tours qui peuvent atteindre sept étages grimpe un jeune garçon appelé *anxaneta*.
Danse des Morts *(jeudi saint),* Verges (Gérone). Des hommes dansent, déguisés en squelettes.
Saint-Georges *(23 avril).* Pour la fête du patron de la Catalogne, les amoureux échangent une rose et un livre, ce dernier en souvenir de Cervantes qui mourut ce jour-là en 1616.
La Patum *(Fête-Dieu, mai-juin),* Berga (province de Barcelone). Géants, démons et monstres défilent dans la ville.
Veille de la Saint-Jean *(23 juin).* Feux de joie et feux d'artifice dans toute la Catalogne à l'occasion du solstice d'été.

Monestir de Santes Creus dans un écrin de peupliers et de noisetiers

Monestir de Poblet ㉕

Fondée au milieu du XIIᵉ siècle par Raymond Bérenger IV, l'abbaye Santa Maria de Poblet est le premier et le plus important des monastères formant le « triangle cistercien » *(p. 211)*. Elle aida à affirmer le pouvoir chrétien sur la Catalogne reprise aux Maures et devint un panthéon des dynasties de Catalogne et d'Aragon. Pillée en 1835 pendant les soulèvements carlistes et restaurée à partir de 1930, elle abrite de nouveau depuis 1940 une communauté de moines cisterciens.

Le dortoir, relié à l'église par un escalier et en partie utilisé par les moines, est une galerie du XIIIᵉ siècle longue de 87 m.

Le réfectoire du XIIᵉ siècle abrite une chaire et une fontaine octogonale.

Vue d'ensemble
Dans une vallée isolée proche des sources du riu Francolí, l'abbaye a gardé son enceinte fortifiée.

Musée

Bibliothèque
Elle occupe l'ancien scriptorium gothique, transformé au XVIIᵉ siècle quand le comte de Cardona fit don de sa bibliothèque.

Cave à vin

Ancienne cuisine

Portail royal

Musée

CHRONOLOGIE

Tombeaux royaux

1150 Fondation de Santa Creus, 3ᵉ abbaye du « triangle cistercien »					
1175 Fondation du monastère de Vallbona de les Monges	**XIVᵉ siècle** Achèvement du cloître	**1479** Enterrement de Jean II d'Aragon		**1940** Retour des moines	
1100	1300	1500	1700	1900	
1196 Alphonse II est le 1ᵉʳ roi inhumé à Poblet	**1336-1387** Règne de Pierre le Cérémonieux qui fait de Poblet un panthéon royal			**1952** Restauration des tombeaux et retour des dépouilles royales	
1151 Raymond Bérenger IV fonde le monastère de Poblet		**1835** Vente des biens monastiques. Pillage de Poblet			

Salle capitulaire
Sa voûte élégante portée par des colonnes élancées surplombe les pierres tombales de 11 abbés morts entre 1393 et 1693.

MODE D'EMPLOI

Sur la N 240, 10 km depuis Montblanc. ☎ 977 87 00 89. 🚉 L'Espluga de Francolí, puis taxi. 🚪 ⏰ 9 h 30-13 h, 15 h 30-17 h 30 (18 h mars-oct.) t.l.j. ⏰ jours fériés. 🎫 ✝ 8 h lun.-sam. ; 8 h, 10 h, 13 h et 18 h dim et jours fériés. 🚫 📷 ♿

Cloître du parloir

Cloître San Esteve

Nouvelle sacristie

★ **Le retable du maître-autel**
Sculpté dans l'albâtre par Damià Froment en 1527, c'est un chef-d'œuvre de la Renaissance catalane.

L'abbatiale à trois nefs est caractéristique, dans son dépouillement, de l'architecture cistercienne.

★ **Le panthéon royal**
Les tombeaux gothiques restaurés en 1950 par Frederic Marès reposent sur des arcs surbaissés.

Façade baroque de l'église

★ **Le cloître**
Avec leurs chapiteaux sculptés de motifs en volutes, les galeries du vaste cloître construit aux XIIe et XIIIe siècles marient élégance et simplicité.

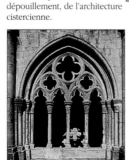

À NE PAS MANQUER

★ Le retable du maître-autel

★ Le panthéon royal

★ Le cloître

Le front de mer planté de palmiers de Sitges

Sitges **㉙**

Barcelona. 🚶 20 000. 🚊 🚌
🛈 C/ Sínia Morera 1 (93 894 50 04(.
🎭 le jeu. en été. 🎊 Festa major
(22-27 août). 🖥 www.sitges.org

Rendez-vous des homosexuels mais également très appréciée des Barcelonais, cette station balnéaire offre un choix de neuf plages. Bars et restaurants animés bordent le Passeig Marítim, son artère principale, et les immeubles des années 1970 présentent de nombreux exemples d'architecture *modernista*. L'artiste moderniste Santiago Rusiñol (1861-1931) qui a longtemps habité Sitges a légué sa collection originale de céramiques, sculptures, tableaux et ferronnerie très ornée au **Museu Cau Ferrat**, proche de l'église **Sant Bartomeu i Santa Tecla** (XVIIᵉ siècle), symbole de la ville.

🏛 **Museu Cau Ferrat**
Carrer Fonollar. 📞 93 894 03 64.
🕐 mar.-dim. ⬤ jours fériés. 📷

Costa Daurada **㉚**

Tarragona. 🚊 🚌 Calafell, Sant Vicenç
de Calders, Salou. 🛈 Tarragona
(977 23 34 15).

Les longues plages de sable de la Costa Daurada (Côte d'Or) bordent la province de Tarragone. Le port d'**El Vendrell** est l'un des plus actifs de la région. À Sant Salvador (El Vendrell), le **Museu Pau Casals** est dédié au célèbre

violoncelliste. Au sud de Tarragona, **Port Aventura**, l'un des plus vastes parcs à thème d'Europe, offre des attractions exotiques comme la Polynésie et le Far West. Au sud, les stations de **Cambrils** et **Salou** sont très animées ; les autres, plus tranquilles, accueillent les familles.

🏛 **Museu Pau Casals**
Avinguda Palfuriana 59-61.
📞 977 68 42 76. 🕐 mar.-dim.
🎢 **Port Aventura**
Autovia Salou–Vila-seca. 📞 977 77
90 00. 🕐 mi-mars-6 jan. 📷 ♿

Tarragone **㉛**

Tarragona. 🚶 125 000. ✈ 🚊 🚌
🛈 Carrer Fortuny 4 (977 25 07 95).
🎭 mar. et jeu. 🎊 Sant Magí
(19 août), Santa Tecla (23 sept.).

Aujourd'hui grand port industriel, Tarragone n'en a pas moins conservé de

nombreux vestiges de son passé romain. Au IIIᵉ siècle av. J.-C., la capitale de la Tarraconaise servit aux Romains de base pour la conquête de la péninsule (*p. 46-47*).

L'avenue Rambla Nova se termine brusquement au sommet de la falaise Balcó de Europa, d'où l'on voit les ruines de l'**Amfiteatre Romà** et de l'église du XIIᵉ siècle **Santa Maria del Miracle.**

Non loin, le Praetorium, tour romaine transformée en palais au Moyen Âge, abrite le **Museu de la Romanitat** qui présente des pièces romaines et médiévales et donne accès aux corridors profonds du cirque romain du Iᵉʳ siècle apr. J.-C. À côté du Praetorium, le **Museu Nacional Arqueològic** possède la collection d'objets romains la plus importante de Catalogne, notamment de nombreux outils de bronze et de belles mosaïques comme la

Vestiges de l'amphithéâtre romain de Tarragone

Tête de Méduse. Les énormes pierres pré-romaines sur lesquelles repose le mur romain sont très impressionnantes. Une promenade archéologique longe le mur sur un kilomètre.

Derrière le mur, la **cathédrale** bâtie au XIIᵉ siècle à l'emplacement d'un temple romain a évolué au fil des siècles, comme l'indique le mélange des styles à l'extérieur. À l'intérieur, le retable d'albâtre de sainte Tecla a été sculpté par Pere Joan en 1434. Le cloître du XIIIᵉ siècle possède des voûtes gothiques, mais le portail est roman.

Dans le cimetière chrétien des IIIᵉ-VIᵉ siècles (demander les heures d'ouverture au musée archéologique), à l'ouest de la ville, certains sarcophages étaient à l'origine des tombes païennes.

Stèle de la nécropole paléochrétienne

Aux environs
À la lisière de la ville, à côté de l'autoroute A7, l'**Aqüeducte de les Ferreres** construit au IIᵉ siècle alimentait la ville en eau du Riu Gaià, à 30 km au nord. L'**Arc de Berà**, un arc de triomphe du Iᵉʳ siècle sur la Via Augusta, se trouve à 20 km au nord-est, sur la N340.

Dans l'arrière-pays de Tarragona, **Reus** est une ville de province trépidante mais peu fréquentée par les vacanciers bien que son aéroport desserve la Costa Daurada. Elle possède de belles architectures *modernista*, notamment les premières œuvres d'Antoni Gaudí, natif de Reus. Domènech i Montaner a conçu l'Institut psychiatrique Pere Mara avant l'hôpital de la Santa Creu i de Sant Pau *(p. 161)*, son chef-d'œuvre.

🏛 **Museu Nacional Arqueològic de Tarragona**
Plaça del Rei 5. 📞 977 23 62 09.
⏰ mar.-dim. 🎫 *gratuit pour les personnes âgées et les - 18 ans.* ♿
ⓦ www.mnat.es
🏛 **Museu de la Romanitat**
Plaça del Rei. 📞 977 24 19 52.
⏰ mar.-dim. 🎫

Tortosa ㉜

Tarragona. 🏠 *30 000.* 🚉 *Plaça del Binil.lenari (977 51 08 22).* 🛒 *lun.* 🎭 *Nuestra Señora de la Cinta (fin août et début sept.).* ⓦ www.tortosa.altanet.org

Les vestiges de son enceinte fortifiée et le château de la Zuda construit au VIIIᵉ siècle par les Maures et désormais occupé par un parador *(p. 547)* témoignent de l'importance stratégique de Tortosa, ville fondée au point de franchissement de l'Èbre le plus en aval.

Malgré de très violents combats pendant la guerre civile *(p. 62-63)*, elle a conservé quelques maisons anciennes près de la cathédrale. Celle-ci remplaça une église romane entreprise en 1158, sur le site d'une mosquée bâtie en 914. La construction du sanctuaire actuel dura de 1347 à 1557, mais il présente néanmoins un style gothique homogène. À remarquer : ses deux chaires sculptées. Un retable en bois peint du XIVᵉ siècle orne le maître-autel.

Delta de l'Èbre ㉝

Tarragona. 🚉 *Aldea.* 🚌 *Deltebre, Aldea.* 🛈 *Deltebre (977 48 96 79).* ⓦ www.ebre.com/delta

Les alluvions charriées par l'Èbre depuis les montagnes de Cantabrie ont créé à son embouchure une vaste région propice à la culture du riz. Elle offre un habitat privilégié à quelque 300 espèces d'oiseaux qu'une réserve naturelle, le **Parc Natural del Delta de l'Èbre**, protège sur une superficie de 70 km². Un centre d'information se trouve à Deltebre qui propose également un **Eco-Museu** dont l'aquarium donne un aperçu de la faune aquatique du delta.

Les villes d'**Amposta** et **Sant Carles de la Ràpita** constituent toutes les deux de bonnes bases d'où découvrir le parc. C'est sa partie littorale, entre la punta del Fangar (au nord) et la punta de la Banya, qui présente le plus d'intérêt. Des promenades en bateau au départ de Riumar et de Deltebre permettent d'approcher les flamants qui se reproduisent sur l'Illa de Buda.
🏛 **Eco-Museu**
Carrer Martí Buera 22. 📞 *977 48 96 79.* ⏰ *t.l.j.* 🎫 *1ᵉʳ et 6 janv., 25 et 26 déc.* 🎫 ♿ 📷

LA SARDANE

Le cercle formé par les danseurs de sardane lors des fêtes catalanes ou de réunions spéciales appelées *aplecs* offre un vivant symbole de l'union d'un peuple autour de ses traditions. Rythmée par la musique de la *cobla*, orchestre de onze personnes composé d'un joueur de fifre *(flabiol)* et de tambourin *(tabal)* et de dix instruments à vent, la danse est plus compliquée qu'il n'y paraît. Tout en se déplaçant latéralement avec les autres, chaque danseur doit compter ses pas afin de se retrouver pieds joints à des moments déterminés.

Le cercle de danseurs de sardane, un symbole de l'identité catalane

ARAGON

······························

HUESCA · TERUEL · SARAGOSSE

L e plus haut sommet des Pyrénées se trouve en Aragon, mais la région s'étend en majorité dans la vallée de l'Èbre au bord duquel s'est développée sa capitale : Saragosse. Sans débouché sur la mer, aride car les reliefs qui l'entourent arrêtent les influences océaniques et méditerranéennes, l'Aragon reste peu visité, mais recèle de superbes édifices mudéjars et de nombreux villages médiévaux préservés.

Du XIIe au XVe siècle, l'Aragon, uni à la Catalogne, fut un royaume puissant dont l'autorité s'étendit jusqu'en Sicile. En épousant Isabelle de Castille en 1469, Ferdinand le Catholique ouvrit la voie à l'unification de l'Espagne.

Après la Reconquête, et jusqu'à leur expulsion en 1609, les architectes et artisans d'origine maure continuèrent à travailler en Aragon dans le style mudéjar, mariant esthétiques chrétienne et musulmane. Leur influence apparaît dans les parements de brique et les décorations en céramique d'églises de toute la région, mais c'est à Teruel et dans la capitale, Saragosse, la cinquième ville d'Espagne, que s'admirent les plus beaux des édifices qu'ils élevèrent.

Dans la province de Huesca, le parc national d'Ordesa protège certains des paysages les plus sauvages des Pyrénées. Au pied des montagnes, là où passait la route aragonaise du chemin de pèlerinage de Saint-Jacques-de-Compostelle *(p. 78-79)*, se découvrent des sites exceptionnels, tel celui où fut fondé au IXe siècle le monastère de San Juan de la Peña.

Sa situation continentale vaut à l'Aragon un climat très contrasté où des hivers glacés succèdent à des étés torrides. Les raisins mûris par la chaleur estivale donnent des vins d'un titre souvent élevé qui accompagnent une cuisine restée proche de ses racines rurales.

Vue des toits et des remparts médiévaux de Daroca

◁ L'église du village de Torla près du parc national d'Ordesa

À la découverte de l'Aragon

San Juan de la Peña, sculpture

Des hautes Pyrénées aux collines boisées de la province de Teruel, en passant par les terres arides de la dépression de l'Èbre, l'Aragon présente des visages variés où s'inscrivent de nombreux villages au cachet préservé. Les villes de Teruel et de Saragosse renferment de remarquables édifices mudéjars. Il faut attendre la fonte des neiges pour pouvoir pleinement découvrir le parc national d'Ordesa dont la majeure partie n'est accessible qu'à pied, mais les jolies vallées d'Ansó et de Hecho, Los Valles, offrent des paysages aussi beaux quoique moins spectaculaires. Parmi les sites méritant une visite figurent également ceux où se dressent le Castillo de Loarre et le Monasterio de San Juan de la Peña, ainsi que le parc verdoyant du Monasterio de Piedra.

Le col du Somport, près de Panticosa

L'ARAGON D'UN COUP D'ŒIL

CIRCULER

Saragosse possède un petit aéroport international et est reliée par des autoroutes ou des routes à double voie au Pays basque, à la Navarre, à Madrid et à Barcelone. Il existe de bonnes routes entre les principales villes de la région et entre Teruel et Valence. Les principales lignes de chemin de fer relient Saragosse à Madrid, Barcelone et Valence. Un nouveau train à grande vitesse circule entre Madrid et Saragosse. Les cars sont rares sauf entres les plus grandes agglomérations. L'Espagne est en train de changer la numérotation des routes et il se peut que certaines routes de la carte ci-contre portent maintenant un nouveau numéro.

LÉGENDE

▓▓▓	Autoroute
▬▬▬	Route principale
▭▭▭	Route secondaire
▬▬▬	Parcours pittoresque
≈≈	Cours d'eau
✽	Point de vue

VOIR AUSSI

- *Hébergement* p. 547-549
- *Restaurants et bars* p. 588-590

Tour mudéjare de l'église Santa Magdalena de Tarazona

Hôtel de ville, Sos del Rey Católico

Sos del Rey Católico ❶

Zaragoza. 🏛 900. 🚻 🛈 Emilio
Affaro 5, 948 88 82 70 (lun.-mar.) ;
Plaza de la Hispanidad 2, 948 88 85 24
(mer.-dim.). 🍴 ven. 🎎 Fiestas mayores
(3ᵉ jeu. d'août).

Cette petite ville n'a pas
beaucoup changé depuis
que Ferdinand le Catholique, à
qui elle doit son nom, naquit en
1452 dans le **Palacio de Sada**.
Ce palais à la belle cour
intérieure se dresse sur une
placette au cœur d'un dédale de
ruelles pavées dominé par les
vestiges d'un château et l'**Iglesia
de San Esteban**, sanctuaire
entrepris au XIᵉ siècle qui recèle
derrière un portail roman des
fonts baptismaux gothiques et
d'intéressants chapiteaux
sculptés. Ne pas manquer, dans
la crypte, les peintures murales
du XIIIᵉ siècle qui décorent deux
des absides. La forteresse et
l'église offrent un superbe
panorama des collines alentour.
   La **Lonja** (Bourse de
commerce) gothique et l'**hôtel
de ville** (ayuntamiento)
Renaissance bordent la Plaza
Mayor voisine.

Aux environs
Si Sos del Rey Católico est la
plus séduisante des « Cinco
Villas » récompensées par
Philippe V de leur loyauté
pendant la guerre de la
Succession d'Espagne (p. 58),
les autres, Ejea de los
Caballeros, Tauste, Sábada et
Uncastillo méritent également
une visite. À 20 km au sud-est,
cette dernière, la plus proche,
conserve une église romano-
gothique et les ruines d'une
forteresse médiévale.

Los Valles ❷

Huesca. 🚉 Jaca. 🚌 depuis Jaca
jusqu'à Hecho. 🛈 Carretera de Oza,
Hecho (ayuntamiento), 974 37 50 02.

Creusées respectivement
par le Veral et l'Aragón
Subordán, les vallées d'Ansó et
de Hecho restèrent très isolées
jusqu'à une époque récente et
leurs habitants ont gardé leurs
coutumes et continuent de
parler un dialecte appelé
cheso. La qualité de l'artisanat,
la beauté des costumes
traditionnels et les possibilités
offertes par une nature
préservée : randonnée, pêche
et ski de fond, y attirent
cependant de plus en plus de
touristes.
   Dans la plus jolie des deux
vallées, le village d'**Ansó**, aux
solides maisons de pierre
coiffées de toits en ardoises,
possède une église gothique
du XVIᵉ siècle dont la sacristie
abrite un musée d'Art sacré et
des Costumes.
   Hecho sert de cadre à une
exposition annuelle, en plein
air, de sculptures modernes.
Des œuvres présentées les
années précédentes ornent le
village. À 2 km au nord, **Siresa**
conserve du monastère de San
Pedro fondé au IXᵉ siècle une
austère église romane
reconstruite à partir de 1083.

Puerto de Somport ❸

Huesca. 🚉 Somport, Astun or Jaca.
🛈 Pl Ayuntamiento 1, Canfranc, 974
37 31 41.

Situé à la frontière française,
le col du Somport eut une
grande importance stratégique
dès l'époque romaine. Les
Maures l'utilisèrent en 732 pour
envahir la France, puis il devint
un des principaux points de
franchissement des Pyrénées
pour les pèlerins du Moyen
Âge en route vers Saint-
Jacques-de-Compostelle (p. 78-
79). Ce sont aujourd'hui les
skieurs qu'attirent les sites
majestueux de cette zone de
montagnes. Ils viennent profiter
des équipements modernes de
stations comme **Astún** et **El
Formigal**, sur la route du col
du Portalet. **Sallent de Gállego**
est apprécié des pêcheurs et
des alpinistes.

Toits et cheminée typiques à Hecho

Paysage près de Benasque

Parque Nacional de Ordesa ❹

Voir p. 222-223.

Benasque ❺

Huesca. 🏠 1 900. 🛈 Calle de San Sebastián 5, 974 55 12 89. 🚌 mar. 🎪 San Pedro (29 juin).

Au nord-est de l'Aragon, près des frontières avec la France et la Catalogne, Benasque donne accès dans la haute vallée de l'Esera à une superbe partie des Pyrénées. Le village s'est considérablement développé pour répondre à la demande des amateurs de sports d'hiver, mais ses édifices modernes construits en pierre et en bois restent en harmonie avec ceux du centre ancien où se découvrent de belles demeures seigneuriales, l'**Iglesia de Santa María Mayor** (XIIIᵉ siècle) et le **Palacio de los Condes de Ribagorza** à la façade Renaissance.

Le massif de la Maladeta domine la station. Ses pistes de ski et ses sentiers de randonnée ménagent des vues magnifiques sur une région où plusieurs cimes, notamment les pics de **Posets** et d'**Aneto**, dépassent 3 000 m.

Aux environs
Dans une région offrant de vastes possibilités aux randonneurs, skieurs et alpinistes de tout niveau, **Cerler** est un village de montagne transformé avec goût en une agréable station de sports d'hiver. À Castejón de Sos, à 15 km au sud de Benasque, la route emprunte les gorges pittoresques du **Congosto de Ventamillo**.

Ainsa ❻

Huesca. 🏠 1 600. 🚌 🛈 Cruce de Carreteras, Avda Pirinaica 1, 974 50 07 67. 🚌 mar. 🎪 San Sebastián (20 janv.) Fiestas Mayores (14 sept.).

L'ancienne capitale du royaume médiéval de Sobrarbe a conservé beaucoup de cachet. Sur la Plaza Mayor, large place pavée entourée d'arcades en pierre brune, se dressent les vestiges d'un palais et l'élégant clocher de l'**Iglesia de Santa María**, consacrée en 1181. Derrière, les ruelles de la ville haute conduisent au château restauré.

Jaca ❼

Huesca. 🏠 30 000. 🚌 🚌 🛈 Avda Regimento de Galicia 2, 974 36 00 98. 🚌 ven. 🎪 La Victoria (1ᵉʳ ven. de mai), Santa Orosia San Pedro (25-29 juin). 🌐 www.jaca.es

Ancienne cité romaine, comme en témoignent des vestiges de remparts, Jaca repoussa au milieu du VIIIᵉ siècle une attaque maure, événement que commémore la fiesta de la Victoria, puis devint en 1035 la première capitale du royaume d'Aragon. Elle offre aujourd'hui une base agréable d'où découvrir les Pyrénées aragonaises.

Au cœur d'un quartier pittoresque, sa **cathédrale**, l'une des plus vieilles d'Espagne, fut entreprise en 1040, mais connut d'importants remaniements au XVIᵉ siècle. Elle conserve de beaux chapiteaux romans au portail et au portique sud. Certaines de ses chapelles latérales présentent un décor plateresque. Dans le cloître s'ouvre le musée diocésain où s'admirent notamment des fresques et des sculptures provenant d'églises de la région.

Construite au XVIᵉ siècle, la **citadelle** renferme un sanctuaire baroque.

Sculpture de la cathédrale de Jaca

La grand-place d'Ainsa et la tour de l'Iglesia de Santa María

Parque Nacional de Ordesa ❹

**Panneau du parc
national d'Ordesa**

Bordé, du côté français, par le
parc national des Pyrénées,
le Parque Nacional de Ordesa y
Monte Perdido s'étend sur plus de
15 000 hectares dans une partie
parmi les plus spectaculaires des
Pyrénées espagnoles. Dans de
hauts massifs calcaires, les
glaciers ont creusé les quatre
vallées d'Ordesa, d'Añisclo,
de Pineta et d'Escuain ponctuées de cascades et
d'impressionnantes falaises. La majorité du parc n'est
accessible qu'à pied, et quand l'absence de neige
le permet, mais la beauté de ses sites préservés
attire chaque été sur ses sentiers de très nombreux
randonneurs et amoureux de la nature.

Valle de Ordesa
*Le río Arazas court dans cette
vallée boisée, lieu de promenade
très apprécié.*

Torla
*Dominé par les falaises imposantes du
Mondarruego, ce village de montagne a gardé
beaucoup de cachet avec ses ruelles pavées et ses
maisons anciennes qui se serrent autour de l'église.*

El Taillón

Brecha de
Rolando

3,144 m

Gruta de
Casteret

Mondarruego
▲
2,848 m

VALLE DE ORDES

Cascada
Torrombotera

SIERRA DE LAS CUT

Torla

BIESCAS

Broto

Fa

Oto   Ara

Sarvisé

Jalle

AINSA

0   2 km

FAUNE ET FLORE PYRÉNÉENNES

La réserve naturelle du parc d'Ordesa protège de
nombreuses espèces végétales et animales, dont certaines
particulières à la région. Loutres, marmottes et coqs de
bruyère peuplent les plateaux et les forêts. Près des
sommets, le bouquetin d'Ordesa a disparu depuis 2000,
mais le chamois des Pyrénées reste relativement commun.
De nombreux oiseaux de proie, dont le gypaète barbu en
voie de disparition, nichent sur les
parois les plus inaccessibles. Sur les
pentes des cirques et des vallées, la
floraison des plantes alpines
commence avant même la fonte des
neiges. Les gentianes et les
orchidées s'abritent dans les
crevasses, tandis que l'edelweiss
survit aux conditions les plus dures.

Gentiane printanière (*Gentiana verna*)

LÉGENDE

═══	Route principale
══	Route secondaire
– –	Sentier pédestre
▬▬	Frontière franco-espagnole
──	Limite du parc
🛈	Information touristique
☼	Point de vue

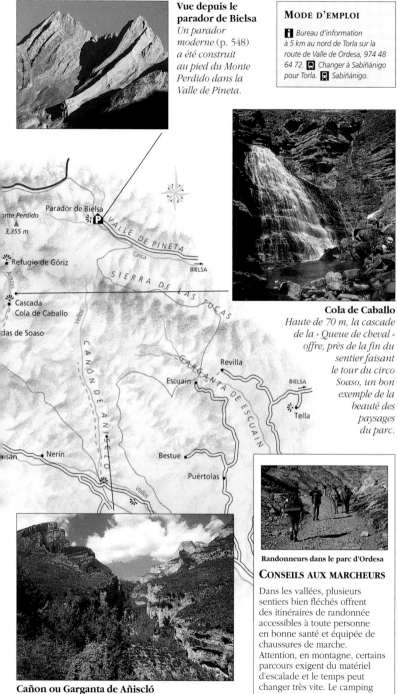

Vue depuis le parador de Bielsa
Un parador moderne (p. 548) *a été construit au pied du Monte Perdido dans la Valle de Pineta.*

MODE D'EMPLOI

ℹ Bureau d'information à 5 km au nord de Torla sur la route de Valle de Ordesa, 974 48 64 72. 🚌 Changer à Sabiñánigo pour Torla. 🚉 Sabiñánigo.

Cola de Caballo
Haute de 70 m, la cascade de la « Queue de cheval » offre, près de la fin du sentier faisant le tour du circo Soaso, un bon exemple de la beauté des paysages du parc.

Randonneurs dans le parc d'Ordesa

CONSEILS AUX MARCHEURS

Dans les vallées, plusieurs sentiers bien fléchés offrent des itinéraires de randonnée accessibles à toute personne en bonne santé et équipée de chaussures de marche. Attention, en montagne, certains parcours exigent du matériel d'escalade et le temps peut changer très vite. Le camping de nuit est autorisé pour une nuit seulement et à des altitudes bien définies.

Cañon ou Garganta de Añiscló
Une large piste suit le cours turbulent du río Vellos dans cette profonde et superbe vallée taillée dans le calcaire.

Panthéon royal

Église inférieure

Capilla de San Victorián

Cloître

Bâtiments monastiques

Église supérieure

Capilla de San Voto

Monasterio de San Juan de la Peña ❽

Huesca. 🅒 974 35 51 19. ⭘ de mi-oct. à mi-mars : du mer. au dim. ; de mi-mars à mi-oct. : t.l.j. ⬤ 1ᵉʳ janv., 25 déc. 🖎 🗐 🖵
Ⓦ www.monasteriosanjuan.com

Fondé au ıxᵉ siècle sous un surplomb rocheux, ce monastère conserva jusqu'au xvᵉ siècle le calice, aujourd'hui à Valence (p. 240), dont une légende fait le Saint-Graal. Le légat du pape Alexandre II y introduisit en 1071, pour la première fois en Espagne, le rite romain.

Depuis l'entrée, un escalier descend à l'étage inférieur qui date du début du xᵉ siècle. Taillée dans le rocher, l'église primitive mozarabe est devenue la crypte de l'étage supérieur, édifié au xıᵉ siècle. L'ancienne sacristie abrite le panthéon, réaménagé en 1770, des premiers rois d'Aragon. De superbes chapiteaux sculptés de scènes bibliques ornent les colonnes du cloître roman.

Un incendie au xvııᵉ siècle entraîna l'abandon du monastère pour un plus récent bâti plus haut sur la montagne. Malgré sa destruction par les troupes de Napoléon, il a gardé sa façade baroque.

Agüero ❾

Huesca. 🏠 174. 🛈 San Jaime 1, 974 38 04 89. 🎦 San Roque (du 15 au 19 août). Ⓦ www.agueroturincom.com

Le spectacle offert par ce joli village niché au pied d'une falaise en poudingue sculptée par l'érosion justifie un bref détour de la route principale. L'**Iglesia de Santiago** constitue cependant la principale raison de visiter Agüero.

Un kilomètre avant l'entrée du village, un long sentier grimpe jusqu'à cette église romane du xıᵉ siècle. Le maître qui exécuta les sculptures du monastère de San Juan de la Peña aurait travaillé aux reliefs qui ornent le portail. Des personnages pleins de vie illustrent, entre autres, la danse de Salomé (à gauche) et des scènes de l'Épiphanie (au tympan). Le sanctuaire possède un plan inhabituel avec ses trois nefs. D'autres sculptures intéressantes décorent les chapiteaux : animaux fantastiques et épisodes des vies de Jésus et de la Vierge notamment.

Castillo de Loarre ❿

Loarre (Huesca). 🅒 974 38 26 27. 🚌 Ayerbe. 🚌 depuis Huesca. ⭘ de mi-mars à juin et de sept à mi-oct. : de mar. au dim. ; de juin à août : t.l.j. ; de mi-oct. à mi-mars : du mer. au dim.

Les remparts de la plus importante forteresse romane d'Espagne dominent majestueusement la route arrivant d'Ayerbe. Ils se mêlent si intimement au rocher qui les porte qu'on pourrait les prendre dans la pénombre pour une formation géologique naturelle. Par temps clair, le site offre un magnifique panorama des vergers qui l'entourent et des lacs artificiels de la plaine de l'Èbre.

Des *mallos*, **masses de poudingue, dominent le village d'Agüero**

Fondé à l'emplacement d'un *castrum* romain par le roi d'Aragon Sanche Ier Ramírez (1043-1094), le château abrita une communauté religieuse placée sous l'autorité de l'ordre des augustins. Du monastère subsiste à l'intérieur des murs une église romane de la fin du XIe siècle ornée de fenêtres en albâtre, d'une frise en damier et d'intéressants chapiteaux sculptés. Sa crypte abrite les reliques de saint Démétrius.

Mieux vaut se montrer prudent en empruntant les sentiers, échelles et escaliers qui courent autour des tours et du donjon.

Huesca ⓫

Huesca. 🏘 *50 000.* 🚆 🚌 🛈 *Plaza de la Cathedral 1, 974 29 21 70.* 🛒 *lun., jeu. et sam.* 🎉 *San Vicente (22 janv.), San Lorenzo (du 9 au 15 août).*

Retable par Damià Forment de la cathédrale de Huesca

Fondée par les Ibères, la cité d'Osca devint au Ier siècle av. J.-C. la capitale de l'éphémère État indépendant que s'était taillé un général romain. Conquise par les Maures en 789, elle fut reprise par Pierre Ier d'Aragon en 1096. Il y installa la capitale de son royaume jusqu'à son transfert en 1118 à Saragosse.

Au cœur de la vieille ville se dresse la **cathédrale** gothique. Elle présente à l'ouest un beau portail du début du XIVe siècle surmonté d'une inhabituelle galerie mudéjare. Les trois nefs possèdent d'élégantes voûtes en étoile. Au maître-autel, retable en albâtre (1520-1533) sculpté par Damià Forment.

En face du sanctuaire, dans

Le Castillo de Loarre, imposante forteresse romane

l'**hôtel de ville** Renaissance, un tableau macabre du XIXe siècle, *La Campana de Huesca*, évoque l'épisode le plus marquant de l'histoire de la cité : la décapitation de 16 seigneurs révoltés par le roi Ramire II en 1136. Ce massacre eut lieu dans la Sala de la Campana, salle voûtée du XIIe siècle qui s'étend sous l'ancienne université reconstruite en 1690 et désormais occupée par le **Museo Arqueológico Provincial**. Outre des pièces archéologiques, il présente une collection de peintures comprenant des fresques gothiques et de belles œuvres des XVe et XVIe siècles.

🏛 Museo Arqueológico Provincial
Plaza de la Universidad 1. 🛈 *974 22 05 86.* ⏰ *de 10 h à 14 h et de 15 h à 20 h du mar. au sam., de 10 h à 14 h le dim. et les jours fériés.* ● *1er et 6 janv., 24, 25 et 31 déc.* ♿

Alquézar ⓬

Huesca. 🏘 *310.* 🛈 *Calle Arrabal, 974 31 82 67.* 🎉 *San Sebastián (20 janv.) ; San Ipolito (12 août).*

Occupant un site spectaculaire à l'entrée des gorges du río Vero, ce village d'aspect mauresque doit son nom à l'ancien *alcázar* (forteresse) du XIe siècle dont les ruines se dressent près de l'**église collégiale** bâtie entre 1525 et 1532. Elle abrite des œuvres d'art, dont un crucifix en bois du XIVe siècle. Le cloître roman possède des chapiteaux sculptés de scènes bibliques. La chapelle voisine fut élevée après la reconquête de la ville par Sanche Ier.

Santuario de Torreciudad ⓭

Huesca. 🛈 *974 30 40 25.* 🚌 *jusqu'à El Grado par Barbastro.* ⏰ *t.l.j.* ♿

Construit en l'honneur du fondateur de l'ordre catholique de l'Opus Dei, José María Escrivá de Belaguer, mort en 1975, ce sanctuaire en brique aux lignes austères couronne un promontoire offrant une belle vue sur les eaux turquoise de l'**Embalse de El Grado**. Il renferme un retable moderne en marbre blanc élaboré autour d'une Vierge romane chatoyante.

Aux environs

À 20 km au sud, la petite ville vinicole de **Barbastro** possède une Plaza Mayor entourée d'arcades et une cathédrale du début du XVIe siècle qui abrite de belles stalles et des retables par Damià Forment et ses élèves.

Alquézar, au pied de sa collégiale et de sa forteresse

Façades peintes sur la plaza de España de Graus

Graus ⓮

Huesca. 🚶 3 400. 🔲 🅸 *Calle Firmin Muri 25, 974 54 61 63.* 🔲 *lun.* 🎪 *Santo Cristo et San Vicente Ferrer (12-15 sept.), Feria de San Miguel (29 sept.).*

Ce bourg renferme un quartier ancien que ses rues étroites rendent plus agréable à découvrir à pied. Au centre s'ouvre la pittoresque **plaza de España** entourée d'arcades en briques et de maisons à colombage ornées de fresques. Dans l'une d'elles vécut le fanatique Tomás de Torquemada, premier inquisiteur général d'Espagne (p. 52). Les *fiestas* de Graus offrent l'occasion d'assister à des danses aragonaises typiques.

Aux environs
À une vingtaine de kilomètres au nord-est, le village perché de **Roda de Isábena** possède la plus petite cathédrale d'Espagne, superbe église romane construite en 1067. Au nord s'étend la pittoresque vallée de l'Isábena.

Tarazona ⓯

Zaragoza. 🚶 11 000. 🔲 🅸 *Plaza San Franscico 1, 976 64 00 74.* 🔲 *un jeudi sur deux.* 🎪 *San Atilano (27 août-1er sept.).* 🆆 *www.tarazona.org*

De hautes tours mudéjares dominent cet ancien évêché. La **cathédrale** (XIIe-XVIe siècle), sanctuaire riche en œuvres d'art et doté d'un cloître où se marient architectures gothique et mudéjare, en possède deux :

son clocher et la lanterne. D'autres églises mudéjares se découvrent dans le dédale de ruelles pentues de la ville haute, sur la rive opposée de la rivière. À remarquer également : le splendide **hôtel de ville** *(ayuntamiento)* Renaissance à la façade ornée d'une frise représentant l'hommage de Charles V à Tarazona *(p. 52-53)* et l'ancienne Plaza de Toros dont l'arène est devenue une place fermée entourée de maisons.

Monasterio de Veruela ⓰

Vera de Moncayo (Zaragoza). 📞 976 64 90 25. 🔲 *Vera de Moncayo.* 🔲 *du mar. au dim.* 🎫 🅰

Retraite isolée dans la verte vallée de la Huecha, près de la sierra de Moncayo, ce monastère fondé au XIIe siècle par des cisterciens est l'un des plus importants d'Aragon. Édifiée dans un style de transition entre le roman et le

gothique, l'église a conservé sous les voûtes gracieuses de ses trois nefs des dalles vertes et bleues aragonaises. La chapelle platéresque du transept date du XVIe siècle. Des motifs animaux et végétaux, ainsi que des têtes humaines, ornent le cloître. Des dépendances accueillent en été des expositions temporaires.

Aux environs
Dans les collines à l'ouest du monastère, le petit **Parque Natural de Moncayo**, aux bois parcourus de ruisseaux et emplis d'oiseaux, culmine à 2 315 m. Une route sinueuse conduit jusqu'à une chapelle proche du sommet.

Saragosse ⓱

Zaragoza. 🚶 700 000. ✈ 🚆 🚌 🅸 *Plaza del Pilar, 976 39 35 37.* 🔲 *mer., dim.* 🎪 *San Valero (29 janv.), Cincomarzada (5 mars), San Jorge (23 avr.), Virgen del Pilar (12 oct.).* 🆆 *www.turismozaragoza.com*

Cinquième ville d'Espagne et capitale de l'Aragon, Saragosse (Zaragoza) occupe au centre du bassin de l'Èbre l'emplacement de la prospère cité romaine de Caesaraugusta. Malgré les dégâts subis lors de la prise de la ville par les troupes françaises en 1808, le centre ancien garde d'intéressants édifices, regroupés pour la plupart autour de la vaste plaza del Pilar.

La **Basílica de Nuestra Señora del Pilar** est le plus impressionnant avec ses onze coupoles ornées à l'intérieur de

Entrée et tour du Monasterio de Veruela

fresques dont certaines peintes par Goya. Dans la Santa Capilla dessinée par Ventura Rodríguez, une cape changée tous les jours drape une petite statue de la Vierge. La mère du Christ serait apparue à saint Jacques en l'an 40 sur le pilier *(pilar)* qui la porte et que les pèlerins peuvent embrasser dans le passage entre la chapelle et le maître-autel.

Près de la basilique se dressent l'**hôtel de ville** *(ayuntamiento)*, la **Lonja**, ancienne Bourse où se marient styles platéresque et gothique, et le **Palacio Arzobispal**.

La Seo, la cathédrale, ferme la place à l'est. Entreprise en 1119, mais dotée d'une façade baroque, elle mêle de nombreux styles architecturaux. À l'angle nord-est s'admire une élégante décoration extérieure mudéjare de briques et d'*azulejos*. Un beau retable gothique orne le maître-autel. La Seo abrite un remarquable musée de la tapisserie.

Non loin se trouvent l'**Iglesia de la Magdalena**, au clocher mudéjar, et des vestiges du forum romain. Des fragments de **remparts romains** subsistent à l'ouest de la plaza del Pilar, près du **Mercado de Lanuza**, marché couvert du

Coupoles de la Basilica de Nuestra Señora del Pilar

début du siècle.

Dans un palais du XVIᵉ siècle, le **Museo Camón Aznar** expose une riche collection réunie par un historien d'art admirateur de Goya. Consacré au sculpteur (1181-1934) dont il porte le nom, le **Museo Pablo Gargallo** occupe le Palacio de los Condes de Argillo (XVIIᵉ siècle).

Au sud de la ville, le **Museo de Zaragoza** possède un bel ensemble de peintures de primitifs espagnols et des sculptures Renaissance. Il comprend également une

section islamique dont de nombreuses pièces proviennent de l'**Aljafería**. Ce vaste palais construit par les Maures au XIᵉ siècle et réaménagé par les Rois Catholiques est situé sur la route de Bilbao.

🏛 **Museo Camón Aznar**
Calle Espoz y Mina 23. ☏ 976 39 73 28. ◯ du mar. au dim. 📷 ♿ 🎟
libre, sur rendez-vous
🏛 **Museo de Zaragoza**
Plaza de los Sitios 6. ☏ 976 22 21 81. ◯ du mar. au dim. ♿ 🎟
🏛 **Museo Pablo Gargallo**
Plaza de San Felipe 3. ☏ 976 72 49 23. ◯ du mar. au dim. ♿

SARAGOSSE : LE CENTRE-VILLE

0   150 m

LÉGENDE

🅿 Parc de stationnement

ℹ Information touristique

✝ Église

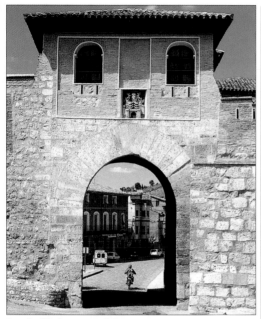

Porte fortifiée des remparts de Daroca

Calatayud ⑱

Zaragoza. 👥 21 000. 🚗 🚉 ℹ️
Plaza el Fuerte, 976 88 63 22. 🅿️ mar.
🎉 San Roque (du 14 au 17 août).

Dans une plaine ponctuée de collines argileuses, ses clochers mudéjars et les ruines de sa forteresse maure donnent une silhouette caractéristique à Calatayud. La ville, dont le nom dérive de Qalaat Ayoub (le château d'Ayoub), possède comme monument principal l'église **Santa María la Mayor** dotée d'une tour octogonale et d'un portail plateresque.

Dans l'église baroque **San Juan Real** du XVIIᵉ siècle se trouvent des peintures de Goya.

Monasterio de Piedra ⑲

3 km au sud de Nuévalos. 📞 976 84 90 11. 🚉 Calatayud. 🚌 depuis Zaragoza. ⭕ t.l.j. 🈂️ 🏷️ ♿

Fondé par des cisterciens en 1195 pendant le règne d'Alphonse II d'Aragon, ce monastère subit d'importants dommages au XIXᵉ siècle.

Restauré, il abrite désormais un hôtel *(p. 549)*.

Parmi les édifices d'origine à avoir subsisté figurent le cloître gothique, la salle capitulaire, le réfectoire et l'hôtellerie qui datent du XIIIᵉ siècle. La cuisine serait le premier endroit d'Europe où fut préparée une décoction de cacao à partir de grains importés du Mexique *(p. 55)*.

Dans une vallée à la végétation particulièrement luxuriante pour la région, le parc, agrémenté de cascades et de grottes naturelles, constitue un des grands attraits de la visite.

Daroca ⑳

Zaragoza. 👥 2 400. ℹ️ Plaza de España 4, 976 80 01 29. 🅿️ jeu.
🎉 Santo Tomás (7 mars).

Des remparts médiévaux longs d'environ 4 km forment une enceinte imposante autour de cette ancienne forteresse musulmane. Bien qu'en partie effondrés, ils restent ponctués de 114 tours et de portes fortifiées.

Fondée au XIIIᵉ siècle, la **Colegial de Santa María** borde la Plaza España. Malgré plusieurs remaniements, elle a conservé une abside romane et, près de son clocher mudéjar, un portail gothique au tympan sculpté. Elle renferme les linges d'autel qui, cachés avec l'hostie qu'ils enveloppaient lors d'une attaque des Maures en 1239, auraient été retrouvés tachés de sang.

Aux environs
À 42 km au sud de Daroca, la ville agricole de **Monreal del Campo** possède un musée du safran. Près de Molina de Aragón, à 20 km de Daroca, le lac **Laguna de Gallo Canta** est une réserve naturelle de toute beauté.

Fuendetodos ㉑

Zaragoza. 👥 170. ℹ️ Cortes de Aragón 7, 976 14 38 01. 🎉 San Roque (der. sam. de mai), San Bartolomé (24 août). 🌐 www.Fuendetodos.org

Dans ce petit village au sud de Saragosse, le 30 mars 1746, le peintre Francisco Goya

Dans la maison natale de Goya à Fuendetodos

Le château dominant Alcañiz abrite un parador

naquit dans une maison en pierre appartenant à la famille de sa mère, Gracia Lucientes. Restaurée et décorée de mobilier d'époque, la **Casa-Museo de Goya** présente quelques objets personnels de l'artiste et des gravures.

Aux environs

À 20 km à l'est de Fuendetodos, les ruines de **Belchite**, laissées en l'état (la ville moderne s'est construite à côté), témoignent de la violence d'une des plus terribles batailles de la guerre civile espagnole (p. 62-63) pour le contrôle de la vallée de l'Èbre.

Les *bodegas* de **Cariñena**, à 25 km à l'ouest de Fuendetodos, offrent l'occasion de goûter les puissants vins rouges qui ont établi la réputation méritée de la région (p. 192-193).

🏛 Casa-Museo de Goya
Plaza de Goya. 🕻 976 14 38 30. ◯ de 11 h à 14 h et de 16 h à 19 h du mar. au dim. 🎨

Alcañiz ㉒

Teruel. 🏠 15 000. 🚍 🚹 *Calle Mayor 1, 978 83 12 13.* 🛒 *mar.* 🎉 *Fiestas Patronales (du 8 au 13 sept.).*

Cette ville agréable arrosée par le río Guadalope s'étend au pied de son **château** dont le corps principal, bâti en 1738, abrite aujourd'hui un parador (p. 548). De la forteresse originale, siège au XIIᵉ siècle de l'ordre de Calatrava, subsiste la Torre del Homenaje, donjon gothique orné de peintures murales représentant notamment la prise de Valence par Jacques Iᵉʳ.

La **Colegiata de Santa María** dresse sur la plaza de España un grandiose portail baroque, mais conserve une tour du XIVᵉ siècle. Les arcades gothiques de la **Lonja** et l'**Ayuntamiento**, qui possède une façade Renaissance et une autre mudéjare, bordent également la place.

FRANCISCO DE GOYA

Autoportrait par Goya

Né en 1746 à Fuendetodos, Francisco de Goya commence sa carrière par des peintures religieuses, telles les fresques de la Basilica del Pilar de Saragosse, et des cartons de tapisseries (p. 296). Il devient en 1786 le peintre du roi Charles III, mais, après une maladie qui le rend sourd en 1792, il se met à produire des œuvres torturées où s'expriment ses angoisses. Son regard sur ses modèles devient plus cynique comme en témoigne le portrait de *La Famille de Charles IV* (p. 29). L'invasion de l'Espagne en 1808 (p. 58-59) accentue encore son sens du tragique. Il meurt à Bordeaux en 1828.

FÊTES D'ARAGON

Las Tamboradas *(jeudi et vendredi saints)*, province de Teruel. Pendant la semaine de Pâques, rythmée par des processions, les membres des confréries, vêtus de longues robes sombres, battent le tambour pour pleurer le Christ. Las Tamboradas commence le jeudi à minuit à Híjar. Elle reprend le lendemain à midi à Calanda. Les instruments résonnent pendant des heures, une épreuve pour les joueurs qui témoignent par leurs souffrances de leur dévotion.

Jeune tambour de Las Tamboradas à Alcorija

Carnaval *(fév.-mars)*, Bielsa (Huesca). Réminiscence d'un culte de la fertilité, les *trangas*, personnages aux visages noircis et aux dents en pomme de terre, portent des cornes de bélier.
Romería de Santa Orosia *(25 juin)*, Yebra de Basa (Huesca). Des pèlerins en costumes portent le crâne de la sainte à son sanctuaire.
Día del Pilar *(12 oct.)*, Saragosse. Pendant les festivités en l'honneur de la protectrice de la ville, la Virgen del Pilar *(p. 227)*, la *jota*, typique de l'Aragon, est dansée partout dans la cité. Le Día del Pilar est marqué par une procession de géants en carton suivie d'une spectaculaire exposition de fleurs.

Alcalá de la Selva et son château

Valderrobres ㉓

Teruel. 🏘 *2 000.* 🚌 🚶 *Avda Cortes de Aragón 25, 978 89 08 86.*
🏢 *sam.* 🎭 *San Roque (mi-août).*

À quelques kilomètres de la frontière avec la Catalogne, ce charmant village domine le poissonneux río Matarraña au pied de son **château**, restauré, un ancien palais du royaume d'Aragon. En contrebas, l'**Iglesia de Santa María la Mayor** présente au-dessus du portail une magnifique rosace de style gothique catalan. Sur la grand-place entourée d'arcades, l'hôtel de ville *(ayuntamiento)* Renaissance date du XVIᵉ siècle.

Aux environs
Au sud, **Mirambel** est un petit village médiéval restauré et ceint de remparts.

♠ Castillo de Valderrobres
⏱ *juil.-sept. : mar.-dim., oct.-juin : sam., dim. et jours fériés.* 🎟

Sierra de Gúdar ㉔

Teruel. 🚌 *Mora de Rubielos.* 🚌 *Alcalá de la Selva.* 🚶 *Plaza de la Iglesia 4, Alcalá (978 80 10 00).*

Au nord-est de Teruel, pinèdes et maquis d'où jaillissent des rochers déchiquetés couvrent les pentes de ce massif montagneux qui culmine à la **Peñarroya** (2 028 m), près de la station de sports d'hiver de Valdelinares. Les routes qui le traversent offrent des vues panoramiques des collines. Elles sont particulièrement belles depuis les villes de **Linares de Mora** et **Alcalá de la Selva** où subsistent les ruines de châteaux. À Alcalá de la Selva, une église baroque ornée de colonnes torses abrite le sanctuaire de la Virgen de la Vega.

Mora de Rubielos ㉕

Teruel. 🏘 *1 500.* 🚶 *Diputación 1 ; 978 80 61 32 (en été), 978 80 00 00 (en hiver).* 🏢 *lun. et ven.* 🎭 *San Miguel (du 28 sept. au 1ᵉʳ oct.).*

L'un des châteaux les mieux préservés d'Aragon domine ce village fortifié aux belles maisons seigneuriales. Sa **collégiale** gothique (XVᵉ siècle) renferme plusieurs chapelles décorées d'*azulejos* provenant de Manises, près de Valence. Non loin, des dauphins parent une élégante fontaine en pierre noire.

Aux environs
À 14 km au sud-est, **Rubielos de Mora** mérite une visite pour ses demeures blasonnées, le retable gothique de son église Renaissance et le couvent des augustines au portail du XIVᵉ siècle.

Teruel ㉖

Teruel. 🏘 *30 000.* 🚌 🚉 🚶 *Calle San Francisco 1, 978 64 14 61.* 🏢 *jeu.* 🎭 *Día del Sermón de las Tortillas (mar. de la semaine de Pâques), La Vaquilla del Ángel (mi-juil.), Feria del Jamón (mi-sept.).* 🌐 *www.teruel.org*

De nombreux musulmans continuèrent à vivre à Teruel après sa conquête par Alphonse II d'Aragon en 1171 et ils ont donné à la ville ses splendides tours mudéjares. La dernière mosquée ne ferma qu'en 1502, 22 ans après l'instauration en Espagne de l'Inquisition *(p. 264).* Pendant l'hiver 1937, une terrible bataille de la guerre civile *(p. 62-63)* fit à Teruel des dizaines de milliers de morts.

Dans le quartier ancien, un petit taureau, emblème de la cité, orne la plaza del Torico en forme de coin. Les cinq tours mudéjares toujours debout se trouvent à une courte distance à pied. Les deux plus intéressantes, celle de **San Salvador** et celle de **San Martín**, au superbe décor de briques et de céramiques bleues et vertes, datent du XIIIᵉ siècle. Une troisième

Tours et tourelles de la cathédrale de Teruel

Café sur la grand-place d'Albarracín

domine l'**Iglesia de San Pedro** qui abrite un retable Renaissance du sculpteur Gabriel Joly. Les célèbres amants de Teruel reposent dans une chapelle adjacente à l'église. La **cathédrale** possède également un clocher mudéjar ainsi qu'une gracieuse lanterne au-dessus de la croisée du transept. Elle renferme le retable de l'Assomption par Gabriel Joly et un superbe plafond à caissons peint de scènes de la vie quotidienne au Moyen Âge.

Le **Museo Provincial**, l'un des plus intéressants musées d'Aragon, occupe un élégant palais ancien. Il présente une riche collection de céramique, artisanat par lequel Teruel est réputée depuis le XIIe siècle. Au nord du centre, les huit arches de l'**Acueducto de los Arcos** (1537) enjambent un ravin.

🏛 **Museo Provincial**
Pl Fray Anselmo Polanco 3. **(** 978 60 01 50. **◯** du mar. au dim. &

Albarracín ㉗

Teruel. 🏚 1 050. 🚌 🖪 **(** Calle Diputación 4, 978 71 02 51. 🚌 mer. 🎊 Los Mayos (du 30 avril au 1er mai), Fiestas Patronales (du 13 au 18 sept.). 🅦 www.albarracin.org

Ce village pittoresque avec ses maisons au crépi rosé occupe un site exceptionnel sur une falaise dominant le río Guadalaviar. Des tours jalonnent toujours ses remparts qui remontent, comme le plan des ruelles du centre, à l'époque de l'occupation musulmane.

Une belle vue d'Albarracín s'offre du bas du **Palacio Episcopal**. À côté du palais se dresse la **cathédrale**, reconstruite vers 1530. Elle abrite un retable Renaissance en bois sculpté illustrant des épisodes de la vie de saint Pierre. Installé dans la sacristie et la salle capitulaire, son musée présente des tapisseries tissées à Bruxelles au XVIe siècle et des calices émaillés.

Certaines des maisons d'Albarracín, souvent restaurées avec soin, obéissent à une structure inhabituelle : un rez-de-chaussée en pierre de taille soutenant un étage en encorbellement couvert d'un enduit couleur corail. À

environ 5 km au sud-est, les abris sous roche de Navazo et de Callejón montrent des peintures rupestres dont le Museo Provincial de Teruel propose des reproductions.

Aux environs
Le Tage prend sa source dans les **Montes Universales** qui entourent Albarracín. Dans ces collines culminant à 1 935 m, peupliers, genévriers, forêts de pins et rochers dénudés composent des paysages variés, fleuris au printemps de pavots. **Cella** recèle de belles demeures et un intéressant puits artésien.

Rincón de Ademuz ㉘

Valencia. 🏚 1 200. 🚌 Ademuz. 🖪 Plaza del Ayuntamiento 1, 978 78 20 00. 🚌 mer. 🎊 Fiestas de la Virgen del Rosario (début oct.), Fiestas de Agosto (15 août).

Ce petit territoire traversé par le río Turia au sud de Teruel forme une enclave entre l'Aragon et la Castille-La Manche, mais fait officiellement partie de la Communauté valencienne (p. 233). Son isolement n'a pas contribué à sa prospérité et de nombreuses maisons y sont à l'abandon, mais ses paysages ruraux possèdent un charme austère.

LES AMANTS DE TERUEL

Selon la légende, Diego de Marcilla, trop pauvre, ne put obtenir au XIIIe siècle la main de sa bien-aimée, Isabel de Segura. Le père de cette dernière lui accorda toutefois cinq ans pour établir sa fortune. Diego revint un jour trop tard, alors que s'achevaient les noces d'Isabel avec un riche noble local. Le cœur brisé, il mourut aux pieds de la jeune mariée qui lui refusait un baiser. Le lendemain, Isabel mit sa robe de noce pour les funérailles. Elle expira alors qu'elle se penchait pour embrasser le corps avant qu'on ne l'inhume.

Isabel de Segura   Diego de Marcilla

COMMUNAUTÉ VALENCIENNE ET MURCIE

CASTELLÓN · VALENCE · ALICANTE · MURCIE

Depuis le bord sud-est de la meseta, une succession de reliefs montagneux descend jusqu'à la Méditerranée où les plages de la Costa Blanca, de la Costa del Azahar et de la Costa Càlida attirent chaque année des millions de touristes. Malgré la sécheresse du climat, l'irrigation a transformé les plaines côtières en véritables jardins où croissent orangers, palmiers, riz et primeurs.

L'homme occupe ces terres fertiles depuis plus de 50 000 ans et Grecs, Phéniciens et Carthaginois s'y sont implantés avant l'occupation romaine. En développant le système d'irrigation des *huertas*, les Maures fondèrent à partir du VIIIe siècle la prospérité agricole de la région.

Les provinces de Castellón, de Valence et d'Alicante, qui forment la Communidad Valenciana, furent après la Reconquête en partie peuplées de Catalans dont la langue a évolué pour donner le *valenciano*, toujours très parlé et de plus en plus présent sur les panneaux indicateurs. Au sud, la Murcie est une des plus petites régions autonomes d'Espagne.

La population se concentre sur le littoral où, à côté de cités historiques telles que Valence, Alicante et Carthagène, se sont multipliées des stations balnéaires modernes comme Benidorm et La Manga del Mare Menor.

Le tourisme a peu touché l'intérieur des terres, montagneux, où prédominent les pinèdes et les étendues arides.

Le climat chaud se prête à la vie en extérieur et à l'organisation des fêtes spectaculaires pour lesquelles la région est réputée. Parmi les plus célèbres figurent celle de Las Fallas à Valence, les reconstitutions de batailles entre Maures et chrétiens d'Alcoi et les magnifiques processions qui rythment la semaine sainte à Murcie et à Lorca.

Terrasses plantées d'oliviers et d'amandiers près d'Alcoi

◁ **L'imposante masse rocheuse du Penyal d'Ifach sur la Costa Blanca**

À la découverte de la Communauté valencienne et de la Murcie

L e climat permet presque toute l'année la pratique de
nombreuses activités balnéaires dans des stations telles que
Benidorm, Benicassim et La Manga del Mar Menor. Certaines
villes côtières comme Peñíscola, Gandía, Denia, Alicante et
Carthagène ont conservé des quartiers anciens, des châteaux ou
des monuments intéressants. Des réserves naturelles protègent
plusieurs sites au bord de mer : la lagune de L'Albufera, les marais
salants de Santa Pola et l'énorme rocher du Penyal d'Ifach.

Dans l'arrière-pays se découvrent de superbes paysages, tels
ceux d'El Maestrat ou des montagnes entourant Alcoi, ainsi que
des cités historiques méconnues comme Xàtiva et Lorca. Villes
universitaires animées, les deux capitales régionales, Valence et
Murcie, possèdent de belles cathédrales et des musées.

Filets tendus dans la lagune de L'Albufera

0   25 km

CIRCULER

La N 340 puis la N 332 longent toute la côte, tandis
que l'autoroute A 7 (AP7) s'en éloigne à partir
d'Alicante pour rejoindre Murcie. Parmi les autres
grands axes routiers figurent ceux, reliant Valence à
Madrid A3 (E 901) et Alicante à Madrid (N 330 A31).
Les principales lignes de chemin de fer rejoignent
Madrid et Barcelone depuis Alicante,
Valence et Murcie. Pittoresque, une
ligne à voie étroite relie Denia,
Benidorm et Alicante. Dans le reste
de la région, le car se révèle
souvent plus rapide que le train.
Alicante et Valence possèdent un
aéroport international. L'Espagne
est en train de changer la
numérotation des routes et il se peut
que certaines routes de la carte ci-contre
portent maintenant un nouveau numéro.

VOIR AUSSI

- *Hébergement* p. 549-551

- *Restaurants et bars* p. 590-592

Orangeraie à la sortie de Dénia

LA COMMUNAUTÉ VALENCIENNE ET LA MURCIE D'UN COUP D'ŒIL

LÉGENDE

Autoroute

Route principale

Route secondaire

Parcours pittoresque

Cours d'eau

Point de vue

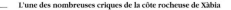

L'une des nombreuses criques de la côte rocheuse de Xàbia

Enceinte médiévale de la ville de Morella dans le Maestrat

El Maestrat ❶

Castellón & Teruel. 🚗 Morella.
ℹ️ Morella, 964 17 30 32.

É galement appelée El
Maestrazgo, cette région
montagneuse à la frontière
entre la Communauté
valencienne et l'Aragon doit
son nom aux templiers et aux
chevaliers de Montesa, les
maestres (maîtres), qui
édifièrent, souvent dans des
sites spectaculaires, de
puissantes forteresses.

La ville principale, **Morella**,
a ainsi conservé une superbe
enceinte défendue par
quatorze tours. À quelques
kilomètres, deux palais du

**La Torre de la Sacristía du village
restauré de Mirambel**

XVIᵉ siècle dominent la Plaza
Mayor bordée de portiques de
Forcall. Au sud, le village
d'**Ares del Maestre** s'accroche
à la paroi d'un mont qui
culmine à 1 318 m.

En Aragon, **Cantavieja**
occupe le bord d'une falaise et
recèle une église gothique,
une autre baroque, et une
belle place entourée de
galeries. Non loin, une
restauration minutieuse a
rendu à **Mirambel** son aspect
du Moyen Âge. La grotte
de la **Balma de Zorita**,
sanctuaire dédié à la Vierge,
s'atteint par une corniche
rocheuse.

Alternant vallées fertiles,
falaises vertigineuses et hauts
plateaux arides survolés par
des rapaces, presque toute la
région offre des paysages
remarquables, mais le tourisme
s'y développe lentement et elle
compte peu d'hôtels.

Morella ❷

Castellón. 🏛️ 2 800. 🚗 ℹ️ Plaza
de San Miguel, 964 17 30 32. 🛒 dim.
🎉 Fiestas Patronales (mi-août).

S on enceinte de remparts et
les ruines du château qui
la dominent donnent une
silhouette de décor de théâtre
à cette petite ville perchée sur
une haute colline. Six portes
percées dans les fortifications

ouvrent sur un réseau de rues
et de ruelles bordées de
maisons anciennes. Au pied
de la forteresse, la **Basílica de
Santa María la Mayor**
possède un portail sculpté au
XIVᵉ siècle et un chœur
surélevé qui s'atteint par un
élégant escalier en spirale.

LE MIRACLE DE
MORELLA

À Morella, une plaque dans
la calle de la Virgen signale
la demeure où saint Vincent
Ferrier (1350-1419) aurait
accompli un curieux miracle.
Désespérée à l'idée de le
recevoir sans pouvoir lui
servir de viande, la maîtresse
de maison aurait découpé
son jeune fils pour le mettre
à cuire. En s'en apercevant,
saint Vincent reconstitua le
garçon. Un petit doigt
manquait cependant, mangé
par la mère pour vérifier
l'assaisonnement du plat.

Peñíscola ❸

Castellón. 🚶 *6 000.* 🚉 ℹ️ *Paseo Marítimo, 964 48 02 08.* 🗓️ *lun.* 🎭 *Fiestas Patronales (2ᵉ sem. de sept.).*

Une station balnéaire très appréciée s'est développée autour du promontoire rocheux, entouré de trois côtés par la mer, où le centre ancien de Peñíscola occupe un site où se succédèrent Ibères, Grecs et Carthaginois.

Au pied de son château, des remparts massifs enserrent un dédale de ruelles tortueuses bordées de maisons blanches. On y pénètre par le Portal Fosc, relié à la plaza del Caudillo par une rampe, ou, depuis le port, par le Portal de San Pedro.

Entrepris par les templiers à la fin du XIIIᵉ siècle sur les fondations d'une forteresse arabe, le **Castell del Papa Luna** devint la résidence de Pedro de Luna, l'antipape Benoît XIII, après sa déposition par le concile de Constance qui mit fin au grand schisme d'Occident (1378-1417), une décision qu'il rejeta jusqu'à sa mort en 1423.

Le château abrite désormais un musée consacré à l'histoire locale. La partie la plus haute de ses remparts fut ajoutée pour le tournage du film *Le Cid* (1961) dans lequel Charlton Heston incarnait le célèbre héros espagnol sous la direction d'Anthony Mann.

♣ Castell del Papa Luna
Calle Castillo. 📞 *964 48 00 21.* 🕐 *t.l.j.* ⬤ *9 sept., 9 oct., 25 déc., 1ᵉʳ et 6 janv.* 📷 🚫

Coucher de soleil sur la vieille ville de Peñíscola

Costa del Azahar ❹

Castellón. 🚉 *Castelló de la Plana.* 🚌 *Castelló de la Plana.* ℹ️ *Castelló de la Plana, 964 35 86 88.*

Ses plantations d'agrumes ont valu son nom de « Côte de la fleur d'oranger » au littoral de la province de Castellón. Ses deux principales stations balnéaires sont Benicàssim, où d'élégantes villas anciennes voisinent avec des hôtels modernes, et Peñíscola, mais Alcossebre et Oropesa possèdent aussi des plages très fréquentées. Au nord, les ports de pêche de Vinaròs et Benicarló fournissent les restaurants locaux en crevettes et en coquillages.

Sculpture à la Casa del Batle

Vilafamés ❺

Castellón. 🚶 *1 700.* 🚉 ℹ️ *Plaza del Ayuntamiento 1, 964 32 90 01.* 🗓️ *ven.* 🎭 *San Miguel (fin-mars), Patronales (mi-août).*

Depuis la plaine, ce village médiéval escalade une arête rocheuse jusqu'au donjon restauré de son château. De solides maisons dominent les ruelles pentues de sa partie la plus haute. Une demeure seigneuriale du XVᵉ siècle, la **Casa del Batle**, abrite un musée d'art contemporain où certaines œuvres peuvent s'acheter.

🏛 Casa del Batle
Calle Diputación 20. 📞 *964 32 91 52.* 🕐 *mar.-dim.* 📷

Le planétarium de Castelló de la Plana, proche de la plage

Castelló de la Plana ❻

Castellón. 🚶 *166 000.* 🚉 🚌 ℹ️ *Plaza María Agustina 5, 964 35 86 88.* 🗓️ *lun.* 🎭 *Fiesta de la Magdalena (3ᵉ dim.. de Carême).*

Avant d'occuper à partir du XIIIᵉ siècle son emplacement actuel dans la plaine côtière, la capitale de la province de Castellón se perchait sur un promontoire rocheux de l'intérieur des terres.

Sur la Plaza Mayor se dresse **El Fadrí**, clocher octogonal de la cathédrale érigé à la fin du XVIᵉ siècle. Le marché et l'hôtel de ville (1698-1716) bordent également la place.

Installé dans une demeure du XVIIIᵉ siècle, le **Museo Provincial de Bellas Artes** présente des objets datant du milieu du paléolithique, des peintures du XIVᵉ au XIXᵉ siècle et des céramiques modernes. Parmi les plus belles œuvres figure un *Saint Jérôme* par Francisco Ribalta (1551-1628). Dans le **Convento de las Madres Capuchinas** s'admirent dix portraits de saints attribués à Francisco Zurbarán. Outre un planétarium, **El Planetario** propose une exposition permanente d'holographie.

🏛 Museo Provincial de Bellas Artes
Avda Hermanos Bou 28. 📞 *964 72 75 00.* 🕐 *mar.-dim.* 📷 *sur rendez-vous.*
⛪ Convento de las Madres Capuchinas
Calle Núñez de Arce 11. 📞 *964 22 06 41.* 🕐 *de 16 h à 20 h t.l.j.*
🔭 El Planetario
Paseo Marítimo 1, El Grao. 📞 *964 28 29 68.* 🕐 *de 11 h à 14 h sam. et dim., de 16 h 30 à 20 h du mar. au sam.* ⬤ *sept.* 📷 *planétarium* ♿

Onda ❼

Castellón. 👥 22 000. 🚌 🚆 Calle Balmes 2, 964 77 64 32. 🚌 jeu. 🎉 Feria del Santissimo Salvador (6 août).

Les ruines d'une **forteresse** fondée par les Maures, qui l'appelaient le « Château des trois cents tours », dominent Onda, siège d'une dynamique industrie du carreau de céramique. Son quartier ancien a gardé du cachet, en particulier la charmante **plaza del Almudín** entourée de portiques. L'église de La Sangre possède un portail roman.

C'est toutefois hors du centre, dans le monastère carmélite bordant la route d'Ayodar, que se trouve la principale raison de visiter Onda : le **Museo de Ciencas Naturales El Carmen**. Commencées en 1952 par les moines pour leurs propres études scientifiques, les collections de ce musée d'histoire naturelle ne devinrent accessibles au public que dix ans plus tard. Un éclairage tamisé met habilement en valeur les 10 000 spécimens de minéraux, de plantes et d'animaux exposés sur trois étages. Ils comprennent de nombreux insectes, des coquillages et des fossiles.

🏛 **Museo de Ciencas Naturales El Carmen**
Carretera de Tales. 📞 964 60 07 30. ⏰ du mar. au dim. ⏰ 20 déc.-6 janv. ♿

Papillons exposés au Museo El Carmen

Visite en barque des coves de Sant Josep

Coves de Sant Josep ❽

Vall d'Uixó (Castellón). 📞 964 69 05 76. 🚌 Vall d'Uixó. ⏰ t.l.j. ⏰ lun., déc.-fév. ♿

Depuis la première exploration des grottes de Saint-Joseph en 1902, le cours de la rivière souterraine qui les a creusées a été cartographié sur une longueur d'environ 2,5 km. Sa source reste cependant à découvrir.

La visite se fait en barque et il faut parfois se pencher pour éviter des concrétions calcaires. Par endroits, le conduit suivi par les eaux s'ouvre sur des salles plus vastes, telle la *Sala de los Murciélagos* qui a gardé son nom de salle des chauves-souris bien que l'installation de projecteurs ait fait fuir ces petits mammifères nocturnes. Après le *Lago Azul* (lac bleu), profond de 12 m, la promenade se termine à pied dans la *Galeria Seca* longue de 250 m.

Les grottes restent généralement fermées après de fortes pluies.

Alto Túria ❾

Valencia. 🚌 Chelva. 🚆 CV 35, Valencia-Ademúz km 73, 961 63 50 84.

Au nord-ouest de Valence, les collines boisées de la haute vallée du riu Túria (Alto Túria) attirent de nombreux randonneurs. Le **Pico del Remedio**, dont le sommet (1 054 m) offre un vaste panorama de la région, domine la principale bourgade : **Chelva**. Dans une vallée proche de la ville, au terme d'une route sans revêtement mais carrossable, se découvrent les vestiges d'un aqueduc romain, la **Peña Cortada**. Le plus joli et le plus intéressant des villages de l'Alto Túria est **Aras de Alpuente**, situé au-dessus d'une gorge asséchée. Capitale d'un des petits royaumes maures dits de *taifas*, de 1031 jusqu'à sa conquête par le Cid Campeador *(p. 352)*, il gardait suffisamment d'importance au XIVe siècle pour que le parlement du royaume de Valence s'y réunisse. Son hôtel de ville occupe la petite tour d'une porte du XIVe siècle que compléta au XVIe siècle une salle du conseil rectangulaire.

Plus au sud, **Requena**, principale ville viticole de la Communauté valencienne, a conservé beaucoup de caractère. Près de Cortes de Pallas, l'autre grand fleuve de la province de Valence, le riu Xúquer (Júcar), creuse des gorges impressionnantes dans le **Muela de Cortes**, plateau sauvage que ne traversent qu'une petite route et une piste. Une réserve naturelle protège sa faune et sa flore.

LA TOMATINA

L'apogée de la fête annuelle de Buñol, petite ville à mi-chemin de Valence et de Requena, se déroule le dernier mercredi d'août et met aux prises des milliers de visiteurs vêtus de vieux habits. Ils viennent se lancer des tomates fournies par camions entiers par le conseil municipal. Personne n'est épargné et les étrangers et les photographes constituent des cibles de choix.

Le combat a lieu depuis 1944. Certains affirment qu'il aurait pour origine une bataille entre amis. Selon d'autres, il s'agissait d'une manifestation de mécontentement, lors d'une procession, envers des dignitaires locaux. L'intérêt que porte la presse nationale et internationale à la Tomatina attire chaque année de nouveaux participants.

Fortifications en ruine du Castillo de Sagonte

Sagonte ⑩

Valencia. 🏘 *31 000.* 🚉 🚌 🛈 *Pl Cronista Chabret, 962 66 22 13.* 🛒 *mer.* 🎉 *Fiestas (mi-juil.).*

En 219 av. J.-C., le général carthaginois Hannibal assiégea l'antique Saguntum, cité d'origine ibère alliée des Romains. La ville résista huit mois, puis les derniers défenseurs, plutôt que de se rendre, s'immolèrent par le feu avec femmes et enfants. L'événement déclencha la deuxième guerre punique qui eut pour conséquence l'occupation romaine de la péninsule Ibérique *(p. 46-47)*.

Reprise par les Romains en 212 av. J.-C., un temps appelée Muri Veteres (vieux murs), puis Murbiter et enfin Murviedro, Sagonte (Sagunt, Sagunto) a retrouvé le nom de ses origines en 1868.

Elle a gardé comme principal souvenir de sa période romaine un **théâtre** construit au IIe siècle à flanc de colline dans une dépression naturelle. Le gouvernement régional a entrepris sa restauration, controversée, avec des matériaux modernes et il accueille désormais des représentations théâtrales et des concerts.

Sur la crête dominant la ville actuelle, les ruines du **Castillo** s'étendent à l'emplacement de l'ancienne acropole. Bâties pour l'essentiel depuis l'occupation arabe, ses fortifications définissent un espace divisé en sept plazas où des fouilles archéologiques ont mis au jour des vestiges laissés par les différentes civilisations qui se sont succédé sur le site.

⛰ **Castillo de Sagunt**
🕐 *du mar. au dim.* 🖼

Monasterio de El Puig ⑪

El Puig (Valencia). ☎ *96 147 02 00.* 🚉 🚌 *El Puig.* 🕐 *mar.-dim.* 🖼 🎥 *seulement à 10 h, 11 h, midi, 16 h, 17 h et 18 h.*

Fondé par Jacques Ier le Conquérant après la victoire qui lui permit de reprendre Valence en 1238, ce monastère au portail romano-gothique abrite une collection de 240 peintures exécutées du XVIe au XVIIIe siècle et le Museo de la Imprenta y de la Obra Gráfica (musée de l'Imprimerie et de l'Art graphique). Il commémore la première impression d'un livre en Espagne, qui aurait eu lieu à Valence en 1474, et son exposition illustre le développement de la presse d'imprimerie. Elle comprend un exemplaire du plus petit livre du monde.

Au cœur de la mêlée pendant la Tomatina de Buñol

Valence (Valencia) ⑫

Au cœur de la *huerta*, plaine côtière où la douceur du climat méditerranéen et un système d'irrigation hérité des Romains et des Maures permet la culture intensive des agrumes, des primeurs et des fleurs, la troisième ville d'Espagne possède malgré sa ceinture industrielle un centre ancien plein de charme. Ses habitants sont réputés pour leur exubérance et ils organisent en mars l'une des fêtes les plus spectaculaires d'Espagne, Las Fallas *(p. 245)*. Elle se conclut par l'embrasement de sculptures en papier mâché. Des ferries desservent les îles Baléares.

Offrande de fleurs en hommage à la Virgen de los Desamparados

À la découverte de Valence

Sur la rive droite du riu Túria s'étendent le centre-ville et le vieux quartier délabré d'El Carmen. La plupart des monuments s'atteignent aisément à pied depuis la plaza del Ayuntamiento, grand-place triangulaire dominée par l'hôtel de ville néo-classique.

Fondée par les Romains en 138 av. J.-C. sur le site d'une colonie grecque, Valence fut prise par les Maures en 714. Conquise par le Cid en 1094, elle retombe peu après sous contrôle musulman et le reste jusqu'à ce que Jacques Ier d'Aragon s'en empare en 1238 et l'intègre à son royaume. Ses trois plus beaux édifices, la Lonja, la cathédrale et les Torres de Serranos, ancienne porte des remparts démolis au XIXe siècle, datent de l'âge d'or culturel et économique que connut la ville aux XIVe et XVe siècles.

🏛 Palau de la Generalitat

Plaza des Manises. ☎ 963 86 61 00. ◯ *sur rendez-vous seulement.*

Le conseil autonome de la Communauté valencienne occupe un palais édifié dans le style gothique entre 1482 et 1579 et agrandi au XVIIe et au XXe siècle. Il entoure un patio aux arcades en pierre d'où deux escaliers conduisent à des salles à la décoration somptueuse. La plus grande des deux Salas Doradas (salles dorées) possède un plafond à caissons polychrome et un pavement en céramique. Des peintures murales (1592) ornent la salle du Parlement.

🔒 Basílica de la Virgen de los Desamparados

Pl de la Virgen. ☎ 963 91 86 11. ◯ de 7 h 20 à 14 h et de 16 h 20 à 21 h t.l.j.

Ce sanctuaire baroque entrepris en 1652 abrite au maître-autel la statue (XIVe siècle) de la sainte patronne de Valence, la Vierge des Abandonnés. Pendant la fête de Las Fallas, les fidèles lui rendent hommage par des offrandes de fleurs sur le parvis de l'église.

🔒 Cathédrale

Pl de la Reina. ☎ 963 91 81 27. **Musée** ◯ *t.l.j. (dimanche après-midi).* **Miguelete** ◯ *t.l.j.* 📷 🎫

Construite à partir de 1262, la cathédrale possède trois portails de styles différents. Le plus ancien, la Puerta del Palau, est roman, mais c'est la Puerta de los Herrios (XVIIIe siècle) baroque qui sert d'entrée principale.

Devant la Puerta de los Apóstoles gothique se réunit le jeudi à midi un tribunal sans équivalent : le tribunal de las Aguas. Depuis plus de 1 000 ans, estime-t-on, il règle les litiges liés au partage des eaux d'irrigation dans la *huerta*.

Dans l'église, l'ancienne salle capitulaire (1369) abrite au centre d'un retable richement sculpté le calice d'agate transféré du monastère de San

Le Miguelete, clocher de la cathédrale, sur la plaza de la Reina

Juan de la Peña *(p. 224)* en 1437 et dont la tradition fait le Saint-Graal.

Haute de 68 m, la tour du Miguelete, clocher octogonal érigé entre 1381 et 1429, offre de son sommet une vue magnifique sur les toits de la cathédrale et de la ville.

🏛 Lonja de la Seda

Plaza del Mercado. 963 52 54 78 (poste 41 53). ○ du mar. au dim.
Magnifique bâtiment de style gothique flamboyant édifié de 1483 à 1498, l'ancienne Bourse de la soie accueille désormais des manifestations culturelles. De gracieuses colonnes torses supportent les hautes voûtes des trois nefs de la grande salle d'où un escalier conduit au Consulado del Mar orné en 1427 d'un superbe plafond à caissons.

🏛 Mercado Central

Plaza del Mercado . 963 82 91 00. ○ du lun. au sam. le matin.
Cet immense édifice moderniste d'acier, de verre et de carreaux de céramique abrite depuis 1928 l'un des plus

Élégante et utile signalisation près du Mercado Central

beaux marchés d'Europe avec ses quelque 1 000 étals proposant tous les matins une prodigieuse variété de fruits, de légumes, d'aromates et de produits de la mer.

🏛 Museo Nacional de Cerámica Gonzales Martí

Poeta Querol 2. 963 51 63 92. ○ mar.-dim. ● 1er et 22 janv., 1er mai, 24, 25 et 31 déc. gratuit sam. a.-m. et dim.
Le Palacio del Marqués de Dos Aguas renferme derrière une étonnante façade rococo du XVIIIe siècle une collection de

céramiques d'environ 5 000 pièces dont les plus anciennes remontent à l'époque ibère. L'exposition permet de suivre l'évolution de la production valencienne.

🏛 Colegio del Patriarca

Calle Nave 1. 963 51 41 76
Construit au XVIe siècle autour d'un patio Renaissance à double galerie, ce séminaire abrite un musée proposant une riche collection de peintures. Une *Cène* par Francisco Ribalta orne le maître-autel de l'église du Corpus Christi. Pendant la messe, elle disparaît pour révéler un crucifix peint au XVe siècle par un artiste allemand anonyme.

VALENCE : LE CENTRE-VILLE

LÉGENDE

⚫ Station de métro

🅿 Parc de stationnement

ℹ Information touristique

✝ Église

0   250 m

Le Palau de la Música, prestigieuse salle de concert de Valence

En dehors du centre

Deux larges avenues, la Gran Vía Marqués del Turia et la Gran Vía Ramón y Cajal, séparent le centre-ville des quartiers créés au XIXᵉ siècle selon un plan au quadrillage régulier.

Le métro circule dans les quartiers périphériques et le tramway conduit aux plages d'El Cabañal et de La Malvarrosa.

Ecce Homo (XVIᵉ siècle) par Juan de Juanes, Museo de Bellas Artes

♣ Jardines del Río Turia

Il y a 10 km de jardins, terrains de sport et aires de jeu. Dominant le lit de la rivière se dresse le Palau de la Música, vaste salle de concert de marbre et de verre bâtie en 1988. Dans le parc aménagé à proximité pour les enfants, un gigantesque Gulliver couvert d'escaliers et de toboggans abrite une maquette de Valence.

Les plus beaux des autres jardins de la ville s'offrent à la promenade près des rives du Túria. Les plus vastes, les Jardines Reales (aussi appelés Los Viveros), renferment un petit zoo. Dans les jardins Montforte, statues de marbre, hibiscus et magnolias évoquent l'Italie. Sept mille espèces d'arbustes et d'arbres, dont de nombreuses variétés subtropicales, poussent dans le Jardín Botánico créé en 1802 par le botaniste Antonio José Cavanilles.

🏛 Museo de Bellas Artes

Museo San Pío V, Calle San Pío V 9.
[963 60 57 93. ○ du mar. au dim.
● 1ᵉʳ jan., ven. saint, 25 déc. & 🖊

Riches de 2 000 peintures et sculptures datant de l'antiquité au siècle dernier, ce musée des Beaux-Arts occupe un ancien séminaire baroque construit entre 1683 et 1744.

Œuvres, notamment, d'Alcanyis, de Pere Nicolau et du Maître de Bonastre, plusieurs immenses retables dorés témoignent du dynamisme de l'art valencien aux XIVᵉ et XVᵉ siècles. Au premier étage s'admirent le triptyque de *La Passion* par Jérôme Bosch, un autoportrait de Velázquez et plusieurs tableaux du Greco, de Ribera, de Murillo, de Ribalta, de Van Dyck et de Juan de Juanes, peintre local de la Renaissance.

Le dernier étage abrite six Goya et des tableaux par trois artistes valenciens modernes de premier plan : Ignacio Pinazo, Joaquín Sorolla et Antonio Muñoz Degrain qui a peint notamment le dérangeant *Amor de Madre*.

♣ Torres de Serranos

Plaza de los Fueros. [963 91 90 70.
○ du mar. au dim.

Érigée en 1391 cette porte fortifiée des anciens remparts de la ville offre un bel exemple d'architecture militaire avec ses deux tours couronnées de créneaux et ornées de délicats entrelacs gothiques.

Les Torres de Serranos, porte fortifiée des XIIIᵉ-XIVᵉ siècles

🏛 Instituto Valenciano de Arte Moderno (I.V.A.M.)

Calle Guillem de Castro 118. 🚆 963 86 30 00. ◯ de 10 h à 20 h, du mar. au dim. 🎟 gratuit le dim. ♿
Ⓦ www.ivam.es

L'institut valencien d'Art moderne occupe deux bâtiments. Sont présentées des œuvres de Julio González, le père de la sculpture espagnole du XXᵉ siècle.

Exposition, dans l'une des neuf galeries, d'une partie des remparts médiévaux de Valence.

🏛 Centre Cultural la Beneficència

Calle Corona 36. 🚆 963 88 35 65. ◯ de 10 h à 21 h (20 h d'oct. à mars), du mar. au dim. ♿

Le musée de la Préhistoire de Valence présente une partie des 5 000 gravures de cerfs et de chevaux exécutées à l'âge de la pierre découvertes dans la cueva de Parpalló située dans les collines dominant la côte près de Gandia *(p. 244)*.

Colonne Art nouveau dans l'Estación del Norte

🚉 Estación del Norte

Calle Játiva 24. 🚆 963 52 85 73. ◯ t.l.j.

La gare principale de Valence a été construite entre 1907 et 1917 dans un style inspiré de l'Art nouveau autrichien. À l'intérieur, les vitraux et les céramiques des murs du hall et du buffet montrent la vie quotidienne et les récoltes dans la *huerta* et L'Albufera *(p. 244)*.

🏛 Ciutat de les Arts i de les Ciències

Avenida Autovia del Saler 1-7. 🚆 902 10 00 31. ◯ t.l.j. 🎟 ♿

La Cité des Arts et des Sciences, le projet moderne le plus ambitieux de Valence, est

L'hémisphérique cinéma IMAX à la Ciutat de les Arts i de les Ciències

située en dehors du centre et près du port. Ce complexe de bâtiments modernes entourant un lac a été dessiné par un architecte local, Santiago Calatrava. Les espaces sont répartis entre un cinéma IMAX récemment ouvert, les expositions artistiques, un musée de la Science et un parc océanographique qui accueille des animaux et un restaurant sous-marin.

🏛 Museo del Gremio Artistas Falleros / Museo Fallero

Avda San José Artesano 17. 🚆 963 47 65 85. ◯ du lun. au sam. 🎟 ♿ Plaza Monteolivete, s/n 🚆 963 52 54 78. ◯ t.l.j. 🎟 ♿

Jusqu'à 170 artistes et artisans travaillent toute l'année dans le *barrio* de Ciudad Fallera à la réalisation des *ninots*, sculptures de papier mâché brûlées pendant la fête de Las Fallas *(p. 245)*. Hors des mois précédant mars, ils ouvrent parfois leurs ateliers aux visiteurs. Chaque année, certains des *ninots* les plus réussis échappent aux flammes pour être exposés dans ce

musée qui propose également des documents et des photographies.

Plages d'El Cabañal et de La Malvarrosa

À l'est de la ville, une large promenade animée longe sur environ 2 km la plage d'El Cabañal et celle de La Malvarrosa dont la lumière inspira le peintre Joaquín Sorolla *(p. 295)*. Malgré leur rénovation au cours des années 1960-1970, ces anciens quartiers de pêcheurs conservent quelques maisons traditionnelles protégées de la chaleur estivale par un revêtement extérieur de carreaux de céramique. Près du port, de nombreux restaurants bordent le paseo de Neptuno.

Aux environs

La plaine fertile de la *huerta* est un dédale de champs irrigués où poussent notamment les souchets dont les fruits servent à la fabrication de la *horchata*. Quelques *barracas* (fermes valenciennes) y subsistent.

À **Manises**, près de l'aéroport, se vendent les céramiques du pays.

> ## LA HORCHATA
>
> En été, les cafés de Valence servent une boisson désaltérante particulière à la région, la *horchata*, fabriquée principalement dans la ville proche d'Alboraia. Ce lait de *chufas* (amandes de terre) se boit glacé et généralement accompagné de *fartons*, petits pains sucrés en forme de bâtonnets, ou de *rosquilletas*, biscuits croustillants. Près de la plaza de la Virgen, Santa Catalina est la plus ancienne *horchatería* du centre.
>
> **Azulejos représentant une serveuse de *horchata***

Barques de pêche sur une rive de L'Albufera

L'Albufera ⓭

Valencia. 🚌 ℹ️ *Carretera Palmar Raco de l'Olla, 961 62 73 45.*

À quelques kilomètres au sud de Valence, le riu Túria alimente en eau douce cette lagune séparée de la Méditerranée par une dune plantée de pins, la Dehesa. Les rizières qui l'entourent fournissent un tiers de la production de riz espagnole.

Le plan d'eau a une profondeur maximale de 2,5 m et des écluses permettant de contrôler son niveau équipent les trois canaux qui le relient à la mer. Il couvrait au Moyen Âge une superficie dix fois plus vaste. Les alluvions déposées par le fleuve et l'extension des zones cultivées continuent encore aujourd'hui de réduire son étendue.

L'Albufera est devenue en 1986 une réserve naturelle qui protège les très nombreux oiseaux (plus de 250 espèces), notamment hérons et aigrettes, qui nichent dans les roseaux de ses rives et sur ses îles marécageuses, les *matas*. Mieux vaut se munir de jumelles pour les observer.

À Raco de l'Olla, un centre d'accueil fournit des informations sur l'écosystème formé par la lagune, les rizières et la Dehesa.

Xàtiva ⓮

Valencia. 🏘️ *27 000.* 🚌 🚂 ℹ️ *Calle Alameda de Jaime I 50, 962 27 33 46.* 📅 *mar. et ven.* 🎉 *Las Fallas (16-19 mars) ; Fira de agosto (15-20 août).*

Sur la crête étroite du mont Vernissa s'étendent au-dessus de Xàtiva (Játiva) les ruines d'un **château** d'où se découvre un magnifique panorama. Philippe V détruisit la forteresse pendant la guerre de Succession d'Espagne *(p. 58)*. Il mit également le feu à la ville, méfait dont les habitants lui tiennent toujours rigueur comme le manifeste l'effigie grandeur nature du roi suspendue la tête en bas dans le **Museo Municipal**.

Fondée par les Ibères, Xàtiva

Le portrait de Philippe V suspendu tête en bas à Xàtiva

connut une grande prospérité pendant l'occupation maure et fut au XIIe siècle la première cité d'Europe où fut fabriqué du papier. Sa vieille ville a gardé beaucoup de caractère avec ses ruelles et ses places dont certaines sont bordées d'édifices gothiques et Renaissance tel l'ancien hôpital qui fait face à la Colegiata (1596).

L'église la plus ancienne, l'**Ermita de San Feliú** (v. 1262), se dresse sur la route du château. Elle abrite des peintures du XIVe au XVIe siècle.

♣ Castillo de Xàtiva
Subida del Castillo. 📞 *962 27 42 74.* ⏰ *du mar. au dim.* 🏛️

🏛 Museo Municipal
Carrer de la Corretgeria 46. 📞 *962 27 65 97.* ⏰ *du mar. au dim.* ♿ ♿

Gandía ⓯

Valencia. 🏘️ *74 000.* 🚌 ℹ️ *Calle Marqués de Campo, 962 87 77 88.* 📅 *jeu, sam.* 🎉 *Las Fallas (16-19 mars).* Ⓦ *www.gandiaexcelencia.com*

Rodrigo Borja devint en 1485 le premier duc de Gandia, puis accéda en 1492 à la papauté sous le nom d'Alexandre VI malgré ses nombreux enfants, dont la célèbre Lucrèce Borgia et un fils, César, qui fit assassiner son frère Giovanni en 1497. Général des jésuites canonisé en 1671, le quatrième duc de Gandia, François Borgia, redora toutefois le blason de la famille.

Au cœur de la vieille ville, toujours entourée d'une partie de ses remparts, sa maison natale, le **Palacio Ducal** de style Renaissance, renferme des appartements richement décorés où un pavement en céramique de Manises, dans la galerie dorée, représente les Éléments.

Palau Ducal

Duc Alfons el Vell 1. 962 87 14 65. du mar. au dim.

Dans les appartements du Palau Ducal de Gandia

Denia 🔟

Alicante. 40 000. Plaza Oculista Buigues 9, 966 42 23 67. lun. Fiestas Patronales (déb. juil.). W www.denia.net

Ville industrielle et station balnéaire, cette ancienne colonie grecque prit le nom de Dianium sous les Romains, et les vestiges d'un temple de Diane y ont été mis au jour. Elle devint au XIe siècle la capitale d'un ensemble de *taifas* musulmans *(p. 49)* dont l'autorité s'exerçait de l'Andalousie aux Baléares.

Le centre s'étend au pied d'une colline basse couronnée par les ruines d'un vaste **château** qui domine le port et offre un beau panorama. Son portail d'entrée, le Portal de la Vila, doit son aspect actuel à un important remaniement au

XVIIe siècle. À l'intérieur de la forteresse, le Palacio del Gobernador abrite un musée archéologique qui illustre le développement de Denia de 200 av. J.-C. au XVIIIe siècle.

Au nord du port se déroule la plage de sable de Las Marinas. Les plongeurs sous-marins lui préféreront celle de Les Rotes, au sud, moins fréquentée et plus rocheuse.

Castillo de Denia

Calle San Francisco. 966 42 06 56. t.l.j. 1er janv., 25 déc.

Xàbia 🔟

Alicante. 30 000. Plaza de la Iglesia 6, 965 79 43 56. jeu. San Juan (24 juin), Moros y Cristianos (3e week-end de juil.) Aduanas de Mar (1re sem. de sept.).

Pirates et contrebandiers tiraient jadis avantage des cachettes offertes par les grottes, les criques et les deux îlots rocheux qui donnent son cachet au littoral de Xàbia (Jávea).

Un peu à l'intérieur des terres, le centre-ville se perche sur une hauteur qu'occupa une colonie ibère ceinte de remparts. Nombre des édifices bordant ses rues furent construits dans un grès caractéristique de la région. Fortifiée, l'**Iglesia de San Bartolomé** gothique (XIVe siècle) a conservé deux portails à mâchicoulis.

Des moulins à vent en ruine des XVIIe et XVIIIe siècles dominent le front de mer, où la politique municipale a évité l'érection en bord de plage de hauts immeubles comme il en existe tant dans les stations balnéaires espagnoles.

Entrée de l'Iglesia de San Bartolomé gothique de Xàbia

Embrasement des *ninots* à Valence pour la Saint-Joseph

FÊTES DE VALENCE ET DE LA MURCIE

Las Fallas *(15-19 mars).* À Valence, d'immenses compositions caricaturales en carton-pâte *(ninots)* disparaissent dans les flammes *(fallas)* la nuit du 19 mars pour célébrer la Saint-Joseph. Pendant dix jours, à 14 h, a lieu devant l'hôtel de ville un assourdissant concert de pétards : la *mascletà*.
Vendredi saint, Lorca (Murcie). Grande procession de personnages bibliques et romains parés de somptueuses broderies. Les confréries des « blancs » et des « bleus » rivalisent dans le faste apporté à la cérémonie.
Moros y Cristianos *(21-24 avr.),* Alcoi (Alicante). Pour la Saint-Georges, deux armées costumées se défient et livrent combat en commémoration d'une bataille entre Maures et chrétiens en 1276.
Bous en la Mar *(déb. juil.),* Denia (Alicante). Les participants esquivent des taureaux sur le port en essayant de ne pas tomber à l'eau *(p. 35).*
Misteri d'Elx *(11-15 août),* Elx (Alicante). Effets spéciaux spectaculaires pour un drame chanté dans l'Iglesia de Santa María.
La Tomatina *(der. mer. d'août),* Buñol (Valence). Furieuse bataille à coups de tomates *(p. 238-239).*

La Costa Blanca

Jouissant d'hivers plus doux que la Costa Brava *(p. 207)* et d'une ambiance moins trépidante que la Costa del Sol *(p. 448-449)*, le littoral de la province d'Alicante doit son nom de « Côte blanche » à la qualité de sa lumière. Au nord d'Altea s'étendent de belles plages entrecoupées de falaises creusées de criques. Entre Altea et

Alicante, grand centre ferroviaire qui possède un aéroport international, de hauts immeubles ont souvent, avec le développement du tourisme, défiguré la côte sablonneuse. Au sud d'Alicante, les paysages deviennent plus arides, hormis à Guardamar del Segura où de belles dunes couvertes de pinèdes bordent la mer.

Gandía marque la limite sud de la côte valencienne dont les plages de sable fin aux eaux peu profondes attirent de nombreux Espagnols.

• Gandia

• Oliva

Denia possède une plage de sable bordée d'hôtels, Las Marinas. Plus rocheuse, celle de Les Rotes se prête à la plongée sous-marine.

• Denia

Xàbia

À Xàbia (Jávea), sur une côte jalonnée de falaises, la plage la plus fréquentée est celle d'El Arenal.

Altea a conservé une vieille ville perchée dont les maisons blanches dominent une longue plage de galets.

• Moraira

• Calp

• Altea

Santa Pola *reste un port de pêche actif, mais possède de longues plages de sable.*

Benidorm

La Vila Joiosa

À Benidorm, un vieux village domine deux plages de sable, celle de Levante, la plus animée, et celle de Poniente, plus éloignée du centre.

• El Campello

• Platja de Sant Joan

À Platja de Sant Joan, une route et les trains empruntant une étroite voie ferrée donnent accès à une immense plage de sable.

• Alacant (Alicante)

Santa Pola

Illa de Tabarca

L'île de Tabarca, aux eaux limpides, séduira les plongeurs sous-marins.

Guardamar del Segura

À Guardamar del Segura, la plage, bordée d'une dune plantée de pins, est l'une des plus calmes de la côte.

Torrevieja

0   25 km

Torrevieja est, avec sa longue plage de sable, une station balnéaire qui s'est beaucoup développée ces dernières années.

Alicante possède plusieurs plages : celle del Postiguet, dans le centre-ville, et celles de La Albufereta et de Sant Joan.

◁ **Arrivée de l'armée maure lors d'une fête commémorant la Reconquête à Ontinyent (Valence)**

Penyal d'Ifach

Alicante. 🚌 🚆 Calp. **ℹ** *Avda de los Ejercitos Españoles 44, Calp, 965 83 69 20.*

De loin, le Penyal d'Ifach (Peñon d'Ifach), rocher haut de 332 m, semble jaillir de la Méditerranée. Un court tunnel creusé en 1918 permet d'atteindre à pied le flanc moins abrupt dominant la mer.

La promenade commence à l'office du tourisme situé au-dessus du port de Calp (Calpe). Elle prend en tout environ deux heures sur un sentier en pente douce qui grimpe au milieu de genévriers et de palmiers-éventails jusqu'au sommet d'où s'offre un vaste panorama de la Costa Blanca. Les collines de l'île d'Ibiza *(p. 486)* s'aperçoivent par temps clair.

Trois cents espèces végétales, dont certaines plantes rares, poussent sur le Penyal d'Ifach et le gouvernement régional a acquis en 1987 le piton rocheux, alors propriété privée, pour le transformer en réserve naturelle. Au pied s'étendent des marais salants où s'arrêtent des oiseaux migrateurs.

D'origine ibère, Calp a conservé des vestiges de remparts et une église gothico-mudéjare. Elle est surtout réputée pour ses plages, telle celle de Levante.

Guadalest

Alicante. 👥 *200.* **ℹ** *Avenida de Alicante, 965 88 52 98.* 🎭 *Fiestas de los Jóvenes (1ᵉʳ sem. de juin), Virgen de la Asunción (14-17 août).*

Malgré les dommages que lui infligèrent des tremblements de terre en 1644 et en 1748, et malgré les touristes qui s'y rendent en excursion par cars entiers depuis Benidorm, le joli village de Guadalest reste relativement préservé. Il le doit principalement au fait que sa partie la plus ancienne ne s'atteint qu'à pied et par une unique entrée : un tunnel en pente douce taillé dans le rocher où se perchent le clocher de l'église et les ruines du **château** auxquels

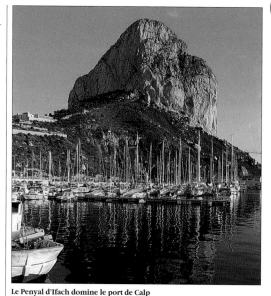
Le Penyal d'Ifach domine le port de Calp

conduit un escalier partant de la place principale.

Les Maures fondèrent Guadalest et ils créèrent sur les collines alentour les terrasses aujourd'hui plantées d'oliviers et d'amandiers. Les canaux d'irrigation dont ils les dotèrent sont toujours en fonction.

Au **Museo de Micro-Miniaturas** se découvrent une copie de l'*Execution du 3 mai,* de Goya, peinte sur un grain de riz, une reproduction de la *Maja nue (p. 283),* également de Goya, sur une aile de papillon et une sculpture de chameau passant par le chas d'une aiguille.

🏛 Museo de Micro-Miniaturas
Calle de la Iglesia 5. **📞** *965 88 50 62.* 🕐 *t.l.j. (jusqu'à 21 h d'avr. à sept.).* ♿

Le clocher de Guadalest perché sur un haut rocher

Alcoi

Alicante. 👥 *62 000.* 🚌 🚆 **ℹ** *San Lorenzo 2, 965 53 71 55.* 🎭 *mer. et sam.* 🎭 *Moros y Christians (21-24 avril).* **W** *www.alcoi.com*

Située au confluent de trois rivières et entourée de hautes montagnes, Alcoi (Alcoy) est une ville industrielle surtout réputée pour sa fête des Maures et des Chrétiens *(p. 245)* et ses *peladillas,* friandises aux amandes.

Au-dessus s'étend la réserve naturelle de la **Font Roja** (source rouge) où se dresse une statue de la Vierge.

Aux environs
Au nord d'Alcoi s'élève la **sierra de Mariola,** massif montagneux renommé pour ses plantes aromatiques et médicinales. Depuis le village d'**Agres,** une route pittoresque conduit au nord jusqu'au sommet du mont Cabrer (1 390 m). Elle longe les ruines de deux *neveras* (glacières).

À l'ouest d'Agres, **Bocairent** possède une arène taillée dans le rocher en 1813. Des grottes artificielles, les **Covetes dels Moros,** creusent une falaise proche, mais leur origine demeure jusqu'à ce jour encore mystérieuse.

Benidorm ㉑

Alicante. 🏘 62 000. 🚉 🚌 ℹ️ *Avda
Martínez Alejos 16, 965 85 13 11.*
🍴 *mer., dim.* 🎭 *Virgen del Carmen
(16 juil.), Las Fallas (16-19 mars).Fistas
Patronales (2ᵉ w.-e. de nov.), Moros y
Cristianos (fin sept - début oct.)*
🌐 www.benidorm.org

Avec la forêt de gratte-ciel
dominant ses deux
plages, cette célèbre station
balnéaire évoque davantage
Manhattan que le village de
pêcheurs qu'elle était encore
au début des années 1950.

Aucune autre ne propose
plus de distractions que
Benidorm et, bien que sa
clientèle soit en train
d'évoluer pour compter plus
d'Espagnols d'un certain âge
que de jeunes Anglais férus
de soûleries à la bière, les
principales motivations pour y
séjourner restent le soleil et
ses « pubs » et boîtes de nuit.

Un immense parc public
accueillant des manifestations
culturelles en plein air, le
Parque de l'Aigüera,
témoigne des efforts de la
ville pour changer d'image.

Sur le promontoire
séparant les plages du
Levante et du Poniente, un
petit jardin appelé le
Balcón del Mediterráneo
ménage de belles vues sur la
ville. Il se termine par un
puissant jet d'eau. Des
navettes en bateau desservent

**Escalier principal de la Casa
Modernista de Novelda**

l'illa de Benidorm en cours de
conversion en réserve
naturelle.

Aux environs
La Vila Joiosa (Villajoyosa), au
sud, a conservé des remparts
médiévaux et une église
gothique au portail
Renaissance. Des maisons
multicolores y dominent la
Sella. Leurs propriétaires leur
auraient donné leurs couleurs
vives pour pouvoir les
reconnaître du large.

Le quartier ancien d'**Altea**,
au nord de Benidorm, domine
depuis une colline les édifices
modernes du front de mer.
Autour de l'église, ruelles,
allées et longues volées de
marches bordées de maisons
blanches forment un dédale
plein de charme.

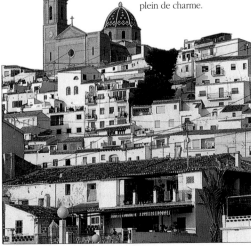

La vieille ville d'Altea au pied de son église

Novelda ㉒

Alicante. 🏘 24 000. 🚉 🚌 ℹ️ *Calle
Mayor 6, 965 60 92 28.* 🍴 *mer., sam.*
🎭 *Santa María Magdalena (20-25 juil.).*
🌐 www.novelda.net

La ville industrielle de
Novelda compte de
nombreuses marbreries, mais
c'est une maison Art nouveau
superbement préservée, la
Casa Modernista, qui en
constitue le principal intérêt.
Construite en 1903 et sauvée
de la démolition en 1970 par
une banque locale, elle
possède une magnifique
décoration intérieure et du
mobilier d'époque.

Aux environs
À 30 km au nord, l'hôtel de
ville de Villena abrite le
Tesoro de Villena (*p. 44-45*)
composé d'objets en or datant
de l'âge du bronze.

🏛 **Casa Modernista**
Calle Mayor 24. 📞 965 60 02 37.
◻ *lun.-sam.* 🗓 *sur rendez-vous.*
🏛 **Tesoro de Villena**
Ayuntamiento. 📞 965 80 11 50.
◻ *mar.-dim.* ♿ 🔲

Alicante ㉓

Alicante. 🏘 290 000. ✈ 🚉 🚌 ⚓
ℹ️ *Calle Portugal 17, 965 92 98 02.*
🍴 *jeu., sam.* 🎭 *Hogueras (3ᵉ sem.
de juin).*
🌐 www.comunidadvalenciana.com

Port actif et importante
station de villégiature
appréciée en hiver comme en
été, Alicante (Alacant) borde
une baie magnifique et doit à
la pureté de ses ciels d'avoir
pris le nom de Lucentum (ville
de lumière) à l'époque
romaine. Maure du VIIIᵉ siècle
jusqu'à sa reconquête en 1296,
elle se développa au pied du
mont Benacantil que
couronne le **Castillo de Santa
Bárbara**, forteresse accessible
en ascenseur qui date
principalement du XVIᵉ siècle.
Ses remparts les plus hauts
offrent une vue de toute la
cité.

Promenade plantée de
palmiers, l'**Explanada de
España** longe le port de
plaisance. Bâti au XVIIIᵉ siècle,
l'**hôtel de ville**
(*ayuntamiento*) baroque

Le port de plaisance d'Alicante bordé par l'Explanada de España

mérite une visite pour le Salón Azul (Salon bleu) et sa galerie des glaces. À côté de l'église Santa Maria, la **Casa de la Asegurada** (XVIIe siècle) abrite une collection d'art assemblée par le sculpteur Eusebio Sempere (1924-1985). Elle comprend, entre autres, des œuvres de Miró, Dalí et Picasso. Le musée est actuellement fermé pour travaux de restauration.

♠ Castillo de Santa Bárbara
Playa del Postiguet. 965 15 29 69.
◯ t.l.j. ⚡ ascenseur seulement. ♿
♛ Ayuntamiento
Plaza del Ayuntamiento. 965 14 91 00. ◯ de 9 h à 14 h du lun. au ven.
🏛 Casa de la Asegurada
Plaza de Santa María 3. 965 14 09 59. ⬤ pour restauration ☐

Illa de Tabarca ㉔

Alicante. ⛴ depuis Santa Pola/Alicante.
🛈 Santa Pola, 966 69 22 76.

Dans une baie aux belles plages de sable, la ville de Santa Pola constitue le meilleur point de départ pour l'illa de Tabarca. Cette petite île plate est divisée en deux parties : une étendue rocailleuse et dénudée connue sous le nom d'*el campo* (la campagne), et une enceinte fortifiée, où s'ouvrent trois portails monumentaux, construite au XVIIIe siècle sur l'ordre de Charles III pour lutter contre les pirates.

Appréciée des plongeurs sous-marins, Tabarca peut se révéler surpeuplée en été.

On a mis au jour à Santa Pola les vestiges d'un atelier romain de salage de poissons.

Elx ㉕

Alicante. 🚶 210 000. 🚊 🚌 🛈
Plaza del Parque 3, 965 45 38 31. ⬤
lun., sam. 🎭 Virgen de la Asunción (2e sem. d'août).

Les Phéniciens auraient créé au IVe siècle av. J.-C. la palmeraie qui entoure Elx (Elche) sur trois côtés. Une eau saumâtre particulièrement adaptée à la culture des dattiers court dans ses canaux d'irrigation et elle compte plus de 100 000 arbres. Parmi les plantations accessibles figure le **Huerto del Cura**, célèbre par sa *palmera imperial* dont le tronc s'est divisé en huit branches.

C'est dans la **Basílica de Santa María**, entreprise dans le style baroque au XVIIe siècle, que sont chantés les mois d'août les **Misteri d'Elx** (*p. 37*). Près du sanctuaire s'élève la **Calahorra**, tour gothique qui faisait partie des défenses de la ville.

À côté de l'hôtel de ville, deux poupées du XVIe siècle sonnent les heures sur les cloches de la tour de l'horloge.

Il existait une implantation humaine dès 5000 av. J.-C. à La Alcudia où des fouilles ont mis au jour en 1897 un buste ibère du Ve siècle av. J.-C. : la *Dame d'Elche* (*p. 44*). L'original est à Madrid, mais des répliques sont dispersées dans Elx.

🌿 Huerto del Cura
Porta de la Morera 49. 96 545 19 36. ◯ t.l.j. ⚡ ♿
♛ La Calahorra
Calle Uberna. ⬤ au public.

Orihuela ㉖

Alicante. 🚶 80 000. 🚊 🚌 🛈 Calle Francisco Die 25, 965 30 27 47. ⬤ mar. 🎭 La Reconquista (17 juil.).

Au cœur d'une *huerta* plantée de palmiers et d'agrumes, Orihuela devint un évêché en 1564. La **cathédrale** gothique (XIVe-XVe siècles) possède un cloître roman et l'un de ses trois portails est de style Renaissance. Elle abrite la *Tentation de saint Thomas d'Aquin* par Vélazquez. Parmi les sculptures processionnelles du XVIIIe siècle exposées au **Museo San Juan de Dios**, remarquez *La Diablesa*.

🏛 Museo San Juan de Dios
Calle del Hospital. 966 74 31 54.
◯ mar.-dim. ♿ ☐

La Diablesa, Orihuela

Torrevieja ㉗

Alicante. 🚶 72 000. 🛈 Plaza Ruiz Capdepont, 965 71 59 36. ⬤ ven.
🎭 Habaneras (22-30 juil.).

Torrevieja a connu un important développement touristique ces dernières années, mais sa principale activité économique fut longtemps l'extraction du sel, et ses marais salants restent les plus productifs d'Europe et les deuxièmes du monde.

En août, la ville organise un festival de *habaneras*, chants d'origine cubaine popularisés par les exportateurs de sel.

Capilla del Junterón, Murcia

Murcie ㉘

Murcia. 🏙 350 000. 🚌 🚉 🛈
Plaza Julián Romea 4, 902 10 10 70.
🍴 *jeu.* 🎭 *Semana Santa (sem. de Pâques).* 🆆 *www.murciaturista.es*

Capitale régionale et ville universitaire sur les rives du río Segura, Murcie fut fondée au début du IXᵉ siècle par les Maures dans une *huerta* qu'ils venaient de mettre en valeur grâce à l'irrigation

Place percée au XVIIIᵉ siècle, **La Glorieta** constitue le cœur de la cité moderne. Dans le quartier ancien, la calle de la Trapería, piétonnière, a gardé beaucoup de charme. Elle relie la cathédrale à la plaza Santo Domingo où se tenait jadis le marché. Club privé fondé en 1847, le **Casino** occupe dans la rue le n° 18. Demandez au portier l'autorisation de visiter. On y pénètre par un patio maure inspiré des appartements royaux de l'Alhambra. Une peinture représentant la déesse Séléné orne le plafond des toilettes des dames.

La construction de la **cathédrale**, consacrée en 1467, commença en 1394 sur les fondations d'une mosquée. Haut d'environ 90 m, son clocher, édifié par étapes du XVIᵉ au XVIIIᵉ siècle, offre de son sommet un large panorama. L'architecte Jaime Bort éleva la majestueuse façade baroque entre 1739 et 1754. L'intérieur du sanctuaire recèle deux chapelles particulièrement belles : dans le déambulatoire (5ᵉ), la Capilla de los Vélez (1490-1507) de style gothique

tardif, et, dans le bas-côté droit (4ᵉ), la Capilla del Junterón (XVIᵉ siècle) à la riche décoration plateresque.

Le **musée de la cathédrale** présente entre autres des retables gothiques, une frise provenant d'un sarcophage romain, une custode exécutée en 1677, la troisième d'Espagne par la taille, et un *Saint Jérôme* par Francisco Salzillo (1707-1783), l'un des plus grands sculpteurs espagnols. Il naquit à Murcie et un musée installé dans l'**Iglesia de Jesús** abrite huit de ses *pasos*, groupes sculptés portés en procession

Patio maure, Casino de Murcie

pendant la semaine sainte. Une crèche compte quelque 500 figurines auxquelles il donna une grande vivacité d'expression.

Aux environs
À côté de la copie en acier (1955) d'une grande roue à aubes du XVᵉ siècle, le **Museo Etnológico de la Huerta de Murcia** comprend une

barraca, ferme traditionnelle murcienne à toit de chaume. Il présente dans trois galeries des ustensiles agricoles et domestiques dont certains sont vieux de 300 ans.

🎰 **Casino**
Calle Trapería 18. 📞 *968 21 22 55.*
🕐 *de 10 h à 21 h, t.l.j.* 📷
🏛 **Museo Etnológico de la Huerta de Murcia**
Avda Principe. 📞 *968 89 38 66.* 🕐
du mar. au dim. ⬤ *jours fériés* ♿

Mar Menor ㉙

Murcia. ✈ *San Javier.* 🚉 *depuis Cartagena, puis en bus.* 🚌 *La Manga.*
🛈 *La Manga, 968 14 61 36.*
🆆 *www.marmenor.net*

Une station balnéaire animée s'est développée sur la Manga, l'isthme étroit et sablonneux long de 20 km qui sépare la Méditerranée de la Mar Menor, le plus vaste des lacs salés d'Europe. Calme et peu profonde, l'eau peut y atteindre en été une température supérieure de 5 degrés à celle de la mer voisine. Sa haute teneur en sels minéraux lui donne des vertus curatives.

Plus calmes que la Manga, les villes de villégiature de Santiago de la Ribera et Los Alcázares ont conservé de beaux pontons en bois. Depuis Santiago de la Ribera ou La Manga, des bateaux conduisent à l'île de Perdiguera, l'une des cinq îles de la Mar Menor. Les anciens marais salants de Lo Pagán, près de San Pedro del Pinatar, sont devenus une réserve naturelle.

Au bord de la Mar Menor, à Los Alcázares

Les coupoles de l'hôtel de ville de Carthagène vues du front de mer

Carthagène ㉚

Murcie. 🏠 200 000. ✈ San Javier. 🚉
🚌 🚢 🛈 Plaza Almirante Bastareges,
968 50 64 83. 📅 mer. 🎭 Semana
Santa (sem. de Pâques), Carthaginois et
Romains (2 dern. sem. de sept.).

A u-dessus du port et des
ruines de l'ancienne
cathédrale entreprise au
XIIIᵉ siècle dans le style roman, le
parc entourant les vestiges du
Castillo de la Concepción,
forteresse bâtie par Henri III de
Castille au XIVᵉ siècle, ménage
une belle vue de la rade où les
Carthaginois fondèrent en
223 av. J.-C. la Nouvelle Carthage
(*Carthago Nova*). Prospère à
l'époque romaine, la ville tomba
ensuite en déclin jusqu'à la
création en 1777 de son arsenal.

Sur les quais, en face de
l'hôtel de ville moderniste, se
trouve un prototype de sous-
marin dessiné par Isaac Peral en
1888. Sur la plaza del
Ayuntamiento s'ouvre la calle
Mayor, la rue principale bordée
d'élégants édifices. Des fouilles
ont notamment mis au jour à
Carthagène une rue romaine et
la **Muralla Bizantina** construite
entre 589 et 590.

Le **musée national
d'Archéologie maritime**
présente une belle collection
d'amphores antiques et des
maquettes des bateaux qui les
transportaient.

🏠 **Muralla Bizantina**
Calle Doctor Tapia Martinez. 📞 968 50
79 66. 🕐 du mar. au dim.

🏛 **Museo Nacional de
Arqueología maritime**
Carretera Faro de Navidad. 📞 968 12
11 66. 🕐 de 9 h à 15 h, du mar. au
sam., 10 h-15 h dim. 🎫 sauf dim.

Costa Cálida ㉛

Murcie. 🚉 🚌 Murcie. 🛈 Águilas,
968 49 32 85.
🌐 www.murciaturistica.es

L es stations balnéaires les
plus populaires de la « Côte
chaude » de la Murcie bordent la
Mar Menor. Entre Cabo de Palos
et Cabo Tinoso, le littoral,
creusé de calanques, est
principalement rocheux. Les
stations du sud se révèlent
relativement paisibles pour
l'Espagne. Puerto de Mazarrón
propose plusieurs belles plages
et, près de Bolnuevo, le vent a
sculpté des formes étranges
dans des rochers. Proche de la
frontière avec l'Andalousie,
Águilas est en pleine expansion.

Lorca ㉜

Murcie. 🏠 80 000. 🚉 🚌 🛈 Calle
Lope Gisbert, 968 46 61 57. 📅 jeu.
🎭 Semana Santa (sem. de Pâques),
Feria (3ᵉ sem. de sept.), Día de San
Clemente (23 nov.).

L a plaine fertile qui
entoure la troisième
ville de Murcie forme une
véritable oasis au sein
d'une des régions les plus
arides d'Europe.

De l'Eliocroca
romaine, important
relais de poste sur la
via Heraclea, subsiste
une pierre milliaire
qui porte une statue
de saint Vincent Ferrier
dans un angle de la plaza
San Vicente. Le château
de Lorca date de
l'époque, du XIIIᵉ au
XVᵉ siècle, où la ville

gardait la frontière entre
territoires chrétiens et
musulmans. Il n'a conservé
que deux de ses trente-cinq
tours d'origine. Une porte est
le seul vestige des remparts de
la cité démolis après la chute
de Grenade.

Au cœur du quartier ancien,
d'élégants monuments
baroques bordent la plaza de
España. La **Colegiata de San
Patricio**, construite entre 1553
et 1704, en ferme un des
grands côtés. De part et d'autre
se font face la salle capitulaire
et l'hôtel de ville, ancienne
prison dont les deux corps de
bâtiment, édifiés entre 1677 et
1733, furent ensuite reliés par
un arc enjambant la rue.

Caravaca
de la Cruz ㉝

Murcie. 🏠 24 000. 🛈 Calle de las
Monjas 17, 968 70 24 24. 📅 lun. et
3ᵉ dim. du mois (artisanat). 🎭 Vera
Cruz (1ᵉʳ-5 mai). 🌐 www.caravaca.org

C aravaca de la Cruz doit sa
renommée à la « Vraie
Croix » qui y apparut
miraculeusement en 1231
alors qu'un prêtre y célébrait
la messe devant un roi maure.
Lors d'un siège postérieur, les
défenseurs chrétiens du
château recouvrèrent leurs
forces en buvant du vin dans
lequel elle avait été trempée,
événement commémoré lors
des fêtes du mois de mai. À
l'intérieur de la forteresse se
dresse le **Santuario de la
Vera Cruz** (XVIIᵉ siècle) doté
d'une intéressante façade
baroque. Il n'abrite plus
la croix, volée en 1935.

Aux environs
À 14 km au nord, sur les
contreforts des
montagnes marquant la
frontière occidentale de la
Murcie, des ruelles
pentues aux maisons
multicolores grimpent
dans le joli village de
Moratalla vers un
château du XVᵉ siècle. À
l'est de Caravaca,
Cehegín a en partie gardé
son cachet médiéval.

**Statue du XVIIIᵉ siècle sur une
pierre milliaire romaine, Lorca**

MADRID

Présentation de Madrid

Cité de plus de trois millions d'habitants, la capitale de l'Espagne se trouve près du centre géographique du pays et au carrefour de ses réseaux routier et ferroviaire. Son éloignement de la mer et son altitude, 660 m, lui valent des hivers rigoureux et des étés torrides. Le printemps et l'automne sont donc les meilleures saisons pour visiter Madrid et découvrir, entre autres, ses nombreux musées, dont trois collections d'art de renommée mondiale, son palais royal et ses places animées. Une province peu étendue entoure la ville : la Comunidad de Madrid. La sierra de Guadarrama la domine au nord. Sur ses contreforts, Philippe II fit construire le majestueux monastère d'El Escorial.

Le Palacio Real (p. 266-267)
fut édifié et somptueusement décoré, comme ici dans la salle du trône, par les Bourbons. Il domine l'ouest du vieux Madrid.

La Plaza Mayor (p. 263),
dans le vieux Madrid, date du début du XVIIᵉ siècle. Pôle de la vie sociale, elle servit de cadre à des courses de taureaux, des jugements de l'Inquisition et des exécutions publiques (p. 264). Au centre se dresse une statue équestre de Philippe III.

VIEUX MADRID
(p. 258-271)

PROVINCE DE MADRID
(p. 308-309)

0   25 km

El Escorial (p. 312-313),
l'austère monastère achevé par Juan de Herrera pour Philippe II, abrite d'importantes œuvres d'art. Dans le panthéon des rois octogonal, des sarcophages en marbre renferment les dépouilles de nombreux souverains espagnols.

◁ **La fontaine de Cybèle et la tour de la poste principale, sur la plaza de Cibeles**

Le Museo Thyssen-Bornemisza (p. 278-279) présente dans un palais du XVIIIᵉ siècle l'une des plus importantes collections d'art jamais réunies par des personnes privées. Elle comprend des œuvres majeures par Titien, Rubens, Goya, Van Gogh et Picasso.

MADRID DES
BOURBONS
(p. 272-289)

Sur la plaza de Cibeles (p. 276), des édifices caractéristiques comme le Banco de España (1891) et la poste principale (1919) à la façade ornée de sculptures entourent une fontaine devenue un des symboles de la ville.

Le Parque del Retiro (p. 287) offre, avec ses allées ombragées et son lac dominé par une majestueuse colonnade, un cadre idéal où se détendre entre les visites des grands musées du Madrid des Bourbons.

Le Museo del Prado (p. 282-285), l'un des plus prestigieux musées d'art du monde, possède de nombreux tableaux de Velázquez et de Goya, dont la statue fait face à l'entrée principale.

0   500 m

Au Centro de Arte Reina Sofía (p. 288-289), remarquable musée d'art moderne installé dans un ancien hôpital à la façade agrémentée d'ascenseurs aux cages de verre, s'admire le célèbre Guernica par Picasso.

GOYA

LE VIEUX MADRID

Vers 850, l'émir Mohammed Ier fit d'un petit village sur le río Manzanares, au cœur de la péninsule Ibérique, une forteresse participant à la défense de Tolède : Magerit. Après sa conquête par Alphonse VI de Castille en 1083, les chrétiens édifièrent maisons et églises le long des ruelles sinuant derrière l'ancien alcazar arabe, transformé en palais gothique au XVe siècle. Un incendie détruisit celui-ci en 1734 et les Bourbons le remplacèrent par le Palacio Real actuel où se mêlent styles baroque et néoclassique.

La ville ne comptait que 20 000 habitants quand Philippe II y installa sa

Tiroir de la pharmacie du Palacio Real

capitale en 1561, mais sa population avait plus que triplé 50 ans plus tard. Centre nerveux d'un immense empire, le « Madrid de los Austrias » vit se multiplier couvents et palais seigneuriaux pendant les règnes des membres de la dynastie des Habsbourg. À partir de 1617, Juan Gómez de Mora aménage la Plaza Mayor pour Philippe III. En 1622 commence la construction de San Isidro qui sera cathédrale de 1885 à 1993. La Puerta del Sol (Porte du Soleil), vaste place portant le nom d'une ancienne porte des remparts, devient alors le cœur spirituel et géographique non seulement de Madrid mais de toute l'Espagne.

LE QUARTIER D'UN COUP D'ŒIL

Bâtiments historiques
Palacio Real p. 266-267 **9**

Musée
Real Academia de Bellas Artes **14**

Églises et monastères
Catedral de la Almudena **7**
Colegiata de San Isidro **2**
Iglesia de San Nicolás **5**

Monasterio de las Descalzas Reales **13**
Monasterio de la Encarnación **10**

Rue, places et parc
Campo del Moro **8**
Gran Vía **12**
Plaza de España **11**
Plaza Mayor **4**
Plaza de Oriente **6**

Plaza de la Villa **3**
Puerta del Sol **1**

COMMENT Y ALLER
En métro, les lignes 1, 2, 3, 5 et 10 offrent le moyen le plus rapide et le plus pratique de rejoindre les sites touristiques du vieux Madrid. Parmi les bus les plus utiles figurent le 51, le 52, le 150 et le 153 qui s'arrêtent à la Puerta del Sol.

LÉGENDE

▭	Plan pas à pas p. 260-261
Ⓜ	Station de métro
🚌	Arrêt de bus important
🛈	Information touristique
🅿	Parc de stationnement

◁ **Monument de Cervantes par Lorenzo Coullaut-Valera sur la plaza de España**

Le vieux Madrid pas à pas

S'étendant de la Puerta del Sol à la plaza de la Villa médiévale, le cœur du vieux Madrid, riche de monuments tels que la Colegiata de San Isidro et le Palacio de Santa Cruz, forme un ensemble compact marqué par l'histoire. Entourée de portiques, la Plaza Mayor aménagée par la maison d'Autriche en est le plus bel élément architectural. Si elle servit jadis de cadre à des exécutions ordonnées par l'Inquisition *(p. 264)*, elle accueille désormais des manifestations culturelles. De nombreux cafés et les éventaires du Mercado de San Miguel ajoutent au plaisir de se promener dans ce quartier vivant.

★ La Plaza Mayor
Cette superbe place du XVIIᵉ siècle abrite sous ses arcades de nombreux cafés et des magasins d'artisanat ❹

Le Mercado de San Miguel, où se vendent produits alimentaires et domestiques, occupe un édifice à structure métallique du XIXᵉ siècle.

CALLE MAYOR

PLAZA MORENAS

Vers le Palacio Real

PLAZA DE LA VILLA

CALLE DE SACRAMENTO

CORDÓN

PUÑONROSTRO

Hôtel de ville (ayuntamiento)

Casa de Cisneros

Arco de Cuchilleros

0　　　　　　　　100 m

★ La plaza de la Villa
La Torre de los Lujanes (XVᵉ siècle) est le plus ancien des bâtiments historiques qui la bordent ❸

La Basílica Pontificia de San Miguel
(XVIIIᵉ siècle), l'une des rares églises d'Espagne inspirées par le baroque italien, possède une belle façade et une élégante décoration intérieure.

À NE PAS MANQUER

★ La Plaza Mayor

★ La plaza de la Villa

★ La Puerta del Sol

★ La Puerta del Sol
Avec ses boutiques et ses cafés, cette place est la plus animée de Madrid. Une enseigne pour une marque d'alcool, Tío Pepe, en est devenue un symbole ❶

VIEUX MADRID

MADRID DES BOURBONS

CARTE DE SITUATION
Voir l'atlas des rues, plan 2

Iglesia de San Ginés

Station de métro Sol

Casa de Correos

Statue équestre de Charles III

Vers le Madrid des Bourbons

CALLE DEL ARENAL

PUERTA DEL SOL

CALLE DE ALCALÁ

CALLE MAYOR

CALLE DE POSTAS

CALLE PAZ

CALLE DE CARRETAS

ESPOZ Y MINA

BARCELONA

PLAZA MAYOR

PLAZA PROVINCIA

PLAZA DE JACINTO BENAVENTE

SALVADOR

DUQUE DE RIVAS

CALLE DE LA COLEGIATA

Station de métro Tirso de Molina

LÉGENDE

— — — Itinéraire conseillé

Le Palacio de Santa Cruz
construit au XVIIᵉ siècle dans le style baroque abrite le ministère des Affaires étrangères.

La Colegiata de San Isidro
Cathédrale de Madrid jusqu'à la construction de la Almudena (p. 265), l'église baroque Saint-Isidore est dédiée au patron de la ville, un paysan du XIIᵉ siècle ❷

Le kilomètre 0 des routes nationales espagnoles, Puerta del Sol

Puerta del Sol ❶

Plan 2 F3. Ⓜ *Sol.*

Le vacarme qu'y entretiennent les conversations, la circulation automobile et les coups de sifflets des policiers fait de la place de la Puerta del Sol le centre qui convient à Madrid. Malgré son manque d'intérêt architectural, Madrilènes et touristes s'y pressent pour le plaisir de flâner ou pour se rendre dans les très nombreuses boutiques du quartier.

Une porte fortifiée et un château défendaient jadis ici l'entrée orientale de la ville, la « Porte du Soleil ». Tous deux ont depuis longtemps disparu et plusieurs églises se sont succédé sur le site avant qu'il ne prenne sa forme actuelle à la fin du XIXᵉ siècle.

Un austère édifice néo-classique en brique rouge et une statue de Charles III récemment installée ferment la Puerta del Sol au sud. Édifié en 1760, pour abriter la poste centrale, il

El Oso y el Madroño, symboles de Madrid, Puerta del Sol

devint en 1847 le siège du ministère de l'Intérieur. L'horloge est un ajout datant de 1866. Le régime franquiste (*p. 62-63*) y installa la Sûreté générale qui s'y rendit coupable de maintes infractions aux Droits de l'homme. En 1963, Julián Grimau, membre du Parti communiste clandestin, tomba ainsi « accidentellement » d'une fenêtre des étages. Il survécut miraculeusement à sa chute, mais fut exécuté peu après. Le gouvernement régional de la *Comunidad de Madrid* occupe désormais le bâtiment. Devant, une plaque sur le sol marque le kilomètre 0 des routes nationales espagnoles.

Les immeubles en arc de cercle qui forment l'autre côté de la place abritent des magasins et des cafés modernes. Au coin de la calle del Carmen, une statue en bronze représente l'Ours et l'Arbousier (*El Oso y el Madroño*), symboles de la ville.

De nombreux événements historiques eurent lieu sur la Puerta del Sol. Le 2 mai 1808, c'est là que commença le soulèvement contre les forces d'occupation napoléoniennes (*p. 59*). En 1912, des anarchistes y assassinèrent le Premier ministre José Canalejas et, en 1931, la deuxième République (*p. 61*) fut proclamée depuis le balcon du ministère de l'Intérieur.

Le soir du 31 décembre, une foule immense se réunit sur la place pour attendre le jour de l'an. D'importants travaux de rénovation seront entrepris dans le quartier courant 2007 et pourront occasionner quelques désagréments.

Iglesia de San Isidoro ❷

Calle de Toledo 37. **Plan** 2 E4. 📞 913 69 20 37. Ⓜ *La Latina*. ⏰ 8 h-midi, 19 h-20 h lun.-sam., 9 h-14 h, 18 h-20 h dim.

Entreprise en 1622, l'ancienne église du collège de la Compagnie de Jésus connut un remaniement intérieur par Ventura Rodríguez après que Charles III eut expulsé les jésuites en 1767 (*p. 58*). Le sanctuaire baroque fut alors dédié au patron de la ville, saint Isidore, un laboureur mort en 1170, et reçut ses reliques conservées auparavant dans l'Iglesia de San Andrés. Rendue aux jésuites pendant le règne de Ferdinand VII (1814-1833), San Isidro devint la cathédrale de Madrid de 1885 à l'achèvement de l'Almudena (*p. 265*) en 1993.

Autel de la Colegiata de San Isidro

Plaza de la Villa ❸

Plan 2 D4. Ⓜ *Ópera, Sol.*

Havre de paix au cœur de la ville, cette place piétonnière souvent remaniée possède un grand charme.

Le plus ancien des bâtiments historiques qui la bordent est la Torre de los Lujanes (XVᵉ siècle) dotée d'un portail gothique et ornée d'arcs en fer à cheval de style mudéjar. François Iᵉʳ y aurait été emprisonné après sa défaite face aux troupes de Charles Quint à Pavie en 1525.

Construite en 1537 pour le neveu du cardinal de Cisneros, le fondateur de la prestigieuse

Portail de la Torre de los Lujanes

Les travaux commencèrent en 1617 à l'emplacement d'un grand marché dont les noms de la Casa de la Carniceria (boucherie) et de la Casa de la Panadería (boulangerie), qui se font face au nord et au sud, entretiennent le souvenir. Les peintures allégoriques de la Casa de la Panadería datent d'une restauration récente.

Inaugurée en 1620, la place fut le théâtre de nombreux événements publics auxquels assistaient souvent le roi et la reine : courses de taureaux, tournois, autodafés… En 1621 eut lieu l'exécution de Rodrigo Calderón, secrétaire du duc de Lerme, le favori de Philippe III. Malgré la haine que lui vouait le peuple madrilène, son attitude face au bourreau impressionna tellement que l'expression « plus orgueilleux que don Rodrigo sur l'échafaud » a toujours cours. L'année suivante, une grande cérémonie célébra la canonisation de saint Isidore, le patron de la ville. La manifestation la plus spectaculaire fut sans doute cependant l'arrivée en 1760 de Charles III, jusqu'alors roi de Naples et de Sicile.

Bordée de cafés, et décorée en son centre d'une statue équestre de Philippe III commencée par Jean de Bologne et achevée en 1616 par son élève Pietro Tacca, la place accueille le dimanche matin un marché aux timbres et aux monnaies *(p. 305)*. Elle donne au sud sur la calle de Toledo qui conduit aux rues où se tient le Rastro, le célèbre marché aux puces de Madrid *(p. 292)*. Dans l'angle sud-ouest, une volée de marches mène sous l'Arco de Cuchilleros à la calle de Cuchilleros où s'ouvrent de nombreux *mesones*, petits restaurants traditionnels.

université d'Alcalá de Henares *(p. 314-315)*, la Casa de Cisneros présente sur la calle Sacramento une façade principale qui offre un bel exemple du style plateresque *(p. 21)*.

Un arc relie la maison à l'hôtel de ville *(ayuntamiento)* dessiné en 1640 par Juan Gómez de Mora, l'architecte de la Plaza Mayor, qui lui donna, comme aux immeubles de la place, un toit pentu percé de lucarnes, des tourelles d'angles et une austère façade de brique et de pierre. La construction de l'édifice dura toutefois plus de 30 ans et il reçut avant son achèvement d'élégants portails baroques par Ardemans. Juan de Villanueva, l'architecte du Prado *(p. 282-285)*, ajouta postérieurement le balcon qui permettait à la famille royale d'assister aux processions religieuses.

Plaza Mayor ❹

Plan 2 E4. Ⓜ *Sol.*

Vaste rectangle d'environ 120 m de long sur 90 de large, la Plaza Mayor offre avec ses toits pentus, ses balcons et ses clochetons, un décor théâtral très castillan de caractère. Juan Gómez de Mora dessina les immeubles qui l'entourent. Il reprenait un projet de Juan de Herrera, l'architecte de l'austère monastère d'El Escorial *(p. 312-313)*, et il s'inspira du style de son maître en l'adoucissant quelque peu.

Peintures allégoriques de la Casa de la Panadería, Plaza Mayor

L'Inquisition espagnole

Instaurée en 1480 par les Rois Catholiques pour lutter contre toute forme d'hérésie dans leur royaume, l'Inquisition eut pour première fonction de surveiller les juifs et les musulmans qui s'étaient convertis au christianisme, en général sous la contrainte. Présidée par un inquisiteur-général nommé par le souverain, elle bloqua tout progrès du protestantisme en Espagne et, d'une orthodoxie pointilleuse, alla jusqu'à inquiéter de grands mystiques catholiques comme sainte Thérèse d'Avila. Souvent torturés pour obtenir des aveux, les accusés n'étaient pas informés des charges exactes portées contre eux. Les condamnations allaient de peines de prison, pour ceux qui abjuraient leurs erreurs, jusqu'à l'exécution sur le bûcher. L'Inquisition ne fut abolie officiellement qu'en 1834.

Bannière de l'Inquisition

Un protestant comparaît devant la famille royale, sa dernière chance de se repentir.

Un condamné portant le *san benito*, casaque jaune croisée de rouge, est conduit en prison.

Les impénitents, condamnés en public dans la journée, sont exécutés avant la nuit.

AUTODAFÉ SUR LA PLAZA MAYOR
Cette peinture par Francisco Rizi (1683) représente un auto-de-fé – un « acte de foi » – qui se tint sur la place principale de Madrid le 30 juin 1680. Contrairement aux autres tribunaux ecclésiastiques institués en Europe, il est présidé par le monarque en exercice, Charles II.

La torture utilisée couramment pour obtenir des aveux resta liée à l'image de l'Inquisition comme en témoigne cette gravure allemande du XIXᵉ siècle.

La Procession de flagellants (v. 1812) par Goya montre l'influence de l'Inquisition sur l'imagination populaire. Les hauts chapeaux coniques des pénitents du tableau, encore portés aujourd'hui lors des processions de la semaine sainte, sont ceux des hérétiques jugés par l'Inquisition.

Iglesia de San Nicolás ❺

Plaza de San Nicolás 1. **Plan** 1 C3.
◧ 915 59 40 64. **Ⓜ** Ópera. **◯** de
8 h 30 à 13 h 30, de 17 h 30 à 20 h
30 le lun., de 8 h à 10 h et de 18 h 30
à 20 h 30 du mar. au sam., de 10 h à
14 h et de 18 h 30 à 20 h 30 le dim.

L a première mention de
l'église San Nicolás
apparaît dans un document de
1202. Sa tour en brique, le plus
ancien édifice ecclésiastique
de Madrid, était peut-être à
l'origine le minaret d'une
mosquée, mais elle incorpore
des éléments gothiques et
mudéjars.

Plaza de Oriente ❻

Plan 1 C3. **Ⓜ** Ópera.

C 'est Joseph Bonaparte
(p. 59) qui fit détruire les
immeubles situés à l'est du
Palacio Real *(p. 266-267)*
pour dégager cette place et
ouvrir la perspective qu'elle
offre sur le palais, mais les
travaux d'aménagement ne
s'achevèrent qu'en 1841
pendant le règne d'Isabelle II.
Les effigies des premiers
rois espagnols qui
agrémentent les jardins
devaient à l'origine décorer le
toit mais se révélèrent trop
lourdes. Pietro Tacca fondit à
Florence en 1640 la statue
équestre de Philippe IV,
modelée d'après un portrait
par Velázquez, qui orne le
centre de la place.

**Statue équestre de Philippe IV,
plaza de Oriente**

Vue de la Catedral de la Almudena et le Palais royal

À l'est, entre la plaza de
Oriente et la plaza de
Isabel II, s'élève l'imposant
Teatro Real, ou Teatro de la
Ópera, inauguré en 1850 par
une représentation de *La
Favorite* de Donizetti.

Catedral de la Almudena ❼

Calle de Bailén 8-10. **Plan** 1 B3. **◧**
915 42 22 00. **Ⓜ** Ópera. **◯** de 9 h
à 20 h 30 t.l.j. **♿**

D édiée à la sainte
patronne de Madrid,
dont une image peinte au
XVIᵉ siècle orne l'autel de
la crypte, cette cathédrale
entreprise en 1879 s'élève
sur le site de la plus ancienne
église de la ville. Sous la
direction de plusieurs
architectes, la construction
du sanctuaire, de style néo-
gothique derrière une façade
néo-classique, a duré plus
d'un siècle.
En mai 2004, pour la
première fois dans cette
cathédrale, fut célébré un
mariage royal, unissant le
prince Felipe à Letizia Ortiz.

Campo del Moro ❽

Plan 1 A3. **Ⓜ** *Principe Pio.* **◯** *d'oct. à
mars : 10 h-18 h lun. au sam.;
9 h-18 h les lun. et jours fériés.* **●** *1ᵉʳ et
6 jan., 1ᵉʳ et 15 mai, 12 oct., 9 nov., 24-
25 et 31 déc.*
w *www.patrimonionacional.es*

L e Champ du Maure est un
parc agréable aménagé sur
un terrain en pente bordant le
río Manzanares. Il offre de
belles vues sur le Palacio Real
(p. 266-267).
Il doit son nom à l'armée
conduite par Ali ben Yusuf qui
bivouaqua en 1109 sur cet
espace dégagé. Celui-ci servit
ensuite aux chevaliers chrétiens
pour leurs joutes, puis devint à
la fin du XIXᵉ siècle une
luxueuse aire de jeu pour les
enfants de la famille royale.
Transformé en parc à
l'anglaise, avec des sentiers
sinueux, des pelouses, des
bosquets, des fontaines et des
statues, il rouvrit au public en
1931 sous la IIᵉ République
(p. 61).
Fermé de nouveau pendant
la dictature franquiste, il ne
rouvrit ses portes au public
qu'en 1983.

Palacio Real ❾

Statue de Charles III

onçu pour impressionner, le Palais royal de Madrid se dresse sur une hauteur dominant le río Manzanares à l'emplacement qu'occupa pendant des siècles la forteresse de l'alcazar détruite par un incendie en 1734. Philippe V commanda alors un édifice grandiose. Sa construction dura 26 ans et la majeure partie de son exubérante décoration reflète les goûts de Charles III et Charles IV *(p. 67).* Le Palacio Real resta résidence royale jusqu'à l'abdication d'Alphonse XIII en 1931. Il continue d'accueillir des réceptions officielles, mais le souverain actuel, Juan Carlos Ier, habite hors de Madrid le palais de la Zarzuela, plus modeste.

★ La salle à manger
Aménagée en 1879 et décorée de tapisseries de Bruxelles, elle peut accueillir 145 convives.

★ La salle de porcelaine
Les murs et le plafond de cette salle aménagée sur l'ordre de Charles III sont entièrement couverts de porcelaine de la manufacture de Buen Retiro.

Premier étage

Le salon des Colonnes, orné de bronzes du XVIe siècle et de bustes de la Rome impériale, servait aux banquets royaux.

★ Le salon Gasparini
Nommé d'après son créateur napolitain, le salon Gasparini présente une somptueuse décoration rococo. Un portrait de Charles IV par Goya orne l'antichambre voisine.

À NE PAS MANQUER

★ La salle à manger

★ La salle de porcelaine

★ Le salon Gasparini

★ La salle du Trône

Plaza de Armas

La place qui s'étend devant l'entrée principale doit son nom à l'Armurerie royale dont la collection exceptionnelle comprend les armures de Charles Quint et Philippe II.

Entrée

Près d'une statue de Charles III en empereur romain, un escalier en marbre par Sabatini dont Giaquinto orna le plafond de scènes allégoriques conduit à l'étage principal.

— Salle de billard

Salle des Hallebardiers

Entrée

MODE D'EMPLOI

Calle de Bailén. **Plan** 2 C3. 914 54 88 00. Ópera, Plaza de España. 3, 25, 33, 39, 148. 9 h-18 h lun.-sam., 9 h-15 h dim. (fermé 1 h plus tôt en hiver). 1er et 6 jan., 1er et 15 mai, 9 sept., 12oct., 24-25 et 31 déc. gratuit le mer. pour membres de l'UE. www.patrimonionacional.es

Pharmacie

Elle a conservé ses tiroirs destinés aux herbes médicinales et une collection de bocaux en faïence de Talavera. Son musée abrite des recueils de remèdes prescrits à la famille royale.

LÉGENDE

- ☐ Salles d'exposition
- ☐ Entrées
- ☐ Appartements de Charles III
- ☐ Chapelle
- ☐ Appartements de Charles IV

Accueil des visiteurs

Plaza de Armas

★ La salle du Trône

Elle possède un magnifique plafond peint par Tiepolo. Les deux trônes sont des reproductions exactes de ceux de Charles V.

Armurerie yale

le sang coagulé de saint Pantaléon supposé se liquéfier chaque 27 juillet, jour anniversaire de sa mort. L'église fut reconstruite en 1767 par Ventura Rodríguez après un incendie.

Entrée du Monasterio de la Encarnación

Monasterio de la Encarnación ⑩

Plaza de la Encarnación 1. **Plan** 1 C2.
📞 914 54 88 00. 🚇 *Ópera, Santo Domingo.* ◯ *de 10 h 30 à 12 h 45, de 16 h à 17 h 45 du mar. au jeu. et sam., de 10 h 30 à 12 h 45 ven., de 11 h à 13 h 45 dim.* ◯ *1er et 6 jan., 1er et 15 mai, 27 juil., 9 nov., 24-25 et 31 déc.* 🎫 *gratuit le mer. pour les membres de l'UE.* ♿ 📷
Ⓦ *www.patrimonionacional.es*

Fondé en 1611 par Marguerite d'Autriche, épouse de Philippe III, ce couvent dessiné par Juan Gómez de Mora, l'architecte de la Plaza Mayor *(p. 263)*, borde une charmante place ombragée.

L'intérieur du monastère, toujours occupé par des augustines, évoque l'ancienne Castille avec ses carreaux bleus et blancs de Talavera, ses portes en bois, ses poutres apparentes et les portraits de bienfaiteurs royaux accrochés à ses murs. Il abrite une intéressante collection de peintures du XVIIe siècle comprenant notamment des œuvres de José de Ribera et Vincente Carducho. Parmi les statues en bois polychrome, remarquez le *Christ à la colonne* par Gregorio Fernández.

C'est toutefois la salle des reliques, au plafond peint par Carducho, qui constitue le principal intérêt de la visite. Des centaines de reliquaires aux décors très variés couvrent les parois. Une ampoule renferme

Plaza de España ⑪

Plan 1 C1. 🚇 *Plaza de España.*

Important carrefour routier et lieu de rencontre apprécié des Madrilènes comme des touristes, la place d'Espagne descend en pente douce vers le Palacio Real *(p. 266-267)* et les jardins de Sabatini. Aux XVIIIe et XIXe siècles, avant que le développement de la ville ne conduisît à en faire un espace public, une caserne occupait cet emplacement proche du palais.

Les deux gratte-ciel qui dominent la place datent de l'ère franquiste *(p. 62-63)*. Au nord, le massif Edificio España bâti en 1948 offre de sa terrasse un large panorama de la ville. De l'autre côté de la place, la Torre de Madrid (1957), surnommée *la Jirafa*

(la Girafe), fut un temps le plus haut édifice en béton du monde.

Au centre de la plaza de España, un jardin agrémenté d'un plan d'eau entoure le monument à Cervantes élevé en 1927. Sous la statue du célèbre écrivain, Don Quichotte chevauche Rossinante à côté de son valet Sancho Pança monté sur un âne. À gauche est représentée Dulcinée, paysanne dont le chevalier fit la « dame de ses pensées ».

Gran Vía ⑫

Plan 2 D1. 🚇 *Plaza de España, Santo Domingo, Callao, Gran Vía.*

Inaugurée en 1910, la Gran Vía est un des principaux axes de circulation de la cité moderne. Sa construction s'étala sur plusieurs dizaines d'années et exigea la démolition de très nombreux bâtiments décrépits bordant d'étroites allées entre la calle de Alcalá et la plaza de España. Cet aménagement urbain au déroulement quelque peu

Monument à Miguel de Cervantes, plaza de España

◁ **La Gran Vía et son intense circulation vues depuis la plaza de España**

L'un des nombreux immeubles des années 1930 de la Gran Vía

hasardeux servit bientôt de sujet à une *zarzuela*, forme d'opéra-comique très appréciée des Madrilènes *(p. 306)*.

Devenue une importante artère commerçante, la Gran Vía offre aujourd'hui, après avoir profité d'un programme de restauration dont elle avait grand besoin, un aperçu de l'architecture du début de ce siècle.

Les immeubles les plus intéressants se trouvent du côté de la calle de Alcalà, à commencer par l'Edificio Metrópolis *(p. 274)* orné de statues, de colonnes corinthiennes et d'une coupole coiffée d'ardoise. Des mosaïques Art nouveau décorent les niveaux supérieurs du n° 1, Gran Vía. Parmi les traits distinctifs des édifices de cette partie de l'avenue figurent des galeries à colonnades ouvertes au dernier étage. Elles s'inspirent de l'architecture médiévale de l'Aragon et de la Catalogne. À remarquer également : les balcons en fer forgé et les détails sculptés, telles les curieuses cariatides du n° 12.

Sur le carrefour du Red de San Luis s'élève le bâtiment de la Telefónica (1929), le premier gratte-ciel érigé dans la capitale. La Gran Vía prend ensuite une allure plus américaine avec ses cinémas, ses boutiques pour touristes et ses cafés.

En face de la station de métro Callao, le cinéma Capitol, de style Art déco, date des années 1930.

Monasterio de las Descalzas Reales ⓭

Plaza de las Descalzas 3. **Plan** 2 E3.
914 54 88 00. Sol, Callao.
10 h 30-12 h 45, 16 h-17 h 45 mar.-jeu. et sam., 10 h 30-12 h 45 ven., 11 h-13 h 45 dim. et jours fériés. 1er et 6 jan., 1er et 15 mai, 27 juil., 9 nov.,24-25 et 31 déc. gratuit le mer. pour les membres de l'UE. www.patrimonionacional.es

L'édifice religieux le plus remarquable de Madrid, l'un des rares exemples d'architecture du XVIe siècle à avoir survécu dans la capitale, possède une sobre façade de brique rouge et de granit.

Ancien palais où naquit Jeanne d'Autriche, la sœur de Philippe II, il fut aménagé à sa demande vers 1560 en couvent de clarisses. Le rang des dames de la noblesse et de la famille royale qui s'y retirèrent explique la richesse de sa décoration et la qualité des œuvres d'art qu'il abrite. Sous un plafond peint par Claudio Coello et ses élèves, l'escalier principal, conduit à la galerie supérieure du petit cloître. Peintures, sculptures et objets précieux abondent dans les chapelles qui l'entourent. La principale renferme le tombeau de Jeanne d'Autriche. La Gran Sala de Tapices contient des tapisseries

Chapelle du Monastère de las Descalzas Reales

exécutées à Bruxelles en 1627 d'après des cartons de Rubens pour la fille de **Philippe II**, Isabelle d'Autriche : *Le Triomphe de l'Eucharistie*. Parmi les tableaux exposés figurent des œuvres de Pieter Bruegel l'Ancien, Titien, Zurbarán, Murillo et Ribera.

***Fray Pedro Machado* de Zurbarán**

Real Academia de Bellas Artes ⓮

Calle de Alcalá 13. **Plan** 3 A5. 915 24 08 64. Sevilla, Sol. de 9 h à 19 h du mar. au ven., de 9 h à 14 h 30 du sam. au lun. jours fériés. gratuit mer. sur rendez-vous www.rabasf.insde.es

Installée dans un bâtiment édifié en 1711 par Churriguera *(p. 21)*, l'académie des Beaux-Arts eut notamment pour élèves Dalí et Picasso. Son musée présente une riche collection comprenant de superbes dessins par Raphaël et Titien et des tableaux par Rubens et Van Dyck. Les maîtres espagnols du XVIe au XIXe siècle sont particulièrement bien représentés avec des peintures, entre autres, de Ribera, Murillo, El Greco et Velázquez. La série de portraits de moines par Zurbarán, dont celui de *Fray Pedro Machado*, constitue un des fleurons de l'exposition.

Une salle entière est consacrée à Goya qui dirigea l'académie. On y admire un portrait de Manuel Godoy *(p. 58)*, l'*Enterrement de la sardine (p. 35)*, *La Maison de fous* et un autoportrait peint en 1815.

LE MADRID DES BOURBONS

À l'est du vieux Madrid s'étendait jadis un espace de jardins connu sous le nom de Prado, la « Prairie ». Les Rois Catholiques *(p. 66)* y fondèrent au XVe siècle un monastère près duquel les Habsbourg édifièrent un palais *(p. 287)* dont ne subsistent que quelques bâtiments mais dont les jardins sont devenus le superbe Parque del Retiro. Les Bourbons, en particulier Charles III, choisirent ce quartier pour étendre et embellir la ville au XVIIIe siècle. Autour du paseo del Prado, ils construisirent des places majestueuses ornées de fontaines, un arc de triomphe, l'hôpital qu'occupent les collections d'art moderne du Centro de Arte Reina Sofía et l'édifice qui allait devenir le Museo del Prado, l'un des plus grands musées d'art du monde.

LE QUARTIER D'UN COUP D'ŒIL

Bâtiments historiques
Ateneo de Madrid ⑬
Café Gijón ⑮
Casa de Lope de Vega ⑩
Congreso de los Diputados ⑭
Estación de Atocha ㉑
Hotel Ritz ①
Real Academia de la
    Historia ⑪
Teatro Español ⑫

Musées
Centro de Arte Reina
    Sofía p. 288-289 ㉒
Museo Arqueológico
    Nacional ⑱
Salón de Reinos ⑦
Museo Nacional de
    Artes Decorativas ⑥
Museo del Prado p. 282-285 ⑨
Museo Thyssen-
    Bornemisza p. 278-279 ③

Église
Iglesia de San Jerónimo
    el Real ⑧

Monument
Puerta de
    Alcalá ⑤

Rues, places et parcs
Calle de Serrano ⑰
Parque del Retiro ⑲
Plaza Cánovas del Castillo ②
Plaza de Cibeles ④
Plaza de Colón ⑯
Real Jardín Botánico ⑳

COMMENT Y ALLER
Le métro offre le meilleur moyen de circuler dans le Madrid des Bourbons. Les lignes 1, 2 et 4 desservent les principaux sites. Parmi les bus les plus utiles, les 2, 8, 14, 15, 27, 74 et 146 s'arrêtent plaza de Cibeles.

LÉGENDE

Plan pas à pas p. 272-273

Ⓜ Station de métro

Gare

Arrêt de bus important

i Information touristique

P Parc de stationnement

◁ **Dans le vaste Parque del Retiro, anciens jardins d'un palais des Habsbourg**

Le paseo del Prado pas à pas

Façade du Banco de España

Aménagée pour la promenade à partir de la fin du XVIIIᵉ siècle par Charles III qui voulait créer à Madrid un pôle consacré aux arts et aux sciences, c'est surtout pour ses musées que la large avenue plantée d'arbres du paseo del Prado attire de nombreux visiteurs. Au Museo del Prado et au Museo Thyssen-Bornemisza s'admirent en effet deux des plus prestigieuses collections de tableaux du monde. Parmi les monuments grandioses construits sous Charles III figurent la Puerta de Alcalá, la Fuente de Neptuno et la Fuente de Cibeles qui se dressent au milieu d'une intense circulation.

Le paseo del Prado, large promenade ombragée, devait, pour Charles III, devenir un centre des arts et des sciences.

Station de métro Banco de España

L'Edificio Metrópolis
(p. 271) bâti en 1905 à l'angle de la Gran Vía et de la calle de Alcalá possède une façade très parisienne.

Banco de España

★ **Le Museo Thyssen-Bornemisza**
Cette extraordinaire collection d'art occupe le palais de Villahermosa néoclassique (1806) ❸

À NE PAS MANQUER

★ **Le Museo Thyssen-Bornemisza**

★ **La Puerta de Alcalá**

★ **La plaza de Cibeles**

Congreso de los Diputados
Le Parlement espagnol a été le témoin de la transition de la dictature à la démocratie (p. 64-65) ⓮

La Fuente de Neptuno
orne la plaza de Cánovas del Castillo (p. 276) ❷

PLAZA DE LAS CORTES

PLAZA CÁNOVAS

DEL CASTILLO

Hotel Palace

Vers le Museo del Prado

CALLE DE ALCALÁ

BARQUILLO

VALDEIGLESIAS

CALLE DEL MARQUES

CALLE DE LOS MADRAZO

DE CUBAS

ZORRILLA

0   100 m

★ **La Puerta de Alcalá**
Son éclairage rend particulièrement belle la nuit cette ancienne porte de la ville sculptée dans le granit **5**

Palacio de
Comunicaciones

Palacio de
Linares

PLAZA DE LA INDEPENDENCIA

CALLE DE ALCALÁ

ALFONSO XI

CALLE DE MONTALBAN

ALFONSO XII

CALLE JUAN DE MENA

CALLE

DE LA LEALTAD

CALLE ANTONIO MAURA

RUIZ DE ALARCÓN

MORETO

FELIPE IV

★ **La plaza de Cibeles**
Une statue de Cybèle, déesse de la Fertilité, domine sa fontaine **4**

Le Museo Nacional de Artes Decorativas
Ce musée fut fondé près du Retiro en 1912 pour servir de vitrine à la céramique et au mobilier espagnols **6**

Le Salón de Reinos
Ex-musée de l'Armée, cette partie de l'ancien palais du Retiro accueillera bientôt des œuvres du Museo del Prado **7**

Casón del Buen Retiro
(p. 285)

Hotel Ritz
Avec son intérieur Belle Époque, le Ritz est un des plus élégants palaces d'Espagne **1**

Le Monument del Dos de Mayo commémore la révolte contre l'occupation napoléonienne *(p. 59)*.

LÉGENDE

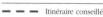 Itinéraire conseillé

Hotel Ritz ❶

Plaza de la Lealtad 5. **Plan** 5 C1. ☏ *915 21 28 57.* Ⓜ *Banco de España.* Ⓟ ♿ Ⓦ www.ritz.es

Commandé en 1906 par Alphonse XIII qu'embarrassait le manque d'établissements de luxe où recevoir les invités à son mariage, l'hôtel Ritz a la réputation d'être le palace le plus somptueux d'Espagne.

Ornées de tapis tissés à la main à la Real Fábrica de Tapices *(p. 296)*, ses 158 chambres possèdent chacune une superbe décoration d'un style différent, un luxe qui a une influence sur les tarifs pratiqués.

C'est au Ritz, transformé en hôpital au début de la guerre civile *(p. 62-63)*, que le leader anarchiste Buenaventura Durruti mourut de ses blessures en 1936.

La Fuente de Neptuno

Plaza Cánovas del Castillo ❷

Plan 5 C1. Ⓜ *Banco de España.*

Ce rond-point où règne une intense circulation porte le nom du Premier ministre espagnol assassiné en 1897.

Une statue de Neptune debout dans un char tiré par deux chevaux domine la fontaine ornant le centre de la place. Juan Pascual de Mena la sculpta en 1780 sur des dessins de Ventura Rodríguez dans le cadre du projet d'embellissement de la partie orientale de Madrid décidé par Charles III.

En visite au Museo Thyssen-Bornemisza

Museo Thyssen-Bornemisza ❸

Voir p. 278-279.

Plaza de Cibeles ❹

Plan 3 C5. Ⓜ *Banco de España.* **Casa de América** ☏ *915 95 48 00.* ◻ *t.l.j.*

Important carrefour de circulation au croisement du paseo del Prado et de la calle de Alcalá, la plaza de Cibeles est non seulement une des places les plus célèbres de Madrid, elle est aussi une des plus belles.

Elle doit son nom à la fontaine de Cybèle, devenue un symbole de la ville, qui se dresse en son centre. Dessinée à la fin du XVIIIᵉ siècle par José Hermosilla et Ventura Rodríguez, elle est ornée d'une statue représentant, assise sur un char tiré par deux lions, la Grande Mère

des dieux dont le culte se répandit depuis l'Asie mineure dans tout l'Empire romain.

Quatre édifices importants bordent la place. Le plus impressionnant, la poste principale, ou Palacio de Comunicaciones, construit entre 1905 et 1917 à l'emplacement d'anciens jardins, se voit souvent comparé à une pièce montée. Il a reçu le surnom moqueur de « Notre-Dame des Communications ».

Sur le côté nord-est de la plaza s'élève la façade en pierre du Palacio de Linares bâti par le marquis de Linares après la deuxième restauration des Bourbons en 1875 *(p. 60)*. Menacé un temps de démolition, il abrite désormais la Casa de América qui présente une collection de peintures latino-américaines. Il accueille également des conférences et des représentations théâtrales.

Dans l'angle nord-ouest de la place, au sein d'agréables jardins, le Ministerio de Defensa occupe les bâtiments de l'ancien Palacio de Buenavista commandé en 1777 par la duchesse d'Albe et que ravagèrent deux incendies avant son achèvement.

Dans l'angle opposé, le Banco de España, édifié entre 1884 et 1891, occupe tout un pâté de maisons. Après une rénovation dont il avait grand besoin, cet édifice inspiré de la Renaissance vénitienne a retrouvé sa splendeur de la fin du XIXᵉ siècle. De délicates ferronneries décorent le toit et les fenêtres.

La Fuente de Cibeles et le Palacio de Linares à l'arrière-plan

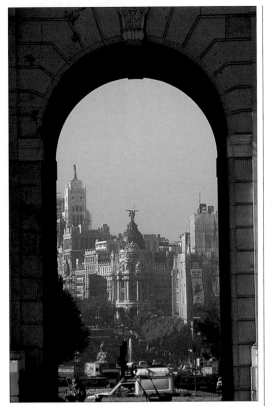

Perspective offerte par l'arche centrale de la Puerta de Alcalá

Puerta de Alcalá ❺

Plan 4 D5. 🚇 Retiro.

Le plus grandiose des monuments commandés par Charles III pour ennoblir l'est de Madrid se présente sous la forme d'un arc de triomphe néo-classique dessiné par Francesco Sabatini afin de remplacer une porte baroque plus petite édifiée par Philippe III pour l'entrée dans la capitale de son épouse, Marguerite d'Autriche.

Décorée d'anges sculptés, la Puerta de Alcalá comprend cinq arches. Sa construction, en granit, commença en 1769 et dura neuf ans.

Jusqu'à la seconde moitié du XIXᵉ siècle, la porte marqua la limite orientale de la ville, mais elle se dresse désormais au centre de la plaza de la Independencia. Son éclairage la rend particulièrement spectaculaire la nuit.

Museo Nacional de Artes Decorativas ❻

Calle de Montalbán 12. **Plan** 4 D5. 📞 915 32 64 99. 🚇 Retiro, Banco de España. 🕐 de 9 h 30 à 15 h du mar. au sam., de 10 h à 15 h le sam., dim. et jours fériés. 🎟 gratuit le dim. ♿ 🌐 www.mcu.es

Installé dans un palais du XIXᵉ siècle dominant le Parque del Retiro, le Musée national des Arts décoratifs présente une intéressante collection de meubles et d'objets d'art dont les plus anciens remontent à l'époque phénicienne.

Une cuisine valencienne du XVIIIᵉ siècle ornée de 1 500 carreaux de Manises représentant une scène domestique constitue un des clous de la visite, mais l'exposition permet aussi de découvrir, entre autres, des céramiques de Talavera (p. 368) et des bijoux et ornements extrême-orientaux.

Salón de Reinos ❼

Calle Méndez Núñez 1. **Plan** 6 D1. 📞 91 330 28 00. 🚇 Retiro. 🔴 Fermé de 2006 à 2009 pour travaux de rénovation.

Construit pour le roi Philippe IV, le Salón de Reinos (salon des royaumes) faisait partie de l'ancien palais du Buen Retiro (XVIIᵉ siècle). Baptisé ainsi d'après les 24 blasons des royaumes de la monarchie espagnole, il fut construit en partie sous la supervision de Velásquez, alors peintre à la cour, qui se chargea de la décoration. Il abrita pendant de nombreuses années le Museo del Erjército, musée de l'Armée, retraçant l'histoire militaire de l'Espagne depuis l'époque des maures jusqu'à nos jours. Parmi les armes exposées, l'épée du Cid, la Tizona, y tenait la place d'honneur. En 2006, le Museo del Erjército sera transféré au château Alcázar de Tolède (p. 372) et ouvrira ses portes en 2007. Entre-temps, le Salón de Reinos subira des travaux de restauration visant à lui redonner son prestige d'origine. Il fera ensuite partie du musée du Prado (p. 282-285). Parmi les nouvelles expositions, on comptera 5 portraits équestres de la famille royale, exécutés par Velázquez, ainsi qu'une série de dix peintures réalisées par Zurbarán représentant des scènes des travaux d'Hercule.

L'épée du Cid, la *Tizona*, au **Salón de Reinos**

Museo Thyssen-Bornemisza ❸

À partir des années 1920, le baron Heinrich Thyssen-Bornemisza puis son fils Hans Heinrich ont constitué une collection de peintures considérée comme l'une des plus importantes du monde. Installée en 1992 dans le palais néoclassique de Villahermosa (XVIIIᵉ-XIXᵉ siècles), elle fut vendue à l'État espagnol l'année suivante. Elle illustre l'histoire de l'art occidental depuis les primitifs italiens et flamands jusqu'aux mouvements picturaux modernes tels que l'expressionnisme et le pop art, et se compose de plus de 800 tableaux dont des chefs-d'œuvre de Titien, Goya, Van Gogh et Picasso. La collection essentiellement impressionniste de la baronne Thyssen-Bornemisza est maintenant ouverte au public.

★ Vierge de l'arbre sec *(v. 1450)*
Sur ce petit panneau du maître de Bruges Petrus Christus, le « a » signifie « ave Maria ».

★ Arlequin au miroir
Le personnage d'Arlequin revient souvent dans l'œuvre de Picasso. Selon certains, l'artiste se serait représenté en 1923 sur ce tableau typique de sa période « classique ».

SUIVEZ LE GUIDE !
Le musée occupe trois niveaux autour d'une cour intérieure couverte. L'exposition commence au deuxième étage où elle s'étend des primitifs italiens jusqu'à l'art du XVIIᵉ siècle. Elle se poursuit, au premier étage, de la peinture hollandaise du XVIIᵉ siècle à l'expressionnisme allemand. Le rez-de-chaussée est consacré au XXᵉ siècle.

À NE PAS MANQUER

★ Vierge de l'arbre sec par Christus

★ Harlequin au miroir par Picasso

★ Vénus et Cupidon par Rubens

Chambre d'hôtel *(1931)*
Dans cette œuvre caractéristique de la démarche du réaliste américain Edward Hopper, la banalité du décor renforce l'impression de solitude.

Portrait du baron Thyssen-Bornemisza
L'un des plus grands peintres actuels, Lucia Freud, a représenté le collectionneur devant un tableau de Watteau.

★ Vénus et Cupidon
Toute la sensualité du maître flamand Rubens s'exprime dans cette image de la beauté idéale peinte après 1629.

MODE D'EMPLOI

Paseo del Prado 8. **Plan** 5 C1.
📞 *91 369 01 51.* 🚇 *Banco de España, Sevilla.* 🚌 *1, 9, 14, 20.*
🕙 *de 10 h à 19 h du mar. au dim.*
📷♿🚻♨🏛🍽
W www.museothyssen.org

Sainte Casilde *(v. 1630)*
Surtout connu pour ses portraits de moines, Francisco de Zurbarán fait preuve ici de sa maîtrise du clair-obscur pour mettre en relief les couleurs de la robe de la sainte.

Deuxième étage

Premier étage

Mata Mua
Peinte en 1892 durant son séjour aux îles Marquise, cette évocation colorée du paradis tahitien par Gauguin est une des œuvres les plus admirées de cette période.

Rez-de-chaussée

Entrée principale

Paysage d'automne en Oldenburg
Karl Schmidt-Rottluff peignit ce paysage d'Allemagne du Nord deux ans après avoir fondé en 1905, avec trois autres artistes, le groupe expressionniste Die Brücke.

Légende

☐ Rez-de-chaussée
☐ Premier étage
☐ Deuxième étage
☐ Expositions temporaires
☐ Circulations et services

Iglesia de San Jerónimo el Real 8

Calle del Moreto 4. **Plan** 6 D1. 914 20 35 78. Banco de España. d'oct. à juin : de 8 h 30 à 13 h 30, de 17 h à 20 h 30 t.l.j. (de 18 h à 20 h 30 de juil. à sept.).

Construite au XVIe siècle pour la reine Isabelle, cette église, attachée à l'origine à un monastère hyéronimite dont il ne subsiste que des ruines, devint pratiquement partie intégrante du palais du Buen Retiro (p. 287) édifié par Philippe IV au XVIIe siècle. Remaniée dans le style néogothique, elle est l'église royale de Madrid, celle où se marièrent Alphonse XIII et Victoria Battenberg en 1906. En 1975, c'est là que fut célébrée la cérémonie religieuse du couronnement de Juan Carlos Ier.

Museo del Prado 9

Voir p. 282-285.

Casa de Lope de Vega 10

Calle de Cervantes 11. **Plan** 5 B1. 914 29 92 16. Antón Martín. 9 h 30-14 h mar.-ven., 10 h-14 h sam, jours fériés. sauf le sam.

Félix Lope de Vega, auteur majeur du Siècle d'or espagnol (p. 30), emménagea dans cette sombre maison en 1610. Il y écrivit plus des deux tiers d'une œuvre comptant 1 800 pièces profanes et 400 drames religieux, avant d'y mourir en 1635. Restaurée avec soin en 1935, et meublée en partie d'objets ayant appartenu à Lope de Vega, la demeure offre un vivant aperçu de l'atmosphère castillane au début du XVIIe siècle. Une chapelle aveugle en occupait le centre, communiquant par une ouverture à barreaux avec la chambre de l'écrivain. Les arbres fruitiers et les fleurs qu'il mentionna dans ses récits ont été replantés dans le petit jardin.

Félix Lope de Vega

Castizos pendant la San Isidro

FÊTES DE MADRID

San Isidro (15 mai). Pendant plusieurs jours où ont également lieu expositions, concerts en plein air et feux d'artifice, Madrid rend hommage à son saint patron en organisant une corrida quotidienne dans le cadre du plus grand événement tauromachique d'Espagne. De nombreux Madrilènes portent pour l'occasion les costumes traditionnels appelés castizos.
La Passion (samedi de Pâques), Chinchón. Représentation de la Passion sur la belle Plaza Mayor de ce village situé à 100 km de Madrid.
Dos de Mayo (2 mai). Quatre jours chômés célèbrent le soulèvement contre les troupes napoléoniennes (p. 59).
Saint-Sylvestre. La foule se rassemble à la Puerta del Sol (p. 262) le soir du 31 décembre pour manger 12 grains de raisin à minuit.

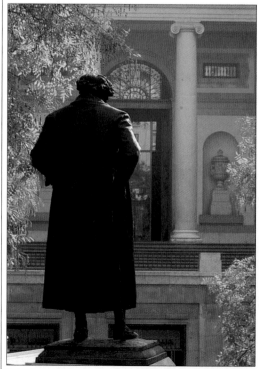

Statue de Goya devant le Prado

Façade de l'élégant Teatro Español

Real Academia de la Historia ⑪

Calle León 21. **Plan** 5 A2. 914 29
06 11. Antón Martín.

Installée dans un austère
bâtiment de brique à
parements de pierre construit
par Juan de Villanueva en
1788, l'Académie royale
d'histoire est située dans le
quartier surnommé le barrio
de los Literatos.

Dirigée de 1898 à 1912 par
le grand intellectuel Marcelino
Menéndez Pelayo, l'académie
possède une bibliothèque,
riche de plus de 200 000 livres
et de manuscrits importants.
Un musée présentant les
collections de l'Académie
ouvrira en 2007.

Teatro Español ⑫

Calle del Príncipe 25. **Plan** 5 A1.
91 360 14 80. Sol, Sévilla.
pour les représentations à partir
de 19 h du mar. au dim.

Sur la plaza Santa Ana, l'un
des plus anciens et des
plus beaux théâtres de Madrid
fait face à la statue du poète
Calderón (1600-1681). Il
occupe l'emplacement du
Corral del Príncipe où furent
créées à partir de 1583
certaines des meilleures
pièces du répertoire espagnol,
écrites par des auteurs tels
que Lope de Rueda. Juan de
Villanueva dessina l'édifice
actuel construit en 1802. Sa

façade néo-classique porte les
noms de grands dramaturges,
notamment celui de Federico
García Lorca (p. 31).

Ateneo de Madrid ⑬

Calle del Prado 21. **Plan** 5 B1.
914 29 17 50. Antón Martín,
Sevilla. sur rendez-vous seul. ou
demander par écrit.

Fondée officiellement en
1835, cette association
littéraire, artistique et
scientifique a toujours
défendu des valeurs
libérales qui lui valurent
plusieurs fermetures en
périodes dictatoriales.
À l'intérieur du bâtiment,
grand escalier, hall orné de
portraits d'anciens membres,
bibliothèque et salles de
lecture donnent une
atmosphère studieuse à un
club où se retrouvent
politiciens et intellectuels.

**Ornements de la façade de
l'Ateneo de Madrid**

Congreso de los Diputados ⑭

Plaza de las Cortes. **Plan** 5 B1.
913 90 60 00. Sevilla. de
10 h 30 à 12 h 30 sam. et sur rendez-
vous du lun. au ven. août.

Connu également sous le
nom de Palacio de las
Cortes, le parlement espagnol
est un imposant édifice achevé
en 1850 sur le site d'un ancien
couvent. Des lions de bronze
en gardent l'entrée. En 1981,
un colonel de la Garde civile y
prit en otage les députés dans
l'espoir de déclencher un coup
d'État militaire (p. 64).
L'intervention du roi, appelant
personnellement l'armée à
respecter la constitution,
entraîna son échec et affirma
le caractère irréversible de la
démocratie en Espagne.

Lion de bronze des Cortes

Café Gijón ⑮

Paseo de Recoletos 21. **Plan** 3 C4.
915 21 54 25. Banco de España.
de 7 h 30 à 1 h 30 du matin du
dim. au ven., de 20 h à 2 h du matin
sam. et jours fériés.

L'atmosphère de ses cafés
(p. 306-307) fut un des
grands attraits de Madrid du
début du xxᵉ siècle jusqu'à la
guerre civile. Des nombreux
établissements où se
retrouvaient les intellectuels,
seul le Gijón a survécu. Il
continue d'attirer une clientèle
animée de *literati*, mais, avec
ses colonnes en fonte couleur
crème et ses tables noires et
blanches, il présente plus
d'intérêt par son ambiance
que par sa décoration.

Museo del Prado ❾

Installé dans un édifice néo-classique dessiné en 1785 par Juan de Villanueva à la demande de Charles III, le musée du Prado, inauguré en 1819, possède la plus importante collection du monde de peintures espagnoles du XIIe au XIXe siècle, en tableaux de Velázquez et de Goya. Les écoles italienne et flamande sont également très bien représentées. Ces dernières années, le musée a fait l'objet de nombreuses rénovations. Le Casón del Buen Retiro, restauré, et le nouveau bâtiment dessiné par l'architecte Rafael Moneo, situé derrière le cloître de l'église Los Jerónimos, seront ouverts au public en 2006.

★ **La collection Velázquez**
Le Triomphe de Bacchus *(1629) fut le premier tableau à thème mythologique de Velázquez.*

Les Trois Grâces *(v. 1635) Le maître flamand Rubens conserva dans sa collection personnelle ce tableau, l'un de ses derniers, représentant les trois filles de Zeus : Aglaé, Thalie et Euphrosyne, déesses de l'art de plaire.*

Le Martyre de saint Philippe *(v. 1639) Né à Valence, José de Ribera séjourna longtemps à Naples où les violents contrastes entre ombre et lumière du Caravage influencèrent son travail.*

À NE PAS MANQUER
★ **La collection Velázquez**
★ **La collection Goya**

Le Jardin des délices *(v. 1505) Le Prado possède plusieurs œuvres de Jérôme Bosch, l'un des peintres favoris de Philippe II, notamment cette représentation du paradis et de l'enfer.*

SUIVEZ LE GUIDE !
La nouvelle entrée entre le cloître des Jerónimos et le bâtiment principal Villanueva ouvrira en 2006. Les œuvres sont présentées par écoles dont les plus anciennes sont au rez-de-chaussée. Le 1ᵉʳ étage, abrite les œuvres de Goya et Velázquez.

Deuxième étage

Premier étage

Rez-de-chaussée

MODE D'EMPLOI

Paseo del Prado. **Plan** 7 C2.
📞 *91 330 28 00.* 🚇 *Atocha, Banco de España.* 🚌 *6, 10, 14, 19, 27, 34, 37, 45.* ⏰ *9 h à 19 h mar.-dim.* ● *1ᵉʳ janv., ven. saint, 1ᵉʳ mai, 25 déc.* 🎫 *gratuit le dim.*
♿ 📷 🍴 🛍 📖 🎧
Casón del Buen Retiro : Calle de Alfonso XII 28. 📞 *91 330 28 00.* ● *jusqu'au printemps 2006.*
W *www.museoprado.mcu.es*

★ La collection Goya
Avec La Maja vestida *et* La Maja desnuda, *Goya brava vers 1800 le tabou touchant la nudité dans l'art espagnol.*

Vers niveau inférieur
📷 🚻 📞

L'Adoration des bergers *(1612-1614)*
Dans cette toile peinte pour sa propre chapelle funéraire, El Greco pousse à l'extrême l'allongement des corps caractéristique du maniérisme.

Entrée principale

L'Annonciation *(v. 1427)*
Les peintres italiens de la première Renaissance, comme ici Fra Angelico, jetèrent les bases de la perspective.

Bâtiment Jerónimos
CALLE DE MORETO
Passage souterrain
Bâtiment Villanueva
CALLE DE FELIPE IV
Casón del Buen Retiro
PASEO DEL PRADO
Salón de Reinos

NOUVEAUTÉS AU PRADO

Un passage souterrain de verre et d'acier reliera le bâtiment Villanuava au bâtiment Jerónimos, agrémenté d'une boutique, d'un café d'un restaurant et d'un vestiaire. La phase finale unira le Salón de Reinos *(p. 275)* au Prado.

■ Bâtiments du musée
□ Ouverture prévue en 2007

À la découverte des collections du Prado

Les rois d'Espagne réunirent la collection de peintures classiques du Prado, l'une des plus riches du monde, et la part qu'y tiennent les écoles étrangères reflète l'histoire de la couronne espagnole *(p. 54-59)* qui régna plusieurs siècles sur la Flandre et le sud de l'Italie. Après l'accession des Bourbons au trône, le XVIIIe siècle fut marqué par l'influence française. Le musée mérite plusieurs visites, mais si vous ne pouvez lui en consacrer qu'une, commencez par la peinture espagnole du XVIIe siècle.

L'Intronisation de saint Dominique de Silos (1474-1477) par Bermejo

ÉCOLE ESPAGNOLE

Jusqu'au XIXe siècle, où Goya (1746-1828) ouvrit la voie à l'art moderne en se lançant dans l'exploration des mystères de l'inconscient, la peinture espagnole s'attacha surtout aux thèmes religieux et à la description de la cour royale.

L'époque médiévale est comparativement peu représentée au Prado ; le musée possède néanmoins des pièces remarquables comme les peintures murales romanes de l'ermitage de Sainte-Croix de Maderuelo. Les œuvres gothiques d'artistes tels que Bartolomé Bermejo et Fernando Gallego témoignent par leur sens du réalisme de l'ascendant au XVe siècle des maîtres flamands.

Les premiers apports de la Renaissance apparaissent principalement dans les compositions de Pedro de Berruguete dont l'*Auto-da-fé* est à la fois inquiétant et plein de vie. *Sainte Catherine* par Fernando Yáñez de la Almedina, qui se forma en Italie, montre l'influence de Léonard de Vinci.

Ce qui est souvent considéré comme un style véritablement espagnol, mariant sens du tragique et représentation très travaillée des émotions, commença à émerger au XVIe siècle dans les peintures des maniéristes. L'âpre *Descente de Croix* de Pedro Machuca et les *Vierges* de Luis de Morales en offrent un bon exemple. Plus connu sous le nom d'El Greco *(p. 28)*, Dhomínikos Theotokópoulos accentua encore dans ses œuvres l'allongement des silhouettes qui marque les personnages de Morales. Maints de ses chefs-d'œuvre

Saturne dévorant l'un de ses enfants (1820-1823) par Goya

sont restés à Tolède *(p. 373)*, sa ville d'adoption, mais le Prado présente un bel ensemble de tableaux, dont *Le Chevalier à la main sur la poitrine*.

L'art espagnol se montra particulièrement productif pendant le Siècle d'or *(p. 56-57)*. José de Ribera, qui travailla à Naples, suivit l'exemple du Caravage dans l'utilisation de violents contrastes entre ombre et lumière. Francisco de Ribalta, auteur du *Christ embrassant saint Bernard*, fut également un maître de cette école « ténébriste ». La collection comprend aussi plusieurs toiles de Zurbarán, qui s'illustra dans la nature morte et les portraits de moines et de saints.

C'est toutefois Diego Velázquez, peintre de la cour pendant près de 40 ans, qui domine cette époque. Son génie s'exprime aussi bien dans les portraits que dans les scènes religieuses ou mythologiques. Le Prado possède un grand nombre de ses toiles, en particulier *Les Ménines (p. 28-29)*.

À partir de la fin du XVIIIe siècle, Goya marque un tournant dans l'art espagnol. Peintre de cour, il devient le chroniqueur des souffrances du peuple dans des tableaux comme *Le 3 Mai 1808 à Madrid (p. 58-59)*, et celui des hantises de l'âme humaine dans les *peintures noires* exécutées à la fin de sa vie.

Nature morte (v. 1658-1664) par Francisco de Zurbarán

CASÓN DEL BUEN RETIRO

Sur la colline derrière le musée du
Prado se visite son annexe installée
dans un ancien pavillon du Palacio
del Buen Retiro *(p. 287)*. Elle
présente des œuvres du XIXᵉ siècle
et du début du XXᵉ, tableaux
historiques et peintures néo-
classiques et romantiques
notamment. Le Casón del Buen
Retiro réouvrira ses portes en 2006.
Les œuvres d'art seront
vraisemblablement transférées au
musée du Prado d'ici 2009.

Enfants sur la plage (1910) par Joaquín Sorolla

ÉCOLES FLAMANDE ET HOLLANDAISE

L es rapports étroits
qu'entretint l'Espagne avec
les Pays-Bas *(p. 56-57)*
conduisirent naturellement à
une profonde admiration pour
les primitifs flamands dont le
Prado possède de
nombreuses peintures
exceptionnelles. Sa *Sainte
Barbe* témoigne du souci du
détail de Robert Campin et la
Déposition de Rogier van der
Weyden est incontestablement
un chef-d'œuvre. Philippe II
collectionna les étranges
compositions de Jérôme
Bosch (El Bosco) et le musée
présente plusieurs de ses
créations majeures comme *La
Tentation de saint Antoine* et
La Charrette de foin. Parmi les
tableaux du XVIᵉ siècle figure
le superbe *Triomphe de la
Mort* par Bruegel l'Ancien.
Rubens est représenté par
près de 100 toiles dont
l'*Adoration des Mages*.
Du Hollandais
Rembrandt s'admirent
Artémise et un
autoportrait.

David vainqueur de Goliath
(v. 1600) du Caravage

ÉCOLE ITALIENNE

L e Prado possède une
magnifique collection de
peintures italiennes. Elle
comprend notamment des
œuvres de maîtres de la
Renaissance comme Botticelli
qui illustra dans les trois
panneaux de l'*Histoire de
Nastagio degli Onesti* un conte
de Boccace dont le héros se
voit condamné à
pourchasser sa bien-
aimée pour la tuer. De
Raphaël s'admirent entre
autres la *Chute du Christ*
sur le chemin du Calvaire et la
Sainte Famille à l'agneau. Les
artistes vénitiens jouirent d'une
grande estime, en particulier
Titien qui exécuta un portrait
de l'*Empereur Charles Quint à
Mühlberg*, le Tintoret, auteur
du magnifique *Lavement des
pieds*, Véronèse *(Moïse sauvé
des eaux)* et Tiepolo, figure
marquante du baroque. À
remarquer également, des
tableaux du Caravage et de
Luca Giordano.

ÉCOLE FRANÇAISE

L es unions entre les
dynasties française et
espagnole au XVIIᵉ siècle, qui
conduisirent à l'accession au
trône d'un Bourbon en 1700,
ouvrirent l'Espagne à l'art
français. La collection du Prado
comprend ainsi huit
œuvres attribuées à Poussin,
dont le *Parnasse* et un
Paysage avec saint Jérôme.
L'*Embarquement de sainte
Paule Romaine à Ostie* est le
plus beau des tableaux de
Claude Lorrain exposés. Parmi
les peintres du XVIIIᵉ siècle
représentés figurent Watteau
et le portraitiste Louis Michel
Van Loo.

ÉCOLE ALLEMANDE

R elativement pauvre, la
collection de peintures
allemandes inclut néanmoins
des tableaux de Dürer dont
un superbe *Autoportrait*, des
œuvres de Cranach l'Ancien
et des portraits, notamment
celui de Charles III, par
l'artiste du XVIIIᵉ siècle Anton
Raffael Mengs.

Déposition (v. 1430) par Rogier van der Weyden

Pavement de mosaïque au Museo Arqueológico Nacional

Plaza de Colón ⑯

Plan 4 D3. 🚇 *Serrano, Colón.*

De hauts immeubles construits dans les années 1970 à l'emplacement de demeures du XIXᵉ siècle dominent cette vaste place dédiée à Christophe Colomb (Colón en espagnol) et bordée par les jardins del Descubrimiento (jardins de la Découverte).

Au sud, un palais massif édifié en 1892 abrite la Bibliothèque nationale et le Musée archéologique. Au terme du paseo de la Castellana s'élève le gratte-ciel post-moderniste de la société Heron.

Deux monuments rendent hommage sur la place au découvreur du Nouveau Monde. Le plus esthétique, et le plus ancien, une flèche néo-gothique érigée en 1885, porte à son sommet une statue de Christophe Colomb le doigt tendu vers l'ouest. Le second, moderne, se compose de quatre masses de béton où sont inscrites des citations concernant le voyage du célèbre explorateur.

La circulation qui règne en permanence sur la plaza de Colón n'en fait apparemment pas un lieu adapté aux manifestations culturelles. Sous celle-ci, cependant, s'étend le Centro Cultural de la Villa de Madrid qui comprend le centre municipal d'art, un théâtre, un café et des salles d'exposition et de conférence.

Le terminus des bus effectuant des navettes en direction de l'aéroport *(p. 626)* est aussi situé en sous-sol.

Calle de Serrano ⑰

Plan 4 D4. 🚇 *Serrano.*

Portant le nom d'un politicien du XIXᵉ siècle, la plus chic des rues commerçantes de Madrid relie la plaza de la Independencia à la plaza del Ecuador située dans le quartier de Salamanca. Installés dans des immeubles datant souvent de la fin du XIXᵉ siècle, de nombreux magasins de luxe la bordent.

Certains stylistes connus, tels Adolfo Domínguez et Roberto Verino, ont des boutiques dans sa partie nord, près du Museo Lázaro Galdiano *(p. 295)* et du ABC Serrano *(p. 305)*, tandis que les Italiens Versace, Gucci, Ecsada et Armani ont ouvert des succursales dans la calle de José Ortega y Gasset.

Dans la calle de Claudio Coello, parallèle à la calle de Serrano, plusieurs antiquaires proposent des meubles et des objets d'art en rapport avec le standing du quartier.

Statue de Colomb, plaza de Colón

Museo Arqueológico Nacional ⑱

Calle de Serrano 13. **Plan** 4 D3. 📞 *915 77 79 12.* 🚇 *Serrano.* 🕐 *de 9 h 30 à 20 h 30 du mar. au sam., de 9 h 30 à 14 h 30 le dim.* 🔴 *jours fériés.* 🎟 *gratuit sam. et dim.* ♿ 🖥 *www.man.es*

Fondé en 1867 par Isabelle II, le Musée archéologique national est un des plus intéressants de Madrid. Principalement constituées par du matériel mis au jour lors de fouilles dans toute l'Espagne et d'antiquités égyptiennes, grecques et étrusques, ses collections couvrent une période allant de la préhistoire au XIXᵉ siècle.

Au sous-sol sont présentées dans l'ordre chronologique les pièces les plus anciennes. Une exposition consacrée à la civilisation d'El Argar (1800-1100 av. J.-C.) d'Andalousie et un ensemble de bijoux découverts à Numance près de Soria *(p. 359)* se révèlent particulièrement intéressants.

Le rez-de-chaussée illustre la période s'étendant entre la conquête romaine et l'Espagne de la fin du Moyen Âge et abrite des sculptures ibériques, notamment la *Dame d'Elche (p. 44)* et la *Dame de Baza.*

De l'époque romaine subsistent entre autres d'importantes mosaïques telle celle des *Mois et des saisons* de Hellín (Albacete) et celle de *Bacchus et son cortège* de Saragosse.

Parmi les souvenirs les plus remarquables de l'Espagne wisigothique figurent une collection de couronnes votives en or provenant de la province de Tolède connue sous le nom de trésor de Guarrazar. Des poteries découvertes à Medina Azahara en Andalousie *(p. 453)* et des objets en métal offrent un aperçu de l'art islamique. La collection romane inclut la *Vierge à l'Enfant* de Sahagún et un crucifix en ivoire sculpté en 1063 pour Ferdinand Iᵉʳ de Castille-León et la reine Doña Sancha.

Devant l'entrée du musée, des marches conduisent à une réplique exacte des grottes d'Altamira en Cantabrie *(p. 108).*

Parque del Retiro ⑲

Plan 6 E1. 914 09 23 36. Retiro, Ibiza, Atocha. la nuit.

Dans l'élégant quartier des Jerónimos, près de la Puerta de Alcalá *(p. 277)*, le parc du Retiro offre aux Madrilènes un espace de verdure de plus de 100 ha où se détendre et se promener. Ancien jardin du palais du Buen Retiro de Philippe IV, dont ne subsistent que le **Casón del Buen Retiro** *(p. 285)* et le **Salón de Reinos** *(p. 277)*, il servit de cadre à des courses de taureaux, des spectacles et des reconstitutions de batailles navales organisés pour la famille royale. Il ouvrit entièrement au public en 1869.

Depuis son entrée nord, quelques pas le long d'une allée bordée d'arbres conduisent à l'Estanque Grande, lac artificiel où peuvent se louer des barques. D'un côté s'élève le monument à Alphonse XII composé d'une colonnade et d'une statue équestre du souverain. De l'autre, portraitistes et diseuses de bonne aventure proposent leurs services.

En 1887, Velázquez Bosco construisit deux beaux édifices d'exposition au sud du lac, le **Palacio de Velázquez** néo-classique et le **Palacio de Cristal** en verre et en métal. Ils accueillent des manifestations culturelles.

Statue du Bourbon Charles III au Real Jardín Botánico

Real Jardín Botánico ⑳

Plaza de Murillo 2. **Plan** 6 D2. 914 20 30 17. Atocha. de 10 h au coucher du soleil t.l.j.

Au sud du Prado *(p. 282-285)*, le Jardin botanique royal voulu par Charles III et créé en 1781 par le botaniste Gómez Ortega et l'architecte Juan de Villanueva offre un lieu agréable où se reposer après une visite du musée. Ses parterres au tracé rigoureux où voisinent des espèces végétales d'une grande variété témoignent de l'intérêt manifesté en Espagne à l'époque des Lumières *(p. 58)* pour les plantes originaires d'Amérique du Sud et des Philippines.

Estación de Atocha ㉑

Plaza del Emperador Carlos V. **Plan** 6 D4. 902 24 02 02. Atocha RENFE. de 5 h 30 à minuit t.l.j.

La première ligne de chemins de fer d'Espagne, reliant Madrid à Aranjuez, fut inaugurée en 1851. La gare d'Atocha reçut une extension moderne dans les années 1980. Structure d'acier et de verre, la partie la plus ancienne de la gare abrite désormais une palmeraie. À côté se trouve le terminus des trains à grande vitesse (AVE) pour Cordoue, Séville, Saragosse et Lleida, et qui desserviront Barcelone et la France en 2007 *(p. 630)*.

De l'autre côté de la rue, le Ministerio de Agricultura occupe un splendide bâtiment de la fin du XIXᵉ siècle.

Entrée de la gare d'Atocha construite en 1891

Monument à Alphonse XII (1901) bordant l'Estanque Grande du parc du Retiro

Museo Nacional Centro de Arte Reina Sofía ㉒

Guernica de Picasso est le chef-d'œuvre de ce musée de l'art du XXᵉ siècle qui abrite les œuvres majeures d'artistes éminents comme Miró. Il occupe l'ancien hôpital général de Madrid, bâti à la fin du XVIIIᵉ siècle. Grâce aux importants travaux d'agrandissements confiés à Jean Nouvel et qui devraient s'achever en 2005, les collections permanentes disposent de trois étages. Les nouveaux bâtiments de verre abritent deux salles pour les expositions temporaires, une bibliothèque, un café, des boutiques d'art et un auditorium.

Portrait II *(1938)*
Joan Miró peignit cette grande toile plus de dix ans après la fin de sa période véritablement surréaliste.

Nouvelle extension

★ Femme en bleu
(1901)
Picasso renia ce tableau après qu'il n'eut remporté qu'une mention honorable dans un concours national. L'État espagnol le retrouva et l'acquit des dizaines d'années plus tard.

Paysage à Cadaqués
Né à Figueres en Catalogne, Salvador Dalí séjourna souvent à Cadaqués, sur la Costa Brava (p. 207), et il y peignit ce paysage au cours de l'été 1923.

Accident
Alfonso Ponce de León peignit ce tableau prémonitoire en 1936, année où il mourut dans un accident de voiture.

À NE PAS MANQUER

★ *Femme en bleu* par Picasso

★ *La Tertulia del Café de Pombo* par Solana

★ *Guernica* par Picasso

★ **La Tertulia del Café de Pombo** *(1920)*
José Gutiérrez Solana a représenté une réunion d'intellectuels (tertulia) *dans un célèbre café de Madrid qui n'existe plus.*

MODE D'EMPLOI

Calle Santa Isabel 52. **Plan** 5 C3. 914 67 50 62. Atocha. 6, 14, 18, 19, 27, 45, 55, 68. 10 h à 21 h le lun. et du mer. au sam., 10 h à 14 h 30 le dim. 1er jan., 24, 25, 31 déc. et jours fériés. (gratuit sam. ap.-m. et dim.). W www.museoreinasofia.mcu.es

SUIVEZ LE GUIDE !
La collection permanente, disposée autour d'une cour, occupe les deuxième, troisième et quatrième étages. Les œuvres du XXe siècle sont présentées par ordre chronologique à partir du deuxième étage. Au troisième étage, on peut découvrir les œuvres réalisées de 1935 aux années 1960 ; celles du quatrième vont jusqu'à l'époque contemporaine. Des salles particulières sont consacrées aux grands artistes comme Dalí, Miró et Picasso. Un nouveau bâtiment attenant abrite deux salles pour les expositions temporaires.

LÉGENDE

☐ Espace d'exposition

☐ Circulations et services

Ascenseur
en verre

Entrée

Visiteurs admirant *Guernica*

★ **GUERNICA PAR PICASSO**
En peignant cet immense tableau pour le pavillon du gouvernement républicain espagnol de l'Exposition internationale de Paris de 1937, Picasso exprima toute sa révolte après le bombardement meurtrier perpétré la même année sur la ville basque de Gernika-Lumo (p. 114) par les pilotes allemands au service des nationalistes. Conformément aux vœux de l'artiste qui refusait qu'elle soit rapatriée en Espagne avant le rétablissement de la démocratie, l'œuvre resta au musée d'Art moderne de New York jusqu'en 1981.

Toki-Egin
(Hommage à San Juan de La Cruz) *(1952)*
Dans ses sculptures abstraites, Eduardo Chillida utilisait des matériaux variés comme le bois, le métal et l'acier, pour communiquer la force.

En dehors du centre

Plusieurs sites touristiques de Madrid, y compris d'intéressants musées souvent peu connus, se trouvent hors du centre. Se mêler au flot de voitures circulant sur le paseo de la Castellana, axe de la cité moderne, permet de mieux saisir le dynamisme de la capitale administrative et commerciale de l'Espagne. Dominée par de hauts immeubles de bureaux, cette large avenue longe le barrio de Salamanca, quartier des boutiques de luxe nommé d'après le marquis de Salamanque qui décida à la fin du xixᵉ siècle du tracé de ses rues.

Statue sur la Plaza de Cascorro

Autour du vieux Madrid s'étendent des quartiers possédant plus que lui une atmosphère authentiquement *madrileño*, en particulier celui de Malasaña et celui de la Latina où le marché aux puces d'El Rastro attire chaque dimanche matin une foule animée. Si vous souhaitez échapper un moment à la pression urbaine, le vaste espace vert de la Casa de Campo offre à l'ouest du vieux Madrid, sur l'autre rive du río Manzanares, l'ombre de ses pins, un lac où canoter, un parc d'attractions et un jardin zoologique.

Les sites d'un coup d'œil

Bâtiments historiques
Palacio de Liria **9**
Real Fábrica de Tapices **16**
Templo de Debod **6**

Église
Ermita de San Antonio de la Florida **5**

Musées
Museo de América **7**
Museo Cerralbo **8**
Museo Lázaro Galdiano **13**

Museo Municipal **11**
Museo Sorolla **12**

Rues, places et parc
Casa de Campo **4**
La Latina **2**
Malasaña **10**
Paseo de la Castellana **14**
Plaza de la Paja **3**
Plaza de Toros de Las Ventas **15**
El Rastro **1**

0   2 km

Légende

	Principaux quartiers touristiques
	Parcs et espaces verts
🚉	Gare
═	Autoroute
═	Route principale
=	Route secondaire

Sites hors du centre-ville

Burgos

Aeropuerto

Segovia
El Escorial

Aeropuerto

Badajoz

Toledo

Valencia

◁ **Arcs et parement de brique mudéjars de la Plaza de Toros de Las Ventas**

El Rastro ❶

Calle Ribera de Curtidores. **Plan** 2 E5.
🚇 *La Latina, Embajadores.* ⭕ *de 10 h
à 14 h les dim. et jours fériés.*

Fondé au Moyen Âge, le célèbre marché aux puces de Madrid *(p. 305)* s'étend depuis la plaza de Cascorro en direction du río Manzanares. La calle Ribera de Curtidores, l'ancienne « rive des Tanneurs », constitue son axe principal.

Malgré ceux qui affirment que le Rastro a bien changé depuis son âge d'or au XIXe siècle, il attire toujours autant de Madrilènes et de touristes le dimanche matin. Ils y viennent souvent pour le simple plaisir de la promenade et la foule est si dense vers midi qu'il vaut mieux vous y rendre de bonne heure si vous nourrissez l'espoir de dénicher une bonne affaire sur les éventaires et dans les boutiques proposant une immense gamme d'objets, des antiquités à la fripe en passant par des meubles neufs ou de l'artisanat. Dans l'autre grande rue du marché, la calle de Ambajadores, se dresse la belle mais poussiéreuse façade baroque de l'Iglesia de San Cayetano (1722) dessinée par José Churriguera et Pedro de Ribera. Ravagé par un incendie pendant la guerre civile, l'intérieur a été restauré. Plus loin, la Real Fábrica de Tabacos, entreprise d'État créée en 1809, est devenue une galerie d'art. Elle était surtout connue pour la combativité de ses employées.

En quête d'une bonne affaire au marché aux puces du Rastro

La Latina ❷

Plan 2 D5. 🚇 *La Latina, Lavapiés.*

Les quartiers contigus de la Latina et de Lavapiés sont considérés comme le cœur du Madrid *castizo*, terme qui désigne la culture traditionnelle des classes populaires de la ville et, plus qu'à la qualité de leur architecture, ils doivent leur attrait à leur atmosphère.

Bordées de hautes maisons étroites, les rues pentues de la Latina courent à flanc de colline depuis la plaza Puerta de Moros jusqu'au marché aux puces d'El Rastro. À l'est, le quartier se fond avec celui de Lavapiés. Des bars à l'ancienne subsistent aux alentours de la plaza del Humilladero dont la réputation a souffert des agissements de petits délinquants. Ceux-ci sévissent aussi plus au nord autour de la Puerta del Sol.

Bouteilles de vin en vente dans un bar à l'ancienne de Lavapiés

Plaza de la Paja ❸

Plan 1 C4. 🚇 *La Latina.*

Ancien pôle du Madrid médiéval, les environs de la plaza de la Paja (place de la Paille) ont gardé du cachet, mais ils ne frappent pas par leur opulence. Plusieurs édifices intéressants bordent cependant la place.

En montant depuis la calle de Segovia, un coup d'œil sur la gauche le long de la calle Príncipe Anglona permet de découvrir la tour en brique de style mudéjar (XVe siècle) de

Autel de San Francisco el Grande

l'Iglesia de San Pedro. Au-delà de la fontaine, les sobres murs en pierre de la Capilla del Obispo (chapelle de l'Évêque) ferment la plaza de la Paja. Ce sanctuaire faisait jadis partie du Palacio Vargas voisin. Il abrite un superbe retable plateresque orné de sculptures par Francisco Giralte. Plus haut à gauche s'élève la coupole baroque parée d'angelots de l'Iglesia de San Andrés.

Une succession de plusieurs places conduit à la plaza Puerta de Moros dont le nom rappelle qu'une communauté maure habitait jadis ce quartier. De là, la carrera de San Francisco descend jusqu'à l'imposante église San Francisco el Grande. Elle renferme des peintures de Goya et de son beau-frère Francisco Bayeu et des stalles provenant du monastère d'El Paular *(p. 310-311)*.

Casa de Campo ❹

Avenida de Portugal. 📞 914 63 63
34. 🚇 *Batán, Lago, Príncipe Pío, Casa de Campo.*

Boisée, l'ancienne chasse royale de la Casa de Campo offre à l'ouest de la ville un espace naturel de 1 740 ha très apprécié des Madrilènes qui y viennent se promener, canoter sur le lac, visiter le zoo ou se donner des émotions fortes au Parque de Atracciones *(p. 307)*. Les sportifs y trouveront également une piscine et un circuit de course à pied. En été, le parc accueille des concerts de rock.

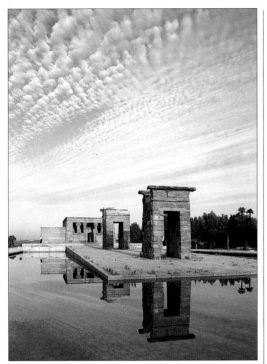

Le temple égyptien de Debod et deux de ses portails originaux

Ermita de San Antonio de la Florida ❺

Glorieta San Antonio de la Florida 5. 📞 915 42 07 22. 🚇 Príncipe Pío. 🕐 de 10 h à 14 h, de 16 h à 20 h du mar. au ven., de 10 h à 14 h sam. et dim. ● jours fériés.. 🚫 ♿ W www.munimadrid.es

Cette chapelle construite pendant le règne de Charles IV a conservé le nom d'un pré, la Florida, où fut édifié le premier des deux sanctuaires auxquels elle a succédé sur ce site.

En 1798, Francisco Goya passa quatre mois à décorer sa coupole d'une immense fresque. Elle représente saint Antoine de Padoue ressuscitant la victime d'un assassinat pour prouver l'innocence d'un homme faussement accusé du meurtre. Considérée par de nombreux critiques comme l'une des plus grandes réussites de l'artiste, l'œuvre frappe par son réalisme. Ses personnages, grands bourgeois, élégantes aristocrates, gens du peuple ou demi-mondaines, dressent un portrait saisissant de la vie quotidienne à Madrid à la fin du XVIIIᵉ siècle.

Goya mourut en exil à Bordeaux en 1828 (p. 229), mais il repose désormais dans la chapelle.

Templo de Debod ❻

Paseo de Pintor Rosales. **Plan** 1 B1. 📞 913 66 74 15. 🚇 Ventura Rodríguez, Plaza de España. 🕐 de 9 h 45 à 13 h 45 du mar. au dim. ; d'avr. à sept. : de 18 h à 20 h du mar. au ven. ; d'oct. à mars : de 16 h à 18 h du mar. au ven. ● jours fériés. W www.munimadrid.es

Édifié au IIᵉ siècle av. J.-C., le temple égyptien de Debod fit partie des monuments sauvés de l'immersion lors de la construction du barrage d'Assouan. L'Égypte le donna en 1970 à l'Espagne en remerciement de sa participation au sauvetage. Précédé de deux de ses trois portails originaux, il se dresse désormais sur une hauteur dominant le río Manzanares dans les jardins du Parque del Oeste.

Plus à l'ouest, au pied de la colline, se trouve une agréable roseraie. Le parc, où les Madrilènes prirent d'assaut la caserne Montaña en 1936, ménage en outre des vues panoramiques sur la Casa de Campo et la sierra de Guadarrama.

Museo de América ❼

Avenida de los Reyes Católicos 6. 📞 915 49 26 41. 🚇 Moncloa. 🕐 de 10 h à 15 h du mar. au sam., de 10 h à 14 h 30 dim. ● certains jours fériés. 🎫 gratuit le dimanche ♿ W www.museodeamerica.es

Cet intéressant musée abrite une collection unique d'objets liés à la colonisation de l'Amérique centrale et d'une partie de l'Amérique du Sud. Les pièces présentées couvrent une période allant de la préhistoire à l'époque actuelle. Beaucoup furent rapportées par les premiers explorateurs du Nouveau Monde (p. 54-55).

Installée sur deux niveaux, l'exposition comprend des salles consacrées à des thèmes particuliers tels qu'organisation sociale, communication et religion. Un manuscrit maya illustré de scènes en hiéroglyphes de la vie quotidienne, le *Códice Trocortesiano* (1250-1500) du Mexique, constitue sans doute le fleuron de la collection, mais celle-ci inclut également des ornements funéraires en or colombiens, le trésor des Quimbayas (500-1000), et des exemples d'art populaire contemporain provenant de plusieurs anciennes colonies espagnoles.

Pièce du trésor des Quimbayas

Museo Cerralbo ❽

Calle Ventura Rodríguez 17. **Plan** 1 C1.
📞 915 47 36 46. 🚇 Plaza de España,
Ventura Rodríguez. ⬜ juil. et août :
9 h 30-14 h du mar. au sam., 10 h-14 h
le dim., sept. à juin : 9 h 30-15 h du
mar. au sam., 10 h-15 h le dim. 🔲
gratuit mer. et dim. 📷 🔳 www.mcu.es

Installé dans un hôtel particulier
de la fin du XIXᵉ siècle, ce
musée est un monument à la
mémoire d'Enrique de Aguilera y
Gamboa, le 17ᵉ marquis de
Cerralbo. Ce collectionneur
passionné légua en 1922 à l'État
les œuvres et objets d'art, depuis
des poteries ibères jusqu'à des
bustes en marbre du XVIIIᵉ siècle,
qu'il avait réunis au cours de sa
vie. Il exigea toutefois qu'ils
restent exposés tels qu'il les
laissa.

Les peintures comprennent un
Saint François d'Assise par El
Greco (dans la chapelle) et des
œuvres plus mineures de Ribera,
Zurbarán, Alonso Cano et Goya.
À l'étage d'apparat, distribué
autour de la salle de bal ornée
de miroirs, belle exposition
d'armes japonaises et
européennes.

Palacio de Liria ❾

Calle de la Princesa 20. 📞 915 47 53 02.
🚇 Ventura Rodríguez. ⬜ sur autorisation
demandée par écrit un an avant. 📷

Très restaurée après avoir
souffert des bombardements
nationalistes pendant la guerre
civile, l'ancienne résidence de
la famille d'Albe, achevée en
1780 par Ventura Rodríguez,
appartient toujours à la
duchesse et ne se visite que sur
rendez-vous.

Elle abrite une magnifique
collection d'œuvres d'art et de
tapisseries flamandes qui
comprend des peintures d'El
Greco, Zurbarán et Velázquez,
et le portrait de la duchesse
d'Albe peint par Goya en 1795.
Parmi les maîtres étrangers
représentés figurent Titien,
Rubens et Rembrandt.

Derrière le palais se dresse le
Cuartel del Conde-Duque,
ancienne caserne à la façade
baroque édifiée en 1720 par
Pedro de Ribera sur le site de
la demeure du comte-duc
d'Olivares, ministre de
Philippe IV. Un centre culturel
occupe désormais le bâtiment.

Dans le quartier de Malasaña

Malasaña ❿

Plan 2 F1. 🚇 Tribunal, Bilbao.

Ce quartier aux rues en
pente bordées de hautes
maisons a gardé beaucoup
d'authenticité et ses bars et
cafés furent pendant quelques
années après la mort de
Franco le pôle de l'intense vie
nocturne appelée *movida*.

Une promenade le long de
la calle San Andrés conduit à la
plaza del Dos de Mayo ornée
en son centre d'un monument
à la mémoire des officiers
d'artillerie Daoiz et Velarde
qui, lors du soulèvement
contre les troupes françaises
en 1808 *(p. 59)*, défendirent la
caserne occupant alors le site.

Dans la calle de la Puebla se
dresse l'Iglesia de San Antonio
de los Alemanes fondée par
Philippe III au XVIIᵉ siècle, puis
mise à la disposition de la
communauté allemande.
D'intéressantes fresques
peintes par Giordano au
XVIIIᵉ siècle décorent ses murs.

Museo Municipal ⓫

Calle de Fuencarral 78. **Plan** 3 A3. 📞
915 88 86 72. 🚇 Tribunal. ⬜ de
9 h 30 à 20 h du mar. au ven., de 10 h à
14 h les sam. et dim. ; (août : 9 h 30-14
h 30 du mar. au dim.) ● jours fériés.
📷 sur rendez-vous. ♿ 🔳
www.munimadrid.es

Œuvre de Pedro de Ribera,
le majestueux portail
baroque *(p. 21)* de l'ancien
hospice Saint-Ferdinand justifie
à lui seul la visite de ce musée

Escalier principal du Museo Cerralbo

inauguré en 1929. Des travaux de rénovation étant prévus jusqu'en 2007, certaines collections risquent donc d'être fermées au public.

Le sous-sol abrite des collections archéologiques, tandis qu'à l'étage de nombreux documents montrent les changements radicaux que connut Madrid au fil des siècles. Ils comprennent la plus ancienne carte connue de la ville, dressée en 1656 par Pedro Texeiro. Des témoignages plus récents sur la vie de la cité incluent la reconstitution du bureau de Ramón Gómez de la Serna, personnage clé des réunions littéraires du Café de Pombo (*p. 289*).

Portail baroque du Museo Municipal par Pedro de Ribera

Museo Sorolla ⑫

Paseo del General Martínez Campos 37. 913 10 15 84. Rubén Darío, Iglesia, Grégorio Marañón. de 10 h à 15 h du mar. au sam., de 10 h à 14 h le dim. gratuit. dim.

Transformée en musée, la maison, édifiée en 1910, où vécut et travailla l'artiste valencien Joaquín Sorolla est restée pratiquement telle qu'elle était à sa mort en 1923.

Si Sorolla est surtout connu pour ses peintures de scènes de bord de mer inondées de lumière (*p. 285*), les tableaux exposés au musée permettent de découvrir également sa période réaliste et son talent de portraitiste. La demeure abrite en outre divers objets qu'il collectionna durant sa vie, entre autres des carreaux et des pièces de céramique. Le peintre

Le Museo Sorolla occupe l'ancienne demeure du peintre

dessina lui-même le jardin de style andalou agrémenté de fontaines et de sculptures.

Museo Lázaro Galdiano ⑬

Calle de Serrano 122. 915 61 60 84. Núñez de Balboa, Rubén Darío, Grégorio Marañón. jours fériés. www.flg.es

Léguée à l'État espagnol en 1947, la collection d'œuvres et d'objets d'art de l'homme d'affaires et éditeur José Lázaro Galdiano, l'une des plus riches de Madrid, est présentée dans l'ancien hôtel particulier (1903) du mécène.

D'une série de

Montre de Charles Quint

portraits par Goya à une collection de pendules et de montres incluant la montre de chasse en forme de croix de Charles Quint, elle comprend des pièces exceptionnelles du VIIᵉ au XIXᵉ siècle.

Parmi les plus belles figurent des coffrets émaillés du Limousin, des bronzes italiens de la Renaissance et *El Salvador*, portrait attribué à Vinci. Dans les étages s'admirent des tableaux des artistes anglais Constable, Turner, Gainsborough et Reynolds, et des peintres espagnols Velázquez, Zurbarán, Ribera, Murillo et El Greco. À ne pas manquer, l'*Ecce homo* de Jérôme Bosch. La dernière salle abrite un bel ensemble d'éventails.

Affiche de *Femmes au bord de la crise de nerfs* d'Almodóvar

LA MOVIDA

Après la mort de Franco en 1975, l'Espagne, et tout particulièrement Madrid, connut, avec la liberté retrouvée, une période intensément créative. Dans les bars et cafés « branchés », artistes et intellectuels se retrouvaient pour échanger des idées et multiplier les expériences. Rendu célèbre par le succès du réalisateur Pedro Almodóvar, ce mouvement, la *movida*, tend aujourd'hui à se diluer, mais son élan a marqué la société.

La Torre de Picasso domine le paseo de la Castellana

Paseo de la Castellana ⑭

🚇 *Santiago Bernabiu, Cuzco, Plaza de Castilla, Gregorio Marañón, Colón.*

Le grand axe de circulation qui traverse Madrid du centre vers le nord comprend plusieurs tronçons. Le plus ancien, au sud, le paseo del Prado (p. 274-275), date du règne de Charles III. Percé dans le cadre d'un projet d'aménagement de ce qui était alors l'est de la ville (p. 287), il part de la plaza de Emperador Carlos V, au nord de l'Estación de Atocha (p. 287). À la plaza de Cibeles, l'avenue devient l'élégant paseo de Recoletos bordé de cafés réputés tel le Gijón (p. 281).

La plaza de Colón marque le début du paseo de la Castellana dont les terrasses de cafés sont devenues l'un des pôles de la vie sociale des jeunes Madrilènes. De hauts édifices modernes le dominent, notamment l'immense bâtiment gris des Nuevos Ministerios achevé sous Franco. Plus loin, avant d'atteindre la plaza de Lima, s'élève la Torre de Picasso (p. 21), l'un des plus ambitieux gratte-ciel d'Espagne. À l'est de la place, l'Estadio Bernabéu est le siège du club de football du Real Madrid (p. 173).

La construction la plus impressionnante du paseo reste cependant la Puerta de Europa, surnommée les « Torres Kio » : tours de verre jumelles de part et d'autre de l'avenue.

Plaza de Toros de Las Ventas ⑮

Calle de Alcalá 237. 📞 913 56 22 00. 🚇 *Ventas.* ⬜ *pour les corridas et les concerts.* **Museo Taurino** 📞 917 25 18 57. ⬜ *de mars à oct. : de 9 h 30 à 14 h 30 du mar. au ven., de 10 h à 13 h le dim. ; de nov. à fév. : de 9 h 30 à 14 h 30 du lun. au ven.* ♿

Quelle que soit votre opinion sur les courses de taureaux, les arènes de Las Ventas font indiscutablement partie des plus belles d'Espagne. Construites en 1929 dans le style néo-mudéjar pour remplacer celles qui se dressaient alors près de la Puerta de Alcalá, elles offrent, avec leurs arcs en fer à cheval et leur parement de brique et d'*azulejos*, un cadre superbe pour assister à une corrida pendant la saison tauromachique s'étendant de mai à octobre. Les statues qui ornent l'extérieur commémorent deux matadors renommés : Antonio Bienvenida et José Cubero.

Une aile des arènes abrite le Museo Taurino qui présente une intéressante collection de souvenirs comprenant les portraits et sculptures de célèbres toreros, ainsi que les trophées de plusieurs taureaux ayant combattu à Las Ventas. Sa visite permet d'examiner de près capes, banderilles et épées.

Parmi les *trajes de luces* (habits de lumière) exposés figure celui, taché de sang, que portait le légendaire Manolete lors de la corrida qui lui coûta

la vie en 1947 à Linares en Andalousie. À remarquer également, un costume ayant appartenu à Juanita Cruz, femme matador des années 1930 que les préjugés des Espagnols contraignirent à l'exil. En septembre et octobre, les arènes accueillent des concerts de rock.

Real Fábrica de Tapices ⑯

Calle Fuenterrabia 2. 📞 914 34 05 51. 🚇 *Menéndez Pelayo.* ⬜ *de 10 h à 14 h du lun. au ven.* ⬤ *Jours fériés et en août.* 🎦 Ⓦ www.realfatapices.com

Des manufactures royales créées par les Bourbons au XVIIIᵉ siècle (p. 58-59), seule a survécu celle-ci fondée en 1721 par Philippe V et installée en 1889 dans son édifice actuel au sud du Parque del Retiro.

Les visiteurs peuvent y assister à la fabrication de tapis et tapisseries selon des procédés qui ont peu changé depuis l'époque où Goya et son beau-frère Francisco Bayeu réalisaient des cartons pour la manufacture. Celle-ci en a conservé certains, d'autres se trouvent au Museo del Prado (p. 282-285). Le palais du Pardo (p. 314) et le monastère de l'Escorial (p. 312-313) abritent des œuvres tissées à partir de ces projets.

Aujourd'hui, la création et la restauration des superbes tapis de l'hôtel Ritz (p. 276) constituent une des principales activités de la fabrique.

La Plaza de Toros de Las Ventas, splendides arènes de Madrid

ATLAS DES RUES DE MADRID

Cette carte précise la zone couverte par les six plans de l'atlas des rues de Madrid. Toutes les références cartographiques données dans les articles décrivant les sites, monuments, boutiques et salles de spectacle de la capitale espagnole renvoient à ces plans qui vous permettront également de situer hôtels *(voir p. 552-554)*, et bars et restaurants *(voir p. 592-594)*. La liste des symboles utilisés dans les plans de l'atlas des rues figure ci-dessous.

LÉGENDE DE L'ATLAS DES RUES

Site exceptionnel	P	Parc de stationnement	═══ Voie ferrée
Site intéressant	i	Information touristique	⟶ Rue à sens unique
Autre édifice	✚	Hôpital de garde	▬ Rue piétonnière
🚉 Gare	👮	Poste de police	
Ⓜ Station de métro	✝	Église	**ÉCHELLE DES PLANS**
Arrêt d'autobus important	⌂	Couvent ou monastère	0 250 m
🚌 Gare routière	⊠	Bureau de poste	

FAIRE DES ACHATS À MADRID

Des guitares fabriquées artisanalement aux dernières créations de la mode, les boutiques de Madrid offrent un choix immense. La ville possède comme autre avantage d'avoir des quartiers commerçants nettement définis. Celui de Salamanca regroupe la plupart des magasins de luxe. Celui de Chueca offre le dernier

Friandises madrilènes

cri en matière de mode pour les jeunes. La majorité des boutiques de prêt-à-porter plus classique sont situées dans le centre. Il existe des marchés d'alimentation dans toute la ville, mais le vieux Madrid renferme les meilleurs caves et magasins spécialisés. À ne manquer à aucun prix : le marché aux puces d'El Rastro (p. 292).

NOURRITURE ET BOISSONS

Chaque quartier de Madrid possède son marché où acheter viande, poissons, légumes et fruits frais. Pour des spécialités, promenez-vous dans le vieux Madrid où les succursales du **Museo del Jamón**, qui comprennent bars et restaurants, proposent un immense choix de jambons, de saucissons et de fromages. Superbe magasin fondé en 1895, **Mariano Madrueño** offre une large sélection de vins espagnols. Au nord du vieux Madrid, gâteaux, pains et friandises composent, en particulier à Noël, des vitrines alléchantes à l'**Horno San Onofre**.

GRANDS MAGASINS ET GALERIES MARCHANDES

La chaîne de grands magasins **El Corte Inglés** possède en ville plusieurs établissements où acheter pratiquement de tout et faire développer ses photos ou réparer ses chaussures.

Parmi les meilleures galeries marchandes figurent **Las Rozas Village**, le **Jardín de Serrano** et **ABC Serrano**. Pour tout trouver sous un même toit, essayez l'immense **La Vaguada**, au nord de Madrid. Il existe aussi plusieurs hypermarchés, pour la plupart situés près de la M 30, le boulevard périphérique.

MODE

Le centre-ville renferme, autour de la calle de Preciados, des magasins de prêt-à-porter de styles variés, mais les grands noms de la mode ont leurs boutiques dans le quartier de Salamanca, la calle de Serrano (p. 286) et la calle Ortega y Gasset. **Ekseption** offre un large choix de marques renommées, tandis qu'**Agatha**

Défilé de mode à Madrid

Ruíz de la Prada propose ses créations excentriques dans la calle de Serrano.

Avec des boutiques comme **Ararat**, la calle del Almirante et ses alentours, dans Chueca, sont l'endroit où découvrir des vêtements dessinés par de jeunes stylistes.

ARTISANAT, DESIGN ET CADEAUX

Les magasins d'artisanat traditionnel de Madrid sont regroupés autour de la Plaza Mayor. Ils proposent de la dentelle, des broderies et, à **Almoraima**, des éventails. **Arco de Cuchilleros** vend de la céramique, de la maroquinerie et des bijoux. Deux autres quartiers,

Devanture du Museo del Jamón

Chez l'un des nombreux antiquaires du quartier du Rastro

Huertas et Lavapiés, recèlent de vieilles boutiques sortant de l'ordinaire telles **Cántaro**, pour des céramiques traditionnelles et modernes, et **Guitarrería F. Manzanero** pour des guitares de luthiers.

La Oca, à la Puerta de Toledo, est une des meilleures adresses du design moderne.

ART ET ANTIQUITÉS

Les galeries d'art et les antiquaires se trouvent dans les mêmes quartiers à Madrid. Les plus huppés tiennent boutique à Salamanca, en particulier le long de la calle de Claudio Coello. Pour dénicher des pièces moins chères et moins classiques, essayez Huertas et la Latina, notamment dans les rues où se tient le dimanche matin le marché aux puces du Rastro. De nombreux magasins ouvrent également en semaine.

LIVRES ET JOURNAUX

Il existe une **FNAC** à Madrid et elle propose une bonne sélection de publications étrangères et un service efficace de réservation de places de spectacle. Si vous n'y trouvez pas votre bonheur et lisez l'anglais, essayez **Booksellers**.

Les étals de livres d'occasion installés en permanence dans la calle Claudio Moyano, près du parc du Retiro, vendent aussi bien éditions rares que bouquins bon marché.

MARCHÉS

Le marché aux puces d'**El Rastro** *(p. 292)* attire chaque semaine des milliers de personnes dans les rues entourant la calle Ribera de Curtidores. Au sommet de la colline, sur la plaza de Cascorro, les éventaires proposent surtout des vêtements et des bijoux, mais le choix est immense partout ailleurs.

Le dimanche matin, un marché aux timbres et aux monnaies se tient sur la Plaza Mayor. Des étals vendent également des livres et magazines d'occasion, des badges, et d'autres objets de collection.

Un dimanche matin au marché aux puces du Rastro

CARNET D'ADRESSES

NOURRITURE ET BOISSONS

Horno San Onofre
Calle San Onofre 3. **Plan** 2 F2. ☎ 915 32 90 60.

Mariano Madrueño
Calle Postigo de San Martín 3. **Plan** 2 E2. ☎ 915 21 19 55.

Museo del Jamón
Carrera de San Jerónimo 6. **Plan** 5 A1. ☎ 915 21 03 46.

GRANDS MAGASINS ET GALERIES MARCHANDES

ABC Serrano
C/ Serrano 61. **Plan** 4 E1. ☎ 915 77 50 31.

Centro Comercial La Vaguada
Avenida Monforte de Lemos 36. ☎ 917 30 10 00.

El Corte Inglés
C/ Preciados 3. **Plan** 2 F3. ☎ 913 09 05 35.

Las Rozas Village
A6 (autovia). Exit (salida) 19, Las Rozas. ☎ 916 40 49 08.

Jardín de Serrano
Calle de Goya 6–8. **Plan** 4 E3. ☎ 915 77 00 12.

MODE

Ágatha Ruíz de la Prada
Calle Serrano 27. **Plan** 4 E2. ☎ 913 19 05 51.

Ararat
Calle del Almirante 10. **Plan** 3 C4. ☎ 915 31 81 56.

Ekseption
Calle de Velázquez 28. **Plan** 4 F3. ☎ 915 77 43 53.

ARTISANAT, DESIGN ET CADEAUX

Almoraima
Plaza Mayor 12. **Plan** 2 E4. ☎ 913 65 42 89.

Arco de Cuchilleros
Plaza Mayor 9. **Plan** 2 E4. ☎ 913 65 26 80.

Cántaro
Calle de la Flor Baia 8. **Plan** 2 D2. ☎ 915 47 95 14.

Guitarrería F Manzanero
Calle Santa Ana 12. **Plan** 2 D5. ☎ 913 66 00 47.

La Oca
Ronda de Toledo 1. ☎ 913 65 13 01.

LIVRES ET JOURNAUX

Booksellers
Calle José Abascal 48. ☎ 914 42 79 59.

FNAC
C/ Preciados 28. **Plan** 2 E3. ☎ 915 95 61 00.

MARCHÉS

El Rastro
Calle Ribera de Curtidores. **Plan** 2 E5.

SE DISTRAIRE À MADRID

La vie nocturne madrilène ne s'adresse pas aux couche-tôt. Un samedi soir typique commence à l'heure de l'apéritif dans les cafés, puis l'animation se déplace dans les bars à tapas et les restaurants, avant que n'ouvrent, tard, les boîtes de nuit. À l'instar de la bruyante circulation, les réjouissances durent jusqu'au matin. Pour ceux

Joueur de flamenco au Parque del Retiro

qui aspirent à des soirées moins intenses, Madrid offre le meilleur des formes d'expression espagnoles, en particulier en matière de flamenco et de *zarzuela*, ainsi que des concerts de musique classique et des clubs de jazz ou de rock. Les amateurs de théâtre pourront voir des pièces du Siècle d'or espagnol ou des créations modernes.

Le Teatro Real

MAGAZINES DE SPECTACLES

En vente le vendredi, l'hebdomadaire *Guía del Ocio* offre le tableau le plus complet des spectacles et des films présentés à Madrid. Deux quotidiens ont un supplément divertissements : *ABC, El Mundo*, et *El País* le vendredi.

SAISONS ET BILLETS

La saison de musique et de théâtre dure de septembre à juin. La fête de San Isidro (mai, *p. 280*) et le Festival de Otoño, (sept. à nov.), donnent lieu à diverses manifestations culturelles. Les offices du tourisme vous en fourniront le détail.

La FNAC (*p. 305*) propose un service de réservation avantageux. Les théâtres nationaux tels l'**Auditorio Nacional** et le **Teatro de la Zarzuela** possèdent un système de billetterie commun. Les places pour les autres événements peuvent être retenues par téléphone à la **El Corte Inglés.**

MUSIQUE CLASSIQUE, DANSE ET ZARZUELA

L'Orquesta Nacional de España et des orchestres internationaux se produisent dans les deux salles de concert de l'**Auditorio Nacional**. L'opéra de Madrid devrait bientôt s'installer dans le **Teatro Real** en cours de restauration.

La principale compagnie de danse, la Compañía Nacional de Danza, a une démarche contemporaine. Le **Teatro Albéniz** accueille des ballets et des zarzuelas, sorte d'opéras-comiques typiquement espagnols présentés également, entre autres, au **Teatro de la Zarzuela**.

THÉÂTRE

Les théâtres les plus prestigieux de Madrid sont le **Teatro de la Comedia**, où la Compañía Nacional de Teatro Clásico présente des pièces du répertoire, et le **Teatro María Guerrero** qui propose des créations modernes en espagnol et des

productions étrangères (fermé jusqu'à mi-2004). Souvent provocateur, le **Teatro Alfil** fait partie des meilleures salles indépendantes. Le Festival de Otoño (oct. et nov.) offre l'occasion de découvrir de très nombreux talents espagnols et internationaux, qu'il s'agisse de compagnies établies ou de jeunes troupes novatrices.

FLAMENCO

Si le flamenco est d'origine andalouse (*p. 406-407*), d'excellents interprètes résident désormais à Madrid. Un club comme **Casa Patas** permet d'apprécier sans amplification la puissance évocatrice du meilleur du *cante flamenco*. Le **Café de Chinitas** offre l'occasion d'assister à des danses flamenco spontanées.

CAFÉS, BARS ET CLUBS

Les bars de Madrid possèdent un style qui leur est propre et la ville a conservé maints de ses grands cafés anciens où se désaltérer en regardant passer

La boîte de nuit Joy Eslava installée dans un ancien théâtre

Façade du Café Gijón

la foule. Le **Café Gijón** *(p. 281)* reste le plus célèbre des cafés littéraires.

Joy Madrid, où l'ambiance ne s'installe que bien après minuit, s'est imposée comme une des boîtes de nuit les plus en vogue auprès des jeunes.

Après une nuit blanche, il est de tradition à Madrid d'aller reprendre des forces en dégustant un *chocolate con churros (p. 576)* à la **Chocolatería San Ginés** ouverte en 1894.

ROCK, JAZZ ET WORLD MUSIC

L es têtes d'affiche internationales se produisent dans les stades et les salles de sport, mais un petit lieu comme **La Riviera** a accueilli des hôtes tels que Bob Dylan ou les Cranberries. Des concerts de rock en plein air se déroulent en été au **Parque de Atracciones**. L'un des meilleurs clubs de jazz d'Europe, le **Café Central**, se trouve près de la plaza Santa Ana, où plusieurs bons clubs de salsa permettent de finir la nuit en dansant après le spectacle.

PARCS D'ATTRACTIONS

T outes les générations se côtoient au **Parque de Atracciones** de la Casa de Campo *(p. 292)*. Plusieurs parcs modernes proposent des jeux d'eau, dont **Aquamadrid**, en dehors du centre.

CORRIDAS ET FOOTBALL

L es arènes de **Las Ventas** *(p. 296)*, les plus grandes d'Espagne, proposent des corridas tous les dimanches de mai à octobre. Pendant la San Isidro, en mai, il y en a une tous les jours.

Le club de football le plus prestigieux de la ville, le **Real Madrid** *(p. 173)*, a pour temple l'Estadio Bernabéu. Cependant l'atmosphère se révèle souvent meilleure dans le stade de son rival, l'**Atlético de Madrid**, plus petit et moins cher.

Les arènes de Las Ventas un jour de corrida

CARNET D'ADRESSES	**THÉÂTRE**	**CAFÉS, BARS ET CLUBS**	**PARCS D'ATTRACTIONS**
BILLETTERIE	**Teatro Alfil** Calle del Pez 10. **Plan** 2 E1. 915 21 58 27.	**Café Gijón** Paseo de Recoletos 21. **Plan** 3 C4. 915 21 54 25.	**Aquamadrid** Carreta N11 km 15.5, San Fernando de Henares 916 73 10 13.
El Corte Inglés 902 26 27 26 , 902 40 02 22.	**Teatro de la Comedia** Calle del Príncipe 14. **Plan** 5 A1. 915 21 49 31.	**Chocolatería San Ginés** Pasadizo de San Ginés 5. **Plan** 2 E3. 913 65 65 46.	**Parque de Atracciones** Casa de Campo. 914 63 29 00.
MUSIQUE CLASSIQUE, DANSE ET ZARZUELA	**Teatro María Guerrero** Calle Tamayo y Baus 4. **Plan** 3 C4. 913 10 15 00.	**Joy Madrid** Calle del Arenal 11. **Plan** 2 E3. 913 66 37 33.	**CORRIDAS ET FOOTBALL**
Auditorio Nacional de Música C/ Príncipe de Vergara 146. 913 37 01 34.	**FLAMENCO**	**ROCK, JAZZ ET WORLD MUSIC**	**Atlético de Madrid** Estadio Vicente Calderón, Paseo de la Virgen del Puerto 67. 902 26 04 03..
Teatro Albéniz C/ Paz 11. **Plan** 2 F4. 915 31 83 11	**Café de Chinitas** Calle Torija 7. **Plan** 2 D2. 915 47 15 02.	**Café Central** Pl del Ángel 10. **Plan** 5 A1. 913 69 41 43.	**Plaza de Toros de Las Ventas** Calle de Alcalá 237. 913 56 22 00.
Teatro Real Plaza de Isabel II. **Plan** 2 D3. 91 516 06 06. 902 24 48 28 (tickets)	**Casa Patas** Calle de Cañizares 10. **Plan** 5 A2. 913 69 04 96.	**La Riviera** Paseo de la Virgen del Puerto. **Plan** 1 A4. 913 65 24 15.	**Real Madrid** Estadio Santiago Bernabéu, Avenida de Concha Espina. 913 98 43 00.
Teatro de la Zarzuela C/ Jovellanos 4. **Plan** 3 B5. 91 524 54 00.			

PROVINCE DE MADRID

L a Comunidad de Madrid occupe le cœur du plateau central ibérique, la *meseta*. Au nord de la capitale, les sierras où les Madrilènes viennent skier en hiver ou se rafraîchir pendant les étés torrides offrent de beaux paysages à découvrir en voiture ou en randonnée. Dans les contreforts occidentaux de ces montagnes, Philippe II fit construire le monastère d'El Escorial d'où il dirigea son empire.

Non loin, Franco transforma la valle de los Caídos en un monument à la guerre civile. Dans la périphérie de Madrid s'admire le palais royal d'El Pardo. Au sud de la province, un parc verdoyant entoure le palais d'été d'Aranjuez bâti au XVIIIᵉ siècle. Parmi les villes historiques figurent Alacalá de Henares, où subsiste une ancienne université, et Chinchón à la belle place centrale entourée de portiques.

LA PROVINCE D'UN COUP D'ŒIL

Villes et villages
Alcalá de Henares ❾
Buitrago del Lozoya ❷
Chinchón ❿
Manzanares el Real ❼

Bâtiments historiques
El Escorial p. 312-313 ❻
Monasterio de Santa María de
   El Paular ❸
Palacio de El Pardo ❽

Palacio Real de Aranjuez ⓫
Santa Cruz del Valle de los
   Caídos ❺

Massifs montagneux
Sierra Centro de Guadarrama ❹
Sierra Norte ❶

LÉGENDE

Ville de Madrid

Province de Madrid

✈ Aéroport de Barajas

═ Autoroute

▬ Route principale

═ Route secondaire

--- Frontières de la province

0   25 km

SITES DE LA PROVINCE DE MADRID

◁ **Célébration de la messe dans l'église du Monasterio de Santa María de El Paular**

Le village de Montejo de la Sierra dans la sierra Norte

Sierra Norte ➊

Madrid. 🚌 *Montejo.* 🛈 *Calle Real 64, Montejo, 918 69 70 58.*

J adis appelée la sierra Pobre (Montagne pauvre), la partie la plus sauvage de la province de Madrid offre de superbes paysages.

Dans le plus gros village, **Montejo de la Sierra**, un centre d'information propose des promenades à cheval, des locations dans des maisons traditionnelles *(p. 531)* et des visites de la réserve naturelle voisine : le **Hayedo de Montejo de la Sierra**. Elle protège l'une des forêts de hêtres les plus méridionales d'Europe, vestige d'une époque où les conditions climatiques étaient plus propices aux feuillus. Depuis Montejo on atteint en voiture les hameaux pittoresques de **La Hiruela** et de **Puebla de la Sierra** dont les environs permettent de belles randonnées.

Les collines plus arides du sud s'étagent jusqu'à l'**embalse de Puentes Viejas**, lac artificiel aux plages bordées de résidences d'été.

À l'est de la sierra, le village de **Patones** dut à son isolement d'échapper aux troupes napoléoniennes.

Buitrago del Lozoya ➋

Madrid. 🚶 *1 700.* 🚌 🛈 *Calle Tahona 11, 918 68 16 15.* 🚌 *sam.* 🎉 *La Asunción y San Roque (15 août), Cristo de los Esclaves (15 sept.).*

A u bord d'un méandre du río Lozoya, ce village a conservé des fortifications arabes bâties au XIᵉ siècle. Fondé par les Romains, il devint au Moyen Âge un marché important. Son château gothico-mudéjar du XIVᵉ siècle accueille aujourd'hui des courses de taureaux et un festival de musique et de théâtre en été. Les portes, des arcs et des pans de ses remparts originaux, élevés également par les Arabes, subsistent.

À l'intérieur de l'enceinte fortifiée, le quartier ancien a gardé beaucoup de charme.

L'église **Santa María del Castillo**, du XVᵉ siècle, possède une belle tour mudéjare et, dans la sacristie, un plafond provenant de l'ancien hôpital.

Dans la partie plus récente de Buitrago, l'**hôtel de ville** *(ayuntamiento)* abrite une croix processionnelle du XVIᵉ siècle. Au sous-sol, le petit **Museo Picasso** présente les gravures, dessins et céramiques collectionnés par Eugenio Arias, ami et coiffeur de l'artiste.

🏛 **Museo Picasso**
Plaza de Picasso 1. 📞 *918 68 16 15.* ● *lun. mer.et dim. après-midi.*

Détail du retable du Monasterio de Santa María de El Paular

Monasterio de Santa María de El Paular ➌

Sud-ouest de Rascafría sur la M 604. 📞 *918 69 14 25.* 🚌 *Rascafría.* ● *du 12 h à 17 h lun-mer. et ven.-sam 12 h-13 h jour. et 13 h-18 h dim.* 🚗

J ean Iᵉʳ fonda en 1390 la première chartreuse de Castille sur le site d'un pavillon de chasse royal. Bâti dans le style gothique, le monastère reçut plus tard des ajouts platteresques et Renaissance. Abandonné en 1836 quand le ministre Mendizábal ordonna la vente des biens monastiques, il tomba en décrépitude jusqu'à sa restauration par l'État dans les années 1950. Les bâtiments abritent aujourd'hui une communauté bénédictine et un hôtel privé *(p. 554)*.

Dans l'église, un magnifique retable en albâtre de style

Remparts arabes de Buitrago del Lozoya sur le río Lozoya

gothique fleuri (xvᵉ siècle) illustre des épisodes de la vie de Jésus. Francisco de Hurtado dessina en 1718 le somptueux *camarín* (petite chapelle) baroque situé derrière l'autel.

Tous les dimanches, les moines interprètent des chants grégoriens dans l'église. S'ils sont disponibles, ils vous montreront le cloître aux voûtes en brique mudéjares et son double cadran solaire.

Le monastère offre un bon point de départ d'où aller à la découverte des villages de **Rascafría** et Lozoya dans la vallée du Lozoya. Au sud-ouest s'étend la réserve naturelle des **Lagunas de Peñalara**.

Sierra Centro de Guadarrama ❹

Madrid. 🚉 *Puerto de Navacerrada, Cercedilla.* 🚌 *Navacerrada, Cercedilla.* ℹ️ *Navacerrada, 918 56 00 06.*

La création dans les années 1920 d'une liaison ferroviaire avec Madrid ouvrit la partie centrale de la sierra de Guadarrama aux citadins et des résidences de villégiature s'accrochent aujourd'hui entre les pins à ses pentes granitiques. Anciens villages, les stations de **Navacerrada** et de **Cercedilla** attirent skieurs, grimpeurs et adeptes du vélo tout terrain ou de l'équitation. Des sentiers fléchés offrent de belles promenades depuis Navacerrada. La **valle de Fuenfría** s'atteint plus facilement depuis Cercedilla. Des itinéraires de randonnée permettent de découvrir les forêts de sa réserve naturelle et les vestiges d'une voie romaine.

L'immense croix érigée par Franco dans la valle de los Caídos

Santa Cruz del Valle de los Caídos ❺

Nord d'El Escorial sur la M 600. 📞 *918 90 56 11.* 🚌 *depuis El Escorial.* 🕐 *du mar. au dim.* ⬤ *certains jours fériés.* 🎫 *gratuit mer. pour les membres de l'UE.* 🌐 W www.partimonionacional.es

C'est à la mémoire des victimes de la guerre civile *(p. 62-63)* que le général Franco fit ériger à 13 km au nord du monastère d'El Escorial *(p. 312-313)* la Sainte Croix de la vallée des Morts. Cependant, pour de nombreux Espagnols, cette immense croix dominant la valle de los Caídos éveille surtout le souvenir des heures sombres qu'ils connurent sous la dictature.

Haut de 150 m, le monument s'élève au-dessus d'une basilique creusée dans le rocher par des prisonniers de guerre républicains. On ne sait combien moururent pendant les 20 ans que demanda la construction de ce sanctuaire qui s'enfonce de 250 m dans la montagne.

Près de l'autel se trouvent les tombeaux du caudillo et de José Antonio Primo de Rivera, fondateur de la Falange Española. 40 000 autres participants au conflit, des deux camps, reposent dans des ossuaires.

Un ascenseur conduit jusqu'aux bras de la croix d'où s'offre un magnifique panorama sur les forêts de pins.

Col de Navacerrada dans la sierra de Guadarrama

El Escorial ❻

Fresque par Luca Giordano

Sur les contreforts de la sierra de Guadarrama, l'imposant monastère gris de San Lorenzo de El Escorial présente la forme d'un gril, instrument du martyre de saint Laurent à qui il est dédié. Construit de 1563 à 1584, il possède un style austère qui prit le nom de herrerien, ou *desornamentado*, et eut une grande influence sur l'architecture espagnole. Voulue par Philippe II, qui installa son palais à l'Escorial, cette austérité marque aussi ses appartements dont la simplicité contraste avec la richesse des collections d'art visibles dans les pièces décorées par les Bourbons, les musées, les salles capitulaires, l'église, le panthéon royal et la bibliothèque.

★ Le panthéon des rois
Il abrite les tombeaux de nombreux monarques espagnols.

Basilique
Un immense retable par Herrera domine le chœur, qu'encadrent les cénotaphes de Charles Quint et de Philippe II, de cette église majestueuse.

Collège Alfonso XII, internat fondé par les moines en 1875.

Entrée principale

Palais des Bourbons

Musée d'Architecture

Salle des Batailles

Patio de los Reyes

Accès de la seule basilique

★ La bibliothèque
Ses 40 000 volumes comprennent la collection personnelle de Philippe II. Un livre de poèmes d'Alphonse X le Sage fait partie des manuscrits exposés sous un plafond décoré par Tibaldi au XVIᵉ siècle.

À NE PAS MANQUER

★ Le panthéon des rois

★ La bibliothèque

★ Le musée d'Art

Les appartements de Philippe II, au deuxième étage du palais, témoignent de son goût pour le dépouillement. Sa chambre donnait directement sur le maître-autel de la basilique.

MODE D'EMPLOI

Avda de Juan de Borbon y Battemberg. ☎ 918 90 59 04. 🚇 Atocha, Chamartin. 🚌 661, 664 Moncloa. ⏰ avr.-sept. : 10 h-18 h (17 h oct. - mars). ⬤ jours fériés. 🎟 gratuit mer. pour les membres de l'UE. ✝ 9 h 30 t.l.j. ; 19 h, 20 h sam., dim.
📷 🚻 🅿 🛈

★ Le musée d'Art
Le Calvaire *peint au XVᵉ siècle par Rogier van der Weyden est un des fleurons de ce musée qui présente au premier étage des tableaux italiens, flamands et espagnols.*

Le Patio de los Evangelistas abrite un petit temple par Herrera. Le jardin est très agréable.

Salles capitulaires
Elles abritent l'autel portatif de Charles Quint, et de très belles fresques.

Le monastère, fondé en 1567, est dirigé par des augustins depuis 1885.

Saint Laurent montant au ciel par Luca Giordano
Cette superbe fresque au-dessus de l'escalier principal donne les traits de Charles Quint et de Philippe II à des compagnons du saint.

Construction de l'Escorial
Quand le premier architecte du monastère, Juan Bautista de Toledo, mourut en 1567, son assistant, Juan de Herrera, poursuivit les travaux. Le style dépouillé qu'il donna au bâtiment prit le nom de desornamentado.

Rocher granitique de la Pedriza, près de Manzanares el Real

Manzanares el Real ❼

Madrid. 🏘 5 180. 🚉 🚏 ℹ️ *Plaza del Pueblo 1, 918 53 00 09.* 🚌 *mar. et ven.* 🎉 *Fiesta de Verano (début août), Cristo de la Nave (14 sept.).*

La masse puissante de son château du XVᵉ siècle domine le bourg de Manzanares el Real. Bien que l'édifice présente un aspect de forteresse avec ses remparts crénelés et ses tours à parements gothico-mudéjars, il servit principalement de palais résidentiel aux ducs d'Infantado. En contrebas du château se dressent une église du XVIᵉ siècle et un portique Renaissance.

Derrière la ville, le chaos de blocs de granit de la **Pedriza**, très apprécié des grimpeurs, fait désormais partie d'une réserve naturelle.

Aux environs
À 12 km au sud-ouest, **Colmenar Viejo** possède une superbe église gothique.

Palacio de El Pardo ❽

El Pardo, au nord-ouest de Madrid sur la N 605. 📞 *913 76 15 00.* 🚌 *depuis Moncloa.* 🕐 *t.l.j.* 🔴 *pendant les séjours royaux.* 🎫 *gratuit mer. pour les membres de l'UE.* 🌐 *www.patrimonionacional.es*

Au cœur d'un parc boisé situé juste hors des limites de la commune de Madrid, le général Franco habita 35 ans ce palais où les rois venaient chasser. Il sert aujourd'hui à l'accueil des chefs d'État étrangers. Une visite guidée parcourt l'aile originale édifiée sous les Habsbourg et l'agrandissement réalisé au XVIIIᵉ siècle par Francesco Sabatini. Fresques, moulures dorées et plus de 200 tapisseries, dont certaines dessinées par Goya *(p. 296)*, composent une riche décoration intérieure.

Autour du palais et de l'élégant village d'El Pardo s'étend une immense forêt de chênes verts très goûtée des pique-niqueurs et du gibier qui s'y ébat en liberté. Le roi Juan Carlos habite le palais de Zarzuela à 5 km de là.

Façade platéresque du Colegio de San Ildefonso à Alcalá de Henares

Alcalá de Henares ❾

Madrid. 🏘 188 500. 🚉 🚌 ℹ️ *Callejón Santa María, 918 89 26 94.* 🚌 *lun., mer.* 🎉 *Feria de Alcalá (fin août).*

Aujourd'hui entourée d'une ville moderne, l'**université** d'Alcalá devint l'une des plus renommées d'Espagne au XVIᵉ siècle. Fondée en 1508 par le cardinal

Tapisserie du XVIIIᵉ siècle ornant le Palacio de El Pardo

de Cisneros, lieu de publication, en 1517, d'une bible en latin, grec, hébreu et chaldéen, la première bible polyglotte d'Europe, elle eut entre autres comme élève le dramaturge Lope de Vega *(p. 280)*. Transférée en 1836 à Madrid, elle a conservé de ses bâtiments d'origine le **Colegio de San Ildefonso**.

À visiter également : la cathédrale et la **Casa-Museo de Cervantes**, installée dans une maison bâtie sur le lieu de naissance présumé de l'écrivain ; le **Palacio de Laredo,** du XIXᵉ siècle, possède de magnifiques décorations, visibles en visite guidée seulement.

🏛 **Casa-Museo de Cervantes**
Calle Mayor. 📞 *91 889 96 54.*
🕐 *du mar. au dim.* ⬤ *1ᵉʳ et 6 janv.*

Chinchón ❿

Madrid. 🏘 *4 576.* 🚉 🏢 *Plaza Mayor 3, 918 94 00 84.* 🏪 *sam.* 📅 *Semana Santa (semaine de Pâques), San Roque (12-18 août).*
🌐 *www.ciudadchinchon.com*

Voici sans doute le bourg le plus pittoresque de la province de Madrid. Entourée de maisons à plusieurs étages de galeries, sa **Plaza Mayor** typiquement castillane reste le lieu où se déroulent les courses de taureaux. À Pâques, les habitants de Chinchón y interprètent la Passion *(p. 280)*. L'église du XVIᵉ siècle qui domine la place eut comme prêtre un frère de Goya et l'artiste peignit l'*Assomption de*

Plaza Mayor de Chinchón

la Vierge ornant l'autel. Près de la Plaza Mayor, un monastère augustinien du XVIIIᵉ siècle abrite un **parador** *(p. 554)*.

Le château du XVᵉ siècle en ruine situé à l'ouest de Chinchón est fermé au public, mais la colline qu'il couronne offre une belle vue sur la ville et ses alentours.

Le week-end, Chinchón s'emplit de Madrilènes qui viennent déguster dans les tavernes l'anis *(p. 577)* et l'excellent chorizo qui ont établi la réputation de la région.

Palazo Real de Aranjuez ⓫

Plaza de Parejas, Aranjuez. 📞 *918 91 13 44.* 🚉 🏢 🕐 *10 h-18 h 15 mar.-dim. (oct.-mars : jusqu'à 17 h 15).* 🎫 *gratuit mer. pour les membres de l'UE.* ♿ 📷

Construit au bord du Tage sur le site d'un pavillon de chasse médiéval, ce palais d'été apprécié des Habsbourg subit plusieurs incendies. L'édifice actuel, en pierre et en brique, date du XVIIIᵉ siècle.

Une visite guidée entraîne le long de nombreuses pièces de style baroque ou rococo. Parmi les plus remarquables figurent la salle du Trône, le charmant salon de Porcelaine et le fumoir aménagé à l'imitation d'une salle de l'Alhambra de Grenade. D'une superficie de 300 ha, les magnifiques jardins inspirèrent à Joaquín Rodrigo le célèbre *Concierto de Aranjuez*. Celui du Parterre est un petit jardin à la française et le jardin de la Isla occupe une île entre deux bras du Tage.

Le long du fleuve s'étend le jardin du Prince dessiné au XVIIIᵉ siècle, décoré de sculptures et de fontaines et planté de hauts arbres des Amériques. La Casa de Marinos y abrite une collection de barques utilisées par la famille royale pour naviguer sur la rivière. Au fond du parc, à l'est, la Casa del Labrador bâtie par Charles V possède une décoration encore plus riche que celle du palais.

La qualité des produits locaux, notamment les asperges et les fraises, a établi la renommée des restaurants de la ville. En été, un train à vapeur du XIXᵉ siècle la relie à la capitale.

MIGUEL DE CERVANTES

Miguel de Cervantes y Saavedra, figure majeure de la littérature *(p. 30)*, naquit à Alcalá de Henares en 1547. Blessé à la bataille de Lépante (1571), il est capturé par les Turcs en 1575 et reste détenu plus de cinq ans. Il ne connaît le succès qu'à près de 60 ans après la publication en 1605 de la première partie de son chef-d'œuvre, *Don Quichotte (p. 377)*. Il peut alors se consacrer à l'écriture jusqu'à sa mort à Madrid le 23 avril 1616, le jour où s'éteignit également Shakespeare.

Jardins du palais royal d'Aranjuez au bord du Tage

L'Espagne
Centrale

Présentation de l'Espagne centrale

Bien qu'en grande partie couvert de champs dénudés ou de pâturages arides, le vaste plateau central de la péninsule Ibérique, la *meseta*, recèle de nombreux trésors pour le visiteur. Une faune variée peuple lacs et forêts et l'histoire a marqué de son empreinte des villes et villages où se découvrent des trésors architecturaux : théâtre romain de Mérida, maisons nobles de Cáceres, cathédrales gothiques de Burgos, León et Tolède, monuments Renaissance de Salamanque, châteaux érigés jusque dans les sites les plus isolés.

La cathédrale de León (p. 336-337), *magnifique édifice gothique achevé au XIVᵉ siècle, est réputée pour ses vitraux. Elle abrite également des stalles sculptées de scènes de la Bible et de la vie quotidienne.*

León

CASTILLE-LEÓN *(p. 328-359)*

Zamora

Vallado

Salamanque (p. 340-343) *est une ville riche en monuments, de style plateresque notamment. Parmi ses édifices les plus intéressants figurent l'université à la façade ciselée, les deux cathédrales attenantes et l'élégante Plaza Mayor baroque bâtie en grès doré.*

Salamanque

Ávila

Cáceres

Tol

ESTRÉMADURE *(p. 382-395)*

Le Museo Nacional de Arte Romano *de Mérida (p. 392) présente les nombreux vestiges romains découverts dans la ville.*

Badajoz

0   50 km

◁ **Toits et murs du vieux Tolède**

La cathédrale de Burgos (p. 354-355), *l'un des plus grands monuments gothiques d'Espagne, est ornée d'œuvres de toutes les époques. Ce* Couronnement de la Vierge *baroque décore la coupole de la sacristie.*

Ségovie (p. 346) *dresse sur une arête rocheuse séparant deux cours d'eau une silhouette dont se détachent l'Alcázar (p. 326-327) et une majestueuse cathédrale. Un aqueduc romain du Iᵉʳ siècle apr. J.-C. surplombe une place animée.*

Burgos

Soria

Madrid

Guadalajara

Cuenca (p. 366-367) *s'est développée entre deux gorges sur un site protégé, mais étroit. Un musée d'art abstrait occupe l'une de ses pittoresques « maisons suspendues ».*

Cuenca

CASTILLE-LA MANCHE
(p. 360-381)

Albacete

La cathédrale de Tolède (p. 374-375), *parée d'un exubérant décor sculpté, est un superbe bâtiment médiéval dans une ville d'une exceptionnelle richesse architecturale où fusionnèrent cultures chrétienne, juive et musulmane*

Les spécialités de l'Espagne centrale

Les restaurants de Madrid offrent l'occasion de déguster des spécialités de toute l'Espagne, ainsi que d'excellents poissons. Le gibier, notamment sanglier, faisan et perdrix, reste très apprécié dans toute l'Espagne centrale, mais plus spécialement en Estrémadure où l'on consomme aussi grenouilles et tanches. En Castille, la simplicité constitue le trait dominant d'une cuisine riche en ragoûts. Le nord produit un pain excellent qui se mange avec tout. En Castille-La Manche, le lapin, le porc et les saucisses entrent dans la confection de nombreux plats souvent parfumés à l'ail et au cumin. Les cochons de lait et les agneaux de la Castille-León, rôtis entiers dans de vastes fours à pain, méritent leur réputation. Maints couvents continuent de fabriquer et de vendre des pâtisseries, tels les célèbres massepains de Tolède.

Ail

Les patatas a la importancia *sont des beignets de pomme de terre mijotés dans une sauce au vin.*

Le safran (azafrán), *qui donne sa saveur et sa couleur dorée à tant de plats, est l'épice la plus coûteuse du monde. Introduit en Europe par les Arabes, il provient des pistils du crocus qui doit être cueilli à la main au prix d'un travail éreintant. Les plaines de la Manche (p. 376) produisent le meilleur d'Espagne, vendu daté.*

Le pollo al padre Pero *d'Estrémadure est un demi-poulet cuit dans une sauce à la tomate et au poivron épicée.*

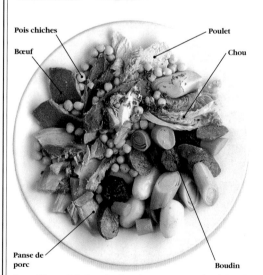

Pois chiches — Poulet

Bœuf — Chou

Panse de porc — Boudin

Le cocido madrileño, *très répandu, est un pot-au-feu de bœuf, de poulet, de panse de porc et de pois chiches. Chaque région en propose sa propre variété et il peut aussi inclure chou, chorizo et morcilla (boudin). Le bouillon se boit en entrée, viandes et légumes formant souvent deux autres plats.*

La sopa de ajo, *souvent enrichie d'un œuf poché et de paprika, est une soupe à l'ail épaissie avec du pain.*

Les migas, *des croûtons de pain frits, se servent souvent avec des poivrons ou, en Estrémadure, du lard.*

La perdriz con chocolate, *perdrix braisée aux carottes, se sert nappée d'une épaisse sauce au goût de chocolat.*

Le pisto, *une version espagnole de la ratatouille, associe poivrons, tomates, oignons et courgettes.*

Le frite *d'Estrémadure parfume au paprika et au citron de l'agneau frit avec de l'ail et de l'oignon.*

Le menestra de ternera, *un ragoût de veau, mijote avec de jeunes légumes tels que carottes et petits pois.*

Le cabrito al ajillo, *chevreau frit avec de l'ail et des aromates, inclut parfois du foie de chèvre pilé.*

Les saucissons *fabriqués dans la plupart des villages d'Estrémadure et de Castille, régions réputées pour leur charcuterie, varient beaucoup en goût et en apparence. Ceux de Guijelo et de Montachez font partie des meilleurs.*

Les yemas, *particulièrement savoureux à Ávila (p. 344), sont des jaunes d'œuf au sucre.*

Le manchego, *produit avec le lait des brebis des plaines de la Manche, est généralement considéré comme le meilleur fromage d'Espagne. Son goût et sa texture, très ferme à pleine maturité, varient selon qu'il est vendu* fresco, curado *(vieilli au moins 13 semaines) ou* añejo *(après plus de 7 mois de mûrissement).*

Pois chiches   **Lentilles**   **Haricots**

LÉGUMES SECS
Les plaines de la Castille-León produisent une immense variété de légumes secs. Coûteux, les meilleurs portent un nom déposé, tels les *alubias blancas* (haricots blancs) de Barco de Ávila, les pois chiches de Fuentesauco et les lentilles de La Armuña.

Les vins de l'Espagne centrale

Les vins de l'Espagne centrale proviennent soit de petites régions du nord-ouest de la Castille-León spécialisées dans des crus de qualité, soit des plaines de production de masse de la Manche et de Valdepeñas. Issus de tinto fino (nom local du tempranillo) et, depuis peu, de cépages plus légers, les rouges de la Ribera del Duero font partie des plus appréciés d'Espagne. Le verdejo produit de bons blancs à Rueda. Blancs ou rouges, les vins de table de la Manche et de Valdepeñas offrent parfois de bonnes surprises en se révélant fruités.

Récolte de viura à Rueda

Puits artésien servant à l'irrigation dans la Manche

Toro produit le plus puissant et le plus fougueux des vins issus du tempranillo.

Villafranca del Bierzo • Cácabelos
Ponferrada • LEÓN
N122 (E82)
ZAMORA
Duero
SALAMANCA
N620 N630 (E803) N110
N630 (E803)

CE QU'IL FAUT SAVOIR SUR LES VINS

Sol et climat
Leur altitude donne à la Ribera del Duero, à Rueda et à Toro un climat très contrasté avec des hivers rigoureux et des étés aux journées torrides et aux nuits fraîches. L'écart entre températures diurnes et nocturnes contribue à préserver l'acidité du raisin. Chaleur et aridité règnent dans la Manche et à Valdepeñas qui ont subi des sécheresses ces dernières années.

Cépages
Aussi appelé tinto fino, tinto de Toro et cencibel, le tempranillo donne presque tous les meilleurs rouges d'Espagne centrale. Autorisé dans certaines régions, le cabernet sauvignon entre dans la composition de vins de la Ribera del Duero et se voit parfois utilisé seul comme au domaine du Marquis de Griñón. Le blanc de Rueda est issu de verdejo, de viura et de cabernet blanc. Cépage blanc, l'airén prédomine dans les vignobles de Valdepeñas et de la Manche.

Producteurs
Toro : Fariña (Gran Colegiata). **Rueda :** Álvarez y Diez, Los Curros, Marqués de Riscal, Sanz. **Ribera del Duero :** Alejandro Fernández (Pesquera), Boada, Hermanos Pérez Pascuas (Viña Pedrosa), Ismael Arroyo (Valsotillo), Vega Sicilia, Victor Balbás. **Méntrida :** Marqués de Griñón. **La Manche :** Fermín Ayuso Roig (Estola), Vinícola de Castilla (Castillo de Alhambra). **Valdepeñas :** Casa de la Viña, Félix Solís, Luis Megía (Marqués de Gastañaga), Los Llanos.

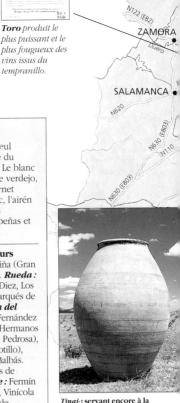

Tinaj servant encore à la fermentation du raisin

0 ——— 100 km

Vignoble près de Moral de Calatrava près de Valdepeñas

Le Pesquera est vinifié par Alejandro Fernández, le producteur le plus réputé de la Ribera del Duero après Vega Sicilia.

LÉGENDE

- Bierzo
- Cigales
- Toro
- Rueda
- Ribera del Duero
- Vinos de Madrid
- Méntrida
- La Mancha
- Valdepeñas
- Almansa

Le Marqués de Griñón, cabernet sauvignon à la robe profonde, a la qualité d'une appellation d'origine malgré sa qualification de Vino de Mesa (p. 577).

Le Señorío de los Llanos provient de Valdepeñas. Issus de cencibel (tempranillo) et vieillis en fûts, les rouges offrent un bon rapport qualité-prix.

LES RÉGIONS VITICOLES

Les régions viticoles de la Ribera del Dueró, de Toro et de Rueda s'étendent sur de hauts plateaux isolés dominant le río Duero. Au nord-ouest, le Bierzo produit des vins ressemblant à ceux de Valdeorras en Galice. Ceux provenant de Méntrida, un des centres de production des environs de Madrid, ne présentent en général pas d'intérêt particulier. La Manche, la plus vaste région viticole du monde, fournit essentiellement des vins de table. Elle entoure Valdepeñas dont les crus se révèlent souvent de meilleure qualité.

Oiseaux de l'Espagne centrale

Guêpier

D es nids de cigognes blanches coiffant des clochers ou des cheminées n'ont rien d'inhabituel dans les villes d'Espagne centrale où des espaces naturels vastes et variés abritent la plus riche avifaune de la péninsule. Dans les marais s'aperçoivent grèbes, hérons et souchets. La huppe préfère les forêts ; grues et outardes nichent dans les pâturages. Des rapaces tels que l'aigle impérial, le faucon pèlerin et le vautour règnent sur les montagnes et les plateaux. Le déboisement, l'évolution des techniques agricoles et la chasse ont toutefois mis de nombreuses espèces en danger. Elles sont près de 160 à jouir de mesures de protection.

ITINÉRAIRES DE MIGRATION

— Grues

— Cigognes

— Rapaces

— Gibier d'eau

MARAIS ET PLANS D'EAU
De nombreux oiseaux dépendent pour leur nourriture de zones inondées telles que les lagunas de Ruidera *(p. 379)* situées en bordure des plaines de la Manche. Certaines espèces restent sur place toute l'année. Les migrateurs utilisent ces sites privilégiés pour faire étape et reconstituer leurs réserves avant d'achever leur voyage.

FORÊTS ET BROUSSAILLES
Les zones boisées, comme dans le Parque Nacional de Cabañeros *(p. 369)*, et celles où règnent les broussailles, offrent à de nombreux oiseaux sédentaires tels que le geai et le pic une nourriture abondante et un large choix de lieux où nicher. Le petit matin est le meilleur moment pour apercevoir des espèces rares comme le gorge-bleue.

Les aigrettes garzettes, au vol lent et gracieux, mangent grenouilles, escargots et petits poissons.

Les rolliers, avides de sauterelles, de criquets et de scarabées, nichent souvent dans des souches ou des trous creusés par des pics.

Les souchets filtrent dans leur bec les particules nutritives flottant à la surface de l'eau. Le mâle est de couleurs vives, la femelle d'un brun terne.

Les huppes se nourrissent d'insectes rampants et se reconnaissent à leur plumage voyant et à la crête qu'elles dressent en cas d'alerte.

CIGOGNES

Comme la cigogne blanche, la cigogne noire, beaucoup plus rare, se reproduit en Espagne. Ces échassiers, dont la parade nuptiale élaborée inclut « danses » et claquements de bec, se reconnaissent en vol à leurs battements d'ailes lents et réguliers. Ils peuvent aussi planer dans des courants ascendants, souvent pendant les migrations. Ils construisent leurs nids, faits de branches et de brindilles et garnis de mousse, sur les toits, les cheminées ou les tours. Le drainage des étendues marécageuses et l'utilisation de pesticides met en danger une espèce qui se nourrit d'insectes, de poissons et de batraciens.

Un oiseau rare, la cigogne noire

Nid sur le toit d'un monastère

PÂTURAGES ET CHAMPS

Une grande partie des pâturages naturels de l'Espagne sont désormais cultivés. Riches en plantes et fleurs sauvages, ceux qui subsistent forment un habitat essentiel à la survie d'oiseaux tels que l'outarde et l'alouette.

Les grues se montrent aussi élégantes dans leur vol que lors de leurs parades nuptiales. Leur régime omnivore inclut batraciens, crustacés, végétaux et insectes.

L'outarde barbue, dont l'Espagne abrite la moitié de la population mondiale, niche dans les creux peu profonds des prés et des champs.

MONTAGNES ET PLATEAUX

De superbes rapaces vivent sur les hauts plateaux d'Espagne centrale et dans des massifs montagneux comme la sierra de Gredos *(p. 344)*. Aigles et vautours utilisent les courants d'air chaud pour conserver leur altitude tout en scrutant le sol en quête de proies ou de charognes.

Les aigles impériaux, d'une envergure de plus de 2 m, sont extrêmement rares. Il en subsiste une centaine de couples en Espagne.

Les vautours fauves, oiseaux grégaires, nichent souvent au même endroit d'année en année. Leur envergure peut dépasser 2 m.

Les châteaux de Castille

Aujourd'hui intégrée à la Castille-León, la Vieille-Castille doit son nom aux *castillos* qui ponctuent ses paysages. Elle recèle en effet la plus grande concentration de châteaux d'un pays qui en compte 2 000. S'ils tirent leurs origines des forteresses défendant villes et villages, alors que Maures et chrétiens s'affrontaient aux Xᵉ et XIᵉ siècles,

**Siège d'un château,
fresque du XIIIᵉ siècle**

la plupart des châteaux de Castille qui ont subsisté datent d'après la Reconquête. Ils servaient aux seigneurs locaux à affirmer et défendre leur pouvoir et les Rois Catholiques *(p. 52-53)* interdirent l'édification de nouvelles forteresses à la fin du XVᵉ siècle. Aménagées, beaucoup de celles qui existaient prirent un usage domestique.

Le château de Coca *(p. 347)*, édifice mudéjar en brique

Patio de armas
(place d'armes)

Échauguettes

La Torre de Juan II abrite les cachots.

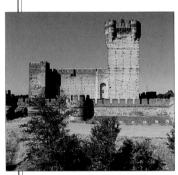

Le château de la Mota (p. 348), à Medina del Campo, près de Valladolid, fut bâti en 1440 sur le site d'une forteresse arabe et devint la propriété des Rois Catholiques. Derrière de longues courtines, sa Torre del Homenaje de plan carré possède de doubles échauguettes et des mâchicoulis.

La barbacane porte les armoiries des Rois Catholiques au-dessus du portail fermé par une herse. Elle contient les salles de guet.

Le château de Belmonte (p. 376) fut construit au XVᵉ siècle par Juan Pacheco, belliqueux marquis de Villena. De style gothique tardif et doté d'un basse-cour triangulaire, il obéit à un plan hexagonal sophistiqué.

ALCÁZAR DE SÉGOVIE

Le château royal de Ségovie *(p. 346)* couronne un rocher dont la forme détermine son plan. Entrepris au XIIᵉ siècle, mais en majeure partie bâti entre 1410 et 1455, il connut une importante restauration après un incendie en 1862. Il renferme plusieurs appartements luxueux.

La Torre del Homenaje a des tourelles pointues, rares en Espagne.

Courtine

La salle du Roi, la plus importante du château, est gothique.

La salle de la Pomme de pin doit son nom au décor doré du plafond.

Salle de la galère

La salle du Trône est ornée d'une frise et d'un plafond mudéjars.

TERMES UTILISÉS DANS CE GUIDE

Alcazar : palais fortifié servant de résidence royale.

Échauguette : guérite en encorbellement, en général à l'angle d'une construction.

Archère : meurtrière dont la forme permet le tir des archers.

Courtine : mur extérieur aveugle souvent assez bas pour ne pas gêner le tir des archers depuis des tours.

Mâchicoulis : balcon au sommet d'un rempart permettant de jeter de l'huile bouillante, des projectiles ou des excréments sur des attaquants.

Torre del Homenaje : donjon au cœur du château, souvent de plan carré, où vivait la famille du seigneur.

Le château de Peñafiel (p. 349) *a une forme allongée évoquant un navire de guerre. Il date du XIVᵉ siècle, mais occupe un site de la vallée du Duero défendu depuis le Xᵉ siècle.*

LES CHÂTEAUX DE LA CASTILLE-LEÓN

Certains des plus beaux châteaux de l'Espagne centrale se visitent. Quelques-uns, comme à Ciudad Rodrigo *(p. 339)*, abritent de luxueux paradors *(p. 534-535)*.

CASTILLE-LEÓN

LEÓN · ZAMORA · SALAMANQUE · ÁVILA · SÉGOVIE
VALLADOLID · PALENCIA · BURGOS · SORIA

Malgré les collines couronnées de châteaux qui les ponctuent, d'immenses plaines ocre écrasées de soleil créent un cadre inhospitalier qui souffre de désertification rurale. Ces provinces ont toutefois joué un rôle majeur dans l'histoire de l'Espagne et leurs villes conservent des monuments parmi les plus beaux du pays.

La plus vaste communauté autonome d'Espagne occupe la moitié nord du grand plateau central, la *meseta*, territoire des anciens royaumes rivaux de la Castille et du León.

Fernando Ier les associa sous une même couronne en 1037, quelques années avant la naissance du Cid près de Burgos, mais l'union ne devint définitive qu'au XIIIe siècle en la personne de Ferdinand III le Saint.

La prospérité du royaume, qui atteignit son apogée au XVIe siècle grâce aux richesses issues du Nouveau Monde et au commerce de la laine avec les Flandres, finança nombre des trésors artistiques et architecturaux qui parent aujourd'hui les villes de la région. La cathédrale de Burgos est un chef-d'œuvre du gothique, à l'instar de celle de León, célèbre par ses magnifiques vitraux.

Le style plateresque a marqué Salamanque, siège de la plus ancienne université de la péninsule et cité particulièrement riche en monuments. Les remparts construits par les chrétiens pour se défendre des Maures entourent toujours Ávila, tandis qu'à Valladolid, la capitale régionale, un collège du XVe siècle abrite une exceptionnelle collection de sculptures polychromes. À Ségovie, dont l'Alcázar est le château le plus photographié du pays, subsiste un magnifique aqueduc romain de 128 arches.

Les bourgs et les villages qui jalonnent les vastes étendues rurales s'intègrent aux paysages et présentent de superbes exemples d'architecture traditionnelle.

Champs de céréales et vignobles couvrent la Tierra de Campos dans la province de Palencia

◁ Le château en ruine de Calatañazor (Soria), site d'une victoire chrétienne en 1002

À la découverte de la Castille-León

Occupant la partie septentrionale de la *meseta*, la Castille-León conserve de nombreux trésors architecturaux. Beaucoup sont renommés : l'université de Salamanque, l'Alcázar et l'aqueduc de Ségovie, les remparts d'Ávila, le monastère de Santo Domingo de Silos et les grandes cathédrales de Burgos et de León. D'autres localités historiques méritent elles aussi un détour, notamment Ciudad Rodrigo, Covarrubias, Pedraza de la Sierra et Zamora. La région recèle également de superbes montagnes, en particulier dans les sierras de Francia, de Bejar et de Gredos.

LA CASTILLE-LEÓN
D'UN COUP D'ŒIL

Excursion
Sierras de Francia et de Bejar **10**

VOIR AUSSI

0   50 km

CIRCULER

Madrid constitue un bon point de départ pour explorer la région. Le train dessert les villes principales, mais le car se révèle souvent plus rapide. Pour visiter les zones rurales, mieux vaudra sans doute louer une voiture. L'Espagne est en train de changer la numérotation des routes et il se peut que certaines routes de la carte ci-contre portent maintenant un nouveau numéro.

Champs de tournesols dans la province de Burgos

LÉGENDE

▬	Autoroute
▬	Route principale
▬	Route secondaire
▬	Parcours pittoresque
≋	Cours d'eau
⁂	Point de vue

Santander

CERVERA DE PISUERGA

MEDINA DE POMAR

25 AGUILAR DE CAMPOO

Gasteiz (Vitoria)

FRÍAS

26 BRIVIESCA

N120

24 FRÓMISTA

28 BURGOS

Arlanzón

23 PALENCIA

LERMA 29

27 COVARRUBLAS

Iruña (Pamplona)

30 SANTO DOMINGO DE SILOS

VALLADOLID

Duero

N122

ARANDA DE DUERO

31 PEÑARANDA DE DUERO

33 SORIA

N122

18 CASTILLO DE COCA

AYLLÓN

32 EL BURGO DE OSMA

Zaragoza

17 HOCES DE DURATÓN

SEPÚLVEDA

16 PEDRAZA DE LA SIERRA

34 MEDINACELI

Madrid

SEGOVIA 15

14 LA GRANJA DE SAN ILDEFONSO

Madrid

Toledo

Château de Peñaranda de Duero

El Bierzo ❶

León. 🚉 🚌 *Ponferrada.* ℹ️
Ponferrada, 987 42 35 51.
Ⓦ www.bierzonet.es

Cette région située au nord-ouest de la province du León occupe le bassin d'un ancien lac. Des collines la protègent des pires extrêmes du climat de l'Espagne centrale. Vergers et vignobles prospèrent sur son sol fertile qui recèle des gisements de charbon, de fer et d'or. De nombreux sentiers de randonnée et des aires de pique-nique se trouvent à courte distance des deux villes principales : Ponferrada et Villafranca del Bierzo.

À l'est, vous pourrez suivre l'ancien chemin des pèlerins de Compostelle *(p. 78-79)* à travers les **montes de León** et emprunter le pont médiéval de Molinaseca, joli village préservé. En quittant la route à Acebo, vous traversez une profonde vallée où des panneaux indiquent la **Herrería de Compludo**, une forge du VIIᵉ siècle dont la machinerie à eau fonctionne toujours comme des démonstrations régulières permettent de le constater.

Le **lago de Carucedo**, au sud-ouest de Ponferrada, est un très vieux lac artificiel qui servait de réservoir aux Romains à l'époque où ils extrayaient de l'or aux environs. Un système

Palloza de la sierra de Ancares

complexe de canaux et d'écluses et le travail des esclaves leur permirent de filtrer des millions de tonnes de minerai arraché aux collines de Las Medulas. Entre le Iᵉʳ et le IVᵉ siècle, ils récoltèrent, estime-t-on, plus de 500 tonnes de métal précieux. Cette exploitation a laissé un superbe paysage où des châtaigniers rabougris s'accrochent à des pitons érodés creusés de galeries. Orellán, qui s'atteint par une mauvaise piste pentue, et **Las Médulas**, un village au sud de Carucedo, en ménagent de beaux points de vue.

Au nord de la N VI s'élèvent les rondes montagnes d'ardoise de la sierra de Ancares qui marquent les frontières avec la Galice et les Asturies. Une réserve naturelle, la **Reserva Nacional de los Ancares**

Leoneses, protège une partie de cette région sauvage où cerfs, loups, ours bruns et coqs de bruyère peuplent des landes ponctuées de taillis de chênes et de bouleaux.

Plusieurs villages isolés dans les collines ont conservé des *pallozas*, cabanes en pierres sèches d'origine pré-romaine coiffées d'un toit en chaume de seigle. **Campo del Agua**, à l'ouest, possède un des plus riches ensembles de ces abris rustiques.

🏛 **Herrería de Compludo**
Compludo. 📞 *987 69 54 21.*
🕐 *du mar. au dim.* 🅿️

Villafranca del Bierzo ❷

León. 👥 *3 900.* 🚉 ℹ️ *C/Diez Ovelar 10, 987 54 00 28.* 🛒 *mar. et ven.* 🎉 *Fête de l'hiver (28 janv.), Fête du printemps (1ᵉʳ mai), Fiesta del Cristo (14 sept.).*

Sur le chemin de Compostelle, des maisons blasonnées bordent les rues anciennes de ce bourg plein de charme où se déguste la spécialité locale : des cerises à l'*aguardiente*, une eau-de-vie. Datant du début du XVIᵉ siècle, son solide château aux tours cylindriques est toujours habité. Plusieurs églises et couvents se trouvent près de la Plaza Mayor. La **collégiale** possède un plafond de style

Pitons érodés entourant une ancienne exploitation aurifère romaine près du village de Las Médulas

mudéjar et l'**Iglesia de Santiago** romane présente de belles sculptures au portail nord. À sa Puerta del Perdón (porte du Pardon), les pèlerins trop faibles pour entreprendre la dernière partie du parcours à travers les collines de Galice pouvaient obtenir une dispense.

Aux environs

Au sud, le joli village aux maisons en pierre grise de **Corullón** domine le bassin fertile du río Sil où prospèrent les vignobles du Bierzo *(p. 322-323)*. Il ménage une très belle vue sur la région et recèle deux églises romanes qui méritent une visite : San Esteban et San Miguel. Plus bas dans la vallée se dressent les ruines du monasterio de **Carracedo del Monasterio** fondé en 990. Leur importance rappelle qu'il abrita un temps la plus puissante communauté religieuse du Bierzo.

Puerta del Perdón de l'Iglesia de Santiago, Villafranca

Ponferrada ❸

León. **Ⓜ** *70 000.* 🚂 🚌 **ℹ** *C/ Gil y Carrasco 4, 987 42 42 36.* 🛒 *mer. et sam.* 🎉 *Vírgen de la Encina (8 sept.).*

Cette ville industrielle doit sa prospérité aux gisements de charbon et de fer de la région, et son nom à un pont médiéval garni de renforts métalliques *(pons ferrata)* construit pour les pèlerins se rendant à Saint-Jacques-de-Compostelle.

Son petit quartier ancien renferme la majorité des sites intéressants. Le **château** édifié par les Templiers entre le XIIᵉ

L'imposant château templier de Ponferrada

et le XIVᵉ siècle fut au Moyen Âge l'une des plus importantes forteresses du nord-ouest de l'Espagne et il reste impressionnant.

Une haute tour de l'horloge domine une des portes ouvrant sur la place principale où se dressent la **Basílica de la Virgen de la Encina** (1577), de style Renaissance, et l'**hôtel de ville** *(ayuntamiento)* baroque (1692). Beaucoup plus ancienne, l'**Iglesia de Santo Tomás de las Ollas** se cache au nord de la ville dans une banlieue à l'atmosphère de village. Ce sanctuaire très simple marie éléments mozarabes, romans et baroques. Son abside du Xᵉ siècle possède de superbes arcs en fer à cheval. Demandez la clé à la maison la plus proche.

Aux environs

Au sud de Ponferrada, une petite route suit dans la paisible **valle de Silencio** le cours d'un ruisseau bordé de peupliers. Elle traverse plusieurs jolis villages avant d'atteindre le plus beau et le dernier : **Peñalba de Santiago** dont l'église mozarabe (Xᵉ siècle) conserve un double portail aux arcs en fer à cheval.

Puebla de Sanabria ❹

Zamora. **Ⓜ** *1 700.* 🚂 **ℹ** *Calle Rua 13, 980 62 07 34.* 🛒 *ven.* 🎉 *Candelas (dernier w.-e de janv.) Las Victorias (9 sept.).*

Il faut traverser les maquis de chênes et de genêts de la sierra de la Culebra pour atteindre ce pittoresque bourg ancien où une rue pavée bordée de maisons blasonnées en pierre et en ardoise grimpe jusqu'à l'église paroissiale et un château du XVᵉ siècle. De nombreux visiteurs s'y rendent toutefois, surtout pour le **lago de Sanabria**, réserve naturelle et plus grand lac glaciaire d'Espagne. Ils viennent pêcher, se promener ou pratiquer des sports nautiques.

Les itinéraires touristiques locaux incitent à rejoindre Ribadelago, sur la rive, mais c'est la route menant à **San Martín de Castañeda** qui ménage les plus belles vues. La vie dans ce village reste en outre si traditionnelle qu'on y voit encore des bœufs attelés à des charrettes. Restauré, l'ancien monastère abrite le petit centre d'information de la réserve naturelle.

L'église du XIIᵉ siècle et le château du XVᵉ siècle de Puebla de Sanabria

Nef de la cathédrale d'Astorga

Astorga ❺

León. 🏛 12 400. 🚌 🚐 🛈 Plaza
Eduardo de Castro 5. 🕿 987 61 82
22. 🖪 mar. 🎭 Santa Marta (fin août).

L'Asturica Augusta romaine
commandait un carrefour
stratégique sur la via de la Plata
(route de l'Argent) reliant
l'Andalousie au nord-ouest de
la péninsule Ibérique. Elle
devint au Moyen Âge une
étape importante sur le chemin
de Saint-Jacques-de-
Compostelle (p. 78-79).

Ses deux principaux
monuments s'élèvent au-dessus
des remparts dans la ville
haute. Entreprise en 1471, la
cathédrale connut plusieurs
phases de construction et
présente des styles variés.
Derrière un portail baroque
décoré de reliefs représentant
des épisodes de la vie du
Christ, l'intérieur gothique
abrite un splendide retable

Renaissance orné de sculptures
par Gaspar Becerra. Le musée
possède de belles pièces
d'orfèvrerie, notamment la
châsse gravée au Xᵉ siècle
d'Alphonse III le Grand, le
reliquaire de la Vraie Croix
rehaussé de pierres précieuses
et un ostensoir en argent
incrusté d'émeraudes.

En face de la cathédrale se
dresse le **Palacio Episcopal**,
palais de conte de fées aux
multiples tourelles percé de
fenêtres néo-gothiques.
L'architecte moderniste Antoni
Gaudí (p. 160) le dessina pour
un évêque catalan à la fin
du XIXᵉ siècle après qu'un
incendie eut détruit le
bâtiment précédent.
L'originalité de l'édifice
et son coût extravagant
horrifièrent tant les
autorités
diocésaines
qu'aucun autre
évêque n'y habita
jamais. Il a conservé une
magnifique décoration
intérieure en carreaux de
céramique et vitraux et
abrite aujourd'hui un musée
consacré à l'histoire
d'Astorga et des
chemins de pèlerinage
de Compostelle.
L'exposition comprend
notamment des fragments de
mosaïques et des monnaies de
l'époque romaine découverts
sous la plaza del Parque.

🏛 Palacio Episcopal
Pl Eduardo de Castro. 🕿 987 61 68 82.
🕐 mar.-dim. 🌑 lun., sam. après-midi,
jours fériés 🎟

**Reliquaire de
la Vraie Croix**

Cuevas de
Valporquero ❻

Valporquero. 🕿 987 57 64 08. 🚌
depuis León. 🕐 d'avril à mai : du ven.
au dim. ; de juin à sept. : t.l.j. ; en
oct. : du ven. au dim. 🎟

C et ensemble de galeries
souterraines, en fait une
unique grotte possédant trois
entrées séparées, s'étend sous
le village de Valporquero de
Torío dans la partie nord de la
province de León.

Ce réseau de tunnels se
forma au miocène il y a entre 5
et 25 millions d'années,
mais les eaux continuent
leur travail de sape et
les conditions
climatiques qui règnent
dans les montagnes
environnantes les
rendent
inaccessibles entre
décembre et
Pâques. Son
étendue (3 100 m sous terre)
fait qu'il n'est qu'en partie
ouvert au public dans le
cadre de visites guidées.
L'éclairage met en relief la
beauté des concrétions
calcaires que des
oxydes de fer et de
soufre ont teintées de
subtiles nuances de rouge, de
noir et de gris. L'immense
Gran Rotonda, d'une superficie
de 5 600 m² et d'une hauteur
de 20 m, se révèle
particulièrement spectaculaire.

Mieux vaut prévoir des
vêtements chauds et de
bonnes chaussures car le sol
est glissant.

Stalactites polychromes dans les grottes de Valporquero

León ❼

León. 🏛 147 000. 🚉 🚌 🛈 Plaza
de la Regla 4, 987 23 70 82. 🛒 mer.
et sam. 🎭 San Juan y San Pedro
(du 21 au 29 juin).
🌐 www.castillayleon.com

Ancien cantonnement de la
Legio Septima romaine, à
qui elle doit son nom, León
devint au Moyen Âge la capitale
d'un des royaumes qui
menèrent la Reconquête *(p. 50-
51)*.

L'édifice le plus important de
la ville – en dehors de la
cathédrale *(p. 336-337)* – est la
Colegiata de San Isidoro. Ce
sanctuaire roman encastré dans
les remparts médiévaux reçut
des ajouts gothiques et
Renaissance. Une entrée
séparée donne accès au
Panteón Real où reposent plus
de 20 rois et reines. Construit
entre 1054 et 1066, il recèle de
superbes chapiteaux et de
remarquables fresques romanes
du XIIᵉ siècle illustrant le
calendrier des travaux agricoles
et des scènes du Nouveau
Testament.

Bars et cafés, maisons et
églises décrépites bordent les
ruelles du pittoresque quartier
ancien s'étendant autour de la
Plaza Mayor. Deux palais bien
conservés se dressent près de la
plaza de Santo Domingo : la
Casa de los Guzmanes, à
l'élégant patio Renaissance, et
une œuvre d'Antoni Gaudí, la
Casa de Botines occupée par
une banque.

Près de la rivière, l'**Hostal de**

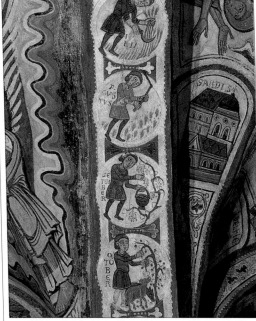

Fresques illustrant les travaux agricoles dans le Panteón Real de León

San Marcos fondé au XIIᵉ siècle
accueillait les pèlerins du
chemin de Compostelle.
Reconstruit à partir de 1513
pour devenir le siège des
chevaliers de l'ordre de Saint-
Jacques, il possède une des plus
belles façades de la Renaissance
espagnole *(p. 21)* que n'a pas
déparée l'ajout d'un fronton
baroque au XVIIIᵉ siècle. Un
élégant plafond à caissons du
XVIᵉ siècle orne la salle

principale.

Un parador *(p. 534)* occupe
désormais la majeure partie de
l'Hostal de San Marcos, mais on
accède par l'église aux salles et au
cloître où le **Museo de León**
présente des trésors, dont
l'envoûtant *Cristo de Carrizo*, petit
crucifix en ivoire du XIᵉ siècle.

Aux environs
À 30 km à l'est de León,
l'**Iglesia de San Miguel de
Escalada** (Xᵉ siècle) est l'un des
plus beaux édifices mozarabes
à nous être parvenus.
Remarquez les arcs en fer à
cheval reposant sur des
chapiteaux sculptés de la galerie
extérieure et les motifs
wisigothiques et mauresques de
la balustrade. **Sahagún**, à
70 km au sud-est de León,
renferme les églises romanes de
San Tirso et San Lorenzo dotées
d'intéressants clochers. Un
imposant château en ruine
domine le río Esla près de
Valencia de Don Juan, à
40 km au sud de León.

🏛 **Museo de León**
Plaza de San Marcos. 🕿 987 24 50 61.
⬤ du mar. au dim. 🎟 gratuit sam. et
dim.

LES MARAGATOS

Astorga est la plus grande ville
du pays des Maragatos,
groupe ethnique d'origine
inconnue, mais qui pourrait
descendre d'immigrés
berbères. Habitant une
région isolée, ils ont
réussi à préserver leurs
coutumes pendant des
siècles. La disparition de
leur principale activité, le
métier de muletier, a
transformé leur mode de
vie, mais ils continuent
de former une communauté
soudée et de porter pour
certaines fêtes leurs costumes
traditionnels.

**Maragatos en costumes
traditionnels**

La cathédrale de León

**Détail sculpté
du chœur**

L es maîtres d'œuvre de cette
cathédrale gothique *(p. 20)*,
l'une des plus belles d'Espagne,
s'inspirèrent du modèle français
en lui donnant une haute nef très
éclairée. Bâti en grès doré sur le
site du palais du roi Ordoño II au
Xᵉ siècle, l'édifice actuel fut entrepris
au milieu du XIIIᵉ siècle et achevé moins
de 100 ans plus tard. Ses magnifiques
vitraux, aux thèmes variés, constituent son trait le
plus remarquable. La pollution atmosphérique
menace toutefois ce sanctuaire vieux de 700 ans
en détériorant par endroits la pierre tendre.

Rosace de la façade ouest
*Grand vitrail du XIVᵉ siècle,
représentant la vierge et son
enfant, entourés de douze
angelots tenant en leurs
mains des trompettes.*

Les galeries du cloître (XIIIᵉ-
XIVᵉ siècles) sont ornées de
fresques gothiques par
Nicolás Francés.

**Le reliquaire
en argent**
est un
coffre
décoré
datant du
XVIᵉ siècle.

Musée de la cathédrale
L'Adoration des Mages *de Pedro
de Campaña est l'une des
nombreuses œuvres d'art
présentées au musée.*

Entrée

★ La façade ouest
*Des sculptures du
XIIIᵉ siècle ornent ses trois
portails. Le tympan de la
Portada del Juicio illustre
le Jugement dernier.*

Intérieur de la cathédrale
En forme de croix latine, le sanctuaire possède une haute nef centrale qui mesure 90 m de longueur et 40 m dans sa plus grande largeur. Pour apprécier pleinement la beauté de ses vitraux, mieux vaut la visiter un jour de soleil.

MODE D'EMPLOI

Plaza de Regla. 🎧 987 87 57 70.
⏱ juil.-sept. : 8 h 30-13 h 30 et
16 h-20 h ; oct.-juin : 8 h 30-
13 h 30 et 16 h-19 h t.l.j. 🕍 9 h,
12 h, 13 h, 18 h lun.-ven. ; 11 h et
14 h le dim. 🚫 ♿ **Musée** ⏱ de
9 h 30 à 13 h et de 16 h à 18 h 30
(19 h de juil à sept.) lun.-sam. 🎫

Le retable du maître-autel incorpore cinq panneaux gothiques de Nicolás Francés.

La Capilla de la Virgen Blanca *abrite l'original de la Vierge au doux sourire dont une copie orne le portail ouest.*

Le chœur possède deux rangs de stalles du XVe siècle. Derrière s'ouvre le *trascoro* Renaissance en forme d'arc de triomphe.

★ **Les vitraux**
D'une surface de 1 800 m², ils forment un ensemble exceptionnel.

LES VITRAUX DE LEÓN

Panneau de motifs végétaux

La cathédrale de León doit beaucoup de sa renommée à ses superbes vitraux. Datant de toutes les époques du XIIIe siècle au XIXe siècle, ils décorent 125 grandes fenêtres et 57 médaillons de motifs très variés : végétaux, animaux fantastiques, saints ou personnages bibliques. Certains panneaux offrent un aperçu de la vie au Moyen Âge, comme la *Cacería* qui représente une scène de chasse, ou la rosace de la Capilla del Nacimiento qui montre des pèlerins se recueillant devant le tombeau de saint Jacques à Saint-Jacques-de-Compostelle en Galice *(p. 88-89)*.

Un grand vitrail de la façade sud

À NE PAS MANQUER

★ **La façade ouest**

★ **Les vitraux**

Zamora ❽

Zamora. 🏛 65 000. 🚇 🚌 🛈 *Calle de Santa Clara 20, 980 53 18 45.* 🏪 *mar.* 🎭 *Semana Santa (sem. de Pâques), San Pedro (29 juin).* Ⓦ www.turismocastillayleon.com

Ville frontière qui fut l'enjeu de violents combats aux XIᵉ et XIIᵉ siècles, Zamora a gardé peu de vestiges des fortifications au pied desquelles moururent tant de soldats et elle s'est largement étendue au-delà de ses limites médiévales. Son vieux quartier reste toutefois riche en églises romanes.

Dans les ruines des **remparts** construits par Alphonse III en 893 s'ouvre le Portillo de la Traición (porte de la Trahison) où Sanche II mourut d'un coup de poignard dans le dos en 1072. Le **parador** *(p. 558)* occupe un ancien palais au patio Renaissance orné d'armoiries.

Deux autres palais, la **Casa de los Momos** et la **Casa del Cordón**, possèdent de belles façades et fenêtres sculptées. Monument le plus important de Zamora, la **cathédrale** présente une silhouette unique avec sa coupole à écailles. Bâtie dans le style roman au XIIᵉ siècle, elle reçut des ajouts gothiques. Une élégante grille en fer forgé ferme le chœur et deux chaires mudéjares encadrent des stalles du XVᵉ siècle attribuées à Rodrigo

Les paisibles jardins de la Colegiata de Santa María à Toro

Alemán. Remarquez les scènes allégoriques sculptées sur les accoudoirs et les miséricordes. Certaines évoquent avec humour les travers du clergé de l'époque.

Le musée, qui donne sur le cloître, expose une importante collection de tapisseries flamandes du XVᵉ et XVIᵉ siècles surnommées les *Tapisseries noires*. Elles représentent des épisodes de la vie de Tarquin et de la guerre de Troie.

Non loin, plusieurs églises romanes, telles l'**Iglesia de San Ildefonso** et l'**Iglesia de la Magdalena**, possèdent des portails particuliers à la région avec leurs arcs polylobés et leurs archivoltes richement sculptées.

Les célébrations de la semaine de Pâques revêtent un caractère particulièrement solennel à Zamora. Les superbes *pasos* (sculptures représentant des scènes de la Passion) portés en procession s'admirent toute l'année au **Museo de la Semana Santa**.

Sierra de Francia et Sierra de Bejar ❿

Offrant de beaux paysages, ce massif schisteux prolonge à l'ouest la sierra de Gredos *(p. 344)*. De petites routes sinueuses y traversent de pittoresques plantations de châtaigniers, d'oliviers et d'amandiers pour relier des villages qui ont gardé beaucoup de cachet avec leurs maisons de pierre et de bois. Depuis son point culminant, la Peña de Francia (1 732 m), s'ouvre un panorama à couper le souffle des collines et des plaines alentour, ainsi que des villages qui les jalonnent.

La Peña de Francia ①
Le monastère dominicain bâti à son sommet abrite une Vierge à l'Enfant de style byzantin.

La Alberca ②
Très visité, ce village a gardé son aspect du Moyen Âge. Pour l'Assomption, ses habitants interprètent en costumes un mystère opposant la Vierge aux forces du mal.

Las Batuecas ③
La route venant de La Alberca longe dans une verte vallée le monastère où Luis Buñuel tourna *Terre sans pain*.

La Peña de Francia se reconnaît de loin

0   5 km

LÉGENDE

▨ Circuit recommandé

— Autres routes

☼ Point de vue

CIUDAD RODRIGO

SA202

Agad

SA201

EX204

CORIA

Coupole à écailles de la cathédrale de Zamora

Aux environs

À 12 km au nord-ouest, l'église wisigothique de **San Pedro de la Nave** (VIIᵉ siècle) est ornée de chapiteaux et d'une frise aux reliefs délicats. À 23 km à l'est de Zamora, **Toro** mérite une visite pour ses vins *(p. 322-323)* et pour le portail ouest de la **Colegiata de Santa María** qui abrite le tableau flamand de *La Virgen de la Mosca*.

Ciudad Rodrigo ⑨

Salamanca. 🏠 *16 000.* 🚌 🚃 🛈
Plaza de Amayuelas 5, 923 46 05 61.
🛒 *mar.* 🎎 *San Sebastián (20 janv.), Carnaval del Toro (avant Pâques).*
🌐 *www.ciudadrodrigo.net*

Malgré sa situation isolée près de la frontière portugaise, cette vieille ville charmante aux beaux édifices en pierre dorée mérite un détour. Sa position stratégique en fit l'enjeu de nombreuses batailles et elle a conservé une enceinte fortifiée que domine son robuste château du XIVᵉ siècle. Il abrite désormais un **parador** *(p. 555)* et offre une belle vue sur le río Agueda.

Ciudad Rodrigo connut son âge d'or aux XVᵉ et XVIᵉ siècles. Occupée par les Français pendant la guerre d'indépendance *(p. 58-59)*, elle tomba aux mains du duc de Wellington après un siège de 11 jours qui a laissé des traces d'impacts sur le clocher de la **cathédrale**. Entrepris dans le style roman vers 1170 et plusieurs fois remanié, le sanctuaire présente un portail ouest richement sculpté. Le cloître et le chœur sont décorés de stalles représentant des scènes de la vie quotidienne par Rodrigo Alemán. La **Capilla de Cerralbo du** XVIIᵉ siècle, ornée d'une peinture d'autel par l'école de Ribera, borde la paisible plaza del Buen Alcalde entourée d'arcades.

Miranda del Castañar ④
Des maisons anciennes à larges avant-toits bordent les ruelles de ce joli village fortifié.

SALAMANCA
Santibáñez de la Sierra
Cristóbal

Cepeda
Alagón
Sotoserrano

Béjar ⑤
Depuis la route menant à ce bourg textile perché sur une crête au pied de la sierra de Béjar s'aperçoivent des usines du XIXᵉ siècle.

Sangusin   *La Calzada*

Candelario ⑥
Abruptes, les rues pavées de ce village entouré de montagnes ont gardé de profonds caniveaux.

N630 (E803)   *SALAMANCA*

CARNET DE ROUTE

Itinéraire : 72 km.
Où faire une pause :
Réputés pour leurs charcuteries, Candelario, Miranda del Castañar et La Alberca possèdent de bons restaurants. La hospedería du monastère de La Peña sert des rafraîchissements en été.

Salamanque pas à pas ⓫

Détail de la façade, Casa de las Conchas

Colonie ibère conquise par Hannibal en 217 av. J.-C., Salamanque, qui a conservé un pont d'origine romaine, eut une histoire mouvementée. Fondée en 1218, son université devint la plus prestigieuse d'Espagne. Elle occupe un bâtiment dont la magnifique façade est une des nombreuses œuvres platéresques qui parent la ville. L'époque baroque donna à la cité sa splendide Plaza Mayor. Elle possède également deux cathédrales, l'une romane, l'autre entreprise dans le style gothique en 1513.

La Casa de las Conchas, qu'occupe une bibliothèque, est ornée à l'extérieur de coquilles Saint-Jacques sculptées.

Le Palacio de Monterrey est une demeure Renaissance.

★ L'Universidad
Au centre de sa façade platéresque richement sculptée, un médaillon représente les Rois Catholiques.

★ La Catedral Vieja et la Catedral Nueva
Un retable peint en 1445 orne l'ancienne cathédrale qui forme avec la nouvelle un ensemble harmonieux bien qu'elles soient de styles différents.

Puente Romano
Le pont romain a conservé 15 de ses 26 arches jetées au Iᵉʳ siècle apr. J.-C. au-dessus du río Tormes. Il offre une excellente vue de la ville.

CALLE DE LA COMPAÑIA

CALLE DE SERRANOS

CALLE DE LOS LIBREROS

CALLE VERACRUZ

PASEO

À NE PAS MANQUER

★ **L'Universidad**

★ **La Catedral Vieja et la Catedral Nueva**

★ **La Plaza Mayor**

0   100 m

Museo Art Nouveau y Art Deco

LÉGENDE

 Itinéraire conseillé

★ La Plaza Mayor
Construite au XVIIIe siècle par Philippe V dont le buste orne à l'est le pavillon royal, c'est l'une des plus belles places d'Espagne.

MODE D'EMPLOI

Salamanca. 🏠 165 000. ✈ 15 km à l'est. 🚉 Paseo de la Estación, 902 24 02 02. 🚌 Avda de Filiberto Villalobos 71, 923 23 67 17. ℹ Plaza Mayor 32, 923 21 83 42. 🚢 dim. 🎉 San Juan de Sahagún (12 juin), Virgen de la Vega (8 sept.). 🌐 www.jcyl.es

Iglesia de San Martín

Le Palacio de Fonseca fut édifié en 1538 par l'archevêque Alonso de Fonseca.

Torre del Clavero
Bâtie vers 1480, elle a conservé ses huit tourelles blasonnées reposant sur des culots à parement mudéjar.

Iglesia-Convento de San Esteban
D'élégants reliefs parent la façade plateresque de l'église. Médaillons et armoiries décorent la frise au-dessus de la porte.

Convento de las Dueñas
Les démons, crânes et visages tourmentés sculptés sur les chapiteaux du cloître contrastent avec la sérénité des représentations de la Vierge.

À la découverte de Salamanque

Le centre-ville se découvre aisément à pied et renferme la majorité des monuments. À ne surtout pas manquer : l'université, la Plaza Mayor et les cathédrales.

🔒 Catedral Vieja et Catedral Nueva

Fait inhabituel, la nouvelle cathédrale entreprise en 1513 ne remplaça pas l'ancienne, mais fut construite à côté. Elle marie les styles gothique, Renaissance et baroque et présente sur sa façade ouest un riche décor sculpté caractéristique du gothique tardif.

On accède à la vieille cathédrale, édifice de transition du XIIe siècle, depuis le bas-côté sud de la nouvelle. Peint par Nicolás Florentino, le magnifique retable de l'abside principale comporte 53 panneaux encadrant une statue du XIIe siècle parée d'émaux de Limoges. Elle représente la Virgen de la Vega, patronne de Salamanque. Le *Jugement dernier* de la voûte est aussi de Florentino.

La Capilla de Anaya (XVe siècle) abrite le superbe tombeau en albâtre (XVe siècle) de l'archevêque Diego de Anaya.

Façade de l'université sur le patio de las Escuelas

🏛 Universidad

Patio de las Escuelas 1. 📞 *923 29 44 00.* 🕐 *t.l.j.* ⬤ *25 déc.* ▨ *gratuit le lun. après-midi.*

Fondée par Alphonse IX de León en 1218, l'université de Salamanque présente sur le patio de las Escuelas une façade qui est un des chefs-d'œuvre de l'art plateresque *(p. 21).* En face se dresse une statue de Fray Luis de León. La salle où il donnait ses cours de théologie a gardé l'aspect qu'elle avait au XVIe siècle. Dans le bâtiment des Escuelas Minores, la fresque du *Ciel de Salamanque* représente les constellations du zodiaque.

🏛 Plaza Mayor

Philippe V fit construire cette superbe place pour remercier Salamanque de son soutien pendant la guerre de Succession d'Espagne *(p. 58).* Dessinée par les frères Churriguera *(p. 21)* en 1729 et achevée en 1755, elle abrite sous ses arcades ornées de médaillons de nombreux cafés et magasins. Le grès doré de ses bâtiments prend tout son éclat au coucher du soleil. Depuis le pavillon royal, sur le côté oriental, les souverains espagnols assistaient aux fêtes organisées sur la place. Au nord se détache la façade de l'hôtel de ville.

Pavillon royal sur la superbe Plaza Mayor

🔒 Iglesia-Convento de San Esteban

Bâtie au XVIe siècle, l'église de ce monastère dominicain possède une façade plateresque au décor remarquable. Achevé en 1610 par le Milanais Juan Antonio Ceroni, le relief du panneau central représente la *Lapidation de saint Étienne* à qui le sanctuaire est dédié. Une frise d'enfants et de chevaux le surmonte.

L'intérieur, à nef unique, offre autant d'intérêt. Œuvre de José Churriguera, l'étonnant retable aux colonnes torses dorées décorées de vignes date de 1693. Au-dessous s'admire un *Martyre de saint Étienne,* l'une des dernières peintures de Claudio Coello.

Terminé en 1591, le Caustro de los Reyes, cloître à deux étages de galeries, porte aux chapiteaux des médaillons ornés de bustes de prophètes.

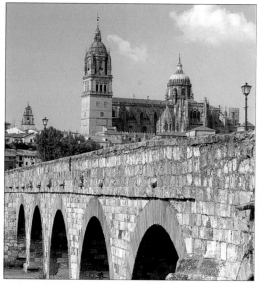
Les deux cathédrales de Salamanque derrière le Puente Romano

Coquilles Saint-Jacques sculptées sur les murs de la Casa de las Conchas

⊞ Casa de las Conchas
Calle de la Compañía. **【** 923 26 93 17. ◯ t.l.j. **Bibliothèque** ◯ du lun. au sam.
Emblème de l'ordre de Saint-Jacques dont un chevalier, Rodrigo Maldonado, fit construire la demeure à la fin du XVᵉ siècle, les quelque 400 coquilles Saint-Jacques en pierre dorée qui animent les murs extérieurs de la maison des Coquilles lui ont donné son nom. L'édifice, qui abrite une bibliothèque, porte également les armoiries des Maldonado.

🔒 Convento de las Dueñas
Plaza del Concilio de Trento. **【** 923 21 54 42. ◯ 11 h 30-12 h 45, 16 h 30-17 h 30 t.l.j. 📷
Ce couvent dominicain fait face à celui de San Esteban. Il possède un magnifique cloître à deux étages qui a conservé un arc mudéjar et entoure un jardin dont la sérénité contraste étrangement avec les grotesques sculptées sur les chapiteaux des colonnes.

🏛 Museo Art Nouveau y Art Deco
Calle Gibraltar 14. **【** 923 12 14 25. ◯ du mar. au dim. 📷
Installée dans un bâtiment du XIXᵉ siècle, cette importante collection d'art, riche en verreries par Lalique et en porcelaines et émaux de Limoges, comprend des peintures, des bijoux et des meubles de toute l'Europe.

⊞ Colegio de los Irlandeses
Calle de Fonseca 4. **【** 923 29 45 70. ◯ t.l.j. 📷
L'archevêque de Tolède,
Alfonso de Fonseca, construisit ce palais Renaissance en 1512, dont on peut voir les armes de la famille à l'entrée. Cet édifice porte ce nom car il était destiné à former des prêtres irlandais à la fin du XVIᵉ siècle. Il possède un beau patio italianisant où donne une chapelle. Aujourd'hui, il abrite le conseil municipal et l'université.

🔒 Convento de las Úrsulas
Calle de las Úrsulas 2. **【** 923 21 98 77. ◯ du lun. au sam. 📷
L'église de ce couvent abrite le tombeau magnifiquement sculpté de son fondateur, Alonso de Fonseca, puissant archevêque de Saint-Jacques-de-Compostelle au XVIᵉ siècle. Un musée d'art religieux présente, entre autres, des peintures par Luis de Morales.

⊞ Casa de las Muertes
Calle Bordadores. ⬤ au public.
À côté d'angelots et de grotesques, de petits crânes

Crâne ornant la façade de la Casa de las Muertes

décorent l'extérieur de la maison des Morts. Attribuée à Diego de Siloé, la façade date du début du XVIᵉ siècle et offre un des tout premiers exemples d'art plateresque.

L'écrivain et philosophe Miguel de Unamuno mourut en 1936 dans la maison voisine. Un musée lui est consacré à côté de l'université : la Casa-Museo de Unamuno.

⊞ Torre del Clavero
Plaza de Colón.
Cette tour est l'unique vestige d'un palais bâti vers 1480 par un maître des clés *(clavero)* de l'ordre d'Alcántara.

La tour située en face de la Casa de las Muertes

Aux environs
Au nord-ouest de Salamanque, suivre le río Tormes conduit à la ville fortifiée de **Ledesma**, puis aux Arribas del Duero, série de lacs artificiels près de la frontière portugaise.

À 20 km à l'est de Salamanque, la Torre de la Armería, unique vestige du palais des ducs d'Albe, domine **Alba de Tormes** où sainte Thérèse d'Avila *(p. 345)* repose dans l'Iglesia-Convento de las Madres Carmelitas qu'elle fonda en 1571. L'église San Juan est un édifice roman du XIIᵉ siècle.

Bâti en 1227 par Alphonse de León à 26 km au nord de Salamanque, le château de **Buen Amor** servit de résidence aux Rois Catholiques pendant leur conflit avec Jeanne la Beltraneja *(p. 52)*. À la fin du XVᵉ siècle, l'archevêque de Tolède lui donna un beau patio Renaissance.

Sierra de Gredos ⑫

Ávila. 🚍 *Navarrenduda.* 🛈
*Navarrenduda C/Del Rio, s/n, 920 34
52 52.*

À l'ouest de Madrid, ce
massif montagneux offre
aux citadins un vaste espace
naturel où venir skier, pêcher,
chasser ou se promener. Bien
que le tourisme n'y soit pas un
phénomène récent puisque le
premier parador d'Espagne
ouvrit à Gredos en 1928
(p. 556), de nombreux villages
à l'écart des voies principales
ont gardé leur cachet.

Protégé, le versant sud
s'étend jusqu'en Estrémadure
et se prête, entre des forêts de
pins, à la culture des
pommiers et des oliviers. Sur
le flanc nord prédomine le
maquis d'où jaillissent des
rochers granitiques.

La N 502 traverse le centre
de la sierra. Après avoir
franchi la puerta del Pico située à
1 352 m d'altitude, elle
dépasse le château de
Mombeltrán, construit à la fin
du XIVᵉ siècle, avant d'atteindre
Arenas de San Pedro, le bourg
le plus important. Au sud, près
de Ramacastañas, se visitent
les **cuevas del Águila**, grottes
riches en concrétions calcaires.

Le point culminant du
massif, le pico Almanzor
(2 592 m), domine sa partie
occidentale. Autour s'étend la
Reserva Nacional de Gredos
qui protège une faune
montagnarde comprenant
notamment bouquetins et

Les Toros de Guisando près d'El Tiembo dans la sierra de Gredos

oiseaux de proie.

Près d'El Tiembo, à l'est, se
dressent les **Toros de
Guisando**, quatre statues de
pierre qui pourraient être
d'origine celtibère *(p. 44-45)*.

Ávila ⑬

Ávila. 🚶 *50 000.* 🚆 🚍 🛈 *Plaza de
la Catedral 4, 920 21 13 87.*
🍴 *ven.* 🎉 *San Segundo* 🗓 *mar.,
(2 mai), Santa Teresa (15 oct.).*
ⓦ *www.castillayleon.com*

À 1 131 m d'altitude,
Ávila de los
Caballeros (des Chevaliers)
est la plus haute capitale
provinciale d'Espagne. Il
arrive que la neige bloque
les routes d'accès en hiver
et, même à la belle saison,
mieux vaut se méfier des
écarts de température
entre la journée et la nuit.
Peut-être croiserez-vous
dans ses rues des
groupes de *tunas*,
étudiants en costumes
interprétant des chants
traditionnels.

Tuna à Ávila

Les **remparts médiévaux**
les mieux conservés d'Europe
entourent le centre-ville. À
l'endroit où son oncle rattrapa
la jeune Thérèse courant vers le
martyre, le lieu-dit Los Cuatro
Postes (les Quatre Piliers), sur
la route de Salamanque, en
offre la meilleure vue
d'ensemble. Élevée au
XIᵉ siècle, l'enceinte fortifiée
comporte
88 tours où
viennent
nicher des
cigognes. C'est du
côté est de la ville,
relativement plat et
donc plus difficile à
défendre, que se
dressent les remparts
les plus anciens où
s'ouvre la plus imposante
des neuf portes de la
ville : la **Puerta de San
Vicente**.

Le chevet de la
cathédrale fait lui
aussi partie des
fortifications. Entrepris en 1157,
le sanctuaire marie styles
roman et gothique, notamment

Des remparts du XIᵉ siècle défendus par 88 tours entourent Ávila dans les deux tours qui flanquent un portail du XVIIIe siècle. L'intérieur, aux élégantes voûtes en ogives, abrite dans l'arrière-chœur (*trascoro*) de belles sculptures plateresques et dans le déambulatoire le tombeau en albâtre de Fernández de Madrigal, évêque du XVe siècle.

Sainte Thérèse est née à Ávila et plusieurs églises et couvents entretiennent son souvenir. Le **Convento de Santa Teresa** occupe l'emplacement de sa maison natale et, hors des murs, le **Monasterio de la Encarnación**, où elle vécut plus de 25 ans, conserve des objets qui lui appartenaient. Il existe même des friandises qui portent son nom : les *yemas de Santa Teresa*.

Située également hors des murs, près de la Puerta de San Vicente, **Basílica de San Vicente** entreprise au XIe siècle associe des parties romanes et gothiques. Les sculptures de

Jardins et palais de San Ildefonso

son portail ouest forment un ensemble remarquable. À l'intérieur, sous un baldaquin gothique, s'admire le tombeau de saint Vincent et de ses sœurs. Il est orné de magnifiques reliefs du XIIe siècle décrivant leur martyre. Du même côté des remparts, mais plus au sud, une autre église romano-gothique mérite une visite : l'**Iglesia de San Pedro**.

Le **Real Monasterio de San Tomás** se trouve à la périphérie de la ville. Il possède trois cloîtres. Le plus beau est celui du milieu, où figurent les emblèmes des Rois Catholiques : le joug et les flèches. Le dernier conduit à un musée exposant de l'orfèvrerie religieuse. L'église présente au maître-autel un retable de Pedro Berruguete et à la croisée du transept le tombeau du prince Juan, unique fils de Ferdinand et d'Isabelle. Dans la sacristie repose Tomás de Torquemada, le premier inquisiteur général (*p. 52*).

Cloître du Real Monasterio de Santo Tomás à Ávila

La Granja de San Ildefonso ⑭

Segovia. ☎ 921 47 00 19. 🚌 depuis Madrid ou Ségovie. ◯ du 1er oct. au 31 mars : de 10 h à 13 h 30 et de 15 h à 17 h du mar. au sam., de 10 h à 14 h le dim. ; du 1er avril au 30 sept. : de 10 h à 18 h du mar. au dim. ● 1er, 6, 23 jan., 1er mai, 25 août, 24, 25 et 31 déc. 🎫 gratuit le mer. pour les membres de l'UE. 🖳

Dans la sierra de Guadarrama, ce magnifique palais occupe à 1 192 m d'altitude l'emplacement d'un pavillon de chasse édifié par Henri IV au XVe siècle et d'un ermitage dédié à saint Ildefonso.

Philippe V entreprit sa construction en 1720 en songeant au palais de Versailles de son grand-père Louis XIV. Plusieurs architectes et nombreux artistes participèrent au projet. Un incendie ravagea toutefois une grande partie de l'édifice en 1918 ; les salles ont été depuis restaurées et décorées d'objets d'art et de fresques classiques. Leurs lustres proviennent de la *Fábrica de Cristales* locale. Les appartements privés abritent une remarquable collection de tapisseries comprenant des œuvres flamandes et des pièces exécutées d'après des cartons de Goya. Dans la chapelle, la **Sala del Panteón** renferme le tombeau de Philippe V et de son épouse.

Dessinés par des Français, les jardins couvrent une superficie de 145 ha. Agrémentés de statues et plantés de marronniers, ils comportent de très nombreuses fontaines.

SAINTE THÉRÈSE D'ÁVILA

Teresa de Cepeda y Ahumada (1515-1582) voulut gagner le ciel dès l'âge de sept ans en s'enfuyant de chez elle dans le but de subir le martyre de la main des Maures. En 1537, elle prononce ses vœux au couvent carmélite de l'Incarnation. À partir de 1562, elle commence à fonder ses propres monastères où s'applique dans toute sa rigueur la règle originale du Carmel. Elle développe également une branche masculine avec son disciple, saint Jean de la Croix. Sainte Thérèse a laissé de nombreux écrits mystiques. Elle repose à Alba de Tormes près de Salamanque (*p. 343*).

Statue de Thérèse au musée de la cathédrale

SÉGOVIE : LE CENTRE-VILLE

Alcázar ⑦
Aqueduc ②
Casa de los Picos ③
Cathédrale ⑥
Iglesia de San Esteban ⑤

Iglesia de San Juan
de los Caballeros ①
Iglesia de San Martín ④

LÉGENDE

P   Parc de stationnement

i   Information touristique

✝   Église

⛪   Couvent ou monastère

Ségovie ⓯

Segovia. 🚶 55 000. 🚉 🚌 i Plaza
Mayor 10, 921 46 03 34. 🛒 mar., jeu.
et sam. 🎉 San Pedro (29 juin), San
Frutos (25 oct.). W
www.infosegovia.com

Le quartier médiéval de
cette petite capitale
provinciale occupe un site
spectaculaire sur un
promontoire qu'entourent le
río Eresma et le río Clamores.
Sa forme évoque un bateau
dont l'Alcázar perché sur un
rocher formerait la proue,
l'aqueduc romain le gouvernail
et dont les pinacles et la tour
de la cathédrale dessineraient
les mâts. Vu de la vallée, il est
magique au coucher du soleil.

Construit à la fin du Ier siècle
apr. J.-C. par les Romains,
l'**aqueduc** servit jusqu'à la fin
du XIXe siècle et firent de la
ville une importante base
militaire.

Entreprise en 1525 et
consacrée en 1678, la
cathédrale fut le dernier
grand sanctuaire gothique bâti
en Espagne. Elle remplaçait
une cathédrale détruite en
1520 lors de la révolte des
villes castillanes et dont elle a
conservé le cloître, déplacé de
son site initial près de l'Alcázar.
De vastes nefs aux voûtes à

nervures donnent au
sanctuaire un intérieur
harmonieux où de belles
grilles en fer forgé ferment les
chapelles. Exécutées d'après
des cartons de Rubens, les
tapisseries présentées dans la
salle capitulaire illustrent
l'histoire de la reine Zénobie.

À la pointe ouest de la ville,
l'**Alcázar** (p. 326-327) tire ses
origines d'une forteresse du
XIIIe siècle, mais connut une
importante reconstruction
après un incendie en 1862. Il
abrite une collection d'armes et
des salles au décor élaboré.

Parmi les églises les plus

remarquables de Ségovie
figurent trois édifices romans :
**San Juan de los Caballeros
Templarios** au beau portail
sculpté, **San Esteban** à
l'élégant clocher à 5 étages et
San Martín, entourée d'une
galerie aux chapiteaux ornés
d'animaux fantastiques et de
scènes bibliques. Près des
remparts, la **Casa de los Picos**
possède un décor en pointes
de diamant.

Aux environs
À 11 km à l'ouest, au cœur
d'un parc où des daims
courent en liberté, le vaste

L'imposante cathédrale de Ségovie

L'AQUEDUC DE SÉGOVIE

Conduite d'eau

Encoches destinées à recevoir un parement

Les arcs ont une hauteur maximale de 29 m.

De l'eau du río Frío, filtrée dans des bassins, alimentait la ville.

Les deux étages d'arcades, longs de 728 m, furent imposés par l'importance du dénivelé.

Une niche, où une inscription évoquait la fondation de l'ouvrage d'art, abrite une statue de la Vierge.

L'Alcázar de Ségovie domine la ville depuis un promontoire

palais de **Riofrío** renferme des pièces richement décorées et un musée de la Chasse.

♣ Alcázar de Segovia
Plaza de la Reina Victoria Eugenia. 🕿 921 46 07 59. ◯ t.l.j. ● 1er et 6 janv., 25 déc. 🗺 gratuit le mar. 🔥 🖋

🏛 Palacio de Riofrío
🕿 921 47 00 19. ◯ du mar. au dim. 🗺 gratuit mer. pour membres de l'UE.

Pedraza de la Sierra ⓰

Segovia. 🏘 500. 🚉 C/Real 3, 921 50 86 66. 🎭 Nuestra Señora la Virgen del Carrascal (8 sept.).

Les Madrilènes apprécient en week-end les restaurants de ce village aristocratique perché sur une hauteur dominant un paysage vallonné. Depuis l'enceinte fortifiée, une ruc bordée de maisons blasonnées conduit à la **Plaza Mayor** entourée de galeries. Le **château** se dresse sur un promontoire rocheux. Il fut le

domicile du peintre basque Ignacio Zuloaga (1870-1945) et abrite un musée qui présente ses œuvres.

Aux environs
À **Turégano**, à 30 km au nord, un imposant château du XVe siècle incorpore l'Iglesia de San Miguel (XIIe-XIVe siècle).

Sepúlveda ⓱

Segovia. 🏘 1 350. 🚉 Plaza del Trigo 1, 921 54 02 37. 🎭 mer. 🎭 Patronales (der. sem. d'août).

Dominant un méandre du río Duratón, ce village pittoresque donne vue sur la sierra de Guadarrama. Il a conservé son château, une partie de ses remparts médiévaux et plusieurs églises romanes, en particulier l'**Iglesia del Salvador**. Située derrière la grand-place, elle date du XIe siècle et possède un portique latéral construit en 1093.

Aux environs
À 7 km à l'ouest de Sepúlveda, le río Duratón sinue dans une gorge hantée par des vautours fauves. Une réserve naturelle, le **Parque Natural de las Hoces del Duratón**, protège ce site d'une rare beauté.
À 45 km au nord-est de Sepúlveda, **Ayllón** recèle une grand-place entourée de galeries et le Palacio de Juan de Contreras (1497) de style plateresque.
Des fouilles ont partiellement mis au jour les ruines ibères et romaines de **Tiermes**, 28 km plus au sud-est. Le matériel découvert se trouve au Museo Numantino *(p. 359)* de Soria.

Castillo de Coca ⓲

Coca (Segovia). 🕿 617 57 35 54. 🚌 depuis Ségovie. ◯ t.l.j. ● 1er mar. du mois 🗺 🖋

Construit en briques roses par des artisans maures à la fin du XVe siècle pour la puissante famille Fonseca, le château de Coca *(p. 326)* offre, avec sa triple enceinte défendue par des tours d'angle hexagonales, un superbe exemple d'architecture militaire mudéjare. Néanmoins, il servit davantage de palais résidentiel que de forteresse. Il abrite désormais une école du service des forêts qui possède une intéressante collection de sculptures sur bois romanes.

Aux environs
Isabelle Ire de Castille passa son enfance à 26 km au sud, dans le château (XIVe siècle) d'**Arévalo** à Ávila où quelques jolies maisons à colombage entourent la plaza de la Villa bordée de galeries.

Donjon mudéjar du Castillo de Coca construit au XVe siècle

Medina del Campo ⓳

Valladolid. 🚶 20 000.
🚌 🚆 ℹ️ *Plaza Mayor 27, 983
81 13 57.* 🛒 *dim.* 🎉 *San Antolín
(du 2 au 8 sept.).*

S es foires établirent au
Moyen Âge la prospérité
de cette ville qui reste un
important marché agricole.
Sur une colline voisine se
dresse le **Castillo de la
Mota** *(p. 326),* forteresse
en brique gothico-mudéjare
édifiée par la puissante
famille Fonseca en 1440.
Isabelle Iʳᵉ de Castille et sa
fille Jeanne la Folle y
séjournèrent. L'édifice
servit ensuite de prison
et eut notamment pour
détenu, entre 1506 et 1508,
César Borgia *(p. 244).*
Isabelle mourut à Medina
del Campo, en 1504, dans
une modeste maison bâtie
au-dessus d'un arc dans
un angle de la Plaza Mayor
où sa statue occupe la
place d'honneur.

Aux environs
Les remparts de **Madrigal
de las Altas Torres**
dominent la plaine à quelque
25 km au sud-ouest de
Medina del Campo.
Isabelle y naquit en 1451
dans un palais qui devint
en 1527 le Monasterio
de las Agustinas.

⛪ **Castillo de la Mota**
📞 *983 80 10 24.* 🕐 *t.l.j.*
⚫ *jours fériés.*

Tordesillas ⓴

Valladolid. 🚶 8 000. 🚆
ℹ️ *Caza del Tratado, 983 77 10 67.*
🛒 *mar.* 🎉 *Semana de la Peña
(du 16 au 22 sept.).*

C 'est à Tordesillas
que les souverains
d'Espagne et du Portugal
signèrent en 1494 le traité
qui divisait entre leurs
deux pays les terres
du Nouveau Monde.
   La ville possède comme
principal monument le
Convento de Santa Clara,
palais construit en 1340 par
Alphonse XI et où son fils,

Castillo de la Mota à Medina del Campo

Pierre le Cruel, installa sa
maîtresse, María de Padilla.
Née en Andalousie, elle lui
donna une décoration
mudéjare particulièrement
belle dans le patio et la salle
principale, devenue une
chapelle. Une collection
d'instruments anciens
comprend l'orgue portatif
de Jeanne la Folle qui, après
la mort de son mari, passa
dans un palais de Tordesillas
les 46 dernières années
de sa vie, c'est-à-dire jusqu'à
sa mort en 1555.
   Dans la vieille ville,
l'**Iglesia de San Antolín**
abrite un musée d'art.

🏛 **Convento
de Santa Clara**
📞 *983 77 00 71.*
🕐 *du mar. au dim.* 🎫
🏛 **Iglesia de San Antolín**
Calle Postigo 1. 📞 *983 77 09 80.*
🕐 *du mar. au dim.* 🎫 📷

**Patio mudéjar du Convento de
Santa Clara, Tordesillas**

Valladolid ㉑

Valladolid. 🚶 320 000. 🚆 🚌 ℹ️
Calle Santiago 19, 983 35 18 01. 🛒
dim. 🎉 *San Pedro Regalado (13 mai),
San Mateo (du 21 au 29 sept.).*
🌐 *www. dip-valladolid.es*

A u confluent du río Esgueva
et du río Pisuerga,
l'ancienne Belad-Walid (Terre
du Gouverneur) arabe,
reconquise en 1074, est une
capitale provinciale fortement
industrialisée. Elle conserve
néanmoins d'intéressants
édifices historiques datant en
particulier de la Renaissance.
   En 1469, Ferdinand
d'Aragon et Isabelle de Castille
s'y marièrent dans le Palacio
Vivero et ils en firent leur
capitale après la chute de
Grenade en 1492. Christophe
Colomb y mourut, seul et
oublié, en 1507. Philippe II vit
le jour en 1527 dans le Palacio
de los Pimentel. L'auteur José
Zorrilla, dont une pièce rendit
célèbre en 1844 le personnage
de Don Juan, naquit
également à Valladolid.
   L'université date du
xvᵉ siècle. Narciso Tomé, qui
réalisera plus tard le
Transparente de la cathédrale
de Tolède *(p. 375)*, entreprit
en 1715 sa façade baroque.
Celle de l'**Iglesia de San
Pablo** est de style platéresque
et présente une remarquable
décoration sculptée.
   Parmi les autres églises
intéressantes figurent **Santa
María la Antigua** à l'élégant

clocher roman et l'**Iglesia de Las Angustias** où s'admire une magnifique sculpture de Juan de Juni : la *Virgen de los Cuchillos* (Vierge aux couteaux).

⚰ Casa de Cervantes
Calle Rastro 7. 📞 *983 30 88 10.* ⭕ *du mar. au dim.* ⚫ *jours fériés.* 🎫 *gratuit le dim. mat.*
En 1605, quand parut la première partie de *Don Quichotte (p. 30)*, Cervantes habitait cette maison aux murs blanchis. Les pièces sont aménagées avec des meubles dont certains lui ont appartenu.

🔒 Cathédrale
Calle Arribas 1. 📞 *983 30 43 62.* 🎫
Philippe II confia en 1580 la reconstruction de la cathédrale de Valladolid à Juan de Herrera, mais les travaux s'étendirent sur plusieurs siècles et le sanctuaire resta inachevé. La façade que lui donna Alberto Churriguera *(p. 21)* en 1729 contraste avec l'austérité de l'intérieur orné d'un retable par Juan de Juni. Le musée diocésain présente de belles œuvres d'art.

🏛 Museo Nacional de Escultura
Cadenas de S Gregorio 1-2. 📞 *983 25 03 75.* ⭕ *du mar. au dim.* ⚫ *jours fériés.* 🎫 *gratuit sam. après-midi et dim. mat. pour membres de l'UE.* 🎫
Installé d'habitude dans le magnifique Colegio de San Gregorio, le musée national de Sculpture occupera le Palacio de Villema jusqu'en 2006. Il présente une collection comprenant un ensemble

Façade du Colegio de San Gregorio, Valladolid

Natividad par Berruguete, Museo Nacional de Escultura, Valladolid

exceptionnel d'œuvres religieuses en bois polychrome exécutées entre le XIIIᵉ et le XVIIIᵉ siècle. La Renaissance espagnole est particulièrement bien représentée avec, notamment, une *Mise au tombeau* de Juan de Juni, un *Christ gisant* par Gregorio Fernández, un retable par Alonso Berruguete et des stalles auxquelles travailla Diego de Siloé.

L'édifice lui-même mérite l'attention avec son escalier plateresque, sa chapelle par Juan Güas et un superbe patio aux colonnes torses portant des arcades en anse de panier. Attribuée, pour l'essentiel, à Gil de Siloé et Simon de Cologne, la façade offre un exemple saisissant d'art isabélin, style de transition entre gothique et Renaissance.

🏛 Museo de Arte Contemporáneo Español
Convento de San Benito, Calle Jorge Guillén 6. 📞 *983 36 29 08.* ⭕ *t.l.j.* 🎫
Située dans l'enceinte de l'ancien monastère de San Benito, entouré de cloîtres, cette collection privée d'art contemporain espagnol a ouvert ses portes en 2002. Plus de 1 000 œuvres réalisées par 200 artistes espagnols y sont exposées, dont celles de Joan Miró, Edouardo Chillida, Antoni Tàpies et Miquel Barceló.

Aux environs
À 11 km au sud-ouest, le château qui domine le village de **Simancas** abrite depuis

une décision de Charles Quint les archives nationales. **Wamba**, à 15 km à l'ouest, possède une église wisigothique qui contient le tombeau du roi Receswinthe.

À 60 km à l'est de Valladolid, la ville viticole de **Peñafiel** s'étend au pied d'une crête couronnée par une imposante forteresse du XVᵉ siècle *(p. 327)*.

Medina de Rioseco ㉒

Valladolid. 🏘 *5 000.* 🚌 ℹ️ *Plaza Mayor, 983 70 08 25.* 🕐 *mer.* 🎉 *San Juan (du 24 au 29 juin).*

Comme Medina del Campo, cette petite ville qui a conservé ses remparts fonda au Moyen Âge sa prospérité sur le commerce de la laine. Cette richesse permit d'engager de grands artistes, souvent de l'école de Valladolid, pour la décoration des églises. Près du centre, la magnifique voûte en étoile et les boiseries de l'**Iglesia de Santa María de Mediavilla** témoignent de leur talent. Coiffée d'une étonnante coupole en stucs polychromes (1554) de Jerónimo del Corral, la chapelle des Benavente abrite un retable par Juan de Juni. Antonio de Arfe exécuta en 1585 l'énorme custode du trésor. L'**Iglesia de Santiago** possède un intérieur tout aussi frappant avec son triple retable churriguel esque *(p. 21)*.

Des maisons anciennes aux portiques soutenus par des piliers en bois bordent la rue principale, la calle de la Rúa.

Retable par Juan de Juni, Iglesia de Santa María de Mediavilla

FÊTES DE CASTILLE-LEÓN

El Colacho *(dim. après la Fête-Dieu, mai-juin)*, Castrillo de Murcia (Burgos). Vêtus de leurs plus beaux atours, les bébés nés au cours des 12 mois précédents sont disposés dans la rue sur des matelas. Sous le regard anxieux des parents, *El Colacho*, personnage portant un costume aux couleurs éclatantes, saute au-dessus d'eux pour les guérir de leurs maladies, notamment des hernies. Il symbolise le diable fuyant à la vue de l'eucharistie. Les origines de ce curieux rituel remonteraient à 1621.

El Colacho bondissant au-dessus de bébés à Castrillo de Murcia

Sainte-Agathe *(dim. le plus proche du 5 fév.)*, Zamarramala (Ségovie). Élues maires pour la fête de la patronne des femmes mariées, deux femmes dirigent le village une journée et brûlent en grande pompe un mannequin représentant un homme.

Vendredi saint, Valladolid. L'une des plus spectaculaires processions d'Espagne traverse la ville en portant 28 magnifiques sculptures inspirées de la Passion *(pasos)*.

Marche sur des braises ardentes *(23 juin)*, San Pedro Manrique (Soria). Des hommes se risquent pieds nus sur des braises

Arrière-chœur sculpté de la cathédrale de Palencia

Palencia ㉓

Palencia. 🏛 80 000. 🚇 🚌 ℹ️ *Calle Mayor 105, 979 74 00 68.* 📅 *mar., mer.* 🎉 *Virgen de la Calle (2 fév.)* 🌐 www.turismocastillavlen

Résidence royale au Moyen Âge, Palencia, où Alphonse VIII fonda en 1208 la première université espagnole, perdit son importance après sa participation à la révolte des cités castillanes en 1520 *(p. 54)*. Malgré le développement qu'a connu la cité récemment, le centre-ville, près du vieux pont de pierre franchissant le río Carrión, a gardé une atmosphère évoquant presque un village.

Surnommée *La Bella Desconocida* (la Belle Méconnue), la **cathédrale** en constitue le principal monument. Élégant édifice gothico-Renaissance (XIVe-XVIe siècle), elle abrite de très nombreuses œuvres d'art.

Un majestueux retable sculpté par Felipe de Bigarny et orné de panneaux peints par Juan de Flandes domine le maître-autel. Derrière s'ouvre la chapelle du Saint-Sacrement où se trouvent un retable exécuté en 1529 par Valmaseda et, en hauteur à gauche, le tombeau de Doña Urraca de Navarre morte en 1189. Sculpté de reliefs attribués à Gil de Siloé et Simon de Cologne, l'arrière-chœur *(trascoro)* renferme entre autres un retable (1505) par Jan Joest Van Haarlem. Un escalier descend dans une crypte d'origine wisigothique.

Aux environs

À 12 km au sud, à **Baños de Cerrato**, la petite Iglesia de San Juan Bautista élevée en 661 serait la plus vieille église intacte d'Espagne. À l'intérieur, des arcs en fer à cheval reposent sur des chapiteaux romains et wisigothiques.

Frómista ㉔

Palencia. 🏛 1 000. ℹ️ *Paseo Central, 979 81 01 80 (l'été) ; 979 81 07 63 (l'hiver).* 📅 *ven.* 🎉 *Patrón de Frómista (une sem. après Pâques).* 🌐 www.fromista.com

Ancienne étape sur le chemin de Compostelle *(p. 78-79)*, Frómista possède avec l'**Iglesia de San Martín** l'une des églises romanes d'Espagne au style le plus pur. Achevée en 1066, elle a retrouvé après une restauration en 1904 sa sobriété originelle qu'animent les sculptures des modillons, sous les corniches, et des chapiteaux.

Aux environs

À 20 km au nord-ouest, **Carrión de los Condes** se trouve aussi sur le chemin de Compostelle. Sur une frise du portail roman de l'Iglesia de Santiago figurent des artisans tels que potier, coiffeur ou savetier. Des têtes de taureaux ornent la façade de l'Iglesia de Santa María del Carmino (XIIe siècle). Le Convento de San Zoilo, au cloître gothique, propose un hébergement simple.

À 20 km au nord-ouest, près de Saldaña, à **Gañinas**, a été

Dans l'Iglesia de San Juan Bautista, Baños de Cerrato

Posada du Monasterio de Santa María la Real, Aguilar de Campoo

mise au jour la villa romaine de **La Olmeda** décorée de magnifiques mosaïques. Le musée archéologique installé à Saldaña dans l'Iglesia de San Pedro présente des objets découverts lors des fouilles.

⋔ Villa Romana La Olmeda
Pedrosa de la Vega. ⬭ *du mar. au dim.* ⬤ *du 23 déc. au 31 janv.* 🎫 *comprend l'accès au musée archéologique.* ▨

Aguilar de Campoo ㉕

Palencia. 🏔 *7 340.* 🚃 ℹ *Plaza España 30, 979 12 36 41.* 🗓 *mar.* 🎉 *San Pedro (29 juin) ; Romería de la Virgen del Llano (9 sept.).* 🌐 *www.aguilardecampoo.com*

Entre les plaines arides de l'Espagne centrale et les contreforts boisés des monts Cantabriques, Aguilar de Campoo a conservé de beaux monuments anciens, notamment la **Colegiata de San Miguel** qui ferme sa grand-place entourée de portiques. Elle abrite le tombeau des marquis d'Aguilar orné d'orants du xvie siècle.

Intéressants également : l'**Ermita de Santa Cecilia**, près du château, et le **Monasterio de Santa María la Real** situé à l'entrée de la ville. De style romano-gothique, il comprend une petite *posada (p. 555)*, lieu idéal où passer une nuit.

Aux environs
À 6 km au sud, **Olleros de Pisuerga** possède une église creusée dans le rocher. Le parador de **Cervera de Pisuerga**, à 25 km au nord-ouest, offre une vue spectaculaire et la possibilité de découvrir, dans une région montagneuse ponctuée de nombreux lacs, la **Reserva Nacional de Fuentes Carrionas**.

Briviesca ㉖

Burgos. 🏔 *6 600.* 🚃 🚌 ℹ *Calle Santa Maria Encimera 1, 947 59 39 39.* 🗓 *sam.* 🎉 *Feria de San José (19 mars), Santa Casilda (fin avr. début mai).*

C'est dans cette petite ville ceinte de remparts, au nord-est de la province de Burgos, que Jean Ier d'Aragon institua en 1387 le titre de prince des Asturies revenant à l'héritier du trône. Elle recèle une grand-place entourée d'arcades et plusieurs demeures seigneuriales. L'église du **Convento de Santa Clara** abrite un retable en noyer sculpté du xvie siècle. Hors des murs, le Santuario de Santa Casilda présente une collection d'objets votifs.

Aux environs
À **Oña**, à 25 km au nord de Briviesca, se visite l'ancien monastère bénédictin de San Salvador fondé en 1011. 20 km plus au nord, le village de **Frías**, aux ruelles bordées de jolies maisons anciennes, domine avec son château une vallée fertile. Sur l'Èbre, un pont médiéval a conservé sa tour centrale. L'ancien château de la famille Velasco de **Medina de Pomar**, à 30 km au nord d'Oña, date du xve siècle. Il renferme les ruines d'un palais où subsistent des stucs mudéjars et des inscriptions arabes.

Pont médiéval fortifié franchissant l'Èbre à Frías

Détail du triptyque flamand de la collégiale de Covarrubias

Covarrubias 🄳

Burgos. 🏠 650. 🚌 🛈 *Calle Monseñor Vargas, 947 40 64 61 (de mars à nov.).* 🚐 *mar.* 🎉 *San Cosme et San Damián (26 et 27 sept.).*

Les grottes rougeâtres qui l'entourent ont donné son nom à ce charmant village bordant le río Arlanza. Ses remparts médiévaux protègent toujours le centre-ville aux belles maisons à portiques reposant sur des colonnes de pierre. Renommée pour la qualité de ses orgues, la **collégiale** gothique abrite plusieurs tombeaux médiévaux, dont celui de Fernán Gonzáles, premier comte indépendant de Castille qui, en unifiant plusieurs fiefs au Xᵉ siècle pour lutter contre les Maures, joua un grand rôle dans la Reconquête. Le musée installé dans la sacristie possède un triptyque flamand dont Gil de Siloé aurait sculpté le panneau central.

Aux environs
À une courte distance en suivant vers l'est le río Arlanza on découvre les ruines romanes du monastère de **San Pedro de Arlanza** (XIᵉ siècle). À 24 km au nord de Covarrubias, l'ermitage de **Quintanilla de las Viñas** occupe le chevet d'une église wisigothique du VIIᵉ siècle. Les reliefs des chapiteaux des colonnes de l'arc triomphal, représentations symboliques du soleil et de la lune, pourraient témoigner d'une influence orientale.

Burgos 🄴

Burgos. 🏠 168 000. ✈ 🚌 🚆 🛈 *Plaza de Alonso Martínez 7, 947 20 31 25.* 🚐 *mar., mer. et dim.* 🎉 *San Lesmes (30 janv.), San Pedro et San Pablo (30 juin).* 🖥 *www.aytoburgos.es*

Fondée en 884 au bord du río Arlanzón, Burgos devint en 1037 la capitale du royaume de Castille et du León, fonction qu'elle perdit au profit de Valladolid après la chute de Grenade en 1492 (p. 52-53). Comme beaucoup d'autres cités castillanes, elle connut au XVᵉ et au XVIᵉ siècles, grâce au commerce textile, une prospérité qui finança la création de nombreux monuments et œuvres d'art. En 1936, Franco (p. 62-63) y installa son quartier général.

Sa position stratégique sur l'autoroute entre Biarritz et Madrid et sur le chemin de Compostelle vaut à Burgos de recevoir de nombreux visiteurs, mais elle justifierait de toute manière un long détour, et ce malgré la rigueur de son climat continental.

Le principal pont permettant d'entrer dans la ville est le Puente de San Pablo où une statue rend honneur au Cid, né à quelques kilomètres de Burgos. Non loin se dresse la **Casa del Cordón**, palais du XVᵉ siècle occupé par une banque. Il doit son nom au cordon franciscain sculpté au-dessus du portail. Les Rois Catholiques y reçurent Christophe Colomb au retour de son deuxième voyage aux Amériques.

Vous pouvez également emprunter le Puente de Santa María qui rejoint la vieille ville par l'**Arco de Santa María**, ancienne porte fortifiée ornée de statues des héros locaux. Quelques pas plus loin, la **cathédrale** (p. 354-355) élève ses flèches aériennes. Sa façade borde la plaza Santa María que domine l'**Iglesia de San Nicolás** au maître-autel décoré d'un magnifique retable sculpté en 1505 par Simon de Cologne. Parmi les autres églises dignes d'intérêt figurent l'**Iglesia de San Lorenzo** au somptueux plafond baroque et l'**Iglesia de San Esteban** où se visite un musée d'art sacré.

C'est dans l'**Iglesia de Santa Águeda** que le Cid demanda au roi Alphonse VI de jurer qu'il n'avait joué aucun rôle dans le meurtre de son frère aîné Sanche II (p. 338).

De l'autre côté de la rivière, un palais Renaissance, la Casa de Miranda, abrite la section

L'Arco de Santa María orné de statues à Burgos

LE CID CAMPEADOR (1043-1099)

Fils d'une famille noble, né en 1043 à Vivar (devenu del Cid), au nord de Burgos, Rodrigo Díaz de Vivar entra au service de Ferdinand Iᵉʳ, mais fut banni de Castille par Alphonse VI dont il avait mis en doute l'innocence dans le meurtre de Sanche II. Il combattit alors pour les Maures, ce qui lui valut son surnom issu du mot arabe *sidi* (seigneur), avant de changer à nouveau de camp et de s'emparer en 1094, au nom des chrétiens, de la ville de Valence qu'il gouverna jusqu'à sa mort. Écrit en 1180, un premier poème épique, *El Cantar del Mío Cid*, établit sa légende. Elle en fait le champion (*campeador*) de la Reconquête. Le Cid et sa femme, Chimène, reposent dans la cathédrale de Burgos.

Statue du Cid à Vivar del Cid

BURGOS : LE CENTRE-VILLE

Arco de Santa María ⑥
Casa del Cordón ⑦
Cathédrale ④
Iglesia de San
   Esteban ①
Iglesia de San
   Lorenzo ⑤
Iglesia de San
   Nicolás ②
Iglesia de Santa
   Águeda ③
Museo de
   Burgos ⑧

LÉGENDE

🚌 Gare routière

P Parc de stationnement

ℹ Information touristique

✝ Église

0   150 m

archéologique du **Museo de Burgos** qui expose notamment des pièces découvertes lors des fouilles de la cité romaine de Clunia. La section des Beaux-Arts occupe la **Casa de Angulo** voisine. Ses collections comprennent en particulier le tombeau de Juan de Padilla par Gil de Siloé.

La visite de Burgos ne saurait être complète sans découvrir deux monastères situés à la périphérie. À l'ouest se trouve le **Real Monasterio de Huelgas**, couvent cistercien fondé à la fin du XIIe siècle par Alphonse VIII pour accueillir

Tombeau de Juan de Padilla par Gil de Siloé, Casa de Angulo

des religieuses de haute noblesse. Le **Museo de Ricas Telas** y présente des parures royales provenant des nombreuses sépultures de l'église. À remarquer également : un cloître roman du XIIe siècle et le cloître San Fernando gothique où subsistent des fragments de décor mudéjar. La Capilla de Santiago renferme une curieuse statue de saint Jacques aux bras articulés qui, selon la tradition, servait à armer chevalier les princes de sang royal.

À l'est de Burgos, la **Cartuja de Miraflores**, chartreuse fondée vers 1440, abrite deux tombeaux remarquables sculptés par le Flamand Gil de Siloé. Le mausolée en forme d'étoile, devant le maître-autel, est celui de Jean II et d'Isabelle du Portugal, les parents d'Isabelle la Catholique. Celui de son frère, l'infant Don Alfonso, montre dans un enfeu à gauche le garçon en prière.

Gil de Siloé exécuta aussi le spectaculaire retable en bois polychrome. On prétend que le premier arrivage d'or en provenance du Nouveau Monde servit à ses dorures.

Détail du retable par Gil de Siloé de la Cartuja de Miraflores

🏛 **Museo de Burgos**
Calle Calera 25. 📞 947 26 58 75. ⭕ mar. - dim. 🎫 gratuit sam. et dim. ♿
⛪ **Real Monasterio de Huelgas**
Calle de las Huelgas. 📞 947 20 16 30. ⭕ mar. - dim. 📷♿🎫 gratuit le mer.
⛪ **Cartuja de Miraflores**
Ctra de Burgos-Cardeña. ⭕ t.l.j.

Aux environs
À 10 km au sud-est de Burgos se trouve le **Monasterio de San Pedro de Cardeña** où le Cid mit en sécurité sa femme, Chimène, et ses filles, après son bannissement de Castille par le roi Alphonse VI.

Cathédrale de Burgos

Christ à la colonne par Diego de Siloé

Fondée en 1221 par l'évêque Don Mauricio sous le règne de Ferdinand III, la cathédrale de Burgos, la troisième d'Espagne par la taille, mesure 84 m de long et 59 m de large à la croisée du transept. Sa construction, sur un terrain en pente dont les architectes tirèrent parti par des escaliers intérieurs et extérieurs, se fit en plusieurs étapes et dura trois siècles au cours desquels certains des plus grands artistes d'Europe participèrent aux travaux. Leurs influences, française, allemande et flamande, se marièrent avec la tradition décorative espagnole pour créer un remarquable édifice gothique.

Façade ouest
Les hautes flèches ciselées dominent une balustrade où figurent les premiers rois de Castille.

★ L'Escalera Dorada
Cet élégant escalier Renaissance (1523) par Diego de Siloé relie la nef à une grande porte (fermée) qui donne sur la rue.

Lanterne

Tombeau du Cid

À NE PAS MANQUER

★ L'Escalera Dorada

★ La Capilla del Condestable

★ La croisée du transept

Capilla de Santa Ana
Gil de Siloé sculpta en 1490 ce retable dont le panneau central représente la rencontre de sainte Anne et de son mari Joachim.

Capilla de Santa Tecla

Puerta de Santa María (entrée principale)

La Capilla de la Presentación (1519-1524) est une chapelle funéraire à la voûte en étoile.

Arrière-chœur
Felipe de Bigarny sculpta une partie des reliefs situés autour du chœur, dont cette émouvante Montée du calvaire achevée en 1499.

MODE D'EMPLOI

Plaza de Santa Maria. ☎ 947 20 47 12. ◯ t.l.j. ⬆ 9 h, 10 h, 19 h 30 ; 11 h lun.-sam. ; 12 h, 13 h et 14 h le dim. Ⓜ ♿ 📷
Ⓦ www.cathedraleburgos.es

Capilla de San Juan Bautista et musée

★ La Capilla del Condestable
Le connétable de Castille et sa femme reposent sous une coupole en forme d'étoile de 1496.

Sacristie
Elle fut reconstruite dans le style baroque en 1765.

Puerta del Sarmental
Au tympan de ce portail (1240), le Christ entouré des évangélistes domine les apôtres.

Capilla de la Visitación

★ La croisée du transept
Quatre énormes piliers soutiennent la magnifique coupole en étoile commencée en 1539 qui surplombe la pierre tombale du Cid et de Chimène.

Capilla del Santísimo Cristo

Lerma

Burgos. 🏛 2 600. 🚌 🚉 🛈 *Calle Audiencia 6, 947 17 70 02.* 🏨 *mer.* 🎭 *Nuestra Señora de la Natividad (8 sept.).* 🌐 www.citlerma.com

Ce village doit son aspect grandiose au duc de Lerma *(p. 56),* favori de Philippe III dont il fut le Premier ministre corrompu de 1598 à 1618, puisant sans retenue dans les richesses de l'Espagne pour embellir sa ville d'édifices classiques tels que son ancienne demeure, l'austère **Palacio Ducal**. Construit en 1605, il domine la Plaza Mayor qui s'atteint, depuis la porte romane des remparts, par des rues pentues bordées de maisons anciennes.

De belles vues du río Arlanza se découvrent à l'arcade proche du **Convento de Santa Clara** et de la **Colegiata de San Pedro** qui abrite une statue en bronze, par Juan de Arfe, de Cristobal de Sandoval, oncle du duc de Lerma et archevêque de Séville.

Ruelle pentue de la vieille ville de Lerma

Chapiteaux sculptés, Monasterio de Santo Domingo de Silos

Monasterio de Santo Domingo de Silos

Santo Domingo de Silos (Burgos). 📞 *947 39 00 49.* 🚌 *depuis Burgos.* ⏰ *du mar. au sam.* 🎭 *5 9 h du lun. au ven., 12 h le sam. et le dim.*

Un moine de Cogolla, saint Dominique (à ne pas confondre avec le fondateur de l'ordre des dominicains, né en 1170), donna son nom à ce monastère qu'il reconstruisit en 1042 sur les ruines d'une abbaye wisigothique détruite par les Maures. Abandonnés en 1835, les bâtiments abritent depuis 1880 une communauté bénédictine dont les chants grégoriens ont acquis une réputation mondiale.

Ventura Rodríguez dessina l'église néo-classique. Le cloître roman présente à l'étage inférieur des chapiteaux et des piliers d'angle ornés de reliefs remarquables : motifs végétaux, animaux fantastiques et scènes bibliques. Les plafonds ont conservé des ornements mudéjars. Dans la galerie nord, le sarcophage de saint Dominique repose sur trois lions romans. Dans la pharmacie, collection de pots en faïence de Talavera *(p. 368).*

Aux environs
À 3 km au sud-ouest s'ouvre la **Garganta de la Yecla**, gorge très étroite où s'enfonce un sentier. Au nord-est, la réserve naturelle de la **sierra de la Demanda** s'étend jusqu'en Rioja.

Château gothique (xv⁰ siècle) de Peñaranda de Duero

Peñaranda de Duero

Burgos. 🏛 600. 🚌 🛈 *Calle Trinquete 7, 947 55 20 63 (de juin à sept. : 947 55 20 34).* 🏨 *ven.* 🎭 *Santiago (25 juil.), Santa Ana (26 juil.), Virgen de los Remedios (8 sept.).*

Construit pendant la Reconquête par les Castillans qui avaient repoussé les Maures au sud du Duero, le château gothique de Peñaranda offre une vue plongeante sur l'un des plus charmants villages de Castille, serré autour d'une immense église. Des maisons à colombage et piliers en pierre entourent sa grand-place que domine le superbe **Palacio de Avellaneda** de style Renaissance. Des décors mudéjars et platéresques ornent les plafonds des galeries de son

---

PLAIN-CHANT GRÉGORIEN

Plusieurs fois par jour, les moines de Santo Domingo de Silos célèbrent les offices en plain-chant. Cette musique vocale, interprétation de textes latins en chœur et *a capella*, date des origines du christianisme et fut codifiée par saint Ambroise au ivᵉ siècle, puis par le pape Grégoire Iᵉʳ le Grand (590-604). Elle a récemment conquis un nouveau public et, en 1994, un enregistrement des moines de Santo Domingo devint à la surprise générale un « tube » mondial.

Manuscrit de plain-chant du xiᵉ siècle

◁ **Peñaranda de Duero et son église vues depuis le château**

Courtines et tours du château de Berlanga de Duero

patio. Dans la calle de la Botica, une **pharmacie** du XVIIᵉ siècle renferme des pots en céramique blanche et bleue.

Aux environs
Aranda de Duero, à 20 km à l'ouest, recèle une église de style isabélin *(p. 20)*, l'**Iglesia de Santa María**. Simon de Cologne dessina sa façade sud plateresque.

🏰 Palacio de Avellaneda
Plaza Condes de Miranda 1. **【** 947 55 20 13. **◯** *du mar. au dim.*

El Burgo de Osma **㉜**

Soria. **🏠** 5 000. **🛈** *Plaza Mayor 9, 975 36 01 16.* **🎪** *sam.* **🎊** *Virgen del Espino et San Roque (14-19 août).*

Sa **cathédrale** constitue le principal intérêt de ce joli bourg aux rues et à la grand-place bordées de portiques. Reconstruite dans le style gothique à partir de 1232, elle reçut des additions Renaissance et possède un haut clocher baroque (1739). À l'intérieur s'admirent des grilles par Juan Francés, le retable du maître-autel par Juan de Juni, une chaire de marbre blanc et le tombeau de San Pedro de Osma (XIIIᵉ siècle). Le musée présente une intéressante collection de manuscrits anciens. Des cigognes nichent sur l'Hospital de San Agustín baroque.

Aux environs
À 12 km au sud, un château arabe possédant plus de 20 tours domine le río Duero

à **Gormaz**. D'autres forteresses médiévales se dressent à **Berlanga de Duero**, à 12 km plus au sud-est et à **Calatañazor**, à 25 km au nord-est d'El Burgo de Osma.

Soria **㉝**

Soria. **🏠** 35 000. **🛈** *C/Medinaceli 2, 975 21 20 52.* **🎪** *jeu.* **🎊** *San Juan (24 juin).*

La plus petite des capitales provinciales de la Castille-León s'étend au bord du río Duero. Son parador moderne *(p. 557)* porte le nom du poète Antonio Machado (1875-1939, *p. 37)* que séduisirent la ville et les plaines qui l'entourent.

Parmi ses édifices historiques figurent l'**Iglesia de Santo Domingo** romane et deux édifices du XVIᵉ siècle : l'imposant **Palacio de los Condes de Gómara** et l'élégante **Catedral de San Pedro**.
En face du jardin municipal, le **Museo Numantino** présente des objets découverts sur les sites antiques de

Numantia et Tiermes *(p. 347)*. Sur l'autre rive du Duero se trouvent les ruines du monastère de **San Juan de Duero** et de son cloître aux arcs entrelacés.

Aux environs
Au nord de Soria, les vestiges de **Numantia** (Numance) n'offrent qu'une pâle évocation du destin tragique de cette cité celtibère *(p. 46)*. Au nord-ouest, les collines boisées de pins de la sierra de Urbión recèlent la **laguna Negra**, petit lac glaciaire.

🏛 Museo Numantino
Paseo de Espolón. **【** 975 22 14 28. **◯** *du mar. au dim.* **🎫** *gratuit sam. mat. et dim.* **♿**

Medinaceli **㉞**

Soria. **🏠** 800. **🚉** **🛈** *Campo de San Nicolás, 689 73 41 76.* **🎊** *Beato Julián de San Agustín (28 août), Cuerpos Santos (13 nov.).*

Il ne subsiste qu'un arc de triomphe de l'Ocilis romaine qui dominait le río Jalón. Élevé au Iᵉʳ siècle, il est le seul d'Espagne à posséder trois arches et il est devenu le symbole indiquant un monument antique sur les panneaux routiers.

Aux environs
À l'est se dressent les falaises rouges des gorges du Jalón. Situé sur la route Madrid-Saragosse, le **Monasterio de Santa María de Huerta** fut fondé en 1179 par des cisterciens.

⛪ Monasterio de Santa María de Huerta
【 975 32 70 02. **◯** *t.l.j.* **🎫** **♿**

Arcs entrelacés du cloître du monastère de San Juan de Duero

CASTILLE-LA MANCHE

GUADALAJARA · CUENCA · TOLÈDE · ALBACETE · CIUDAD REAL

L es aventures de Don Quichotte ont immortalisé les vastes étendues ocre de la Manche où moulins à vent et châteaux médiévaux se dessinent sur un ciel aveuglant, image de l'Espagne devenue classique. Cette région peu visitée recèle également de beaux massifs montagneux creusés de gorges spectaculaires et deux villes riches en monuments : Tolède et Cuenca.

La Castille ne porte pas son nom pour rien et, où que vous vous y trouviez, un château se dresse non loin. Nombre de ces forteresses datent du IXe au XIIe siècle, époque où Maures et chrétiens se disputaient la région. D'autres marquent la frontière qui séparait aux XIVe et XVe siècles les royaumes de Castille et d'Aragon. Ceux de Sigüenza, Belmonte, Alarcón, Molina de Aragón et Calatrava la Nueva font partie des plus imposants. Ancienne capitale de l'Espagne wisigothique, Tolède est un véritable musée. Son riche patrimoine artistique et architectural doit beaucoup à la fusion qui s'effectua au Moyen Âge entre cultures chrétienne, musulmane et juive.

Pleine d'intérêt également, la vieille ville de Cuenca occupe un site extraordinaire sur une arête rocheuse au confluent de deux gorges. Villanueva de los Infantes, Chinchilla, Alcaraz et Almagro ont conservé d'intéressants édifices bâtis entre le XVIe et le XVIIIe siècle. Ocaña et Tembleque possèdent de splendides grands-places.

Deux parcs nationaux, celui des Tablas de Daimiel et, dans les Montes de Tolédo, le Parque Nacional de Cabañeros, offrent des paysages d'une grande beauté. Il en va de même des collines et des montagnes bordant les plaines : coteaux plantés d'oliviers de l'Alcarria, massif calcaire de Cuenca et sierra d'Alcaraz. Autour de Consuegra et d'Albacete, les champs virent au mauve en automne quand fleurissent les crocus qui produisent le précieux safran.

Moulins à vent au-dessus de Campo de Criptana dans les plaines de la Manche

◁ **Maisons anciennes de Cuenca, ville perchée entre deux gorges**

À la découverte de la Castille-La Manche

Tolède est la principale destination touristique de la région, mais des villes moins fréquentées telles que Guadalajara, Almagro, Oropesa et Alcaraz ont elles aussi gardé un cachet historique. Les châteaux de Sigüenza, Calatrava, Belmonte et Alarcón rappellent le passé mouvementé de la Castille. Dans les plaines de la Manche, des localités comme El Toboso et Campo de Criptana évoquent les aventures de Don Quichotte (p. 377). Des routes pittoresques traversent les hauteurs boisées de la serranía de Cuenca, de l'Alcarria et de la sierra de Alcaraz. Les marais des Tablas de Daimiel offrent un refuge à de nombreux oiseaux.

Le village d'Alcalá del Júcar

LA CASTILLE-LA MANCHE
D'UN COUP D'ŒIL

Troupeau paissant dans les plaines de la Manche

CIRCULER

Des routes à double voie rayonnent en Castille-La Manche depuis Madrid. Le train à grande vitesse AVE reliant Madrid à Séville s'arrête à Ciudad Real. Les autres transports publics sont rares et lents. Les lignes intérieures desservent les aéroports de Tolède et d'Albacete. L'Espagne est en train de changer la numérotation des routes et il se peut que certaines routes de la carte ci-contre portent maintenant un nouveau numéro.

LÉGENDE

▬▬	Autoroute
▬▬	Route principale
▬▬	Route secondaire
▬▬	Parcours pittoresque
〰	Cours d'eau
☀	Point de vue

CM110
ATIENZA 1
CM101
2 SIGÜENZA
Zaragoza
CM210
MOLINA DE ARAGON 3
N211
NII A-2 (E90)
BRIHUEGA
5 GUADALAJARA
LA ALCARRIA 4
M200
CM210
Embalse de Buendía
N320
6 SERRANÍA DE CUENCA
Teruel
N400 7 CUENCA N420
UCLES 9
BRIGA 8
CM310
Embalse de Alarcón
N320
Gabriel
CM2109
19 N420 NIII A-3 (E901) ALARCÓN
BELMONTE 20 A3 (E901) Valencia
431
Záncara
Júcar
N310 N301
CM400
N322 N430
ALCALÁ DEL JÚCAR 21
NIII A-31
S DE ERA 25
22 ALBACETE
N430 A31
N322 A30 ALMANSA N430 A35
CM412
CM313 N340 A31
HLANUEVA E LOS NFANTES 24 ALCARAZ
N322 23 SIERRA DE ALCARAZ HELLÍN CM412 N340 A31
Alacant (Alicante)
CM3129
ELCHE DE LA SIERRA
Segura
CM3217
NERPIO

0 ____ 50 km

Les paisibles montes de Toledo

Atienza ❶

Guadalajara. 🚶 *500.* ℹ️ *Plaza de España 11, 949 39 90 01.* 🚌 *ven.* 🎭 *La Caballada (dim. de Pentecôte).*

Perché sur une colline couronnée par son château (XIIᵉ siècle) en ruine, ce village a gardé un aspect évoquant le Moyen Âge. Une ancienne porte relie la Plaza Mayor et la plaza del Trigo bordées de portiques. Un musée d'art sacré, le **Museo de San Gil**, se visite dans l'église du même nom. Au pied de la colline, l'**Iglesia de Santa María del Rey** abrite un retable baroque.

Aux environs
À l'ouest, **Campisábalos** possède une superbe église romane, et la réserve naturelle du **Hayedo de Tejera Negra** est boisée de hêtres.

🏛️ **Museo de San Gil**
Calle General Franco. 📞 *949 39 90 14.* ⏰ *sept.-juin : sam. et dim. ; juil.-août t.l.j.* 🅿️

Sigüenza ❷

Guadalajara. 🚶 *5 000.* 🚉 ℹ️ *Calle Serrano Sanz, 949 34 70 07.* 🚌 *sam.* 🎭 *San Vicente (22 janv.) San Juan (24 juin), Fiestas Patronales (15 août).* 🌐 *www.siguenza.com*

Un parador *(p. 559)* occupe désormais l'imposant château qui domine cette petite ville étagée à flanc de colline. Sa **cathédrale** romane reçut un cloître gothico-plateresque. Une chapelle du transept abrite le tombeau de Martín Vázquez

Tombeau d'El Doncel dans la cathédrale de Sigüenza

de Arce, El Doncel, page d'Isabelle la Catholique *(p. 52)* tombé en 1486 en combattant les Maures. Sur le plafond sculpté de la sacristie : rosaces et têtes d'angelots par Alonso de Covarrubias.

Molina de Aragón ❸

Guadalajara. 🚶 *3 900.* ℹ️ *C/Carmen 1, 949 83 20 98.* 🚌 *jeu.* 🎭 *Día del Carmen (16 juil.), Ferias (30 août-5 sept.).*

Le quartier médiéval de cette bourgade reprise aux Maures en 1129 par Alphonse Iᵉʳ d'Aragon s'étend au bord du río Gallo au pied d'une colline couronnée par un château du XIᵉ siècle qui a conservé six tours majestueuses.
De nombreux monuments ont souffert pendant la guerre d'indépendance *(p. 59)*, mais l'**Iglesia de Santa Clara** romane a récemment été restaurée.

Aux environs
À l'ouest de Molina, la chapelle de la **Virgen de la Hoz** se niche dans une gorge couleur rouille. Au sud-ouest s'étend le **Parque Natural del Alto Tajo**.

Remparts arabes au-dessus de la vieille ville de Molina de Aragón

La Alcarria ❹

Guadalajara. 🚌 *Guadalajara.* ℹ️ *Pastrana, 949 37 06 72 (fermé le lun.).* 🌐 *www.pastrana.org*

À l'est de Guadalajara, cette région vallonnée où s'étendent champs et oliveraies évoque toujours le célèbre *Voyage en Alcarria* écrit par Camilo José Cela *(p. 31)*. Lorsqu'on parcourt ces collines ponctuées de petits villages, rien ne semble avoir changé depuis son récit des difficultés de la vie rurale espagnole écrit en 1948.
Vers le centre de l'Alcarria, trois immenses lacs artificiels forment la **Mar de Castilla**. Le plus ancien date de 1946 et des

Oliveraies de l'Alcarria dans la province de Guadalajara

résidences de vacances ont poussé près des rives et à la périphérie des villages.

La jolie ville de **Pastrana** s'est développée autour d'une demeure seigneuriale, le **Palacio Mendoza**, et avait au XVIIᵉ siècle plus d'importance que Guadalajara, située à 45 km au sud-est. Sanctuaire gothique remanié dans le style Renaissance, l'**Iglesia de la Asunción** abrite un retable peint par Jean de Bourgogne, une peinture attribuée à El Greco et quatre tapisseries flamandes du XVᵉ siècle.

Brihuega, à 30 km au nord-est de Guadalajara, possède un agréable centre ancien.

Guadalajara ❺

Guadalajara. 👥 *75 000.* 🚗 🚌 🛈
Plaza de los Caidos 6, 949 21 16 26. 📧
mar., sam. 📷 *Virgen de la Antigua (sept.).* 🆆 *www.iccm.es*

Le riche passé de Guadalajara marque peu la ville moderne, mais elle conserve un magnifique exemple d'architecture gothico-mudéjare : le **Palacio de los Duques del Infantado** construit entre le XIVᵉ et le XVIIᵉ siècle pour la puissante dynastie des Mendoza. De délicates sculptures ornent la façade, œuvre de Juan Güas, et le patio à deux étages de galeries. Endommagé pendant la guerre civile, le palais, restauré, abrite aujourd'hui le Museo Provincial.

L'**Iglesia de Santiago** renferme une chapelle gothico-platéresque réalisée

Détail de la façade du Palacio de los Duques del Infantado

par Alonso de Covarrubias, l'**Iglesia de San Francisco** (XVᵉ siècle) le mausolée de la famille Mendoza. La cathédrale occupe l'ancien emplacement d'une mosquée.

Aux environs
Le Monasterio de San Bartolomé de **Lupiana**, à 11 km à l'est de Guadalajara, fut fondé au XIVᵉ siècle.

🏛 **Palacio de los Duques del Infantado**
Avenida del Ejército.
📞 *949 21 33 01.* ⏰ *t.l.j.*

Serranía de Cuenca ❻

Cuenca. 🚌 *Cuenca.* 🛈 *Cuenca, 969 23 21 19.* 🆆 *www.cuenca.org*

Au nord et à l'est de Cuenca s'étend la *serranía*, terre montagneuse couverte de forêts et de pâturages et creusée de profondes gorges. La **Ciudad Encantada** (Cité enchantée), où l'érosion a sculpté dans le calcaire des

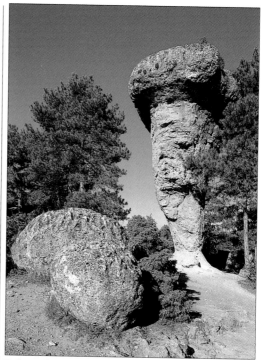
Rochers sculptés par l'érosion de la Ciudad Encantada

formes étranges, est l'un de ses deux sites les plus appréciés. L'autre est le **Nacimiento del Río Cuervo**, source du Cuervo jaillissant en cascade.

Le principal cours d'eau de la région, le Júcar, a creusé près de Villalba de la Sierra des gorges offrant un spectacle particulièrement impressionnant depuis le point de vue de la **Ventana del Diablo**. Au nord, entre Beteta et Priego (réputé pour son artisanat), c'est le río Guadiela qui a taillé dans le rocher un profond défilé : le **Hoz de Beteta**. Le couvent de **San Miguel de las Victorias** en offre un beau panorama. Une petite route conduit à **Solán de Cabras**, station thermale royale au XVIIIᵉ siècle.

Moins peuplée, la moitié sud de la *serranía* renferme néanmoins un joli bourg fortifié : **Cañete**. Son église abrite des peintures du XVIᵉ siècle. Au sud-est, les ruines du village abandonné de **Moya** se dressent, fantomatiques, au sommet d'une crête.

Cuenca pas à pas ❼

La pittoresque vieille ville de Cuenca s'étire sur une étroite arête rocheuse qu'enserrent les gorges abruptes du Júcar et du Huécar. Autour du lacis de ruelles sinueuses hérité des Maures, la cité gothique et Renaissance, enrichie par le commerce lainier, s'est parée de monuments. Le plus important, la cathédrale, est un des édifices gothiques les plus originaux d'Espagne. Un excellent musée d'Art abstrait occupe une des spectaculaires « maisons suspendues » construites au XIVᵉ siècle en encorbellement au-dessus du ravin du Huécar.

Près de la plaza de la Merced, le musée de la Science occupe un bâtiment moderne.

Museo de las Ciencias

CALLE DE SANTA MARÍA

CALLE DE ALFONSO VIII

CALLE MOSEN DIEGO DE VALERA

Torre Mangana
Unique vestige d'une forteresse arabe, cette ancienne tour de guet offre de son sommet un magnifique panorama.

0   50 m

Ayuntamiento

Museo Arqueológico
Son exposition (de la préhistoire au XVIIᵉ siècle) offre un intéressant aperçu de la Cuenca romaine.

LÉGENDE

––– Itinéraire conseillé

★ **Le Museo d'Arte Abstracto**
Installé dans une maison suspendue, le musée d'Art abstrait espagnol présente les œuvres d'artistes tels qu'Antoni Tàpies et Eduardo Chillida.

Plaza Mayor
Reposant sur des arches au cœur de la vieille ville, l'ayuntamiento baroque ferme au sud cette place bordée de cafés.

L'Iglesia de San Miguel domine la gorge du Júcar. Romano-gothique, elle possède un beau plafond mudéjar.

SEVERO CATALINA

PLAZA MAYOR

CALLE DE SAN PEDRO

O VALERO

CALLE DE JULIÁN ROMERO

Vers le parador de Cuenca

★ Les maisons suspendues
Construites au XIVᵉ siècle, les Casas Colgadas servirent de résidence d'été à la famille royale.

Museo Diocesano
Parmi les trésors de la cathédrale présentés au Palacio Episcopal figure un diptyque byzantin du XIVᵉ siècle.

★ La cathédrale
Bâtie du XIIᵉ au XVIIIᵉ siècle et marquée d'influences normandes, elle renferme de belles chapelles.

À NE PAS MANQUER

★ Le Museo de Arte Abstracto

★ Les maisons suspendues

★ La cathédrale

Vestiges d'un édifice romain à Segóbriga

Segóbriga ⑧

Saelices (Cuenca). ☎ 969 13 20 64. ◯ du mar. au dim. **Musée** ● jours fériés, 24, 25 et 31 déc. 🖼️

L es ruines de la petite cité romaine de Segóbriga s'étendent près du village de Saelices dans un paysage préservé malgré la proximité de l'*autovia* Madrid-Valence.

Parmi les vestiges à découvrir figurent ceux d'une nécropole, d'un amphithéâtre, d'un temple de Diane et de thermes. Les carrières qui fournirent les pierres nécessaires à leur construction sont également accessibles. Bâti au Ier siècle apr. J.-C., le théâtre, d'une capacité de 2 000 places, accueille parfois des représentations théâtrales.

Non loin, un petit musée présente certaines des découvertes faites sur le site, mais les statues les plus intéressantes se trouvent au Museo Arqueológico de Cuenca *(p. 366)*.

Monasterio de Uclés ⑨

Uclés (Cuenca). ☎ 969 13 50 58. ◯ t.l.j. de 9 h au coucher du soleil. 🖼️

A u sud de l'Alcarria, un imposant château-monastère domine le petit village d'Uclés à l'emplacement d'une forteresse médiévale qui devint en 1174 le siège de l'ordre de Saint-Jacques. Il abrite aujourd'hui un séminaire et, malgré son surnom, « El Escorial de La Mancha » *(p. 312-313)*, dû à

l'aspect de son église achevée par un disciple de Herrera, il fut entrepris dans le style plateresque et a reçu des ajouts baroques. Son patio, un escalier du XVIe siècle et le plafond à caissons du réfectoire font partie des éléments les plus intéressants.

Illescas ⑩

Toledo. 🏠 15 000. 🚉 ⓘ *Plaza Mayor 1, 925 51 10 51.* ● jeu. 🎭 *Fiesta de Milagro (11 mars), Fiesta Patronal (31 août).*

P rès de la voie rapide Madrid-Tolède, Illescas fut une résidence d'été de la cour de Philippe II. La vieille ville a perdu de sa splendeur, mais à côté de l'Iglesia de la Asunción reconnaissable à sa tour mudéjare, l'**Hospital de la Caridad** (construit au XIIe siècle et restauré au XVe siècle) abrite

Assiette en céramique de Talavera

une importante collection d'art. Elle comprend cinq tableaux majeurs par El Greco *(p. 373)*, notamment *Saint Ildefonse écrivant sous la dictée de la Vierge et l'Annonciation.*

🔒 **Hospital de la Caridad**
Calle Cardenal Cisneros 2. ☎ 925 54 00 35. ◯ t.l.j. 🖼️ ♿

Talavera de la Reina ⑪

Toledo. 🏠 80 000. 🚉 🚌 ⓘ *C/Palenque 2, 925 82 63 22.* ● *mer. et 1er sam. du mois.* 🎭 *Feria de San Isodoro (15-18 mai), Virgen del Prado (24 mai), San Mateo (27 sept.), Las Mondas (sam. après Pâques).*

S ur le Tage, un pont du XVe siècle en ruine marque l'entrée du quartier ancien de cette ville de marché célèbre par sa céramique. Depuis ce pont, longer les vestiges des remparts romains et médiévaux conduit à la **collégiale**, dotée d'une belle rosace, la plus importante des quatre églises gothico-mudéjares de Talavera.

Les fabriques de céramiques proposent toujours les carreaux *(azulejos)* bleus et jaunes qui ont établi la réputation de Talavera au XVIe siècle, mais se tournent de plus en plus vers la production d'objets domestiques ou décoratifs. Près du fleuve, l'**Ermita del Virgen del Prado** abrite une exposition retraçant l'évolution des azulejos jusqu'à nos jours.

Détail d'une frise en azulejos à l'Ermita del Virgen del Prado, Talavera

Broderies traditionnelles à Lagartera, près d'Oropesa

Oropesa ⓬

Toledo. 🏘 2 871. 🚉 🛈 Plaza del Navarro 9, 925 43 00 02. 🕑 lun. et mar. 🎉 Virgen de Peñitas (8 et 10 sept.), Beato Alonso de Orozco (19 sept.).

Ce petit bourg agricole profita au Moyen Âge et pendant la Renaissance du rayonnement de Tolède et conserve un centre ancien plein de charme. Au sommet se dressent les tours cylindriques du **château** des ducs de Frías. Entrepris en 1366 et agrandi à partir de 1402 de bâtiments de styles gothico-mudéjar et Renaissance, il abrite un parador *(p. 559)*.

Du château part une Ruta Monumental. Suivre cet itinéraire autour de la ville permet de découvrir plusieurs églises, des couvents, un petit musée consacré à la céramique et l'hôtel de ville qui domine la place principale.

Aux environs
Plusieurs villages proches d'Oropesa offrent l'occasion d'acheter de l'artisanat. **Lagartera**, à 2 km à l'ouest, est réputée pour ses broderies, tandis qu'**El Puente del Arzobispo**, à 12 km au sud, doit son renom à ses poteries et aux sparteries, objets en fibres végétales tissées. En continuant au sud-est, on atteint **Ciudad de Vascos**, ville arabe du Xᵉ siècle en ruine située dans un cadre magnifique non loin du lac d'Azután.

Montes de Toledo ⓭

Toledo. 🚉 San Martín de Montalbán. 🛈 Toledo, 925 22 08 43.

Au sud-ouest de Tolède en direction de l'Estrémadure s'étend sur environ 1 000 km² un massif montagneux peu élevé qui culmine au corral de Cantos (1 419 m). De création récente, la belle réserve naturelle du **Parque Nacional de Cabañeros** *(p. 26-27)* y protège un vaste espace de forêts et de pâturages à moutons où subsistent des *chozos*, abris coniques traditionnels utilisés par les bergers et leurs familles.

Pueblo Nuevo del Bullaque offre l'accès le plus aisé au parc. On peut s'y inscrire à quatre promenades guidées en véhicule tout terrain, une occasion d'apercevoir sangliers, cerfs ou aigles impériaux.

Sur les contreforts orientaux des montes de Toledo, **Orgaz** possède une église paroissiale baroque décorée de peintures de Francisco Rizzi et El Greco. Les villages voisins, tels **Los Yébenes** et **Ventas con Peña Aguilera**, sont réputés pour leurs articles de cuir et les plats de gibier servis dans leurs restaurants

En plaine, la petite église **Santa María de Melque**, datant du VIIIᵉ ou du IXᵉ siècle, se dresse non loin du château en ruine de **Montalbán** (XIIᵉ siècle). Plus près de Tolède, celui de **Guadamur** date du XVᵉ siècle.

***Chozo** (hutte de berger) dans le Parque Nacional de Cabañeros*

FÊTES DE CASTILLE-LA MANCHE

La Endiablada *(2-3 fév.)*, Almonacid del Marquesado (Cuenca). Au début de la « fête de l'Endiablée », des hommes et des garçons vêtus de costumes de « démons » aux couleurs criardes se réunissent dans la maison de leur chef, le *Diablo Mayor*. Ils accompagnent ensuite en procession les effigies de la Virgen de la Candelaria (Vierge de la chandeleur) et de saint Blaise en dansant de manière à secouer violemment les cloches accrochées dans leur dos.

« Démon » de la Endiablada à Almonacid del Marquesado

Romería del Cristo del Sahúco *(Pentecôte, mai-juin)*, Peñas de San Pedro (Albacete). Des hommes en blanc portent depuis un sanctuaire situé à 15 km un cercueil en forme de croix orné d'une image du Christ.

La Caballada *(début juin)*, Atienza (Guadalajara). Des cavaliers suivent le chemin emprunté au XIIᵉ siècle par des muletiers d'Atienza qui auraient sauvé le jeune Alphonse VIII de Castille de son oncle Ferdinand II.

Fête-Dieu *(mai-juin)*, Tolède. La custode de la cathédrale *(p. 374)* est portée dans les rues pour l'une des plus spectaculaires processions espagnoles de la Fête-Dieu.

Tolède pas à pas ⑭

Coffret damasquiné

Occupant un site magnifique dans un méandre du Tage, Tolède recèle dans le lacis de ruelles encloses dans son enceinte fortifiée de nombreux témoignages de sa riche histoire.

Ancienne colonie romaine dont la forteresse occupait l'emplacement de l'actuel Alcázar, elle devint au VIᵉ siècle la capitale des Wisigoths qui ont laissé plusieurs églises. Creuset où se métissèrent au Moyen Âge les cultures chrétienne, juive et musulmane, la cité se para au XIIIᵉ siècle de son plus prestigieux monument : la cathédrale. En 1577, le peintre El Greco s'installa à Tolède où subsistent maintes de ses œuvres.

L'Iglesia de San Román d'origine wisigothique abrite un musée évoquant la Tolède des Wisigoths.

Puerta de Valmardón

0   100 m

CARDENAL LORENZANA

CALLE DE SAN ROMÁN

CALLE DE ALFONSO X

CALLE DE ALFONSO XII

CALLE DE LA TRINIDAD

★ L'Iglesia de Santo Tomé
Cette église à la belle tour mudéjare abrite L'Enterrement du comte d'Orgaz *par El Greco (p. 28).*

Vers la Sinagoga de Santa María la Blanca et le Monasterio de San Juan de los Reyes

Vers la Sinagoga del Tránsito et la Casa-Museo de El Greco

Palais de l'archevêque

Taller del Moro
Ce palais mudéjar actuellement fermé pour rénovation, abrite un musée de céramique mudéjare.

À NE PAS MANQUER

★ **L'Iglesia de Santo Tomé**

★ **Le Museo de Santa Cruz**

★ **La cathédrale**

La Puerta del Sol a un double arc mudéjar et deux tours.

Mesquita del Cristo de la Luz
Cette petite mosquée bâtie vers l'an mil est le seul édifice musulman à avoir subsisté.

Vers l'office du tourisme, l'Estación de Autobuses et l'Estación de RENFE

Mode d'emploi

Toledo. 68 000. ✈ 🚂
Paseo de la Rosa, 902 24 02 02.
🚌 Avenida de Castilla-La
Mancha, 925 21 58 50. ℹ️
Puerta de Bisagra, 925 22 08 43.
🎭 mar. 🎉 Fête-Dieu (Pâques,
mai-juin), Virgen del Sagrario
(15 août). **Iglesia de San Román**
⬜ du mar. au dim. 🏛 **Taller del
Moro** ⚫ pour rénovation.

La plaza de Zocodover, grand-place de la ville bordée de boutiques et de cafés, doit son nom au marché arabe dont elle occupe le site.

PLAZA DE ZOCODOVER

CALLE DEL COMERCIO

CUESTA DE CARLOS V

FILERITOS

SIXTO RAMÓN PARRO

NAL CISNEROS

★ Le Museo de Santa Cruz
Sa riche collection d'art comprend 18 toiles d'El Greco et plusieurs tapisseries flamandes, dont cette représentation des signes du zodiaque datant du XVe siècle.

Légende

– – – Itinéraire conseillé

★ La cathédrale
Bâtie sur le site d'une cathédrale wisigothique transformée en mosquée, c'est l'un des plus grands sanctuaires chrétiens (p. 374-375). Un retable de style gothique flamboyant (1504) orne le maître-autel.

Alcázar
Devant la forteresse, un monument rend hommage à Charles V posant victorieux face à la défaite des Arabes.

Le quartier médiéval de Tolède dominé par la cathédrale

À la découverte de Tolède

Facile à rejoindre depuis Madrid en train ou en autocar, Tolède est une cité à découvrir à pied et de préférence, pour éviter la foule, hors des week-ends. Il vous faudra au moins deux jours pour une visite complète, mais il reste possible d'explorer les vieux quartiers en une longue matinée. La ville prend toute sa magie à la tombée de la nuit.

♠ Alcázar

Cuesta de Carlos V. 📞 925 22 30 38. ⬛ *pour expansion jusqu'en 2007.*

Sur un site où Romains, Wisigoths et Arabes élevèrent successivement une forteresse, cet imposant château aux lignes sévères a retrouvé l'aspect que lui donnèrent Charles Quint et Philippe II. Il n'en restait pourtant pratiquement que des ruines en 1936 après que les cadets de l'Académie d'Infanterie y eurent résisté pendant 70 jours aux républicains qui tenaient la ville. Un musée militaire est installé dans le bâtiment. En 2005, le Museo del Ejército *(p. 277)* va quitter Madrid pour s'installer ici, formant ainsi le plus grand musée militaire d'Espagne.

La bibliothèque Borbón-Lorenzana (fermée au public) possède plus de 100 000 ouvrages datant des xvi-xixe siècles.

🏛 Museo de Santa Cruz

Calle Miguel de Cervantes 3.
📞 925 22 14 02. ⬜ *t.l.j.* ⬛ *certaines collections pour rénovation.*

Fondé au xvie siècle par le cardinal Mendoza, l'ancien hôpital qu'occupe ce musée possède de superbes éléments plateresques, notamment le portail et le patio et son escalier. Les quatre ailes principales abritent une collection particulièrement riche en tapisseries, peintures et sculptures du Moyen Âge et de la Renaissance. Elle comprend également près de 20 œuvres du Greco dont la magnifique retable de *L'Assomption* (1613).

L'Assomption (1613) par El Greco au Museo de Santa Cruz

L'exposition d'arts décoratifs inclut, entre autres, des armes et des armures damasquinées (incrustées de fils d'or), un artisanat qui reste traditionnel à Tolède.

🔒 Iglesia de San Tomé

Plaza del Conde. 📞 925 25 60 98.
⬜ *t.l.j.* 📷 *gratuit mer. après-midi pour les membres de l'UE.*

Cette église dont la tour offre un des meilleurs exemples d'architecture mudéjare de la ville abrite le chef-d'œuvre d'El Greco : *L'Enterrement du comte d'Orgaz (p. 28).* Ce noble finança au xive siècle une grande partie de la construction du sanctuaire actuel et le tableau, commandé par un prêtre à sa mémoire, n'a jamais quitté son emplacement originel ni connu de restauration. Il représente l'apparition miraculeuse de saint Augustin et saint Étienne aux funérailles, un ange emportant l'âme du défunt vers l'assemblée céleste réunie autour du Christ. L'artiste s'est figuré à droite, levant les yeux au ciel. Le page dont le mouchoir porte la signature de l'œuvre pourrait être son fils, Jorge Manuel.

Non loin, la **Pastelería Santo Tomé** est réputée pour ses massepains *(marzipans) (p. 320).*

♨ Sinagoga de Santa María la Blanca

Calle de los Reyes Católicos 4.
📞 *925 22 72 57.* ⭘ *t.l.j.* ⬛ *24-25 après-midi, 31 déc et 1er janv..*

Fondée au XIIe siècle, la plus ancienne et la plus vaste des huit synagogues que compta la ville devint en 1405 une église de l'ordre de Calatrava. Une restauration lui a rendu, autant que possible, son aspect originel : la blancheur des arcs en fer à cheval met en valeur la finesse des sculptures des chapiteaux et des ornements muraux. Un retable plateresque (XVIe siècle) décore la chapelle principale. En 1391, un massacre de juifs dans la synagogue marqua la fin de la tolérance religieuse à Tolède.

Arcs mudéjars dans la Sinagoga de Santa María la Blanca

♨ Sinagoga del Tránsito

Calle Samuel Leví. 📞 *925 22 36 65.* ⭘ *mar.-dim. (dim. le matin seul.)* 🖾

Derrière la façade trompeusement banale de cette ancienne synagogue construite au XIVe siècle par Samuel Ha-Leví, le trésorier de Pierre le Cruel, se cache le plus riche intérieur mudéjar de la ville. Dans la salle de prière au plafond incrusté d'ivoire, une frise associe motifs gothiques, arabes et hébraïques.

Le Museo Sefardí attenant propose une intéressante exposition consacrée à la culture séfarade. Certains des manuscrits, tombeaux, costumes de mariage et objets rituels présentés datent d'après l'expulsion des juifs d'Espagne à la fin du XVe siècle (p. 53).

Plafond à caissons au Monasterio de San Juan de los Reyes

🔒 Monasterio de San Juan de los Reyes

Calle de los Reyes Católicos 17.
📞 *925 22 38 02.* ⭘ *t.l.j.* 🖾

Merveilleux exemple d'art isabélin où se marient style gothique et influences mudéjares, ce monastère commandé par les Rois Catholiques après leur victoire sur les Portugais à Toro en 1476 (p. 339) devait à l'origine recevoir leurs sépultures. Ils reposent toutefois dans la Capilla Real de Grenade (p. 462). Achevée en 1504, l'église à nef unique présente un décor intérieur, sculpté principalement par Juan Guas, d'une étonnante richesse. Dans le cloître de style gothique flamboyant, l'un des plus beaux d'Espagne, un plafond polychrome mudéjar orne la galerie supérieure. Près de l'église subsiste une portion du mur d'enceinte du quartier juif.

🏛 Casa-Museo de El Greco

Calle Samuel Leví. 📞 *925 22 40 46.* ⭘ *du mar. au dim.* 🖾 *gratuit sam. après-midi et dim.*

El Greco ne vécut peut-être pas dans cette maison au cœur du quartier juif, mais seulement à proximité. Transformée en musée, elle abrite une importante collection de ses œuvres, dont une *Vue de Tolède* offrant un tableau détaillé de la ville au Siècle d'or (p. 56-57) et la magnifique série du *Christ et des douze apôtres*. Le rez-de-chaussée, sous le musée, comprend une chapelle au plafond mudéjar et présente des peintures d'artistes de l'école de Tolède tels que Luis Tristán, un élève du Greco.

🔒 Iglesia de Santiago del Arrabal

Calle Arrabal.

Voici l'un des plus beaux monuments mudéjars de Tolède. La tour, qui évoque un minaret, daterait d'avant la reconquête de la ville en 1085. Édifiée peu après, l'église renferme un magnifique plafond en bois. La sobriété du décor intérieur met en valeur une chaire gothico-mudéjare (XIVe siècle) sculptée d'arabesques et un retable plateresque.

♨ Puerta Antigua de Bisagra

Par cette porte, Alphonse VI, accompagné du Cid Campeador, entra dans Tolède après sa reconquête en 1085. Flanquée de tours massives coiffées d'un corps-de-garde, elle est la seule porte de l'enceinte érigée par les Maures au IXe siècle à avoir subsisté.

EL GRECO

Né en Crète en 1541, Dhomínikos Theotokópoulos, dit « le Grec », acheva sa formation en Italie, notamment près de Titien. Il vint à Tolède en 1577 pour peindre le retable du couvent Santo Domingo el Antiguo. Séduit par la ville, il se marie et trouve une clientèle, il y travaillera jusqu'à sa mort en 1614, créant une œuvre originale, marquée par sa ferveur religieuse et sa cité d'élection.

Dhomínikos Theotokópoulos, dit El Greco

La cathédrale de Tolède

Siège du primat d'Espagne, l'imposante cathédrale de Tolède s'élève sur le site d'une église fondée au VIIᵉ siècle par le roi wisigoth Reccared Iᵉʳ et saint Eugène, premier évêque de la ville, puis transformée par les Maures en mosquée. Sa construction commença en 1226 en pur gothique français, mais ne s'acheva qu'en 1493, le style évoluant au fil des siècles pour prendre un caractère plus spécifiquement espagnol. Les œuvres qu'elle abrite en font un véritable musée d'art sacré. On continue d'y célébrer la messe selon le rite mozarabe, liturgie d'origine wisigothique que préservèrent pendant l'occupation arabe les chrétiens de Tolède.

★ **Sacristie**
Outre Le Christ dépouillé de ses vêtements par El Greco, elle abrite, entre autres, des œuvres de Titien, Van Dyck et Goya.

Le cloître, entrepris en 1389, occupe l'emplacement d'un ancien marché juif.

Vue de la cathédrale de Tolède
C'est le parador (p. 560) qui offre la meilleure vue de la ville et de sa cathédrale dont la tour domine l'extrémité ouest de la nef.

La tour renferme la *Gorda* (la Grosse), cloche de 17 tonnes.

À la Puerta del Mollete, entrée principale sur la façade ouest, on distribuait du pain blanc *(mollete)* aux pauvres.

La custode
Le trésor comprend une custode gothique en argent doré (XVIᵉ siècle) de plus de 3 m de haut portée en procession dans les rues pour la Fête-Dieu (p. 369).

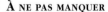

À NE PAS MANQUER
★ **La sacristie**
★ **Le Transparente**
★ **Le retable du maître-autel**
★ **Le chœur**

★ **Le Transparente**
Mise en valeur par son éclairage naturel, cette composition baroque de Narciso Tomé tranche sur son environnement gothique.

MODE D'EMPLOI

Calle Cardenal Cisneros 1. 925 22 22 41. de 8 h à 18 h 30 t.l.j. 8 h, 8 h 30 (messe œcuménique), 9 h 45 (messe mozarabe), 11 h, 17 h 30, 18 h 30 t.l.j. (12 h et 13 h le dim.). **Chœur, trésor, sacristie et salle capitulaire** de 10 h 30 à 18 h 30 lun.-sam., 14 h à 18 h 30 dim. (dernière entrée à 18 h).

Capilla de Santiago

La Capilla de San Ildefonso renferme le superbe tombeau plateresque du cardinal Alonso Carrillo de Albornoz.

Salle capitulaire
Sous un plafond à caissons mudéjar, elle abrite des fresques du XVIe siècle par Jean de Bourgogne.

★ **Le retable du maître-autel**
De style gothique flamboyant, il représente des épisodes de la vie du Christ.

Puerta de los Leones

Puerta Llana

La puerta del Perdón présente au tympan un relief où la Vierge apparaît à saint Ildefonse.

La Capilla Mozárabe possède une belle grille Renaissance (1524) par Juan Francés.

★ **Le chœur**
Surmontée de personnages bibliques sculptés dans l'albâtre, la partie inférieure des stalles, en bois, décrit la chute de Grenade.

Moulins à vent dominant les plaines de la Manche depuis une crête au-dessus de Consuegra

Tembleque 15

Toledo. 🏘 *2 200.* ℹ *Plaza Mayor 1, 925 14 52 61.* 🚌 *mer.* 🎉 *Jesús de Nazareno (24 août).*

Entourée de portiques à trois étages, la Plaza Mayor de Tembleque date du XVIIᵉ siècle. La croix rouge des Chevaliers Hospitaliers rappelle que cet ordre dirigea jadis cette jolie ville.

Aux environs

Ocaña, située à 30 km au nord de Tembleque, s'organise autour d'une élégante grand-place en brique de la fin du XVIIIᵉ siècle, l'une des plus vastes d'Espagne.

Consuegra 16

Toledo. 🏘 *10 500.* 🚌 ℹ *Cerro Calderico, 925 47 57 31.* 🚌 *sam.* 🎉 *Medieval Consuegra (mi-août), La Rosa de Azafrán (fin oct.).*

Les onze moulins à vent de Consuegra (*p. 23*) et les ruines de son château dominent les plaines de la Manche depuis une crête au-dessus de la ville. L'un des moulins marche encore et fonctionne chaque année pendant la fête locale. Elle célèbre en automne la récolte du safran (*p. 320*) et un concours permet de déterminer le cueilleur le plus rapide.

Aux environs

Sur la route d'**Urda**, à environ 4 km, ruines d'un barrage romain. À 20 km au sud de Consuegra par la N IV, un restaurant (*p. 598*) de **Puerto Lápice** serait l'auberge dont le propriétaire arma Don Quichotte « chevalier ».

Campo de Criptana 17

Ciudad Real. 🏘 *13 000.* 🚉 ℹ *Calle Barbero 1, 926 56 22 31.* 🚌 *mar.* 🎉 *Virgen de Criptana (17 avr.), Cristos de Villejos (25 août)..*

Dix moulins à vent (il y en eut 32) dominent des champs de blé depuis une arête rocheuse. Trois datent du XVIᵉ siècle et conservent leur mécanisme d'origine. Un autre sert d'office du tourisme. Quatre abritent des musées consacrés à la vie locale.

Aux environs

D'autres moulins subsistent à **Alcázar de San Juan** et **Mota del Cuervo**, un bon endroit où acheter du *queso manchego*, le fromage de brebis de la Manche (*p. 321*).

El Toboso 18

Toledo. 🏘 *2 100.* ℹ *C/Daoíz y Velarde 3, 925 56 82 26.* 🚌 *mer.* 🎉 *Carnaval (17-20 jan.), Jours de Cerventes (17-20 jan.), San Agustín (du 27 au 30 août).*

De tous les villages de la Manche se réclamant de Don Quichotte, El Toboso, que l'armée française aurait refusé d'attaquer pendant la guerre d'indépendance (*p. 58-59*) à cause de son importance culturelle, est celui aux revendications les plus clairement fondées puisque Cervantès y fit naître Dulcinée, la « dame des pensées » de son héros. Une restauration a rendu son aspect du XVIᵉ siècle à la **Casa de Dulcinea**, ferme de Doña Ana Martínez Zarco qui aurait servi de modèle au personnage.

🏛 **Casa de Dulcinea**
℡ *925 19 72 88.* ⏰ *du mar. au dim.* 🎟 *gratuit sam. apr.-midi et dim. mat.*

Belmonte 19

Cuenca. 🏘 *2 500.* 🚌 ℹ *Castillo de Belmonte, 967 17 07 41.* 🚌 *lun.* 🎉 *San Bartolomé (fin août), Virgen de Gracia (2ᵉ w.-e. de sept.).*

Ce village fortifié s'étend au pied d'un magnifique **château** du XVᵉ siècle (*p. 326*), l'un des mieux conservés de la région. Édifié par Juan Pacheco, marquis de Villena, après que Henri IV lui eut donné la ville en 1456, il a gardé des plafonds à caissons sculptés et des stucs mudéjars.

Le splendide château bâti au XVᵉ siècle à Belmonte

La **collégiale** mérite une visite pour ses chapelles richement décorées et les stalles gothiques du chœur provenant de la cathédrale de Cuenca (*p. 367*). Elle abrite également de belles ferronneries, un retable Renaissance et les fonts où le poète Fray Luis de León (1527-1591) reçut le baptême.

Aux environs
À 6 km au nord-est, l'église gothique de **Villaescusa de Haro** possède un portail Renaissance et renferme un remarquable retable du XVIᵉ siècle. À quelque 40 km plus loin au sud-est, **San Clemente** s'organise autour de deux places presque entièrement Renaissance. Une croix gothique en albâtre orne l'Iglesia de Santiago Apóstol.

🏰 Castillo de Belmonte
📞 627 40 66 80. ⬜ mar.-dim. 📷

L'éperon calcaire creusé de tunnels d'Alcalá del Júcar

Le château d'Alarcón, transformé en parador

Alarcón ⓴

Cuenca. 🚶 200. 🚌 Calle Posadas 1, 969 33 03 01. 🎉 Cristo de la Fé (14 sept.) San Sebastian (20 jan.), Fiesta del Emigrante (2ᵉ w.-e. d'août).

Parfaitement préservé, le village fortifié d'Alárcon garde depuis une hauteur un méandre du río Júcar. Franchir sa triple enceinte pour y pénétrer donne l'impression d'entrer dans un film de cape et d'épée. La fondation du bourg remonte au VIIIᵉ siècle. Alphonse VIII dut mener un siège de neuf mois pour le reprendre aux Maures en 1184. Il devint alors propriété de l'ordre de Saint-Jacques, puis du puissant marquis de Villena.

Désormais occupé par un parador (*p. 558*), son petit **château** triangulaire perché au-dessus de la rivière a conservé son aspect médiéval.

Dans le village, deux églises méritent une visite. L'**Iglesia de Santa María**, de style gothique derrière une façade Renaissance, abrite un magnifique retable du XVIᵉ siècle attribué à l'école de Berruguete. Non loin, l'**Iglesia de la Santísima Trinidad** (*p. 21*) porte les armoiries des Rois Catholiques.

Alcalá del Júcar ㉑

Albacete. 🚶 1 500. 🚌 Avda de los Robles 1, 967 47 30 90. 🎉 dim. (avr.-oct.). 🎉 San Lorenzo (7-15 août).

Au nord-est d'Albacete, le río Júcar traverse des collines calcaires où il a creusé une profonde gorge sinueuse, le Hoz de Júcar, que la route longe sur une quarantaine de kilomètres. Dans un site spectaculaire, les ruelles et escaliers abrupts d'Alcalá del Júcar escaladent le flanc d'un éperon rocheux dominant le fleuve. Au sommet du village, au-dessous du château, des maisons sont en partie creusées dans la roche tendre. Dans certaines, de longs couloirs traversent toute la falaise jusqu'à des balcons situés de l'autre côté.

Aux environs
À l'ouest, la gorge longe des vergers jusqu'à l'**Ermita de San Lorenzo**. Plus loin s'atteint le pittoresque village de **Jorquera** qui, pendant une brève période au Moyen Âge, s'imposa comme État indépendant. Il a conservé ses remparts arabes. La Casa del Corregidor abrite une collection de boucliers.

LA MANCHE DE DON QUICHOTTE

Cervantes (*p. 315*) ne précise pas le lieu de naissance de son héros, mais il mentionne plusieurs sites dans son roman. Dulcinée vit à El Toboso. Don Quichotte est armé chevalier à Puerto Lápice dans une auberge qu'il prend pour un château et il descend dans la grotte de Montesinos (*p. 379*). Les moulins qu'il confond avec des géants seraient ceux de Campo de Criptana.

Illustration d'une édition du XIXᵉ siècle de *Don Quichotte*

Albacete ②

Albacete. 🔼 *150 000.* 🚗 🚌 ℹ️
Calle del Tinte 2, 967 58 05 22. 📧
mar. 🎭 *Virgen de los Llanos (8 sept.).*

Bien que considérée comme
l'une des villes les moins
intéressantes d'Espagne, cette
capitale provinciale moderne
réputée pour sa coutellerie –
poignards et *navajas* à cran
d'arrêt – possède un excellent
Museo Provincial dont les
collections archéologiques
comprennent des sculptures
ibères et de remarquables
poupées romaines articulées. La
cathédrale, entreprise en 1515,
abrite un retable Renaissance.

Une grande foire
commerciale et agricole a lieu
chaque année en septembre.

🏛 Museo Provincial

Parque Abelardo Sánchez. 📞 *967 22
83 07.* ◯ *du mar. au dim.* 🎟 *gratuit
le dim. matin.* ♿

Le château de Chinchilla de Monte Aragón domine la ville

Aux environs

**Chinchilla de Monte
Aragón**, à 12 km au sud-est,
possède un quartier ancien
plein de charme avec ses
maisons mudéjares, gothiques
et Renaissance que domine un
château du xvᵉ siècle. 70 km
plus à l'est, la ville d'**Almansa**
s'étend au pied d'une
forteresse d'origine maure.

Alcaraz ㉔

Albacete. 🔼 *1 700.* ℹ️ *Plaza Mayor
1, 967 38 08 27.* 📧 *mer.* 🎭 *Canto
de Los Mayos (30 avr.-1ᵉʳ mai), Feria
(4-9 sept.), La Romeria de la Virgen (4-
9 sept.).*

Ancienne place forte
maure qui prospéra
après la Reconquête grâce
à la fabrication, aujourd'hui
arrêtée, de tapis, Alcaraz
a conservé une belle Plaza
Mayor Renaissance dominée
par un beffroi, **El Tardón**,
et le clocher de l'église
de la **Trinidad**. Malgré

Sierra de Alcaraz ㉓

Au sud-est des plaines de la Manche, les
sierras de Segura et d'Alcaraz forment
un beau massif montagneux creusé de
gorges spectaculaires et de vallées fertiles.
Non loin de la cascade créée par la source du
río Mundo, Riópar, accroché à flanc de
montagne, possède une église paroissiale du
xvᵉ siècle. D'autres villages moins fréquentés, tels
Letur, Ayna, Yeste et Liétor, sont
également très pittoresques.
Leurs ruelles tortueuses et leurs
traditions artisanales révèlent
leurs origines maures.

Sources du río Mundo ⑤
Le fleuve prend sa source dans
une grotte, la cueva de los
Chorros, et dévale en cascade
une falaise spectaculaire.

ALBACETE

N322

Peñascosa

Alcaraz

JAÉN   Cortes

CM3216   SIERRA DE ALCARAZ   CM3216

CM3204   CM412

Mundo   El Par

⑤

CALAR DEL MUNDO

0   5 km

Légende

� Circuit recommandé

═══ Autres routes

🌼 Point de vue

Yeste ④
Un château arabe couronne ce village
situé au pied de la sierra de Ardal.
Reconquis sous Ferdinand III, il fut
gouverné par l'ordre de Saint-Jacques.

④

une reconstruction au XVIIIe siècle, la **Lonja del Corregidor** possède une décoration plateresque. À la périphérie subsistent les ruines d'un château et une arche d'un aqueduc gothique. Le village offre une bonne base d'où découvrir les sierras d'Alcaraz et de Segura.

Beffroi et clocher de la grand-place Renaissance d'Alcaraz

Lagunas de Ruidera 25

Cuidad Real. 🚍 Ossa de Montiel. 🛈 Ruidera (mer.-dim.), 926 52 81 16. 🌐 www.lagunaruidera.com

Jadis surnommés les « miroirs de la Manche », 15 lacs communiquant par des cascades s'étendent sur 39 km au fond d'une vallée. Ils forment le Parque Natural de las Lagunas de Ruidera. Leur nom proviendrait d'une légende rapportée dans *Don Quichotte* (p. 377), celle d'une certaine maîtresse Ruidera, de ses filles et de ses nièces transformées en lacs par un magicien.

Plusieurs années de sécheresse avaient en 1995 réduit la nappe phréatique et leur alimentation en eau, mais ils restent peuplés de nombreux oiseaux, notamment hérons, canards et outardes barbues et canepetières, une faune que commence à menacer l'augmentation de la

Dans le Parque Natural de las Lagunas de Ruidera

fréquentation touristique et la multiplication des résidences de vacances.

Le centre d'information du parc se trouve dans le village de Ruidera. Près de la laguna de San Pedro, une grotte profonde, la **cueva de Montesinos**, servit de décor à un épisode de *Don Quichotte*.

Au nord-ouest, un château domine le lac artificiel de Peñarroya.

Ayna ①
Ce village s'est développé dans une gorge du Mundo. Le Mirador del Diablo offre un vaste panorama des alentours.

Oliveraie des contreforts de la sierra de Alcaraz

Liétor ②
Ce petit village perché recèle deux sanctuaires gothiques : l'Ermita de Belén et l'Iglesia de Santiago ornée d'un retable en trompe-l'œil.

CARNET DE ROUTE

Itinéraire : 280 km.
Où faire une pause : Tous les villages proposent bars et restaurants. Il existe de nombreux sites où pique-niquer sur la route.

Letur ③
Avec son quartier juif aux maisons blanchies, c'est sans doute le village le plus pittoresque de la région.

Map labels: El Griego, Bogarra, Mundo, El Ginete, HELLÍN, CM3203, Molinicos, CM412, Elche de la Sierra, HELLÍN, CM412, CM412, CM3206, Juan Quílez, CM257, Férez, CM3217, Casas del Collado, MURCIA

Villanueva de los Infantes ⓳

Ciudad Real. ⌀ 6 000. ◻ ◻ *Plaza Mayor 3, 926 36 13 21.* ◻ *ven.* ◻ *Cruz de Mayo (2-3 mai) Ferias (fin août), Virgen de Antigua (8 sept.), Santo Tomás (18 sept.).* ◻ *www.infantes.org*

Villanueva possède l'un des quartiers anciens les plus agréables de la Manche. Il entoure une élégante Plaza Mayor néo-classique bordée de maisons à balcons de bois supportés par des arcades. Sur la place se dresse la façade de l'**Iglesia de San Andrés** qui abrite un retable et des orgues baroques, ainsi que le tombeau, aujourd'hui vide, de Francisco de Quevedo (1580-1645), qui vécut et mourut au **Convento de los Domínicos**.

Aux environs
Le village de **San Carlos del Valle**, à 25 km au nord-ouest, a gardé une grand-place du XVIIIᵉ siècle.

Valdepeñas ⓴

Ciudad Real. ⌀ 27 000. ◻ ◻ ◻ *Pl de España, 926 31 25 52.* ◻ *jeu.* ◻ *Vendanges (1ᵉʳ sem. de sept.).*

Capitale d'une vaste région viticole de production de masse dont les vins réservent parfois de bonnes surprises *(p. 322-323)*, cette ville en majeure partie moderne s'anime en septembre pour la fête des vendanges. Dans le réseau de ruelles entourant la plaza de España bordée de cafés se trouvent l'**Iglesia de la Asunción** et le musée municipal.

Plus de 30 *bodegas* se visitent à Valdepeñas. Certaines, telle la **Bodega Museo**, conservent des *tinajas*, grandes jarres en terre cuite traditionnelles.

▮ Bodega Museo
Calle Torrecillas 116. ◻ *926 31 28 49.* ◻ *t.l.j.* ◻ ◻

Dans le patio du Palacio del Viso à Viso del Marqués

Viso del Marqués ⓲

Ciudad Real. ⌀ 3 000. ◻ ◻ *Plaza de la Oretania 8, 926 33 60 01.* ◻ *mar.* ◻ *San Andrés (2ᵉ dim. de mai), Feria (du 24 au 28 juil.).*

Ce petit village de la Manche offre un cadre incongru à un majestueux palais Renaissance : le **Palacio del Viso** commandé en 1564 par le marquis de Santa Cruz, amiral de la flotte qui vainquit les Turcs à Lépante en 1571 *(p. 55)*. La demeure possède un vaste patio classique. Des artistes italiens exécutèrent les fresques décorant les pièces principales.

Aux environs
À quelque 25 km au nord-est de Viso del Marqués, les plus vieilles arènes d'Espagne, construites en 1641, se dressent à **Las Virtudes**. De plan carré et dotées de galeries, elles jouxtent une église du XIVᵉ siècle décorée d'un retable churrigueresque.

▦ Palacio del Viso
Plaza del Pradillo 12. ◻ *926 33 60 08.* ◻ *du mar. au dim.*

Calatrava la Nueva ⓴

Ciudad Real. Aldea de Rey. ◻ *926 22 13 37.* ◻ *du mar. au dim.* ◻ *www.elquijote.com*

Couronnant le sommet d'une colline isolée située à 9 km de Calzada de Calatrava, ce château-monastère s'atteint par une route datant du Moyen Âge.

Les chevaliers de Calatrava, le premier ordre militaire d'Espagne *(p. 50)*, construisirent en 1217 cette imposante forteresse pour y installer leur quartier général. Elle renferme derrière une triple enceinte une église restaurée dont une magnifique rosace éclaire les trois nefs à voûtes en brique.

Vignobles près de Valdepeñas

Le château de Calatrava la Nueva dominant les plaines de la Manche

Après la Reconquête, les bâtiments devinrent un monastère, que ses occupants abandonnèrent en 1802 après un tremblement de terre.

En face du château se dressent les vestiges d'une forteresse musulmane, **Salvatierra**, prise par l'ordre de Calatrava au XIIe siècle.

Almagro 30

Ciudad Real. 8 600. Plaza Mayor 1, 926 86 07 17. mer. Vírgen de las Nieves (5 août), San Bartolomé (25 août). www.ciudad-almagro.com

Au cœur d'une région très disputée pendant la Reconquête, cette petite ville réputée pour ses dentelles conserve un riche héritage architectural qu'elle doit en partie aux frères Fugger, banquiers de Charles Quint qui exploitèrent au XVIe siècle les mines de mercure d'Almadén.

La Plaza Mayor offre un aspect caractéristique avec ses deux colonnades supportant des balcons vitrés aux boiseries peintes en vert. Un charmant petit théâtre du XVIe siècle la borde, le **Corral de Comedias** qui accueille en août, pour la San Bartolomé, un festival d'art dramatique. L'entrepôt Renaissance des Fugger, l'ancienne université et le parador *(p. 558)* aménagé dans un couvent franciscain ayant appartenu à l'ordre de Calatrava sont aussi dignes d'intérêt.

Aux environs

Au nord-ouest, **Ciudad Real**, fondée par Alphonse X le Sage en 1255, recèle notamment la Puerta de Toledo mudéjare et une cathédrale et l'Iglesia de San Pedro gothiques.

Chemin sur pilotis du Parque Nacional de Las Tablas de Daimiel

Tablas de Daimiel 31

Ciudad Real. Daimiel. Daimiel, Santa Teresa s/n 1.

Les lagunes et marais des Tablas de Daimiel, au nord-est de Ciudad Real, offrent un environnement idéal à la vie et la reproduction de nombreuses espèces d'oiseaux aquatiques et migrateurs tels que grèbes huppés, flamants et canards colverts, ainsi qu'à des mammifères comme les loutres et les renards. Bien que protégée par un parc national depuis 1973, cette faune a subi ces dernières années les conséquences de la baisse de la nappe phréatique de la région.

Dans la partie du parc ouverte au public ont été aménagés des accès pédestres à des îlots et des tours d'observation.

Valle de Alcudia 32

Ciudad Real. Fuencaliente. Ciudad Real, Calle Alarcos 21, 926 20 00 37. www.castillalamancha.es

Au pied des contreforts méridionaux de la sierra Morena s'étend une des zones rurales les moins défigurées d'Espagne centrale : la fertile vallée d'Alcudia. À la fin de l'automne, ses pâturages s'emplissent de brebis dont le lait sert à la fabrication d'un excellent fromage fermier.

Des thermes ouvrent en été dans le village de montagne de **Fuencaliente**. Plus au nord, à **Almadén**, se trouvent les plus riches mines de mercure du monde. **Chillón**, au nord-ouest, possède une église gothique.

Petit bâtiment agricole dans la fertile valle de Alcudia

ESTRÉMADURE

CÁCERES · BADAJOZ

Ancienne frontière « extrême » du royaume de Castille, l'Estrémadure est la région d'Espagne qu'a le moins tranformée le monde moderne. De vertes sierras s'étagent au sud en collines jonchées de rochers. Forêts et lacs artificiels abritent une faune variée. Les villes et leurs quartiers anciens ont un charme paisible et romantique. Au printemps, les cigognes viennent nicher sur les clochers et les cheminées.

Les vestiges de cités antiques dispersés sur son territoire constituent les monuments les plus intéressants de l'Estrémadure. Certains des plus beaux exemples d'architecture romaine de la péninsule Ibérique s'admirent ainsi à Mérida, l'ancienne capitale de la province de Lusitanie, tandis qu'un temple de la civilisation de Tartessos a été mis au jour à Cancho Roano. À Alcántara subsiste un magnifique pont romain. Un musée à Badajoz présente des pièces de plus petite taille.

Le temps s'est arrêté dans la vieille ville de Cáceres dont les remparts, les ruelles sinueuses et les maisons seigneuriales restent merveilleusement intacts. Trujillo, Zafra et Jerez de los Caballeros renferment des quartiers médiévaux et Renaissance. Plasencia, Coria et Badajoz possèdent de petites cathédrales aux superbes décorations. Les ordres militaires qui dirigèrent la région à l'époque de la Reconquête construisirent églises et monastères.

De nombreux conquistadors et émigrants espagnols en Amérique venaient d'Estrémadure. Les richesses qu'ils trouvèrent dans le Nouveau Monde financèrent la construction ou l'agrandissement de maints édifices. Le monastère de Guadalupe, situé dans les collines orientales, en est le plus splendide.

Nids de cigognes dans le quartier historique de Cáceres

◁ **Croix de pierre dans des bois proches du monastère hiéronymite de Yuste fondé en 1404**

À la découverte de l'Estrémadure

L'Estrémadure séduira les amoureux de la nature et les visiteurs prêts à sortir des sentiers battus pour découvrir l'âme de la vieille Espagne. Les sierras et vallées du nord offrent de magnifiques promenades et le parc naturel de Monfragüe abrite une faune exceptionnelle. De majestueux vestiges romains subsistent à Mérida, la capitale régionale. La ville fortifiée superbement préservée de Cáceres et les monastères de Guadalupe et de Yuste sont d'autres sites historiques à ne pas manquer. Au sud, le souvenir des templiers continue à marquer des cités de la sierra Morena comme Jerez de los Caballeros. Bourgs pittoresques, Coria, Zafra et Llerena constituent de bonnes bases d'où partir en excursion.

L'ESTRÉMADURE D'UN COUP D'ŒIL

Oliveraie près de Hervás dans la valle del Ambroz

Pâturage sous des chênes
verts près de Cáceres

ÁVILA
SEGOVIA
TORNAVACAS

MONASTERIO DE YUSTE 6

SENCIA

ERIAS 3

TALAYUELA

EX-108   **NV A5 (E90)**

7
PARQUE NATURAL *Embalse de Valdecañas*
DE MONFRAGÜE

Madrid

Tajo

9 **TRUJILLO**

8 **GUADALUPE**

Madrid

LOGROSÁN

*Embalse de
García de Sola*

*Embalse de
Cijara*

HERRERA DEL DUQUE

N430

**VILLANUEVA
DE LA SERENA**

Embalse de Orellana

Embalse de Serena

17
CANCHO ROANO

Zújar

Córdoba

AZUAGA

Ciudad Real

N430

| | |
| 0 | 25 km |

LÉGENDE

▬▬	Autoroute
▬▬	Route principale
▬▬	Route secondaire
▬▬	Parcours pittoresque
～	Cours d'eau
⚜	Point de vue

VOIR AUSSI

- *Hébergement* p. 560-561

- *Restaurants et bars* p. 598-600

CIRCULER

L'Estrémadure n'est bien desservie
ni par le train ni par l'avion. Il
n'existe d'aéroport qu'à Badajoz
(lignes intérieures) et la seule
liaison ferroviaire importante est
celle reliant Madrid, Mérida, Cáceres
et Badajoz. La voiture offre le moyen de
transport le plus pratique. Les cars sont rares
ou même, dans certains endroits comme les
sierras du nord, inexistants. L'Espagne est en
train de changer la numérotation des routes
et il se peut que certaines routes de la carte ci-
contre portent maintenant un nouveau numéro.

Pont romain sur le río Guadania à Mérida

Ruches dans les collines de Las Hurdes

Las Hurdes ❶

Cáceres. 🚌 Pinofranqueado,
Caminomorisco, Nuñomoral.
🛈 Pinofranqueado, 927 67 41 33.

D ans un documentaire,
Tierra sin Pan (Terre sans
pain), Luis Buñuel a témoigné
en 1932 de l'âpreté de la vie
dans ces montagnes d'ardoise.
Au cours des années 1950,
l'aménagement routier de la
région a mis un terme à sa
pauvreté légendaire. Mais les
collines étagées en terrasses
subsistent, ainsi que les villages
« noirs », tels Batuequilla et
Fragosa qui s'atteignent
depuis Pinofranqueado ou
Vegas de Coria. Un ancien
volcan domine El Gasco.

Dans les **Basses Hurdes**
plus développées, terrains de
camping et restaurants de
cuisine traditionnelle jalonnent
la C 512, principale route
d'accès.

Sierra de Gata ❷

Cáceres. 🚌 Cáceres. 🛈 Moraleja,
927 14 70 88.
🌐 www.sierradegata.com

I l existe 40 hameaux
dispersés dans la sierra de
Gata entre oliveraies, vergers et
champs. Les artisanats
traditionnels comme la
dentelle y restent
pratiqués. Dans les
villes des basses
terres, telles
**Valverde de
Fresno et Acebo**,
on continue de parler
le dialecte appelé
chapurriau.
Sur les hauteurs,
Eljas, Gata et
Villamiel conservent
les ruines de
forteresses médiévales.
Armoiries et escaliers
extérieurs ajoutent au cachet
des maisons de granit.

**Écusson sur une
façade d'Acebo**

Hervás ❸

Cáceres. 🏘 4 000. 🛈 C/ Braulio
Navas 6, 927 47 36 18. 🗓 sam. 🎉
Nuestra Señora de la Asunción (du 14
au 17 août).

D ans la large valle del
Ambroz, Hervás est
réputée pour son pittoresque
quartier juif dont les ruelles
s'étagent au bord du río
Ambroz. Leurs maisons
blanchies abritent cafés et
ateliers d'artisans. Tout près de
la grand-place, le **Museo Pérez
Comendador-Leroux**
présente des œuvres du
sculpteur local du XXᵉ siècle
dont il porte le nom.

Premier village sur la route
du col de Béjar, **Baños de
Montemayor** doit son
nom à ses eaux
sulfureuses dont les
Romains appréciaient
déjà les vertus.
L'établissement
thermal est ouvert au
public. À **Cáparra**,
un arc de triomphe
domine l'ancienne
voie romaine de la
via de la Plata
(p. 334).

🏛 **Museo Pérez
Comendador-Leroux**
Calle Asensio Nelia 5. 📞 927 48 16
55. 🕐 l'après-midi du mar. au dim.
⚫ jours fériés. 🈺

Dentellière entretenant la tradition dans l'un des villages de la Sierra de Gata

Arc blasonné et oliveraies dans la valle del Ambroz

Coria ❹

Cáceres. 🏛 13 000. 🚌 🅸 *Avenida de Extremadura 39, 927 50 13 51.* 🚆 *jeu.* 🎭 *Día de la Virgen (2e lun. de mai), San Juan (24 juin).*

Perchée au-dessus du río Alagón, l'ancienne Caurium romaine recèle à l'intérieur de ses remparts une **cathédrale** gothico-Renaissance au riche décor sculpté plateresque et le **Convento de la Madre de Dios** (XVIe siècle) qui possède un beau cloître Renaissance.

L'enceinte fortifiée conserve des parties arabes. Son château date du XVe siècle. Deux des quatre portes sont d'origine romaine. La veille de la Saint-Jean, en juin, on les ferme le soir pour un lâcher de taureaux. Au-dessous de la vieille ville, un pont romain, le **Puente Seco**, franchit la rivière.

Plasencia ❺

Cáceres. 🏛 40 500. 🚆 🚌 🅸 *Plaza de la Catedral, 927 42 38 43.* 🚆 *mar.* 🎭 *Ferias (du 8 au 11 juin).*

Ses remparts aux tons chauds dominant un méandre du río Jerte rappellent le passé militaire de cette ville aujourd'hui plus connue par son marché. Tradition remontant au XIIe siècle, il a lieu le mardi sur la Plaza Mayor.

À quelques pas se dressent les deux cathédrales construites dos à dos. La **Catedral Nueva** (XVIe siècle) abrite des orgues baroques et des stalles sculptées en 1520 par Rodrigo Alemán. Romano-gothique, la **Catedral Vieja** renferme un musée possédant entre autres des œuvres de Ribera.

Non loin, le **Museo Etnográfico y Textil** présente des objets artisanaux et des costumes dans un hôpital du XIVe siècle.

La vallée du Jerte recèle des paysages exceptionnels, notamment dans la **Garganta de los Infiernos** où dévalent de spectaculaires cascades.

🏛 Museo Etnográfico y Textil

Plaza del Marqués de la puebla. 📞 927 42 18 43. 🕐 *du mer. au dim.*

Monasterio de Yuste ❻

Cuacos de Yuste (Cáceres). 📞 927 17 21 30. 🕐 *t.l.j.* 🎫

La vallée boisée de la Vera offre un cadre superbe et paisible au monastère de hiéronymites où Charles Quint *(p. 55)* se retira en 1556 et où il mourut le 21 septembre 1558.

L'empereur y occupa un petit palais. Sa chambre était reliée à l'église. Les deux cloîtres sont, l'un de style gothique, l'autre plateresque. Non loin se trouve le vieux village de la Vera qui a conservé le plus d'authenticité : **Cuacos de Yuste**.

Piments à paprika séchant à Cuacos de Yuste

Une *Carantoña* participant à la Saint-Sébastien d'Acehuche

FÊTES DE L'ESTRÉMADURE

Carantoñas *(20-21 janv.)*, Aceúche (Cáceres). En l'honneur de saint Sébastien le jour de sa fête, les *Carantoñas* envahissent les rues de la ville. Vêtues de peaux de bêtes et le visage couvert par des masques terrifiants, elles représentent les animaux sauvages qui auraient épargné le saint.

Pero Palo *(carnaval, fév.-mars)*, Villanueva de la Vera (Cáceres). Selon un rituel très ancien, un mannequin en bois vêtu d'un costume et censé symboliser le diable est porté en procession à travers la ville puis détruit. Sa tête est toutefois conservée pour servir l'année suivante.

Los Empalaos *(jeudi saint)*, Valverde de la Vera (Cáceres). Des pénitents défilent dans le village les bras tendus liés à de petits troncs d'arbres.

Encamisá *(7-8 déc.)*, Torrejoncillo (Cáceres). Des cavaliers paradent en ville où brûlent des feux de joie.

Los Escobazos *(7 déc.)*, Jarandilla de la Vera (Cáceres). À la nuit tombée, des feux de joie allumés dans les rues illuminent le village. Embrasés, des balais se transforment en torches.

Parque Natural de Monfragüe ❼

Cáceres. 🚗 Villareal de San Carlos. 🛈
Villareal de San Carlos, 927 19 91 34.

Observation des oiseaux dans le Parque Natural de Monfragüe

Au sud de Plasencia, de rondes collines boisées de chênes verts et de chênes-lièges s'étagent au pied de sommets couverts de maquis jusqu'aux vallées où s'étendent les lacs artificiels créés en barrant le Tage et le Tiétar. Depuis 1979, un parc national d'une superficie d'environ 500 km² protège la faune exceptionnellement variée de la région. Elle inclut beaucoup d'espèces d'oiseaux protégées en Espagne (p. 324-325) comme la cigogne noire. L'élanion blanc et le vautour moine se reproduisent également sur ce territoire où vivent lynx, sangliers et cerfs. Le passage de nombreux oiseaux migrateurs fait du mois de septembre le moment idéal pour découvrir cette nature sauvage.

Vous trouverez un parc de stationnement et un centre d'information fournissant des cartes de randonnée à **Villareal de San Carlos**, hameau fondé au XVIIIe siècle.

Guadalupe ❽

Cáceres. 🚶 2 500. 🚌 🛈 Plaza de Santa María de Guadalupe 1, 927 15 41 28. **Monastère** ⏰ t.l.j. 🚪 mer. 🎉 Cruz de Mayo (3 mai), La Virgen Y Dia de la Comunidad (8 mai). 🌐 www.monasterioguadalupe.com

Ce village s'est développé autour du magnifique **Monasterio de Guadalupe** fondé en 1340 par Alphonse XI à l'endroit où un berger avait miraculeusement retrouvé vingt ans plus tôt une statue en bois de la Vierge. Sur la place principale, des boutiques de souvenirs vendent des objets en céramique et en cuivre martelé, artisanats que pratiquèrent les moines hiéronymites qui occupèrent le monastère.

Patronné par les rois, il devint un des principaux centres de pèlerinage de la péninsule, intégrant des écoles de grammaire et de médecine, trois hôpitaux, une importante pharmacie et l'une des plus riches bibliothèques d'Espagne. Christophe Colomb donna son nom à l'une des îles (la Guadeloupe) qu'il découvrit pendant ses voyages.

L'*hospedería* (hôtellerie) attenante est devenue un hôtel (p. 560) tenu par les franciscains installés à Guadalupe depuis 1908. L'ancien hôpital a été transformé en parador. Dans le parc de stationnement, une plaque commémore la première dissection effectuée, en 1402, en Espagne.

La visite guidée du monument commence par ses musées. Ils présentent des livres liturgiques enluminés, des chasubles et des parements d'autels brodés, ainsi que des peintures et des sculptures. Elle continue dans le chœur et la magnifique sacristie baroque surnommée la « chapelle Sixtine espagnole » à cause des portraits de moines par Zurbarán accrochés à ses murs richement décorés. Pour de nombreux fidèles, le plus important reste néanmoins la possibilité de toucher ou d'embrasser la robe de la Vierge dans le *camarín* situé derrière l'autel. Vous pourrez enfin vous promener dans le cloître mudéjar dont les galeries entourent un pavillon élevé en 1405.

L'église se visite séparément. Édifice gothique construit entre 1349 et 1363, elle a reçu des ajouts baroques et abrite une belle grille Renaissance en partie forgée avec les chaînes d'esclaves libérés.

Aux environs
Les sierras de **Villauercas** et de **Los Ibores**, où l'on ramassait jadis des plantes médicinales pour la pharmacie du monastère, offrent de beaux itinéraires de promenades. La route vers le sud conduit aux pâturages de **La Serena**, où se reproduisent de nombreux oiseaux (p. 324-325), et au vaste lac artificiel de **Cíjara**.

Le Monasterio de Guadalupe dominant le village

Trujillo ❾

Cáceres. 🏘 *10 000.* 🚌 ℹ️ *Plaza Mayor, 927 65 90 39.* 🗓 *jeu.* 🎪 *Feria del Queso (w.-e. du 1ᵉʳ mai), Chiviri (dim. de Pâques)*

L a Plaza Mayor de Trujillo est l'une des plus belles places d'Espagne, surtout la nuit quand son éclairage la met en valeur. Au centre, la statue équestre de Francisco Pizarro rappelle que la ville donna naissance au conquérant du Pérou *(p. 54).* Son frère, Hernando Pizarro, construisit sur le site de la maison de leur père le **Palacio del Marqués de la Conquista** à la façade plateresque. Les bustes des deux frères et de leurs épouses indiennes décorent le balcon d'angle. C'est également un aventurier du Nouveau Monde,

Statue de Francisco Pizarro sur la Plaza Mayor de Trujillo

Francisco de Orellana, le premier explorateur de l'Amazone, qui construisit au XVIᵉ siècle le superbe **Palacio de Pizarro-Orellana**. Il renferme un patio plateresque.

D'autres demeures seigneuriales bordent les rues conduisant à l'**Iglesia de Santa María la Mayor**. Sanctuaire gothique orné d'un beau retable attribué à Fernando Gallego, elle abrite de nombreux tombeaux.

Au sommet de la ville, la forteresse associe tours carrées d'origine maure et tours cylindriques élevées après la conquête de Trujillo par Ferdinand III en 1232.

Tous les ans au printemps une fête du fromage renommée attire en foule les gourmets.

🏛 **Palacio del Marqués de la Conquista**
Plaza Mayor. ● *au public.*
🏛 **Palacio de Pizarro-Orellana**
Plaza de Don Juan Tena. 📞 *927 32 11 58.* ◯ *t.l.j.*

La Vierge de Guadalupe, au visage noirci par la fumée des lampes votives, attire des pèlerins du monde entier. Installée dans le camarín, elle est vêtue de riches parures les jours de fête.

Cloître gothique

Musée des Broderies

Musée de Peinture et de Sculpture

Église

La salle capitulaire abrite 87 antiphonaires enluminés.

Dans la sacristie on peut voir des portraits de moines par Zurbarán.

Cáceres pas à pas ❿

Après sa reconquête définitive par Alphonse IX de León en 1227, cette ville d'origine romaine ceinte de remparts arabes se repeupla de marchands qui assurèrent sa prospérité et d'aristocrates qui édifièrent aux XVe et XVIe siècles des maisons fortifiées. Elles ont conservé leur sobre apparence gothique ou Renaissance, mais les Rois Catholiques *(p. 52-53)* ordonnèrent en 1476 la démolition de la majorité de leurs tours. Ayant traversé sans dommages les guerres du XIXe et du XXe siècles, Cáceres fait partie depuis 1986 des biens culturels du patrimoine mondial recensés par l'UNESCO.

★ La Casa de los Golfines de Abajo
Cette demeure du XVIe siècle portant les armes de la famille des Golfines associe styles gothique, mudéjar et plateresque.

Casa y Torre de Carvajal
Cette maison Renaissance possède une tour maure du XIIIe siècle et un paisible jardin.

PLAS DE ROCO

CALLE DE LA MARGURA

CUESTA DEL MARQUÉS

RINC

CALLE OBRAS

PLAZA DE SANTA MARÍA

★ L'Iglesia de Santa María
En face du Palacio Episcopal, cette église gothique abrite un beau retable sculpté en 1551 et un crucifix du XVe siècle, le Cristo Negro.

0   50 m

Arco de la Estrella
Construite par Manuel Churriguera en 1726, cette arche flanquée d'une tour de guet du XVe siècle s'ouvre dans les remparts entre la Plaza Mayor et la vieille ville.

LÉGENDE

— — — Itinéraire conseillé

Barrio de San Antonio
Cet ancien quartier juif aux ruelles bordées de maisons blanches restaurées doit son nom à l'ermitage Saint-Antoine voisin.

MODE D'EMPLOI

Cáceres. 🏠 *82 000.* 🚉 *Avenida de Alemania, 902 23 50 61.* 🚌 *Avenida de Alemania, 927 23 25 50.* 🛈 *Plaza Mayor 40, 927 01 08 34.* 🛒 *mer.* 🎉 *Las Candelas (fév.), San Jorge (23 avr.).* **Museo Provincial** ◻ *du mar. au dim.*

★ **Le Museo Provincial**
Installé dans la Casa de las Veletas, il présente des collections archéologiques et d'art contemporain.

Le Convento de San Pablo vend de délicieuses *yemas (p. 321)* préparées par les religieuses.

Casa y Torre de la Cigüeña
La loyauté de son propriétaire du XVᵉ siècle envers Isabelle de Castille permit à cet édifice, qui appartient aujourd'hui à l'armée, de conserver sa tour.

L'Iglesia de San Mateo
bâtie entre le XIVᵉ et le XVIIᵉ siècle est d'une grande sobriété.

Casa del Sol (Casa de los Solis)
La façade de cette élégante demeure Renaissance porte en façade le blason de la famille des Solis.

À NE PAS MANQUER

★ **La Casa de los Golfines de Abajo**

★ **L'Iglesia de Santa María**

★ **Le Museo Provincial**

Arroyo de la Luz ⓫

Cáceres. 🏠 6 650. 🚉 🚌 *Travesia Regajal 16, 927 27 16 23.* 🗓 *jeu.* 🎉 *Día de la Patrona (lundi de Pâques).*

D ans cette petite ville s'admire un des chefs-d'œuvre artistiques de l'Estrémadure : le retable du maître-autel de l'**Iglesia de la Asunción** achevée en 1565. Il incorpore 20 tableaux du peintre mystique Luis de Morales (v. 1520-1586).

Aux environs
Dans une région riche en cigognes blanches *(p. 325)*, notamment à **Malpartida**, près d'Arroyo, où elles nichent sur le toit de l'église, la campagne offre d'agréables endroits où pique-niquer.

Retable de l'Iglesia de la Asunción, Arroyo de la Luz

Alcántara ⓬

Cáceres. 🏠 1 720. 🚉 🚌 🚌 🚌 *Avenida de Merida 21, 927 39 08 63.* 🗓 *mar.* 🎉 *Feria (15-17 avr.), Classic Drama Festival (1er w.-e. d'août) San Pedro (19 oct.).*

C e village recèle deux monuments importants. Le **pont romain** (106 apr. J.-C.) sur le Tage porte un arc de triomphe et un temple. Construit au XVIe siècle pour abriter le siège des chevaliers, le **Convento de San Benito** fut mis à sac par les troupes napoléoniennes puis restauré. Ce qu'il reste des trésors orne l'**Iglesia de Santa María de Almocóvar**.

Cigognes sur le Convento de San Benito (XVIe siècle), Alcántara

Valencia de Alcántara ⓭

Cáceres. 🏠 7 500. 🚉 🚌 🚌 *Calle de Hernán Cortés, 927 58 21 84.* 🗓 *lun.* 🎉 *Día de los Mayos (1er mai).*

D es fontaines et des orangers agrémentent le quartier gothique de cette ville proche du Portugal. Construit par les chevaliers de l'ordre d'Alcántara, le **Castillo de Piedra Buena** abrite une auberge de jeunesse. À la périphérie subsistent plus de 40 dolmens.

Aux environs
Alburquerque, au sud-ouest, s'étend sur un promontoire rocheux et les remparts et le donjon de son château offrent une belle vue. Dans la vieille ville fortifiée s'élève l'Iglesia de Santa María del Mercado (XVe siècle).

Mérida ⓮

Badajoz. 🏠 50 058. 🚉 🚌 🚌 *Avenida José Álvarez Saez de Buruaga, 924 00 97 30.* 🗓 *mar.* 🎉 *Classic Drama Festival (juil.-août). Fiestas Patronales (10 déc.).*

F ondée par Auguste en 25 av. J.-C., la colonie d'Augusta Emerita devint la capitale économique et culturelle de la Lusitanie, la plus occidentale des provinces de l'Empire romain. Les invasions barbares puis l'occupation arabe lui firent perdre son importance. Aujourd'hui capitale de l'Estrémadure, elle conserve un bel ensemble de monuments.

Le pont suspendu moderne franchissant le río Guadiana offre la meilleure approche de la ville. Il vous conduira à l'ancienne entrée de la cité romaine et de la forteresse maure.

Au sein d'un parc, le **théâtre romain** *(p. 46-47)* est l'un des mieux conservés du monde et il accueille toujours des représentations d'art dramatique dans le cadre d'un festival d'été. Quelque 15 000 spectateurs pouvaient prendre place dans l'**amphithéâtre** voisin. Des mosaïques ornent la **Casa del Anfiteatro** bâtie au Ier siècle apr. J.-C.

En face s'élève l'étonnant **Museo Nacional de Arte Romano** (1985) édifié en brique rouge par Rafael Moneo. Des sculptures provenant du théâtre ornent son grand hall dont les arcs ont la même hauteur que ceux de l'aqueduc de Los Milagros. Trois galeries

Sépulture mégalithique près de Valencia de Alcántara

Le théâtre romain de Mérida accueille toujours des représentations d'art dramatique

organisées autour de ce hall présentent des céramiques, des mosaïques, des monnaies et de la statuaire. En sous-sol s'étend un champ de fouilles. Près du musée se trouvent les vestiges de deux villas et d'un hippodrome (temporairement fermé).

Fondée au IVᵉ siècle, l'**Iglesia de Santa Eulalia** fut reconstruite dans le style roman. En direction du centre-

Portrait de l'empereur Auguste

ville se découvrent le **Templo de Diana** aux colonnes cannelées et l'**Arco de Trajano**. À quelques pas de la grand-place, le **Museo de Arte Visigodo** occupe le Convento de Santa Clara. Long de près de 800 m, le **Puente de Guadania** offre une belle vue des remparts de l'Alcazaba AD (835), l'une des plus anciennes forteresses maures d'Espagne.

À l'est de Mérida, la **Casa del Mithraeo** (ou Casa Romana) garde une splendide mosaïque.

Majestueuses, les arches de brique et de granit de l'aqueduc de Los Milagros se dressent près de la N 630 en direction de Cáceres.

🏛 **Museo de Arte Visigodo**
Calle Santa Julia. 📞 924 30 01 06.
🕐 du mar. au dim. ● 1ᵉʳ mai, 25 déc.
🏛 **Museo Nacional de Arte Romano**
Calle José Ramón Mélida. 📞 924 31 16 90. 🕐 du mar. au dim. 🏷 gratuit sam. a.-m. et dim. 🚹 ⓦ www.mnar.es

---

MÉRIDA :
LE CENTRE-VILLE

Alcazaba ⑦
Amphithéâtre ④
Arco de Trajano ⑩
Casa del Anfiteatro ③
Casa del Mithraeo ⑥
Iglesia de Santa Eulalia ①
Museo de Arte Visigodo ⑨
Museo Nacional de Arte Romano ②
Puente de Guadiana ⑧
Théâtre romain ⑤
Templo de Diana ⑪

BADAJOZ
SEVILLA

CÁCERES
MADRID

LÉGENDE

🚉 Gare

ℹ Information touristique

⛪ Église

0 _____ 250 m

AVENIDA DE EXTREMADURA
CARDERO
RAMBLA MARTIR SANTA EULALIA
RAMBLA MARTIR SANTA LUCÍA
PONTEZUELAS
CAMILO J CELA
JOSÉ RAMON MELIDA
CALLE DE ALMENDRALEJO
SAGASTA
TRAVESIA DE PAREJO
SOMONTE
CABO VERDE
ESTUDIANTES
CALLE DE SANTA EULALIA
RAMOS
SUÁREZ
CALDERON DE LA BARCA
LEGION X
SAN SALVADOR
PLAZA ESPAÑA
ROMERO LEAL
LOS MAESTROS
CALLE DE
AVENIDA DEL GUADIANA
PUENTE DE LUSITANIA
PUENTE
GRACIANO
CALLE DE OVIEDO
ATARAZANAS
PLAZA DE TOROS
Rio
Guadiana

Badajoz ⓯

Badajoz. 🏛 *150 000.* ✈ 🚌 🚃 🛈
Pasaje de San Juan, 924 22 49 81.
🚌 *mar. et dim.* 🎪 *Feria (24 juin).*

Entourée de vastes quartiers modernes, la vieille ville de Badajoz a conservé, malgré les dommages causés par les conflits avec le Portugal et la guerre civile, quelques vestiges de sa riche histoire.

L'ancienne forteresse maure abrite désormais le **Museo Arqueológico** dont les collections comptent plus de 15 000 pièces, dont les plus anciennes remontent au paléolithique. Non loin s'élève la cathédrale construite entre les XIIIᵉ et XVIIIᵉ siècles. Un musée d'art contemporain a été inauguré Calle Museo ; il est ouvert tous les jours sauf le samedi et le dimanche soir.

🏛 **Museo Arqueológico**
Pl José Álvarez y Saez de Buruaga. ☎
924 0019 08. ◯ *du mar. au dim.* 🎫 ♿

Olivenza ⓰

Badajoz. 🏛 *10 800.* 🚃 🛈 *Plaza de España, 924 49 01 51.* 🚌 *sam.* 🎭
Muñecas de San Juan (23 juin).

Enclave portugaise jusqu'en 1801, Olivenza présente un pittoresque aspect métissé. À l'intérieur de l'enceinte fortifiée se dressent le château (1303) occupé par le **Museo Etnográfico Gonzalez Santana** consacré à la vie rurale et trois églises. **Santa María del Castillo** abrite un arbre généalogique de la Vierge d'une merveilleuse

Intérieur de l'église Santa María Magdalena, Olivenza

naïveté. **Santa María Magdalena** offre, avec ses colonnes spiralées, un bel exemple du style manuélin portugais. Des frises d'azulejos décorent la **Santa Casa de Misericordia** bâtie au XVIᵉ siècle. L'une d'elles représente Adam et Ève chassés du Paradis.

Près de la place principale, la **Pastelería Fuentes** propose sa *pécula mécula*, pâtisserie à la crème dont elle a l'exclusivité.

🏛 **Museo Etnográfico Gonzalez Santana**
Plaza de Santa Maria. ☎ *924 49 02 22.*
◯ *du mar. au dim.* 🎫 ♿

Cancho Roano ⓱

Zalamea de la Serena. ☎ *924 78 01 53.* ◯ *mar.-dim.après-midi.*

Découvert en 1978, ce palais-sanctuaire est attribué à la civilisation de Tartessos *(p. 45).* Les fouilles de ce petit site archéologique ont mis au jour

un temple entouré de fossés qui connut trois reconstructions. Au cours du VIᵉ siècle av. J.-C., des incendies ravagèrent chacun de ces édifices de plus en plus vastes. Plusieurs murs et des sols dallés d'ardoise restent néanmoins intacts.

La plupart des objets découverts, notamment des bijoux, des céramiques et du mobilier, se trouvent au musée archéologique de Badajoz.

Aux environs
Un monument funéraire romain sert de clocher à l'église paroissiale de la ville voisine de **Zalamea de la Serena** où chaque année, en août, les habitants interprètent une célèbre comédie de Calderón de la Barca *(p. 30)* qu'aurait inspiré un personnage du cru : *L'Alcade de Zalamea.* Spécialité locale, la *torta de la Serena* est un fromage de brebis.

Vestiges de la civilisation de Tartessos à Cancho Ruano

Zafra ⓲

Badajoz. 🏛 *15 000.* 🚃 🚃 🛈 *Plaza de España 8, 924 55 10 36.* 🚌 *dim.*
🎭 *San Miguel (du 30 sept. au 6 oct.).*
🌐 *www.zafraturismo.com*

Deux places adjacentes et entourées d'arcades forment le cœur de cette jolie ville surnommée la « petite Séville » pour sa ressemblance avec la capitale de l'Andalousie. Le marché se tenait jadis sur la **Plaza Chica** (XVᵉ siècle). Sur la **Plaza Grande** (XVIIIᵉ siècle) se dresse l'**Iglesia de la Candelaria** qui abrite un retable de Zurbarán. Le

Cloître gothique orné d'azulejos de la cathédrale de Badajoz

Retable de Zurbarán dans l'Iglesia de la Candeleria de Zafra

Convento de Santa Clara (xvᵉ siècle) et le parador *(p. 561)*, installé dans l'**Alcázar de los Duques de Feria** au patio en marbre attribué à Juan de Herrera, dominent la calle de Sevilla.

Aux environs
La maison où naquit en 1598 le peintre Francisco de Zurbarán se trouve à 25 km au sud à **Fuente de Cantos**.

Jerez de los Caballeros ⑲

Badajoz. 🏠 9 600. 🚌 ℹ️ *Plaza Constitucion 1, 924 73 03 72.* 🛒 *mer.* 🎉 *Feria del Jamón (début mai).* 🌐 www.dip-badajoz.es

Cette ville blanche à flanc de colline offre, avec ses trois clochers baroques, un paysage parmi les plus pittoresques de l'Estrémadure. Aménagé en jardins, le **château** renferme la Torre Sangrienta (Tour sanglante)

où furent décapités en 1312 les templiers qui refusaient de remettre au roi une ville que leur ordre dirigeait depuis sa reconquête en 1230. Au sommet des vieux quartiers, l'église **San Bartolomé** possède une façade ornée de céramique. L'église **San Miguel** dresse sur la plaza de España une tour en brique sculptée. **Santa María de la Encarnación** occupe le site d'un sanctuaire wisigothique.

Aux environs
Fregenal de la Sierra est une jolie ville ancienne située à 25 km au sud.

Llerena ⑳

Badajoz. 🏠 5 700. 🚌 🚌 ℹ️ *Calle Aurora 2, 924 87 05 51.* 🛒 *jeu.* 🎉 *Nuestra Señora de la Granada (du 1ᵉʳ au 15 août).* 🌐 www.llerena.org

Près de la frontière avec l'Andalousie, édifices mudéjars et baroques donnent son cachet à Llerena.

Agrémentée d'une gracieuse double galerie, la façade de **Nuestra Señora de la Granada** domine la jolie Plaza Mayor plantée de palmiers et ornée d'une fontaine dessinée par Zurbarán qui habita 15 ans la ville. La richesse de la décoration intérieure de l'église rappelle son ancienne importance en tant que siège local de l'Inquisition *(p. 264)*. Le **Convento de Santa Clara** (xvɪᵉ siècle) borde une rue donnant sur la place.

Aux environs
À 30 km à l'est de Llerena, des azulejos Renaissance et mudéjars ornent l'Iglesia de la Consolación d'**Azuaga**.

Tentudía ㉑

Badajoz. 🚌 *Calera de León.* ℹ️ *Calera de León, 924 58 41 01.* **Monastère** 🕐 *mar.-dim.* 🔒 🌐 www.tentudia.org

Des villes fortifiées et des églises fondées par les ordres militaires du Moyen Âge jalonnent les collines boisées de la sierra Morena qui s'étend jusqu'en Andalousie. Sur un sommet se dresse le petit **Monasterio de Tentudía**. Créé au xɪɪɪᵉ siècle par l'ordre de Saint-Jacques, il renferme un superbe cloître mudéjar et un retable paré d'azulejos de Séville. À 6 km au nord de Tentudía, l'ordre de Saint-Jacques fonda aussi le couvent de **Calera de León**. De style Renaissance, il comprend une église gothique et un cloître.

Arènes de Fregenal de la Sierra

L'Espagne
MÉRIDIONALE

L'Espagne méridionale d'un coup d'œil

Vaste région qui forme le sud de l'Espagne, l'Andalousie présente une grande variété de paysages, des déserts d'Almería, à l'est, aux marais de Doñana, à l'ouest, et des sommets enneigés de la sierra Nevada aux plages de la Costa del Sol. Trois villes s'y partagent les plus importants monuments islamiques du pays : Grenade, Cordoue et Séville, la capitale arrosée par le río Guadalquivir. L'Andalousie propose aussi de nombreuses autres cités historiques, ses célèbres villages blancs, plusieurs réserves naturelles et les vignobles de xérès à Jerez de la Frontera.

La Mezquita de Cordoue (p. 456-457) *renferme une remarquable forêt de colonnes et un mihrab (niche dirigée vers La Mecque) au décor raffiné.*

SÉVILLE

EL ARENAL
(p. 408-413)

SANTA CRUZ
(p. 414-423)

Cordoue

ANDALOUS
(p. 434-477)

La Giralda (p. 418-419), *tour de la cathédrale de la capitale andalouse, est un ancien minaret élevé en 1198 et coiffé d'un clocher au XVIᵉ siècle.*

La Torre del Oro (p. 413), *tour maure du XIIIᵉ siècle, se dresse au bord du río Guadalquivir.*

0   500 m

Huelva

Séville

Le Parque Nacional de Doñana (p. 440-441) *protège une étendue marécageuse peuplée notamment de lynx, de flamants, d'aigles, de cerfs et de bétail en liberté.*

Cadix

Málaga

0   50 km

◁ **Maisons blanches aux toits de tuiles rouges à Montefrío près de Grenade**

L'Albambra de Grenade (p. 466-467), *forteresse maure édifiée sous la dynastie des Nasrides, présente un extérieur austère qui ne laisse en rien présager la beauté des salles, des patios et des jardins qu'entourent ses remparts.*

L'hôtel de ville (p. 474) *de la cité historique de Baeza offre un bel exemple du style plateresque, caractéristique du début de la Renaissance en Espagne avec sa riche ornementation sculptée.*

Jaén

Grenade

Almería

Le Puente Nuevo (p. 446), *construit au XVIIIᵉ siècle, franchit le Tajo, profond ravin qui sépare la vieille ville de Ronda des quartiers plus récents.*

Le Parque Natural de Cabo de Gata (p. 477), *dans une région de falaises volcaniques et de criques, protège aussi de riches flore et faune marines.*

Les spécialités de l'Espagne méridionale

La cuisine andalouse, où l'huile d'olive joue un grand rôle, doit beaucoup aux Arabes qui introduisirent dans la péninsule le riz, les agrumes et de nombreux légumes et épices. Parmi les spécialités à déguster aujourd'hui figurent les viandes grillées, les sauces au cumin ou au safran et les pâtisseries à base d'amandes pilées. Les tomates et les poivrons entrent dans de nombreux plats, tandis que le vinaigre de xérès assaisonne les salades. La région est aussi réputée pour ses produits de la mer et ses charcuteries. En montagne, les recettes apprêtent souvent abats et pois chiches. Inventés en Andalousie, les tapas (*p. 574-575*) y sont d'une grande variété.

Vinaigre de xérès

La cachorreñas, soupe de poisson de Cadix parfumée au zeste d'orange amère, s'épaissit avec du pain.

L'huile d'olive est une des grandes richesses de l'Andalousie depuis l'époque romaine et le tiers de la production européenne provient de la région. Les fruits prennent à table de nombreuses formes : grosses gordales, petites et vertes manzanillas *et olives farcies. Les* aceitunas aliñadas *sont écrasées avant d'être mises à mariner.*

Huile d'olive et olives

La fritura de pescado, servie, avec des quartiers de citron, à Cadix et Málaga, marie poissons et fruits de mer frits.

Dés de poivron   **Gazpacho**

Les fideos a la malagueña sont une sorte de paella aux fruits de mer et aux poivrons où des pâtes remplacent le riz.

Croûtons

Dés de concombre

Le gazpacho, soupe froide souvent servie garnie, se prépare en écrasant de la mie de pain avec de l'ail, des tomates, des poivrons et du concombre. L'huile d'olive la rend crémeuse et un peu de vinaigre encore plus rafraîchissante.

Le pescado a la sal, poisson cuit au four dans une croûte de sel, se mange souvent avec un ailloli ou une sauce au persil.

Les babas à la rondeña, *fèves accompagnées de jambon, sont souvent appelées « haricots à l'espagnole ».*

Le rabo de toro, *queue de bœuf cuisinée dans du vin rouge avec des légumes, est une excellente daube.*

Le ternera con alcachofas *de Cordoue associe veau et cœurs d'artichauts dans une sauce au vin de Montilla.*

Les huevos à la flamenca *sont des œufs brouillés cuits dans un ramequin avec des légumes et, souvent, du chorizo.*

Le tocino de cielo, *délicieux flan au caramel, porte un nom qui signifie « lard du ciel ».*

Les biscuits *incluent les roscones en anneaux, les ronds mantecados à la cannelle et les onctueux empanadillas.*

FRUITS

Tout pousse dans une région où la ville de Grenade a pris un fruit pour symbole, aussi bien les classiques fraises, pommes, poires ou melons et cantaloups que les oranges, les citrons ou des espèces tropicales. Le figuier prospère à l'état sauvage.

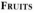

Figue

Orange

Cantaloup

Grenade

Kaki

Fraise

Jamón serrano

Chorizo

Morcilla

Salchichón

CHARCUTERIES

Le *jamón serrano* (jambon de montagne) provenant des sierras d'Andalousie, notamment de villages comme Jabugo *(p. 438)* et Trevélez *(p. 460),* a acquis une réputation méritée. Le chorizo peut se cuire, à l'instar du *morcilla* (boudin), ou se couper en tranches comme les *salchichones* pour se déguster en tapas.

Les vins de l'Espagne méridionale

L'Andalousie est une région de vins vinés (additionnés d'alcool) célèbre par son xérès. Celui-ci se présente sous différentes formes. Secs et légers (15,5 degrés d'alcool), le fino et le manzanilla se boivent toujours frais, souvent accompagnés de tapas *(p. 576-577)*. Secs également, mais vieillis plus longtemps, l'amontillado et l'oloroso se marient bien avec le *jamón serrano (p. 574)*. Parmi les autres vins de la région figurent des finos, qui peuvent être vinés ou pas, et le malaga.

Logo de Gonzàles Byass

Labourage des vignes

Tio Pepe est un des finos de Jerez réputés pour leur bouquet, leur robe claire et leur longueur en bouche.

RÉGIONS VITICOLES

Les vignes produisant le xérès s'étendent sur les coteaux calcaires entre Jerez, San Lúcar et El Puerto de Santa María. Au sud de la région de Montilla-Moriles, le développement urbain a empiété sur les vignobles de Málaga.

Le montilla, plus doux que le xérès, accompagne bien certaines spécialités andalouses.

Le manzanilla n'est vinifié qu'à San Lúcar de Santa María, ville située à l'embouchure du Guadalquivir. Très sec, comme le fino, il possède une saveur salée caractéristique.

LÉGENDE

☐	Condado de Huelva
■	Xérès
☐	Montilla-Moriles
■	Málaga

0   50 km

CE QU'IL FAUT SAVOIR SUR LES VINS D'ESPAGNE MÉRIDIONALE

Sols et climat
Dans une des régions les plus ensoleillées d'Europe, les brises océanes tempèrent la chaleur estivale. Le meilleur sol est une craie blanche, l'*albariza*. Il est plus argileux en Montilla.

Cépages
Le palomino donne les meilleurs xérès secs. Le pedro ximénez, principale variété de Montilla et de Málaga, entre dans les appellations plus douces. Le moscatel est aussi cultivé à Málaga.

Quelques producteurs réputés
Condado de Huelva : Manuel Sauci Salas (Riodiel), A.Villarán (Pedro Ximénez Villarán). *Xérès :* Barbadillo (Solear), Blázquez (Carta Blanca), Caballero (Puerto), Garvey (San Patricio), González Byass (Alfonso, Tío Pepe), Hidalgo (La Gitana, Napoleón), Lustau, Osborne (Quinta), Pedro Domecq (La Ina), Sandeman. *Montilla-Moriles :* Alvear (C.B., Festival), Gracia Hermanos, Pérez Barquero, Tomás García. *Málaga :* Scholtz Hermanos, López Hermanos.

LA FABRICATION DU XÉRÈS

Le xérès est issu de deux cépages principaux : le palomino, qui donne des vins secs et délicats, et le pedro ximénez pour des crus plus riches et plus sucrés.

Le séchage du raisin, *utilisé seulement pour le pedro ximénez, augmente le taux de sucre des grappes étalées au soleil sur des nattes de sparte.*

Fouloir et égrappoir

Le pressurage et l'égrappage *s'effectuent dans des cuves en acier inoxydable et généralement de nuit, à la fraîche.*

Les vendanges *se déroulent durant les trois premières semaines de septembre. Le palomino est pressuré aussitôt cueilli.*

Cuve de fermentation en acier

Si la flor *(fleur), sorte de levure, se forme à la surface du moût, empêchant l'oxydation et apportant une saveur délicate, le vin est un fino.*

Le vinage, *un ajout d'eau-de-vie de raisin, fait passer le degré des vins d'environ 11° à quelque 18° pour les olorosos et 15,5° pour les finos.*

Le système des soleras

Le vin jeune est stocké ici.

Le système des soleras *assure une qualité constante. Le vin le plus jeune se mêle au plus ancien, conservé dans les tonneaux en dessous, et en prend le caractère.*

Le xérès est tiré de la rangée inférieure.

Produit fini

L'architecture maure

L a première grande période de l'architecture maure commence sous le califat de Cordoue. La somptueuse Mezquita *(p. 456-457)* réunit tous les éléments du style califal : arcs, stucs et calligraphie ornementale. Les Almohades introduisirent postérieurement un style islamique très pur dont la Giralda *(p. 418-419)* offre un magnifique exemple. Les Nasrides construisirent l'Alhambra *(p. 466-467)*, chef-d'œuvre de raffinement, tandis que les mudéjars *(p. 51)* mirent leur art au service des chrétiens pour bâtir de superbes édifices tels que le Palacio Pedro I *(p. 422-423).*

Reflets *dans l'eau et jeux de lumière ont un rôle central dans l'architecture maure.*

Les coupoles, en général simplement couvertes de tuiles, reposaient sur un réseau complexe de nervures de pierre ornées à l'intérieur, comme ici à la Mezquita, de motifs stylisés en mosaïque.

Murs de défense

Les jardins maures s'organisaient souvent autour de bassins et de canaux.

DÉVELOPPEMENT DE L'ARCHITECTURE MAURE

Époque précalifale 710-929	Époque califale 929-1031	Époque almoravide et almohade 1091-1248	Époque nasride 1238-1492
	1031-1091 Période *taifa* (p. 50)		v. 1350 Palais de l'Alhambra

700	800	900	1000	1100	1200	1300	1400
	785 Construction de la Mezquita à Cordoue			1184 Construction de la Giralda à Séville		v. 1350 Palacio Pedro I	
		936 Construction de Medina Azahara près de Cordoue				Époque mudéjare après 1248	

Des azulejos (p. 420) au*x* motifs géométriques ornai*ent* souvent les murs comme i*ci* à l'Alcázar (p. 422).

LES ARCS MAURES

Inspiré de l'arc en fer à cheval (dit outrepassé) des églises construites par les Wisigoths, l'arc maure, élément essentiel de grandioses réalisations architecturales telles que la Mezquita, évolua au fil des siècles, s'enrichissant d'ornementations sophistiquées tout en s'éloignant de sa forme d'origine.

Arc califal, Medina Azahara *(p. 453)*

Arc almohade, Alcázar *(p. 422)*

Arc mudéjar, Alcázar *(p. 422)*

Arc nasride, Alhambra *(p. 466)*

Des arcades offraient leur ombre autour des patios.

PALAIS MAURE

Les palais des Maures étaient conçus pour offrir un cadre de vie d'une élégance raffinée. Cet édifice imaginaire illustre l'art avec lequel espace, lumière, jeux d'eau et ornements s'associent harmonieusement.

Tuiles d'argile

Des entrées compliquées servaient à dérouler les importuns.

Les bains maures, de vapeur et d'eau chaude, étaient souvent chauffés par le sol comme les thermes romains.

L'eau qui rafraîchissait les cours des palais, tel le Patio de los Leones de l'Alhambra (p. 467), apportait aussi son murmure apaisant.

***Des ornements de stuc sophistiqués**, caractéristiques du style nasride, valent à la Sala de los Abencerrajes de l'Alhambra (p. 467), pourtant construite avec les matériaux les plus simples, d'être considérée comme l'un des monuments les plus remarquables de l'époque maure.*

Le flamenco, âme de l'Andalousie

**Féria de Séville
1953**

Bien plus qu'une simple danse, le flamenco est l'expression des souffrances et des joies de l'existence. Interprété dans toute l'Espagne et aux quatre coins du monde, il n'en reste pas moins un art purement andalou, lié aux gitans du sud de l'Espagne. Il existe plusieurs styles de *cante* (chant), souvent issus de traditions locales, mais pas de chorégraphie stricte : les danseurs improvisent à partir de mouvements de base, suivant le rythme de la guitare et leur inspiration. Négligé dans les années 1960 et 1970, le flamenco connaît aujourd'hui un regain d'intérêt qui lui ouvre des voies nouvelles.

Les sevillanas, danses folkloriques toujours appréciées des Andalous, furent fortement influencées par le flamenco.

Au *tablao*
(club de flamenco), 4 personnes au moins, dont celle qui bat le rythme avec les mains, occupent la scène.

Les origines du flamenco restent mal connues, mais ce sont les gitans, présents en Andalousie depuis le haut Moyen Âge, qui lui donnèrent sa forme actuelle au XVIIIᵉ siècle, mariant leur propre culture issue de l'Inde à des traditions musicales et folkloriques de souches arabes, juives et chrétiennes.

LA GUITARE ESPAGNOLE

La guitare, qui accompagne traditionnellement le chanteur, joue un rôle déterminant dans le flamenco. Issue de la guitare classique moderne, instrument qui s'est développé en Espagne au XIXᵉ siècle, la guitare flamenco, plus légère et plus plate, possède une table de protection renforcée qui permet au musicien de battre des rythmes. Aujourd'hui, le guitariste flamenco joue souvent seul. L'un des plus grands, Paco de Lucía, forma un tandem novateur avec le chanteur Camarón de la Isla avant d'entamer une carrière de soliste. Son style inventif, ouvert au jazz et à des éléments rock ou latino-américains, a eu une grande influence sur des artistes tels que le groupe Ketama au flamenco mâtiné de blues.

**Guitare
classique**

Paco de Lucía

Le chant, souvent interprété en solo, joue un rôle essentiel dans le flamenco. Camarón de la Isla (1952-1992), un gitan né près de Cadix, compte parmi les cantaores *modernes les plus célèbres*. À partir du cante jondo (littéralement : « *chant profond* »), il a développé un style personnel influencé par le rock et le jazz et a inspiré de nombreux artistes.

OÙ DÉCOUVRIR LE FLAMENCO

D'excellents interprètes se produisent à Madrid *(p. 306)*. Les grottes du Sacromonte *(p. 465)* offrent un cadre insolite. À Séville, le barrio de Santa Cruz *(p. 414-423)* recèle de bons *tablaos*.

La Chanca est une bailaora *(danseuse)* réputée pour ses mouvements *puissants et fougueux*. Une autre danseuse, Cristina Hoyos, au style très personnel, dirige sa propre compagnie qui connut un succès mondial dans les années 1980.

La posture fière de la *bailaora* suggère une passion contenue.

La voix est traditionnellement rauque et vibrante.

Robe à pois traditionnelle

Le bailaor joue un rôle moins important que la bailaora, mais maints danseurs de flamenco ont néanmoins connu la gloire, tel Antonio Canales qui créa un nouveau rythme par ses mouvements de pieds originaux.

LE TABLAO DE FLAMENCO

Il est devenu rare d'assister à des danses spontanées dans un *tablao*, mais si l'inspiration porte les interprètes, ils donnent un spectacle d'une grande intensité d'émotion, surtout si le *duende* (« magie ») s'installe entre eux et le public.

LE RYTHME DU FLAMENCO

La guitare marque le rythme si caractéristique du flamenco, mais les claquements de talon de la *bailaora* et le battement des mains ont une égale importance. Les solos de castagnettes de Lucera Terno (née en 1939) l'ont rendue célèbre, mais ces instruments n'interviennent normalement que dans une danse appelée le *fandaguillo*. Les gracieux mouvements de mains de la danseuse l'aident à exprimer ses sentiments – souffrance, tristesse ou joie. Comme pour les déplacements et postures du reste du corps, il n'existe pas de chorégraphie et les styles varient d'une artiste à l'autre.

Castagnettes en bois

Mouvements des mains, toujours improvisés

EL ARENAL

Des arènes d'une blancheur éblouissante, la Plaza de Toros de la Maestranza où les Sévillans assistent à des courses de taureaux depuis plus de deux siècles, dominent cet ancien quartier de dépôts de munitions et de chantiers navals que gardait au bord du río Guadalquivir la Torre del Oro bâtie au XIII° siècle. Une animation intense règne dans ses nombreux bars et *bodegas* pendant la saison des corridas, de Pâques à septembre.

Quand le fleuve, qui rythmait la vie de la cité, s'envasa au XVII° siècle et perdit son importance, El Arenal, adossé à l'enceinte fortifiée, était déjà devenu notoirement mal famé. Canalisé au

Azulejos du XX° siècle montrant la Torre del Oro

début du XX° siècle, le Guadalquivir ne fut rendu à la navigation, retrouvant sa gloire d'antan, que pour l'Exposition universelle de 1992. Aménagée en promenade ombragée, sa rive droite offre une excellente vue du quartier de Triana et de l'Isla de la Cartuja *(p. 428)*.

L'Hospital de la Caridad témoigne de l'amour que porte la capitale andalouse au baroque. De célèbres peintures de Murillo décorent son église. Plus au nord, dans un couvent magnifiquement restauré, le Museo de Bellas Artes retrace l'évolution de l'école picturale de Séville. Sa riche collection d'art comprend des œuvres majeures de Zurbarán, Murillo et Valdés Leal.

LE QUARTIER D'UN COUP D'ŒIL

Bâtiments historiques
Hospital de la Caridad ❹
Plaza de Toros de la Maestranza ❸
Torre del Oro ❺

Musée
Museo de Bellas Artes ❶

Église
Iglesia de la Magdalena ❷

COMMENT Y ALLER
Le quartier est bien desservi par les bus orange ou rouge et noir. Prenez le C4, qui emprunte le paseo de Colón, ou l'un de ceux pour la plaza Nueva.

LÉGENDE

Plan pas à pas
Voir p. 410-411

Ⓜ Station de métro

🚌 Gare routière

ℹ️ Information touristique

🅿️ Parc de stationnement

◁ **Corrida à l'affiche sur un mur de la Plaza de Toros de la Maestranza**

El Arenal pas à pas

Statue de Carmen

El Arenal, où se trouvaient jadis le port et le quartier général de l'artillerie, ne doit plus son ambiance particulière aux marins ou aux soldats, mais aux majestueuses arènes de Séville, la Plaza de Toros de la Maestranza. En dehors de la saison des corridas *(p. 412)*, où bars et restaurants s'emplissent d'*aficionados*, le calme règne dans ses rues. Longue promenade ombragée, le paseo de Cristóbal Colón offre le cadre idéal à une flânerie romantique au bord du

Guadalquivir. L'un des monuments les plus célèbres de la ville domine le fleuve, la Torre del Oro élevée par les Maures en 1220.

★ La Plaza de Toros de la Maestranza
Bâties en 1761, ces arènes à la faç[ade] baroque comptent parmi les plus anciennes d'Espagne ❸

Carmen
(p. 427), sculptée dans le bronze, se dresse face aux arènes.

CALLE DE ADRIANO

CALLE ANTONIA DÍAZ

PASEO DE CRISTÓBAL COLÓN

Le Teatro de la Maestranza, siège de l'Orquesta Sinfónica de Sevilla, propose également une programmation internationale de danse et d'opéra.

Paseo Alcalde Marqués de Contadero

À NE PAS MANQUER

★ La Plaza de Toros de la Maestranza

★ L'Hospital de la Caridad

★ La Torre del Oro

Le Guadalquivir connaissait autrefois des crues catastrophiques. Régulé par un barrage construit après des inondations en 1947, il se prête à des promenades en bateau depuis la Torre del Oro.

El Buzo (le Scaphandrier) est l'un des nombreux bars à tapas et *freidurías* sur ou près de la calle Arfe. Non loin, le Mesón Sevilla Jabugo I sert du *jamón ibérico (p. 438)*.

CARTE DE SITUATION
Voir l'atlas des rues, plan 3

El Postigo est un marché d'objets artisanaux.

GARCÍA VINUESA

ARFE

DE MAYO

TEMPRADO

TOMÁS DE IBARRA

AVENIDA DE LA CONSTITUCIÓN

CALLE SANTANDER

Vers la cathédrale

El Torno, sur la discrète plaza de Cabildo, vend des douceurs fabriquées dans les couvents.

★ **L'Hospital de la Caridad**
Des peintures de Bartolomé Esteban Murillo et Juan de Valdés Leal ornent l'église baroque de cet hospice pour personnes âgées ❹

Vers l'Alcázar

Maestranza de Artillería

Bodegón Torre del Oro
(p. 600)

0   75 m

LÉGENDE

— — — Itinéraire conseillé

★ **La Torre del Oro**
Élevée au XIIIe siècle par les Maures pour protéger le port, elle abrite aujourd'hui un petit musée maritime ❺

Vierge à l'Enfant ornant l'église baroque de la Magdalena

Museo de Bellas Artes ❶

Plaza del Museo 9. **Plan** 1 B5. 📞 954 22 07 90. 🚌 43, C1, C2, C3, C4. 🕐 de 15 h à 20 h le mar., de 9 h à 20 h du mer. au sam., de 9 h à 14 h le dim. ; groupes sur r.-v. 🚫 ♿ gratuit pour les membres de l'UE.

Achevé en 1612 par Juan de Oviedo et récemment restauré, le Convento de la Merced Calzada abrite l'un des plus intéressants musées d'art d'Espagne. L'édifice s'organise autour de trois cours intérieures plantées d'arbres et de fleurs et ornées de beaux azulejos *(p. 420)*. L'architecte Leonardo de Figueroa remania la plus grande, le Patio Mayor, en 1724.

San Jerónimo Penitente, Museo de Bellas Artes

La collection de peintures et de sculptures espagnoles, du Moyen Âge à l'époque moderne, est particulièrement riche en œuvres de l'école sévillane. Dans l'église, qui possède une coupole baroque décorée par Domingo Martínez, s'admire un ensemble de tableaux par Murillo, dont *La Servilleta* (1665-1668), Vierge à l'Enfant qu'il aurait peinte sur une serviette de table *(servilleta)*. Le talent de Juan de Valdés Leal s'exprima notamment dans d'intenses compositions religieuses, telle *La Inmaculada* (1672) visible dans la salle 8. La salle 10 est dédiée à Zurbarán et abrite entre autres son *San Hugo en el Refectorio* (1655) exécuté pour la Cartuja *(p. 428)*.

Iglesia de la Magdalena ❷

Calle San Pablo 10. **Plan** 3 B1. 📞 954 22 96 03. 🚌 43. 🕐 de 7 h 30 à 11 h, de 18 h 30 à 21 h du lun. au sam., de 7 h 30 à 13 h 30, de 18 h 30 à 21 h le dim.

Un clocher peint de couleurs vives domine la façade ouest de cette immense église baroque due à Leonardo de Figueroa et achevée en 1709. En cours de restauration, elle devrait bientôt retrouver sa splendeur d'antan. Dans l'angle sud-ouest se dresse la Capilla de la Quinta Angustia, chapelle mudéjare à trois coupoles. Elle faisait partie d'une église antérieure où le peintre Bartolomé Murillo reçut le baptême en 1618. Le baptistère du sanctuaire actuel abrite les fonts qui servirent en cette occasion.

Parmi les peintures de la Magdalena figurent *Saint Dominique à Soria* de Zurbarán, dans la Capilla Sacramental (à droite de la porte sud), et des fresques par Lucas Valdés. Un mur du bras nord du transept porte une représentation d'un *autodafé (p. 264)*.

Plaza de Toros de la Maestranza ❸

Paseo de Cristóbal Colón 12. **Plan** 3 B2. 📞 954 22 45 77. Ⓜ Puerta Jerez. 🕐 de 9 h à 19 h t.l.j. 🚫 📷

Construites entre 1761 et 1881, les célèbres arènes de Séville, peut-être les plus belles d'Espagne, peuvent contenir jusqu'à 14 000 spectateurs.

La visite guidée de cet immense édifice commence à l'entrée principale, sur le paseo de Cristóbal Colón. Sur le côté ouest s'ouvre la Puerta del Princípe (porte du Prince) que les matadors qui ont triomphé lors de la corrida franchissent portés par leurs admirateurs. Après l'*enfermería* (infirmerie) on peut voir une exposition de portraits, d'affiches et de costumes comprenant une cape peinte par Picasso, puis la chapelle où prient les toreros, et enfin les écuries des chevaux des picadors.

La saison des corridas débute avec la *feria* à Pâques et se poursuit jusqu'en octobre. La plupart des courses de taureaux ont lieu le dimanche soir. Les billets s'achètent sur place à la *taquilla* (guichet).

À côté de la Plaza de Toros se dresse le Teatro de la Maestranza dont la forme circulaire s'inspire de celle des arènes. Dessiné par Luis Marín de Terán et Aurelio de Pozo, l'austère opéra-théâtre de Séville ouvrit en 1991. Sa façade tournée vers le fleuve est ornée d'éléments en fer forgé provenant d'une fabrique de munitions du XIXᵉ siècle qui occupait auparavant le site.

Arène de la Plaza de Toros de la Maestranza entreprise en 1761

Finis Gloriae Mundi de Juan de Valdés Leal, Hospital de la Caridad

Hospital de la Caridad ❹

Calle Temprado 3. **Plan** 3 B2. 954 22 32 32. C4. de 9 h à 13 h 30, de 15 h 30 à 19 h 30 du lun. au sam. ; de 9 h à 13 h dim. et jours fériés.

Fondé en 1674, l'hôpital de la Charité abrite un hospice. Dans les jardins se dresse une statue de son bienfaiteur, Miguel de Mañara, dont la vie dissolue, avant qu'il ne rejoigne la confrérie, aurait inspiré le personnage de Don Juan.

Avec ses murs blancs, ses parements de pierre rougeâtre et ses azulejos, la façade offre un bel exemple de baroque sévillan. Derrière s'ouvrent deux patios carrés agrémentés de plantes, de carreaux de céramique hollandais du XVIIIe siècle et de fontaines ornées de statues italiennes représentant la Charité et la Miséricorde. À leur extrémité nord, un passage à droite conduit à une troisième cour qui renferme un arc du XIIIe siècle provenant d'anciens chantiers navals.

Pour décorer l'église, Mañara demanda à deux grands peintres sévillans d'illustrer deux thèmes au cœur de ses préoccupations : la vanité de l'existence terrestre et la mort. Deux tableaux de Juan de Valdés Leal, *Finis Gloriae Mundi* et *In Ictu Oculi*, montrent la Mort à l'œuvre. À leur pessimisme macabre s'oppose la douceur qui émane des six œuvres de Murillo (sur une série de onze pillée par le maréchal Soult pendant l'occupation napoléonienne), notamment *Saint Jean de Dieu portant un moribond sur ses épaules* et *Saint Jean-Baptiste enfant*.

Torre del Oro ❺

Paseo de Cristóbal Colón. **Plan** 3 B2. 954 22 24 19. C2, C3, C4, 21. de 10 h à 14 h du mar. au ven., de 11 h à 14 h sam. et dim. août et lun. gratuit le mar.

Construite par les Almohades en 1220, la Tour de l'Or faisait partie des fortifications de la ville à l'époque maure et des remparts qui la reliaient à l'Alcázar (p. 422-423). Une deuxième tour lui faisait pendant sur l'autre rive du Guadalquivir. Une chaîne tendue entre les deux édifices empêchait d'éventuels bateaux ennemis de remonter le fleuve.

La Torre del Oro tirerait son nom des azulejos dorés qui la décoraient ou des trésors provenant du Nouveau Monde que l'on y déchargeait. Après avoir servi de poudrière, de

La Torre del Oro, édifice almohade

chapelle, de prison et de bureau portuaire, elle abrite désormais le Museo Marítimo.

FÊTES DE SÉVILLE

Feria d'avril *(2 semaines après Pâques)*. Pendant une semaine, la ville vit sur le champ de foire, de l'autre côté du fleuve. Familles, associations, syndicats ou groupes d'amis ou de voisins louent des abris de toile et de bois, les *casetas*, pour y passer la nuit à boire, à chanter et à danser des *sevillanas*. L'accès est généralement réservé aux invités. Tous les jours, à partir d'environ 13 h, cavaliers et cavalières paradent dans leurs plus beaux atours traditionnels. La Plaza de Toros de la Maestranza propose l'après-midi des corridas exceptionnelles.

Paso de la semaine sainte

Semaine sainte *(mars-avril)*. Entre le dimanche des Rameaux et celui de Pâques, les membres des confréries portent en procession plus de 100 *pasos* (chars illustrant la Passion). Des spectateurs entonnent des *saetas*, incantations à la louange de la Vierge ou du Christ. Aux premières heures du vendredi saint, une foule fervente attend devant leurs églises la Virgen de la Macarena et la Virgen de la Esperanza. **Fête-Dieu** *(mai-juin)*. Les *seises*, garçons en costume du XVIIIe siècle, dansent devant le maître-autel de la cathédrale *(p. 419)*.

SANTA CRUZ

Ancien quartier juif de Séville et partie la plus pittoresque de la ville, le barrio de Santa Cruz offre à la flânerie un dédale de venelles et de patios blanchis. Nombre des monuments sévillans les plus renommés s'y trouvent : l'immense cathédrale gothique dominée par la tour maure de la Giralda ; l'Alcázar, avec les palais et les jardins luxuriants de Pierre le Cruel et de Charles Quint ; et l'Archivo de Indias dont les documents relatent l'exploration et la conquête du Nouveau Monde par les Espagnols.

Au nord-est s'étend un lacis enchanteur de ruelles où vécut au XVIIᵉ siècle Bartolomé Esteban Murillo, grand

Réverbère de la plaza del Triunfo

peintre du Siècle d'or. Son contemporain, Juan de Valdés Leal, décora l'Hospital de los Venerables de magnifiques fresques baroques. Plus au nord, la calle de las Sierpes est une des rues commerçantes les plus en vogue de Séville. Les places de marché voisines, telle la charmante plaza del Salvador, servirent de décor à certaines histoires écrites par Cervantes. L'ornementation des façades et des intérieurs de l'Ayuntamiento (hôtel de ville) et de la Casa de Pilatos, un joyau de l'architecture andalouse, témoignent de l'effervescence artistique financée au XVIᵉ siècle par les richesses du Nouveau Monde.

LE QUARTIER D'UN COUP D'ŒIL

Bâtiments historiques
Archivo de Indias ❻
Ayuntamiento ❷
Casa de Pilatos ❹
Hospital de los Venerables ❺
Real Alcázar p. 422-423 ❼

Églises
Cathédrale et Giralda p. 418-419 ❶

Rue
Calle de las Sierpes ❸

COMMENT Y ALLER

Le quartier est bien desservi par les bus orange Tussam. Les lignes 21, 22, 23, 25, 26, 30, 31, 33, 34, 40, 41 et 42 vous conduiront à l'avenida de la Constitución, proche de la plupart des sites, le C3 et le C4 à la Puerta de Jerez.

LÉGENDE

Plan pas à pas *(p. 416-417)*

Ⓜ Station de métro

ℹ Information touristique

🅿 Parking

0 — 400 m

◁ **La Giralda vue des jardins de l'Alcázar**

Santa Cruz pas à pas

C'est dans le dédale de ruelles qui s'étend à l'est de la cathédrale et de l'Alcázar que Séville présente son visage le plus romantique. Outre les inévitables boutiques de souvenirs, bars à tapas et musiciens de rue, le promeneur y découvrira venelles pittoresques, places discrètes et patios fleuris. Sur le site de l'ancien quartier juif, des immeubles restaurés aux ferronneries typiques abritent aujourd'hui des résidences chic et des établissements touristiques. Bars et restaurants justifient une visite en soirée.

Grille de fenêtre, Santa Cruz

Sur la plaza Virgen de los Reyes, ornée d'une fontaine du XXᵉ siècle par José Lafita, des calèches proposent leurs services.

Le Palacio Arzobispal du XVIIIᵉ siècle est toujours utilisé par le clergé de Séville.

MA

PLAZA DEL TRIUNFO

ROMERO M

AVENIDA DE LA CONSTITUCIÓN

★ La cathédrale et la Giralda
Un clocher maure flanque l'un des plus vastes édifices gothiques du monde ❶

Convento de la Encarnación

SANTO TOMÁS

MIGUEL MAÑARA

Museo de Arte Contemporáneo

Sur la plaza del Triunfo, où se dresse une statue moderne de l'Immaculée Conception, une colonne baroque commémore la surv de Séville au grand séisme de 1755.

Archivo de Indias
Ancienne Bourse de commerce bâtie au XVIᵉ siècle, la Casa Lonja abrite les Archives des Indes dont les documents retracent la colonisation espagnole du Nouveau Monde ❻

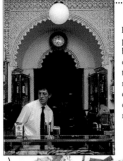

La calle Mateos Gago
plantée d'orangers recèle
boutiques de souvenirs et
cafés. Parmi ses bars à
tapas, le Bar Giralda, au
n° 2, offre un large choix
d'en-cas sous les voûtes
d'anciens bains
maures.

CARTE DE SITUATION
Voir l'atlas des rues, plans 3-4

**La plaza Santa
Cruz** abrite une
croix en fer forgé
de 1692.

MESÓN DEL MORO

XIMÉNEZ ENCISCO

SANTA TERESA

RODRIGO

JAMERDANA

REINOSO

LOPE DE RUEDA

PLAZA

STA CRUZ

GLORIA

JUSTINO DE NEVE

CALLEJÓN DE AGUA

PL DOÑA
ELVIRA

SUSONA

PIMIENTA

VIDA

**★ Hospital de
los Venerables**
*Cet hospice pour
prêtres âgés (XVIIᵉ s.)
possède une église baroque
superbement restaurée* ❺

**La callejón del
Agua** longe un
ancien conduit
alimentant
l'Alcázar en eau.
On y découvre
des patios
enchanteurs.

0   50 m

★ L'Alcázar
*Les Palais Royaux de
Séville allient ornements
mudéjars (p. 422-423),
somptuosité royale et
magnifiques jardins* ❼

LÉGENDE

— — — Itinéraire conseillé

À NE PAS MANQUER

★ **La cathédrale et la
Giralda**

★ **L'Hospital de los
Venerables**

★ **L'Alcázar**

La cathédrale de Séville et la Giralda ❶

**Vitrail du
XVI° siècle**

De la Grande Mosquée que les Almohades bâtirent à la fin du XII° siècle sur ce site ne subsistent que le Patio de los Naranjos et la Giralda, ancien minaret qui offre de son sommet un panorama magnifique de Séville. La construction du sanctuaire chrétien commença en 1401 et demanda un peu plus d'un siècle. Immense édifice gothique comptant cinq nefs, la cathédrale, où repose Christophe Colomb, abrite dans ses chapelles latérales et la sacristie de nombreuses œuvres d'art.

★ La Giralda
*Ce clocher doit
son nom à la
girouette*
(giraldillo)
*en bronze représentant la Foi
(XVI° siècle) qui couronne son
sommet. Une réplique la remplace.*

Entrée

★ Le Patio de los Naranjos
*Les fidèles de la Grande
Mosquée faisaient leurs
ablutions dans
la cour des
Orangers
avant la prière.*

L'ÉVOLUTION DE LA GIRALDA

Des sphères de bronze couronnaient le minaret achevé en 1198. Des symboles chrétiens les remplacèrent au XIV° siècle. Après l'abandon d'un premier projet en 1557, Hernán Ruiz ajouta le clocher Renaissance en 1568.

| 1198 | 1400 | 1557 (plan) | 1568 |

**Puerta
del Perdón**

**Des piliers
romains** apportés
d'Italíca *(p. 452)*
entourent la cathédrale.

Retablo Mayor
Au-dessus du maître-autel, Santa María de la Sede, patronne de la cathédrale, se tient assise sous une cascade d'or : les 44 panneaux de l'immense retable sculpté entre 1482 et 1564 par des artistes espagnols et flamands.

MODE D'EMPLOI

Avenida de la Constitución. **Plan 3 C2.** 954 56 33 21. 21, 22, 23, 31, 33, 40. **Cathédrale et Giralda** de 11 h à 17 h du lun. au sam. ; de 14 h 30 à 18 h le dim. 8 h 30, 9 h, 10 h, 12 h, 17 h du lun. au sam. (20 h aussi le sam.) ; 10 h, 11 h, 12 h, 13 h, 17 h, 18 h le dim.

La Sacristía Mayor recèle quantité d'œuvres d'art, y compris des tableaux de Murillo.

★ **La Capilla Mayor**
Des grilles forgées entre 1518 et 1532 ferment la chapelle principale dominée par l'imposant Retablo Mayor.

Le tombeau de Colomb date des années 1890. Les porteurs du cercueil représentent les royaumes de Castille, de León, d'Aragón et de Navarre *(p. 50)*.

Puerta del Bautismo

À NE PAS MANQUER

★ **La Giralda**

★ **Le Patio de los Naranjos**

★ **La Capilla Mayor**

L'Iglesia del Sagrario, vaste chapelle du XVIIᵉ siècle, sert d'église paroissiale.

Puerta de la Asunción
Bien que de style gothique, ce portail ne fut terminé qu'en 1833. Le relief du tympan représente l'Assomption de la Vierge.

Fontaine génoise du Patio Principal de la Casa de Pilatos

Ayuntamiento ❷

Plaza Nueva 1. **Plan** 3 C1. **📞** 954 59 01
01. **🚌** 21, 23, 25, 30, 33, 34, 35. **🕐**
de 17 h 30 à 18 h 30 du mar. au jeu., de
11 h 30 à 12 h 30 sam. **📷**
W www.ayunt-sevilla.es

Dessiné par Diego de Riaño et
commencé en 1527, l'hôtel
de ville de Séville sépare la plaza
Nueva moderne de la plaza de
San Francisco qu'il domine d'une
belle façade plateresque *(p. 22)*.
Sur cette place avaient jadis lieu
les jugements publics de
l'Inquisition. La façade ouest de
l'Ayuntamiento fait partie d'une
extension néo-classique datant
de 1891.

Des plafonds richement
sculptés ornent le vestibule et
la Casa Consistorial (salle du
conseil) inférieure qui abrite
*L'imposition de la chasuble à
saint Ildefonse* par Velázquez.
La Casa Consistorial supérieure
recèle un éblouissant plafond
à caissons et des peintures par
Zurbarán et Valdés Leal.

Calle de las Sierpes ❸

Plan 3 C1. **🚌** 21, 30. **Casa de la
Condesa Lebrija** **📞** 954 22 78 02. **🕐**
de 10 h 30 à 13 h, de 16 h 30 à 19 h du
lun. au ven., de 10 h à 13 h le sam. **📷**

Principale voie piétonne et
commerçante de Séville, la
rue des Serpents s'étire au nord
de la plaza de San Francisco.
De vénérables établissements
proposant chapeaux andalous,
éventails ou mantilles y côtoient
des boutiques de vêtements et
de souvenirs. De nombreux
magasins bordent également les
rues parallèles de Cuna et de

Tetuán. À mi-chemin de la calle
de las Sierpes, la calle
Jovellanos conduit à gauche à
la Capillita de San José
(XVIIᵉ siècle). Plus loin, au
croisement avec la calle Pedro
Caravaca, le Real Círculo de
Labradores, club privé fondé en
1856, a conservé une
atmosphère surannée.

En face se dresse une
demeure du XVᵉ siècle dont
l'entrée se trouve sur la calle
Cuna. La **Casa de la Condesa
Lebrija** offre l'occasion d'avoir
un aperçu de l'intérieur d'un
palais sévillan. Une mosaïque
romaine provenant d'Itálica
(p. 452) et des azulejos ornent
le patio principal.

Au bout de la rue, La
Campana est la pâtisserie la plus
connue de la capitale andalouse.

Casa de Pilatos ❹

Plaza de Pilatos 1. **Plan** 4 D1. **📞** 954
22 52 98. **🚌** C3, C4. **🕐 Rez-de-
chaussée** de 9 h à 18 h l'hiver, de 9 h
à 19 h l'été. **📷** 1ᵉʳ étage **📷 📷 📷**
rez-de-chaussée.

Le premier marquis de
Tarifa acheva cette
somptueuse demeure
entreprise au XVᵉ siècle après
avoir voyagé vers 1520 en
Europe et en Terre sainte. La
légende veut qu'il prit pour
modèle la maison de Ponce
Pilate à Jérusalem. La
décoration du palais,
aujourd'hui résidence des ducs
de Medinaceli, témoigne de la
séduction qu'exerça sur lui la
Renaissance italienne.

L'entrée se fait par un portail
de marbre commandé en 1529
à des artisans génois. Après
l'Apeadero (cour des
équipages) s'ouvre le Patio
Principal orné de stucs
mudéjars et d'*azulejos*. Quatre
statues antiques se dressent
dans les angles. Trois sont
romaines et représentent
Minerve, une Muse et Cérès.
L'Athena grecque date du
Vᵉ siècle av. J.-C.

Traversez à droite le Salón
del Pretorio aux volets
marquetés et au superbe
plafond à caissons pour
atteindre le Corredor de

AZULEJOS

Introduits par les Maures, qui s'en servaient
pour composer sur les murs des palais des
mosaïques aux motifs géométriques raffinés,
ces carreaux émaillés partout visibles à Séville
tirent leur nom de l'arabe *azzulayj* (petite pierre).
De nouvelles techniques apparurent au XVIᵉ siècle, puis
l'usage des azulejos s'étendit, entre autres, aux panneaux
publicitaires.

Publicité pour la marque Studebaker (1924), calle Tetuán

Triomphe de la croix de Juan de Valdés Leal, Hospital de los Venerables

Zaquizamí. Parmi les antiquités exposées dans les pièces adjacentes figurent un bas-relief de *Léda et le cygne* et deux reliefs romains commémorant la bataille d'Actium (31 av. J.-C.).

De retour dans le Patio Principal, vous entrez à droite dans le Salón de Descanso de los Jueces. Au-delà s'ouvre une chapelle gothique décorée de stucs mudéjars. Sur l'autel se trouve la copie d'une sculpture du IVe siècle conservée au Vatican : le *Bon Pasteur*. À gauche, par le Gabinete de Pilatos, vous rejoindrez le Jardín Grande.

Dans le Patio Principal, derrière la statue de Cérès, un escalier carrelé sous une magnifique coupole *media naranja* (demi-orange) de 1537 conduit au premier étage. Portraits de famille, meubles d'époque et objets d'art emplissent plusieurs

pièces dont certaines sont dotées de plafonds mudéjars.

Hospital de los Venerables ❺

Plaza de los Venerables 8. **Plan** 3 C2.
📞 *954 56 26 96.* 🚌 *C3, C4.* ⏰ *de 10 h à 14 h, de 16 h à 20 h t.l.j.* ⏰ *25 déc., 1er jan., ven. saint.* 🎟️ ☕ ♿

Leonardo de Figueroa acheva en 1695 la construction, entreprise 20 ans plus tôt, de cet ancien hospice pour prêtres âgés. Situé au cœur du barrio de Santa Cruz, l'édifice abrite le centre culturel de la FOCUS (Fundación Fondo de Cultura de Sevilla).

Depuis le patio central, un escalier dessert les étages supérieurs aménagés, à l'instar de l'infirmerie et du cellier, en lieux d'exposition. Une visite guidée permet de découvrir

l'église, fleuron du baroque, ornée de fresques par Juan de Valdés Leal et son fils Lucas Valdés. Pedro Roldán exécuta les statues de saint Pierre et de saint Ferdinand qui flanquent la porte est. Au haut du retable du maître-autel s'admire l'*Apothéose de saint Ferdinand* de Lúcas Valdés. Une frise en grec recommande de « Craindre Dieu et honorer le prêtre ».

Le *Triomphe de la croix*, peinture en trompe-l'œil de Juan de Valdés Leal, décore le plafond de la sacristie.

Archivo de Indias ❻

Avda de la Constitución. **Plan** 3 C2.
📞 *954 21 12 34.* Ⓜ *Puerta Jerez* ⭕
jusqu'à fin 2005. 📷

Construite entre 1584 et 1598 d'après des plans de Juan de Herrera, l'architecte de l'Escorial *(p. 312-313)*, la Casa Lonja était à l'origine une Bourse de commerce. Charles III décida en 1785 d'y réunir les archives espagnoles liées à la découverte et à la conquête du Nouveau Monde (les « Indes »). Elles comprennent 8 000 cartes et dessins et 86 millions de pages manuscrites, notamment des lettres de Christophe Colomb, Cortés et Cervantes, ainsi que l'importante correspondance de Philippe II. Certains documents sont maintenant conservés sur CD-ROM.

Dans les salles de la bibliothèque, à l'étage, des vitrines présentent des cartes, des dessins et des reproductions de documents régulièrement renouvelés.

Façade de l'Archivo de Indias dessinée par Juan de Herrera

Alcázar ❼

Stuc mudéjar

L'ensemble formé par les palais royaux de l'Alcázar (los Reales Alcázares) représente l'aboutissement de plusieurs siècles d'architecture. Les Maures commencèrent sa construction en 844, mais leur héritage reste surtout présent grâce aux artisans qu'employèrent les souverains chrétiens, notamment Pierre Ier le Cruel qui commanda en 1364 le Palacio Pedro I, un joyau de l'art mudéjar. D'autres monarques marquèrent l'Alcázar de leur empreinte. Isabelle de Castille y donna naissance à son fils et Charles Quint fit construire de somptueux appartements.

Jardín de Troya

Jardins de l'Alcázar
Agrémentés de terrasses, de fontaines et de pavillons, ils sont une véritable oasis de calme et de fraîcheur au cœur de la ville.

★ Les Salones de Carlos V
Tapisseries et azulejos du XVIe siècle décorent les appartements et la chapelle de Charles Quint.

Patio del Crucero, au-dessus des anciens bains

Plan de l'Alcázar

Résidence des rois espagnols pendant près de sept siècles, le palais reste utilisé, à l'étage, par la famille royale.

Légende

☐ Partie illustrée ci-dessus

☐ Jardins

★ Le Patio de las Doncellas
Les meilleurs artisans de Grenade créèrent les stucs du patio des Demoiselles.

★ **Le Salón de los Embajadores**
La magnifique coupole en bois gravé et doré du salon des Ambassadeurs date de 1427.

MODE D'EMPLOI

Patio de Banderas. **Plan** 3 C2. ☎ 954 50 23 23. Ⓜ Puerta Jerez. ◐ 9 h 30-19 h : mar.-sam., 9 h 30-17 h dim. et jours fériés ; oct.-mars : jusqu'à 17 h mar.-sam. 📷

Les arcs en fer à cheval
Des azulejos et des stucs finement travaillés ornent le salon des Ambassadeurs où s'ouvrent trois porches comportant chacun trois arcs en fer à cheval.

Casa de la Contratación

Patio de la Montería
où la cour se réunissait avant de partir chasser.

Patio de las Muñecas
Le patio des Poupées, nommé d'après deux petits visages ornant l'un des arcs, formait avec les chambres qui l'entourent le cœur domestique du palais.

La façade du Palacio Pedro I est un fleuron de l'art mudéjar.

Puerta del León (entrée)

Patio del Yeso
Le patio du Plâtre, jardin fleuri rafraîchi par un canal, conserve des éléments de l'Alcázar almohade du XIIᵉ siècle.

À NE PAS MANQUER

★ **Les Salones de Carlos V**

★ **Le Patio de las Doncellas**

★ **Le Salón de Embajadores**

EN DEHORS DU CENTRE

L e nord de Séville se présente comme une mosaïque pittoresque d'églises baroques et mudéjares décrépites et de bars à tapas à l'ancienne. La Basílica de la Macarena y abrite l'une des Vierges les plus vénérées de la ville : la Virgen de la Esperanza Macarena. Le quartier compte de nombreux établissements religieux, dont le Convento de Santa Paula qui offre l'occasion de jeter un coup d'œil derrière les murs d'une communauté de religieuses cloîtrées.

Colonne romaine, Alameda de Hércules

Au sud de la ville s'étend le vaste Parque María Luisa dont une grande partie appartenait à l'origine à une demeure baroque, le Palacio de San Telmo. La plupart des bâtiments historiques du parc datent de l'Exposition hispano-américaine de 1929. Le luxueux Hotel Alfonso XIII et la plaza de España constituent les deux héritages les plus marquants de ce regain de fierté andalouse. Non loin, la Fábrica de Tabacos, qui fait aujourd'hui partie de l'université, reste depuis plus d'un siècle associée à une gitane imaginée par Prosper Mérimée : Carmen.

En face du centre-ville, sur l'autre rive du Guadalquivir, le quartier de Triana garde l'atmosphère populaire du vieux Séville avec ses rues pavées et ses boutiques de céramique. Christophe Colomb résida à plusieurs reprises dans le Monasterio de Santa María de las Cuevas, chartreuse fondée au nord de Triana en 1400. Le site qui l'entoure entre deux bras du fleuve, l'Isla de la Cartuja, devint celui d'Expo '92, l'exposition universelle célébrant le 500e anniversaire de la découverte du continent américain. En cours de reconversion, il doit devenir un pôle culturel et de loisirs.

LES SITES D'UN COUP D'ŒIL

Bâtiments historiques
Palacio de San Telmo ❹
Universidad ❺

Églises et couvent
Basílica de la Macarena ❶
Convento de Santa Paula ❷
Iglesia de San Pedro ❸

Sites historiques
Isla de la Cartuja ❽
Parque María Luisa ❻
Triana ❼

LES SITES EN DEHORS DU CENTRE

LÉGENDE

Centre-ville

Parcs et espaces verts

🚉 Gare

Route principale

Route secondaire

◁ **Le Pabellón de Andalucía (pavillon d'Andalousie) construit sur l'Isla de la Cartuja pour Expo '92**

Saint Jean-Baptiste par **Montañés** au Convento de Santa Paula

Basílica de la Macarena ❶

Calle Bécquer 1. **Plan** 2 D3. *954 37 01 95.* C1, C2, 2, 10, 13, 14. *de 9 h 30 à 13 h, de 17 h à 19 h t.l.j.* *Pâques.* **Trésor** *de 9 h 30 à 13 h, et de 17 h à 20 h t.l.j.*

Construite en 1949 par Gómez Millán pour offrir un nouveau toit à la célèbre Virgen de la Macarena, cette basilique néobaroque jouxte l'Iglesia de San Gil, entreprise au XIIIe siècle sur le site d'une mosquée, qui abrita la statue vénérée jusqu'à un incendie en 1936.

Attribuée à Luisa Roldán (1656-1703), la femme artiste la plus talentueuse de l'école de Séville, l'effigie de la Vierge domine le maître-autel. Rafael Rodríguez Hernández exécuta en 1982 les peintures murales du sanctuaire. Un musée, dans le trésor, présente notamment les habits et bijoux qui parent la Virgen lors des processions.

Convento de Santa Paula ❷

Calle Santa Paula 11. **Plan** 2 E5. *954 53 63 30.* 10, 11. *10 h - 12 h 45, 16 h 30-18 h mar.-dim. groupes le mat. seul.*

Une communauté de quarante religieuses occupe toujours ce couvent fondé en 1475, mais le musée peut se visiter. Ses deux galeries abritent peintures religieuses et objets liturgiques. On traverse un jardin clos pour atteindre l'église dont la nef possède un plafond en bois sculpté datant de 1623. Parmi les statues figurent un saint Jean l'Évangéliste et un saint Jean-Baptiste par Juan Martínez Montanez.

Iglesia de San Pedro ❸

Plaza San Pedro. **Plan** 2 D5. *954 22 91 24.* 10, 11, 12, 24, 27, 32. *8 h 30-11 h 30, 19 h-20 h 30 lun.-sam.; 9 h 30-13 h 30, 19-20 h 30 dim.*

L'église où Velázquez reçut le baptême en 1599 présente un mélange de styles typiquement sévillan. Sous un clocher baroque, sa tour en brique conserve des éléments mudéjars. Le portail principal (1613), œuvre de Diego de Quesada, donne sur la plaza de San Pedro.

À l'intérieur, peu éclairé, le plafond en bois et la porte ouest sont mudéjars. Des motifs géométriques en briques entrelacées ornent la voûte d'une des chapelles.

Derrière l'église, dans la calle Doña María Coronel, des pâtisseries s'achètent par le tour (une sorte de tambour pivotant) du Convento de Santa Inés fondé au XIVe siècle. Devant l'église du monastère, des fresques peintes au XVIIe siècle par Francisco de Herrera décorent un patio à arcades.

Azulejos modernes ornant la façade de l'Iglesia de San Pedro

Palacio de San Telmo ❹

Avenida de Roma. **Plan** 3 C3. *955 03 55 05.* C3, C4, 5, 34. *pour rénovation jusqu'en juin 2008*

Construit en 1682 pour accueillir l'École navale destinée à former les officiers de marine, cet imposant palais porte le nom du patron des navigateurs. En 1849, il devint la résidence des ducs de Montpensier. L'actuel Parque María Luisa fit partie jusqu'en 1893 de son vaste parc.

Le gouvernement régional, la Junta de Andalucía, occupe désormais l'édifice, qui se présente comme élément architectural le plus marquant

Parque María Luisa ❻

Plan 4 D4. **M** *Prado de San Sebastian.* **Museo Arqueológico** *954 23 24 01.* *de 15 h à 20 h le mar., de 9 h à 20 h du mer au sam., de 9 h à 14 h le dim.* *gratuit pour les membres de l'UE.* **Museo de Artes y Costumbres Populares** *954 23 25 76.* *voir ci-dessus.*

En 1893, la princesse Marie-Louise d'Orléans fit don à la ville d'une partie des

La plaza de España offre des bassins où canoter.

La Glorieta de Bécquer est décorée de sculptures illustrant les étapes de l'amour, un hommage au poète Gustavo Adolfo Bécquer.

un exubérant portail churrigueresque dessiné par Leonardo de Figueroa et achevé en 1734. Les figures allégoriques en avant des colonnes ioniques représentent les Arts et les Sciences. Saint Ferdinand, portant l'épée, et San Hermenegildo, tenant la croix, entourent San Telmo aux bras chargés d'un bateau et de cartes. Susillo orna en 1895 la façade nord d'effigies de célébrités sévillanes telles que Montañés, Murillo et Velázquez.

En face se dresse l'Hotel Alfonso XIII. Bâti entre 1916 et 1928, il possède un grand patio agrémenté d'une fontaine et planté d'orangers. Le bar et le restaurant sont ouverts aux non-résidents.

Universidad ❺

Calle San Fernando 4. **Plan** 3 C3.
📞 954 55 10 00. 🚌 C3, C4, 5, 25,
26, 34. ⏰ de 8 h à 20 h 30 du lun.
au ven. ⬛ jours fériés. ⓦ www.us.es

L'université de Séville occupe l'ancienne Real Fábrica de Tabacos (Manufacture royale des tabacs) où, au XIXᵉ siècle, quelque 3 000 *cigarreras* roulaient les trois quarts des cigares européens. Réputées pour la vivacité de leur tempérament, ces ouvrières inspirèrent à Prosper Mérimée le personnage de Carmen.

Construite entre 1728 et 1781, la fabrique est le plus vaste édifice historique d'Espagne après l'Escorial

Fontaine baroque d'un des patios de l'Universidad

(p. 312-313). Le fossé et les tours témoignent de l'importance qu'avait pour la couronne ce monopole.

jardins du Palacio de San Telmo pour permettre la création de ce parc aménagé par l'architecte Jean Forestier. Dans ce cadre eut lieu en 1929 l'Exposition ibéro-américaine, pour laquelle Aníbal Gonzalez édifia la plaza de España, décorée d'azulejos évoquant l'histoire des provinces espagnoles, et

la plaza de América où se dresse le Pabellón Mudéjar. Il abrite le Museo de Artes y Costumbres Populares (musée des Arts et Traditions populaires). Provenant du site romain d'Itálica *(p. 452)*, les collections du Museo Arqueológico occupent à côté le Pabellón de Bellas Artes de style néo-Renaissance.

Museo Arqueológico

Fuente de los Leones

Plaza de América

Pabellón Real

L'Isleta de los Patos pare un lac où s'ébattent cygnes et canards.

Museo de Artes y Costumbres Populares

Azulejos d'un magasin de céramiques de Triana : Cerámica Santa Ana

Triana ❼

Plan 3 A2. Ⓜ *Plaza de Cuba, Parque de los Principes.*

Nommé d'après l'empereur romain Trajan, l'ancien quartier gitan de Séville garde une atmosphère populaire, ainsi qu'un esprit d'indépendance affirmé. Les boutiques de céramiques bordant ses rues fleuries entretiennent une tradition vieille de plusieurs siècles. Fondée en 1870, la plus connue, Cerámica Santa Ana, occupe le n° 31, calle San Jorge.

Le Puente de Isabel II relie le centre-ville à Triana. Il conduit à la plaza del Altozano que dominent des balcons vitrés ou *miradores*. Non loin, la calle Rodrigo de Triana présente un aspect typique avec ses maisons blanches et ocre. Elle porte le nom du marin andalou qui fut le premier à apercevoir le Nouveau Monde. L'Iglesia de Santa Ana, construite au XIIIᵉ siècle dans le style gothico-mudéjar, a fait l'objet d'une splendide rénovation. Son baptistère abrite la Pila de los Gitanos, fonts baptismaux censés transmettre le don du *cante flamenco* aux enfants des fidèles.

Isla de la Cartuja ❽

Plan 1 B2. 📞 *954 46 00 89.* 🌐 *www.junta-andalucia.es-cultura* 🚇 *C1, C2.* **Monasterio de Santa María de las Cuevas** ⏰ *d'avr. à sept. : de 10 h à 21 h du mar. au sam., de 10 h à 15 h le dim. ; d'oct. à mars : de 10 h à 20 h du mar. au sam, de 10 à 15 h le dim.* 📷 ♿ **Centro Andaluz de Arte Contemporaneo** 📞 *955 03 70 70.* ⏰ *voir ci-dessus.* 📷 *gratuit le mar.* ♿ **Isla Mágica** 📞 *902 16 17 16.* ⏰ *en mars et avr. : de 11 à 19 h ou 21 h t.l.j. ; de mai à sept. : de 11 à 22 h ou minuit t.l.j.* ⏰ *lun. (d'avril à juin) ; nov.-mars.* ♿

Un important programme d'aménagement est en train de transformer l'Isla de la Cartuja, site d'Expo '92 *(p. 64-65)*, en un vaste ensemble de musées et d'aires de loisirs.

Entre les deux bras du Guadalquivir, le quartier doit son nom à une chartreuse fondée en 1400, le Monasterio de Santa María de las Cuevas. Christophe Colomb y séjourna et, de 1507 à 1542, son corps reposa dans la crypte de la Capilla de Santa Ana.

Près du fleuve, au sud, se trouvent le musée maritime du Pabellón de la Navegación et une réplique du *Nao Victoria*, un voilier du XVIᵉ siècle. Non loin, le cinéma Omnimax présente des films sur un écran hémisphérique de 24 m de diamètre. Un musée des Sciences occupera à côté le Pabellón de los Descubrimientos (pavillon des Découvertes).

Au cœur d'un parc à thème, l'Isla Mágica, le lago de España prend l'aspect d'un océan miniature où sont proposées des reconstitutions de batailles navales.

Entrée principale du Monasterio de Santa María de las Cuevas, chartreuse fondée en 1400

ATLAS DES RUES DE SÉVILLE

Cette carte précise la zone couverte par les plans de l'atlas des rues de Séville. Les références cartographiques données dans les articles décrivant les sites et monuments de la ville renvoient à ces plans qui vous permettront également de situer hôtels *(voir p. 561-562)* et restaurants *(voir p. 600-601)*. La liste des symboles utilisés dans ces plans figure en bas de page.

LÉGENDE DES PLANS

- Site exceptionnel
- Site intéressant
- Autre édifice
- Gare
- Station de métro
- Arrêt d'autobus important
- Gare routière
- Embarcadère des bateaux

- Station de taxis
- P Parc de stationnement
- i Information touristique
- Hôpital de garde
- Poste de police
- Église
- Couvent ou monastère
- Bureau de poste

- Voie ferrée
- Rue à sens unique
- Rue piétonnière

ÉCHELLE DES PLANS

0 ———— 250 m

ANDALOUSIE

HUELVA · CADIX · MÁLAGA · GIBRALTAR · SÉVILLE
CORDOUE · GRENADE · JAÉN · ALMERÍA

Corridas, plages écrasées de soleil, flamenco, villages blancs, fêtes endiablées, tapas, processions religieuses empreintes de ferveur… L'Andalousie évoque de nombreux clichés. Mais au-delà du folklore, c'est avant tout une région magnifique et d'une grande richesse artistique dont le peuple défend avec le sourire une identité née de nombreux métissages culturels.

Traversée par l'un des plus longs fleuves du pays, le Guadalquivir, l'Andalousie, où s'élève le plus haut massif de la péninsule Ibérique, la sierra Nevada, compte huit provinces qui s'étendent du désert de Tabernas, à l'est, jusqu'à l'océan Atlantique et la frontière portugaise. Un col, le desfiladero de Despeñaperros, relie la région au plateau central. Son littoral méditerranéen mérite bien son nom de Costa del Sol (côte du Soleil). Une singularité historique et géographique, Gibraltar, en constitue la limite occidentale.

Ses envahisseurs successifs ont marqué l'Andalousie de leur empreinte. Les Romains firent de Cordoue la capitale de la province de la Bétique et fondèrent Itálica dont subsistent les ruines près de Séville. Les Maures, qui occupèrent la région pendant sept siècles, lui donnèrent son nom et d'extraordinaires monuments comme la Mezquita de Cordoue et le palais de l'Alhambra de Grenade. Mais l'Andalousie recèle d'autres richesses que ses grandes villes et ses plages. Plusieurs sites de la province de Huelva, le long du Portugal, évoquent Christophe Colomb qui en partit en 1492 pour découvrir l'Amérique. Les paysages désertiques de l'arrière-pays d'Almería éveillent le souvenir des nombreux westerns qui y furent tournés. Au cœur des oliveraies qui couvrent la province de Jaén se nichent deux ravissantes cités Renaissance : Úbeda et Baeza.

La ville de Jaén entourée d'oliveraies vue du Castillo de Santa Catalina

◁ Arc du *mihrab* (niche tournée vers La Mecque) de la Mezquita de Cordoue

À la découverte de l'Andalousie

L a région la plus variée d'Espagne permet de se croire au Far West dans le désert de Tabernas, de jouir des plages de la Costa del Sol, de skier dans la sierra Nevada ou de déguster du xérès à Jerez. Des marécages de Doñana aux sommets de Cazorla, les réserves naturelles présentent la même diversité. Les Maures ont laissé leur empreinte sur Grenade et Cordoue. Úbeda et Baeza sont des joyaux de la Renaissance, et la blanche Ronda évoque l'Orient.

Badajoz, Mérida

SIERRA MORENA

N432

24

Riviera de Huelva

CAZALLA DE LA SIERRA

N433

N435

N630 (E803)

MEDINA AZAHARA **27**

Serpa, Beja

CÓRDOB

SIERRA DE ARACENA

1

A482

A452

A431

PALMA DEL RÍO **25**

A499

N435

Odiel

ÉCIJA **26**

MONT

Guadalquivir

A472

ITÁLICA **23**

NIV A4 (E5)

HUELVA

SEVILLE

22

A301

MONASTERIO DE **2**
LA RÁBIDA **4**

A49 (E1)

CARMONA

A351

Rivero

3

PALOS DE LA FRONTERA

Guadaira

A92

EL ROCÍO **5** **6**

OSUNA **21**

A49

PARQUE NACIONAL
DE DOÑANA

A92 (E5)

A38

ANTEQU
EL TO

SANLÚCAR DE
BARRAMEDA

A382

GARGAN
DEL CHOR

7

A471

11

8

ARCOS DE
LA FRONTERA

RONDA **13**

JEREZ DE LA
FRONTERA

12

PUEBLOS BLANCOS

9 CÁDIZ

A390

A405

MEDINA SIDONIA

16

A340 (E5)

COSTA DE

CIRCULER

Málaga, Séville et Jerez possèdent les aéroports les plus importants. Modernisé, le réseau routier a pour axe principal la N IV (E5) qui suit la vallée du Guadalquivir et dessert Cordoue, Séville et Cadix. Le train à grande vitesse AVE relie Séville et Cordoue à Madrid. Les cars circulent presque partout. L'Espagne est en train de changer la numérotation des routes et il se peut que certaines routes de la carte ci-contre portent maintenant un nouveau numéro.

COSTA DE
LA LUZ

10

ALGÉCIRAS **14** **15** GIBRALTAR

TARIFA

0   25 km

LÉGENDE

▬	Autoroute
▬	Route principale
▬	Route secondaire
▬	Parcours pittoresque
≈	Cours d'eau
☙	Point de vue

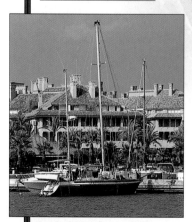

Port de plaisance de Sotogrande

VOIR AUSSI

- **Hébergement** p. 563-567

- **Restaurants et bars** p. 601-605

Musiciennes en costumes
traditionnels lors
d'une fête de village

L'ANDALOUSIE D'UN COUP D'ŒIL

Le fameux *jamón ibérico* dans un bar de Jabugo, sierra de Aracena

Sierra de Aracena ❶

Huelva. 🚊 *El Repilado.* 🚌 *Aracena.*
🛈 *Aracena, 959 12 82 06.* 🛒 *sam.*

Ce massif montagneux boisé, l'une des parties les plus isolées et les moins visitées d'Andalousie, possède pour capitale Aracena. La ville s'étage sur le flanc d'une colline que couronnent les ruines d'un château maure. On peut y visiter la **Gruta de las Maravillas**, une grotte riche en concrétions polychromes qui renferme un lac. Le village de **Jabugo** est réputé pour son *jamón ibérico*.

Minas de Riotinto doit son nom à des mines à ciel ouvert de pyrite, de cuivre et d'argent exploitées depuis les Phéniciens. Au village, le **Museo Minero** évoque leur histoire.

Cruche, Museo Provincial de Huelva

🍖 Gruta de las Maravillas
Pozo de la Nieve. 📞 *959 12 83 55.*
🕐 *t.l.j.* 🎦 📷

🏛 Museo Minero
Plaza del Museo. 📞 *959 59 00 25.*
🕐 *t.l.j.* ● *1er et 6 jan.* 🎦 ♿ 📷

Huelva ❷

Huelva. 👥 *130 000.* 🚉 🚌 🛈
Avda Alemania 12, 959 25 74 03. 🛒
ven. 🎉 *Las Colombinas (3 août).*

L'ancienne Onuba phénicienne connut son apogée à l'époque romaine. En 1755, le tremblement de terre de Lisbonne la raya presque de la carte. Des faubourgs industriels se développent aujourd'hui autour des quais bordant le río Odiel.

Christophe Colomb partit pour sa traversée de l'Atlantique du port de Palos de la Frontera, de l'autre côté de l'estuaire, et le **Museo Provincial** célèbre cet événement. Il présente aussi des pièces archéologiques et retrace l'histoire des mines de Riotinto.

Au début du xxᵉ siècle, la compagnie qui les exploitait construisit pour ses employés les pavillons donnant des allures de banlieue anglaise au barrio Reina Victoria, à l'est du centre-ville. Au sud, à la punta del Sebo, se dresse le Monumento a Colón (1929).

Aux environs
Trois stations balnéaires proposent des plages de sable près de Huelva : **Punta Umbría**, proche des marismas del Odiel emplis d'oiseaux ; **Isla Cristina**, port de pêche aux excellents restaurants de poisson ; et **Mazagón** dotée de kilomètres de dunes.

À l'est de Huelva, une région de collines, **El Condado**, produit certains des meilleurs vins d'Andalousie. Bollullos del Condado possède la plus grosse coopérative. **Niebla** conserve des remparts et le **Castillo de los Guzmanes** (xiiᵉ siècle) d'origine maure.

🏛 Museo Provincial
Alameda Sundheim 13. 📞 *959 25 93 00.* 🕐 *du mar. au sam.* ♿

♣ Castillo de los Guzmanes
Campo Castillo, Niebla. 📞 *959 36 22 70.* 🕐 *t.l.j.*

Monasterio de la Rábida ❸

Huelva. 🚌 *depuis Helva.* 📞 *959 35 04 11.* 🕐 *du mar. au dim.* ♿ 📷
📷

En 1491, après que les Rois Catholiques *(p. 52-53)* eurent rejeté son projet de rejoindre l'Inde par l'ouest, Christophe Colomb trouva refuge à quatre kilomètres au nord de Palos de la Frontera dans ce monastère franciscain fondé au xvᵉ siècle. Mais son prieur, Juan Pérez, était le confesseur d'Isabelle de Castille et il la persuada de revenir sur sa décision.

L'intérieur abrite des fresques peintes en 1930 par Daniel Vázquez Díaz à la gloire de l'explorateur génois. Le cloître mudéjar, le jardin fleuri et la salle capitulaire ajoutent à l'intérêt de la visite.

Fresques illustrant la vie de Colomb au Monastero de la Rábida

Palos de la Frontera ❹

Huelva. 🏛 *12 000*. 🚉 ⓘ *Parque Botánico José Celestino Mutis Paraje, 959 53 05 39.* 🚌 *sam.* 🎏 *Santa Maria de la Rábida (3 et 16 août).*

Le 3 août 1492, Christophe Colomb leva l'ancre du bassin de cette petite ville agricole d'où étaient originaires les deux capitaines de l'expédition : Vincente et Martin Pinzón. Une statue de ce dernier orne la grand-place et sa demeure est devenue un petit musée : la **Casa Museo de Martín Alonso Pinzón**.

De style *gothico-mudéjar*, l'**Iglesia de San Jorge** (xvᵉ siècle) possède un beau portail que franchit Colomb après avoir écouté la messe avant son départ.

Aux environs
Belle ville blanche, **Moguer** recèle un ermitage du xvɪᵉ siècle, Nuestra Señora de Montemayor, et un hôtel de ville néoclassique. Le **Convento de Santa Clara** et le Monasterio de San Francisco possèdent de jolis cloîtres.

🏛 **Casa Museo de Martín Alonso Pinzón**
Calle Colón 24. 📞 *959 35 01 99.* 🕐 *du lun. au sam.*
🏛 **Convento de Santa Clara**
Plaza de las Monjas. 📞 *959 37 01 07.* 🕐 *du mar. au sam.* ⦿ *jours fériés.* 🎦

El Rocío ❺

Huelva. 🏛 *2 500*. 🚉 ⓘ *Avda de la Canaliega, 959 44 38 08.* 🎏 *Romería (mai-juin).* Ⓦ *www.donana.es*

En bordure des marais du Parque Nacional de Doñana (*p. 440-441*), El Rocío doit son renom à sa *romería* qui attire chaque année près d'un million de personnes. La plupart sont des pèlerins. Ils se rendent, pour certains dans des charrettes richement décorées, à l'**Iglesia de Nuestra Señora del Rocío**. Elle abrite une Vierge gothique à qui la tradition attribue des guérisons miraculeuses depuis 1280. Le lundi matin, des hommes d'Almonte se disputent la statue pour la porter en procession au milieu d'une foule qui se presse dans l'espoir de la toucher.

Iglesia de Nuestra Señora del Rocío, El Rocío

FÊTES D'ANDALOUSIE

Procession en l'honneur de la statue miraculeuse d'El Rocío

Carnaval (*fév.-mars*), Cadix. Toute la ville se pare de ses plus beaux atours pour l'un des carnavals les plus colorés d'Europe. Des groupes de chanteurs ironisent sur les modes, les célébrités et les hommes politiques du moment.
Romería de la Virgen de la Cabeza (*der. dim. d'avr.*), Andújar (Jaén). Pèlerinage jusqu'à un sanctuaire isolé de la sierra Morena.
Día de la Cruz (*1ʳᵉ sem. de mai*), Grenade et Cordoue. Des associations de quartier rivalisent dans l'élaboration de croix ornées de fleurs.
Fête des patios (*mi-mai*), Cordoue. Dans la vieille ville, les patios se parent de fleurs et s'ouvrent au public.
El Rocío (*mai-juin*). Plus de 70 confréries de pèlerins rendent hommage à la Virgen del Rocío.
Fête de Christophe Colomb (*fin juil.-déb. août*), Huelva. Chaque année, la musique et les danses d'un pays d'Amérique latine différent sont à l'honneur.
Exaltación al Río Guadalquivir (*mi-août*), Sanlúcar de la Barrameda (Cadix). Courses de chevaux sur la plage à l'embouchure du río Guadalquivir.

Parque Nacional de Doñana ❻

D ans l'une des plus vastes étendues marécageuses d'Europe, le parc national du Coto de Doñana fondé en 1969 et les zones protégées qui l'entourent couvrent une superficie de 75 000 ha de marais et de dunes. La région ne fut jamais propice à l'installation de l'homme et elle servait de réserve de chasse aux ducs de Medina

Observation des oiseaux

Sidonia. Elle offre en effet un habitat naturel favorable à de nombreuses espèces animales. Des milliers d'oiseaux migrateurs y font halte en hiver quand les marais sont de nouveau inondés après des mois de sécheresse.

Végétation arbustive
Derrière les dunes s'étend un épais tapis de lavandes, cistes et autres plantes basses.

Genévrier cade (ou oxycèdre)
Variété de genévrier (juniperus oxycedrus) *qui pousse dans les vastes étendues de sable.*

Palacio del Acebrón
El Rocío
La Rocina
H612
El Acebuche
Matalascañas
Palacio de Doñana
Laguna de Santa Ol

Dunes côtières
Les dunes de sable blanc du littoral peuvent atteindre 30 m de haut. Les vents de l'Atlantique les déplacent en permanence.

Le monte de Doñana
boisé offre un refuge aux lynx, aux cerfs et aux sangliers.

Visite guidée
Une stricte réglementation limite le nombre de visiteurs admis à l'intérieur du parc. Des visites guidées offrent le seul moyen de découvrir sa faune protégée.

LÉGENDE

☐	Marais
☐	Dunes
•••	Limites du parc national
•••	Zones protégées
▬	Route
❀	Point de vue
ℹ	Information touristique
P	Parc de stationnement
🚌	Arrêt d'autocars

Cervidés
Le daim (dama dama) *et le cerf élaphe* (cervus elaphus) *vivent en liberté. Les mâles se livrent des combats acharnés à la fin de l'été, saison des accouplements.*

MODE D'EMPLOI

Huelva et Séville. **Extérieur du parc** ◯ *t.l.j.* ● *1ᵉʳ et 6 janv., Pentecôte, 25 déc.* **ℹ La Rocina** 📞 *959 44 23 40.* **ℹ Palacio del Acebrón :** *exposition « l'Homme et Doñana ».* **ℹ El Acebuche :** *accueil, exposition audiovisuelle, café, boutique.* 📞 *959 44 87 11.* **Sentiers ouverts au public :** *La Rocina et Charco de la Boca (90 min) ; El Acebrón depuis Palacio del Acebrón (45 min) ; Laguna del Acebuche depuis Acebuche (45 min).* **Parc** ◯ *de mai à sept. : du lun. au sam. ; d'oct. à avr. : du mar. au dim. Vis. guidées seul. Départs d'El Acebuche à 8 h 30 et 15 h. Réservations* 📞 *959 43 04 32.* 🖝

Le bétail en liberté
s'abreuve dans les marais.

Aigle impérial
(Aquila adalberti) *est un des oiseaux les plus rares de Doñana.*

Rio Guadiamal

José Antonio Valverde

Marisma de Iznalcázar

Marisma Gallega

Flamants roses
Pendant les mois d'hivers, lagunes et marais fournissent aux flamants roses (phoenicopterus ruber) *leur aliment favori : des crustacés.*

Rio Guadalquivir

Sanlúcar de Barrameda

Fábrica de Hielo

0 ___ 5 km

LE DERNIER REFUGE DU LYNX

Le lynx est l'un des mammifères les plus rares d'Europe, mais environ trente lynx espagnols *(lynx pardellus)* vivent à Doñana. Cet animal nocturne au pelage fauve tacheté de brun et aux oreilles pointues garnies de touffes de poils noirs tend à se cacher dans les broussailles et reste mal connu. Il se nourrit principalement de lapins et de canards.

L'observation du lynx demande beaucoup de patience

Sanlúcar de Barrameda ❼

Cádiz. 🏛 63 000. 🚌 🚍 *Calzada del Ejército, 956 36 61 10.* 🚢 *mer.* 🎉 *Exaltación al Río Guadalquivir et courses de chevaux (mi-août).*

C'est de ce port de pêche dominé par un **château** maure à l'embouchure du Guadalquivir que partirent Christophe Colomb, en 1498, pour sa troisième expédition, et Magellan, en 1519, pour réaliser le premier tour du monde. Du quai, des bateaux conduisent au parc de Doñana *(p. 440-441)*.

Sanlúcar est surtout connu par le manzanilla, un xérès sec et léger produit notamment par les **Bodegas Barbadillo**.

Aux environs
Petite station balnéaire animée, **Chipiona** possède une belle plage. À l'intérieur des terres, **Lebrija** recèle derrière ses remparts une église aménagée dans une mosquée du XIIᵉ siècle.

🍷 Bodegas Barbadillo
C/ Luis de Eguilaz 11.
📞 956 38 55 00. 🕐 *lun.-ven. sur rendez-vous.* 📷 🎥 ♿

Entrée de la *bodega* **Barbadillo à Sanlúcar de Barrameda**

Jerez de la Frontera ❽

Cádiz. 🏛 190 000. 🚂 🚌 🚢 🚍 🚍 *Plaza del Arenal, s/n, Edificio Los Arcos, 956 35 96 54.* 🚢 *lun.* 🎉 *Vendanges (sept.).*

U ne visite de la capitale du xérès *(p. 402-403)* se doit d'inclure celle d'une *bodega*. Parmi les marques les plus connues figurent **González Byass** et **Pedro Domecq**.

La ville tire aussi sa renommée de la **Real Escuela Andaluza de Arte Ecuestre**. Cette école d'art équestre propose un spectacle éblouissant le jeudi, mais vous pouvez assister à une séance de dressage les autres jours.

À proximité, le **Museo del Tiempo** possède l'une des plus riches collections d'horloges d'Europe. Sur la plaza de San Juan, le Centro Andaluz de Flamenco *(p. 406-407)* occupe le **Palacio de Penmartín** (XVIIIᵉ siècle). Partiellement restauré, l'**Alcázar** du XIᵉ siècle comprend une mosquée transformée en église. Non loin, au nord, la sacristie de la **collégiale** abrite la *Vierge enfant endormie* de Zurbarán.

Aux environs
El Puerto de Santa María, port d'exportation du xérès où plusieurs *bodegas*, telles celles d'**Osborne** et de **Terry**, peuvent se visiter, possède un château du XIIIᵉ siècle et des arènes parmi les plus vastes d'Espagne.

🎠 Real Escuela Andaluza de Arte Ecuestre
Duque de Abrantes. 📞 956 31 80 08 *(sur rendez-vous).* 🕐 *du lun. au ven.* 📷 ♿
🏛 Museo del Tiempo
Calle Cervantes 3. 📞 956 18 21 00. 🕐 *pour rénovation.* 📷 ♿
🎠 Palacio de Penmartín
Plaza de San Juan 1. 📞 956 34 92 65. 🕐 *lun.-ven..* ⬤ *jours fériés.*
⛪ Alcázar
Alameda Vieja. 📞 956 31 97 98. 🕐 *t.l.j.* ⬤ *jours fériés.* ♿ 🎥 📷
🍷 Sherry Bodegas
🕐 *téléphoner pour les horaires de visite.* 📷 **González Byass**, C/ Manuel María González 12, Jerez.
📞 956 35 70 16. **Pedro Domecq**, C/ San Ildefonso 3, Jerez. 📞 956 15 15 00. **Sandeman**, C/ Pizarro 10, Jerez. 📞 956 15 17 00. **Osborne**, C/ de los Moros, Puerto de Santa María. 📞 956 86 91 00. **Terry**. C/Tonelero, Puerta de Santa Maria. 📞 956 85 77 00.

Real Escuela Andaluza de Arte Ecuestre, Jerez de la Frontera

Cadix (Cádiz) 9

**Masque égyptien,
Museo de Cádiz**

Selon la légende, c'est Hercule qui fonda, sur un rocher presque entièrement cerné par la mer, cette cité parmi les plus anciennes d'Europe. L'histoire attribue toutefois ce mérite aux Phéniciens qui créèrent la colonie de Gadir vers 1100 av. J.-C. Occupée successivement par les Carthaginois, les Romains et les Maures, la ville prospéra après la Reconquête *(p. 50-51)* grâce au commerce avec le Nouveau Monde. Mise à sac par les Anglais en 1596, elle devint en 1812, pour quelque temps, la capitale de l'Espagne où les Cortes promulguèrent la première constitution du pays *(p. 50)*.

MODE D'EMPLOI

Cádiz. 👥 155 000. 🚉 Plaza de Sevilla, 902 24 02 02. 🚌 Plaza de la Hispanidad, 956 21 17 63. 🛈 Calle Nueva 6, 956 25 86 46 ; Plaza de San Juan de Dios 11, 956 24 10 01. 🚢 lun. 🎭 Carnaval (fév.-mars). 🌐 www.andalucia.com

À la découverte de Cadix

Le meilleur moyen d'apprécier Cadix consiste à flâner sur son front de mer aux jardins bien entretenus et aux places aérées avant de se lancer dans l'exploration du dédale de ruelles animées de la vieille ville. Le carnaval *(p. 439)* donne lieu à d'intenses réjouissances où chansons et libations jouent un grand rôle.

🔒 Cathédrale

Baptisée Catedral Nueva car construite pour remplacer un sanctuaire plus ancien, cette église baroque et néo-classique à la coupole couverte de tuiles jaunes vernissées est une des plus vastes d'Espagne.
Dans la crypte repose le compositeur Manuel de Falla (1876-1946). Le trésor est exposé dans la Casa de la Contaduria, située derrière la cathédrale.

🏛 Museo de Cádiz

Plaza de Mina. 📞 956 21 22 81. ⭕ du mar. au dim. ⭕ jours fériés. ♿
Le rez-de-chaussée présente des vestiges archéologiques. À l'étage se découvre l'une des plus riches collections de peintures d'Andalousie, avec des œuvres de Rubens, Zurbarán et Murillo. Le dernier niveau abrite des marionnettes fabriquées pour les fêtes de villages.

🏛 Torre Tavira

Calle Marquès del Real Tesoro 10. 📞 956 21 29 10. ⭕ t.l.j. 📷
La tour qui date du XVIIIe siècle offre une vue magnifique sur la ville.

🔒 Oratorio de San Felipe Neri

Un tableau de Murillo, l'*Immaculée Conception*, orne le maître-autel de cette église du XVIIIe siècle où, pendant la guerre d'indépendance *(p. 58-59)*, et alors que les Français assiégeaient la ville, les Cortes se réunirent en 1812 pour proclamer la première constitution espagnole. Ferdinand VII l'abolit dès 1814.

Saint Bruno en extase de Zurbarán au Museo de Cádiz

LA CATHÉDRALE DE CADIX

La coupole, bâtie entre 1812 et 1838, est l'œuvre de Juan Daura, l'un des nombreux architectes de la cathédrale.

Voûtes baroques

Le maître-autel a été financé par Isabelle II *(p. 67)*.

Tour néoclassique

Façade néoclassique

Bateaux de pêche à Zahara de los Atunes sur la Costa de la Luz

Costa de la Luz ⑩

Cádiz. 🚉 Cádiz. 🚌 Cádiz, Tarifa.
ℹ️ Plaza San Antonio, 956 80 70 61.

Ses plages blanches baignées d'une lumière pure et intense ont valu à la portion de littoral qui s'étend à la pointe sud de l'Espagne, entre Cadix et Tarifa, son nom de côte de la Lumière. Depuis la sierra del Cabrito, à l'ouest d'Algésiras, la clarté de l'air permet souvent de discerner la silhouette de Tanger, de l'autre côté du détroit de Gibraltar, et le paysage aride qui s'étend au pied du massif du Rif marocain.

À l'endroit où débarqua au VIIIe siècle Tarif ben Maluk, l'un des chefs de guerre de la conquête musulmane (p. 48-49), **Tarifa** a conservé le château du Xe siècle que défendit un héros légendaire, Guzmán, lors d'un siège mené par les Maures en 1292. Des éoliennes se dressent sur les collines. Les vents qui les actionnent ont fait de Tarifa la capitale européenne de la planche à voile.

Depuis la N 340 (E5), une longue route étroite sinue dans une étendue sauvage où poussent cactus, tournesols et rares chênes-lièges. Elle mène à **Zahara de los Atunes**, une modeste station balnéaire proposant quelques hôtels. À l'ouest, **Conil de la Frontera** est plus animée et plus construite.

C'est au large du **cabo de Trafalgar** que l'amiral Nelson vainquit en 1805 une flotte franco-espagnole.

Excursion dans les *pueblos blancos* ⑫

À une époque où vivre en plaine signifiait s'exposer au danger des razzias, les villages perchés et fortifiés se multiplièrent en Andalousie. Les *pueblos blancos* doivent leur surnom à leurs maisons blanches fidèles à la tradition mauresque (p. 22). Bourgs agricoles actifs, ils semblent avoir traversé les siècles sans changer d'aspect.

Ubrique ②
Blotti au pied de la sierra de Ubrique, ce *pueblo* est réputé pour sa maroquinerie.

SEVILLA

CÁDIZ, JEREZ

A372

Jimena de la Frontera ⑨
Le bétail paît en liberté dans les collines plantées d'oliviers et de chênes-lièges qui entourent ce village dominé par les ruines d'un château maure.

Arcos de la Frontera ①

Embalse d los Huron

Charco de los Hurones

CA5221

CA503

LÉGENDE

▨ Circuit recommandé

〓 Autres routes

CARNET DE ROUTE

Itinéraire : 205 km.
Où faire une pause : Vous trouverez partout hôtels et restaurants, mais Ronda offre le plus large choix (p. 566 et 605) et Arcos possède un parador (p. 563).

Gaucín ⑧
Gaucín offre une vue sans équivalent sur la Méditerranée, l'Atlantique, le rocher de Gibraltar et, de l'autre côté du détroit, le Rif marocain.

La Sauceda

0   10 km

Arcos de la Frontera ⓫

Cádiz. 👥 28 000. 🚌 ℹ️ Plaza del Cabildo, 956 70 22 64. 🚐 ven. 🎉 Velada de Nuestra Señora de las Nieves (du 4 au 6 août) Semana Santa, Feria de San Miguel (fin sept.) ; Toro del Domingo de Resurreccion (dernier jour de Pâques).

Bien que la légende l'attribue à un fils de Noé, l'ancienne Arcobriga romaine doit plus probablement sa fondation aux Ibères. Elle devint la forteresse de Medina Arkosh pendant le califat de Cordoue (p. 48) et Arcos de la Frontera semble être aujourd'hui un archétype de la ville blanche d'origine maure avec son dédale de ruelles serpentant vers un château médiéval. Sur la plaza de España se dresse le **parador** (p. 563) et l'**Iglesia de Santa María de la Asunción**. De style gothique flamboyant malgré un portail baroque, elle abrite un retable et des stalles intéressantes. Près de l'**Iglesia de San Pedro**, le **Palacio del Mayorazgo** présente une façade Renaissance très décorée. L'**hôtel de ville** (ayuntamiento) possède un beau plafond mudéjar.

Aux environs
La famille Guzmán reçut au XVᵉ siècle le duché de **Medina Sidonia**, ville blanche couronnant une colline conique. Elle en fit le plus puissant d'Espagne grâce à ses investissements en Amérique. De style gothique, l'Iglesia de Santa María la Coronada abrite une intéressante collection d'art sacré de la Renaissance.

Iglesia de Santa María de la Asunción à Arcos de la Frontera

🏛 **Palacio del Mayorazgo**
C/ San Pedro 2. 📞 956 70 30 13 (Casa de Cultura). 🕐 9 h-14 h lun.-ven ♿
🏛 **Ayuntamiento**
Plaza del Cabildo. 📞 956 70 00 02.
🕐 lun.-ven. 🔴 jours fériés.

Zahara de la Sierra ③
Ce beau « village blanc » au pied d'un château en ruine a été classé monument national.

Grazalema ④
Un village à l'architecture préservée dans la sierra de Grazalema.

Ronda la Vieja ⑤
L'ancienne Acinipo a conservé des vestiges romains, notamment ceux d'un théâtre.

Setenil ⑥
Sur les flancs d'une gorge creusée dans le tuf par le río Trejo, des maisons de Setenil se nichent sous des surplombs rocheux.

Ronda ⑦
(p. 446-447)

Ronda pas à pas ⓭

**Assiette décorée à
la main, Ronda**

Bâtie sur le rebord d'un plateau qu'entaille une gorge profonde de plus de 100 m, Ronda occupe un site spectaculaire. Ses défenses naturelles en firent un des derniers bastions musulmans d'Andalousie et les chrétiens ne s'en emparèrent qu'en 1485. Appelé le Tajo, le ravin sépare la ville en deux parties. La plus ancienne, au sud, un *pueblo blanco (p. 444-445)* typique, abrite la majorité des monuments historiques. Le Puente Nuevo la relie au Mercadillo, qui renferme une des plus vieilles arènes d'Espagne, et aux quartiers modernes.

★ Le Puente Nuevo
Construit au XVIIIᵉ siècle au-dessus du Tajo, le Pont Neuf offre une superbe vue sur le ravin qui sépare la vieille ville, ou Ciudad, du Mercadillo.

**Le Convento de
Santo Domingo**
était le siège local de l'Inquisition *(p. 264).*

**Vers El Mercadillo, les
arènes, le parador
(p. 566) et l'office du
tourisme**

Casey del Rey Moro
De cette maison du XVIIIᵉ siècle bâtie sur les fondations d'un palais maure, 365 marches mènent à la rivière.

**Mirador
El Campillo
(point de
vue)**

SANTO DOMINGO

CALLE ARMIÑÁN

TENORIO

PLAZA DEL CAMPILLO

0   75 m

★ Le Palacio de Mondragón
Bien qu'en majeure partie reconstruit après la Reconquête (p. 50-51), ce palais reste orné dans ses deux patios de mosaïques et de stucs maures.

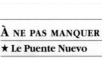

À NE PAS MANQUER

★ Le Puente Nuevo

**★ Le Palacio
Mondragón**

Palacio del Marqués de Salvatierra

D'insolites représentations d'Indiens d'Amérique du Sud supportent le fronton de ce palais de style Renaissance édifié au XVIIIe siècle.

Vers le Puente Viejo et les Baños Árabes

MARQUÉS DE SALVATIERRA

MODE D'EMPLOI

Málaga. 35 000. Avenida de Andalucía, 952 87 16 73. Plaza Concesión García Redondo, 952 87 22 62. Plaza de España 9, 95 287 12 72. dim. www.andalucia.org dim. Semana Santa (semaine de Pâques), Feria de la Primavera (21 mai), Feria de Pedro Romero (sept.). **Casa del Rey Moro** jardins seult. **Palacio Mondragón** t.l.j. **Plaza de Toros et Museo Taurino** t.l.j.

Santa María la Mayor

La cathédrale occupe le site d'une mosquée du XIIIe siècle dont subsistent le minaret et le mihrab.

Le Minarete San Sebastián

appartenait à une mosquée du XIVe siècle.

Ayuntamiento

Des arcades rythment la façade de l'hôtel de ville. Remanié au XXe siècle, il incorpore des éléments d'édifices antérieurs, tel un plafond mudéjar.

LÉGENDE

– – – Itinéraire conseillé

CARMEN

ESCALERA

ARMIÑÁN

PLAZA DUQUESA DE PARCENT

LA TAUROMACHIE À RONDA

Pôle spirituel de la tauromachie, la Plaza de Toros de Ronda, inaugurée en 1785, fait partie des plus anciennes et des plus importantes arènes d'Espagne. En septembre, la *corrida goyesca*, regardée par des millions de téléspectateurs, y fait revivre l'époque de Goya. Petit-fils de Francisco Romero, qui établit les règles de la corrida, Pedro Romero (1754-1839) développa le style classique de Ronda, plus austère que l'exubérante école de Séville. De nombreux *aficionados* voient en lui le père de la tauromachie moderne.

Romero, qui tua plus de 6 000 taureaux

Algésiras **⑭**

Cádiz. 🏛 *200 000.* 🚆 🛈 *Calle Juan de la Cierva, 956 57 26 36.* 🚌 *mar.* 🎉 *Feria Real (du 24 juin au 2 juil.).*

Cette ville industrielle est un grand port de pêche et le principal point d'embarquement européen pour l'Afrique du Nord, en particulier Tanger et les territoires espagnols de Ceuta et Melilla. Elle offre une belle vue de Gibraltar, situé à 14 km de l'autre côté de la baie.

Gibraltar **⑮**

Colonie de la couronne britannique. 🏛 *35 000.* 🚆 🛈 *Maison du duc de Kent, Cathedral Square, 956 77 49 50.* 🎉 *Nat Day (10 sept.).* 🌐 *www.gibraltar.gi*

Près de 4 millions de visiteurs traversent chaque année la frontière à La Línea de la Concepcíon pour se rendre sur ce promontoire rocheux long de 4,8 km et large de 1,4 km dont le traité d'Utrecht accorda en 1713 la souveraineté aux Anglais.

Les principaux sites de Gibraltar témoignent de son importance stratégique.

La grotte de Saint-Michel servit d'hôpital pendant la guerre

Partie basse d'un château maure du VIIIᵉ siècle, le **Keep** (donjon) sert toujours de prison. Des casernes souterraines, les **Siege Tunnels**, s'étendent sur 80 km. La **St Michael's Cave** accueille désormais des concerts, mais cette grotte fit office d'hôpital pendant la Deuxième Guerre mondiale.

Près d'Europa Point, pointe sud de Gibraltar, des singes vivent en liberté dans l'**Apes' Den**. Selon la légende, quand ils partiront, les Anglais le feront aussi. Un téléphérique conduit au **Top of the Rock** (450 m), point culminant de la colonie dont le **Gibraltar Museum** retrace l'histoire.

🚠 **Keep, Siege Tunnels, St Michael's Cave, Apes' Den**
Upper Rock Area. 📞 *956 77 49 50.* 🕐 *t.l.j.* ⬤ *1ᵉʳ janv., 25 déc.* 🎫
🏛 **Gibraltar Museum**
18 Bombhouse Lane. 📞 *956 77 42 89.* 🕐 *du lun. au sam.* ⬤ *jours fériés.* 🎫

La Costa del Sol

Trois cents jours de soleil par an et un littoral varié permettent de pratiquer en toute saison un grand nombre d'activités sur la Costa del Sol qui s'étend entre Gibraltar et Almeria. Elle compte notamment plus de 30 terrains de golf parmi les plus agréables d'Europe. À côté de stations luxueuses comme Marbella, beaucoup d'autres s'adressent à une clientèle populaire.

Puerto Banús est le port de plaisance de Marbella. Boutiques, restaurants et boîtes de nuit s'adressent à une clientèle fortunée.

À Estepona, les familles avec de jeunes enfants jouissent de soirées calmes. Derrière les hauts hôtels s'ouvrent des places plantées d'orangers.

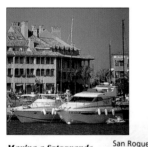

Marina a Sotogrande est une station huppée. De bons restaurants de poisson bordent le port.

San Pedro de Alcánta
Puerto
Estepona
Sotogrande
San Roque
Algeciras
Gibraltar
Tarifa

San Pedro de Alcántara offre calme et aménagements touristiques élégants.

Dans le port de Marbella, station balnéaire huppée fréquentée par la jet set internationale

Marbella ⑯

Málaga. 🏘 116 000. 🚉 🛈 *Glorieta de la Fontanilla, Paseo Marítimo, 952 77 14 42.* 🕐 *lun.* 🎪 *San Bernabé (11 juin).* 🌐 *www.marbella.com*

Têtes couronnées et vedettes de cinéma fréquentent cette station balnéaire parmi les plus huppées d'Europe. Dans la vieille ville se dresse l'**Iglesia de Nuestra Señora de la Encarnación** remaniée dans le style baroque. Le **Museo de Grabado Español Contemporáneo** présente quelques gravures peu connues de Picasso.

La vie nocturne coûte cher, mais les plages, Babaloo, Victor's, Don Carlos, Cabopino et Las Dunas, sont gratuites.

🏛 **Museo de Grabado Español Contemporáneo**
C/ Hospital Bazan. 📞 *952 76 57 41.* ⭕ *du mar. au sam.* ⚫ *jours fériés, dim. en été.* 🎨

Marbella possède 29 plages, dont la playa de Don Carlos considérée comme la meilleure.

Málaga

Rincón de la Victoria

Torremolinos

Benalmádena Costa

Fuengirola

Cabopino

Cabopino offre aux nudistes une large plage de sable près d'un port de plaisance moderne.

Benalmádena Costa, spécialisée dans les séjours organisés, propose de nombreuses distractions touristiques et un vaste port de plaisance.

Rincón de la Victoria, port de pêche et station familiale, est réputé pour ses sardines à la broche.

À Torremolinos, ville de béton dédiée au tourisme de masse, de lourds investissements ont servi à créer de nouvelles places, une promenade et des espaces verts, ainsi qu'à importer des millions de tonnes de sable doré.

Fuengirola occupe un site superbe au pied de montagnes ocre et reste un port de pêche actif malgré le développement d'une importante station balnéaire à la clientèle principalement britannique.

0　　　　10 km

Transept de la cathédrale de Málaga consacrée en 1588

Málaga ⑰

Málaga. 🏛 650 000. ✈ 🚂 🚌
🚉 🛈 *Pasaje de Chinitas 4, 952 21 34 45.* 🚢 *dim.* 🎭 *Carnaval (fév.-mars), Féria (du 2ᵉ sam. au 3ᵉ dim. d'août).* 🔲 *www.andalucia.org*

L a deuxième ville d'Andalousie est redevenue le port dynamique qu'elle fut du temps des Phéniciens (sous le nom de Malaca), puis des Romains et des Maures. Elle connut également une période de prospérité au XIXᵉ siècle grâce au malaga, un vin liquoreux, mais le phylloxéra ravagea les vignes en 1876. Entreprise en 1528 par Diego de Siloé, la **cathédrale** présente un curieux mélange de styles. Une de ses tours, laissée inachevée en 1765, lui vaut son surnom de Manquita (Manchotte). Le Museo de Bellas Artes va devenir le **Museo de Picasso** qui exposera les œuvres du maître. La maison où ce peintre passa son enfance, la **Casa Natal de Picasso**, abrite désormais le siège de la Fondation Picasso.

Les ruines d'un théâtre romain ont été partiellement mises au jour près de l'entrée de la vaste **Alcazaba** *(p. 49)* construite entre le VIIIᵉ et le XIᵉ siècle. À l'intérieur de l'ancienne forteresse, le **Museo Arqueológico** (fermé pour rénovation) présente des pièces phéniciennes, romaines et maures. Le **Castillo de Gibralfaro** (XIVᵉ siècle) couronne une colline derrière l'Alcazaba.

Aux environs
Aigles et sangliers peuplent les belles collines du **Parque Natural de los Montes de Málaga**. Les randonneurs apprécieront ses sentiers fléchés. Plus au nord, sur la C 345, se visite une petite cave viticole qui a conservé son aspect du milieu du XIXᵉ siècle.

🏛 **Museo de Picasso**
Calle San Agustín 8. 🕿 *952 60 27 31.* 🔲 *mar.-sam.*

♣ **Alcazaba et Museo Arqueológico**
Calle Alcazabilla. 🕿 *952 21 60 05.* 🔲 *du mar. au dim. (Museo Arqueológico fermé).*

Garganta del Chorro ⑱

Málaga. 🚂 *El Chorro.*
🚌 *Parque Ardeles.* 🛈 *Avenida de la Constitución, Álora, 95 249 83 80.* 🔲 *www.ayto-alora.org*

P eu après le village d'El Chorro, dans la fertile vallée du Guadalhorce, s'ouvre dans la roche calcaire une des merveilles naturelles de l'Andalousie : la gorge du Chorro, cañon de 180 m de profondeur dont la largeur ne dépasse pas 10 m par endroits. En aval, une centrale hydroélectrique jure quelque peu avec l'aspect sauvage du lieu. Depuis le village, une passerelle accrochée à la paroi, le **Camino del Rey**, conduit à un pont en mauvais état franchissant le ravin. Il est fermé au public.

Aux environs
12 km plus bas dans la vallée, **Álora** est un village blanc *(p. 444-445)* qui possède une église du XVIIIᵉ siècle et un château maure en ruine.

Depuis Álora, la sinueuse MA 441 conduit à **Carratraca**, village à la gloire fanée où la haute société européenne venait au tournant du siècle profiter des vertus curatives de sources sulfureuses. L'eau jaillit toujours à un débit de 700 litres par minute et les installations thermales en plein air restent ouvertes.

La Garganta del Chorro où coule le río Guadalhorce

Rochers calcaires d'El Torcal sculptés par l'érosion

El Torcal 🟤

Málaga. 🚉 Antequera. 🚌 Antequera.
🛈 Antequera, 952 70 25 05.

Dans un massif calcaire où l'érosion a sculpté des formes insolites et creusé gorges et grottes, le Parc Natural d'El Torcal offre aux randonneurs un vaste réseau de sentiers rayonnant depuis son centre d'accueil. Des flèches jaunes jalonnent les parcours de moins de deux heures. Elles sont rouges pour les autres.

Le parc ne protège pas qu'un patrimoine géologique, mais aussi des plantes rares, notamment des orchidées sauvages, et une faune qui comprend renards, belettes, aigles, faucons et vautours.

Antequera 🟤

Málaga. 🚉 40 000. 🚉 🚌 🛈 Pl San Sebastián 7, 952 70 25 05. 🚌 mar.
🎪 Ferias (fin mai et mi-août).

L'ancienne Anticaria des Romains devint sous les Maures une forteresse qui défendait Grenade. C'est aujourd'hui une ville de marché animée.

Parmi ses nombreuses églises, ne manquez pas l'**Iglesia de Nuestra Señora del Carmen** et son grand retable baroque. De l'autre côté de la ville, la **Plaza de Toros** bâtie au XIXᵉ siècle propose un musée de la tauromachie.

Au sommet de la colline, le **château** en ruine date du XIIIᵉ siècle et occupe le site d'un fort romain. L'Arco de los Gigantes érigé au XVIᵉ siècle donne accès à ses remparts. Dans la partie la mieux conservée de la muraille, une belle vue s'offre depuis la Torre de Papabellotas.

Le **Palacio de Nájera** (XVIIIᵉ siècle) abrite le musée municipal dont un bronze romain, l'Éphèbe d'Antequera, constitue le fleuron.

À la sortie nord-est de la ville subsistent trois **dolmens**, anciennes chambres funéraires datant de 2500 av. J.-C. à 1800 av. J.-C.

Aux environs
Au nord d'Antequera, les flamants viennent se reproduire dans la **laguna de la Fuente de Piedra** après avoir hiverné en Afrique. Depuis la N 334, une route conduit à un point de vue au bord du lac. Le village de Fuente de la Piedra abrite un centre d'information. À l'est, sur la N 342, **Archidona** mérite un arrêt par sa remarquable plaza Ochavada. Cette place

L'Arco de los Gigantes érigé au XVIᵉ siècle à Antequera

octogonale du XVIIIᵉ siècle marie style français et éléments andalous.

🎪 **Plaza de Toros**
Carretera de Sevilla. ☎ 952 70 81 42. ◯ du mar. au dim. **Museo Taurino** ◯ sam., dim., jours fériés.
🏛 **Palacio de Nájera**
Coso Viejo. ☎ 952 70 40 21. ◯ du mar. au dim. ● jours fériés. 🎫

Osuna 🟤

Sevilla. 🏘 17 000. 🚉 🚌 🛈 Plaza Mayor, 954 81 57 32. 🚌 lun. 🎪 San Alcadio (12 jan.), Virgen de la Consolación (8 sept.).

Palacio del Marqués de la Gomera achevé en 1770 à Antequera

Cette ancienne ville de garnison romaine connut son âge d'or au XVIᵉ siècle grâce aux puissants ducs d'Osuna. Il faut traverser leur panthéon pour entrer dans la **Colegiata de Santa María** construite en 1539. Elle abrite cinq tableaux par José de Ribera. L'ancienne **Université**, fondée en 1548, est un édifice plutôt austère au beau patio plateresque. Quelques riches demeures baroques, tel le **Palacio del Marqués de la Gomera**, bordent toujours rues et places.

Aux environs
À l'est, **Estepa** doit sa renommée à ses biscuits, *polvorones* et *mantecados* (p. 401). L'Iglesia del Carmen présente une façade baroque blanche et noire.

Tombe de Servilia, nécropole romaine de Carmona

Carmona ㉒

Sevilla. 🏙 25 000. 🚉 🚌 ℹ️
*Alcázar de la Puerta de Sevilla, 954 19
09 55.* 🛒 *lun. et jeu.* 🎉 *Feria (mai),
Fiestas Patronales (du 8 au 16 sept.).*
🌐 *www. turismo.carmona.org*

Premi**è**re ville importante
sur la N IV à l'est de
Séville, Carmona étend ses
faubourgs modernes dans une
plaine, mais son quartier
ancien couronne une colline.
Derrière la **Puerta de Sevilla**,
porte fortifiée des remparts
maures, s'ouvre un dense lacis
de rues sinueuses bordées de
maisons
blanches, de
palais et
d'églises
mudéjares.
  La plaza de San
Fernando a gardé
beaucoup d'allure avec ses
demeures seigneuriales
et la façade Renaissance
du vieil **Ayuntamiento**.
À quelques pas de la place,
l'actuel hôtel de ville date du
XVIIIᵉ siècle. Des mosaïques
romaines ornent son patio. Non
loin, la plus belle église de
Carmona, l'**Iglesia de Santa
María la Mayor** (XVᵉ siècle),
s'élève sur le site d'une mosquée
dont subsiste un patio.
  Les ruines de l'**Alcázar del
Rey Pedro** dominent la ville.
Un parador *(p. 563)* occupe
désormais une partie de cet
ancien palais de Pierre Iᵉʳ le
Cruel. Juste à la sortie de
Carmona se visite la
Necrópolis Romana. Un
musée expose des objets, tels
que bijoux et statues,
découverts dans 800 tombes.

🏛 **Ayuntamiento**
Calle Salvador 2. 📞 954 14 00 11.
🕐 *du lun. au ven.* ⬤ *jours fériés.*
🏛 **Necrópolis Romana**
Avenida Jorge Bonsor 9.
📞 954 14 08 11. 🕐 *du mar. au dim.*
⬤ *lun. et dim. l'été ; jours fériés.*

Itálica ㉓

Sevilla. 📞 955 99 73 76.
🚌 *depuis Séville.* 🕐 *avr.-sept. :
8 h 30-20 h 30 mar.-sam., 9 h-15 h
dim. ; oct.-mars : 9 h-17 h 30 mar.-
sam., 10 h-16 h dim.* ♿

Fondée en 206 av. J.-C. par
Scipion l'Africain, Itálica,
l'une des plus anciennes cités
romaines d'Espagne,
devint aussi l'une des
plus importantes au
IIᵉ et au IIIᵉ siècles
apr. J.-C. Deux
grands empereurs
y virent le jour :
Trajan et Hadrien. Les
archéologues ont émis
l'hypothèse qu'un changement
du cours du Guadalquivir
aurait entraîné son abandon
pendant l'époque maure.
  L'imposant **amphithéâtre**
pouvait accueillir
25 000 spectateurs. Il en reste
l'arène et une partie des
gradins. À côté sont exposés
quelques-uns des objets
découverts sur le site. La
plupart se trouvent toutefois
au Museo Arqueológico de
Séville *(p. 427)*.
  En dehors du tracé des
rues et de quelques pavements
de mosaïques, il ne subsiste
malheureusement que peu de
chose.
  Tout près du site

*Mosaïque
d'Itálica*

archéologique, le village de
Santiponce recèle des
vestiges romains mieux
conservés, notamment ceux
d'un théâtre et de thermes.

Sierra Morena ㉔

Sevilla et Córdoba. 🚉 *Cazalla y
Constantina.* 🚌 *Constantina, Cazalla
954 883 562.* ℹ️ *El Robledo 955 800
700, 955 88 15 97.*

Boisée de chênes et de
pins, la sierra Morena
s'étend au nord des provinces
de Séville et de Cordoue et
forme une frontière naturelle
entre l'Andalousie et les
plaines de l'Estrémadure et de
la Manche.
  Lope de Vega *(p. 280)*
immortalisa **Fuente Obejuna**,
au nord-ouest de Cordoue, en
relatant une révolte populaire
qui s'y déroula en 1476.
Hinojosa del Duque possède
une vaste église gothico-
Renaissance. Le donjon massif
d'un château du XVᵉ siècle en
ruine domine **Belalcázar**. À
l'est de ce village, sur le
plateau de la **valle de los
Pedroches**, des cigognes
nichent sur les clochers.
  La principale ville de la
sierra au nord de Séville,
Cazalla de la Sierra, jouit
d'une certaine animation
grâce aux jeunes *Sevillanos*
qui s'y rendent les week-ends.
La spécialité locale, la liquor
de Guindas, est un mélange
d'alcool de cerise et d'anis.
  Plus calme, **Constantina**, à
l'est, a conservé un charmant
quartier médiéval et offre une
superbe vue sur la campagne.

Pâturages de la sierra Morena, au
nord de Séville

Palma del Río ❷❺

Córdoba. 👥 *19 400.* 🚉 🚌 ℹ️
Cardenal Portocarrero, 957 64 43 70.
🗓️ *mar.* 🎉 *Ferias (du 19 au 21 mai
et du 18 au 20 août).*
🌐 *www.palmadelrio.es*

Fondée il y a près de 2 000 ans, cette ancienne
colonie romaine occupait une
position stratégique sur la
route entre Cordoue et
Itálica.

Les vestiges de remparts
du XIIᵉ siècle rappellent
que, sous les
Almohades *(p. 50)*, la
ville se trouvait à la
frontière entre
territoires maure
et chrétien.

L'**Iglesia de la
Asunción** est un
édifice baroque
du XVIIIᵉ siècle.

Le **Monasterio
de San Francisco**
abrite désormais
un hôtel *(p. 566)*
où le dîner se
prend dans
l'ancien réfectoire

**Clocher de
La Asunción**

(XVᵉ siècle) des franciscains. Le
célèbre matador El Cordobés
naquit à Palma del Río. Publiée
en 1967, sa biographie, *Ou tu
porteras mon deuil*, décrit sa
vie à Palma del Río et les
jours sombres qui suivirent la
guerre civile.

Aux environs
Reconstruit par Pierre Iᵉʳ le
Cruel, mais conservant des
éléments du VIIIᵉ siècle, le
château qui domine
Almodóvar del Río et ses
champs de coton dresse
contre le ciel une silhouette
particulièrement théâtrale.

♣ **Castillo de Almodóvar
del Río**
📞 *957 63 40 55.* 🕐 *dim.-lun.* 📷

Écija ❷❻

Sevilla. 👥 *40 000.* 🚉 ℹ️ *Plaza
de España 1, Ayuntamiento, 955 90
29 33.* 🚌 *jeu.* 🎉 *Feria (du 21 au
24 sept.).* 🌐 *www. andaloucia.org*

La chaleur qui règne en été
à Écija lui vaut le surnom
de « poêle à frire de

l'Andalousie » et les palmiers
plantés sur la plaza de España,
où les habitants viennent flâner
le soir, procurent une ombre
bienvenue.

Le plus ornementé des onze
clochers baroques, souvent
décorés d'azulejos *(p. 420)*,
qui parent la ville domine la
place. Il appartient à l'**Iglesia
de Santa María** bâtie au
XVIIᵉ siècle. Celui de l'**Iglesia
de San Juan** possède aussi
beaucoup d'élégance. De
style gothique, l'**Iglesia de
Santiago** abrite un retable
isabelin et un crucifix de
Pedro Róldan.

Des demeures seigneuriales
bordent la calle Caballeros,
notamment le **Palacio de
Peñaflor**, édifice baroque au
portail en marbre rose
surmonté de colonnes torses.
Un beau balcon en fer forgé
court le long de sa façade.

🏛️ **Palacio de Peñaflor**
Calle Caballeros 32. 📞 *954 83 02
73.* 🕐 *t.l.j. (patio seulement).*

Medina Azahara ❷❼

Córdoba. 📞 *957 32 91 30.* 🚌
Córdoba. 🕐 *de 10 h à 18 h 30 du mar.
au sam., 10 h-14 h le dim. et les jours
fériés*

Le calife Abd al-Rahman III
entreprit l'édification de
cette ville palatiale en 936 et lui
donna le nom de son épouse
favorite, Zahara. Il employa

**Panneau de bois sculpté, salon
principal de Medina Azahara**

plus de 15 000 mules,
4 000 dromadaires et
10 000 ouvriers pour apporter
des matériaux de construction
d'autres régions d'Andalousie et
d'Afrique du Nord.

Étagé sur trois niveaux,
l'ensemble de bâtiments
comprenait une mosquée, la
résidence du calife et de
superbes jardins *(p. 404-405)*.
Marbre, ébène, jaspe, albâtre et
même, pense-t-on, des bassins
de mercure, paraient ses
nombreuses salles.

Ce faste ne fut toutefois
qu'éphémère. Saccagée en 1010
par des rebelles berbères,
Medina Azahara se vit ensuite
peu à peu dépouillée au fil des
siècles. En cours de
restauration, ses ruines n'offrent
aujourd'hui qu'un pâle reflet de
sa splendeur passée, par
exemple les reliefs en marbre.

Fresque de la façade baroque du Palacio de Peñaflor, Écija

Cordoue pas à pas ⓲

Statue de Maimonide

À l'ouest de la Mezquita, l'ancien quartier juif constitue le cœur de Cordoue (Córdoba). La vieille ville renferme la plupart des principaux monuments. Avec ses rues pavées trop étroites pour les voitures, ses balcons en fer forgé et ses ateliers d'orfèvres, elle donne l'impression d'avoir peu changé depuis le Xᵉ siècle, époque où la cité était une des plus civilisées d'Occident. La vie moderne reprend ses droits plus au nord, autour de la plaza de Tendillas. À l'est de cette place, un marché quotidien se tient sur la plaza de la Corredera (XVIIᵉ siècle) bordée d'arcades.

Sinagoga
Des inscriptions hébraïques ornent les murs de cette synagogue médiévale.

Museo Taurino
Ce musée de la Tauromachie présente un moulage de la tombe du célèbre matador Manolete et la peau du taureau qui le tua (p. 25).

La Capilla de San Bartolomé, de style mudéjar, est ornée de stucs raffinés.

★ L'Alcázar de los Reyes Cristianos
Bassins et terrasses ajoutent au charme paisible des jardins de ce palais du XIVᵉ siècle où les Rois Catholiques (p. 52-53) séjournèrent pendant la Reconquête.

LÉGENDE

– – –   Itinéraire conseillé

À NE PAS MANQUER

★ **L'Alcázar de los Reyes Cristianos**

★ **La Mezquita**

Dans la callejón de las Flores, ruelle menant à une placette, les couleurs vives des géraniums tranchent sur le blanc des murs.

MODE D'EMPLOI

Córdoba. 330 000. Glorieta de las Tres Culturas. 902 24 02 02. Glorieta de las Tres Culturas, 957 40 40 40. Palacio de Congresos, Calle Torrijos 10, 957 47 12 35. mar., ven. et dim. Semana Santa (sem. de Pâques), Festival de los Patios (du 5 au 11 mai), Feria (fin mai). **Sinagoga** du mar. au dim. **Museo Taurino** du mar. au dim. **Alcázar de los Reyes Cristianos** du mar. au dim. W www.andalucia.org

Bronze provenant de Medina Azahara, Museo Arqueológico

Le Palacio Episcopal abrite l'office du tourisme.

À la découverte de Cordoue

Cordoue borde un méandre du río Guadalquivir que le Puente Romano franchit entre la Torre de la Calahorra (XIVᵉ siècle) et la vieille ville. Avec son obsédant calvaire de pierre entouré de lampes en fer forgé, la plaza de los Capuchinos est une des places les plus évocatrices d'Espagne, surtout au clair de lune.

Puerta del Puente

⛫ Museo de Bellas Artes

Plaza del Potro 1. 957 47 33 45. du mar. au dim.
L'ancien hospice de la Charité abrite des sculptures de Mateo Inurria (1867-1924) et des tableaux d'artistes de l'école sévillane comme Valdés Leal, Zurbarán et Murillo.

⛫ Museo Arqueológico

Plaza Jerónimo Páez 7. 957 47 40 11. du mar. au dim.
Installé dans un palais Renaissance, il présente des œuvres et objets d'art romains et de remarquables antiquités islamiques.

Le Puente Romano, sur le Guadalquivir, repose toujours sur ses fondations romaines.

⛫ Palacio de Viana

Plaza Don Gome 2. 957 49 67 41. du lun. au sam. du 1ᵉʳ au 15 juin, jours fériés.
Meubles, tapisseries, peintures et porcelaines ornent cette demeure du XVIIᵉ siècle qui compte quatorze patios et jardins.

★ **La Mezquita**
La Grande Mosquée (p. 456-457) *renferme une forêt de colonnes et d'arcatures et un éblouissant mihrab.*

⛫ Museo Romero de Torres

Plaza del Potro 1. 957 49 19 09. du mar. au dim. (gratuit le ven.)
Julio Romero de Torres (1874-1930), peintre de la beauté des femmes de Cordoue, naquit dans cette maison.

0   100 m

La Mezquita de Cordoue

L a Grande Mosquée de Cordoue offre
un magnifique témoignage de la
civilisation musulmane. Entreprise en
785 par Abd al-Rahman Ier *(p. 48)*,
la mosquée originelle connut de
nombreux agrandissements et
remaniements, notamment pendant
le règne d'al-Hakam II (961-976)
qui fit édifier le superbe *mihrab*
(niche orientée vers La Mecque)
et la *maqsura* (espace réservé
au calife). Au XVIe siècle, la
création d'une cathédrale au
centre du monument entraîna
la destruction d'une partie de
sa célèbre forêt de colonnes.

Patio de los Naranjos
*Les fidèles y procédaient
à leurs ablutions avant
la prière.*

Torre del Alminar
*Haut de 93 m, ce clocher
incorpore le premier étage
de l'ancien minaret. Un
escalier mène au sommet
qui offre une vue splendide.*

**La Puerta del
Perdón**, de style
mudéjar, date de
l'époque chrétienne
(1377). Les pénitents y
recevaient l'absolution.

**La Puerta de
San Esteban** a
été percée dans un
mur d'une ancienne
église wisigothique.

AGRANDISSEMENTS
DE LA MEZQUITA

Abd al-Rahman Ier construisit la
mosquée d'origine qu'agrandirent
Abd al-Rahman II, al-Hakam II et
Al Mansour.

LÉGENDE

☐ Mosquée d'Abd al-Rahman Ier

☐ Agrandissement par al-Rahman II

☐ Agrandissement par al-Hakam II

☐ Agrandissement par al-Mansur

☐ Patio de los Naranjos

À NE PAS MANQUER

★ **Le mihrab**

★ **La Capilla de
Villaviciosa**

★ **La forêt de colonne**

Cathédrale
Commencée en 1523, la cathédrale, dotée d'une coupole italianisante, est en grande partie l'œuvre de la famille de Hernán Ruiz.

MODE D'EMPLOI

Calle Torrijos. 957 47 05 12.
avr.-juin : 10 h-19 h 30, juil.-oct. : 10 h-19 h ; nov. et fév. : 10 h-18 h ; déc. et janv. : 10 h-17 h 30 ; mars : 10 h-19 h du lun. au sam.
9 h 30 du lun. au sam. ; 11 h, 12 h et 13 h dim. et jours fériés.

Le chœur abrite des stalles churrigueresques sculptées par Pedro Duque Cornejo en 1758.

Capilla Mayor

Capilla Real

★ La forêt de colonnes
Plus de 850 colonnes de granit, de jaspe et de marbre soutiennent le toit. Beaucoup proviennent d'édifices romains et wisigothiques.

★ La Capilla de Villaviciosa
Des artisans mudéjars (p. 51) édifièrent en 1371 la première chapelle chrétienne construite dans la mosquée.

★ Le mihrab
Les fidèles qui en faisaient sept fois le tour à genoux ont usé les dalles de cette niche à prière richement décorée qui abritait une précieuse copie du Coran.

La Fuente del Rey inspirée du baroque, Priego de Córdoba

Montilla ❷

Córdoba. 🏠 23 000. 🚇 🚌 **ℹ️**
Capitan Alonso de Vargas 3, 957 65 24
62. 🚌 ven. 🎭 Vendanges (fin août).

Au cœur d'une importante région viticole produisant, sans ajout d'alcool, un excellent fino blanc (p. 402), Montilla renferme plusieurs bodegas, tels **Alvear** et **Pérez Barquero**, qui peuvent se visiter sur rendez-vous.

De style mudéjar, le **Convento de Santa Clara** date de 1512. La bibliothèque occupe la **Casa del Inca** où vécut au XVIe siècle l'Inca Garcilaso de la Vega, auteur d'un des premiers ouvrages sur son peuple.

Aux environs
À 13 km au sud, **Aguilar** possède une curieuse place octogonale, la plaza de San José (1810), et plusieurs demeures seigneuriales.

Baena, à 40 km à l'ouest de Montilla, produit une huile d'olive qu'appréciaient déjà les Romains. Palais à arcades du XVIIIe siècle, la Casa del Monte borde la plaza de la Constitución. Pour la semaine sainte, les rues s'emplissent de joueurs de tambours.

🍷 Bodega Alvear
Avda María Auxiliadora 1. 📞 957 66 40
14. 🕐 du lun. au sam. ⬤ jours fériés.
🍷 Bodega Pérez Barquero
Avda de Andalucía 27. 📞 957 65 05
00. 🕐 du lun. au ven. ⬤ jours fériés.

Priego de Córdoba ❸

Córdoba. 🏠 23 000. 🚌 **ℹ️** Calle del
Rio 33, 957 70 06 25. 🚌 sam. 🎭
Feria Real (du 1er au 5 sept.).
🌐 www.aytopriegodecordoba.es

Au XVIIIe siècle, l'industrie de la soie apporta la prospérité à cette petite ville qui revendique le titre de capitale baroque de la région, une prétention qu'appuient les sculptures, ferronneries et dorures décorant maintes maisons et églises.

Dans le blanc quartier médiéval, le **barrio de la Villa**, une forteresse maure restaurée se dresse non loin de l'étonnante **Iglesia de la Asunción**, sanctuaire gothique remanié dans le style baroque par Jerónimo Sánchez de Rueda. Ne manquez pas sa chapelle du Sagrario à la foisonnante décoration de stucs exécutée en 1784 par un artiste local, Francisco Javier Pedrajas. Le maître-autel est platteresque (p. 21).

La Asunción, Priego de Córdoba

Elle aussi baroque, l'**Iglesia de la Aurora** abrite le siège d'une confrérie dont les membres défilent dans les rues chaque samedi à minuit en chantant des hymnes à la Vierge.

D'imposantes demeures bordent la calle del Río qui conduit à la **Fuente del Rey**, fontaine de 139 jets dont la statuaire exubérante a pour centre le char de Neptune.

Aux environs
Zuheros, l'un des plus jolis villages d'Andalousie, se perche sur un rocher au nord-ouest de Priego. **Rute**, au sud-ouest, est réputée pour son anís (p. 577).

Dominée par les ruines d'un château et d'une église, **Alcalá la Real**, à l'est de Priego, possède deux monuments Renaissance sur sa grand-place : la Fuente de Carlos V et le Palacio Abacia.

Montefrío ❸

Granada. 🏠 7 000. 🚌 **ℹ️** Plaza
España 7, 958 33 60 04. 🚌 lun.
🎭 Fiesta patronal (du 14 au 18 août).

Quand on l'approche par le sud, Montefrío offre un superbe spectacle avec ses maisons blanches à toits de tuiles montant à l'assaut d'un rocher escarpé. Les vestiges de fortifications maures et l'**Iglesia de la Villa**, édifice gothique du XVIe siècle attribué à Diego de Siloé, dominent ce bourg typiquement andalou réputé pour sa charcuterie. Dans le centre, l'**Iglesia de la Encarnación** se reconnaît aisément à son ample coupole. Ventura Rodríguez (1717-1785) aurait dessiné les plans de ce sanctuaire néo-classique.

Aux environs
Les Rois Catholiques fondèrent **Santa Fé** à la fin du XVe siècle sur le site où leur armée

Barriques de montilla dans la ville du même nom

Le château d'Almuñécar, station balnéaire de la Costa Tropical

campait pendant le siège de Grenade et où les Maures présentèrent officiellement leur reddition en 1491 (*p. 52-53*).

Située au-dessus d'une gorge, **Alhama de Granada** porte toujours son nom arabe, al-Hamma, qui signifie source chaude. Près de l'endroit où l'eau jaillit du sol à la sortie de la ville, d'anciens bains maures peuvent se voir à l'Hotel Balneario.

Sur le río Genil, près des gorges de los Infiernos, **Loja** doit son surnom de « ville de l'eau » aux sources qui alimentent ses fontaines.

Nerja 🟥

Málaga. 🏛 *18 000*. 🚉 🛈 *Calle Puerta del Mar 2, 952 52 15 31.* 🚌 *mar.* 🎏 *Feria (du 9 au 12 oct.).* W *www.nerja.net*

Au pied de la sierra de Almijara, cette station balnéaire de la Costa del Sol s'étend sur une falaise creusée d'anses sablonneuses. Une promenade bordée de cafés et de restaurants court le long d'un promontoire rocheux aménagé en jardin : **El Balcón de Europa**. Il offre une vue panoramique sur la côte.

On découvrit en 1959 à l'est de la ville une série de vastes cavernes, les **Cuevas de Nerja**. Elles abritent des peintures rupestres vieilles d'environ 20 000 ans. Seules quelques-unes de ces immenses salles souterraines sont ouvertes au public. Aménagée en salle de spectacle, l'une d'elles accueille des concerts en été.

Aux environs
Les ruines de la Fortaleza de Belén, une forteresse maure, dominent à **Vélez-Málaga** le quartier médiéval appelé barrio de San Sebastián.

🏛 Cuevas de Nerja
Carretera de las Cuevas de Nerja. 📞 *952 52 95 20.* ⏱ *t.l.j.* 📷

Almuñécar 🟥

Granada. 🏛 *22 000*. 🚉 🛈 *Avda Europa, 958 63 11 25.* 🚌 *ven. et 1er sam. du mois* 🎏 *Virgen de la Antigua (15 août).* W *www.almunecar.info*

Sur cette portion de côte aujourd'hui baptisée **Costa Tropical**, car son climat permet la culture de fruits exotiques, les Phéniciens fondèrent vers 800 av. J.-C. un comptoir appelé Sexi. Les Romains le dotèrent d'un aqueduc dont subsistent des vestiges. L'essor du tourisme a aujourd'hui hérissé le front de mer d'immeubles modernes le long d'une promenade plantée de palmiers.

Le **château**, construit par les Maures et remanié au XVIe siècle, domine la vieille ville, le **Parque Ornitológico** (jardin botanique et volière) et les ruines d'une conserverie de poissons romaine. Le **Museo Arqueológico** présente divers objets phéniciens.

Aux environs
Plus à l'est sur la côte, des champs de canne à sucre entourent la ville blanche de **Salobreña** ; les ruelles du quartier ancien escaladent une colline jusqu'à un château arabe d'où s'ouvre une belle vue sur la Sierra Nevada (*p. 461*).

🦅 Parque Ornitológico
Plaza de Abderraman. 📞 *958 63 11 25.* ⏱ *t.l.j.* 📷
🏛 Museo Arqueológico
Casco Antiguo. ⏱ *du mar. au dim.* 📷
🏰 Castillo de Salobreña
Calle Andrès Segovia. 📞 *958 61 03 14* ⏱ *du mar. au dim.* 📷 🚻

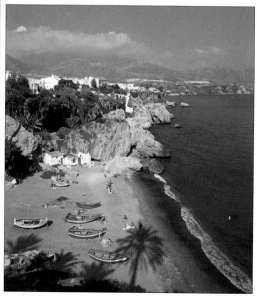

Anse sablonneuse près de Nerja

Les sommets majestueux de la Sierra Nevada s'élèvent pour certains àplus de 3 000 m d'altitude

Lanjarón ㉞

Granada. 👤 *24 000*. 🚌 🛈 *Plaza de la Constitución 29, 958 77 00 02.* 📮 *mar. et ven.* 🎉 *San Juan (24 juin).*

L es eaux issues de la fonte des neiges de la sierra Nevada ressurgissent sur le flanc sud du massif montagneux à Lanjarón, ville au long passé thermal qui attire de juin à octobre de nombreux curistes souffrant d'arthrite ou de troubles digestifs ou nerveux. Mise en bouteille, l'eau de Lanjarón est également vendue dans tout le pays.

Une grande fête commence la nuit du 23 juin et se termine aux premières heures du lendemain, le Día de San Juan, par une grande bataille où tout le monde s'asperge. Quiconque se risque dans les rues finit arrosé.

Depuis Lanjarón, des routes sinueuses s'enfoncent dans la région de Las Alpujarras où terrasses à flanc de collines, profondes vallées et villages blancs isolés composent des paysages préservés.

Excursion dans les Alpujarras ㉟

P lantées de châtaigniers, de noyers et de peupliers, les fertiles vallées de montagne de Las Alpujarras s'étendent au sud de la sierra Nevada. Avec leurs maisons blanches aux formes irrégulières et aux toits plats et gris, les villages qui s'accrochent à flanc de colline offrent un aspect unique en Espagne. Parmi les spécialités d'une région jalouse de son identité figurent les jambons de Trevélez et des tapis de couleurs vives tissés à la main.

Trevélez ④
Dans l'ombre du Mulhacén, le plus haut village d'Espagne produit de délicieux jambons séchés.

Vallée de Poqueira ②
Cette jolie vallée renferme trois villages typiques : Capileira, Bubión et Pampaneira.

Orgiva ①
Une église baroque domine la grand-rue de la principale ville de la région où a lieu le jeudi un marché animé.

Fuente Agria ③
On vient de loin boire l'eau minérale riche en fer de cette source.

▲ *MULHACÉN 3,479 m*

Laujar de Andarax ㊱

Almería. 🏔 1 900. 🚌 ℹ Carretera Laujar-Berja km 1, 950 51 35 48. 🗓 le 3 et le 17 de chaque mois. 🎉 San Vicente (22 janv.), San Marcos (25 avr.), Virgen de la Salud (19 sept.).

Selon la légende, un petit-fils de Noé fonda sur les contreforts arides de la sierra Nevada ce village qui regarde vers le sud, au-delà de la vallée d'Andarax, vers la sierra de Gadór.

Au XVIᵉ siècle, Abén Humeya, chef de la plus grande rébellion de morisques (p. 55), y établit son quartier général. Les troupes chrétiennes écrasèrent brutalement la révolte et un traître assassina Abén Humeya.

Annonciation, Iglesia de la Encarnación

Bâtie au XVIIᵉ siècle, l'église de Laujar, l'**Iglesia de la Encarnación**, abrite une Vierge sculptée par Alonso Cano. À côté de l'**hôtel de ville** baroque, une fontaine porte quelques vers écrits par un poète et dramaturge local, Francisco Villespa :

« Mon village a six fontaines/Celui qui boit de leurs eaux/Jamais ne les oubliera/Tant leur saveur est divine. »

El Nacimiento, un parc à l'est du village, offre un cadre agréable pour un pique-nique accompagné d'un des robustes vins rouges de la région. Plus à l'est, au-dessus de la vallée d'Andarax, **Ohanes**, joli village aux rues pentues, est réputé pour son raisin de table.

Sierra Nevada ㊲

Granada. 🚌 depuis Grenade. ℹ Plaza de Andalucia, Cetursa Sierra Nevada, 958 24 91 19.

Ce massif montagneux compte quatorze cimes dépassant 3 000 m d'altitude et la neige s'y accroche jusqu'en juillet et retombe dès l'automne. La plus haute route d'Europe dessert **Solynieve**, station de ski en pleine expansion à 2 100 m d'altitude, puis conduit au **Pico Veleta** (3 398 m) proche du point culminant, le **Mulhacén** (3 482 m).

Aigles royaux et papillons rares peuplent la sierra Nevada où altitude et proximité de la Méditerranée se conjuguent pour permettre à une faune et une flore particulièrement variées de s'épanouir. Plusieurs refuges fourniront un abri aux randonneurs et alpinistes expérimentés.

Yegen ⑥
Ce petit village offre une vue magnifique sur un cirque de montagnes.

↑ LA CALAHORRA

⑧
A337
A4401
Alcolea

GR431
⑥ ⑦
Yátor Ugíjar
Cherín
A348
A348
Ugíjar

O N T R A V I E S A
0   5 km

Cádiar ⑤
Traditionnellement, le vin coule gratuitement à Cádiar pour la fiesta d'octobre.

Puerto de la Ragua ⑧
Ce col permet de rejoindre Guadix, mais, à près de 2 000 m d'altitude, il est souvent enneigé en hiver.

Válor ⑦
Une bataille commémorative entre Maures et chrétiens a lieu à la mi-septembre dans le village natal d'Abén Humeya, chef de la rébellion des morisques au XVIᵉ siècle.

CARNET DE ROUTE

Itinéraire : 85 km.
Où faire une pause : Il y a des bars et des restaurants à Capileira, ainsi qu'à Orgiva, Bubión (p. 602) et Trevélez qui possèdent de bons hôtels (p. 563-567). Pas d'essence entre Orgiva et Cádiar.

LÉGENDE

▬▬ Circuit recommandé

═══ Autres routes

▲ Sommet

Grenade ❸

Relief, Museo Arqueológico

Au pied de la sierra Nevada, Grenade escalade trois collines depuis une plaine fertile, la *vega*. Le guitariste Andrés Segovia (1893-1987) décrivit la ville comme un « lieu de rêve où le Seigneur a déposé la semence de la musique dans mon âme ». À l'époque des Maures, la cité connut son apogée entre 1238 et 1492 sous la dynastie nasride *(p. 51)*. Érudits, artistes et savants en firent alors un des grands foyers culturels européens. Conquise en 1492 par les Rois Catholiques au terme d'un long siège *(p. 52-53)*, elle se pare pendant la Renaissance de nombreux monuments. Après une période de déclin au XIXᵉ siècle, Grenade suscite aujourd'hui un regain d'intérêt et l'on s'efforce de lui rendre sa grandeur passée.

Arc d'entrée du mihrab du Palacio de la Madraza

Façade de la cathédrale

À la découverte de Grenade

Dédale de ruelles à sens unique, le quartier de la cathédrale renferme l'Alcaicería, reconstitution d'un marché maure ravagé par un incendie en 1843. Non loin du sanctuaire s'ouvrent les deux principales places de la ville, la plaza Bib-Rambla et la plaza Nueva d'où la cuesta de Gomérez conduit à l'Alhambra et au Generalife. Sur la colline qui leur fait face s'étend le quartier de l'Albaicín. Parmi les églises dignes d'une visite figurent San Juan de Dios, de style baroque, et l'Iglesia de San Jerónimo datant de la Renaissance.

🛡 Cathédrale

Chargé à partir de 1528 de la construction de cette église commencée dans le style gothique en 1523 par Enrique de Egas, un maître de la Renaissance, Diego de Siloé, lui donna notamment sa magnifique Capilla Mayor circulaire. Sous sa coupole, des vitraux exécutés au XVIᵉ siècle par Juan del Campo illustrent la Passion. C'est un artiste baroque natif de Grenade, Alonso Cano, qui dessina la façade ouest. La cathédrale abrite son tombeau et maintes de ses œuvres.

🛡 Capilla Real

Entreprise en 1506 par Enrique de Egas pour les Rois Catholiques et achevée en 1521, la chapelle royale abrite, derrière une grille platéresque de Maître Bartolomé de Jaén, les gisants en marbre de Ferdinand et d'Isabelle et de Jeanne la Folle, leur fille, et de son époux Philippe le Beau. Leurs cercueils se trouvent dans la crypte. La sacristie renferme de superbes œuvres d'art, notamment des peintures de Botticelli et de Van der Weyden, ainsi que la couronne d'Isabelle et l'épée de Ferdinand.

🏛 Palacio de la Madraza

Calle Oficios 14. 📞 958 24 34 84 ⬤ *pour rénovation.*
Ancienne école coranique, cet édifice qui fut un temps l'hôtel de ville recèle derrière une façade du XVIIIᵉ siècle un oratoire du XIVᵉ siècle au mihrab élégamment décoré.

🏛 Corral del Carbón

Calle Mariana Pineda. 📞 *958 22 59 90.* ⬤ *pour rénovation.*
Caravansérail animé à l'époque maure, cette cour entourée de portiques accueillit après la Reconquête des représentations théâtrales, puis une Bourse au charbon. Elle abrite aujourd'hui des boutiques d'artisanat et un bureau de l'office du tourisme.

🏛 Casa de los Tiros

Calle Pavaneras. 📞 958 22 10 72. ⬜ *de 14 h 30 à 20 h 30 le mar., de 9 h à 20 h 30 du mer. au sam., de 9 h à 14 h 30 le dim.*
Ce palais-forteresse de style mudéjar bâti au XVIᵉ siècle appartenait à l'origine à la

Grille de Maître Bartolomé de Jaén, Capilla Real

Coupole du Santa Sanctorum du Monasterio de la Cartuja

MODE D'EMPLOI

Granada. 🛉 241 000. ✈ 12 km au sud-ouest de la ville. 🚉 Avenida de Andalucia, 902 24 02 02. 🚌 Carretera de Jaen, 958 1854 80. 🛈 Plaza Mariana Pineda, 958 24 71 28. ⬛ sam. et dim. 🎭 Semana Santa (sem. de Pâques), Día de la Cruz (3 mai), Fête-Dieu (mai-juin).

famille qui avait reçu le Generalife après la chute de Grenade. Parmi ses possessions figurait une ancienne épée de Boabdil, représentée sur la façade qu'ornent les effigies de Mercure, d'Hercule, de Thésée et de Jason.

🏛 Alhambra et Generalife
Voir p. 466-467.

🏛 El Bañuelo
Carrera del Darro 31. ☎ 958 22 23 39. ◗ du mar. au sam. ⬤ jours fériés.
Ces bains maures à voûtes en brique datent du XIᵉ siècle. Des chapiteaux d'origines romaine, wisigothique et arabe coiffent les colonnes.

🏛 Museo Arqueológico
Carrera del Darro 43. ☎ 958 22 56 40. ◗ du mar. au dim. ⬤ jours fériés.

Installé dans la Casa de Castril, palais Renaissance au portail plateresque *(p. 21)*, ce musée présente des antiquités ibères, phéniciennes et romaines de la région.

🔒 Monasterio de la Cartuja
Un prestigieux général, El Gran Capitán, fonda cette chartreuse hors de Grenade commencée en 1516. La coupole est d'Antonio Palomino, la décoration extravagante de la sacristie de Luis de Arévalo et Luis Caballo.

GRENADE : LE CENTRE-VILLE

Alhambra ⑥
El Bañuelo ⑦
Capilla Real ②
Casa de los Tiros ⑤
Cathédrale ①
Corral del Carbón ④
Museo Arqueológico ⑧
Palacio de la Madraza ③

0   250 m

LÉGENDE

▨ *Voir p. 464-465*

🅿 Parc de stationnement

🛈 Information touristique

✝ Église

🏛 Couvent ou monastère

L'Albaicín pas à pas

Plaque d'une villa de l'Albaicín

C'est dans ce quartier étagé sur le flanc de la colline qui fait face à l'Alhambra que les origines arabes de Grenade restent les plus présentes. Ce dédale recelait jadis plus de 30 mosquées dont il subsiste quelques éléments dans les églises, souvent bâties aux mêmes emplacements. Les murs blancs bordant les ruelles protègent des jardins secrets et fleuris, ceux des *cármenes* (villas grenadines). Le soir, quand le parfum du jasmin se répand dans l'air, montez jusqu'au Mirador de San Nicolás. Les toits de l'Alhambra offrent au soleil couchant un spectacle magique.

Rue de l'Albaicín
Les rues de l'Albaicín, qui portent souvent le nom de cuesta *(montée), forment un dédale escarpé.*

Real Chancillería
Achevée en 1587, la chancellerie royale possède une façade Renaissance et un patio attribué à Diego de Siloé.

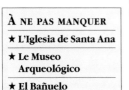

0   50 m

La Casa de los Pisas expose des œuvres d'art appartenant à l'ordre des Frères hospitaliers fondé par saint Jean de Dieu (1495-1550).

À NE PAS MANQUER

★ L'Iglesia de Santa Ana

★ Le Museo Arqueológico

★ El Bañuelo

★ L'Iglesia de Santa Ana
Sur la plaza Nueva, cette église du XVIe siècle en brique recèle derrière un portail platéresque un beau plafond à caissons.

Carrera del Darro
*La voie qui suit le río Darro
révèle de belles façades
d'édifices anciens en cours de
restauration.*

**★ Le Museo
Arqueológico**
*Les reliefs de sa façade
plateresque comprennent
ces deux boucliers. Ils
portent des motifs
héraldiques de la dynastie
des Nasrides vaincue par
les Rois Catholiques en
1492 (p. 52-53).*

LÉGENDE

– – – Itinéraire conseillé

Vers le Mirador de
San Nicolás

VERS le Mirador de
San Nicolás

DE LOS REYES

PLAZA CONCEPCIÓN

CARNERO

BAÑUELO

CONCEPCIÓN

CALLE ZAFRA

CALLE GLORIA

CARRETERA DEL SANTISIMO

CARRERA   DEL   DARRO

→ Vers Sacromonte

RÍO DARRO

Convento de Santa Catalina
fondé en 1521

★ El Bañuelo
*De petites ouvertures en forme
d'étoile assuraient l'éclairage
de ces bains maures du
XIᵉ siècle.*

SACROMONTE

De nombreux gitans vivaient jadis dans les grottes
qui creusent cette colline crayeuse, et les voyageurs du
siècle dernier pouvaient assister à des représentations
spontanées de flamenco. De qualité inégale, les spectacles
donnés aujourd'hui à l'intention
des touristes *(p. 406-407)*
ont perdu cette
authenticité. Au
sommet de la colline,
un monastère
bénédictin,
l'**Abadía del
Sacromonte**,
conserve les reliques
de San Cecilio, le
patron de Grenade.

Gitans dansant le flamenco, XIXᵉ siècle

L'Alhambra

Les palais, édifiés pour l'essentiel à partir du XIVᵉ siècle, et les jardins de l'Alhambra (la Rouge en arabe) forment une véritable cité à l'intérieur de ses remparts. Les émirs nasrides cherchèrent à y créer une image du paradis sur terre afin d'exorciser la triste réalité à laquelle ils étaient confrontés, celle d'un pouvoir sur le déclin. Ils le firent en employant avec un art consommé des matériaux modestes tels que céramique, stucs et bois et en jouant avec subtilité de l'espace, de la lumière, de l'eau et de l'ornementation. Malgré les injures du temps, l'Alhambra, restaurée, est un monument exceptionnel.

★ Le Salón de los Embajadores

Le plafond de la somptueuse salle des Ambassadeurs représente les sept ciels de la cosmogonie musulmane.

Sala de la Barca

★ Le Patio de Arrayanes

Bordé de gracieuses arcades, le bassin de la cour des Myrtes reflète la lumière dans les salles voisines.

Patio de Machuca

Entrée

Patio del Mexuar

C'est dans la salle du Conseil achevée en 1365 que l'émir écoutait les suppliques de ses sujets et réunissait ses ministres.

PLAN DE L'ALHAMBRA

Vers le Generalife

Portail principal

Le complexe de l'Alhambra comprend les Casas Reales, l'Alcazaba du XIIIᵉ siècle, le Palais de Charles Quint et le Generalife (p. 468), situé en dehors de ce plan.

LÉGENDE

- Casas Reales (voir ci-dessus)
- Palais de Charles Quint
- Alcazaba
- Parc
- Autres édifices

Palacio del Partal

Du plus ancien palais de l'Alhambra, il ne reste qu'une tour et un pavillon doté d'un portique à cinq arches.

MODE D'EMPLOI

Pour l'Alhambra et le Generalife.
902 44 12 21. **Réservations** indispensables. 902 22 44 60.
W www.alhambratickets.com.
2. ◯ été : de 8 h 30 à 20 h du lun. au sam., de 9 h à 18 h le dim. ; hiver : de 8 h 30 à 18 h t.l.j.
Nocturnes : été : de 22 h à 22 h 30 t.l.j. ; hiver de 20 h à 20 h 30 ven. et sam.

Appartements occupés par Washington Irving

Baños Reales

Jardín de Lindaraja

La Sala de las Dos Hermanas possède une superbe coupole à stalactites.

Sala de los Reyes

Cette vaste salle de banquets où se tenaient de grandes fêtes présente au plafond des peintures sur cuir du XIVᵉ siècle représentant des scènes de chasse et de chevalerie.

Puerta de la Rawda

★ La Sala de los Abencerrajes

Selon la légende, c'est dans cette salle que Boabdil (p. 52-53) fit massacrer lors d'un banquet les Abencérages, ses rivaux. Le dessin de la coupole à stalactites s'inspire du théorème de Pythagore.

Le Palais de Charles Quint (1526) abrite une collection d'art islamique dont le fleuron est le vase de l'Alhambra *(p. 48).*

★ Le Patio de los Leones

124 colonnes délicates portent les arcades qui entourent dans la cour des Lions une fontaine dont la vasque repose sur 12 lions de marbre.

À NE PAS MANQUER

★ Le Salón de Embajadores

★ Le Patio de Arrayanes

★ La Sala de los Abencerrajes

★ Le Patio de los Leones

Grenade : le Generalife

Depuis le nord de l'Alhambra, un sentier conduit au Generalife, ou Djannat al-Arif, qui servait de résidence d'été aux souverains nasrides. Parmi les diverses significations prêtées à son nom arabe, la plus séduisante est sans doute celle de « jardin du paradis suprême ». Plus proche du ciel que de la ville, le site, qui comportait vergers et pâturages au XIIIᵉ siècle, offre un cadre idéal où oublier les vicissitudes de la vie quotidienne ou assister aux spectacles du Festival international de musique et de danse (p. 37).

Le Patio de la Acequia *est un jardin oriental clos où chantent les gracieux jets d'eau d'un long bassin central.*

Sala Regia

Jardines Altos (jardins suspendus)

L'Escalera del Agua *est descendue par un filet d'eau courante.*

Le Patio de los Cipreses, ou patio de la Sultane, est, selon une légende, l'endroit où Zoraya, épouse de l'émir Abu al-Hassan, retrouvait son amant, chef des Abencérages.

Entrée

Patio de Polo, cour où les visiteurs venus au palais à cheval laissaient leur monture.

Le Patio del Generalife *s'étend juste avant l'enceinte principale et au-dessus des Jardines Bajos (jardins d'en bas) que le sentier venant de l'Alhambra traverse tout d'abord.*

Les remparts du château de Lacalahorra protègent un patio Renaissance

Castillo de Lacalahorra 🔞

Lacalahorra (Granada). 🅲 958 67 70 98. 🚍 Guadix. ◯ mer.

D'austères remparts et des tours cylindriques trapues défendent le château qui domine le village de Lacalahorra. Rodrigo de Mendoza, fils aîné du cardinal Mendoza, le fit édifier pour sa femme entre 1509 et 1512. Derrière les murailles, un escalier et des piliers en marbre de Carrare, œuvres d'artisans italiens, ornent un patio à arcades Renaissance.

Guadix 🔟

Granada. 🅰 20 100. 🚍 🚍 ℹ️ Avenida Mariana Pineda, 958 66 26 65. 🚍 sam. 🎉 Fiesta et Feria (du 31 août au 5 sept.). 🆆 www.guadixymarquesado.org

S on quartier troglodytique aux 2 000 cavernes habitées depuis des siècles constitue la principale attraction de Guadix. Le **Cueva-Museo** offre un aperçu de la vie dans ces abris souterrains.

La **cathédrale** marie plusieurs styles. Entreprise en 1510 dans le style gothique, elle possède un chevet Renaissance par Diego de Siloé et connut au XVIIIᵉ siècle un remaniement baroque.

Le musée conserve les reliques de San Torcuato qui fonda le premier évêché d'Espagne.

Près de l'**Alcazaba** maure, l'**Iglesia de Santiago** mudéjare présente un beau plafond à caissons.

🏛 **Cueva-Museo Al Fareria**
C/San Miguel. ◯ lun.-sam. 📷

Jaén 🐄

🅰 115 000. 🚍 🚍 ℹ️ Calle Maestra 13, 953 24 26 24. 🚍 jeu. 🎉 Nuestra Señora de la Capilla (11 juin), San Lucas (18 oct.), Romería de Santa Catalina (25 nov.).

O ccupant une position stratégique sur la route entre Andalousie et Castille, Jaén portait à l'époque islamique le nom de Djayyan (lieu de passage des caravanes). Une puissante forteresse la protégeait. Reconstruite après la prise de la ville par Ferdinand III en 1246, et aujourd'hui baptisée **Castillo de Santa Catalina**, elle jouxte un parador (p. 565) de style médiéval.

Dessinée en 1525 par Andrés de Vandelvira, architecte de plusieurs beaux édifices Renaissance d'Ubeda (p. 472-473), la **cathédrale** présente une façade dont la décoration baroque date du XVIIᵉ siècle.

Le **Palacio Villardompardo** (XVIᵉ siècle) abrite un musée des arts et traditions populaires et donne accès aux **Baños Árabes**. Ces bains maures du XIᵉ siècle ont conservé des arcs en fer à cheval et deux bassins en céramique qui servaient à s'immerger. Bordant une ruelle,

la **Capilla de San Andrés**, chapelle mudéjare fondée au XVIᵉ siècle par Guttiérrez González, trésorier du pape Léon X, renferme une magnifique grille dorée, œuvre de Maître Bartolomé de Jaén.

Créé au XIIIᵉ siècle, le **Real Monasterio de Santa Clara** possède un cloître plein de charme datant de la fin du XVIᵉ siècle. L'église a gardé un plafond à caissons.

Le **Museo Provincial** comprend un intéressant département archéologique qui présente des sculptures et des mosaïques romaines et des céramiques ibères, grecques et romaines.

Arc en fer à cheval des Baños Árabes de Jaén

♣ **Castillo de Santa Catalina**
Carretera al Castillo. 🅲 953 12 07 33. 🚍 lun.
🏛 **Palacio Villardompardo**
Plaza Santa Luisa de Marillac. 🅲 953 24 80 68. ◯ du mar. au dim. 🚍 jours fériés. 🆆 www.promojaen.es
🏛 **Museo Provincial**
Paseo de la Estación 29. 🅲 953 25 06 00. ◯ du mar. au dim. 🚍 jours fériés.

Maisons troglodytiques à Guadix

Pont romain de 15 arches franchissant le Guadalquivir à Andújar

Andújar ㊷

Jaén. 🏙 40 000. 🚌 🚉 🛈 *Pl Santa María, Torre del Reloj, 953 50 49 59.* 🛒 *mar.* 🎭 *Romería (der. dim. d'avr.).*

Renommée pour son huile d'olive et ses poteries, Andújar occupe l'emplacement de la cité ibère d'Illiturgi détruite par Scipion l'Africain pendant les guerres puniques *(p. 46).* Un pont romain franchit le Guadalquivir.

De style gothique, l'**Iglesia de San Miguel** ornée de tableaux d'Alonso Cano borde la grand-place. L'**Iglesia de Santa María la Mayor**, à la façade Renaissance et au clocher mudéjar, abrite le *Christ au jardin des oliviers* peint par El Greco vers 1605.

Un pèlerinage a lieu en avril au **Santuario de la Virgen de la Cabeza**.

Aux environs
Construite en 967 par al-Hakam II, la forteresse de **Baños de la Encina** conserve 15 tours. Plus au nord, la route (N IV) et la voie ferrée vers Madrid empruntent le **desfiladero le Despeñaperros**, gorge creusée dans la sierra Morena.

Baeza ㊸

Voir p. 474-475.

Úbeda ㊹

Jaén. 🏙 35 000. 🚌 🚉 🛈 *Palacio Marqués de Contadero, C/ Baja del Marqués 4, 953 75 08 97.* 🛒 *ven.* 🎭 *San Miguel (28 sept.).*

Cette ancienne place forte des Maures, qui élevèrent en 852 des remparts dont l'enceinte médiévale de la vieille ville suit le tracé, est un véritable musée d'architecture Renaissance. Elle le doit à certains des hommes les plus influents de l'Espagne du XVIe siècle, notamment le secrétaire d'État Francisco de los Cobos et son petit-neveu, Juan Vázquez de Molina, qui donna son nom à la plus belle place d'Úbeda.

Fondé vers 1562 à l'initiative de l'évêque de Jaén et dessiné par Andrés de Vandelvira, l'imposant **Hospital de Santiago** possède une façade flanquée de deux tours carrées. Des tuiles bleues et blanches donnent à l'une d'elles une toiture très typique. L'édifice abrite désormais le Palacio de Congresos y Exposiciones. Installé dans la Casa Mudéjar (XVe siècle), le **Museo Arqueológico** expose

ÚBEDA : LE CENTRE-VILLE

Capilla del Salvador ④
Hospital de Santiago ①
Iglesia de San Pablo ③
Museo Arqueológico ②
Palacio de las Cadenas ⑥
Parador de Úbeda ⑤
Santa María de los
   Reales Alcázares ⑦

LÉGENDE

🚌 Gare routière
🛈 Information touristique
✝ Église
✠ Couvent ou monastère

0   250 m

◁ **Champ de coquelicots et oliveraie au sud d'Andújar dans la province de Jaén**

Laguna de Valdeazores dans le Parque Natural de Cazorla

des vestiges datant du néolithique à l'époque islamique.

Un clocher plateresque achevé en 1537 domine l'**Iglesia de San Pablo** qui comprend une abside du XIIIe siècle et une magnifique chapelle du XVIe siècle par Vandelvira.

Un monument au poète et mystique saint Jean de la Croix (1549-1591) se dresse près de la **plaza de Vázquez de Molina** où s'élève la **Capilla del Salvador**, chapelle privée de Francisco de los Cobos due à trois grands artistes du XVIe siècle, Diego de Siloé, Andrés de Vandelvira et Esteban Jamete. Derrière, le palais de Cobos présente une façade Renaissance et l'Hospital de los Honorados Viejos s'ouvre sur la plaza de Santa Lucía. De là, la redonda de los Miradores suit l'ancien chemin de ronde et offre de superbes vues de la campagne environnante.

Le **parador** (p. 567) borde lui aussi la plaza de Vázquez de Molina. Il occupe le palais construit au XVIe siècle, et très remanié au XVIIe, qu'habita Fernando Ortega Salido, doyen du chapitre de Málaga et chapelain d'El Salvador. À côté, le **Palacio de las Cadenas** édifié par Vandelvira pour Vázquez de Molina abrite l'hôtel de ville et l'office du tourisme. Il doit son nom aux chaînes (cadenas) jadis fixées aux colonnes de l'entrée principale.

De l'autre côté de la place, l'église **Santa María de los Reales Alcázares** date en partie du XIIIe siècle. À l'intérieur, belles grilles de Maître Bartolomé. Dans le **Cárcel del Obispo** (prison de l'Évêque) voisin étaient reclus les prêtres punis par l'évêque.

🏛 **Museo Arqueológico**
Casa Mudéjar, Calle Cervantes 6. 📞 953 75 37 02. ⭘ du mar. au dim. ♿
🏥 **Hospital de Santiago**
Calle Obispo Cobos 2.
📞 953 75 08 42. ⭘ t.l.j.

La Capilla del Salvador, église Renaissance à Úbeda

Parque Natural de Cazorla ㊺

Jaén. 🚌 Cazorla. ℹ Calle Juan Domingo 2, 953 72 01 15.

L e Parque Natural de Cazorla, Segura y Las Villas protège une faune variée dans une région boisée où les plus hauts sommets dépassent 2 000 m. Sa beauté et sa richesse surprennent lors d'une première visite. La réserve naturelle, d'une superficie de 214 336 ha, s'atteint par la ville de Cazorla dont l'imposant château maure, le **Castillo de la Yedra**, abrite un musée folklorique. La route passe ensuite les vestiges de **La Iruela**, forteresse bâtie sur un éperon rocheux. Après avoir franchi un col, elle redescend jusqu'à un carrefour (El Empalme del Valle) dans la vallée du Guadalquivir d'où partent des routes conduisant aux sources du fleuve et au paisible parador (p. 564) moderne. La principale route traversant le parc suit le Guadalquivir. Le centre d'accueil se trouve à Torre del Vinagre.

Aux environs
À 30 km au nord du parc, **Segura de la Sierra** possède un château maure restauré et des arènes taillées dans le roc.

⚑ **Castillo de la Yedra**
📞 953 71 00 39. ⭘ du mar. au dim. ⬤ 17 sept.-1er nov., 24, 25, 31 déc. et 1er jan. 🎟 gratuit pour les membres de l'UE.

LA FAUNE DE CAZORLA

Plus de cent espèces d'oiseaux, certains très rares tels l'aigle royal et le vautour fauve, peuplent la seule réserve naturelle d'Espagne en dehors des Pyrénées où survivent des gypaètes barbus. Parmi les mammifères qui vivent dans ces montagnes boisées figurent la loutre, active à l'aube et au crépuscule, le mouflon, le sanglier et des bouquetins. Le cerf fut réintroduit en 1952. La flore qui y croît comprend une plante propre à la région, la violette de Cazorla.

Sangliers en quête de racines, d'insectes et de petits mammifères

Baeza pas à pas

Blason, Casa del Pópulo

Nichée au milieu des oliveraies qui couvrent la majeure partie de la province de Jaén, cette petite ville se distingue par sa richesse en édifices Renaissance. Baptisée Beatia par les Romains, elle devint la capitale d'une principauté maure avant sa conquête en 1227 par Ferdinand III. Première ville d'Andalousie définitivement reprise par les chrétiens, elle fut alors peuplée de chevaliers castillans et connut une période de splendeur qui atteignit son apogée au XVIᵉ siècle avec la reconstruction de la cathédrale d'après des plans d'Andrés de Vandelvira. Au début du XXᵉ siècle, Antonio Machado, l'un des plus grands poètes de sa génération, y vécut quelques années.

★ **Le Palacio de Jabalquinto**
Ce magnifique palais gothique présente une façade de style isabélin (p. 22) flanquée de beaux contreforts arrondis.

Antigua Universidad
De 1542 à 1825, l'une des premières universités d'Espagne occupa cet édifice Renaissance et baroque.

La Torres de los Aliatares est une tour bâtie par les Maures il y a 1 000 ans.

SAN FELIPE

PLAZA SANTA CRUZ

BEATO ÁVILA

ROMANO

COMPAÑÍA

BARBACANA

MERCADERÍAS

Vers ↑ Úbeda

PLAZA DE ESPAÑA

PASEO DE LA CONSTITUCIÓN

PASEO DE TUNDIDORES

O. NARVÁEZ

GASPAR BECERRA

Ayuntamiento
Ce majestueux édifice plateresque (p. 21) servit jadis de palais de justice et de prison. Les armoiries de Philippe II, de Juan de Borja et de la ville de Baeza ornent sa façade.

Casas Consistoriales Bajas

La Alhóndiga, ancienne halle au blé, présente en façade trois étages d'arcades.

MODE D'EMPLOI

Jaén. 🚶 19 000. 🚃 Linares-
Baeza 13 km, 902 24 02 02. 🚌
Avenida Alcalde Puche Pardo, 953
74 04 68. 🚏 Plaza del Pópulo,
953 74 04 44. 🛒 mar. 🎉
Semana Santa (Pâques), Feria (mi-
août), Romería de la Yedra (début
sept.). 🌐 www.andalucia.org

★ **La cathédrale**
*Reconstruite au
XVIe siècle, elle possède
une décoration
Renaissance, dont
une grille par
Bartolomé de Jaén
dans la Capilla
Sagrario.*

Fuente de Santa María
*Natif de Baeza, l'architecte
sculpteur Ginés Martínez
conçut cette fontaine en
forme d'arc de triomphe
achevée en 1564.*

**Antigua
Carnicería**,
ancien abattoir du
XVIe siècle

**Puerta de Jaén
y Arco de Villalar**
*Un arc érigé en 1521 pour
apaiser Charles Quint
après la révolte des
communeros (p. 54),
jouxte une porte de la ville.*

0 ————————— 75 m

LÉGENDE

🛈 Information touristique

— — — Itinéraire conseillé

★ **La plaza del Pópulo**
*Un beau palais plateresque, la Casa del Pópulo,
abrite l'office du tourisme sur cette place ornée
par la Fuente de los Leones, fontaine dont les
lions entourent une statue ibéro-romaine.*

À NE PAS MANQUER

★ **Le Palacio de
Jabalquinto**

★ **La cathédrale**

★ **La plaza del Pópulo**

Le village de Vélez Blanco au pied de son château Renaissance

Vélez Blanco 46

Almeria. 🏘 2 200. 🚉 Vélez Rubio. 🛈 Avenida Marqués de los Vélez, 950 41 53 54. 🚌 mer. 🎭 Cristo de la Yedra (2ᵉ dim. d'août).

Ce joli village s'étend au pied du puissant **Castillo de Vélez Blanco** édifié entre 1506 et 1513 par le premier marquis de Vélez. Le château ne possède plus sa riche décoration Renaissance, exposée au Metropolitan Museum de New York, mais abrite la réplique d'un des patios d'origine.

À la sortie de Vélez Blanco, la **Cueva de los Letreros** renferme des peintures rupestres (v. 4000 av. J.-C.). L'une d'elles représente l'Indalo, personnage portant un arc-en-ciel adopté comme emblème par Almería.

🚶 **Cueva de los Letreros**
Camino de la Cueva de los Lestreros 🎫 617 88 28 08. 🕐 t.l.j. 📷

Mojácar 47

Almeria. 🏘 6 000. 🚉 🛈 Calle Glorieta 1, 950 61 50 25. 🚌 mer., dim. 🎭 Maures et chrétiens (2ᵉ week-end de juin), San Agustín (28 août).

Miroitant, vues de loin, comme un mirage, les maisons blanches de Mojácar dévalent le flanc d'une colline à 2 km de longues plages de sable.

Après la guerre civile (p. 62-63), le village tomba en ruine, la majorité de ses habitants ayant émigré, mais le tourisme ouvrit la voie à une nouvelle ère de prospérité dans les années 1960. Mojácar fut entièrement rebâti, hormis une ancienne porte des remparts, et des centres de vacances bordent désormais le littoral.

Au sud, de petites stations balnéaires et des villages de pêcheurs jalonnent la côte, l'une des moins construites d'Espagne.

Tabernas 48

Almeria. 🏘 3 000. 🚉 🛈 Canetera Nacional 340, km 364, 950 52 50. 🚌 mer. 🎭 Virgen de las Angustias (du 11 au 15 août).

Dans l'unique désert d'Europe, une forteresse d'origine maure domine le village de Tabernas au milieu des collines érodées et des ravins qui servirent de cadre à de nombreux westerns italiens comme *Pour une poignée de dollars*. Situés respectivement à 1,5 km et 4 km du bourg, deux décors de cinéma peuvent se visiter :

Mini-Hollywood et **Texas Hollywood**.

Non loin de Tabernas, les centaines d'héliostats d'un centre de recherche sur l'énergie solaire suivent la course du soleil andalou.

Aux environs
Perché au bord d'un profond ravin où coule le río de Aguas, **Sorbas** recèle deux édifices intéressants : l'Iglesia de Santa María (XVIᵉ siècle) et un palais du XVIIᵉ siècle qui aurait servi de résidence d'été au duc d'Albe.

La réserve naturelle de **Yesos de Sorbas** protège une région karstique dont les centaines de grottes ne s'explorent que sur autorisation des services de l'environnement andalous.

🎬 **Mini-Hollywood**
Carretera N340. 🎫 950 36 52 36. 🕐 t.l.j. 🌙 lun. en hiver.
🎬 **Texas Hollywood**
Carretera N340, Tabernas.
🎫 950 16 54 58. 🕐 t.l.j. 📷

Paysage désertique évoquant le Far West près de Tabernas

Pour quelques dollars de plus de Sergio Leone

LE FAR WEST ANDALOU

À l'ouest de Tabernas, la N 340 dessert deux villes du Far West. Ces *poblados del oeste*, où des cascadeurs simulent aujourd'hui des attaques de banques et des rixes de saloon, datent des années 1960 et 1970. Dans une région offrant à la fois canyons spectaculaires, coûts avantageux, soleil perpétuel et gitans pour incarner Indiens ou Mexicains, Sergio Leone, dont les « westerns spaghetti » renouvelèrent le genre à cette époque, fit édifier un ranch pour réaliser *Le Bon, la brute et le truand*, et des décors de cinéma surgirent dans ces étendues désertiques. Elles servent toujours de lieu de tournage à des publicités ou des séries télévisées.

L'Alcazaba du Xe siècle domine la vieille ville d'Almería

Almería ㊾

Almería. 🏔 *170 000.* 🚃 🚌
Estación Intermodal. 🛈 *Parque
Nicolás Salmerón, 950 27 43 55.* 📅
mar., ven. et sam. 🎭 *Feria (der. sem.
d'août).* 🌐 *www.andalucia.org*

Entreprise en 955,
l'impressionnante
Alcazaba d'Almería, la plus
vaste forteresse édifiée par les
Maures en Espagne,
protégeait l'un des principaux
ports du califat de Cordoue
(*p. 48-49*). Appelée al Mariyat
(le miroir de la mer), la ville,
qui exportait des tissus de
soie, de coton et de brocart,
connut alors son âge d'or.

Pendant la Reconquête,
l'Alcazaba résista à deux
grands sièges avant de tomber
en 1489 aux mains des Rois
Catholiques (*p. 52-53*). Leur
blason orne la Torre del
Homenaje érigée pendant leur
règne. Restaurée, la forteresse
renferme aussi une chapelle
mudéjare et des jardins.

À côté s'étend **La Chanca**,
le quartier des gitans et des
pêcheurs où certaines familles
vivent dans des grottes aux
façades peintes de couleurs
vives et aux intérieurs
modernes. Un marché très
animé s'y tient le lundi.
Malgré son pittoresque, ce
quartier est extrêmement
pauvre et mieux vaut éviter
de s'y risquer seul ou la nuit
avec des objets de valeur.

Victime des incursions de
pirates barbaresques, Almería
possède une **cathédrale** qui
ressemble plus à une place
forte qu'à un lieu de prière
avec ses quatre tours, ses murs
épais et ses étroites fenêtres.
Elle occupe l'emplacement

d'une mosquée convertie en
église, puis détruite par un
tremblement de terre en 1522.
Sa reconstruction commença
en 1524 sous la direction de
Diego de Siloé. Derrière une
façade Renaissance, œuvre de
Juan de Orea qui sculpta
également les stalles du

**Entrée d'une grotte dans le
quartier de La Chanca**

chœur, se découvrent des nefs
et un maître-autel gothiques.
Le **Templo de San Juan**
incorpore les vestiges d'une
mosquée. La **plaza Vieja** est
une belle place du XVIIe siècle
entourée d'arcades. La façade
crème et rose de l'**hôtel de
ville** (1899) la domine.

Aux environs

Près de Gádor, à 17 km au
nord, **Los Millares** est l'un des
plus importants sites de l'âge
du bronze en Europe. Près de
2 000 personnes y vécurent
entre 2 700 et 1 800 av. J.-C.

♗ Alcazaba
Calle Almanzor. 📞 *950 27 16 17.*
🕐 *mar.-dim.* ● *1er jan., 25 déc.*
♿ *gratuit pour les membres de l'UE.*

∩ Los Millares
Santa Fé de Mondújar. ● *jours fériés.*
📞 *677 90 34 04.* 🕐 *du mer. au dim.*

Parque Natural de
Cabo de Gata ㊿

Almería. 🚌 *San José.* 🛈 *Centro
de Visitantes de las Amoladeras,
route d'Almería à Cabo de Gata,
950 16 04 35.* 🕐 *t.l.j.*

Hautes falaises volcaniques,
dunes, salines et criques
isolées composent des paysages
caractéristiques dans cette
réserve naturelle de 29 000 ha
qui inclut quelques ports de
pêche et la petite station
balnéaire de San José à la belle
plage de sable. Une route relie
le village de Cabo de Gata à la
pointe du cap dont il porte le
nom et où se dresse un phare.
La zone protégée s'étend en
mer et la faune et la flore
prospérant sur les fonds marins
attirent de nombreux plongeurs.

Des milliers d'oiseaux
migrateurs font étape dans les
dunes et les marais salants
hérissés de jujubiers épineux
qui s'étendent entre le cap et
la playa de San Miguel. Parmi
les quelque 170 espèces
recensées figurent le flamant,
l'avocette et le vautour fauve.

Aux environs

Au cœur d'une oasis plantée
d'agrumes en bordure de
l'aride sierra de Alhamilla,
Níjar, à la vieille ville
typiquement andalouse, doit
sa renommée à sa poterie
colorée et aux *jarapas*,
tissages artisanaux. De
grandes serres de plastique
ont permis de mettre en
culture la plaine dénudée qui
sépare Níjar de la mer.

**Rochers volcaniques du Cabo de
Gata, à l'est d'Almería**

LES ÎLES
ESPAGNOLES

Présentation des îles espagnoles

L es deux archipels espagnols se trouvent dans deux mers différentes : les Baléares sont en Méditerranée et les Canaries dans l'Atlantique au large des côtes sahariennes. Leur climat ensoleillé et la beauté de leurs plages ont entraîné dans ces îles le développement du tourisme de masse, mais elles ont plus à offrir que des murs d'hôtels, des fast-foods et des discothèques. Villages blancs, collines boisées, grottes et monuments préhistoriques jalonnent les Baléares. Aux Canaries se découvrent des paysages volcaniques extraordinaires.

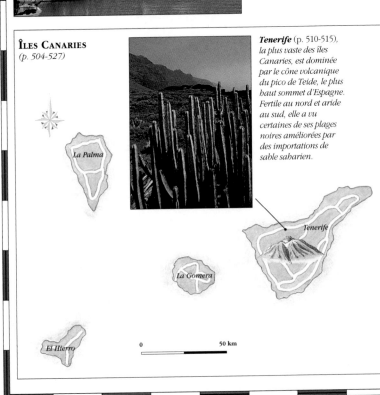

Ibiza (p. 486-488) est la plus animée des îles Baléares. Sa capitale et Sant Antoni, les deux principaux centres touristiques, offrent belles plages et intense vie nocturne.

ÎLES CANARIES
(p. 504-527)

Tenerife (p. 510-515), la plus vaste des îles Canaries, est dominée par le cône volcanique du pico de Teide, le plus haut sommet d'Espagne. Fertile au nord et aride au sud, elle a vu certaines de ses plages noires améliorées par des importations de sable saharien.

0   50 km

◁ Cultures sur cendres volcaniques et à l'abri de murs de pierres sèches, sur Lanzarote

Minorque (p. 498-503) reste moins touchée par le tourisme que Majorque et Ibiza. Dans la campagne subsistent nombre de vestiges d'édifices mégalithiques datant de l'âge du bronze.

ÎLES BALÉARES
(p. 482-503)

Minorque

Majorque

Majorque (p. 490-497), bien que surtout connue par ses plages, possède d'autres beautés naturelles, notamment des grottes. Dans la capitale, Palma, une magnifique cathédrale gothique domine le front de mer.

0   50 km

Lanzarote (p. 524-525), aux maisons blanches se détachant sur des champs de cendres noires, est la plus fascinante des îles de l'archipel malgré ses paysages dénudés. Le parc de Timanfaya protège les spectaculaires montañas del Fuego.

Lanzarote

Fuerteventura

an Canaria

Gran Canaria (p. 518-521), presque circulaire autour d'un haut volcan, recèle d'intéressants monuments et musées dans sa capitale, Las Palmas. La station balnéaire de Maspalomas, au sud, est la plus importante d'Espagne.

LES BALÉARES

IBIZA · FORMENTERA · MAJORQUE · MINORQUE

*D*e nombreuses et belles plages et un climat très agréable, ensoleillé mais pas trop chaud, ont fait des quatre principales îles de l'archipel des Baléares un des grands centres européens du tourisme de masse. Il suffit toutefois de s'écarter de la côte pour découvrir jolis villages, monastères, églises rurales, grottes et monuments préhistoriques au sein de campagnes paisibles.

Habitées depuis la préhistoire, les Baléares ont été colonisées ou pillées tour à tour par les Phéniciens, les Grecs, les Carthaginois, les Romains, les Arabes et les Turcs. Les Catalans qui s'y installent au XIIIe siècle apportent leur langue dont une forme particulière à l'archipel reste largement répandue aujourd'hui.

C'est dans la plus grande des îles, Majorque, que le tourisme de masse s'est développé le plus tôt. Au fond d'une baie bordée d'immeubles modernes, sa capitale, Palma, a conservé autour de sa majestueuse cathédrale gothique un quartier ancien riche en monuments. À Minorque, où le littoral demeure plus préservé, de belles maisons nobles parent les villes et des vestiges préhistoriques jalonnent la campagne. D'innombrables criques creusent la côte rocheuse d'Ibiza. Dans les collines de l'intérieur, hameaux et églises ont gardé un cachet caractéristique avec leurs murs blanchis. À quelques kilomètres au sud, la petite Formentera ne compte qu'une ville et le rythme de vie y reste paisible. Plusieurs îlots quasiment inhabités entourent ces quatre îles principales. Un parc national protège l'un d'eux : Cabrera (au large de Majorque).

À la fenêtre d'une maison traditionnelle d'Ibiza

◁ La cathédrale gothique de Palma de Majorque domine le port

À la découverte des Baléares

Pour de nombreux Européens, Allemands et Anglais en particulier, les Baléares n'évoquent que mer et soleil à tarif réduit dans le cadre de séjours « tout compris ». Ces îles à la riche histoire ont toutefois plus à offrir que de belles plages bordées de bars, de restaurants et d'hôtels. Les zones rurales et des villes telles que Palma, Ibiza, Maó et Ciutadella y restent en effet relativement préservées. C'est Majorque qui présente le plus d'intérêt culturel, grâce à ses musées notamment. Réputée pour ses monuments néolithiques, Minorque fut britannique au XVIIIe siècle et conserve d'élégants édifices de cette époque. Leurs maisons blanches et rustiques donnent leur aspect caractéristique aux vieux villages d'Ibiza, île dont les boîtes de nuit font partie des plus en vogue d'Europe. Formentera est un havre de paix aux plages de sable blanc baignées d'eau cristalline.

Poblat des Pescadors dans le village touristique de Binibeca

Le petit matin à Port de Pollença, Minorque

0   25 km

MAJORQUE

SÓLLER

VALLDEMOSSA

LA GRANJA

ANDRATX

PALM

CAPOCORB

IBIZA

LES AMUNTS

SANT MIQUEL

SANT ANTONI

SANT JOSEP

SANTA EULÀRIA

EIVISSA (IBIZA)

FORMENTERA

CIRCULER

La majorité des visiteurs des Baléares arrivent par avion : de nombreux vols relient Majorque, Minorque et Ibiza aux principales villes européennes, ainsi qu'à Madrid, Barcelone et Valence. Plusieurs compagnies desservent le reste de l'Espagne au départ de l'aéroport de Palma. Des ferries de la Transmediterránea et de la Flebasa circulent entre les îles qui peuvent aussi s'atteindre par bateau depuis Barcelone, Valence, Alicante ou Denía. À Majorque, des trains joignent Palma à Sóller et à Inca. Bien que l'état des routes se dégrade plus on s'éloigne des zones touristiques, la voiture reste le meilleur moyen de circuler, sauf à Formentera où c'est le vélo.

LES BALÉARES D'UN COUP D'ŒIL

Sur la plage Sant Miquel à Ibiza

MEDITERRÁNEO

MINORQUE

CIUTADELLA ⑳

CORNELLS

ES MERCADAL

FERRERIES ㉑ ㉒

POLLENÇA ⑬

C713

Muro

Sa Borges

C715

PUIG DE RANDA ⑮

C715

FELANITX ⑱

CAPDEPERA
COVES D'ARTA

⑲ COVES DEL DRAC

MAÓ ㉓

CALES COVES ㉔

BINIBECA

VOIR AUSSI

- *Hébergement* p. 568-569
- *Restaurants et bars* p. 605-607

CABRERA

LÉGENDE

▬▬ Autoroute
▬▬ Route principale
▬▬ Route secondaire
▬▬ Parcours pittoresque
▬▬ Cours d'eau
☼ Point de vue

Côte rocheuse des environs des coves d'Artá à Majorque

Ibiza

D'une superficie de 572 km², l'île des Baléares la plus proche des côtes espagnoles restait peu touchée par le tourisme quand les hippies la découvrirent au milieu des années 1960. Elle commença alors à apparaître dans les brochures des agences de voyages à côté de Benidorm et de Torremolinos. Depuis, des immeubles de béton ont défiguré de nombreux paysages, mais Ibiza (Eivissa) garde une magie indéfinissable et n'a pas entièrement perdu son caractère. Dans la campagne, notamment au nord, des champs d'oliviers, d'amandiers et de figuiers forment un patchwork typiquement méditerranéen. Dans la capitale, la ville haute a conservé son aspect médiéval.

Bergère d'Ibiza

Le port de plaisance de la station balnéaire de Sant Antoni

Sant Antoni ❶

Baleares. 🏘 16 500. 🚊 ⛴ 🛈 Passeig de Ses Fonts, 971 34 33 63. 📷 Sant Antoni (17 janv.), Sant Bartolomé (24 août). ⓦ www.santantoni.net

Deuxième ville d'Ibiza par la taille, Sant Antoni de Portmany portait à l'époque romaine le nom de Portus Magnus à cause de son vaste port naturel. Cet ancien village de pêcheurs au creux d'une large baie est devenu au cours des dernières décennies un port de plaisance et une station balnéaire où les hauts immeubles modernes bordant le front de mer écrasent de leur masse l'église paroissiale, édifice fortifié du XIVe siècle reconstruit au XVIe siècle.

Au nord de Sant Antoni, sur la route de Cala Salada, se trouve la chapelle **Santa Agnès** (à ne pas confondre avec le village du même nom), insolite sanctuaire du début du christianisme qui contenait, lors de sa découverte en 1907, des armes maures et des fragments de poteries.

Sant Josep ❷

Baleares. 🏘 15 000. 🛈 Carrer Pedro Escanellas 39, 971 34 33 63. 📷 Sant Josep (19 mars).

Centre administratif de la partie sud-ouest d'Ibiza, la petite ville de Sant Josep s'étend au pied du point culminant de l'île, Sa Talaiassa (475 m), d'où la vue porte par temps clair jusqu'à la côte de la péninsule Ibérique. Pour

Ses salines, refuge de nombreux oiseaux

découvrir de plus près l'îlot d'**Es Vedrá**, énorme rocher pyramidal jaillissant de la mer, prenez la route côtière jusqu'à Cala d'Hort, crique abritant une plage paisible et de bons restaurants.

Aux environs
Avant le tourisme, la production de sel était la principale industrie d'Ibiza grâce aux marais salants de **Ses Salines** qui, bien que toujours en activité, offrent un refuge à de nombreux oiseaux tels que les flamants. Depuis le port de Sa Canal, le sel est exporté vers les pays scandinaves et les îles Féroé où il sert à la conservation du poisson. À 3 km à l'est, une plage de sable blanc s'étend à **Es Cavallet**.

Ibiza ❸

Baleares. 🏘 35 040. ✈ 🚊 ⛴ 🛈 Calle Antonio Riquer 2, Andenes del Puerto, 971 30 19 00. 🛒 du lun. au sam. (en été seulement). 📷 Fiestas Patronales (1er-8 août), San Juan Bautista (24 juin). ⓦ www.visitbalears.com

Dalt Vila, la ville haute de la cité d'Ibiza, capitale de l'île, a gardé son aspect médiéval au sein de ses remparts du XVIe siècle. Hors des murs, l'**Església de Santo Domingo** élève vers le ciel ses trois coupoles aux tuiles rouges. Sous des voûtes en berceau, l'intérieur baroque recèle des murs ornés de fresques.

Édifié en 1585, le **Portal de ses Taules**, qui s'ouvre au nord dans l'enceinte fortifiée, porte les armoiries de

Philippe II. Juste derrière, le **Museu d'Art Contemporani** présente des œuvres d'artistes tels que Manoli Millares, Erwin Bechtold et Antoni Tàpies. Au sommet de la colline, la **cathédrale** entreprise dans le style gothique catalan au XIIIᵉ siècle connut un important remaniement au XVIIᵉ. Le Museo de la Sacristía expose quelques beaux exemples d'art sacré.

Les Carthaginois fondèrent une colonie à Ibiza au VIIᵉ siècle av. J.-C. et ils considéraient comme un honneur de reposer dans son sol jugé sacré. On estime à plus de 4 000 le nombre de tombes de la **nécropole de Puig d'es Molins**.

Au pied de Dalt Vila, sur un promontoire rocheux, les maisons blanches de l'ancien quartier de pêcheurs de **Sa Penya** dessinent un dédale devenu le centre de la vie nocturne de la ville.

Ruelle du quartier de Sa Penya dans la ville d'Ibiza

Port et ville haute de la capitale d'Ibiza

Le village de **Jesús**, à 3 km au nord d'Ibiza, mérite une visite pour sa jolie église du XVIᵉ siècle que décore un superbe retable par Rodrigo de Osona le Jeune.

🏛 Museu d'Art Contemporani
Ronda Narces Puget. 971 30 27 23. t.l.j. jours fériés.
Nécropole de Puig d'es Molins
Via Romana 31. 971 30 16 71. du mar. au dim. jours fériés.

Els Amunts ❹

Baleares. Sant Miquel. Santa Eulària d'es Riu, 971 33 07 28.

Els Amunts est le nom local des « monts » qui s'élèvent dans le nord de l'île d'Ibiza entre Sant Antoni, sur la côte occidentale, et Sant Vicenç au nord-est. Bien que peu élevés – le point culminant, Es Fornás, n'a que 450 m d'altitude –, ils créent suffisamment d'obstacles à la circulation pour être restés préservés. Entre des collines verdoyantes, des vallées fertiles au sol rouge planté d'oliviers, d'amandiers, de figuiers et, par endroits, de vignes composent de splendides paysages. Quelques petites stations balnéaires comme Port de Sant Miquel, Portinatx et Sant Vicenç jalonnent le littoral, mais, à l'intérieur des terres, des villages tels que Sant Joan et Santa Agnès évoquent le passé rural de l'île.

De belles églises blanches constituent les édifices les plus intéressants de la région. Devant celle de **Sant Miquel** ont lieu chaque semaine en été des danses folkloriques. À la sortie de Sant Llorenç, le paisible hameau fortifié de **Balàfia**, aux maisons à toits en terrasse, renferme une tour de guet qui servait de forteresse lors des incursions turques.

LES NUITS LES PLUS FOLLES D'IBIZA

La vie nocturne en été d'Ibiza mérite amplement sa réputation. Elle possède deux pôles principaux : la calle de la Virgen, dans le quartier du vieux port, où abondent bars, boutiques de mode et restaurants, et de gigantesques discothèques situées à la périphérie comme le Ku Privilege, le Pachá, l'Amnesia et Es Paradis. C'est quand celles-ci ferment leurs portes, vers 7 h du matin, que la boîte de nuit la plus folle, le Space, ouvre les siennes. Les célébrités qui ont établi la renommée d'Ibiza se sont faites plus discrètes ces derniers temps, mais quelques visages bien connus s'aperçoivent souvent le soir au restaurant La Dos Dunas et, pendant la journée, sur la plage de Ses Salines.

Bain de mousse à l'Amnesia

L'une des nombreuses plages de la côte sauvage de l'île de Formentera

Santa Eulària **❺**

Baleares. 🏚 *24 000.* 🚌 🚤 🛈 *Carrer Mariano Riquer Wallis 4, 971 33 07 28.* 🅿 *mer. et sam.* 🎉 *Fiesta (12 fév.), Es Cana (15 août).*

Malgré sa vocation touristique, la ville de Santa Eulària d'es Riu (Santa Eulalia del Río), à l'embouchure de l'unique fleuve de l'île, a conservé plus de personnalité que maintes stations balnéaires espagnoles.

Le quartier ancien se serre autour d'une église fortifiée du XVIᵉ siècle au sommet d'une petite colline, le **Puig de Missa**, où la population pouvait se défendre des attaques des pirates.

Aménagée avec goût, une ancienne ferme attenante à l'église abrite le **Museu Etnològic** dont l'exposition, étiquetée en catalan, comprend des costumes traditionnels, des instruments agricoles, des

Coupole de l'église du XVIᵉ siècle de Santa Eulària

jouets et de vieilles photographies qui montrent l'étendue des changements irréversibles qu'a connus Ibiza ces 50 dernières années.

🏛 **Museu Etnològic**
Can Ros. Puig de Missa.
📞 *971 33 28 45.*
🕐 *du lun. au sam.* 🈺 🎥 *sur r.d.v.*

Formentera **❻**

Baleares. 🏚 *6 000.* 🚤 *depuis Ibiza.* 🛈 *Calle Calpe, La Savina, 971 32 20 57.* 🌐 *www.illadeformentera.com*

Un trajet d'une heure en bateau vous conduira du port d'Ibiza jusqu'à cette île aux eaux limpides et au rythme de vie paisible.

Depuis le débarcadère de Sa Savina, des bus desservent plusieurs destinations, mais louer une voiture, un vélomoteur ou une bicyclette (plusieurs boutiques en proposent) se révélera beaucoup plus pratique.

Située à 3 km de Sa Savina, la principale localité de Formentera, **Sant Francesc Xavier** (San Francisco Javier), possède une jolie église (1729) sur la place principale et un musée consacré aux traditions locales. Au sud, une petite route cahoteuse rejoint la pointe du cap de Barbaria où se dressent une tour défensive du XVIIIᵉ siècle et un phare.

Le petit plateau de **La Mola** forme la partie orientale de l'île. Depuis le port de pêche d'Es Caló, une route sinueuse

dépasse le Restaurante Es Mirador, d'où s'admire une vue panoramique, pour atteindre le hameau de Nostra Senyora del Pilar de la Mola. À environ 3 km à l'ouest, le phare de la Mola bâti au point culminant de Formentera (192 m) domine une falaise. Non loin a été érigé un monument à Jules Verne (1828-1905) dont un roman, *Hector Servadac*, utilise l'île comme décor.

La plupart des nombreux panneaux routiers promettant à Formentera des sites d'intérêt culturel ne conduisent qu'à des déceptions. La sépulture mégalithique de **Ca Na Costa** (2000 av. J.-C.), cercle de pierres levées unique dans son genre aux Baléares, mérite cependant un détour.

Ce qui donne son attrait à Formentera, ce sont ses paysages à la beauté subtile et dénudée et certains des derniers espaces côtiers préservés de la Méditerranée. Les plages les plus agréables sont sans doute celles de Migjorn, Tramuntana et Cala Sahona, au sud-ouest de Sant Francesc, mais celles d'Illetes et de Llevant, de part et d'autre d'une longue bande sablonneuse, au nord de l'île, sont également superbes. Depuis l'endroit où elles se rejoignent, le Pas d'es Trocadors, vous pouvez rejoindre en marchant dans l'eau (par mer calme) l'île d'**Espalmador**, aux plages magnifiques, située entre Formentera et Ibiza.

Les spécialités des îles Baléares

Les habitants des Baléares redécouvrent leurs recettes traditionnelles. Elles varient d'île en île mais découlent de la cuisine catalane. Le porc est la principale viande. Tomates, aubergines, oignons et poivrons entrent dans de nombreux plats et potages. La

Mayonnaise

capitale de Minorque, Maó, revendique l'invention de la mayonnaise, souvent servie avec poissons et crustacés. À Majorque se fabriquent la *sobrassada (p. 493)*, une délicieuse saucisse épicée, et l'*ensaimada*, un gâteau de pâte feuilletée.

Les huevos a la sollerica, *œufs au plat garnis de* sobrassada, *se servent avec une sauce aux pois cassés.*

La langosta a la parrilla *se déguste accompagnée d'une mayonnaise préparée avec de l'huile d'olive.*

Les berenjenas rellenas *sont des aubergines farcies de pain, d'oignons et, souvent, de tomates et de porc.*

Le tumbet, *sorte de ratatouille aux pommes de terre, cuit dans une marmite en poterie, la* greixonera.

Le coca de trampó, *des légumes tels qu'oignons et poivrons étalés sur une pâte, évoque la pizza.*

L'ensaimada, *gâteau de Majorque en forme de spirale, se savoure au petit déjeuner ou à l'heure du thé.*

BOISSONS

Les marins anglais de la force d'occupation de Minorque au XVIIIe siècle y introduisirent le gin et une variante très parfumée de cet alcool reste fabriquée dans l'île. Les Baléares possèdent de nombreuses autres liqueurs traditionnelles comme le *palo* qui tire sa saveur de coquilles d'amandes écrasées. L'archipel produit en revanche peu de vins. La principale région viticole, une *denominación de origen (p. 576)* s'étendant autour de Binissalem à Majorque, donne surtout des blancs légers et des rosés. Toutes les boissons populaires telles qu'*anís*, cognac, bière et sangria *(p. 577)* sont bien entendu partout disponibles.

Liqueur de plantes | Liqueur d'amandes | Gin

Majorque

D'une superficie de 3 640 km², la plus vaste des Baléares est souvent comparée à un petit continent et la diversité de ses visages surprend toujours, même ceux qui n'y viennent que pour se distraire. Peu d'autres îles offrent une telle variété de paysages, des fertiles plaines centrales jusqu'aux sommets presque alpins de la Tramuntana. La douceur de son climat et la beauté de ses plages en ont fait un des grands centres européens du tourisme de masse et l'on oublie parfois une richesse culturelle dont témoigne la cathédrale de Palma (p. 496-497). Un autre grand attrait de Majorque est d'avoir conservé une économie productrice et des espaces agricoles entretenus.

Terrasses plantées d'orangers dans la sierra Tramuntana

Andratx ❼

Baleares. 🏘 9 000. 🚌 🛈 Avenida de Curia 1, 971 71 20 51.
🗓 mer. 🎉 San Pedro (29 juin).
🌐 www.balearweb.com

D ans l'ombre du puig de Galatzó qui culmine à 1 026 m, cette petite ville nichée dans une vallée plantée d'amandiers offre, avec ses maisons ocre et blanches et de vieilles tours de guet dressées à flanc de collines, un spectacle plein de charme.

Une route descend au sud-ouest jusqu'à **Port d'Andratx**, situé à 5 km. Dans cet ancien port de pêche protégé par une rade presque fermée se serrent désormais, sous de luxueuses résidences de villégiature, de coûteux bateaux de plaisance. Mieux vaut oublier toute image de la Majorque profonde en se rendant à Port d'Andratx afin d'apprécier l'endroit pour ce qu'il est : une station balnéaire chic.

La Granja ❽

Carretera de Esporales-Bañabufar.
📞 971 61 00 32. 🚌 🕐 t.l.j. 🖼 ♿
🌐 www.lagranja.net

L a Granja est un domaine privé, ou *possessió*, près de la petite localité rurale d'Esporles. Ancien couvent cistercien, il appartient désormais à la famille Seguí qui propose au public, en lui ouvrant sa demeure du XVIIIe siècle en grande partie préservée, une sorte de musée vivant où découvrir un aperçu de l'existence jadis menée par la haute bourgeoisie de Majorque.

Des paons se promènent dans le jardin, morue et jambons sèchent dans la cuisine, la salle de bal résonne des accents des *Noces de Figaro* de Mozart et une légère impression de chaos ajoute au charme de la visite.

Valldemossa ❾

Baleares. 🏘 1 800. 🚌 🛈 Avenida Palma 7, 971 61 21 19. 🗓 dim. 🎉 Santa Catalina Tomas (28 juil.), San Bartolomé (24 août).

C et agréable village de montagne reste lié au souvenir de George Sand qui y passa l'hiver 1838-1839 et qui fit une description peu flatteuse des Majorquins dans *Un hiver à Majorque*. Frédéric Chopin séjourna avec elle à la **Real Cartuja de Jesús de Nazaret**, chartreuse désaffectée en 1835 où l'on peut visiter la cellule qu'il aurait louée. Donnant sur la cour principale du monastère, elle abrite le piano sur lequel il composa les *Préludes*. Plus loin, une pharmacie du XVIIIe siècle conserve des remèdes aussi exotiques que la « poudre d'ongles de la bête ». Le cloître abrite un musée d'art contemporain présentant des œuvres de Tàpies, Hartung, Miró et du Majorquin Juli Remis (1909-1990). La collection comprend également une série d'illustrations par Picasso intitulée *L'Enterrement du comte d'Orgaz* et inspirée par le tableau du même nom peint par El Greco (p. 28).

Buste de Frédéric Chopin à Valldemossa

🏛 **Real Cartuja de Jesús de Nazaret**
Plaça de la Cartuja de Valldemossa. 📞 971 61 21 06. 🕐 t.l.j. 🖼 ♿

Luxueux bateaux de plaisance mouillés à Port d'Andratx

Alfàbia ⑩

À 17 km de Sóller. **971 61 31 23.**
excursions depuis Palma.
sam. après midi et dim.

Très peu de *possessions* de Majorque sont ouvertes au public, ce qui rend la visite d'Alfàbia d'autant plus digne d'intérêt. Un Maure construisit cette demeure seigneuriale au XIVᵉ siècle, mais seuls le plafond du porche et les fontaines de la pergola évoquent encore cette époque. Le jardin est une somptueuse création du XIXᵉ siècle qui fait un usage inventif des jeux d'eau et d'ombre.

Sóller ⑪

Baleares. 11 500.
Plaça España 1, 971 63 02 00.
sam. Sofia (2ᵉ dim. de mai.) Sa Fira & Es Firó (11 mai)

Cette petite ville s'est enrichie grâce aux oliveraies et aux orangeraies qui s'étagent sur les pentes de la sierra Tramuntana. Nombre de ses habitants émigrèrent en France à partir du XIXᵉ siècle pour commercialiser cette production agricole et ils édifièrent à leur retour d'élégantes maisons souvent de style Art nouveau.

Un pittoresque petit train à voie étroite, toujours doté de wagons en bois, se prend devant la gare, sur la plaça d'Espanya. Il rejoint, à 5 km à l'ouest, Port de Sóller, village de pêcheurs au fond d'une baie circulaire devenue une agréable station balnéaire.

Aux environs
Au sud de Sóller, une route longe la côte occidentale de Majorque jusqu'à **Deià** (Deyá). Ce village perché au milieu d'amandiers et d'oliviers attira de nombreux artistes et écrivains, dont le poète et romancier anglais Robert Graves (1895-1985) qui s'y installa en 1929. Il repose dans le petit cimetière. Dirigé par l'archéologue William Waldren, le **Museu Arqueològic** offre un aperçu de l'île à la préhistoire. À l'extérieur du village, le domaine **Son**

Arbres et maisons étroitement mêlés à Deià

Marroig appartint à l'archiduc autrichien Louis Salvator (1847-1915) qui consacra une importante étude aux Baléares.

🏛 Museu Arqueològic
Es Clot Deià. **971 63 90 01.** du ven. au dim.

La statue de la Moreneta, Santuario de Lluc

Santuario de Lluc ⑫

Lluc. depuis Palma. **971 87 15 25.** t.l.j. musée seulement.
www.lluc.net

Isolé dans les montagnes de la sierra Tramuntana, le village de Lluc recèle une institution considérée par de nombreux Majorquins comme le cœur spirituel de l'île. Fondé au XIIIᵉ siècle, le Santuario de Lluc date, dans sa forme actuelle, d'une reconstruction aux XVIIᵉ et XVIIIᵉ siècles. Son

église baroque abrite la statue de pierre de la Moreneta, la Vierge noire de Lluc, qu'un jeune berger aurait trouvée au XIIIᵉ siècle sur une colline voisine. Un chemin pavé, le Camí dels Misteris, conduit à son sommet. Il est bordé de bas-reliefs en bronze par Antoni Gaudí *(p. 136-137)*. Près de la grand-place, la plaça dels Pelegrins, se trouve un café, une pharmacie et une boutique proposant de l'artisanat et des spécialités culinaires. Situé au premier étage, un musée présente entre autres des peintures majorquines et des manuscrits médiévaux. Le monastère comprend une hôtellerie *(p. 568)* bâtie au XXᵉ siècle.

Depuis Lluc, une route tortueuse sine dans les collines jusqu'à la magnifique crique rocheuse de **Sa Calobra** d'où part un sentier qui conduit au torrent de Pareis, gorge profonde débouchant sur la mer.

La crique de Sa Calobra s'ouvre entre de hautes falaises

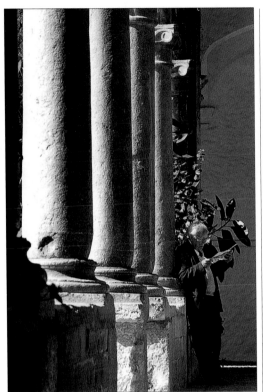

Cloître du Convent de Santo Domingo à Pollença

Pollença **⑬**

Baleares. 🏠 15 000. 🚌 ℹ️ *Calle Guillem Cife de Colonya, 971 53 50 77.* 🚋 *dim.* 🎉 *Sant Antoni (17 janv.), Patron Saint (2 août)* 🌐 *www.ajpollenca.net*

Bien que cette petite ville située en bordure de terres agricoles fertiles soit devenue très touristique, elle garde un aspect préservé avec ses maisons en pierre ocre et ses ruelles sinueuses. Une atmosphère d'une autre époque règne sur la Plaça Major bordée de cafés fréquentés principalement par la population locale.

Pollença renferme plusieurs édifices religieux, dont la **Parròquia de Nostra Senyora dels Angels** bâtie au XVIIIᵉ siècle et le Convent de Santo Domingo qui abrite l'exposition archéologique du **Museu Municipal**. En août et début septembre, le cloître sert de cadre aux concerts d'un festival de musique. Une chapelle érigée au sommet d'une colline, **El Calvari**, s'atteint soit par la route, soit par un escalier de 365 marches.

Aux environs
À 10 km à l'est, des remparts du XIVᵉ siècle percés de deux portes majestueuses entourent **Alcúdia**. Près du centre-ville, le **Museu Monografico de Pollença** expose des statues, bijoux et autres objets découverts sur le site romain de Pollentia situé à 2 km au sud.

🏛 **Museu Municipal**
Calle Guillem Cife de Colonya 33. 📞 971 53 11 66. 🕐 *t.l.j.*
🏛 **Museu Monografico de Pollença**
Calle San Jaume 30, Alcúdia. 📞 971 54 70 04. 🕐 *mar.-dim.* 🅿️

Palma de Majorque **⑭**

Voir p. 494-497.

Puig de Randa **⑮**

8 km au nord-est de Llucmajor.
🚌 *jusqu'à Llucmajor puis taxi.*
ℹ️ *El Arenal, 971 44 04 14.*

Au milieu d'une plaine fertile appelée la *pla* s'élève une petite montagne haute de 548 m, le puig de Randa. Le philosophe Raymond Lulle s'y retira en ermite à la fin du XIIIᵉ siècle et c'est là qu'il aurait composé son traité religieux, l'*Ars Magna*. En gravissant le massif se découvrent deux petits monastères, le Santuari de Sant Honorat (XVIIIᵉ siècle) et le Santuari de Nostra Senyora de Gràcia abrité par un surplomb rocheux. Il comprend une chapelle du XIIIᵉ siècle ornée de beaux carreaux valenciens et offre un large panorama de la *pla*.

Au sommet du *puig*, d'où la vue porte jusqu'à Palma, se trouve le **Santuari de Cura** occupé par des franciscains. Installé dans une ancienne école du XVIᵉ siècle donnant sur la cour centrale, construite dans la pierre beige typique de Majorque, un petit musée possède certains des manuscrits de Raymond Lulle.

Le philosophe Raymond Lulle

Capocorb Vell **⑯**

14 km au sud de Llucmajor.
📞 971 18 01 55. 🚌 *depuis El Arenal.*
🕐 *du ven. au mer.* 🅿️
🌐 *www.mytoragus.com*

Majorque n'est pas aussi riche que Minorque en vestiges mégalithiques, mais ce village talayotique *(p. 503)* dans les terres basses et rocailleuses du littoral méridional mérite une visite – en particulier un jour de saison creuse où vous pourrez vous promener en paix parmi les ruines. Cet établissement de la fin de l'âge du bronze, vieux d'environ 3 000 ans, comprenait cinq *talayots* (tours en gros blocs de pierre que coiffait une structure en bois) et 28 bâtiments plus petits. On sait peu de chose de ses habitants et de l'usage qu'ils faisaient de certaines des pièces, telle une minuscule galerie souterraine.

Le charme de la campagne alentour, où des murs en pierres sèches séparent des vergers, ajoute à l'attrait d'un site qui, en dehors d'un snack-bar proche, reste préservé.

***Talayot* de Capocorb Vell**

Cabrera **⑰**

Baleares. 🚢 depuis Colònia Sant Jordi. 🛈 Carrer Doctor Barraquer 5, Colònia Sant Jordi, 971 64 90 34

Depuis les plages d'Es Trenc et Sa Ràpita, sur la côte sud de Majorque, s'aperçoit à l'horizon l'île de Cabrera haute de 172 m.

C'est la plus vaste d'un archipel qui porte le même nom et que protège un parc national *(p. 26-27)*. Située à 18 km de la pointe la plus méridionale de Majorque, elle abrite plusieurs plantes, reptiles et oiseaux de mer rares, tel le faucon d'Éléonore, et ses eaux recèlent une faune et une flore marines importantes.

Un château érigé au XIVᵉ siècle rappelle que l'île de Cabrera servit pendant des siècles de base militaire.

Une rue de Felanitx

Felanitx **⑱**

Baleares. 🏙 16 000. 🚌 🛈 Avenida Cala Marsas 15, 971 82 60 84. 🚢 dim. 🎭 Sant Joan Pelós (24 juin).

Dans ce bourg agricole animé naquit l'architecte de la Llotja de Palma *(p. 494)*, Guillem Sagrera (1380-1456), et le peintre du XXᵉ siècle Miquel Barceló. Trois raisons principales justifient une visite : la façade imposante d'une église du XIIIᵉ siècle, l'**Esglesia de Sant Miquel**, la *sobrassada de porc negre* (saucisse épicée fabriquée avec la viande du porc noir majorquin) et ses célébrations religieuses, notamment celle de Sant Joan Pelós *(p. 499)*.

À environ 5 km au sud-est, le **Castell de Santueri**, fondé par les Maures mais reconstruit au XIVᵉ siècle par les rois d'Aragon, se dresse à 400 m au-dessus de la plaine. Bien qu'en ruine, il mérite un détour par la vue qu'il offre depuis sa situation élevée.

Coves del Drac **⑲**

1 km au sud de Porto Cristo. 🚌 depuis Porto Cristo. 📞 971 82 07 53. ☐ t.l.j. ● 1ᵉʳ janv., 25 déc. 🎦

Majorque compte d'innombrables grottes allant de simples trous dans le sol à de véritables cathédrales souterraines. Une abrupte volée de marches conduit à la première des quatre vastes salles des **coves del Drac** : le « Bain de Diane » superbement éclairé. Dans une autre s'étend le lac Martel long de 177 m. S'y promener en barque est une expérience presque aussi inoubliable que d'y assister à un intermède musical. Également spectaculaires, les deux autres salles portent les noms évocateurs de « Théâtre des fées » et de « Cité enchantée ».

Aux environs
Les **coves dels Hams** doivent leur nom à des stalactites en forme d'hameçons (*hams* en majorquin). Longues de 500 m, elles renferment la « Mer de Venise », lac souterrain où des musiciens se produisent en barque.

L'entrée des **coves d'Artá** se trouve à 40 m au-dessus du niveau de la mer et offre une vue magnifique. Une stalagmite haute de 22 m constitue le fleuron de ces grottes.

🎦 **Coves dels Hams**
À 11 km de Manacor vers Porto Cristo. 📞 971 82 09 88. ☐ t.l.j. ● 1ᵉʳ janv., 25 déc. 🎦
🎦 **Coves d'Artá**
Carretera Canyamel. 📞 971 84 12 93. ☐ t.l.j. ● 1ᵉʳ janv., 25 déc. 🎦

Dans les coves d'Artá

Palma pas à pas ⑭

Pâtisserie Forn des Teatre

Après l'avoir conquise en 1229, Jacques Ier d'Aragon écrivit de la Madina Mayurqa maure : « Elle me semblait [...] la plus belle cité que nous ayons jamais vue. » Aujourd'hui, la capitale de la Communauté autonome des Baléares surprend par sa richesse culturelle sur une île dont le nom évoque surtout le tourisme de masse. Avec ses bâtiments historiques, sa vieille ville paraît presque étrangère à la station balnéaire qui l'entoure. Sur le passeig des Born, cœur de la vie sociale de Palma, des cafés des années trente invitent à goûter l'une des spécialités culinaires de Majorque, l'*ensaimada* (p. 489).

Forn des Teatre est une vieille pâtisserie réputée pour ses *ensaimadas* et le *gató* aux amandes.

La Fundació la Caixa, jadis le Gran Hotel, est un centre culturel.

Palau Reial de l'Almudaina
Propriété de la famille royale, le palais abrite un musée. Le tinell (salon) est gothique. La chapelle Santa Ana s'ouvre par un portail roman.

À NE PAS MANQUER

★ **La cathédrale**

★ **La Basílica de Sant Francesc**

La Llotja est un magnifique édifice gothique du XV\e siècle.

PLAÇA REI JOAN CARLES

PASSEIG DES BORN

CARRER UNIO

CARRER DE PALAU REIAL

CARRER DE SA

CARRER MIR

AVINGUDA D'ANTONI MAURA

Vers le Castell de Bellver et la Fundació Pilar et Joan Miró

★ **La cathédrale**
Construit en calcaire doré de Santanyi, ce majestueux sanctuaire gothique entrepris en 1230 domine le front de mer.

Parc de la Mar

LÉGENDE

— — — Itinéraire conseillé

rs l'Estació de RENFE et
staació de Autobuses

**Plaça del Marqués
de Palmer**

0   100 m

MODE D'EMPLOI

Baleares. 👥 350 000. ✈ 9 km à
l'est. 🚉 Plaça Espanya, 971 75 43
29. 🚌 Plaça Espanya. Calle Eusebi
Estada 🚢 Muelle de Peraires, 902
45 46 59. 🚋 Plaça Reina 2, 971
72 02 51. 🗓 sam. 🎉 San
Sebastián (20 janv.). **Museu de
Mallorca** ◯ du mar. au dim. 🖼
Banys Àrabs ◯ t.l.j. 🖼 **Palau
de l'Almudaina** ◯ du lun. au
sam. 🖼

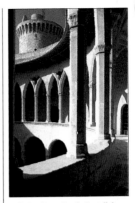

Galeries d'arcades du Castell de
Bellver

♠ Castell de Bellver

Du côté ouest de la baie de Palma.
📞 971 73 06 57. ◯ t.l.j. 🖼
Ce château gothique se dresse
à environ 2,5 km du centre.
Résidence d'été dessinée par
Pere Salvà et commandée par
Jacques II pendant la courte
existence du royaume de
Majorque (1276-1349), il devint
peu après une prison et le
resta jusqu'en 1915. Construit à
113 m d'altitude sur une colline
d'où il offre une vue
magnifique sur la baie de
Palma, l'édifice obéit à un plan
circulaire inhabituel. Détaché
de l'enceinte principale,
contrairement aux trois
autres tours, le donjon se
rejoint par un passage couvert.
Deux étages de galeries aux
arcs délicats entourent la cour
centrale.

▥ Fundació Pilar i Joan Miró

Carrer Joan de Saridakis 29. 📞 971
70 14 20. ◯ du mar. au dim. 🖼 ♿
🔲
Quand Joan Miró mourut en
1983, sa femme entreprit de
transformer son ancienne
demeure de Son Abrines en un
centre artistique. Surnommé la
« Forteresse d'albâtre » par la
presse espagnole, le bâtiment
moderne dessiné par
l'architecte navarrais Rafael
Moneo incorpore l'ancien
atelier du peintre (où restent
en place des tableaux
inachevés) et présente une
collection permanente
d'œuvres qu'il légua. La
fondation comprend
également une boutique, une
bibliothèque et un auditorium.

**★ La Basílica de
Sant Francesc**
*Comme son cloître, la
basilique Saint-
François est de style
gothique malgré une
façade du XVIIᵉ siècle.*

**Le Museu
Diocesà**,
dans le palais
épiscopal,
présente une
collection d'art
sacré.

Museu de Mallorca
*Cette statue de guerrier fait
partie de ses collections qui
illustrent l'art, l'histoire et
l'architecture de l'île.*

Banys Àrabs
*Bâtis au Xᵉ siècle, ils restent
le seul vestige intact d'une
cité jadis parmi les plus
importantes d'Al Andalus.*

La cathédrale de Palma

S elon la légende, quand une tempête surprit Jacques Ier d'Aragon alors qu'il naviguait vers Majorque pour la conquérir en 1229, il fit le vœu d'édifier une vaste église si Dieu l'épargnait. Les travaux, dirigés par l'architecte Guillem Sagrera (1380-1456), commencèrent dès l'année suivante sur le site de l'ancienne mosquée de Medina Mayurqua. Achevée en 1587, elle fut reconstruite, notamment au début du siècle dernier, lorsque qu'Antoni Gaudí en réaménagea partiellement l'intérieur (*p. 136-137*). Aujourd'hui, la Palma Cathedral ou Sa Seu, surnom affectueux donné par les Majorquins, est l'une des plus belles cathédrales gothiques d'Espagne, à la fois majestueuse et élégante (*p. 20*).

Clocher
Cette robuste tour bâtie en 1389 renferme neuf cloches dont la plus grosse porte le nom d'Aloi (Louange).

Cathédrale de Palma
Dominant ce qui fut jadis le port, elle occupe un site magnifique.

À NE PAS MANQUER

★ **La grande rosace**

★ **Le baldaquin**

Tour du XIXe siècle

Entrée du musée de la cathédrale

Portal Major

Arcs-boutants

Musée de la cathédrale
Le reliquaire de la Vraie Croix (XVe siècle) incrusté de pierres précieuses est un des fleurons de la collection exposée dans la salle capitulaire.

★ La grande rosace
La plus grande des sept rosaces de la cathédrale domine le maître-autel. Construite en 1370, ornée de vitraux au xvi siècle, elle a un diamètre de 12,5 m.

MODE D'EMPLOI

Plaça Almonia. 971 72 31 30.
d'avr. à oct. : 10 h-17 h 30 lun.-ven. ; de nov. à mars : 10 h-14 h 30 lun.-ven., 10 h-13 h 30 le sam. toute l'année. jours fériés.
9 h, 19 h, t.l.j. (d'oct. à mars : 9 h,19 h les sam. et dim).

Les grandes orgues (1795) au buffet néo-gothique furent restaurées en 1993 par Gabriel Blancafort.

Capella de la Trinitat
Cette petite chapelle (1329) abrite les tombeaux en albâtre de Jacques II et Jacques III d'Aragon

La Capella Reial
fut remaniée par Antoni Gaudí entre 1904 et 1914.

Trône épiscopal
Sculpté en 1269 dans du marbre de Carrare, il s'inscrit dans une niche gothique.

Stalles

Portal del Mirador

Nef
Haute de 44 m, la voûte repose sur 14 piliers élancés. Large de plus de 19 m, c'est l'une des plus amples voûtes gothiques du monde.

★ Le baldaquin
Des stalles Renaissance encadrent dans la chapelle royale cette œuvre en fer forgé (1912) d'Antoni Gaudí.

Minorque

L a deuxième île des Baléares par la superficie (669 km²) est aussi la plus éloignée de la péninsule Ibérique. Le tourisme s'y est peu développé et ses côtes restent sans doute les moins défigurées d'Espagne. Des murets de pierres sèches quadrillent les campagnes dont l'élevage bovin constitue la principale activité. Les vieilles villes de Ciutadella et de Maó, la capitale où les Anglais élevèrent au XVIIIᵉ siècle des demeures georgiennes, abondent en édifices historiques et en belles places. Témoignages d'un passé plus ancien, de nombreux monuments datant de l'âge du bronze dressent partout dans l'île leurs ruines mégalithiques. Au vin couramment consommé dans le reste de l'Espagne, les Minorquins préfèrent souvent le genièvre *(ginebra)* local.

Pêcheurs réparant leurs filets dans le port de Ciutadella

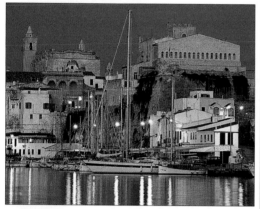

Le paisible front de mer de Ciutadella au crépuscule

Ciutadella ⓴

Baleares. 🏠 24 000. ⬛ ⬛ ⬛ 🛈 Plaça de la Catedral 5, 971 38 26 93. ⬛ ven. et sam. 🎊 Sant Joan (23-24 juin). 🆆 www.visitmenorca.org

L 'histoire de Ciutadella (Ciudadela) bascula en 1558 quand les Turcs s'emparèrent de la ville et décimèrent ses habitants, envoyant 3 495 d'entre eux sur les marchés aux esclaves d'Istanbul. Des principaux édifices publics parant alors la cité, seule l'**Església Catedral de Menorca**, belle église de style gothique catalan derrière une façade du XVIIIᵉ siècle, échappa au désastre sans trop de dommages… pour se voir dépouillée de ses ornements par des extrémistes républicains pendant la guerre civile.

Aménagée par les Maures pour des parades militaires, la **plaça d'es Born** voisine fut progressivement reconstruite dans le style Renaissance après 1558. Bordée de cafés et plantée de palmiers, elle possède en son centre un obélisque commémorant l'« Any de Desgràcia » (l'Année du Malheur). L'**hôtel de ville**

La vaste plaça d'es Born, centre de Ciutadella

(ajuntament) inspiré du gothique, le **Teatre Municipal d'es Born** de la fin du XIXᵉ siècle et des demeures aristocratiques aux façades italianisantes l'entourent. Reconnaissable à ses deux loggias latérales, la plus intéressante de ces dernières, le **Palau de Torre-Saura**, date du début du XIXᵉ siècle. L'extrémité nord de la place offre une belle vue du petit port bien abrité de Ciutadella.

Si vous prenez la carrer Major d'es Born, vous atteindrez, après la cathédrale, une allée bordée de maisons blanches : **Ses Voltes**. Tournez à droite dans la carrer des Seminari pour rejoindre l'**Església dels Socors** baroque et le **Museo Diocesà** qui présente une collection d'objets religieux. De nombreux palais dominent les ruelles de la vieille ville, mais seul le **Palau Salort** (début du XIXᵉ siècle), dans la carrer Major des Born, est ouvert au public. Le gracieux **marché** Art nouveau (1895) dresse non loin sa structure métallique.

Tous les ans au mois de juin, pendant une semaine, Ciutadella ne vit que pour la Festa de Sant Joan, célébrations spectaculaires copieusement arrosées de genièvre *(ginebra)* par la population.

🏛 **Museu Diocesiano**
Seminari 5. 📞 971 48 12 97. 📅 t.l.j. ♿ 🔌 📷 sur r.d.v.
🏛 **Palau Salort**
Carrer Major del Born 9. 📞 971 38 00 56. 📅 avr.-oct. : lun.-sam. 📷

Ferreries ㉑

Baleares. 🏙 *4 000.* 🚌 ℹ️ *Carrer Sant Bartomeu 55, 971 37 30 03.* 🚢 *mar., ven., sam.* 🎉 *Sant Bartomeu (du 23 au 25 août).*

E ntre Maó et Ciutadella, ce joli village dont les maisons blanches s'étagent à flanc de colline doit son existence à la route construite entre les deux principales villes de l'île par le gouverneur anglais Sir Richard Kane. Son église, Sant Bartomeu, date de 1770.

La baie de **Santa Galdana**, à 10 km au sud, est superbe. Depuis la plage, une agréable promenade suit un ravin : le barranc d'Algendar.

Patio du Santuari del Toro

Es Mercadal ㉒

Baleares. 🏙 *4 000.* 🚌 ℹ️ *Carrer Major 16, 971 37 50 02.* 🚢 *dim.* 🎉 *Sant Marti (3ᵉ dim. de juillet).*

C e bourg rural, l'un des trois, avec Alaior et Ferreries, situés sur la route entre Maó et Ciutadella, n'a rien de remarquable en lui-même, mais

se trouve à courte distance de trois sites dignes d'intérêt.

À 3 km à l'est, **El Toro** (358 m) est non seulement le point culminant de Minorque, mais aussi le cœur spirituel de l'île. Dans le Santuari del Toro bâti en 1670 à son sommet est vénérée la Vierge du Taureau.

À environ 10 km au nord d'Es Mercadal, le village de pêcheurs de **Fornells** se transforme chaque été en un avant-poste de Saint-Tropez où des Catalans fortunés se retrouvent dans le Bar Palma. Dans le port, de luxueux bateaux de plaisance voisinent avec des barques de pêche. La *caldereta de llagosta* (bouillabaisse de langouste) proposée dans les restaurants se révèle souvent chère et de qualité inégale.

La route cahoteuse qui conduit au **Cap de Cavalleria**, à 13 km au nord d'Es Mercadal, traverse l'un des plus beaux paysages des Baléares. Ce promontoire rocheux battu par le vent du nord s'enfonce dans une mer agitée qui ressemble plus en hiver à l'Atlantique nord qu'à la Méditerranée. Sur l'arête occidentale de la péninsule s'étendent les vestiges de Sanitja, village phénicien mentionné par Pline au 1ᵉʳ siècle apr. J.-C. Au terme de la route se découvrent un phare et des falaises hautes de 90 m. Des faucons pèlerins, des pygargues et des cerfs-volants planent dans la tramontane.

Plus à l'ouest, la côte offre de belles plages préservées, mais d'accès difficile, telles Cala Pregonda, Cala del Pilar et La Vall d'Algaiarens.

Cheval cabré à la fête de Sant Lluis

FÊTES DES ÎLES BALÉARES

Sant Antoni Abat *(16-17 jan.)*, Majorque. La bénédiction d'animaux et des défilés rythment cette fête célébrée dans toute l'île de Majorque et à Sant Antoni, à Ibiza.

Sant Joan *(24 juin)*, Ciutadella (Minorque). Pour la Saint-Jean, dans les rues et sur les places de Ciutadella, d'élégants cavaliers exécutent avec leurs montures des figures héritées du Moyen Âge. Lors d'une cavalcade sur la plaça des Born, ils font se cabrer leurs chevaux sous lesquels les spectateurs viennent se presser. La plus noble conquête de l'homme joue aussi un rôle majeur dans la fête annuelle de Sant Lluís qui se déroule à la fin du mois d'août.

Sant Joan Pelós *(24 juin)*, Felanitx (Majorque). Au cours des célébrations religieuses, un homme se vêt de peau de mouton pour représenter saint Jean-Baptiste.

Romeria de Sant Marçal *(30 juin)*, Sa Cabeneta (Majorque). Pendant la fête sont vendus des *siurells*, sifflets traditionnels.

Notre-Dame-de-la-Mer *(16 juil.)*, Formentera. Une flottille de bateaux de pêche rend hommage à la patronne des pêcheurs, la Virgen del Carmen, lors de la principale fête de l'île.

Plage de la baie de Santa Galdana

Maó s'étage au-dessus de son port

Maó ❷❸

Baleares. 🏘 *24 000.* ✈ 🚌 ⛴
ℹ *Sa Rovellada de Dalt 24, 971 36
37 90.* 🛒 *mar., sam.* 🎉 *Fiestas de
Gracia (du 7 au 8 sept.), Fiesta de Sant
Antoni (17 janv.).*

Cité d'une élégance sereine,
Maó a donné son nom
espagnol, Mahón, à la
mayonnaise *(p. 489)*. Les
Anglais, qui occupèrent
Minorque pendant la majeure
partie du XVIIIe siècle, en firent
la capitale de l'île. Ils lui ont
laissé de sobres demeures
dotées de volets vert foncé et
de fenêtres à guillotine.

Depuis le port, l'un des plus
remarquables de la
Méditerranée, la costa de Ses
Voltes grimpe vers la ville
haute. Elle conduit à
l'**Església del Carme**,
ancienne église carmélite du
XVIIIe siècle dont le cloître, frais
et clair, abrite désormais un
marché de fruits et légumes.
Derrière ce marché se trouve
le seul musée actuellement
ouvert de Maó, la **Col·lecció
Sanzy Hernández Mora** qui
présente des œuvres d'art et
des pièces archéologiques
minorquaines. Sur la plaça
Constitució voisine, l'église
Santa Maria renferme un
immense orgue construit en
1810. À côté, l'**hôtel de ville**
(ajuntament) possède une
façade néo-classique ornée
d'une horloge offerte par Sir
Richard Kane (1660-1736),
premier gouverneur
britannique de l'île.

Située au terme de la carrer
Isabel II, l'**Església de Sant
Francesc** associe un portail
roman et une façade baroque.
Elle abrite le Museu de
Menorca récemment
réaménagé. Deux minutes de
marche la séparent de la plaça
de S'Esplanada, la place
principale de Maó, derrière
laquelle l'**Ateneu Científic
Lliterat Artistic**, où mieux
vaut demander l'autorisation
avant de fureter, recèle une

bibliothèque et des collections
de céramiques et de cartes. Du
côté nord du port se dresse
une demeure connue sous les
noms de **Sant Antoni** ou de
Golden Farm. Le plus bel
exemple d'architecture
palladienne de la ville, elle
possède une façade peinte en
rouge agrémentée d'arches
blanches. L'amiral Nelson y
séjourna. Elle abrite des
souvenirs l'évoquant et une
belle bibliothèque, mais est
fermée au public.

🏛 **Col·lecció Sanzy
Hernández Mora**
Claustre del Carme 5. ☎ *971 35
05 97.* 🕐 *du lun. au sam.* 📷
🏛 **Ateneu Científic Literari
i Artistic**
C/ Rovellada de Dalt 25. ☎ *971 36
05 53.* ⬤ *dim., jours fériés.*

Cales Coves ❷❹

Baleares. 🚌 *Sant Climent puis 25 min
à pied.* ☎ *Maó, 971 36 37 90.*

Les abris troglodytiques de
Cales Coves, dont certains
sont longs de 9 m, creusent le
rocher de part et d'autre d'une
jolie baie. Habités, pense-t-on,
depuis la préhistoire, ils sont
aujourd'hui occupés par une
communauté refusant le mode
de vie de la société moderne.
Certaines des grottes ont des
portes d'entrée, des
cheminées et même des
réchauds à gaz.

À environ 8 km à l'ouest,
sur la côte, le Poblat de
Pescadors construit il y a une
vingtaine d'années dans la
crique de Binibeca ressemble
à un village de pêcheurs
traditionnel avec ses maisons
blanches enchevêtrées.

**Sculpture moderne devant l'un
des abris de Cales Coves**

◁ **Une plage de rêve à Cala Turqueta sur l'île de Minorque**

La Minorque préhistorique

S a richesse en vestiges préhistoriques a valu à Minorque d'être décrite comme un immense musée en plein air. La culture talayotique de l'âge du bronze qui se développa dans les Baléares au deuxième millénaire avant notre ère édifia la majorité des monuments mégalithiques dispersés dans l'île, notamment les *talayots* en forme de tours auxquels elle doit son nom. Le plus souvent accessibles au public, gratuitement, ces sites ouvrent à l'imagination les portes d'un monde depuis longtemps révolu.

Talayot du site de Trepucó

LES DIFFÉRENTS MONUMENTS

Les monuments mégalithiques dispersés dans les îles de Minorque et, dans une moindre mesure, de Majorque se divisent en trois catégories principales : les *taulas*, les *talayots* et les *navetas*.

 Les taulas *en forme de « T » sont constitués de deux dalles de pierre posées l'une sur l'autre. Ils servaient probablement d'autels.*

 Les talayots, *vastes structures circulaires ou carrées, ont jusqu'à 40 m de diamètre.*

 Les navetas, *en forme de bateau renversé, associaient sans doute lieu d'habitation et de sépulture. Il en reste au moins dix à Minorque.*

Taula haute de trois mètres à Talatí de Dalt

Minorque *compte quelque 1 600 sites préhistoriques. Cette carte situe les plus intéressants. Il existe des vestiges talayotiques dans toute l'île, mais ils sont plus nombreux dans les terres plus plates et plus fertiles du sud.*

0   10 km

LES CANARIES

La Palma · El Hierro · La Gomera · Tenerife
Gran Canaria · Fuerteventura · Lanzarote

P roches du tropique du Cancer au large des côtes sahariennes, les Canaries jouissent d'un climat ensoleillé que tempèrent les alizés. Cratères volcaniques, dunes de sable et forêts luxuriantes y composent des paysages contrastés. Sur les principales îles, les vieilles villes ont gardé un cachet qui évoque l'Espagne coloniale.

Sept îles et une demi-douzaine d'îlots d'origine volcanique forment l'archipel des Canaries où la dernière éruption, celle du Teneguía de La Palma, eut lieu en 1971.

Connues depuis l'antiquité, les anciennes îles Fortunées de Pline échappèrent aux convoitises des grandes civilisations jusqu'à leur conquête au xvᵉ siècle par un seigneur normand soutenu par le roi de Castille. Elles étaient jusqu'alors habitées par le peuple des Guanches resté à l'âge de la pierre. Il ne subsiste malheureusement que peu de traces de sa culture.

L'archipel est divisé en deux provinces. Celle de Santa Cruz de Tenerife réunit les quatre îles occidentales, toutes montagneuses. Un volcan colossal, le Teide, domine Tenerife. La Palma, El Hierro et La Gomera demeurent relativement préservées du tourisme de masse.

Les trois îles orientales forment la province de Las Palmas, du nom de la capitale de Gran Canaria, île aux superbes reliefs boisés. Lanzarote est hérissée de cratères volcaniques. Fuerteventura offre de longues plages sauvages.

Champ de dunes près de Playa del Inglés, station balnéaire très fréquentée de Gran Canaria

◁ Bananeraie de La Rambla sur la côte nord de Tenerife

À la découverte des Canaries occidentales

Outre Tenerife, l'île des Canaries offrant le plus de distractions touristiques, la province de Santa Cruz de Tenerife inclut les petites îles de La Palma, La Gomera et El Hierro. Toutes trois disposent d'hôtels confortables, y compris des paradors, mais restent des havres de paix bien qu'elles accueillent de plus en plus de visiteurs. Comparées aux Canaries orientales, elles possèdent toutefois peu de plages de sable et proposent moins d'activités ou d'excursions organisées. La beauté de leurs paysages séduira néanmoins les amoureux de la nature.

Plage artificielle de Las Teresitas, Santa Cruz de Tenerife

LES CANARIES D'UN COUP D'ŒIL

Candelaria ⑧
Los Cristianos ④
La Gomera ③
El Hierro ②
La Laguna ⑨
Montes de Anaga ⑩
La Orotava ⑦
La Palma ①
Parque Nacional del Teide p. 514-515 ⑤
Puerto de la Cruz ⑥
Santa Cruz de Tenerife ⑪

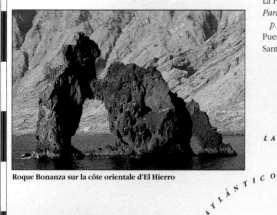

Roque Bonanza sur la côte orientale d'El Hierro

LÉGENDE

▬▬	Autoroute
▬▬	Route principale
▭▭	Route secondaire
▬▬	Parcours pittoresque
⌐⌐	Cours d'eau
☼	Point de vue

Cultures en terrasses dans la verte valle Gran Rey, dans l'ouest de La Gomera

CIRCULER

Plusieurs compagnies aériennes *(p. 628)* et maritimes *(p. 629)*
desservent les Canaries depuis l'Espagne péninsulaire. Les petites îles se
rejoignent principalement depuis Tenerife. La Gomera s'atteint par mer
depuis Los Cristianos ou par avion depuis Gran Canaria ou Tenerife.
Des vols réguliers relient les petits aéroports de La Palma et d'El
Hierro à celui de Los Rodeos au nord de Tenerife. Hors
des excursions organisées, une voiture se révèle
nécessaire pour circuler. Les routes
s'améliorent, mais attention en montagne.

MONTES DE ANAGA

TENERIFE

LA LAGUNA ❾

SANTA CRUZ DE TENERIFE ⓫

⓾

PUERTO DE LA CRUZ ❻

BUENAVISTA DEL NORTE

LA OROTAVA ❼

TF5

CANDELARIA

❽

PARQUE NACIONAL DEL TEIDE ❺

TF82

TF38

VILAFLOR

TF21

GRANADILLA DE ABONA

TF82

TF1

❹ LOS CRISTIANOS

0   25 km

VOIR AUSSI

• *Hébergement* p. 570-571

• *Restaurants et bars*
p. 608-609

La Punta de Teno dans l'ouest de Tenerife

La Palma ❶

Santa Cruz de Tenerife. 🏘 *85 000.*
✗ 🚢 *Santa Cruz de la Palma.* ℹ
*Calle O'Daly 22, Santa Cruz de la
Palma, 922 41 21 06.*
🌐 *www.la-palmaturismo.com*

Culminant à 2 433 m pour
une superficie de 728 km²,
La Palma est l'île la plus
pentue du monde. Formant la
pointe nord-ouest de l'archipel
des Canaries, elle jouit d'un
climat doux et humide qui lui
donne une végétation
verdoyante. Pins, lauriers et
fougères géantes couvrent les
reliefs de l'intérieur.

Au centre de l'île, un parc
national témoigne de
l'importance botanique et
géologique de la **Caldera de
Taburiente**, impressionnant
cratère de 9 km de diamètre.
L'observatoire international
d'astrophysique couronne son
sommet. Les routes qui sinuent
dans les montagnes de La
Palma ménagent de superbes

Le Parque Nacional de la Caldera de Taburiente, La Palma

panoramas des cratères de La
Cumbrecita et de Roque de los
Muchachos.

Capitale et principal port de
l'île, **Santa Cruz de la Palma**
étage à flanc de colline ses
vieilles maisons à balcons. La
ville recèle de belles églises et
quelques édifices du XVIᵉ siècle.
La rue pavée située derrière le
font de mer, la calle O'Daly,
porte le nom d'un négociant de
bananes irlandais. Elle est
bordée par l'Iglesia de San
Salvador ornée d'un plafond à
caissons mudéjar et par l'hôtel
de ville *(ayuntamiento)* installé
dans l'ancien palais Renaissance
d'un cardinal. Une réplique
grandeur nature en béton de la
Santa María, le navire amiral de
Christophe Colomb, se dresse
sur la plaza Alameda.

Au sud-ouest de Santa Cruz,
une route franchit les
montagnes de Las Cumbres,
via Breña Alta, pour atteindre
le village d'**El Paso** réputé pour
sa production de soie et ses
cigares artisanaux.

Façades pastel et gracieux balcons
à Santa Cruz, La Palma

Au milieu des vergers et des
vignobles du sud de La Palma,
des coulées de lave rappellent
l'activité récente du Teneguia
(p. 527).

Cratères à El Hierro, l'île la plus
occidentale des Canaries

El Hierro ❷

Santa Cruz de Tenerife. 🏘 *10 000.* ✗
🚢 *Puerto de Estaca.* ℹ *Calle Doctor
Quintero Magdaleno 4, Valverde, 922
55 03 02.* 🌐 *www.el-hierro.org*

Pauvre en plages de sable, la
plus occidentale et la plus
petite des Canaries (278 km²)
n'a pas connu le même afflux
touristique que le reste de
l'archipel mais a plutôt éveillé
l'intérêt des naturalistes par sa
faune et sa flore inhabituelles.

Depuis sa capitale, **Valverde**,
située à 600 m d'altitude, s'offre
un superbe panorama. Des
pins des Canaries et des
genévriers étrangement tordus
couvrent les montagnes de
l'intérieur où sentiers et points

LE LANGAGE SIFFLÉ DE LA GOMERA

Les problèmes de communication créés
par les reliefs de La Gomera ont conduit
ses habitants à développer une forme de
langage original appelé El Silbo.
L'origine de ce système de sifflements
modulés offrant l'avantage de porter
sur de longues distances reste
mystérieuse, mais d'aucuns
prétendent qu'il aurait été inventé
par les Guanches *(p. 523)*. Peu de
jeunes insulaires en ont encore l'usage
aujourd'hui et il aurait probablement
disparu sans les démonstrations
effectuées au parador et au restaurant
de Las Rosas.

« Siffleur »
de La Gomera

de vue jalonnent les routes. Une arête boisée forme d'est en ouest un arc de cercle à travers l'île. Elle marque la limite d'un ancien cratère volcanique devenu une dépression fertile baptisée El Golfo.

Tout à l'ouest, l'**Ermita de los Reyes** est le point de départ de la plus importante célébration religieuse d'El Hierro. Elle a lieu tous les quatre ans en juillet.

Les eaux turquoise de la côte méridionale attirent de nombreux plongeurs sous-marins qui se retrouvent dans le petit village de pêcheurs de **La Restinga**.

La Gomera ❸

Santa Cruz de Tenerife. 🏠 19 000. ⚓
🚢 🛈 *Calle Real 4, San Sebastián de la Gomera, 922 14 15 12.*
Ⓦ *www.gomera-island.com*

D'une superficie de 378 km², La Gomera est la plus accessible et la plus visitée des petites îles occidentales des Canaries dans la mesure où on peut s'y rendre en 40 mn en hydroglisseur (90 mn en ferry) depuis Tenerife, ou en avion depuis Tenerife ou Gran Canaria grâce au nouvel aéroport. De nombreux touristes n'y viennent que pour une journée, souvent pour participer à une excursion organisée qui en parcourt environ la moitié. D'autres louent une voiture, mais les profonds ravins qui creusent le plateau central et les innombrables virages en épingle à cheveux qu'ils obligent à négocier rendent

Cultures en terrasses dans la fertile valle Gran Rey, La Gomera

épuisante l'exploration de La Gomera en un seul jour.

L'idéal consiste à y séjourner quelque temps pour la découvrir à loisir sans hésiter à marcher. L'île offre des paysages exceptionnels. Dans les zones sauvages, des aiguilles rocheuses dominent des pentes abruptes plantées de fougères. Sur les terrasses retenant un sol fertile à flanc de colline poussent palmiers, bananiers et cultures maraîchères. La partie la plus belle de l'île, le **Parque Nacional de Garajonay**, appartient au patrimoine mondial recensé par l'Unesco.

C'est à **San Sebastián**, la

ville principale qui enserre une petite plage de sable sur la côte est, que Christophe Colomb compléta ses réserves d'eau avant d'entreprendre la traversée de l'Atlantique. Dans le bâtiment de la douane, un puits porte l'inscription : « Avec cette eau, l'Amérique fut baptisée. »

Au-delà des collines arides qui s'élèvent au sud s'étend la plage de galets de **Playa de Santiago**, la seule véritable station balnéaire de La Gomera. À l'ouest de l'île, la magnifique et fertile **valle Gran Rey** a vu s'établir de nombreux étrangers aux modes de vie « alternatifs ». Au nord, des routes étroites sinuent entre plusieurs jolis villages, plongeant par endroits vers de petites plages de galets. Un centre d'information et un restaurant panoramique font de **Las Rosas** une des étapes favorites des cars de tourisme.

Depuis Las Rosas, la route vers la côte traverse le village de **Vallehermoso** qu'écrase l'énorme masse de lave solidifiée du **Roque de Cano**. Près de la plage se dressent **Los Órganos**, colonnes de basalte évoquant les tuyaux d'un orgue.

Genévriers tordus par le vent à El Hierro

Tenerife

Dans le langage des anciens habitants des Canaries, les Guanches, Tenerife signifie « montagne enneigée » un nom que l'île la plus vaste de l'archipel (2 053 km²) doit à sa caractéristique géographique la plus frappante, le cône volcanique du pico de Teide, le plus haut sommet d'Espagne (3 718 m). Il sépare l'île en deux zones de climats différents. Alors qu'au sud règne une aridité presque désertique, une végétation luxuriante pousse dans le nord mieux arrosé. Tenerife offre aux visiteurs une grande variété d'activités : découverte de paysages spectaculaires, sports nautiques et vie nocturne animée. Le sable noir de ses plages invite cependant peu à la baignade et ses principales stations balnéaires ne se prêtent pas, avec leurs hauts immeubles modernes, à la recherche du calme ou de l'authenticité.

Bananes dans le nord de Tenerife

Los Cristianos ❹

Santa Cruz de Tenerife. 🚶 60 000.
🚌 🚢 🛈 Plaza del Pescador 1, 922 75 71 37. 🚃 dim. 🎭 Fiesta del Carmen (1ᵉʳ dim. de sept.).

Le village de pêcheurs de Los Cristianos s'est transformé en une ville touristique qui s'étend au pied de collines dénudées. Des ferries et des hydroglisseurs assurent des navettes régulières entre son petit port et La Gomera (p. 509).

Au nord, la plus importante station balnéaire de l'île, la moderne **Playa de las Américas**, s'est développée sur une côte sablonneuse. À quelques kilomètres à l'intérieur des terres se trouvent le village ancien d'**Adeje** et le **barranco del Infierno**, gorge sauvage où coule une belle cascade (deux heures de marche d'Adeje).

À l'est sur le littoral, l'aménagement de la **Costa del Silencio** ponctuée de villages

de pêcheurs est resté relativement respectueux des sites. Des restaurants de poisson animés bordent le petit port de Los Abrigos. **El Médano**, qui s'abrite sous un ancien volcan, possède deux plages appréciées des véliplanchistes.

Parque Nacional del Teide ❺

Voir p. 514-515.

Puerto de la Cruz ❻

Santa Cruz de Tenerife. 🚶 21 500.
🚌 🛈 Plaza Europa, 922 38 60 00.
🚃 sam. 🎭 Carnaval (fév.-mars), Fiesta del Carmen (2ᵉ dim. de juil.).

Les Anglais distingués qui s'y rendaient en convalescence ont fondé la vocation touristique de cette ville qui acquit son importance en 1706 quand une éruption volcanique détruisit le principal

port de Tenerife : Garachico. Le centre historique a gardé son caractère.

Dessiné par César Manrique, architecte originaire de Lanzarote (p. 524), le magnifique lago Martiánez compense l'absence de bonnes plages avec ses piscines d'eau de mer, ses palmiers et ses fontaines. À découvrir également, le jardin botanique de **Loro Parque** où l'on peut voir aussi des dauphins.

Hors de la ville, la **Bananera El Guanche** propose une exposition sur la culture de plantes tropicales. À quelques kilomètres à l'ouest, à **Icod de los Vinos**, un dragonnier aurait 2 500 ans.

🌿 **Loro Parque**
Avenida Laro Parque
📞 922 37 38 41. 🕐 t.l.j. ♿ ♿

🌿 **Bananera El Guanche**
Carretera Botánico, La Orotava.
📞 922 33 18 53. 🕐 t.l.j. ♿ ♿

LE DRAGONNIER

Espèce primitive de la famille des liliacées, le dragonnier (dracaena draco), une des plantes les plus insolites poussant aux Canaries, ressemble un peu à un cactus géant dont le tronc principal se diviserait en branches épaisses portant des touffes d'aiguilles. Entaillé, il laisse s'écouler une sève rouge investie jadis de pouvoirs magiques et curatifs. Les dragonniers ne formant pas d'anneaux de croissance, leur âge reste un mystère. Certains pourraient avoir des milliers d'années. Le plus ancien se trouve à Icod de los Vinos.

Le lago Martiánez dessiné par Manrique à Puerto de la Cruz

La Orotava **7**

Santa Cruz de Tenerife. 🏛 *40 000.* 🚌
🛈 *Carrera del Esculptor Estevez 2, 922
32 30 41.* 🎭 *Carnaval (fév.-mars),
Fête-Dieu (mai-juin). Corpus Christi
(mai-juin), Romeria San Isidoro (juin)*

À courte distance de Puerto
de la Cruz, dans les
collines fertiles de la vallée de
La Orotava, cette belle ville
historique serre son quartier
ancien autour de l'**Iglesia de
Nuestra Señora de la
Concepción**, construction
baroque (xviiiᵉ siècle) dotée de
tours jumelles et élevée sur le
site d'un sanctuaire détruit par
des tremblements de terre. Elle
abrite un retable sculpté par
Lázaro González. Vieilles
églises, couvents et maisons
seigneuriales aux balcons de
bois délicatement ajourés
bordent les rues. La **Casa de
los Balcones** et la **Casa del
Turista** possèdent de jolis
patios ouverts au public.

**Nuestra Señora de la Candelaria,
sainte patronne des Canaries**

Candelaria **8**

Santa Cruz de Tenerife. 🏛 *13 000.* 🚢
🛈 *Plaza del Cit, 922 50 04 15.*
🚌 *sam., dim.* 🎭 *Nuestra Señora de la
Candelaria (14-15 août).*

Cette ville côtière doit son
renom à **Nuestra Señora
de la Candelaria**, la patronne
des Canaries dont une église
moderne, sur la grand-place,
abrite l'effigie entourée de
fleurs et de cierges. Deux
bergers guanches auraient
trouvé cette statue sur une

Statue d'un chef guanche sur le front de mer de Candelaria

plage avant la conquête de
l'île par des chrétiens. Un raz
de marée la rendit à la mer en
1826, mais une réplique reste
chaque mois d'août l'objet
d'un pèlerinage. Sur le front
de mer se dressent les statues
d'anciens chefs guanches.

La Laguna **9**

Santa Cruz de Tenerife. 🏛 *130 000.*
🚌 🛈 *c/ Obispo Rey Redondo 1, 922
63 11 94.* 🚌 *t.l.j.* 🎭 *San Benito
(15 juil.) Santísimo Cristo de la Laguna
(14 sept.).* 🌐 *www.historiaviva.org*

Ville universitaire animée, La
Laguna conserve un
pittoresque quartier ancien à
découvrir à pied. Riche en
édifices historiques, il recèle
plusieurs musées de qualité. La
plupart des lieux les plus
intéressants se trouvent entre
l'**Iglesia de Nuestra Señora de
la Concepción** construite en
1511 et la plaza del Adelantado
bordée par l'hôtel de ville, un
couvent au beau balcon de
bois canarien et l'élégant
Palacio de Nava.

Montes de Anaga **10**

Santa Cruz de Tenerife. 🚌 *Santa Cruz
de Tenerife, La Laguna.*

Leur climat humide maintient
fraîches et vertes les
montagnes au nord de Santa
Cruz et de nombreux oiseaux
peuplent une végétation variée
comprenant cactus et lauriers.
La randonnée y est très
populaire et l'office du
tourisme fournit des cartes
indiquant la plupart des
meilleurs itinéraires. Près de la
magnifique plage artificielle de
Las Teresitas, une route
abrupte et fléchée grimpe
depuis le village de San
Andrés. Les sentiers ménagent
de superbes panoramas,
notamment depuis le pico del
Inglés (973 m) et Bailadero.
En redescendant à travers la
forêt de las Mercedes et la
pittoresque vallée de Tejina,
on atteint **Tacoronte** qui
possède d'intéressantes
églises, un musée
ethnographique et une
bodega où goûter les vins
locaux.

FÊTES DES CANARIES

Carnaval *(fév.-mars),* Santa Cruz de Tenerife. Interdit pendant des années par le régime franquiste qui craignait toute manifestation populaire spontanée, ce carnaval est un des plus importants d'Europe. Les festivités, où danses et costumes extravagants jouent le premier rôle, commencent par l'élection d'une reine et montent en puissance jusqu'au grand défilé du mardi gras. Le mercredi des Cendres a lieu l'« enterrement » d'une gigantesque sardine. Le carnaval se fête aussi sur les îles de Lanzarote et de Gran Canaria.

Fêtards costumés au carnaval de Tenerife

Fête-Dieu *(mai-juin),* La Orotava (Tenerife). Des tapis de fleurs ornent les rues de la ville et des reproductions d'œuvres d'art en sable coloré parent la plaza del Ayuntamiento.
Descente de la Vierge des Neiges *(juil., tous les 5 ans : 2005, 2010),* Santa Cruz de la Palma.
Romería de la Virgen de la Candelaria *(15 août),* Candelaria (Tenerife). Des milliers de pèlerins se rassemblent pour vénérer la patronne des Canaries.
Fiesta del Charco *(7-11 sept.),* San Nicolás de Tolentino (Gran Canaria). Les participants se jettent dans une vaste mare d'eau salée pour attraper des mulets.

Ferry mouillé dans le port de Santa Cruz de Tenerife

Santa Cruz de Tenerife ⓫

Santa Cruz de Tenerife. 🏠 213 000.
🚉 🛳 🚌 **ⓘ** *Plaza de España 1, 922 23 95 22* 📧 *dim.* 🎭 *Carnaval (fév.-mars), Día de la Cruz (3 mai), Nuestra Señora del Carmen (16 juil.).*
🖥 *www.cabtfe.es*

La capitale de la province occidentale des Canaries possède un port capable d'accueillir des navires de fort tonnage. Sa plage la plus belle, Las Teresitas, s'étend 7 km plus au nord. Il a fallu, pour la créer, importer du Sahara des millions de tonnes de sable doré et construire une digue. Bien qu'artificiel, le résultat, que n'a pas enlaidi l'édification de murs de béton, dépasse tout ce dont la nature a doté Tenerife.

Près du port, la **plaza de España** et la plaza de la Candelaria, d'où part la principale rue commerçante, la calle de Castillo, forment le cœur de Santa Cruz. Non loin se dressent les deux églises les plus intéressantes de la ville : l'**Iglesia de Nuestra Señora de la Concepción** du XVIᵉ siècle et l'**Iglesia de San Francisco** de style baroque.

Installé dans le Palacio Insular, le **Museo de la Naturaleza y el Hombre** présente notamment des momies guanches. On peut aussi y voir le canon dont serait parti le boulet qui emporta le bras droit de l'amiral Nelson lors d'une attaque infructueuse de la ville en 1797.

Les amateurs d'arts visiteront également le **Museo de Bellas Artes**, qui expose des œuvres de maîtres anciens et modernes souvent inspirées d'événements ou de paysages locaux, et le **Parque Municipal García Sanabria** aménagé en 1926 et décoré de sculptures contemporaines.

Le matin, ne manquez pas de vous rendre au pittoresque **Mercado de Nuestra Señora de África**. Les éventaires installés à l'extérieur proposent des ustensiles, ceux de l'intérieur, des légumes, des aromates, des fleurs ou des poulets vivants. Santa Cruz est très animée pendant son magnifique carnaval.

🏛 **Museo de la Naturaleza y el Hombre**
Calle Fuentes Morales. **☎** *922 53 58 16.* ◯ *du mar. au dim.* 🎫 &
🏛 **Museo de Bellas Artes**
Calle José Murphy 12. **☎** *922 24 43 58.* ◯ *du mar.. au ven.*

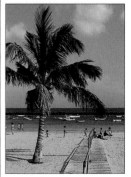

La plage artificielle de Las Teresitas à Santa Cruz

Les spécialités des îles Canaries

Bien qu'il soit parfois difficile de trouver où la déguster, les Canaries possèdent une cuisine originale qui tire parti des richesses naturelles et qui a su assimiler des végétaux importés d'autres continents tels que le maïs ou la banane. La mer fournit de nombreux poissons, telle la *vieja* multicolore qui s'accompagne de *mojo*, sauce à base d'huile d'olive et de basilic dont la couleur varie

Maïs

selon qu'elle comprend du paprika ou de la coriandre. Vous pourrez également y tremper des *papas arrugadas*, petites pommes de terre à l'eau qui se mangent avec la peau. Le *gofio*, une farine de céréales, sert à épaissir les potages ou à faire du pain. Le *bienmesabe* se prépare avec des amandes, du miel, du jaune d'œuf et de la cannelle et entre dans la composition de divers desserts.

Le sancocho, *un poisson blanchi, se sert souvent avec des pommes de terre et des patates douces.*

La sama frita con mojo verde *est un poisson frit nappé d'une sauce où entrent ail, coriandre et vinaigre.*

Le potaje de berros, *une soupe nourrissante, inclut cresson, porc, maïs, pomme de terre, haricots et cumin.*

Le conejo al salmorejo, *un ragoût de lapin et de tomates, prend tout son intérêt avec des papas arrugadas.*

L'arroz con verduras *associe riz et légumes tels que poivrons, maïs, haricots verts et tomates.*

Le puchero *est un ragoût parfumé au safran où entrent chorizo, haricots, pois chiches et pommes de terre.*

Les bananes des Canaries *appartiennent à la variété de La Gomera, petite et parfumée. Elles se dégustent en beignets ou en tartes, avec des œufs et du riz, ou nappées d'une sauce à la viande.*

BOISSONS

Les Canaries sont réputées depuis le XVIIe siècle pour leur malvoisie, vin doux fortement alcoolisé et de couleur ambrée. Le meilleur provient de Lanzarote. Sur Tenerife, la région de Tacoronte-Acentejo produit des rouges et des blancs moins puissants. Plusieurs spiritueux sont aussi fabriqués localement. Brun ou blanc, le rhum *(ron)* se révèle souvent excellent. Il existe aussi un âpre *coñac* et des liqueurs parfumées au café, à l'orange ou à la banane.

Rhum brun des Canaries

Parque Nacional del Teide ❺

Il y a 180 000 ans, un gigantesque volcan explosa, laissant derrière lui les vestiges d'un cratère de 16 km de diamètre, Las Cañadas, où se dresse aujourd'hui le pico del Teide, le plus haut sommet d'Espagne avec 3 718 m d'altitude. Tout autour, nappes de cendres, coulées de lave et rochers teintés par des sels minéraux composent un paysage d'une âpre beauté. Une seule route traverse le plateau de Las Cañadas. Elle dessert un parador, une station de téléphérique et un bureau d'information. Emprunter les sentiers fléchés permet de découvrir tous les aspects de ce site protégé.

Paysages volcaniques
Un trajet de 8 minutes en téléphérique conduit à 160 m au-dessous du sommet. Du sentier s'offrent des panoramas inoubliables.

Le pico del Teide
conserve une activité volcanique.

PICO DEL T

3,718 r

PICO VIEJO

Le pico Viejo, aussi appelé montaña Chahorra, eut sa dernière éruption au XVIIIᵉ siècle.

3,414 m

CHÍO

Mirador de Chío

R O Q U E S
D E   G A R C Í A

Mirador
de La Ruleta

TF-38

L L A N O   D E   U C A N C A

Mirador de
Boca Tauce

VILAFLOR

TF21

Mi
de

0   2 km

LÉGENDE

═══	Route
▬▬	Chemin
▬ ▬	Sentier pédestre

Roques de García
Leurs formes insolites valent à ces rochers proches du parador d'inspirer de nombreux photographes. Non loin, ceux de Los Azulejos doivent à des dépôts de cuivre leurs reflets bleu vert.

FLEURS SAUVAGES

Des plantes rares et superbes ont colonisé les sols inhospitaliers de Las Cañadas. Certaines ne poussent qu'aux Canaries. L'*echium wildprettii*, une vipérine qui peut atteindre trois mètres de haut au début de l'été, fait partie des plus remarquables, mais le genêt du Teide, le patystémon et une espèce particulière de violette ne manquent pas non plus d'élégance. Mai-juin constitue la meilleure période où venir découvrir ces plantes qu'une exposition au centre d'information vous aidera à identifier. Attention : n'en cueillez ni n'en déterrez aucune ! Toute la végétation du parc fait l'objet d'une stricte protection.

Caldera de Las Cañadas

Une ceinture de crêtes déchiquetées marque la limite de cet immense cratère d'origine volcanique, ou caldera (p. 527). Très érodé, son périmètre mesure 45 km.

MODE D'EMPLOI

☎ 922 29 01 29. 🚌 342 et 348 depuis Puerto de la Cruz. **Bureau d'information et téléphérique d'El Portillo** (au N.-E. du parc sur la C 821). 🕐 de 9h15 à 16h15 t.l.j. ♿ 🍴 ✔

Le centre d'information d'El Portillo propose une vidéo et une exposition sur le parc.

SANTA CRUZ
DE TENERIFE

🅿 ℹ El Portillo

Refugio de Altavista

Mirador de San José

Mirador del Tabonal Negro

LAS CAÑADAS

Mirador de Cañadas del Teide

Las Cañadas

L'effondrement d'anciens cratères forma les étendues plates des cañadas *(petits plateaux sablonneux) où s'accrochent des plantes colorées.*

Parador

Récemment rénové, le Parador de Cañadas del Teide (p. 571) constitue une excellente base d'où entreprendre une complète exploration du parc.

Outarde des Canaries
(Descurainia urgaeuana)

Érysimon du Teide
(Erysimum scoparium)

Violette du Teide
(Viola cheiranthifolia)

Vipérine du Teide
(Echium wildpretii)

À la découverte des Canaries orientales

Les îles qui forment la province de Las Palmas : Gran Canaria, Lanzarote et Fuerteventura, offrent toutes des sites exceptionnels, un climat privilégié et de belles plages de sable, mais possède chacune sa propre personnalité. Sur Gran Canaria se trouve la seule ville véritablement importante, Las Palmas, centre administratif de la province, et la plus grosse station balnéaire, Maspalomas, vouée, avec Playa del Inglés, au tourisme de masse. Les longues plages blanches de Fuerteventura n'ont pas connu un développement de cette ampleur et il reste possible de jouir de l'intimité entre leurs dunes. Lanzarote propose aussi de belles plages. L'activité volcanique a créé à l'intérieur des terres des paysages étranges.

La plage de Corralejo au nord de Fuerteventura

Le port de plaisance de Puerto Rico, dans le sud de Gran Canaria

CIRCULER

La longueur du trajet en bateau, depuis Cadix (p. 629), fait de l'avion (p. 628) le moyen de transport le plus utilisé pour gagner les Canaries orientales. Des vols intérieurs desservent toutes les îles de l'archipel. Des ferries assurent en outre des navettes régulières. Pratiques dans les villes, taxis et transports publics se révèlent coûteux sur de longues distances. Des loueurs de voitures proposent leurs services aux aéroports et aux débarcadères des ferries. Les routes principales sont parfois engorgées sur Gran Canaria. Atteindre certaines plages isolées requiert un véhicule tout terrain.

GRAN CANARIA

AGAETE 15

LAS PALMAS DE
GRAN CANARIA

TAFIRA 16

17

18 CRUZ DE TEJEDA

SAN NICOLAS
DE TOLENTINO

SANTA LUCIA

AGÜIMES

PUERTO
DE MOGÁN 12

13 PUERTO RICO

14 MASPALOMAS

ATLANTICO

0   25 km

LES CANARIES ORIENTALES D'UN COUP D'ŒIL

LÉGENDE

Autoroute

Route principale

Route secondaire

Parcours pittoresque

Cours d'eau

Point de vue

VOIR AUSSI

• *Hébergement* p. 570-571

• *Restaurants et bars* p. 608-609

Volcans des montañas de Fuego, Parque Nacional de Timanfaya, Lanzarote

Gran Canaria

Trois millions de visiteurs se rendent chaque année à Gran Canaria (la Grande Canarie) et l'île possède avec Las Palmas la cité la plus peuplée de l'archipel.

Maspalomas-Playa del Inglés, au sud, est l'une des plus importantes stations balnéaires d'Espagne. Le développement touristique a entraîné dans les deux agglomérations la construction de hauts immeubles et d'ensembles résidentiels, mais il suffit de s'en éloigner un peu pour

Fermier et son âne

découvrir de magnifiques paysages dont la variété, des étendues arides du sud aux gorges creusant le haut volcan central, vaut à cette île de 1 532 km² d'être comparée à un continent en miniature.

Puerto de Mogán ⑫

Las Palmas. 🚶 1 500. ⓘ Avenida Tomás Roca Bosch, 928 56 00 29. 🚢 ven. 🎪 Virgen del Carmen (juil.).

Au débouché de la verte vallée de Mogán, voici l'un des aménagements modernes les plus réussis de Gran Canaria. À l'opposé de la débauche de béton de Playa del Inglés, il évoque un village avec ses jolies maisons blanches agrémentées de plantes grimpantes qui entourent un petit port de pêche. L'ensemble comprend également un hôtel, des boutiques, des bars et des restaurants.

Abritée entre des falaises, la plage de sable se révèle cependant un peu petite pour le nombre des visiteurs et mieux vaut disposer d'une voiture, ou prendre le ferry, pour profiter des possibilités offertes par Maspalomas.

Bain de soleil à Puerto Rico

Puerto Rico ⑬

Las Palmas. 🚶 1 800. ⓘ Avenida de Mogán, 928 56 00 29. 🎪 María de Auxiliadora (mai) San Antonio (13 juin), Carmen (16 juil.).

Des immeubles envahissent désormais les falaises dénudées situées à l'ouest de

Vacanciers sur la plage de sable doré de Puerto Rico

Maspalomas. Devenue une station trop développée, Puerto Rico possède néanmoins une des plages les plus agréables de l'île et propose un large éventail d'activités nautiques. Avec le plus fort taux d'ensoleillement d'Espagne, c'est un bon endroit où se détendre en bronzant, apprendre à nager, ou s'initier à la plongée sous-marine ou à la planche à voile.

Maspalomas ⑭

Las Palmas. 🚶 38 700. 🚢 ⓘ Avda de España, 928 76 25 91. 🚢 mer. et sam. 🎪 Santiago (25 juil.), San Bartolomé (24 août).

En arrivant de l'aéroport de Las Palmas par l'autoroute, cette immense station balnéaire forme au premier abord un ensemble indistinct, mais trois agglomérations séparées se découvrent peu à peu. **San Agustín**, à l'est, offre plus de calme que les autres avec ses plages de sable sombre abritées par des falaises basses, ses promenades aménagées en jardins et son casino.

La sortie suivante conduit à **Playa del Inglés**, la station la plus vaste et la plus animée, triangle de terre faisant saillie dans une longue ceinture de sable doré. Son développement touristique commença dans les années 1950 et un dédale de routes relie de gigantesques blocs d'immeubles. La plupart des hôtels disposent d'une piscine, mais beaucoup n'ont pas vue

Arcs fleuris dans une rue de Puerto de Mogán

sur la mer. À la tombée du jour s'allument les néons de plus de 300 restaurants et 50 boîtes de nuit.

À l'ouest de Playa del Inglés s'étendent les **Dunas de Maspalomas**, réserve naturelle protégée de toutes nouvelles constructions. Un groupe d'hôtels de luxe se dresse à leur limite occidentale marquée par un phare. Derrière les dunes, des bungalows entourent un golf.

L'éventail des distractions proposées inclut différents sports nautiques, des excursions organisées, la pratique du kart, des promenades en dromadaire et des parcs d'attractions. Parmi ces derniers, les plus agréables sont le **Palmitos Park** aux jardins subtropicaux peuplés d'oiseaux exotiques et **Sioux City** inspiré de l'univers du western.

Palmitos Park
Barranco de los Palmitos.
928 14 02 76. *t.l.j.*
Sioux City
Cañón del Águila. 928 76 25 73.
du mar. au dim.

Agaete ⑮

Las Palmas. 5 600. *Avenida Senura de las Nieves 1, 928 55 43 82* *Fiesta de la Rama (4 août).*

G ran Canaria possède sur son flanc nord, où des plantations de bananiers s'étagent sur les pentes dominant le littoral, une végétation bien plus luxuriante qu'au sud.

Agaete, aux maisons blanches à terrasses dispersées autour d'une baie

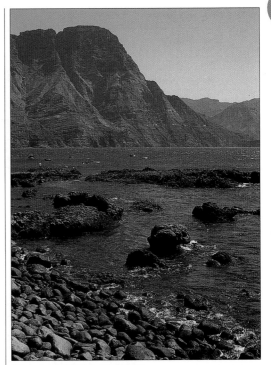

Côte rocheuse et falaises près d'Agaete

rocheuse, se transforme actuellement en petite station balnéaire. En août s'y déroule la Fiesta de la Rama, rituel hérité des Guanches *(p. 523).* Portant des branchages, des villageois descendent en procession des collines au-dessus du village jusqu'à la mer où ils battent l'eau pour faire tomber la pluie.

Le petit **Ermita de las Nieves** abrite un beau triptyque flamand du XVIᵉ siècle et des maquettes de

bateaux de pêche. Pour visiter le **Huerto de las Flores**, un jardin botanique, demandez la clé à l'hôtel de ville situé dans la même rue.

Aux environs
Un bref détour à l'intérieur des terres par le barranco de Agaete vous conduira dans une vallée fertile plantée de papayers, de manguiers et de citronniers. Au nord d'Agaete, les villes de Guía et de Gáldar présentent peu d'intérêt hors de leurs églises paroissiales qu'ornent des œuvres de José Luján Pérez, sculpteur canarien du XVIIIᵉ siècle.

Non loin, en direction de la côte nord, se découvre le **Cenobio de Valerón**, falaise percée de quelque 300 grottes sous un arc en basalte. Les Guanches s'en servaient, pense-t-on, comme réserves de grains et refuges en cas d'attaque. Les jeunes filles s'y retiraient avant leur mariage.

❦ Huerto de las Flores
Calle Huertas. *lun.-ven.*

Les dunes de Maspalomas s'étendent sur plusieurs kilomètres

Tafira ⑯

Las Palmas. 🏛 23 000. ℹ Calle León
y Castillo 322, 928 44 66 02 🎭 San
Francisco (oct.).

L es collines au sud-ouest de
Las Palmas sont depuis
longtemps un lieu de résidence
apprécié et Tafira garde une
légère atmosphère coloniale
avec ses villas patriciennes. Le
principal intérêt d'une visite
réside toutefois dans son jardin
botanique, le **Jardín Canario**
fondé en 1952. Il reconstitue
les habitats naturels de plantes
de toutes les Canaries.

Palmiers dans leur environnement naturel au Jardín Canario, Tafira

Près de La Atalaya se trouve
l'un des sites les plus
impressionnants de Gran
Canaria : la **caldera de la
Bandama**, cratère circulaire
d'un diamètre de 1 km et d'une
profondeur de 200 m dont le
mirador de Bandama offre la
meilleure vue. Au sud, le
barranco de Guayadeque,
vallée aux rochers rougeâtres,
recèle des habitats
troglodytiques, dont certains
creusés à la fin du xvᵉ siècle.

🌿 **Jardín Canario**
Carretera de Dragonal, Tafira.
📞 928 35 36 04. 🕐 t.l.j.
🌐 www.jardincanario.org

Las Palmas de Gran Canaria ⑰

Las Palmas. 🏛 355 000. ✈ ⛴
ℹ Calle León y Castillo 322, 928 44 66
02. 🎭 Carnaval (fév.-mars).

L a plus grande ville des
Canaries possède un port
très actif où accostent un millier
de bateaux chaque mois. La
cité a connu un développement
en plusieurs étapes et son
organisation peut se révéler
déconcertante.

Le port commercial moderne,
le puerto de la Luz, s'étend sur
la rive orientale d'un isthme qui
rejoint l'ancienne île de La
Isleta, un quartier militaire
et de pêcheurs. Une
longue bande de sable
doré forme de l'autre côté
de l'isthme la **playa de las
Canteras** bordée d'une
promenade, de bars, de
restaurants et d'hôtels.

Depuis l'isthme, le
centre-ville s'étire le long
de la côte. Pour le
découvrir en vous
promenant,
commencez près du
port par le **Parque
Santa Catalina**
agrémenté de cafés et
de kiosques à journaux.
Dans le quartier résidentiel de
Ciudad Jardín se trouvent le
casino Santa Catalina et le
Parque Doramas qui comprend
le **Pueblo Canario** où les
visiteurs peuvent assister à des

**Chien de bronze,
plaza Santa Ana**

danses folkloriques, acquérir de
l'artisanat local et admirer des
œuvres du peintre Néstor de la
Torre (1887-1937). Gravir la
colline en direction du quartier
d'Altavista et du paseo Cornisa
ménage une vue plongeante
sur cette partie de Las Palmas.

Au bout de la ville s'atteint le
barrio Vegueta dont la
fondation remonte à la
conquête espagnole.
Entreprise en 1497, la
Catedral de Santa Ana
marie styles gothique et
Renaissance et abrite à la
croisée du transept des
sculptures par José
Luján Pérez. À côté
s'ouvre le **Museo
Diocesano de Arte
Sacro**. Les chiens de
bronze qui gardent la
place rappellent que le
nom des Canaries
découlerait du mot
latin « canis ». Non loin, la **Casa
de Colón**, maison de la fin du
xvᵉ siècle où séjourna
Christophe Colomb, propose
un musée consacré à ses
découvertes. Il présente des
cartes et des maquettes. Le
Museo Canario offre un
aperçu de la culture des
Guanches à travers des
momies, poteries, outils et
bijoux.

🏛 **Museo Diocesano de Arte
Sacro**
Calle Espíritu Santo 20. 📞 928 31 49
89. 🕐 du lun. au sam. 🕐 jours fériés.

🏛 **Casa de Colón**
Calle Colón 1. 📞 928 31 23 84. 🕐
t.l.j.

🏛 **Museo Canario**
Calle Doctor Verneau 2. 📞 928 33
68 00. 🕐 t.l.j. 📷 ♿

La Casa de Colón, musée de Las Palmas consacré à Christophe Colomb

Excursion de Cruz de Tejeda ⓲

Depuis n'importe quel point de la côte, l'intérieur montagneux de Gran Canaria se prête merveilleusement à une excursion. Préférez toutefois une belle journée pour jouir pleinement des panoramas. Au départ de Maspalomas, l'itinéraire emprunte des gorges arides qui deviennent plus fertiles avec l'altitude. Près du centre de l'île, les routes sinuent à flanc de montagne entre de jolis villages et des points de vue d'où peut s'apercevoir le pico del Teide (p. 514-515). Sur le flanc nord, beaucoup plus vert, poussent fruits exotiques et eucalyptus.

Fermes sur la route de Teror

Artenara ②
Une des grottes artificielles creusées dans le tuf de ce village abrite une petite église, une autre un restaurant insolite : le Mesón de la Silla.

LAS PALMAS

GC21
① GC21

Valleseco

Lanzarote

GC21

Cuevas Corcho

PINAR DE TAMADABA
②
GC21

Teror ①
Au sein d'une végétation tropicale, de belles maisons typiques bordent les rues de ce bourg dont l'église, Nuestra Señora del Pino, est dédiée à la patronne de Gran Canaria.

LÉGENDE

▬▬ Circuit recommandé

═══ Autres routes

🌿 Point de vue

Tejeda

GC15

GC60

GC150

Pico de las Nieves ⑤
Une station météorologique couronne le point culminant (1 949 m) de Gran Canaria. Dans cet endroit parfois enneigé, pensez aux vêtements chauds.

③

GC600

GC130

TELDE

④

0   2 km

Ayacata

GC60

↓ *MASPALOMAS*

Roque Nublo ④
Cette aiguille de basalte haute de 68 m se dresse à 1 700 m d'altitude. Avec le Roque Bentayga voisin, elle était sacrée pour les Guanches. L'ascension est rude.

CARNET DE ROUTE

Itinéraire : 35-45 km.
Où faire une pause : Pour déjeuner, au Mesón de la Silla d'Artenara.
Avertissement : méfiez-vous de l'étroitesse des routes et des nappes de brumes qui peuvent surgir brusquement.

Fuerteventura

S ituée à 100 km des côtes du Sahara et brûlée par ses vents, Fuerteventura, d'une superficie de 1 731 km², est l'île des Canaries la plus vaste après Tenerife, mais aussi la moins densément peuplée. Tout en longueur et d'une altitude maximale de 900 m, elle compte moins d'habitants (30 000) que de chèvres. Rasées par les colons européens pour faire du bois d'œuvre, ses anciennes forêts ont laissé place à une garrigue soumise à l'érosion, et la sécheresse impose d'importer de l'eau. Bien que le tourisme constitue sa seule ressource significative, cette industrie reste peu développée par rapport au reste de l'archipel. Plus de 150 plages superbes attirent cependant un nombre croissant d'amoureux du soleil, de la mer et de la nature, notamment des plongeurs sous-marins et des naturistes.

Troupeau de chèvres près de l'aéroport de Fuerteventura

Península de Jandía ⓳

Las Palmas. 🚌 Costa Calma, Morro Jable. 🚢 (vedette) depuis Gran Canaria. ℹ️ Centro Comercial, Plage de Jandía, local n°88, 928 54 07 76.

D e superbes plages de sable clair bordent la longue péninsule qui s'étire au sud de Fuerteventura et une série d'*urbanizaciones* (ensembles résidentiels) jalonnent désormais une grande partie de sa côte orientale (Sotavento), la plus protégée.

Costa Calma, où bourgeonnent des immeubles modernes, possède les plages les plus intéressantes, longues bandes de sable entrecoupées de falaises basses et de criques. Au delà de **Morro Jable**, village de pêcheurs étouffé par des constructions récentes, la route se transforme en une piste cahoteuse qui continue en direction du phare isolé de Punta de Jandía.

Accessibles uniquement en véhicule tout terrain, de belles plages s'étendent également sur la côte ouest exposée au vent (Barlovento). Leurs eaux recèlent une faune marine subtropicale qui les rend populaires auprès des plongeurs.

Jandía appartenait pendant la Deuxième Guerre mondiale à un entrepreneur allemand et des rumeurs d'espionnage, de sous-marins et de bases secrètes nazies continuent aujourd'hui de circuler.

Betancuria ⓴

Las Palmas. 🚌 850. 🚉 ℹ️ Calle Amador Rodríguez 6, 928 87 80 92. 🎉 San Buenaventura (14 juil.) Romería de La Pena (3ᵉ sam. de sept.).

À l'intérieur de l'île, les cônes de volcans éteints séparés par de larges plaines composent des paysages d'une grandeur austère. Quelques villages sévères et des moulins qui servaient jadis à pomper l'eau des puits ponctuent les basses terres parfois assez fertiles pour porter de maigres plantations ou des palmiers. Au-delà se découpe la silhouette dénudée des collines. De loin, elles paraissent brunes et grises. En

Décor d'autel doré dans l'Iglesia Santa María, Betancuria

approchant, les rochers présentent une étonnante palette de mauves, de roses et d'ocres, un spectacle à apprécier au coucher du soleil.

Village au creux d'un petit volcan, Betancuria doit son nom à l'aventurier normand Jean de Béthencourt qui conquit l'île en 1402 et fonda ici sa capitale pour se protéger des pirates. L'**Iglesia de Santa María** abrite des autels au décor doré, des poutres peintes et des reliques. Demandez la clé dans la maison d'à côté. Le **Museo Arqueológico** présente des objets liés aux Guanches et découverts dans la région.

Aux environs

Au sud, le joli village de **Pájara** possède une église du XVIIᵉ siècle au portail décoré de motifs aztèques tels que soleils, serpents et autres animaux étranges. Elle abrite les statues d'une radieuse Vierge à l'Enfant, argent et blanche, et de la Virgen de los Dolores, en noir.

Les troupes espagnoles avaient jusqu'au XIXᵉ siècle leur quartier général à **La Oliva**, au nord. La Casa de los Coroneles est un grand bâtiment d'un jaune délavé à la façade percée de très nombreuses fenêtres. Des plafonds à caissons ornent l'intérieur. L'église fortifiée mérite également une visite, ainsi que le centre d'exposition qui présente des œuvres d'artistes canariens.

🏛 **Museo Arqueológico**
Calle Roberto Roldán. 📞 928 87 82 41. 🕐 du mar. au dim. 🚫♿

Caleta de Fustes ㉑

Las Palmas. *1 600. Calle Juan Ramón Soto Morales 10, 928 16 32 86. sam. Día del Carmen (16 juil.), Nuestra Senora de Antigua (8 sept.).*

Au sud de Puerto del Rosario, sur la côte orientale de l'île, les immeubles bas de centres de vacances forment un ensemble harmonieux autour d'une baie en fer à cheval où descend en pente douce une plage de sable fin. Le plus important de ces complexes résidentiels, El Castillo, tire son nom d'une tour de guet du XVIIIe siècle proche du port. Près de la plage, boutiques et restaurants forment autour d'une place centrale le Pueblo Majorero.

La beauté du site, son calme et la possibilité de pratiquer de nombreux sports nautiques font de Caleta une station très agréable.

Bateaux de pêche sur une plage de l'isla de Lobos au large de Corralejo

Puerto del Rosario ㉒

Las Palmas. *25 000. Avenida de la Constitución 5, 928 53 08 44 El Rosario (7 oct.).*

Fondée en 1797, la capitale commerciale et administrative de Fuerteventura portait à l'origine le nom de Puerto de Cabras (Port des Chèvres) à cause d'une gorge voisine où s'abreuvaient les troupeaux. On décida en 1957 de la rebaptiser afin d'améliorer son image. La ville manque cependant de charme malgré l'animation créée par son port où accostent les ferries circulant entre les îles de l'archipel. La légion étrangère espagnole y occupe une grande caserne.

Corralejo ㉓

Las Palmas. *6 000. Plaza de Patricio Calero, 928 86 62 35. lun. et ven. Día del Carmen (16 juil.).*

Ce village de pêcheurs est devenu, avec la péninsule de Jandía, l'une des deux stations balnéaires les plus importantes de l'île. De magnifiques dunes évoquant par endroits le Sahara s'étendent au sud. La décision d'en faire une réserve naturelle a malheureusement été prise trop tard pour empêcher la construction de deux hôtels sur la plage.

Un quartier animé où abondent les restaurants de poisson entoure le port d'où partent des ferries pour Lanzarote, une traversée de 40 min.

La petite isla de Lobos doit son nom aux phoques moines *(lobos marinos)* qui s'y pressaient jadis. Ce sont aujourd'hui les plongeurs sous-marins et les véliplanchistes qui profitent de ses eaux limpides. Les visiteurs au tempérament moins sportif peuvent emprunter des vedettes à fond vitré pour la rejoindre.

LES GUANCHES

Quand Français et Espagnols entreprirent la conquête des Canaries à partir du début du XVe siècle, ils affrontèrent un peuple de haute taille et à la peau claire qui ne connaissait pas les métaux et momifiait ses morts. « Guanche » était le nom d'une tribu de Tenerife, mais il devint générique pour les Européens et aucun autre n'est resté. Les origines des Guanches demeurent méconnues, mais, bien qu'ils ne fabriquaient pas de bateaux, il semble probable qu'ils arrivèrent dans l'archipel en provenance d'Afrique du Nord au IIe ou au Ier siècle av. J.-C. Ceux qui ne périrent pas pendant l'invasion furent vendus comme esclaves ou se fondirent dans la population des conquérants. Il ne subsiste que peu de traces de leur culture.

Les témoignages laissés par les Guanches, exposés dans plusieurs musées des Canaries, comprennent des corps momifiés et des vêtements en peau, ainsi que des outils et des bijoux en pierre, en coquillages, en os ou en bois.

Mortier en pierre

Panier guanche

Lanzarote

D'une superficie de 813 km², la plus orientale des îles Canaries ne porte pratiquement pas un arbre et souffre en permanence du manque d'eau. De nombreux visiteurs la considèrent pourtant comme la plus belle de l'archipel avec ses cultures sur cendres noires, ses longues plages de couleurs variées et ses étranges paysages volcaniques dont le parc national de Timanfaya protège la partie la plus spectaculaire. Ses habitants tirent fierté d'avoir su préserver Lanzarote des pires effets du tourisme, notamment les murs de béton. Une démarche pour laquelle l'artiste César Manrique fit beaucoup.

Le vent fournit à Lanzarote une partie de son électricité

Playa Blanca ㉔

Las Palmas. 🏘 4 000.
🚌 ⛴ 🛈 Calle El Varadero 2, 928 51 90 18. 🎉 Nuestra Señora del Carmen (16 juil.).

Ancien village de pêcheurs dont le souvenir reste visible autour du port, cette agréable station balnéaire visant une clientèle familiale garde du caractère. Elle propose de nombreux cafés, restaurants et boutiques et plusieurs grands hôtels. Les bâtiments sont toutefois suffisamment dispersés pour que le calme règne, sauf exception, la nuit.

Les plages les plus séduisantes ne sont pas les plus proches de la ville mais se cachent derrière les promontoires rocheux situés à l'est dans des criques aux eaux limpides et tièdes où tout vêtement semble superflu. Si vous ne souhaitez pas vous contenter de la plus célèbre, la **playa Papagayo**, quelques efforts devraient vous permettre d'en trouver une où jouir de la solitude. Mieux vaut toutefois disposer d'un véhicule tout terrain pour emprunter les pistes étroites conduisant en ces lieux isolés.

Parque Nacional de Timanfaya ㉕

Las Palmas Yaiza. 🛈 Icoma, 928 84 02 38. 🚌 depuis Arrecife. ◯ t.l.j. 📷 🖥 www.mma.es

Entre 1730 et 1736, les coulées de lave produites par une succession d'éruptions recouvrirent onze villages de Lanzarote et quelque 200 km² de ses terres les plus fertiles. Par miracle il n'y eut pas de victimes, mais le désastre contraignit à l'émigration de nombreux habitants de l'île.

Aujourd'hui, les volcans qui la dévastèrent lui offrent une de ses attractions les plus lucratives : les **montañas del Fuego**. Ces montagnes de Feu font partie du Parque Nacional de Timanfaya fondé en 1974. Du petit village de Yaiza, vous pourrez gravir à dos de dromadaire les pentes volcaniques pour découvrir une vue extraordinaire du parc dont l'entrée se trouve quelques kilomètres plus au nord. Après avoir repris votre voiture et acquitté un péage, vous traverserez un paysage dantesque, où de lugubres cônes rouge-noir dominent des cendres nues, avant d'atteindre

Plage de Las Coloradas près de Playa Blanca dans le sud de l'île

CÉSAR MANRIQUE (1920-1992)

Après plusieurs années passées en Espagne péninsulaire et aux États-Unis, l'artiste César Manrique revint en 1968 s'installer à Lanzarote où il fit campagne pour le respect de l'architecture et de l'environnement, entre autres par le biais de critères esthétiques imposés aux nouvelles constructions. Des douzaines de sites touristiques des Canaries portent la marque de son talent et de son enthousiasme.

César Manrique en 1992

Promenade à dos de dromadaire dans les montañas de Fuego

Lanzarote a conservé beaucoup de charme avec ses promenades plantées de palmiers, une belle plage et deux petits forts. César Manrique a rénové le **Castillo de San José** (1779). Le musée d'art contemporain qui l'occupe présente une de ses peintures. La **Casa de los Arroyo**, qui contient une remarquable bibliothèque scientifique, est ouverte au public.

⚓ **La Casa de los Arroyo**
Arrecife. 928 80 17 29.
du lun.- ven.
⚓ **Castillo de San José**
Puerto de Naos. 928 81 23 21.
t.l.j. 1er janv., 25 déc.

Costa de Teguise 28

10 km au nord d'Arrecife. Avda Islas Canarias Centro Comercial los Charcos, Local 13, 928 82 72 92.

Cette station balnéaire en grande partie financée par un groupe minier a transformé les terres arides au nord d'Arrecife en une vaste juxtaposition d'immeubles résidentiels, de clubs de vacances et d'hôtels de luxe qui offre un contraste frappant avec la vieille ville de Teguise, ancienne capitale de Lanzarote. Des boulevards bordés de plantes artificielles et de lampadaires traversent un paysage de cendres dénudées pour donner accès à des villas blanches alignées le long de petites plages de sable. Les investisseurs ont ainsi réussi à séduire la clientèle huppée.

finalement **Islote de Hilario**. Vous pourrez vous garer au restaurant panoramique El Diablo. De là, des bus emmènent les visiteurs pour d'enthousiasmantes excursions d'une heure à travers un territoire désolé et lunaire.

De retour à El Diablo, le guide fera la démonstration que le volcan n'est qu'en sommeil. Des fagots poussés dans des crevasses s'enflamment presque immédiatement, tandis que l'eau versée dans des tubes enterrés jaillit dans un nuage de vapeur.

La route entre Yaiza et la côte conduit aux **salinas de Janubio** aménagées dans un ancien cratère volcanique. Non loin se trouvent les sources d'eau bouillante de **Los Hervideros** et, plus au nord, l'étrange lagune d'**El Golfo**.

Puerto del Carmen 26

Las Palmas. 13 700. Avenida de la Playa, 928 51 53 37. Nuestra Señora del Carmen (juil.). www.turismolanzarote.com

Plus de 60 % des touristes de Lanzarote séjournent dans cette vaste station balnéaire où, pendant plusieurs kilomètres, la route côtière traverse un alignement continu de banques, de bureaux de change, de boutiques, de bars, de restaurants, de boîtes de nuit et d'agences de location de voitures. Derrière les arcades la bordant se découvrent d'innombrables villas, immeubles et hôtels blancs. Malgré leur densité, les édifices, aux lignes agréables, ne forment pas un décor

oppressant. Tous jouissent d'un accès aisé à une longue plage de sable doré, la playa Blanca. Le village original se trouve à l'ouest du port.

Pêcheur dans le port d'Arrecife

Arrecife 27

Las Palmas. 42 200. Blas Cabrera Felipe, 928 81 17 62. sam. San Ginés (25 août).

Malgré ses édifices modernes et ses rues animées, le centre administratif et commercial de

Plage aménagée à Puerto del Carmen

Iglesia de San Miguel sur la place principale de Teguise

Teguise ㉙

Las Palmas. 🏚 *11 500.* 🚌 🚺 *Plaza General Franco 1, 928 84 50 72.* 🏛 *dim.* 🎉 *Día del Carmen (16 juil.), Las Nieves (5 août).*

Capitale de Lanzarote jusqu'en 1618, Teguise évoque l'Espagne coloniale avec ses larges rues pavées et ses maisons patriciennes groupées autour de l'**Iglesia de San Miguel**. Le dimanche, des danses folkloriques animent un marché d'artisanat. À la sortie de la ville, le château de Santa Bárbara abrite le **Museo del Emigrante Canario** consacré aux émigrants canariens en Amérique latine.

Aux environs
La route intérieure au sud de Teguise traverse l'étrange région agricole de **La Geria**. Déposées dans des creux protégés du vent, des cendres volcaniques retiennent l'humidité et permettent, entre autres, la culture de la vigne. Le village de **Mozaga**

est le principal centre de production viticole. Non loin s'admire le *Monumento al Campesino*, sculpture moderne par Manrique *(p. 524)* dédiée aux paysans de Lanzarote.

À mi-chemin de Teguise et d'Arrecife, la **Fundación César Manrique** occupe l'ancienne demeure de l'artiste qui incorpore cinq grottes. Elle présente certaines de ses œuvres et sa collection d'art contemporain.

🏛 **Museo del Emigrante Canario**
Montaña de Guanapay.
📞 *686 47 03 76.* 🕐 *t.l.j.* 📷
🏛 **Fundación César Manrique**
Taro de Tahíche.
📞 *928 84 31 38.* 🕐 *t.l.j.* 📷

Haría ㉚

Las Palmas. 🏚 *5 000.* 🚌 🚺 *Plaza de la Constitución 1, 928 83 52 51.* 🏛 *sam.* 🎉 *San Juan (24 juin).*

Palmiers et blanches maisons cubiques donnent un cachet oriental à ce village pittoresque. La route qui en part vers le nord offre des vues superbes sur des falaises et le monte Corona (609 m).

Aux environs
Depuis le **mirador del Río** conçu par Manrique se découvrent les petites îles de la Graciosa, de la Montaña Clara et d'Alegranza. La Graciosa s'atteint en bateau depuis le charmant village de pêcheurs d'**Orzola**. Au sud de celui-ci s'étendent les plantations de figuiers de Barbarie de la Mala. On extrait une teinture écarlate

des cochenilles infestant ces cactées. Non loin, le **Jardín de Cactus**, riche en plantes grasses, possède un élégant restaurant dessiné lui aussi par Manrique.

🎋 **Mirador del Río**
Haría. 📞 *928 17 35 36.* 🕐 *t.l.j.* 📷
🌵 **Jardín de Cactus**
Guatiza. 📞 *928 52 93 97.* 🕐 *t.l.j.* 📷

Piscine aménagée au-dessus des grottes de Jameos del Agua

Jameos del Agua ㉛

Las Palmas. 📞 *928 84 80 20.* 🕐 *t.l.j.* 📷

Dans les grottes formées à Jameos del Agua par l'effondrement de la croûte de lave, César Manrique créa de 1965 à 1968 un complexe comprenant un restaurant, une boîte de nuit, une piscine bordée de palmiers et des jardins. Des marches descendent jusqu'à une nappe peu profonde d'eau de mer où des crabes blancs et aveugles, inconnus ailleurs à Lanzarote, luisent doucement dans la lumière tamisée. Une exposition sur la géologie, la flore et la faune des Canaries mérite également un coup d'œil. Ce cadre original accueille régulièrement des danses folkloriques en soirée.

Aux environs
Des visites guidées permettent de découvrir non loin la **cueva de los Verdes**, grotte tubulaire de 6 km.

🎋 **Cueva de los Verdes**
Haría. 📞 *928 17 32 20.* 🕐 *t.l.j.* 📷

Culture sur cendres volcaniques, La Geria

Îles volcaniques

Son origine volcanique a donné à l'archipel des Canaries des paysages particuliers et très variés : champs de scories, coulées de laves ou immenses volcans aux profonds cratères. Les îles ne présentent pas toutes les mêmes stades d'évolution. Une activité volcanique subsiste à Lanzarote, comme le prouvent les expériences visibles aux montañas de Fuego *(p. 524)*, ainsi qu'à Tenerife, El Hierro et La Palma où eut lieu en 1971 la dernière éruption.

Origine des îles
Les Canaries se trouvent au-dessus de failles de la croûte terrestre, plus fine sous les océans que sous les continents. Quand le magma monte à la surface par ces failles, des volcans se forment.

Océan Atlantique

Îles Canaries

Faille océane

Faille de l'Atlas

Mince croûte océane

Manteau supérieur

Afrique

Manteau continental entre croûte et noyau

Manteau inférieur dense

Épaisse croûte continentale

ÉVOLUTION DES CANARIES

Fissures

Veines latérales

Coulées de lave

Croûte

Manteau

Réservoir magmatique

1 ***Lanzarote, El Hierro et La Palma*** *sont de larges volcans boucliers peu pentus et posés sur le fond de l'océan. Composés de basalte issu d'un magma dense, ils déforment sous leur poids la croûte flexible.*

Caldera

Chambre magmatique

2 ***Une éruption explosive*** *peut vider une chambre magmatique. Sans support, sa voûte s'effondre sous le poids du sommet du volcan et il se forme une dépression, ou caldera, telle celle de Las Cañadas à Tenerife. D'importantes coulées de lave accompagnent ce processus.*

Niveau de la mer

Chambre magmatique exposée

3 ***Si les éruptions cessent***, la mer, le vent et la pluie érodent le volcan. Le plus important de Gran Canaria n'est qu'au premier stade de cette érosion, contrairement à celui de Fuerteventura dont affleurent des chambres magmatiques au contenu solidifié.

Coulée de lave, La Restinga, El Hierro

Cratère du pico Viejo, près du Teide, Tenerife *(p. 514)*

LES BONNES
ADRESSES

HÉBERGEMENT

Châteaux médiévaux transformés en hôtels de luxe et manoirs en auberges de jeunesse témoignent de la diversité des hébergements en Espagne. Le tourisme est un des piliers de l'économie du pays qui compte près de 10 000 établissements, soit 1 million de lits environ. Les suites aménagées dans d'anciens palais royaux et les palaces des plages de la Costa del Sol, des Baléares et des Cana-

Enseigne d'un hôtel cinq étoiles

ries sont les plus somptueux. On peut aussi loger dans des fermes, des villas ou des maisons anciennes à louer. Ceux qui ont un petit budget peuvent résider dans les pensions, dans les *casas rurales* familiales, dans les chambres d'hôtes, campings et refuges. Nous avons sélectionné, dans chaque style et pour tous les prix, certains des meilleurs établissements de toutes catégories *(pages 536 à 571)*.

Hotel de la Reconquista à Oviedo, demeure du XVIIIᵉ siècle *(p. 539)*

LE CLASSEMENT DES HÔTELS ET LE SERVICE

Les hôtels sont classés en plusieurs catégories par les autorités touristiques régionales. Les hôtels (indiqués par un H sur une plaque bleue près de la porte) peuvent avoir de une à cinq étoiles. Les hostals (Hs) et les pensions (P) ont moins de commodités, mais sont moins chers que les hôtels.

L'attribution des étoiles dépend du nombre et de la gamme des installations disponibles (climatisation, ascenseur, etc.), plutôt que de la qualité du service.

La plupart des hôtels ont des restaurants ouverts aux non-résidents. Les hotel-residencias (HR) et les hostal-residencias (HsR) n'ont pas de salle de restaurant, mais certains servent le petit déjeuner. **Grupo Sol-Meliá, Grupo Riu** et **NH** comptent parmi les principales chaînes d'hôtels d'Espagne.

LES PARADORS

Les paradors, classés de trois à cinq étoiles, sont des hôtels gérés par le gouvernement. Le premier ouvrit dans la sierra de Gredos en 1928 *(p. 556)*, mais il en existe maintenant un vaste réseau sur le continent et dans les îles. À proximité les uns des autres, il ne faut jamais plus d'un jour de voiture pour atteindre le plus proche. Les meilleurs sont installés dans d'anciens pavillons de chasse royaux, monastères, châteaux, etc., et les modernes se trouvent souvent dans des sites spectaculaires ou dans des villes historiques *(p. 534-535)*.

Si le parador n'est pas

forcément le meilleur hôtel de la ville, il offre assurément un haut niveau de confort. Les chambres, généralement vastes et confortables, sont meublées d'une façon qui varie peu d'un parador à l'autre.

Si vous comptez voyager en pleine saison ou résider dans de petits paradors, mieux vaut réserver à l'avance par le **Central de Reservas** à Madrid, ou à Paris auprès de **Paradors et Pousadas**.

LES PRIX

Les hôteliers doivent afficher les prix à la réception et dans les chambres. Plus un hôtel a d'étoiles, plus il est cher. Une chambre double pour une nuit peut coûter 20 à 25 euros dans un hostal une étoile, mais plus de 180 euros dans un hôtel cinq étoiles et exceptionnellement plus de 240 euros.

Les tarifs varient selon la chambre, la région ou la saison. Une suite ou une chambre dotée d'une belle vue, d'un balcon ou de tout autre avantage peut coûter plus cher que la moyenne. Les hôtels de banlieue ou de campagne sont en général moins chers que ceux du centre-ville. Les prix indiqués aux pages 536 à 571 sont basés sur les tarifs de demi-saison ou de haute saison.

Le parador de Jaén, extension moderne d'un château médiéval *(p. 565)*

◁ *Madrileños* profitant d'un après-midi ensoleillé à la terrasse d'un café de la Plaza Mayor (juillet et août). Cette dernière va d'avril à octobre dans certaines régions et correspond à l'hiver aux Canaries.

La plupart des hôtels augmentent leurs tarifs durant la semaine de Pâques *(p. 34)*, la féria de Séville *(p. 413)* en avril, Los Sanfermines à Pampelune *(p. 128)* et le carnaval de Santa Cruz de Tenerife *(p. 35)*.

En général, le tarif des chambres et le prix des repas par personne ne comprend pas la TVA (IVA), qui est de 7 % dans presque toute l'Espagne, mais de 5 % aux Canaries.

La coupole de verre du hall du Palace Hotel à Madrid *(p. 553)*

RÉSERVATION ET ARRIVÉE

Hors saison, dans les villages et les petites villes, il n'est pas indispensable de réserver. Si vous comptez voyager à la haute saison ou loger dans un hôtel précis, il vaut mieux réserver, directement ou par une agence de voyages. De même si vous voulez une chambre spéciale : ne donnant pas sur la rue, avec un lit double (les lits jumeaux sont la norme), au rez-de-chaussée, etc.

Les hôtels des stations balnéaires ferment souvent de l'automne au printemps. Vérifiez que votre hôtel est bien ouvert à cette période.

Normalement, on ne verse pas d'acompte à la réservation ; on peut vous en demander un, de 20 à 25 %, pour un séjour en période d'affluence ou de plusieurs nuits. Payez-le par carte de paiement ou chèque postal si vous êtes en Espagne. Sinon, réglez par carte de paiement ou chèque bancaire. Pour annuler votre réservation, faites-le au moins une semaine à l'avance ou vous pourriez perdre tout ou une partie de votre acompte.

Les réservations ne sont valables que jusqu'à 20 heures dans la plupart des hôtels sauf s'ils manquent de clients. En cas de retard, prévenez l'hôtel.

À votre arrivée, présentez votre passeport ou carte d'identité pour être enregistré conformément à la réglementation de la police espagnole. Normalement, vos papiers vous seront remis dès que les informations vous concernant auront été notées.

Vous devez quitter votre chambre le dernier jour à midi ou payer pour une autre nuit.

LE PAIEMENT

Les hôtels acceptant les cartes de paiement sont indiqués aux pages 536 à 571. À votre arrivée, si on vous demande de signer une « facturette » de carte de paiement en blanc, refusez. Cette pratique est frauduleuse.

Certains hôtels acceptent les Eurochèques. Les chèques personnels, même garantis ou tirés sur une banque espagnole, sont refusés. Dans certains hôtels bon marché, le liquide est la seule forme de paiement acceptée.

Le pourboire pour un employé d'hôtel est de 1,5 à 2 euros environ.

La jolie plage de l'hôtel Meliá Salinas à Lanzarote *(p. 571)*

LES CASAS RURALES

Les *casas rurales* sont des maisons à la campagne dont les propriétaires accueillent des visiteurs, en général à la haute saison. On en trouve surtout dans les Asturies, en Navarre, Aragon et Catalogne (où elles sont appelées *cases de pagès*), et aussi en Andalousie, Galice et Cantabrie *(casonas)*.

On trouve toute sorte de *casas rurales*, du manoir à la ferme isolée. Certaines n'offrent que le petit déjeuner, d'autres le dîner ou la pension complète.

Les *casas rurales* ne proposent pas un service ou des équipements de type hôtelier, mais pour un prix modique on trouve parfois un accueil chaleureux et une bonne cuisine.

Vous pouvez réserver directement ou par les associations régionales : **RAAR** (Andalousie) ; **Ruralia** (Asturies) ; **TVR** (Aragon) ; **Turisverd** (Catalogne).

El Nacimiento à Turre, ravissante *casa rural* andalouse *(p. 567)*

LES LOCATIONS

Villas et appartements loués à la semaine sont légion le long des côtes espagnoles. À la campagne, dans de belles régions, vous trouverez maintes *casas rurales* (fermes et maisons de village) à louer à la journée. Pour plus de détails sur les *casas rurales*, contactez leurs organisations régionales (p. 531).

Pour louer une villa ou un appartement, on peut s'adresser aux agents de voyages, agents immobiliers locaux ou aux propriétaires. Ceux-ci mettent des annonces dans les journaux français. Des tours-opérateurs comme **Havas** ou **Lagrange** proposent locations, appartements hôtels et villages de vacances.

Le prix de ces logements varie selon leur type, leur emplacement et la saison. Une villa pour quatre avec piscine peut coûter moins de 240 euros par semaine si elle est située dans les terres, 960 ou plus si elle est sur la côte.

L'appartement hôtel, appelé *villa turística* en Andalousie, est un nouveau type de logement. Mi-hôtel, mi-appartement de vacances, il permet de préparer ses repas (les chambres ont une cuisine) ou d'aller au restaurant de l'hôtel. De même pour les villages de vacances qui, eux, correspondent souvent à des centres d'intérêt spécifiques. Ainsi celui d'Ainsa, dans les montagnes aragonaises (p. 547) où sont pratiqués divers sports, offre-t-il plusieurs possibilités : camping, hôtel, restaurants et bars.

Villas de vacances typiques à Puerto del Carmen, île de Lanzarote, Canaries

AUBERGES DE JEUNESSE ET REFUGES DE MONTAGNE

Pour loger dans les *albergues juveniles* (auberges de jeunesse), il faut une carte de la FUAJ (Fédération Unie des Auberges de Jeunesse) de votre pays ou une carte internationale en vente dans les auberges. Elles coûtent moins cher que les hôtels et accueillent des clients de tous les âges. Vous pouvez réserver directement ou par le **Red Española de Albergues Juveniles** (Réseau Espagnol des Auberges de Jeunesse).

Les passionnés de montagne peuvent dormir dans les *refugios* (refuges). Ils sont chauffés, proposent des dortoirs et des installations pour cuisiner. Cela va de la cabane avec quelques lits superposés au chalet de 50 lits.

Les *refugios* sont indiqués sur les cartes à grande échelle des zones montagneuses et des parcs nationaux. Ils sont gérés par les associations régionales d'alpinisme. **La Federación**

Española de Deportes de Montaña y Escalada (FEDME) et les offices de tourisme locaux vous donneront leur adresse.

Le reposant monastère de La Oliva, en Navarre *(p. 126)*

MONASTÈRES ET COUVENTS

Qui aime la paix et l'austérité peut loger dans une des 150 institutions religieuses accueillant des hôtes. La plupart appartiennent aux ordres bénédictin et cistercien. Elles sont bon marché, mais ce ne sont pas des hôtels (réservez par écrit ou par téléphone). Quelques-unes sont dotées de téléphones privés et de la télévision. On peut vous demander de nettoyer votre chambre, d'observer les horaires stricts des repas et de participer à la vaisselle. Certains couvents n'acceptent que des femmes, certains monastères que des hommes.

Auberge de jeunesse en bordure de la réserve naturelle de Cazorla, Jaén

LE CAMPING

L'Espagne compte plus de 600 campings, pour la plupart sur les côtes. Certains sont situés près des grandes villes, d'autres à la campagne dans les lieux les plus fréquentés. La plupart ont l'électricité et l'eau courante. Certains possèdent laveries, terrains de jeux, restaurants, boutiques, piscine, etc.

La carte camping internationale, en vente à la **Fédération Française de Camping Caravaning (F.F.C.C.)**, sert à s'inscrire dans les campings. Elle vient en complément de la carte d'adhérent à la F.F.C.C. qui vous apporte les garanties d'assurance.

Chaque année, Turespaña publie le guide *Guía Oficial de Campings*. Pour plus de détails ou pour réserver, contactez la **Federación Española de Empresarios de Campings y Ciudades de Vacaciones**

Camping

(Fédération Espagnole des Campings et des Camps de Vacances). En Espagne, le camping n'est permis que dans les campings officiels.

PERSONNES HANDICAPÉES

L es hôteliers vous renseigneront sur l'accès des personnes en fauteuil roulant et le personnel leur viendra volontiers en aide. Les hôtels sont rarement bien équipés, contrairement aux auberges de jeunesse. **Servi-COCEMFE** (Confederación Coordinadora Estatal de Minusválidos Fisicos de España) gère un hôtel à Madrid pour les groupes d'handicapés. Servi-COCEMFE et Viajes 2000 *(p. 613)* vous conseillent sur les hôtels pour les handicapés ayant des besoins spécifiques. **IHD France** (International Help for the Disabled France) se charge des problèmes d'hébergement et de transport.

Vue du refuge Cabina Verónica, dans les Pics d'Europe

POUR PLUS D'INFORMATIONS

L e guide *Guía oficial de hoteles*, publié chaque année par Turespaña, présente tous les hostals, hôtels et pensions du pays et indique leurs étoiles et leurs prix.

Il se vend dans les librairies et les kiosques d'Espagne et peut être consulté dans les offices espagnols du tourisme. Ceux-ci disposent aussi de listes régionales d'hébergements fournies par chaque *comunidad autónoma*.

CARNET D'ADRESSES

CHAÎNES HÔTELIÈRES

Grupo Riu
📞 971 49 08 21.
FAX 971 74 38 98.
W www.riuhotels.com

Grupo Sol-Meliá
📞 902 14 44 44.
FAX 915 79 13 92.
W www.solmelia.com

NH - Hoteles
📞 914 51 97 18.
FAX 914 42 44 02.
W www.nh-hoteles.es

PARADORS

Central de Reservas
Calle Requena 3, 28013 Madrid.
📞 915 16 66 66.
FAX 915 16 66 57.
W www.parador.es

Paradors d'Espagne Marsans Intern.
10, rue du Fbg Montmartre, 75009 Paris.
📞 01 53 34 40 00.
FAX 01 53 34 40 10.

LOCATIONS ET SÉJOURS CHEZ L'HABITANT

Associacion Gallega de Turismo Rural
Recinto Ferial, Apdo 26, Silleda 36540 Pontevedra.
📞 986 58 00 50.
FAX 986 58 01 62.

RAAR
Apartado de Correos 2035, 04080 Almeria.
📞 950 26 50 18.
FAX 950 27 04 31.
W www.raar.es

Ruralia
C/Marques de Canillejas 12, Bajo, 33500 Llanes (Asturias).
📞 902 10 70 70.
FAX 985 40 25 41.
W www.raar.es

Turisverd
Plaça Sant Josep Oriol 4, 08002 Barcelona.
📞 934 12 69 84.
FAX 934 12 50 16.

TVR
C/Miguel Servet 12, 22002

Huesca.
📞 902 29 41 41.
FAX 974 242061.

AUBERGES DE JEUNESSE

Red Española de Albergues Juveniles
Calle Barquillo 15A, 1° G, 28004 Madrid. 📞 915 22 70 07. FAX 915 22 80 67.

REFUGES

FEDME
C/ Floridablanca 84, 08015 Barcelona.
📞 934 26 42 67.
W www.fedme.es.

CAMPING

Fédération Française de Camping Caravaning
78, rue de Rivoli, 75004 Paris.
📞 01 42 72 84 08.
FAX 01 42 72 70 21.
Federación de

Empresarios de Campings
C/ San Bernardo 97-99, 28015 Madrid.
📞 914 48 12 34.
W www.vayacamping.net

PERSONNES HANDICAPÉES

IHD France
BP 62, 83480 Puget-sur-Argens.
📞 04 94 81 61 51.
FAX 04 94 81 61 43.

Servi-COCEMFE
C/ Luis Cabrera 63, 28002 Madrid
📞 917 44 36 00.
FAX 914 13 19 96.

POUR PLUS D'INFORMATIONS

Office du tourisme espagnol
43, rue Decamps, 75784 Paris Cedex 16.
📞 01 45 03 82 50.
FAX 01 45 03 82 51.

Le meilleur de l'Espagne : les paradors

L e mot parador désigne en ancien espagnol un logement pour voyageurs respectables. À la fin des années 1920 fut créé un réseau national d'hôtels gérés par l'État ou paradors. Ces quelque 90 établissements sont souvent d'anciens châteaux, palais ou monastères. Certains ont été bâtis récemment dans des sites touristiques. Bien indiqués, les paradors ont des prix équivalents à ceux des autres hôtels de luxe. Tous offrent un confort et un service excellents et sont dotés de restaurants servant des plats régionaux.

L'Hotel de los Reyes Católicos est peut-être un des plus vieux au monde. Cet ancien hôpital fondé en 1499 (p. 537) est un des plus beaux édifices de Compostelle (p. 86).

Hotel de los Reyes Católicos

Le parador de León est situé dans l'Hostal San Marcos, un des plus beaux édifices Renaissance d'Espagne (p. 21). Sa salle principale offre un beau plafond (p. 556).

Parador de León

Le parador de **Guadalupe**, hospice bâti au XVIᵉ siècle pour les pèlerins, est proche d'un célèbre monastère d'Estrémadure *(p. 560).*

Parador de Guadalupe

Le parador de Arcos de la Frontera est dans un pueblo blanco *(village blanc) typique. Sa grande terrasse en demi-cercle donne sur le château maure, le río Guadalete et un paysage agricole vallonné (p. 563).*

Parador de Granada

Parador de Arcos de la Frontera

Le parador de Granada est situé dans un couvent du XVᵉ siècle bâti dans les jardins de l'Alhambra sur ordre des Rois Catholiques. De vieux meubles espagnols ornent ses salles et ses chambres. Son patio est en fait une vieille chapelle sans toit. Réservez à l'avance (p. 565).

Le parador de Sigüenza, imposant château sur une colline, est bâti autour d'une grande cour. Forteresse wisigothe puis maure, il est relié à la vieille ville en contrebas par une rue pavée et pentue (p. 559).

Le parador de Viella, situé dans la spectaculaire Vall d'Arán, est entouré de sommets élevés. Les activités de plein air sont variées : ski, chasse et pêche (p. 547).

Parador de Viella

Parador de Sigüenza

Parador de Alcañiz

Le parador d'Alcañiz est situé dans un château-monastère bâti au XIIe siècle par les chevaliers de Calatrava. Malgré sa taille, il n'a que 12 chambres. Le cloître est désormais un jardin paisible (p. 548).

Parador de Cuenca

| 0 | 200 km |

Le parador de Cuenca, dans l'ancien couvent de San Pablo (XVIe siècle), offre une vue superbe sur la vieille ville (p. 558).

Le parador de Cañadas del Teide, récemment rénové, est situé dans le parc national du mont Teide (p. 514-515) à Tenerife. De ses terrasses, on admire le paysage volcanique (p. 571).

LES ÎLES CANARIES

Choisir un hôtel

Les établissements présentés ici ont été choisis dans un vaste éventail de prix pour la qualité de leurs prestations ou leur emplacement. Beaucoup possèdent un bon restaurant. Les hôtels sont présentés par région, en commençant par le Nord ; à chaque page un repère de couleur indique les régions concernées. Pour les restaurants, voir les pages 578 à 609.

	CARTES BANCAIRES	NOMBRE DE CHAMBRES	PARC DE STATIONNEMENT	PISCINE	JARDIN OU TERRASSE
GALICE					
ALFOZ : *Pazo Galea.* €€ Castro de Ouro, 27776 (Lugo). **(** 982 55 83 23. FAX 982 55 83 23. *Pazo* (manoir galicien) du XIXᵉ siècle doté d'un beau jardin et de chambres simples et modernes. Les propriétaires font fonctionner un vieux fouloir et un moulin pour la plus grande joie des visiteurs. 🔲 TV	MC V	5	▓		▓
BAIONA : *Pazo de Mendoza.* W www.pazomendoza.es €€€€ Eduayen 1, 36300. **(** 986 38 50 14. FAX 986 38 59 88. Cette maison du XVIIIᵉ siècle est située en bord de mer, au centre de Baiona, près de la plage et des boutiques. 🔲 TV	AE DC MC V	11			
BAIONA : *Parador de Baiona.* W www.parador.es €€€€€ Carretera de Baiona, 36300 (Pontevedra). **(** 986 35 50 00. FAX 986 35 50 76. Ce parador, bâti dans le style d'un vieux manoir ou *pazo*, se trouve à l'intérieur du château de Monte Real. 🔲 TV ▤ ♿ 🔟	AE DC MC V	122	▓	●	▓
BRIÓN : *Hotel Casa Rosalía.* W www.hotelcasarosalia.com €€ Calle Soigrexia, Los Ángeles, 15280 (A Coruña). **(** 981 88 75 80. FAX 981 88 75 57. Près de la côte et de Saint-Jacques-de-Compostelle, dans une maison de campagne en pierre entourant un cloître, cet hôtel propose des chambres simples. Restaurant dans l'hôtel. 🔲 TV 🔟	DC MC V	30		●	▓
CAMBADOS : *Parador de Cambados.* W www.parador.es €€€€€ Paseo de Cervantes, 36630 (Pontevedra). **(** 986 54 22 50. FAX 986 54 20 68. Sur un estuaire des Rías Baixas, ce parador occupe un beau *pazo*. Les boissons sont servies dans la grande cour centrale fleurie. Spécialités galiciennes et vins locaux au restaurant. 🔲 TV ♿ 🔟	AE DC MC V	58	▓		▓
CERVO : *Pousada O'Almacén.* €€ Carretera de Sargadelos 2, 27891 (Lugo). **(** 982 55 78 36. FAX 982 55 78 94. Ce bâtiment du XVIIIᵉ siècle était jadis un magasin d'alimentation pour les hameaux voisins. Les meilleures chambres donnent sur le río Xunco. 🔲 TV	AE DC MC V	7	▓		▓
CORNIDE : *Casa Grande de Cornide.* W www.casagrandedecornide.com €€€ Calo, Teo, 15886 (A Coruña). **(** 981 80 55 99. FAX 981 80 57 51. Petite maison rénovée et accueillante près de Saint-Jacques-de-Compostelle. Dotée d'une bibliothèque et d'un jardin avec deux *hórreos* (greniers sur pilotis) traditionnels et un colombier du XVIIIᵉ siècle. 🔲 TV	AE DC MC V	10		●	▓
A CORUÑA : *Ciudad de La Coruña.* W www.hotel-ciudaddelacoruna.com €€€€ Paseo de Adormideras, 15002. **(** 981 21 21 00. FAX 981 22 46 10. Près d'une plage, cet hôtel, donnant sur la baie de La Corogne, possède de grandes chambres modernes et des installations sportives et thermales. 🔲 TV ▤ 🔟	AE DC MC V	131	▓	●	▓
A ESTRADA : *Fonteclara.* @ fonteclara@ferrol.net €€ C/ Sta Marina de Ribeira 6, 36685 (Pontevedra). **(** 986 57 32 09. FAX 981 36 49 99. Cette vieille maison de campagne galicienne qui fait chambre d'hôtes a beaucoup de caractère. Elle est située au calme dans la vallée du Río Ulloa. Agréable salon avec une cheminée. ● 15 janv.-15 fév. 🔲	V	8			
A ESTRADA : *Hospederia A Nugalla.* €€€ Pousada Curantes, A Estrada, 36686. **(** 986 59 16 00. FAX 986 58 84 09. Cet hôtel calme situé dans une maison de campagne en pierre du XVIᵉ siècle possède de grandes chambres avec une belle vue. L'emplacement idéal pour faire des marches dans la campagne environnante. 🔲 ♿	AE DC MC V	9		●	▓
FERROL : *Parador de Ferrol.* W www.parador.es €€€€ C/ Almirante Fernández Martín, 15401 (A Coruña). **(** 981 35 67 20. FAX 981 35 67 21. Ce vaste parador du centre-ville, entouré de jardins, est orné de souvenirs du passé maritime de Ferrol. Les fenêtres de ses chambres offrent une large vue sur le port. 🔲 TV ▤ ♿ 🔟	AE DC MC V	36			▓

Les prix correspondent à une nuit en chambre double, service et petit déjeuner compris.

€ moins de 50 euros
€€ de 50 à 75 euros
€€€ de 75 à 100 euros
€€€€ de 100 à 125 euros
€€€€€ plus de 125 euros

CARTES BANCAIRES
Un symbole indique que les cartes American Express (AE), Diner's Club (DC), Master Card/Access (MC), Visa (V) sont acceptées.

PARCS DE STATIONNEMENT
Possibilité de garer son véhicule, soit au parking de l'établissement, soit dans un garage à proximité. Certains hôtels font payer l'utilisation de leur parking privé.

PISCINE
Piscine à ciel ouvert sauf indication contraire.

JARDIN
Hôtel disposant d'un jardin, d'une cour intérieure ou d'une terrasse, avec des tables permettant de prendre les repas à l'extérieur.

	CARTES BANCAIRES	NOMBRE DE CHAMBRES	PARC DE STATIONNEMENT	PISCINE	JARDIN OU TERRASSE
A GUARDA : *Convento de San Benito.* €€€ Plaza de San Benito, 36780 (Pontevedra). 986 61 11 66. FAX 986 61 15 17. Dans cet ancien couvent du XVIe siècle, les cellules des religieuses, transformées en chambres, entourent un petit cloître agrémenté d'un palmier et d'une fontaine de pierre.	AE DC MC V	24			■
NEDA : *Pazo da Merced.* @ reservas@pazodamerced.com €€€€€ Pazo da Merced, 15510 (A Coruña). 981 38 29 00. FAX 981 38 01 04. Au bout de la ría de Ferrol, ce manoir de pierre restauré du XVIIe siècle possède sa propre chapelle. ● mi-déc. à mi-janv.	AE DC MC V	8	●	●	■
POBRA DE TRIVES : *Casa Grande de Trives.* W www.casagrandetrives.com €€ Calle Marqués de Trives 17, 32780 (Ourense). et FAX 988 33 20 66. *Pousada* (petit hôtel) dans un manoir du XVIIIe siècle, avec des armoiries sur sa tour centrale. Antiquités et toiles anciennes ornent l'intérieur confortable. La chapelle est dotée d'un beau reredos.	MC V	9	●		■
PONTEVEDRA : *Parador de Pontevedra.* W www.parador.es €€€€€ Calle Barón 19, 36002. 986 85 58 00. FAX 986 85 21 95. Dans un manoir de la vieille ville, ce parador est décoré d'antiquités, miroirs dorés, lustres et tapisseries.	AE DC MC V	47	●		■
SAINT-JACQUES-DE-COMPOSTELLE : *Hesperia Compostella.* €€€€€ C/ Horreo 1, 15702 (A Coruña). 981 58 57 00. FAX 981 58 52 90. Cet hôtel proche de la cathédrale était jadis une école pour franciscains. Il a été récemment rénové. Restaurant dans l'hôtel.	AE DC MC V	99			
SAINT-JACQUES-DE-COMPOSTELLE : *Parador Reyes Católicos.* €€€€€ Praza do Obradoiro 1, 15705 (A Coruña). 981 58 22 00. W www.parador.es. Bâti sous les Rois Catholiques pour les pèlerins pauvres, ce parador du XVIe siècle est un des plus somptueux hôtels du monde *(p. 86)*. Ses quatre patios à arcades sont agrémentés de fontaines. ● nov.	AE DC MC V	137			■
O SAVIÑAO : *Torre de Vilariño.* W www.torrevilarino.com €€ Calle Fión 47, 27548 (Lugo). et FAX 982 45 22 60. Ancienne auberge du XVIIe siècle, offrant le lit et le petit déjeuner principalement aux touristes suivant la « route de l'art roman ». Les propriétaires accompagnent les plats de leur propre vin.	DC V	9	●	●	■
SISÁN-CAMBADOS : *Pazo Carrasqueira.* @ p.carrasqueira@eresmas.net €€ Calle Carrasqueira, 36638 (Pontevedra). et FAX 986 71 00 32. Pension de famille dans une demeure de campagne. Bel escalier de granite sculpté et chambres douillettes au dernier étage. Poissons, fruits de mer et Albariño (vin produit sur place). ● 24 déc.-2 jan.	AE DC MC V	9	●		■
A TOXA : *Gran Hotel de La Toja.* W www.hoteles-hesperia.es €€€€€ Isla la Toja, 36991 (Pontevedra). 986 73 00 25. FAX 986 73 00 26. Sur une île plantée de palmiers et de pins, cette demeure de la fin du XIXe siècle est reliée à la terre ferme par un pont de fer. L'hôtel possède une salle de bal et des équipements sportifs.	AE DC MC V	197	●	●	■
TUI : *Parador de Tui.* W www.parador.es €€€€€ Avenida de Portugal, 36700 (Pontevedra). 986 60 03 09. FAX 986 60 21 63. Les salons et les chambres de ce parador donnent sur la ville et le río Miño qui marque la frontière avec le Portugal. Plats locaux comprenant des anguilles et des huîtres.	AE DC MC V	32	●	●	■
VERÍN : *Parador de Verín.* W www.parador.es €€€€ Monterrei, 32600 (Ourense). 988 41 00 75. FAX 988 41 20 17. Au sommet d'une colline, ce parador, entouré d'arbres et de pelouses, domine une vallée et, au-delà, le château médiéval de Monterrei. Les vins de la vallée sont servis au restaurant. ● mi-déc.-fin jan.	AE DC MC V	23	●	●	■

Légende des symboles, voir rabat de couverture

Les prix correspondent à une nuit en chambre double, service et petit déjeuner compris.

€ moins de 50 euros
€€ de 50 à 75 euros
€€€ de 75 à 100 euros
€€€€ de 100 à 125 euros
€€€€€ plus de 125 euros

CARTES BANCAIRES
Un symbole indique que les cartes American Express (AE), Diner's Club (DC), Master Card/Access (MC), Visa (V) sont acceptées.

PARCS DE STATIONNEMENT
Possibilité de garer son véhicule, soit au parking de l'établissement, soit dans un garage à proximité. Certains hôtels font payer l'utilisation de leur parking privé.

PISCINE
Piscine à ciel ouvert sauf indication contraire.

JARDIN
Hôtel disposant d'un jardin, d'une cour intérieure ou d'une terrasse, avec des tables permettant de prendre les repas à l'extérieur.

	CARTES BANCAIRES	NOMBRE DE CHAMBRES	PARC DE STATIONNEMENT	PISCINE	JARDIN OU TERRASSE
VILAGARCÍA DE AROUSA : *Pazo O'Rial.* w www.pazorial.com €€€€ Calle El Rial 1, 36600 (Pontevedra). 986 50 70 11. FAX 986 50 16 76. Sols carrelés, murs de pierre font le charme de ce vieux manoir. Coussins et belles étoffes. Ambiance confortable. ● mi-déc.-mi-jan. TV ❚❙	AE DC MC V	60	▪	●	▪
VILLALBA : *Parador de Villalba.* w www.parador.es €€€€€ Valeriano Valdesuso, 27800 (Lugo). 982 51 00 11. FAX 982 51 00 90. Petit parador dans une tour médiévale octogonale, aux murs épais et aux fenêtres étroites. Réserver à l'avance. TV ♿ ❚❙	AE DC MC V	48	▪		
VILLALONGA : *Pazo El Revel.* w www.ocahotels.com €€€€ Camino de la Iglesia 15, 36990 (Pontevedra). 986 74 30 00. FAX 986 74 33 90. Manoir du xviie siècle à la façade couverte de plantes grimpantes. Jardins à la française et terrasse à colonnes. ● nov.-jan. TV	V	22	▪	●	▪

ASTURIES ET CANTABRIE

	CARTES BANCAIRES	NOMBRE DE CHAMBRES	PARC DE STATIONNEMENT	PISCINE	JARDIN OU TERRASSE
CANGAS DE ONÍS : *Aultre Naray.* w www.aultrenaray.com €€€€ Peruyes, 33547 (Asturias). 98 584 08 08. FAX 98 584 08 48. Cette maison de campagne, offrant une vue sur les montagnes, dans un coin méconnu du Nord, propose des chambres toutes différentes. TV	AE DC MC V	10	▪		▪
CASTROPOL : *Palacete Peñalba.* w www.palacetepenalba.com €€€ C/ El Cotarelo, Figueras, 33794 (Asturias). 98 563 61 25. FAX 98 563 62 47. Dans une demeure Art nouveau bâti en 1912 par un compagnon de Gaudí, cet hôtel est doté de balcons ovales et d'escaliers incurvés. TV	MC V	12	▪		
COLOMBRES : *La Casona de Villanueva.* @ casonavillanueva@hotmail.com €€€ Villanueva, Ribadedeva, 33590 (Asturias). 98 541 25 90. FAX 98 541 25 14. Dans cette maison villageoise du xviiie siècle, restaurée dans le style traditionnel, règne une atmosphère paisible. ● janv. et fév.	MC V	8			▪
COMILLAS : *Casal del Castro.* @ hccastro@infoenfoco.com €€€ Calle San Jerónimo, 39520 (Cantabria). 942 72 00 36. FAX 942 72 00 61. Cette grande maison du xviie siècle est meublée d'antiquités. En bordure de la ville, elle est proche de très belles plages. TV	MC V	42	▪		▪
COSGAYA : *Hotel del Oso.* w www.hoteldeloso.com €€€ Ctra Potes–Fuente Dé, 39539 (Cantabria). 942 73 30 18. FAX 942 73 30 36. Situé dans la partie des Pics d'Europe, cet hôtel confortable, entouré de montagnes, est très prisé des touristes étrangers. ● 7 janv.-mi-fév. TV ❚❙	DC MC V	51	▪	●	▪
ESCALANTE : *San Román de Escalante.* w www.sanromandeuscalante.com €€€€€ Km2 Ctra Escalante–Castillo, 39795 (Cantabria). 942 67 77 45. FAX 942 67 76 43. Dans une maison du xviiie siècle, cet hôtel joliment décoré donne sur les arbres et les prairies. Non loin se dresse une chapelle romane. ▤ TV ♿	AE DC MC V	16	▪		▪
FUENTE DÉ : *Parador de Fuente Dé.* w www.parador.es €€€€€ Fuente Dé, 39588 (Cantabria). 942 73 66 51. FAX 942 73 66 54. Ce parador moderne au pied du funiculaire des Pics d'Europe propose des chambres agréables et de longues galeries. Point de départ idéal pour la pêche et les randonnées en montagne. TV ♿ ▤	AE DC MC V	78	▪		▪
GIJÓN : *La Casona de Jovellanos.* w www.lacasonadejovellanos.com €€€ Plazuela de Jovellanos 1, 33201 (Asturias). 98 534 20 24. FAX 98 535 61 51. Ce petit hôtel, dans un bâtiment du xviiie siècle, domine une placette de la vieille ville, proche de la plage San Lorenzo. TV ❚❙	MC V	13			
GIJÓN : *Parador Molino Viejo.* w www.parador.es €€€€€ Parque de Isabel la Católica, 33203 (Asturias). 98 537 05 11. FAX 98 537 02 33. Au cœur d'un des plus jolis parcs d'Espagne, ce parador est établi dans un ancien moulin à vent d'un genre courant à Gijón du xve au xviiie siècle. Le vieux cours d'eau, préservé, coule toujours dans le domaine. ▤ TV ♿	AE DC MC V	40	▪		▪

LIÉRGANES : *Posada del Sauce.* W www.grupocastelar.com €
C/ José Antonio, 39722 (Cantabria). 942 52 80 23. FAX 942 52 81 17.
Dans un beau village, cette imposante maison montagnarde du XIXᵉ siècle
offre une piscine couverte, mais ses chambres sont plutôt petites. ● déc.-mars
🛏 ▤ TV ▯

AE DC MC V	50	●	▨

LLANES : *Gran Hotel Paraíso.* W www.llanesnet.com/hotelparaiso €€€
Calle Pidal 2, 33500 (Asturias). 98 540 19 71. FAX 98 540 25 90.
Ses sols en marbre blanc, ses antiquités et son piano à queue donnent à cet
hôtel un air kitsch. Réserver un parking à l'avance car l'hôtel donne sur
une des rues les plus animées de la ville. ● nov.-Pâques 🛏 TV

AE DC MC V	18	▨

LLANES : *La Posada de Babel.* W www.laposadadebabel.com €€€€
La Pereda, 33509 (Asturias). 98 540 25 25. FAX 98 540 26 22.
En partie moderne, ce petit hôtel, tenu en famille, au pied des grandioses
Pics d'Europe, a gardé de grandes cheminées traditionnelles. Une des chambres
est un ancien *hórreo* (grenier sur pilotis). ● 1ᵉʳ nov.-1ᵉʳ mars 🛏 TV ▯

AE DC MC V	12	▨	▨

OVIEDO : *Hotel de la Reconquista.* W www.hoteldelareconquista.com €€€€€
Calle Gil de Jaz 16, 33004 (Asturias). 98 524 11 00. FAX 98 524 11 66.
D'imposantes armoiries en pierre dominent l'entrée principale de ce bâtiment
du XVIIIᵉ siècle. Ses pièces communes s'ordonnent autour de plusieurs cours
dotées d'arcades et de balcons. 🛏 ▤ TV ♿ ▯

AE DC MC V	142	▨

PECHÓN : *Don Pablo.* W www.donpablohotel.com €€
El Cruce, 39594 (Cantabria). 942 71 95 00. FAX 942 71 95 23.
Trois maisons réunies donnent un air de demeure ancestrale à cet hôtel proche
de la mer. Les chambres sont confortables et l'accueil chaleureux. Les deux
chambres sous les combles sont très appréciées. 🛏 TV ♿

MC V	30	▨

POTES : *El Jisu.* €€
Ctra Potes–Camaleño, 39587 (Cantabria). 942 73 30 38. FAX 942 73 03 15.
Cet hôtel, dans un chalet de la vallée de la Liébana, donne sur les Pics
d'Europe. Les salons confortables sont ornés d'antiquités. 🛏 TV ▯

MC V	9	▨

PRAVIA : *Casa del Busto.* W www.hotelbusto.com €€€
Plaza del Rey Don Silo 1, 33120 (Asturias). 98 582 27 71. FAX 98 582 27 72.
Dans une maison du XVIᵉ siècle, au mobilier ancien, cet hôtel est situé près
de la mer dans une belle ville. Les chambres donnent sur une cour centrale
où l'on peut prendre ses repas. 🛏 TV ▯

AE DC MC V	26	▨

QUIJAS : *Hostería de Quijas.* W www.hosteriadequijas.com €€€
Calle Barrio Vinueva, 39590 (Cantabria). 942 82 08 33. FAX 942 83 80 50.
Près de Torrelavega, sur la route entre Santander et Oviedo, cette demeure en
pierre du XVIIIᵉ siècle possède un large avant-toit, des fenêtres en saillie,
des poutres apparentes et un beau jardin. 🛏 TV ▯

AE DC MC V	19	●	▨

QUIJAS : *Posada de la Torre de Quijas.* W www.casonatorredequijas.com €€€
Calle Barrio Vinueva 76, 39590 (Cantabria). 942 82 06 45. FAX 942 83 82 55.
Cet hôtel, situé dans une maison de pierre du XIXᵉ siècle, est doté de fenêtres
de bois en saillie. Décoré d'outils de ferme, il a un charme rustique.
Il se trouve sur la route principale. ● mi-déc.-mi-jan. 🛏 TV ♿

AE DC MC V	20	

RIBADEDEVA : *Mirador de la Franca.* W www.hotelmirador.com €€€
Playa de la Franca, 33590 (Asturias). 98 541 21 45. FAX 98 541 21 53.
Vues superbes depuis le salon et le restaurant de cet hôtel situé dans une anse
rocheuse, derrière le plage La Franca. Vous pouvez pratiquer les sports nautiques
et la pêche sous-marine en toute sécurité dans la baie. ● 17 oct.-18 mars 🛏 TV ▯

AE DC MC V	81	▨

RIBADESELLA : *Gran Hotel del Sella.* W www.granhoteldelsella.com €€€€€
Calle Ricardo Cangas 17, 33560 (Asturias). 98 586 01 50. FAX 98 585 74 49.
Ancien palais d'été du marquis d'Argüelles, cet hôtel tenu par une famille a été
doté d'une aile nouvelle. Il est situé hors de la ville, sur la plage. Piscine,
courts de tennis et vastes jardins. ● oct.-avr. 🛏 TV ♿ ▯

AE DC MC V	81	●	▨

SALAS : *Castillo de Valdés-Salas.* W www.castillodevaldessalas.com €€€
Plaza de la Campa, 33860 (Asturias). 98 583 01 73. FAX 98 583 01 83.
Ce château restauré du XVIᵉ siècle transformé en petit hôtel a gardé tout son
charme d'origine. L'office de tourisme se trouve à l'accueil de l'hôtel. 🛏 TV ▯

AE DC MC V	12	▨

SANTANDER : *Las Brisas.* W www.brisas.spain.com €€€€
La Braia 14, El Sardinero 39005 (Cantabria). 942 27 50 11. FAX 942 28 11 73.
Hôtel simple dans une villa du XIXᵉ siècle près de la plage de Sardinero.
Le petit déjeuner peut être pris en terrasse avec vue sur la mer. ● déc.-fév. 🛏 TV

AE DC MC V	13	▨

Légende des symboles, voir rabat de couverture

Les prix correspondent à une nuit en chambre double, service et petit déjeuner compris.

€ moins de 50 euros
€€ de 50 à 75 euros
€€€ de 75 à 100 euros
€€€€ de 100 à 125 euros
€€€€€ plus de 125 euros

CARTES BANCAIRES
Un symbole indique que les cartes American Express (AE), Diner's Club (DC), Master Card/Access (MC), Visa (V) sont acceptées.
PARCS DE STATIONNEMENT
Possibilité de garer son véhicule, soit au parking de l'établissement, soit dans un garage à proximité. Certains hôtels font payer l'utilisation de leur parking privé.
PISCINE
Piscine à ciel ouvert sauf indication contraire.
JARDIN
Hôtel disposant d'un jardin, d'une cour intérieure ou d'une terrasse, avec des tables permettant de prendre les repas à l'extérieur.

	CARTES BANCAIRES	NOMBRE DE CHAMBRES	PARC DE STATIONNEMENT	PISCINE	JARDIN OU TERRASSE
SANTANDER : *Hotel Real.* W www.hotelreal.es €€€€€ Paseo Pérez Galdós 28, 39005 (Cantabria). 942 27 25 50. FAX 942 27 45 73. Ce bel hôtel, sur la plus haute colline de la ville, fut bâti à la fin du XIXᵉ siècle pour les nobles qui accompagnaient la famille royale en vacances. Ses balcons donnent sur la baie.	AE DC MC V	123	■		■
SANTILLANA DEL MAR : *Posada de Santa Juliana.* €€ Calle Carrera 19, 39330 (Cantabria). 942 84 01 06. FAX 942 84 01 70. Cette petite pension de famille, au-dessus d'un magasin de souvenirs, ne paye pas de mine, mais ses chambres sous les combles sont adorables. Vous pouvez manger dans un bar de l'autre côté de la rue.	AE DC MC V	6			
SANTILLANA DEL MAR : *Altamira.* W www.hotelaltamira.com €€€€ Calle Cantón 1, 39330 (Cantabria). 942 81 80 25. FAX 942 84 01 36. Cet hôtel du centre-ville occupe un palais restauré du XVIᵉ siècle. Un escalier ancien en bois mène aux chambres dotées de poutres apparentes.	AE DC MC V	32			■
SANTILLANA DEL MAR : *Parador Gil Blas.* W www.parador.es €€€€ Plaza Ramón Pelayo 11, 39330 (Cantabria). 942 02 80 28. FAX 942 81 83 91. Cette demeure commencée au XVᵉ siècle possède un joli patio. Ses murs nus et ses sols carrelés contribuent à l'atmosphère médiévale.	AE DC MC V	28	■		■
SAN VICENTE DE TORANZO : *Posada del Pas.* W www.hotelposadadelpas.es €€€ Ctra N623 Burgos–Santander, 39699 (Cantabria). 942 59 44 11. FAX 942 59 43 86. Hôtel très apprécié dans une maison montagnarde en pierre du XVIIIᵉ siècle, dans une vallée verdoyante sur la route entre Santander et Burgos. ● nov.-fév.	AE DC MC V	32	■	●	■
SOLARES : *Hostería Palacio los Marqueses de Valbuena.* €€€ Calle General Mola 6, 39710 (Cantabria). 942 52 28 66. FAX 942 52 21 76. Ce monastère médiéval, à l'imposante façade, possède une chapelle. Ses salles sont spacieuses et ses chambres confortables.	AE DC MC V	27	■		■
TARAMUNDI : *La Rectoral.* W www.larectoral.com €€€€€ Taramundi, 33775 (Asturias). 98 564 67 67. FAX 98 564 67 77. Cet ancien presbytère, en pleine campagne, fut transformé en un hôtel calme et plein de charme. Ses chambres donnent sur les montagnes.	AE DC MC V	18	■		■

PAYS BASQUE, NAVARRE ET RIOJA

	CARTES BANCAIRES	NOMBRE DE CHAMBRES	PARC DE STATIONNEMENT	PISCINE	JARDIN OU TERRASSE
ARGOMÁNIZ : *Parador de Argomániz.* W www.parador.es €€€€€ Carretera NI, 01192 (Álava). 945 29 32 00. FAX 945 29 32 87. Des rois logèrent dans ce palais de pierre du XVIIᵉ siècle, sur les pentes du mont Zabalgaña. Calme, il offre une belle vue.	AE DC MC V	53	■		
AXPE-ATXONDO : *Mendi Goikoa.* W www.mendigoikoa.com €€€ Calle Barrio de San Juan 33, 48292 (Vizcaya). 94 682 08 33. FAX 94 682 11 36. Ces maisons jumelles en pierre du XVIIIᵉ siècle ont été transformées en un hôtel agréable au cœur de la paisible valle d'Atxondo. ● 15 déc.	DC MC V	12	■		
BAKIO : *Hostería del Señorío de Bizkaia.* W www.hosteriasreales.com €€€ Calle José María Cirarda 4, 48130 (Vizcaya). et FAX 94 619 47 25. L'hôtel est situé dans un bâtiment de pierre aux balcons de bois. L'été, des concerts ont lieu dans le jardin. La plage de Bakio est à proximité.	AE DC MC V	16	■		■
BILBAO (BILBO) : *Iturrienea.* €€€ Calle Santa Maria 14, 48005 (Vizcaya). 94 416 15 00. FAX 94 415 89 29. Cet ancien et vénérable hôtel a récemment été rénové et propose des chambres en forme de bâteau avec un décor moderne.	DC MC V	21			
BILBAO (BILBO) : *Conde Duque.* W www.hotelcondeduque.com €€€€€ Paseo Campo Volantín 22, 48007 (Vizcaya). 94 445 60 00. FAX 94 445 60 66. Cet établissement est très original : ses chambres ont été conçues tout spécialement pour des femmes.	AE DC MC V	67	■		

BILBAO (BILBO) : *De Deusto.* ⓦ www.nh-hotels.com €€€€€
Calle Francisco Macia 9, 48014 (Vizcaya). 〖 94 476 00 06. ⒻⒶⓍ 94 476 21 99.
Cet hôtel agréable a acquis une bonne réputation depuis
son ouverture en 1992. Très proche du Guggenheim. 🛏 ▤ TV ⊪
| AE DC MC V | 71 |

BILBAO (BILBO) : *Gran Hotel Ercilla.* @ ercilla@hotelercilla.es €€€€€
Calle Ercilla 37–9, 48011 (Vizcaya). 〖 94 470 57 00. ⒻⒶⓍ 94 443 93 35.
Cet hôtel central et confortable est le plus grand de Bilbao. Accueillant et
animé, il propose un très bon restaurant. 🛏 ▤ TV & ⊪
| AE DC MC V | 345 |

DONAMARIA : *Donamaria'ko Benta.* @ donamariako@jet.com €€
Barrio Ventas 4, 31750 (Navarra). 〖 et ⒻⒶⓍ 948 45 07 08.
Ce petit hôtel, tenu par une famille dans une maison pyrénéenne en pierre,
propose cinq chambres dans une annexe. Les propriétaires ont su créer une
atmosphère fort agréable. Le restaurant est excellent. 🛏 TV
| V | 5 |

ELIZONDO : *Casa Urruska.* ⓦ www.urruska.com €
Barrio de Bearzun, 31700 (Navarra). 〖 et ⒻⒶⓍ 948 45 21 06.
Cette ferme de pierre isolée au bout d'une jolie vallée est tenue par une famille.
Petit déjeuner à base de bons produits de la ferme. 🛏
| MC V | 5 |

EZCARAY : *Albergue de La Real Fábrica.* €
Carretera de Santo Domingo, 26280 (La Rioja). 〖 941 35 44 74. ⒻⒶⓍ 941 35 41 44.
Dans une usine textile restaurée d'une petite ville, cet hôtel bon marché
et calme offre une bonne nuit de repos aux promeneurs. & ⊪
| AE DC MC V | 36 |

FITERO : *Gustavo Adolfo Bécquer.* ⓦ www.fitero.com/balneario €€€
C/ Extramuros, 31593 (Navarra). 〖 948 77 61 00. ⒻⒶⓍ 948 77 62 25.
L'un des deux hôtels du site des thermes romains, cet établissement a une
source thermale au sous-sol. Il propose bains, massages et soins, et possède
toutes sortes d'équipements sportifs. 🛏 TV & ⊪
| V | 207 |

HARO : *Los Agustinos.* ⓦ www.aranzazu-hotels.com €€€€
Calle San Agustín 2, 26200 (La Rioja). 〖 941 31 15 62. ⒻⒶⓍ 941 30 31 48.
Son vaste salon voûté, tendu de tapisseries, est un des attraits de cet ancien
monastère augustinien. À voir aussi, son patio central dans l'ancien cloître.
🛏 ▤ TV &
| AE DC MC V | 62 |

HONDARRIBIA (FUENTERRABÍA) : *Pampinot.* ⓦ www.hotelpampinot.com €€€€€
Calle Nagusia 5, 20280 (Guipúzcoa). 〖 943 64 06 00. ⒻⒶⓍ 943 64 51 28.
L'équipe féminine qui tient cet hôtel a su créer une atmosphère chaleureuse
dans cette demeure du XVIᵉ siècle du vieux Hondarribia. 🛏 TV
| AE DC MC V | 8 |

HONDARRIBIA (FUENTERRABÍA) : *Parador de Hondarribia.* €€€€€
Plaza de Armas 14, 20280 (Guipúzcoa). 〖 943 64 55 00. ⓦ www.parador.es
Ce parador élégant est aménagé dans la forteresse restaurée de la ville.
Des armes et des souvenirs de son riche passé ornent ses murs. 🛏 TV &
| AE DC MC V | 36 |

LAGUARDIA : *Posada Mayor de Migueloa.* ⓦ www.mayordemigueloa.com €€€€
Calle Mayor de Migueloa 20, 01300 (Álava). 〖 945 62 11 75. ⒻⒶⓍ 945 62 10 22.
Belle demeure dans la vieille ville piétonne. Bâtie en 1640, elle a toujours
ses murs de granite, poutres et sols carrelés d'origine. 🛏 ▤ TV & ⊪
| AE MC V | 8 |

LECUMBERRI : *Ayestarán.* €€
Calle Aralar 22, 31870 (Navarra). 〖 et ⒻⒶⓍ 948 50 41 27.
Une partie de cet hôtel familial, sur la route entre Pampelune et Saint-Sébastien,
date des années 1920. Le personnel y est très chaleureux. 🛏 & ⊪
| MC V | 60 |

LOGROÑO : *Herencia Rioja.* ⓦ www.nh-hotels.com €€€€€
Calle Marqués de Murrieta 14, 26005 (La Rioja). 〖 941 21 02 22. ⒻⒶⓍ 941 21 02 06.
Cet hôtel moderne, près du quartier historique de Logroño,
possède de jolies et confortables chambres. Son restaurant est
de très bonne qualité. 🛏 ▤ TV ⊪
| AE DC MC V | 83 |

MUNDAKA : *El Puerto.* ⓦ www.hotelpuerto.com €€€
Calle Portu Kalea 1, 48360 (Vizcaya). 〖 94 687 67 25. ⒻⒶⓍ 94 687 67 26.
Sur le port, cette maison de pêcheur à deux étages a été transformée en un
hôtel simple et confortable. 🛏 TV
| AE DC MC V | 11 |

MUNDAKA : *Atalaya.* ⓦ www.hotel-atalaya-mundaka.com €€€€
Paseo de Txorrokopunta 2, 48360 (Vizcaya). 〖 94 617 70 00. ⒻⒶⓍ 94 687 68 99.
Cet hôtel du début du siècle, proche du port de pêche, à l'embouchure d'un
bras de mer, est propre et bien tenu. Il est doté de petites chambres plaisantes,
de galeries aux grandes fenêtres et d'un jardin. ● 24-25 déc., 1ᵉʳ jan. 🛏 TV
| AE DC MC V | 11 |

Les prix correspondent à une nuit en chambre double, service et petit déjeuner compris.

- € moins de 50 euros
- €€ de 50 à 75 euros
- €€€ de 75 à 100 euros
- €€€€ de 100 à 125 euros
- €€€€€ plus de 125 euros

CARTES BANCAIRES
Un symbole indique que les cartes American Express (AE), Diner's Club (DC), Master Card/Access (MC), Visa (V) sont acceptées.

PARCS DE STATIONNEMENT
Possibilité de garer son véhicule, soit au parking de l'établissement, soit dans un garage à proximité. Certains hôtels font payer l'utilisation de leur parking privé.

PISCINE
Piscine à ciel ouvert sauf indication contraire.

JARDIN
Hôtel disposant d'un jardin, d'une cour intérieure ou d'une terrasse, avec des tables permettant de prendre les repas à l'extérieur.

	CARTES BANCAIRES	NOMBRE DE CHAMBRES	PARC DE STATIONNEMENT	PISCINE	JARDIN OU TERRASSE
OLITE : *Casa Zanito*. €€ Rua Mayor 16, 31390 (Navarra). 948 74 00 02. FAX 948 71 20 87. Une famille tient cet hôtel-restaurant sans prétention, mais situé dans une ruelle du joli centre historique.	AE DC MC V	16			
OLITE : *Parador de Olite*. w www.parador.es €€€€ Plaza de los Teobaldos 2, 31390 (Navarra). 948 74 00 00. FAX 948 74 02 01. Dans une partie d'un château du XVe siècle, palais de Charles III, roi de Navarre, ce parador propose quelques chambres modernes, et d'autres plus charmantes, mais plus chères, dans la vieille partie du château.	AE DC MC V	43			■
PAMPELUNE (IRUÑA) : *Tres Reyes*. w www.hotel3reys.com €€€€€ Jardines de la Taconera 1, 31001 (Navarra). 948 22 66 00. FAX 948 22 29 30. Ce grand bâtiment moderne à la limite de la vieille et de la nouvelle ville est en bordure des jardins Taconera. Chambres avec balcons, salles de sport, sauna, salon de coiffure et entretien des vêtements.	AE DC MC V	160	■	●	■
PUENTE LA REINA : *Mesón del Peregrino*. w www.hotelperegrino.com €€€€€ Ctra Pamplona–Logroño, 31100 (Navarra). 948 34 00 75. FAX 948 34 11 90. Cet hôtel-restaurant de bon goût est aménagé dans une vieille maison, près du croisement des deux routes du pèlerinage de Compostelle.	MC V	13	■	●	■
RONCEVAUX (ORREAGA) : *La Posada*. w www.laposadaderoncesvalles.com €€ Carretera de Francia, 31650 (Navarra). et FAX 948 76 02 66. Cette auberge ouvrit en 1612 pour loger les pèlerins allant à Compostelle. Ses chambres austères aux sols carrelés sont toujours bon marché.	MC V	18			■
SAINT-SÉBASTIEN (DONOSTIA) : *La Galería*. w www.hotellagaleria.com €€€€€ Infanta Cristina 1–3, 20008 (Guipúzcoa). 943 21 60 77. FAX 943 21 12 98. Ce nouvel hôtel sur la plage d'Ondarreta est aménagé dans un bâtiment de la fin du XIXe siècle. Deux jolies chambres sous les combles.	MC V	23	■		
SAINT-SÉBASTIEN (DONOSTIA) : *De Londres y de Inglaterra*. €€€€€ Calle Zubieta 2, 20007 (Guipúzcoa). 943 44 07 70. FAX 943 44 04 91. Ce palais du XIXe siècle, bien situé sur la plage de la Concha, fut transformé en hôtel en 1902. Les monarques y venaient l'été en villégiature.	AE DC MC	148			
SAINT-SÉBASTIEN (DONOSTIA) : *María Cristina*. w www.westin.com €€€€€ C/ Oquendo 1, 20004 (Guipúzcoa). 943 43 76 00. FAX 943 43 76 76. Bien situé, ce luxueux hôtel bâti en 1912, et décoré dans le style Belle Époque, est le rendez-vous des cinéphiles lors du festival annuel du film.	AE DC MC V	136	■		■
SAINT-SÉBASTIEN (DONOSTIA) : *Monte Igueldo*. w www.monteigueldo.com €€€€€ Paseo del Faro 134, 20008 (Guipúzcoa). 943 21 02 11. FAX 943 21 50 28. Idéalement situé sur le monte Igueldo, cet hôtel offre une belle vue sur la ville et la baie. Piscine sur le toit.	AE DC MC V	125	■	●	■
SAN SEBASTIÁN (DONOSTIA) : *Niza*. w www.hotelniza.com €€€€ Calle Zubieta 56, 20007 (Guipúzcoa). 943 42 66 63. FAX 943 44 12 51. Hôtel Belle Époque sur la plage de la Concha avec des chambres ensoleillées. La terrasse de son café donne sur la plage.	AE DC MC V	40	■		■
SANTO DOMINGO DE LA CALZADA: *Parador de Santo Domingo*. €€€€€ Plaza del Santo 3, 26250 (La Rioja). 941 34 03 00. FAX 941 34 03 25. w www.parador.es Ce parador situé dans un hôpital fondé au XIIe siècle accueille les pèlerins sur le chemin de Compostelle. Il offre un imposant salon voûté et un beau plafond sculpté.	AE DC MC V	61	■		
VALVANERA : *Abadía de Valvanera*. w www.abadiavalvanera.com €€ Monasterio de Valvanera, 26323 (La Rioja). 941 37 70 44. FAX 941 37 71 94. La Reine Isabelle Ire séjourna dans ce monastère bénédictin en 1491. Les environs sont magnifiques, les chambres simples, et le restaurant propose une cuisine de qualité. ● fin déc.-début jan.	AE DC MC V	27			

VITORIA (GASTEIZ) : *General Álava.* W www.hga.info €€€ | AE | 114
Avenida Gasteiz 79, 01009 (Álava). (945 22 22 00. FAX 945 24 83 95. | DC
Hôtel moderne et confortable dans la nouvelle ville près du Palacio | MC
de Congresos. Le restaurant sert des plats régionaux. 🛏 🖿 TV 🕭 🍴 | V

YESA : *Hospedería de Leyre.* W www.monasteriodeleyre.com €€€ | AE | 30
Monasterio de Leyre, 31410 (Navarra). (948 88 41 00. FAX 948 88 41 37. | DC
Cet hôtel occupe une partie d'un monastère du XIᵉ siècle, au pied de rochers | MC
escarpés, dans un paysage magnifique. Ses chambres sont simples et propres | V
et son restaurant est très bon. 🛏 🍴

ZARAUTZ : *Karlos Arguiñano.* W www.hotelka.com €€€€€ | AE | 12
Calle Mendilauta 13, 20800 (Guipúzcoa). (943 13 00 00. FAX 943 13 34 50. | DC
Dans une demeure dotée d'une tour donnant sur la mer, cet hôtel élégant | MC
appartient à un cuisinier présentateur de télévision. Excellent restaurant. 🛏 🖿 TV 🍴 | V

BARCELONE

VIEILLE VILLE : *Hostal d'Avinyo.* Plan 5 B2. W www.hostalavinyo.com € | MC | 28
Avinyo 42, 08002. (93 318 79 45. FAX 93 318 68 93. | V
Cet hôtel rénové au cœur de la ville, près de Port Vell, de Las Ramblas et
du musée Picasso est d'un bon rapport qualité prix. 🛏 TV

VIEILLE VILLE : *Hostal Fernando.* W www.barcelona-on-line.es/fernando € | MC | 50
Ferran 31, 08002. (93 301 79 93. FAX 93 301 79 93. | V
En plein centre-ville, près des restaurants et des boutiques, cette auberge
propose des chambres simples et propres à des prix raisonnables. 🛏 🕭

VIEILLE VILLE : *Lloret.* Plan 5 A1. W www.hlloret.com €€€ | MC | 56
Rambla de Canaletas 125, 08002. (93 317 33 66. FAX 93 301 92 83. | V
Le hall de cet hôtel à la mode, près de la plaça de Catalunya, offre une jolie
vue sur la ville. Les chambres sur la rue peuvent être bruyantes. Ce vieil édifice
a gardé en grande partie sa décoration d'origine. 🛏 🖿 TV

VIEILLE VILLE : *Rembrandt.* Plan 5 A2. W www.hostalrembrandt.com €€ | | 28
Carrer de Portaferrissa 23, 08002. (et FAX 93 318 10 11.
Hôtel simple dans le Barri Gòtic, apprécié des étudiants. Vous pouvez profiter
de sa cour carrelée. Des chambres ont des salles de bains communes. 🛏

VIEILLE VILLE : *Toledano.* Plan 5 A1. W www.hoteltoledano.com €€ | AE | 28
Ramblas 138, 08002. (93 301 08 72. FAX 93 412 31 42. | DC
Petit hôtel, proche de la plaça de Catalunya, dont le hall donne sur les | MC
Ramblas. Ses chambres, très simples, sont parfois bruyantes. 🛏 TV 🕭 | V

VIEILLE VILLE : *España.* Plan 2 F3. W www.hotelespanya.com €€€ | AE | 80
Carrer de Sant Pau 9–11, 08001. (93 318 17 58. FAX 93 317 11 34. | DC
L'architecte moderniste Domènech i Montaner conçut le rez-de-chaussée | MC
de cet hôtel. Les chambres sont toutes modernes. 🛏 🖿 🕭 TV 🍴 | V

VIEILLE VILLE : *Hotel Banys Orientals.* Plan 5 B2. €€€€ | AE | 43
Argenteria 37, 08003. (93 268 84 60. W www.hotelbanysorientals.com | DC
Dans le quartier de Born, le bâtiment ancien de l'hôtel cache un intérieur au | MC
design contemporain. Bon rapport qualité prix. 🛏 🖿 🕭 🍴 | V

VIEILLE VILLE : *Jardí.* Plan 5 A2. @ hoteljardi@retemail.es €€€ | AE | 40
Plaça Sant Josep Oriol 1, 08002. (93 301 59 00. FAX 93 342 57 33. | DC
Hôtel très apprécié donnant sur une place verdoyante. Certaines chambres | MC
ont été rénovées et offrent une belle vue ; les autres sont moins chères. 🛏 🖿 TV | V

VIEILLE VILLE : *Arts.* Plan 6 E4. W www.harts.es €€€€€ | AE | 482
Carrer de la Marina 19–21, 08005. (93 221 10 00. FAX 93 221 10 70. | DC
Hôtel moderne, très luxueux, au bord de la plage, dans l'une des plus hautes tours | MC
d'Espagne. Piscine immense et équipements de remise en forme. 🛏 🖿 TV 🕭 🍴 | V

VIEILLE VILLE : *Atlantis.* Plan 2 F1. W www.hotelatlantis-bcn.com €€€€€ | AE | 50
Carrer de Pelai 20, 08001. (93 318 90 12. FAX 93 412 09 14. | DC
Hôtel moderne et bon marché, proche de la plaça de Catalunya. Les chambres | MC
offrent toutes sortes de commodités. 🛏 🖿 TV 🕭 | V

VIEILLE VILLE : *Colón.* Plan 5 B2. W www.hotelcolon.es €€€€€ | AE | 145
Avinguda de la Catedral 7, 08002. (93 301 14 04. FAX 93 317 29 15. | DC
Les fenêtres du Colón donnent sur la plaça de la Catedral où l'on danse la | MC
sardane (danse folklorique catalane) chaque dimanche matin. 🛏 🖿 TV 🍴 | V

Légende des symboles, voir rabat de couverture

Les prix correspondent à une nuit en chambre double, service et petit déjeuner compris.

€ moins de 50 euros
€€ de 50 à 75 euros
€€€ de 75 à 100 euros
€€€€ de 100 à 125 euros
€€€€€ plus de 125 euros

CARTES BANCAIRES
Un symbole indique que les cartes American Express (AE), Diner's Club (DC), Master Card/Access (MC), Visa (V) sont acceptées.

PARCS DE STATIONNEMENT
Possibilité de garer son véhicule, soit au parking de l'établissement, soit dans un garage à proximité. Certains hôtels font payer l'utilisation de leur parking privé.

PISCINE
Piscine à ciel ouvert sauf indication contraire.

JARDIN
Hôtel disposant d'un jardin, d'une cour intérieure ou d'une terrasse, avec des tables permettant de prendre les repas à l'extérieur.

	CARTES BANCAIRES	NOMBRE DE CHAMBRES	PARC DE STATIONNEMENT	PISCINE	JARDIN OU TERRASSE
VIEILLE VILLE : *Le Meridien.* **Plan 5 A1.** €€€€€ Rambla dels Estudis 111, 08002. ▌ 93 318 62 00. @ meridien@meridienbarcelona.com Élégant hôtel sur les Ramblas, fréquenté par les stars de cinéma et de rock. Lors d'une tournée, les Rolling Stones ont réservé tout l'hôtel. Suite présidentielle immense et centre d'affaires.	MC V	208			
VIEILLE VILLE : *Mesón Castilla.* **Plan 2 F1.** €€€€€ Carrer de Valdonzella 5, 08001. ▌ 93 318 21 82. FAX 93 412 40 20. Près du centre artistique Casa de la Caritat, cet hôtel, occupant un bâtiment à la façade moderniste, est confortable bien qu'un peu désuet.	AE DC MC V	57	▦		▦
VIEILLE VILLE : *Nouvel.* **Plan 5 A1.** W www.hotelnouvel.com €€€€€ Carrer de Santa Anna 18–20, 08002. ▌ 93 301 82 74. FAX 93 301 83 70. Dans une rue calme à l'écart des Ramblas, près de la plaça de Catalunya, cet hôtel de style ancien est bien tenu et décoré avec goût.	MC V	54			
VIEILLE VILLE : *Oriente.* **Plan 2 F3.** @ hoteloriente@husa.es €€€€€ Ramblas 45–7, 08002. ▌ 93 302 25 58. FAX 93 412 38 19. Hôtel romantique dans un ancien monastère franciscain. Le cloître a été transformé en salle de bal. Certaines chambres ont des balcons donnant sur les Ramblas.	AE DC MC V	142			
VIEILLE VILLE : *Park.* **Plan 5 C3.** @ parkhotel@parkhotelbarcelona.com €€€€€ Avda Marquès de l'Argentera 11, 08003. ▌ 93 319 60 00. FAX 93 319 45 19. Un rare exemple d'architecture des années 50 rénové en 1990. Intime et confortable avec une fascinante vue sur les toits de la ville et le port.	AE DC MC V	91			
VIEILLE VILLE : *San Agustín.* **Map 2 F3.** W www.hotelsa.com €€€€€ Plaça de Sant Agusti 3, 08001. ▌ 93 318 16 58. FAX 93 317 29 28. Hôtel avec au rez-de-chaussée un salon agréable et un bar donnant sur une place. Certaines chambres ont des meubles catalans.	AE DC MC V	75			
EIXAMPLE : *Felipe II.* **Plan 3 C4.** W www.lasguias.com/felipe-2 €€ Carrer de Mallorca 329, 08037. ▌ 93 458 77 58. FAX 93 207 21 04. Hôtel simple et propre dans un vieil immeuble doté d'un bel ascenseur ancien. Certaines chambres ont des salles de bains communes.		11			
EIXAMPLE : *Gran Vía.* **Plan 3 A5.** @ hgranvia@nnhotels.es €€€€€ Avda Gran Via de les Corts Catalanes 642, 08007. ▌ 93 318 19 00. FAX 93 318 99 97. Hôtel de la fin du XIXᵉ siècle à la splendeur un peu passée, au nord de la plaça de Catalunya, dans une rue donnant dans le passeig de Gràcia.	AE DC MC V	53			▦
EIXAMPLE : *Catalunya Plaza.* **Plan 5 A1.** W www.h10.es €€€€€ Plaça de Catalunya 7, 08002. ▌ 93 317 71 71. FAX 93 317 78 55. Apprécié des hommes d'affaires, cet hôtel du centre-ville est aménagé dans un bâtiment du XIXᵉ siècle doté de grands salons ornés de fresques.	AE DC MC V	46			
EIXAMPLE : *Claris.* **Plan 3 B4.** @ claris@derbyhotels.es €€€€€ Carrer Pau Claris 150, 08009. ▌ 93 487 62 62. FAX 93 215 79 70. Kilims anciens, beaux meubles anglais et français ornent cet hôtel situé dans l'ancien palais Vedruna, près du passeig de Gràcia. Il propose même un musée privé d'art égyptien.	AE DC MC V	124	▦	●	▦
EIXAMPLE : *Condes de Barcelona.* **Plan 3 A4.** €€€€€ Passeig de Gràcia 73–5, 08008. ▌ 93 467 47 80. W www.condesdebarcelona.com Hôtel moderniste dont le vestibule pentagonal pavé de marbre est éclairé par une verrière. Réserver à l'avance.	AE DC MC V	183	▦	●	▦
EIXAMPLE : *Ducs de Bergara.* **Plan 5 A1.** W www.hoteles-catalonia.es €€€€€ Carrer de Bergara 11, 08002. ▌ 93 301 51 51. FAX 93 317 34 42. Hôtel de luxe proche de la plaça de la Catedral dans un ravissant bâtiment moderniste ayant gardé certains éléments d'origine. Grandes chambres bien meublées et salons modernes.	AE DC MC V	150		●	▦

EIXAMPLE : *Gran Hotel Calderón*. **Plan 3 A5.** W www.nh-hoteles.com €€€€€ Rambla de Catalunya 26, 08007. (93 301 00 00. FAX 93 412 41 93. Hôtel moderne, près de la plaça de Catalunya, ayant de grandes chambres confortables, des piscines (intérieure et sur le toit) et une bonne table. ⊟ ▤ TV &	AE DC MC V	253	▦	●	▦
EIXAMPLE : *Majestic*. **Plan 3 A4.** W www.hotelmajestic.es €€€€€ Passeig de Gràcia 68, 08008. (93 488 17 17. FAX 93 488 18 80. Hôtel néoclassique dans une rue très chic (donnant dans la carrer de Valencia). Chambres bien équipées et insonorisées. ⊟ ▤ TV & ▯	AE DC MC V	303	▦	●	▦
EIXAMPLE : *Prestige Paseo de Gracia*. **Plan 3 B4.** €€€€€ Paseo de Gracia 62, 08007. (93 272 41 80. W www.prestigehotels.com Styles zen et moderniste se côtoient dans cet hôtel luxueux et élégant proche des bâtiments les plus beaux de Gaudí. ⊟ ▤ TV &	AE DC MC V	45			
EIXAMPLE : *Ritz*. **Plan 3 B5.** W www.ritzbcn.com €€€€€ Avda Gran Vía de les Corts Catalanes 668, 08010. (93 318 52 00. FAX 93 318 01 48. Le plus élégant des grands hôtels de Barcelone, près de la plaça de Catalunya, propose de vastes et luxueuses chambres de style classique. ⊟ ▤ TV & ▯	AE DC MC V	122	▦		▦
EN DEHORS DU CENTRE (NORD-OUEST) : *Gran Derby*. €€€€€ Loreto 28, 08029. (93 322 20 62. FAX 93 419 68 20. W www.derbyhotels.es Cet hôtel ne propose que de belles suites. Il ne dispose pas de restaurant, mais on peut dîner à l'hôtel Derby, de l'autre côté de la rue. ⊟ ▤ TV	AE DC MC V	41	▦		▦
EN DEHORS DU CENTRE (OUEST) : *Princesa Sofía Intercontinental* €€€€€ Plaça de Pius XII 4, 08028. (93 508 10 00. FAX 93 508 10 01. W www.expogrupo.com Vaste hôtel de luxe, orné de marbre, de bois et de bronze. Il possède plusieurs restaurants dont un au 19ᵉ étage. ⊟ ▤ TV	AE DC MC V	500	▦	●	▦

CATALOGNE

ALBONS : *Albons Hotel*. W www.hotelalbous.com €€€€€ Ctra Figueres–La Bisbal, 17136 (Girona). (972 78 85 00. FAX 972 78 86 58. Hôtel ultramoderne et original au cœur de la région Empordà. Les salles de bains sont superbes et la table excellente. On peut pratiquer, entre autres, la plongée, le vol à voile et l'équitation. ● *16 déc.-17 fév.* ⊟ ▤ TV & ▯	AE DC MC V	32	▦	●	▦
ANDORRA LA VELLA : *Andorra Park Hotel*. €€€€ Les Canals 24 (Andorra). (00-376 87 77 77. W www.andorraparkhotel.com Cet hôtel moderne, un des plus luxueux de la ville, est bâti à flanc de colline. Il offre une bibliothèque, une piscine taillée dans le roc, et est situé près d'un grand magasin. ⊟ TV ▯	AE DC MC V	40	▦		▦
ARTIES : *Parador Don Gaspar de Portolà*. W www.parador.es €€€€€ Ctra a Baqueira-Beret, 25599 (Lleida). (973 64 08 01. FAX 973 64 10 01. Parador moderne, accueillant et confortable, près des stations de ski de la Vall d'Arán. Il est proche d'une chapelle médiévale. ⊟ TV & ▯	AE DC MC V	57	▦	●	▦
AVINYONET DE PUIGVENTÓS : *Mas Pau*. W www.maspau.com €€€€ Ctra Figueres–Olot, 17742 (Girona). (972 54 61 54. FAX 972 54 63 26. Bel hôtel, dans une maison du XVIIᵉ siècle, au cœur d'un paysage boisé. Chambres et suites donnent sur un jardin. ● *7 janv.-15 mars.* ⊟ ▤ TV & ▯	AE DC MC V	20	▦	●	▦
BAQUEIRA-BERET : *Royal Tanau*. W www.solmelia.com €€€€€ Carretera de Beret, 25598 (Lleida). (973 64 44 46. FAX 973 64 43 44. Luxueux hôtel dans la zone skiable du Tanau avec un téléphérique menant aux pistes. Jacuzzi et cabines de bronzage. ● *avr.-nov.* ⊟ TV & ▯	AE DC MC V	30	▦	●	▦
BEGUR (BAGUR) : *Aigua Blava*. W www.aiguablava.com €€€€€ Platja de Fornells, 17255 (Girona). (972 62 20 58. FAX 972 62 45 62. Hôtel charmant sur une petite plage dans un bel endroit de la Costa Brava. Magnifique vue sur la mer. ● *nov.-mi-fév.* ⊟ ▤ TV ▯	AE MC V	85	▦	●	▦
BOLVIR DE CERDANYA : *Torre del Remei*. W www.relaischateaux.com €€€€€ Camí Reial, 17539 (Girona). (972 14 01 82. FAX 972 14 04 49. Dans un grand jardin, demeure de style Art nouveau transformée en un hôtel raffiné. Nombreux équipements ajoutant au confort comme les magnétoscopes dans les chambres. ⊟ ▤ TV ▯	AE DC MC V	30	▦	●	▦
CADAQUÉS : *Misty*. W www.hotel-misty.com €€ Carretera Nova Port, Lligat, 17488 (Girona). (972 25 89 62. FAX 972 15 90 90. Trois bâtiments et une piscine entourés de jardin font de cet hôtel l'un des plus plaisants de la Costa Brava. ● *janv.* ⊟ TV	DC MC V	11	▦	●	▦

Légende des symboles, voir rabat de couverture

	CARTES BANCAIRES Un symbole indique que les cartes American Express (AE), Diner's Club (DC), Master Card/Access (MC), Visa (V) sont acceptées.	**CARTES BANCAIRES**	**NOMBRE DE CHAMBRES**	**PARC DE STATIONNEMENT**	**PISCINE**	**JARDIN OU TERRASSE**

Les prix correspondent à une nuit en chambre double, service et petit déjeuner compris.
€ moins de 50 euros
€€ de 50 à 75 euros
€€€ de 75 à 100 euros
€€€€ de 100 à 125 euros
€€€€€ plus de 125 euros

CARTES BANCAIRES
Un symbole indique que les cartes American Express (AE), Diner's Club (DC), Master Card/Access (MC), Visa (V) sont acceptées.
PARCS DE STATIONNEMENT
Possibilité de garer son véhicule, soit au parking de l'établissement, soit dans un garage à proximité. Certains hôtels font payer l'utilisation de leur parking privé.
PISCINE
Piscine à ciel ouvert sauf indication contraire.
JARDIN
Hôtel disposant d'un jardin, d'une cour intérieure ou d'une terrasse, avec des tables permettant de prendre les repas à l'extérieur.

Établissement	Cartes	Nb	Parc	Piscine	Jardin
CASTELLDEFELS : *Gran Hotel Rey Don Jaime.* €€€€€ Avenida del Hotel 22, 08860 (Barcelona). 93 665 13 00. www.grup-sateras.com Cet hôtel, de style méditerranéen, avec des murs blanchis à la chaux et des voûtes, est perché sur une colline et offre une belle vue de la côte. ▣▣▣▣▣	MC	220			
CASTELLÓ D'EMPÚRIES : *Allioli.* www.hotelaillloli.com €€€€ Urbanització Castell Nou, 17486 (Girona). 972 25 03 00. FAX 972 25 03 00. Cette ferme de caractère du XVIIᵉ siècle est situé tout près de la route principale entre Rosas et Figueres. Le dimanche, les gens de la région viennent déjeuner au restaurant. ● *janv.* ▣▣▣▣▣	AE DC MC V	42	■	●	■
L'ESPLUGA DE FRANCOLÍ : *Hostal del Senglar.* www.hostaldelsenglar.com €€ Pl de Montserrat Canals 1, 43440 (Tarragona) 977 87 01 21. FAX 977 87 01 27. Hôtel de trois étages, blanchi à la chaux, avec jardin. Sa cuisine régionale traditionnelle est délicieuse. ▣▣▣▣	AE DC MC V	40	■	●	■
L'ESPLUGA DE FRANCOLÍ : *Masía del Cadet.* www.masiadelcadet.com €€€ Les Masies de Poblet, 43449 (Tarragona). 977 87 08 69. FAX 977 87 04 96. Hôtel bon marché près du monastère de Poblet. Les chambres de cette maison du XVᵉ siècle, restaurée avec goût, sont austères et calmes. Cuisine catalane traditionnelle. ▣▣▣	AE DC MC V	12	■		■
LA GARRIGA : *Blancafort.* www.balnearioblancafort.com €€€€€ Carrer Banys 59, 08530 (Barcelona). 93 860 56 00. FAX 93 861 23 90. Hôtel du XIXᵉ siècle dans une ville d'eau tranquille près de Barcelone. Ses chambres sont calmes. Jeux dans les salons. ▣▣▣	AE DC MC V	56	■	●	■
LA GARRIGA : *La Garriga.* www.termes.com €€€€€ Carrer Banys 23, 08530 (Barcelona). 93 871 70 86. FAX 93 871 78 87. Depuis 1876, les riches Barcelonais fréquentent cette station thermale pour ses eaux. Les enfants ne sont pas admis dans cet hôtel. ▣▣▣▣▣	AE MC V	22	■	●	■
GRANOLLERS : *Fonda Europa.* €€€€€ Carrer Anselm Clavé 1, 08400 (Barcelona). 93 870 03 12. FAX 93 870 79 01 Ce petit hôtel est une auberge pour voyageurs depuis 1714. Les chambres, situées au deuxième étage, sont de style Art déco. ▣▣▣▣	AE DC MC V	7	■		
LAVERN : *Sol i Vi.* www.solivi.com €€ Ctra Sant Sadurní d'Anoia-Villafranca, 08739 (Barcelona). 93 899 32 04. FAX 93 899 79 01 Tenu par trois générations d'hôtes qui répondent attentivement aux besoins de la clientèle, ce charmant hôtel est situé en plein milieu des vignes. Chambres lumineuses, spacieuses, au charme rustique. ● *deux semaines en janv.* ▣▣▣▣	AE DC MC V	25			■
LLORET DE MAR : *Santa Marta.* www.hstamarta.com €€€€€ Platja Santa Cristina, 17310 (Girona). 972 36 49 04. FAX 972 36 92 80. Cet hôtel moderne, avec courts de tennis et autres installations sportives, se trouve dans une pinède qui s'étend jusqu'à une anse calme. ▣▣▣▣▣	AE DC MC V	78	■	●	■
MONTSENY : *San Bernat.* www.sanbernat.com €€€€€ Finca El Cot, 08460 (Barcelona). 93 847 30 11. FAX 93 847 32 20. Imposante maison de campagne à la façade couverte de plantes, dans la sierra de Montseny. Beau domaine avec pelouses et étang. ▣▣▣	MC V	23	■	●	■
PERAMOLA : *Can Boix de Peramola.* www.canboix.com €€€€ Afueras, 25790 (Lleida). 973 47 02 66. FAX 973 47 02 81. Hôtel simple, de qualité, tenu par une famille d'excellents restaurateurs. Bien situé pour se promener au pied des Pyrénées. ● *mi-janv.-mi-fév., 1ᵉʳ nov.-mi-nov.* ▣▣▣▣▣	AE DC MC V	41	■	●	■
S'AGARÓ : *Hostal de la Gavina.* www.lagavina.com €€€€€ Plaça de la Rosaleda, 17248 (Girona). 972 32 11 00. FAX 972 32 15 73. Belle maison de plage de style méditerranéen où règne une atmosphère unique. ● *mi-oct.-Pâques.* ▣▣▣▣	AE DC MC V	74	■	●	■

SANTA CRISTINA D'ARO : *Mas Torrellas.* €€€
Carretera Sta Cristina-Platja d'Aro, 17246 (Girona). 972 83 75 26. FAX 972 83 75 27.
Demeure campagnarde du XVIIIe siècle. La chambre la plus confortable est
dans une tour jaune bâtie plus tard. ● nov.-fév.

AE	17			
DC				
MC				
V				

LA SEU D'URGELL : *Parador de La Seu d'Urgell.* W www.parador.es €€€€€
Carrer Sant Domènec 6, 25700 (Lleida). 973 35 20 00. FAX 973 35 23 09.
Hôtel proche de la cathédrale de La Seu (XIIe siècle), dans un ancien couvent
dont il ne reste que le cloître (l'actuel salon). Des verrières couvrent la salle
à manger et la piscine intérieure.

AE	79			
DC				
MC				
V				

LA SEU D'URGELL : *El Castell.* W www.hotelcastell.com €€€€€
Carretera N260 km 229, 25700 (Lleida). 973 35 00 00. FAX 973 35 15 74.
Hôtel somptueux dans un bâtiment bas, moderne, au pied du château médiéval
de La Seu d'Urgell. Vue superbe sur les montagnes d'El Cadi ; les pistes de ski
d'Andorre sont toutes proches.

AE	38			
DC				
MC				
V				

SITGES : *La Santa María.* W www.lasantamaria.com €€
Passeig Ribera 52, 08870 (Barcelona). 93 894 09 99. FAX 93 894 78 71.
Hôtel pimpant et moderne de cinq étages derrière une façade plus
ancienne ornée de moulures en plâtre. Le restaurant donne sur la mer.
● déc.-fév.

AE	57			
DC				
MC				
V				

SITGES : *Capri.* @ info@group-carbonell.com €€€€€
Avinguda de Sofia 13–15, 08870 (Barcelona). 93 811 02 67. FAX 93 894 51 88.
Hôtel des années 1950 près de la plage, dans un des endroits
les plus calmes de Sitges. Chambres simples. Atmosphère familiale.

AE	64			
DC				
MC				
V				

SITGES : *San Sebastián Playa.* W www.hotelsansebastian.com €€€€€
Carrer Port Alegre 53, 08870 (Barcelona). 93 894 86 76. FAX 93 894 04 30.
Nouvel hôtel, sur la plage, près du vieux quartier de la ville. Personnel très
attentionné. Chambres confortables.

AE	48			
DC				
MC				
V				

TARRAGONA : *Lauria.* W www.hlauria.es €€
Rambla Nova 20, 43004. 977 23 67 12. FAX 977 23 67 00.
Hôtel moderne et fonctionnel, au centre-ville et près de la mer.

AE	72			
DC				
MC				
V				

TAVÉRNOLES : *El Banús.* W www.elbanus.com €€€€€
El Banús, 08519 (Barcelona). 93 812 26 91. FAX 93 888 70 12.
Ferme, en partie du XVe siècle, meublée avec les antiquités de la famille Banús.
Chambres simples avec salles de bains communes. Petit déjeuner. ● nov.-mars.

AE	3			
MC				
V				

TORRENT : *Mas de Torrent.* W www.mastorrent.com €€€€€
Afueras, 17123 (Girona). 972 30 32 92. FAX 972 30 32 93.
Maison rustique du XVIIIe siècle, superbement transformée. Grands jardins
en terrasses. Vue magnifique.

AE	39			
DC				
MC				
V				

TORTOSA: *Parador Castillo de La Zuda.* W www.parador.es €€€€
Castillo de la Zuda, 43500 (Tarragona). 977 44 44 50. FAX 977 44 44 58.
Parador dans un château médiéval bâti par les Maures en haut d'une colline.
Vue sur la ville et la vallée de l'Èbre.

AE	72			
DC				
MC				
V				

TREDÒS: *Hotel de Tredós.* W www.hoteltredos.com €€€€
Carretera a Baqueira-Beret, 25598 (Lleida). 973 64 40 14. FAX 973 64 43 00.
Skieurs et randonneurs apprécient cet hôtel de la Vall d'Arán, bâti dans le style
local en pierre et en ardoises. ● oct., nov., mai, juin.

| MC | 45 | | | |
| V | | | | |

VIELHA (VIELLA): *Parador Valle de Arán.* W www.parador.es €€€€
Carretera Pont de Suert, 25530 (Lleida). 973 64 01 00. FAX 973 64 11 00.
Ce parador moderne a un salon semi-circulaire d'où l'on peut apprécier les
majestueuses montagnes.

AE	118			
DC				
MC				
V				

VILADRAU : *Hostal de la Glòria.* @ informacio@hostaldelagloria.com €€€
Carrer Torreventosa 12, 17406 (Girona). 93 884 90 34. FAX 93 884 94 65.
Au-dessus de la sierra de Montseny, maison catalane traditionnelle,
ornée de pots et de lampes en cuivre. Ambiance familiale.
● fêtes de Noël.

DC	23			
MC				
V				

VILANOVA I LA GELTRÚ : *César.* W www.hotelcesar.net €€€€
Carrer Isaac Peral 4–8, 08800 (Barcelona). 93 815 11 25. FAX 93 815 67 19.
Cet hôtel, près de la plage Ribes Roges, appartient à deux sœurs qui veillent au
moindre détail dans les chambres comme dans leur restaurant.

AE	36			
DC				
MC				
V				

Légende des symboles, voir rabat de couverture

Les prix correspondent à une nuit en chambre double, service et petit déjeuner compris.

€ moins de 50 euros
€€ de 50 à 75 euros
€€€ de 75 à 100 euros
€€€€ de 100 à 125 euros
€€€€€ plus de 125 euros

CARTES BANCAIRES
Un symbole indique que les cartes American Express (AE), Diner's Club (DC), Master Card/Access (MC), Visa (V) sont acceptées.
PARCS DE STATIONNEMENT
Possibilité de garer son véhicule, soit au parking de l'établissement, soit dans un garage à proximité. Certains hôtels font payer l'utilisation de leur parking privé.
PISCINE
Piscine à ciel ouvert sauf indication contraire.
JARDIN
Hôtel disposant d'un jardin, d'une cour intérieure ou d'une terrasse, avec des tables permettant de prendre les repas à l'extérieur.

	CARTES BANCAIRES	NOMBRE DE CHAMBRES	PARC DE STATIONNEMENT	PISCINE	JARDIN OU TERRASSE
ARAGON					
AINSA : *Casa Cambra.* W www.morillodetou.com € Morillo de Tou, Ctra Barbastro–Ainsa km 45, 22395 (Huesca). C et FAX 974 50 07 93. Cet hôtel est un des trois de ce village pyrénéen jadis abandonné puis transformé en complexe de vacances.	MC V	17	■	●	■
ALBARRACÍN : *Arabia.* W www.montesuniversales.com €€ Calle Bernardo Zapater 2, 44100 (Teruel). C 978 71 02 12. FAX 978 71 02 37. Hôtel dans un couvent restauré du XVIIᵉ siècle. Certaines chambres donnent sur les toits d'Albarracín et les collines alentour.	MC V	21	■		■
ALBARRACÍN : *Casa de Santiago.* W www.casadesantiago.net €€ Calle Subida a las Torres 11, 44100 (Teruel). C 978 70 03 16. FAX 974 50 07 93. Le plus bel hôtel d'Albarracín est situé dans un manoir restauré près de la Plaza Mayor. ● mi-fév.mars.	MC V	9			■
ALBARRACÍN : *Albarracín.* W www.gargallo-hoteles.com €€€€ Calle Azagra, 44100 (Teruel). C 978 71 00 11 FAX 978 71 00 36. Cet hôtel, le plus beau de la ville, se trouve dans une demeure restaurée près de la Plaza Mayor.	AE DC MC V	43			■
ALCAÑIZ: *Parador de Alcañiz.* W www.parador.es €€€€€ Castillo de Calatravos, 44600 (Teruel). C 978 83 04 00. FAX 978 83 03 66. Sur une colline, ce château-couvent du XIIᵉ siècle, ayant appartenu aux chevaliers de Calatrava, domine la ville.	AE DC MC V	37			■
ALQUÉZAR : *Villa de Alquézar.* €€ Pedro Arnal Cavero 12, 22145 (Huesca). C et FAX 974 31 84 16. Vieille maison dans un village médiéval au bord du río Vero, près de la réserve de la sierra de Guara.	MC V	31	■		
BENASQUE : *Ciria.* W www.hotelciria.com €€€ Avenida de los Tilos, 22440 (Huesca). C 974 55 16 12. FAX 974 55 16 86. Hôtel tenu par une famille efficace et amicale. Bon rapport qualité-prix.	MC V	38	■		
BIELSA : *Parador de Bielsa.* W www.parador.es €€€€€ Valle de Pineta de Bielsa, 22350 (Huesca). C 974 50 10 11. FAX 974 50 11 88. Parador bien situé dans la région boisée qui borde le parc national d'Ordesa, en face du monte Perdido.	AE DC MC V	39	■		■
CANFRANC-ESTACIÓN: *Santa Cristina.* W www.santacristina.com €€€ Ctra de Francia N330, 22880 (Huesca). C 974 37 33 00. FAX 974 37 33 10. Hôtel proche du col du Somport que les pèlerins franchissent pour se rendre à Compostelle. L'été, l'hôtel organise des promenades guidées en montagne. ● mi-oct.-début déc.	AE DC MC V	58	■		■
FUENTESPALDA : *Torre del Visco.* W www.torredelvisco.com €€€€€ Carretera de Valderrobres to Fuentespalda km 6, 44587 (Teruel). C 978 76 90 15. FAX 978 76 90 16. Ferme du XVᵉ siècle semi-fortifiée dans une vallée isolée où coule une rivière.	MC V	14	■		■
HUESCA : *Pedro I de Aragón.* W www.gargallo-hotels.com €€€€€ Calle del Parque 34, 22003. C 974 22 03 00. FAX 974 22 00 94. Ce bel hôtel moderne du centre-ville est très bien équipé. Les chambres, dont dix avec terrasse privée, sont insonorisées.	AE DC MC V	130	■	●	■
JACA : *Conde Aznar.* W www.hotelcondeaznar.com €€€€ Paseo de la Constitución 3, 22700 (Huesca). C 974 36 10 50. FAX 974 36 07 97. Hôtel simple et accueillant, dans une vieille demeure sur une belle avenue. Bon rapport qualité-prix. Bon restaurant de spécialités locales.	AE MC V	34	■		■

JACA : *Gran Hotel.* W www.inturmark.com €€€
Paseo de la Constitución 1, 22700 (Huesca). 974 36 09 00. FAX 974 36 40 61.
Hôtel moderne, au centre, près d'un parc, avec accès aux pistes de ski
autour du col du Somport. Parking payant. ● nov. TV

| | AE DC MC V | 165 | | | |

MORA DE RUBIELOS : *Jaime I.* €€€
Plaza de la Villa, 44400 (Teruel). 978 80 01 84. FAX 978 80 60 29.
Beau bâtiment de pierre avec des balcons en bois et des chambres simples dans cette
ville à la limite de la région du Maestrazgo aux nombreuses belles demeures. TV

| | AE DC MC V | 35 | | | |

NUÉVALOS : *Monasterio de Piedra.* W www.monasteriopiedra.com €€€€€
Monasterio de Piedra, 50210 (Zaragoza). 976 84 90 11. FAX 976 84 90 54.
Ancien monastère cistercien transformé en hôtel, non loin d'une réserve naturelle.
Parmi les éléments d'origine, des fenêtres aux carreaux d'albâtre. TV

| | AE DC MC V | 61 | | | |

SALLENT DE GÁLLEGO : *Villa de Sallent.* W www.hotelvillasallent.com €€€€€
Urbanización El Formigal, 22640 (Huesca). 974 49 02 23. FAX 974 49 01 50.
Au pied des pistes de la station de Formigal, cet hôtel agréable est tenu par une
famille. Il propose des cheminées et des chambres accueillantes. TV

| | AE DC MC V | 82 | | | |

SALLENT DE GÁLLEGO : *Almud.* W www.hotelalmud.com €€€
Espadilla 11, 22640 (Huesca). 974 48 83 66. FAX 974 48 81 43.
Hôtel des Pyrénées simple et charmant. Toutes ses chambres sont ornées
d'antiquités. Le bar est dans les anciennes écuries, dans la cave. TV

| | AE DC MC V | 10 | | | |

SOS DEL REY CATÓLICO : *Parador de Sos del Rey Católico.* €€€€€
Arquitecto Sainz de Vicuña 1, 50680 (Zaragoza).
948 88 80 11. FAX 948 88 81 00. W www.parador.es
Ce parador, à une extrémité du rempart médiéval, est en harmonie avec
l'architecture historique de la ville. Le parador ménage une jolie vue sur la
campagne aux environs. TV

| | AE DC MC V | 66 | | | |

TERUEL : *Parador de Teruel.* W www.parador.es €€€€€
Ctra a Zaragoza, 44003. 978 60 18 00. FAX 978 60 86 12.
Parador entouré de verdure un peu en dehors de la ville, en retrait d'une
grande route. Bar plaisant sur la terrasse couverte. TV

| | AE DC MC V | 60 | | | |

TERUEL : *Reina Cristina.* W www.gargallo-hotels.com €€€€
Paseo del Ovalo 1, 44001. 978 60 68 60. FAX 978 60 53 63.
Hôtel moderne du centre-ville. Accès facile aux principaux monuments.
Certaines chambres possèdent une terrasse. TV

| | AE DC MC V | 83 | | | |

VILLANÚA : *La Casa.* €€€
Ctra de Francia km 658, 22870 (Huesca). 974 37 81 36. FAX 974 37 81 98.
Cet hôtel blotti au cœur des Pyrénées permet de skier, de faire de
l'escalade et diverses activités de montagne. Il est sur la route des pèlerins
en route vers Saint-Jacques-de-Compostelle. TV

| | MC V | 16 | | | |

SARAGOSSE : *Hesperia Zaragoza.* W www.hoteles-hesperia.es €€€€€
Conde de Aranda 48, 50003. 976 28 45 00. FAX 976 28 27 17.
Non loin du centre-ville, cet hôtel confortable est apprécié des
hommes d'affaires. TV

| | AE DC MC V | 86 | | | |

SARAGOSSE : *Gran Hotel.* W www.nh-hotels.com €€€€
Calle Joaquín Costa 5, 50001. 976 22 19 01. FAX 976 23 67 13.
Ce grand hôtel du centre-ville fut inauguré en 1929 par Alphonse XIII.
Ses colonnades et sont salon à coupoles sont superbes. TV

| | AE DC MC V | 134 | | | |

SARAGOSSE : *Tibur.* W www.hoteltibur.com €€€€€
Plaza de la Seo 2 et 3, 50001. 976 20 20 00. FAX 976 20 20 02.
Cet hôtel bien situé, dans le centre historique, donne sur la Basílica del
Pilar. Ses chambres sont bien équipées. TV

| | DC MC V | 50 | | | |

COMMUNAUTÉ VALENCIENNE ET MURCIE

ÁGUILAS : *Carlos III.* W www.hotelcarlosiii.com €€
Calle Rey Carlos III 22, 30880 (Murcia). 968 41 16 50. FAX 968 41 16 58.
Hôtel moderne du centre-ville, près de la plage de cette petite station balnéaire.
Produits de la mer et spécialités locales dans son restaurant. TV

| | AE DC MC V | 32 | | | |

ALICANTE (ALACANT) : *Les Monges Palace.* €
San Augustín 4, 03002. 965 21 50 46. FAX 965 14 71 89
Dominant la ville baroque d'Alicante, cette pension de famille offre un bon rapport
qualité-prix. Chambres individuelles décorées de meubles d'époque. TV

| | MC V | 23 | | | |

Légende des symboles, voir rabat de couverture

	CARTES BANCAIRES	NOMBRE DE CHAMBRES	PARC DE STATIONNEMENT	PISCINE	JARDIN OU TERRASSE

Les prix correspondent à une nuit en chambre double, service et petit déjeuner compris.

€ moins de 50 euros
€€ de 50 à 75 euros
€€€ de 75 à 100 euros
€€€€ de 100 à 125 euros
€€€€€ plus de 125 euros

CARTES BANCAIRES
Un symbole indique que les cartes American Express (AE), Diner's Club (DC), Master Card/Access (MC), Visa (V) sont acceptées.
PARCS DE STATIONNEMENT
Possibilité de garer son véhicule, soit au parking de l'établissement, soit dans un garage à proximité. Certains hôtels font payer l'utilisation de leur parking privé.
PISCINE
Piscine à ciel ouvert sauf indication contraire.
JARDIN
Hôtel disposant d'un jardin, d'une cour intérieure ou d'une terrasse, avec des tables permettant de prendre les repas à l'extérieur.

ALICANTE (ALACANT) : *Sidi San Juan.* W www.hotelsidi.es   €€€€€
La Doblada 8, Cabo las Huertas, 03540. 965 16 13 00. FAX 965 16 33 46.
Hôtel de luxe en dehors d'Alicante, avec chambres sur la mer et accès à la plage par les jardins. Centre d'amaigrissement.
AE DC MC V — 176

ARCHENA : *Termas.* @ reservas@balnearioarchena.com   €€€€€
Ctra Balneario, 30600 (Murcia). 968 67 01 00. FAX 968 67 10 02.
Cet hôtel, dans une station thermale, possède un intérieur de style mudéjar avec ornements en plâtre, coupoles et voûtes maures. Les galeries au sous-sol sont chauffées par l'eau des thermes.
AE MC V — 72

CALP : *Venta la Chata.*   €€
Carretera Nacional 332 km 172, 03710 (Alicante). et FAX 965 83 03 08.
Ancien relais de poste sur la route principale entre Alicante et Valence. Mélange de meubles anciens et récents dans les chambres. Certaines possédent une terrasse sur le jardin.
DC MC V — 17

CARTHAGÈNE : *Los Habaneros.* W www.hotelhabaneros.com   €€€
Calle San Diego 60, 30202 (Murcia). 968 50 52 50. FAX 968 50 91 04.
À la limite du quartier historique, cet hôtel confortable reste abordable. Son restaurant connaît un grand succès.
AE DC MC V — 58

CASTELL DE CASTELLS : *Pensión Castells.* W www.mountainholidays.com/spain   €€
Calle San Vicente 18, 03793 (Alicante). et FAX 96 551 82 54.
Cette vieille maison, dans un village de l'intérieur, proche de la Costa Blanca, possède des chambres ravissantes, notamment pour les randonneurs qui visitent les collines alentour. Petit déjeuner uniquement. juil.-août
MC V — 4

CHULILLA : *Balneario de Chulilla.* W www.balneariodechulilla.com   €€€
Calle Afueras, 46167 (Valencia). 96 165 70 13. FAX 96 165 70 31.
Hôtel thermal au bord d'un cours d'eau. Bon marché, il est idéal pour qui veut explorer les bois et les collines de la région. Il a tout pour une cure de repos : sauna, salle de sport, courts de tennis et jacuzzi. fin déc.-fév.
AE V — 85

DENIA : *Rosa.*   €€€
Calle Congre 3, Las Marinas, 03700 (Alicante). 96 578 15 73. FAX 96 642 47 74.
Villa blanche, moderne, proche de la plage. Elle a été bâtie et est dirigée par un Parisien qui se dépense sans compter pour satisfaire ses clients. Chambres confortables et ensoleillées. Balcons de style florentin.
MC V — 35

ELCHE : *Huerto del Cura.* W www.huertodelcura.com   €€€€€
Porta de la Morera 14, 03203 (Alicante). 96 661 00 11. FAX 96 542 19 10.
Cet hôtel isolé est situé dans la plus grande palmeraie d'Europe qu'entoure un domaine joliment aménagé. Ses chambres sont dans des bungalows de style méditerranéen. Le restaurant a une excellente réputation.
AE DC MC V — 86

FORCALL : *Palau dels Ossets.* W www.hotelpalau.com   €€€
Plaza Mayor 16, 12310 (Castellón). 964 17 75 24. FAX 964 17 75 56.
Demeure du XVIe siècle sur la place principale d'un village calme au cœur d'El Maestrat. Rénovée avec goût, elle possède des poutres apparentes et de beaux sols carrelés. Chambres bien équipées.
MC V — 21

FORTUNA : *Balneario.* W www.leana.es   €€
Calle Balneario, 30630 (Murcia). 968 68 50 11. FAX 968 68 50 87.
Avec ses portes de style Art nouveau et son bel escalier, le Balneario rappelle les grands hôtels de jadis. Apprécié des curistes, il offre une piscine chauffée naturellement.
AE DC MC V — 173

LA MANGA DEL MAR MENOR : *Regency Hyatt La Manga.*   €€€€€
La Manga Club, 30385 (Murcia). 968 33 12 34. W www.lamanga.hyatt.regency.com
Luxueux hôtel faisant partie d'un complexe réservé à une clientèle fortunée. Bâti dans le style d'un village espagnol, il est entouré de palmiers et d'oliviers. 3 parcours de golf, 18 courts de tennis et 4 piscines.
AE DC MC V — 189

MORAIRA : *Swiss Hotel Moraira.* W www.hotelswissmoraira.com €€€€€ Calle Haya 175, 03724 (Alicante). (96 574 71 04. FAX 96 574 70 74. Hôtel réservé à la clientèle fortunée parmi les villas de vacances d'un domaine proche de la côte. Chambres spacieuses avec terrasses ensoleillées. 🛏 ▤ TV ♿	AE DC MC V	25	■ ● ■
MORATALLA : *Cenajo.* €€€ Embalse del Cenajo, 30440 (Murcia). (968 72 10 11. FAX 968 72 06 45. Hôtel calme, proche du bassin du Cenajo, dans un coin de la campagne murcienne. Nombreuses activités possibles dont l'équitation 🛏 TV ▤ ♿ ▥	DC MC V	70	■ ● ■
MORELLA : *Cardenal Ram.* @ hotelcardenalram@ctv.es €€€ Cuesta Suñer 1, 12300 (Castellón). (964.17 30 85. FAX 964 17 32 18. Cette demeure rénovée du XVIᵉ siècle, aux voûtes de pierre et aux poutres apparentes, donne sur la rue principale avec ses portiques. 🛏 ▤ TV ▥	MC V	19	■
MURCIE : *Arco de San Juan.* W www.arcosanjuan.com €€€€€ Plaza de Ceballos 10, 30003. (968 21 04 55. FAX 968 22 08 09. La restauration de cet hôtel proche de la cathédrale a été primée plusieurs fois. La décoration allie matériaux contemporains et antiquités. 🛏 ▤ TV ♿ ▥	AE DC MC V	97	■
MURCIE : *Conde de Floridablanca.* W www.hoteles-catalonia.es €€€€€ Princesa 18, 30002. (968 21 46 26. FAX 968 21 32 15. Bon rapport qualité-prix pour cet hôtel confortable qu'une rivière sépare du centre-ville. Meublé d'antiquités, il est orné de vitraux. 🛏 ▤ TV ♿ ▥	AE DC MC V	82	■
ONTINVENT : *Pou Clar.* @ hotelpouclar@terra.es €€ Mayans 67, 46870 Ontinyent. (962 38 12 00. FAX 962 38 70 34. Situé dans un quartier calme de la vieille ville, à proximité de l'hôtel de ville. Décor à la fois classique et moderne. Salle de sport à disposition. 🛏 ▤ TV ▥	AE DC MC V	82	
PENÁGUILA : *Mas de Pau.* €€ Ctra Alcoi–Penáguila km 9, 03815 (Alicante). (96 551 31 11. FAX 96 551 31 09. Maison du XIXᵉ siècle, entourée d'amandiers et d'oliviers, près d'Alcoy. Petites chambres, dont certaines donnent sur la sierra Aitana. 🛏 TV ▥	AE DC MC V	18	■ ● ■
PEÑÍSCOLA : *Benedicto XIII.* W www.hotelbenedicto.com €€€ Urbanización Las Atalayas, 12598 (Castellón). (964 48 08 01. FAX 964 48 95 23. Villa blanche dans un domaine calme sur une colline dominant Peñíscola. Ses terrasses et ses fenêtres voûtées donnent sur la ville. ● oct.-mars. 🛏 ▤ TV ▥	AE DC MC V	30	■ ● ■
PEÑÍSCOLA : *Hostería del Mar.* W www.hosteriadelmar.net €€€€€ Avenida Papa Luna 18, 12598 (Castellón). (964 48 06 00. FAX 964 48 13 63. Hôtel moderne en bord de plage avec nombre de chambres sur la mer. Les banquets médiévaux animés sont la spécialité de la maison. 🛏 ▤ TV ▥	AE DC MC V	86	■ ● ■
PUZOL : *Monte Picayo.* W www.hot-hlghotels.com €€€€€ Autopista A7, exit Puzol, 46530 (Valencia). (96 142 01 00. FAX 96 142 21 68. Cet hôtel est près de l'autoroute qui évite la traversée de Valence, mais quel luxe ! Entouré de jardins, il a son propre casino et son arène. Certaines chambres ont un jardin privé et une piscine. 🛏 ▤ TV ▥	AE DC MC V	82	■ ● ■
EL SALER : *Parador de El Saler.* W www.parador.es €€€€€ Avda de los Pinares 151, 46012 (Valencia). (96 161 11 86. FAX 96 162 70 16. Parador moderne, calme, proche de la mer près de L'Albufera et entouré d'un terrain de golf réputé. 🛏 ▤ TV ♿ ▥	AE DC MC V	58	■ ● ■
VALENCE : *Ad Hoc.* W www.adhochoteles.com €€€€€ Calle Boix 4, 46003. (96 391 91 40. FAX 96 391 36 67. Hôtel chic dans un édifice du XIXᵉ siècle rénové et insonorisé dans le quartier historique de la ville, près des jardins du río Turia. 🛏 ▤ TV ▥	AE DC MC V	28	
VALENCE : *Inglés.* W www.solmelia.es €€€€€ Calle Marqués de Dos Aguas 6, 46002. (96 351 64 26. FAX 96 394 02 51. Hôtel du centre-ville dans l'ancien palais des ducs de Cardona, près du musée national de la céramique. Toutes les chambres sont sur rue. 🛏 ▤ TV ♿ ▥	AE DC MC V	63	
VALENCE : *Reina Victoria.* W www.husa.es €€€€€ Calle Barcas 4, 46002. (96 352 04 87. FAX 96 352 27 21. Dans le centre-ville, près de la plaza del Ayuntamiento, ce bel hôtel de la fin du XIXᵉ siècle possède des chambres modernes. 🛏 ▤ TV ▥	AE DC MC V	97	

Légende des symboles, voir rabat de couverture

Les prix correspondent à une nuit en chambre double, service et petit déjeuner compris.

€ moins de 50 euros
€€ de 50 à 75 euros
€€€ de 75 à 100 euros
€€€€ de 100 à 125 euros
€€€€€ plus de 125 euros

CARTES BANCAIRES
Un symbole indique que les cartes American Express (AE), Diner's Club (DC), Master Card/Access (MC), Visa (V) sont acceptées.

PARCS DE STATIONNEMENT
Possibilité de garer son véhicule, soit au parking de l'établissement, soit dans un garage à proximité. Certains hôtels font payer l'utilisation de leur parking privé.

PISCINE
Piscine à ciel ouvert sauf indication contraire.

JARDIN
Hôtel disposant d'un jardin, d'une cour intérieure ou d'une terrasse, avec des tables permettant de prendre les repas à l'extérieur.

	CARTES BANCAIRES	NOMBRE DE CHAMBRES	PARC DE STATIONNEMENT	PISCINE	JARDIN OU TERRASSE
LA VILA JOIOSA (VILLAJOYOSA) : *El Montiboli.* W www.elmontiboli.com €€€€€ Partida El Montiboli, 03570 (Alicante). 96 589 02 50. FAX 96 589 38 57. Hôtel en dehors de la ville, sur une falaise basse, au-dessus d'une plage isolée. Les chambres sont toutes différentes et chacune propose une terrasse sur la mer.		89			
XÀBIA (JÁVEA): *Hotel Jávea.* W www.lanaogroup.es €€€ Calle Pio X, 5 (Alicante). 96 579 5461. FAX 96 579 54 63. À 20 mètres de la plage, au cœur de la ville et près du port, cet hôtel bénéficie d'une situation idéale.	DC MC V	24			
XÀBIA (JÁVEA): *Parador de Jávea.* W www.parador.es €€€€€ Avda Mediterráneo 7, 03730 (Alicante). 96 579 02 00. FAX 96 579 03 08. Ce parador se trouve sur la plage Arenales. La terrasse de la salle à manger donne sur de splendides jardins. Les chambres ont un balcon sur la mer. Installations pour sports aquatiques à proximité.	AE DC MC V	70	■	●	■

MADRID

	CARTES BANCAIRES	NOMBRE DE CHAMBRES	PARC DE STATIONNEMENT	PISCINE	JARDIN OU TERRASSE
LE VIEUX MADRID : *Hostal Buenos Aires.* **Plan 1 D1.** W www.hoteleshn.com €€ Gran Vía 61, 28013. 91 542 01 02. FAX 91 542 28 69. Hôtel simple et bon marché, bien situé dans la très animée Gran Via. Salles communes joliment décorées. Chaque chambre a un balcon.	DC MC V	25			
LE VIEUX MADRID : *Inglés.* **Plan 5 A1.** @ comercial@hotelingles.com €€€€ Calle de Echegaray 8, 28014. 91 429 65 51. FAX 91 420 24 23. Bon rapport qualité-prix pour cet hôtel tenu par une famille. Les chambres sur rue sont ensoleillées, celles à l'arrière sont plus calmes.	AE DC MC V	58	■		
LE VIEUX MADRID : *Arosa.* **Plan 2 F2.** W www.bestwesterncom €€€€€ Calle de la Salud 21, 28013. 91 532 16 00. FAX 91 531 31 27. Hôtel central, proche de la Gran Vía et de la Puerta del Sol, apprécié des étrangers et des hommes d'affaires séjournant à Madrid. Les chambres confortables sont toutes bien insonorisées.	AE DC MC V	134	■		
LE VIEUX MADRID : *Carlos V.* **Plan 2 E3.** W www.bestwestern.es/carlosv €€€€€ Calle Maestro Vitoria 5, 28013. 91 531 41 00. FAX 91 531 37 61. Cet hôtel central, dans une rue piétonne, près de la Puerta del Sol, est tenu par une famille. Il propose des chambres communicantes, familiales, avec un balcon ou avec une terrasse.	AE DC MC V	67			
LE VIEUX MADRID : *Gaudí.* **Plan 2 E2.** W www.hoteles-catalonia.es €€€€€ Gran Vía 9, 28013. 91 531 22 22. FAX 91 531 54 69. Hôtel central avec des éléments de décor à la Gaudí dans les chambres. Les suites du dernier étage sont particulièrement agréables, avec jacuzzis et vue magnifique.	AE DC MC V	185		●	
LE VIEUX MADRID : *Reyes Católicos.* **Plan 1 C5.** W www.domus-hoteles.es €€€€€ Calle del Ángel 18, 28005. 91 365 86 00. FAX 91 365 98 67. Cet hôtel moderne et central est très apprécié et toujours plein. Les enfants sont acceptés et les chambres insonorisées. Belles vue sur la ville depuis le toit.	AE DC MC V	38	■		
LE VIEUX MADRID : *Tryp Gran Vía.* **Plan 2 F2.** W www.solmelia.com €€€€€ Gran Vía 25, 28013. 91 522 11 21. FAX 91 521 24 24. Hôtel faisant partie d'une chaîne dans une des rues les plus animées. Certains meubles sont de style années 1960 et 1970.	AE DC MC V	175			
LE VIEUX MADRID : *Hard Rock Reina Victoria.* **Plan 5 A1.** €€€€€ Plaza Santa Ana 14, 28012. 91 531 45 00. FAX 91 522 03 07. W www.solmelia.com Hemingway logea dans ce bel hôtel historique, rendez-vous traditionnel des aficionados de corrida.	AE DC MC V	201	■		

LE VIEUX MADRID : *Tryp Rex.* **Plan 2 E2.** [W] www.solmelia.com €€€€€
Gran Vía 43, 28013. [91 547 48 00. FAX 91 547 12 38.
Cet hôtel appartenant à une chaîne dans un bâtiment ancien, entre la plaza del Callao et la plaza de España, est proche d'un parking public. 🛏 🍴 📺
AE DC MC V — 145

LE MADRID DES BOURBONS : *Mora.* **Plan 5 C2.** [W] www.hotelmora.com €€€
Paseo del Prado 32, 28014. [91 420 15 69. FAX 91 420 05 64.
Hôtel des années 1930 avec une belle entrée, des chambres et des installations fonctionnelles, bien que bon marché. 🛏 🍴 📺
AE DC MC V — 75

LE MADRID DES BOURBONS : *Santander.* **Plan 5 A1.** €€€
Calle de Echegaray 1, 28014. [91 429 46 44. FAX 91 369 10 78.
Ce petit et amical hôtel de famille propose des chambres simples et confortables aux nombreux voyageurs qu'il reçoit depuis 1920. 🛏 📺
— 35

LE MADRID DES BOURBONS : *Westin Palace.* **Plan 5 B1.** €€€€€
Plaza de las Cortes 7, 28014. [91 360 80 00. FAX 91 360 81 00. [W] www.luxurycollection.com
Cet hôtel Belle Époque est doté d'une coupole de verre et d'une colonnade. Des hommes d'État y résidèrent, ainsi que l'espionne Mata Hari. Ses chambres sont élégantes, le personnel aimable et efficace. 🛏 🍴 📺 ♿
AE DC MC V — 465 ▪

LE MADRID DES BOURBONS : *Ritz.* **Plan 5 C1.** [W] www.ritz.es €€€€€
Plaza de la Lealtad 5, 28014. [91 521 28 57. FAX 91 532 87 76.
Inauguré en 1910, cet hôtel, alors fréquenté par l'aristocratie, reste un des plus beaux d'Espagne *(p. 274).* Il possède un hall circulaire décoré et une terrasse agrémentée de plantes. Thés musicaux et brunches. 🛏 🍴 📺
AE DC MC V — 158 ▪ ▪

LE MADRID DES BOURBONS : *Suecia.* **Plan 3 B5.** €€€€€
Calle Marqués de Casa Riera 4, 28014. [91 531 69 00. FAX 91 521 71 41.
Situé au centre, près de la Puerta del Sol, le Suecia offre au 7e étage une petite terrasse où l'on peut se relaxer et bronzer. 🛏 🍴 📺 [W] www.hotelsuecia.com
AE DC MC V — 128 ▪ ▪

LE MADRID DES BOURBONS : *Suite Prado.* **Plan 5 A1.** [W] www.suiteprado.com €€€€€
Manuel Fernández y González 10, 28014. [91 420 23 18. FAX 91 420 05 59.
Hôtel chic ne comportant que des suites luxueuses, proche du Prado et du Museo Thyssen-Bornemisza. 🛏 🍴 📺 [W] www.suiteprado.com
AE DC MC V — 18

LE MADRID DES BOURBONS : *Villa Real.* **Plan 5 B1.** €€€€€
Plaza de las Cortes 10, 28014. [91 420 37 67. FAX 91 420 25 47. [W] www.derbyhotels.es
Proche du Prado, cet hôtel chic occupe un édifice du début du XIXe siècle. Copies de meubles anciens en acajou et broderies représentant des scènes pastorales décorent les pièces communes. 🛏 🍴 📺
AE DC MC V — 115 ▪

LE MADRID DES BOURBONS : *Wellington.* **Plan 4 F4.** €€€€€
Calle de Velázquez 8, 28001. [91 575 44 00. [W] www.hotel-wellington.com
Les passionnés de corrida se retrouvent dans cet élégant hôtel du début des années 1950, proche du Parque del Retiro. 🛏 🍴 📺
AE DC MC V — 260 ▪ ● ▪

EN DEHORS DU CENTRE (EST) : *Colón.* [W] www.fiestahotelgroup.com €€€€€
Calle Doctor Esquerdo 119, 28007. [91 573 59 00. FAX 91 573 08 09.
Hôtel confortable dans une tour entre le Parque del Retiro et le Parque de Roma. Salle de sport et équipements pour hommes d'affaires. 🛏 🍴 📺
AE DC MC V — 359 ▪ ▪

EN DEHORS DU CENTRE (EST) : *NH Alcalá.* [W] www.nh-hotels.com €€€€€
Calle de Alcalá 66, 28009. [91 435 10 60. FAX 91 435 11 05.
Hôtel sympathique, en face du Parque del Retiro. Les chambres à l'arrière donnent sur un joli jardin. 🛏 🍴 📺
AE DC MC V — 146 ▪

EN DEHORS DU CENTRE (NORD) : *Hostal Sil.* **Plan 3 A4.** [@] info@silserranos.com €€
Calle Fuencarral 95, 28004. [91 448 89 72. FAX 91 447 48 29.
Dans un joli quartier, hôtel confortable et bien situé avec des chambres et des salles de bains au mobilier de qualité et pourtant bon marché. 🛏 🍴 📺
MC V — 50

EN DEHORS DU CENTRE (NORD) : *Mónaco.* **Plan 3 B4.** €€€
Calle Barbieri 5, 28004. [91 522 46 30. FAX 91 521 16 01.
La décoration de cet hôtel, jadis la plus célèbre maison close de Madrid, est kitsch à souhait. Les chambres ont gardé certaines de leurs caractéristiques d'autrefois. 🛏 🍴 📺
AE DC MC V — 34

EN DEHORS DU CENTRE (NORD) : *Castellana Intercontinental.* €€€€€
Paseo de la Castellana 49, 28046. [91 700 73 00. [W] www.interconti.com
Cet hôtel, dans le centre commercial de Madrid, est un des préférés des hommes d'affaires. Les clients ont le choix entre deux restaurants. 🛏 🍴 📺 ♿
AE DC MC V — 307 ▪ ▪

	CARTES BANCAIRES	NOMBRE DE CHAMBRES	PARC DE STATIONNEMENT	PISCINE	JARDIN OU TERRASSE

Les prix correspondent à une nuit en chambre double, service et petit déjeuner compris.

€ moins de 50 euros
€€ de 50 à 75 euros
€€€ de 75 à 100 euros
€€€€ de 100 à 125 euros
€€€€€ plus de 125 euros

CARTES BANCAIRES
Un symbole indique que les cartes American Express (AE), Diner's Club (DC), Master Card/Access (MC), Visa (V) sont acceptées.
PARCS DE STATIONNEMENT
Possibilité de garer son véhicule, soit au parking de l'établissement, soit dans un garage à proximité. Certains hôtels font payer l'utilisation de leur parking privé.
PISCINE
Piscine à ciel ouvert sauf indication contraire.
JARDIN
Hôtel disposant d'un jardin, d'une cour intérieure ou d'une terrasse, avec des tables permettant de prendre les repas à l'extérieur.

EN DEHORS DU CENTRE (NORD) : *Miguel Ángel.* €€€€€
Calle Miguel Ángel 31, 28010. 91 442 81 99. www.occidental-hoteles.com
Près du paseo de la Castellana, cet hôtel allie le confort moderne au style classique. Un de ses deux restaurants organise des dîners dansants jusqu'à 3 heures du matin.

| | AE DC MC V | 263 | ■ | ● | ■ |

EN DEHORS DU CENTRE (NORD) : *Santo Mauro.* €€€€€
Calle Zurbano 36, 28010. 91 319 69 00. FAX 91 308 54 77. www.ac-hoteles.com
Ce palais bâti en 1894 dans l'une des plus belles rues de Madrid a abrité différentes ambassades. La piscine se trouve dans un sous-sol voûté, le restaurant dans l'ancienne bibliothèque.

| | AE DC MC V | 51 | ■ | ● | ■ |

EN DEHORS DU CENTRE (NORD) : *Villamagna.* **Plan 3 D2.** €€€€€
Paseo de la Castellana 22, 28046. 91 587 12 34. www.madrid.hyatt.com
Entouré de jardins, cet hôtel apprécié des hommes d'affaires allie une décoration du XVIIIe siècle au luxe moderne.

| | AE DC MC V | 182 | ■ | | |

EN DEHORS DU CENTRE (NORD-EST) : *Conde de Orgaz.* €€€€€
Avenida Moscatelar 24, 28043. 91 748 97 60. www.zenithoteles.com
Hôtel moderne aux chambres vastes et confortables, proche de l'aéroport et du centre d'exposition de Campo de las Naciones.

| | AE DC MC V | 91 | ■ | | |

EN DEHORS DU CENTRE (NORD-EST) : *NH Príncipe de Vergara.* €€€€€
Calle Príncipe de Vergara 92, 28006. 91 563 26 95. www.nh-hoteles.com
Faisant partie d'une chaine d'hôtels réputée, cet hôtel propose de bons petits-déjeuners ainsi qu'un bon rapport qualité-prix.

| | AE DC MC V | 173 | ■ | | |

EN DEHORS DU CENTRE (NORD-OUEST) : *Tirol.* www.hotel-tirol.com €€€€€
Calle de Marqués de Urquijo 4, 28008. 91 548 19 00. FAX 91 541 39 58.
Bon rapport qualité-prix pour cet hôtel bien situé, près de la plaza de España et du quartier des étudiants. Chambres spacieuses et soignées.

| | AE DC MC V | 98 | | | |

EN DEHORS DU CENTRE (NORD-OUEST) : *Monte Real.* €€€€€
Calle Arroyo Fresno 17, 28035. 91 316 21 40. www.montereal.com
Dans une zone résidentielle, près du golf de la Puerta de Hierro, cet imposant hôtel moderne est paisible. Balcons donnant sur la piscine et les jardins.

| | AE DC MC V | 80 | ■ | ● | ■ |

EN DEHORS DU CENTRE (SUD-EST) : *Agumar.* **Plan 6 F4.** €€€€€
Paseo de Reina Cristina 7, 28014. 91 552 69 00. www.h-santos.es
Hôtel possédant beaucoup de cachet près des grands musées. Il abrite de belles peintures ainsi que des tapis de la Real Fábrica de Tapices.

| | AE DC MC V | 245 | ■ | | |

LA PROVINCE DE MADRID

ALAMEDA DEL VALLE : *La Posada de Alameda.* €€€
Calle Grande 34, 28749. 91 869 13 37. www.laposadadealameda.com
Ferme restaurée avec goût dans la paisible vallée de Lozoya, à environ une heure de Madrid. Les chambres, dont deux sont installées dans d'anciens silos, sont bien équipées et certaines donnent sur la campagne.

| | MC V | 22 | ■ | | |

CHINCHÓN : *Parador de Chinchón.* www.parador.es €€€€€
Avenida del Generalísimo 1, 28370. 91 894 08 36. FAX 91 894 09 08.
Cet ancien monastère du XVIIe siècle, aux murs très épais, entoure un jardin vert spacieux. *Azulejos (p. 420)*, fresques et antiquités agrémentent l'établissement.

| | AE DC MC V | 38 | ■ | ● | ■ |

RASCAFRÍA : *Santa María de El Paular.* www.sierranorte.es €€€€€
Carretera C604 km 25,600, 28740. 91 869 10 11. FAX 91 869 10 06.
Cet hôtel occupe une partie d'un monastère bénédictin dans un coin tranquille des monts Guadarrama. Vous avez le choix entre la salle à manger et un *mesón* (bar-restaurant) plus décontracté. ● janv.

| | AE DC MC V | 58 | ■ | ● | ■ |

SAN LORENZO DE EL ESCORIAL : *El Botánico.* W www.valdesimonte.com €€€€ — AE DC MC V — **20**
Calle Timoteo Padros 16, 28200. (91 890 78 79. FAX 91 890 81 58.
Ce palais en pierre des XVIIᵉ et XVIIIᵉ siècle a été transformé en hôtel en
1996. Son emplacement au calme offre de belles vues sur le monastère
de l'Escurial. Un golf est situé juste en face de l'hôtel. 🛏 🍽 TV 🎱

TORREJÓN DE ARDOZ : *La Casa Grande.* W www.lacasagrande.es €€€€€ — AE DC MC V — **8**
Calle Madrid 2, 28850. (91 675 39 00. FAX 91 675 06 91.
Cet hôtel luxueux, dans une maison du XVIᵉ siècle, est orné d'antiquités qui
appartinrent jadis à la famille royale russe. Catherine II aurait dormi dans le lit
occupant actuellement la suite principale. 🛏 🍽 TV

CASTILLE-LEÓN

AGUILAR DE CAMPOO : *Posada de Santa María la Real.* €€ — MC V — **18**
Avenida Cervera, 34800 (Palencia). (979 12 20 00. FAX 979 12 56 80.
Une partie de l'Institut des Études Romanes se trouve dans ce monastère ; l'entrée
de l'hôtel est située à l'arrière et n'est pas signalée. Les chambres petites et simples
donnent sur un jardin. Atmosphère sympathique. 🛏 🍽 TV 🅐

LA ALBERCA : *Las Batuecas.* W www.hotellasbatuecas.com €€ — MC V — **38**
Avda de las Batuecas 6, 37624 (Salamanca). (923 41 51 88. FAX 923 41 50 55.
En bordure d'un joli village, au cœur d'une vallée verdoyante, cet hôtel est
idéal pour qui veut visiter la sierra de Francia. Bâti en pierre et en bois,
il possède une terrasse couverte au premier étage. ● 10 janv.-1ᵉʳ fév. 🛏 🍽 TV

ASTORGA : *Gaudí.* W www.hotelgandi.com €€€ — AE DC MC V — **35**
Plaza Eduardo de Castro 6, 24700 (León). (987 61 56 54. FAX 987 61 50 40.
Cet hôtel a beaucoup de cachet. Il se trouve sur la place du palais épiscopal
néo-gothique de Gaudí. Les chambres donnent sur le palais et la cathédrale. 🛏 TV

ÁVILA : *Hostería de Bracamonte.* W www.hospederiabracamonte.com €€ — MC V — **18**
Calle Bracamonte 6, 05001. (920 25 12 80. FAX 920 25 38 38
Hôtel traditionnel castillan aux poutres apparentes et aux sols carrelés. Calme,
plein de charme, il est proche de la cathédrale et des remparts. 🛏 TV

ÁVILA : *Parador de Ávila.* W www.parador.es €€€€€ — AE DC MC V — **61**
C/ Marqués de Canales de Chozas 2, 05001. (920 21 13 40. FAX 920 22 61 66.
Près des remparts, ce parador est installé dans une demeure du XVᵉ siècle. Au
printemps, on peut voir des cigognes nicher au-dessus d'une porte. 🛏 🍽 TV

ÁVILA : *Palacio Valderrábanos.* W www.palaciovalderrabanos.com €€€ — AE DC MC V — **73**
Plaza de la Catedral 9, 05001. (920 21 10 23. FAX 920 25 16 91.
Hôtel désuet, spacieux, dans une belle demeure du XVᵉ siècle, proche de la
cathédrale. Il possède une suite dans la tour de guet. 🛏 🍽 TV

BENAVENTE : *Parador de Benavente.* W www.parador.es €€€€€ — AE DC MC V — **38**
Paseo de Ramón y Cajal, 49600 (Zamora). (980 63 03 00. FAX 980 63 03 03.
Ne reste du château de Benavente détruit par les armées de Napoléon que la
tour del Caracol. Faisant partie du parador, elle offre un salon extraordinaire
avec un plafond mudéjar provenant d'une église. 🛏 🍽 TV 🅐

EL BURGO DE OSMA : *Virrey II.* W www.virreypalafox.com €€€€ — AE DC MC V — **50**
Calle Mayor 4, 42300 (Soria). (975 34 13 11. FAX 975 34 08 55.
Ce luxueux hôtel proche de la vieille ville est très confortable. Son personnel
est efficace et aimable et son restaurant de qualité. Très bien situé pour visiter
la province de Soria. 🛏 TV 🅐

BURGOS : *Abba Burgos.* W www.abbaburgoshotel.com €€€€€ — AE DC MC V — **99**
Calle Fernán Gonzáles 72, 09003. (947 00 11 00. FAX 947 00 11 01.
Installé dans les murs d'un ancien séminaire, cet hôtel, récemment ouvert, est
élégamment décoré avec un mélange d'éléments antiques et modernes. Situé dans
le centre-ville, il est à quelques pas de la cathédrale et d'autres sites touristiques.
🛏 🍽 TV

BURGOS : *Landa Palace.* W www.landapalace.es €€€€€ — MC V — **39** ●
Carretera Madrid–Irún km 235, 09001. (947 25 77 77. FAX 947 26 46 76.
Hôtel extravagant à la périphérie de Burgos. Les voûtes en pierre de la salle
à manger qui semblent gothiques datent, comme la piscine, des années 1960.
La tour médiévale provient d'un village voisin. 🛏 🍽

CASTRILLO DE LOS POLVAZARES : *Cuca la Vaina.* W www.cucalavaina.com €€ — MC V — **7**
Calle El Jardín, 24718 (León). (et FAX 987 69 10 78.
Hôtel calme, charmant, dans une maison de pierre rénovée, joliment décorée,
dans un village préservé de la région dite la Maragatería. 🛏 TV

Légende des symboles, voir rabat de couverture

Les prix correspondent à une nuit en chambre double, service et petit déjeuner compris.

€ moins de 50 euros
€€ de 50 à 75 euros
€€€ de 75 à 100 euros
€€€€ de 100 à 125 euros
€€€€€ plus de 125 euros

CARTES BANCAIRES
Un symbole indique que les cartes American Express (AE), Diner's Club (DC), Master Card/Access (MC), Visa (V) sont acceptées.
PARCS DE STATIONNEMENT
Possibilité de garer son véhicule, soit au parking de l'établissement, soit dans un garage à proximité. Certains hôtels font payer l'utilisation de leur parking privé.
PISCINE
Piscine à ciel ouvert sauf indication contraire.
JARDIN
Hôtel disposant d'un jardin, d'une cour intérieure ou d'une terrasse, avec des tables permettant de prendre les repas à l'extérieur.

	CARTES BANCAIRES	NOMBRE DE CHAMBRES	PARC DE STATIONNEMENT	PISCINE	JARDIN OU TERRASSE
CIUDAD RODRIGO : *Parador de Ciudad Rodrigo.* w www.parador.es €€€€€ Plaza del Castillo 1, 37500 (Salamanca). (923 46 01 50. FAX 923 46 04 04. Premier parador aménagé dans un bâtiment historique, il garde un peu de l'atmosphère du XIIe siècle. La meilleure suite est dotée d'une chambre circulaire avec un toit à coupole. 🚗 ▤ TV 🅱	AE DC MC V	35	▨		▨
COLLADO HERMOSO : *Molino de Río Viejo.* w www.toprural.com €€ Carretera N110, km172, 40170 (Segovia). (921 40 30 63. FAX 921 40 30 51. Hôtel confortable dans un vieux moulin parmi les peupliers, près du río Viejo. Bien situé pour visiter la campagne de la province de Ségovie. Chevaux disponibles pour ceux qui aiment monter. Réserver absolument. 🚗	MC V	9	▨		▨
COVARRUBIAS : *Arlanza.* w www.hotelarlanza.com €€ Calle Mayor 11, 09346 (Burgos). (947 40 64 41. FAX 947 40 05 02. Situé dans un village médiéval, l'Arlanza donne sur une place piétonne pavée. Logement simple dans un bâtiment ancien aux poutres noires et à la belle cage d'escalier. ● mi-déc.-1er mars. 🚗 TV	AE DC MC V	38			
HOYOS DEL ESPINO : *El Milano Real.* w www.elmilanoreal.com €€€€ Calle Toleo, 05634 (Ávila). (920 34 91 08. FAX 920 34 91 56. Une touche personnelle, une atmosphère agréable et des nuits silencieuses font du Milano Real un bon hôtel pour les vacances. Excursions à cheval. 🚗 TV 🅱	AE DC MC V	21	▨		▨
LEÓN : *Alfonso V.* w www.iova-sa.com €€€€€ Avenida Padre Isla 1, 24002. (987 22 09 00. FAX 987 22 12 44. Cet hôtel confortable du centre-ville a un intérieur contemporain. Sa cage d'escalier extravagante incurvée est l'élément le plus marquant du décor. 🚗 ▤ TV	AE DC MC V	62	▨		
LEÓN : *Parador de San Marcos.* w www.parador.es €€€€€ Plaza de San Marcos 7, 24001. (987 23 73 00. FAX 987 23 34 58. Ce parador est installé dans l'Hostal San Marcos, un ancien couvent parmi les plus beaux édifices Renaissance. Magnifique salle dotée d'un plafond à caissons. Les chambres anciennes et modernes sont luxueuses. 🚗 ▤ TV 🅱	AE DC MC V	230	▨		
NAVARREDONDA DE GREDOS : *Parador de Gredos.* w www.parador.es €€€€€ Carretera Barraco-Bejar, km 43, 05635 (Ávila). (920 34 80 48. FAX 920 34 82 05. Le premier parador d'Espagne, inauguré en 1928 par Alphonse XIII, est situé dans une belle pinède de la sierra de Gredos. Calme, il est bien placé pour explorer les montagnes alentour. 🚗 TV 🅱	AE DC MC V	74	▨		
PEDRAZA DE LA SIERRA : *La Posada de Don Mariano.* €€€ Calle Mayor 14, 40172 (Segovia). (et FAX 921 50 98 86. w www.hoeldonmariano.com Difficile de dire quel est le meilleur hôtel de ce joli village. L'intérieur du Don Mariano et celui de l'Hotel de la Villa sont l'œuvre du même décorateur. Chaque chambre semble sortie d'un magazine de décoration. 🚗 TV ● 24-31 déc., 1er jan.	AE DC MC V	18			
PEDRAZA DE LA SIERRA : *El Hotel de la Villa.* w www.elhoteldelavilla.com €€€€ Calle Calzada 5, 40172 (Segovia). (921 50 86 51. FAX 921 50 86 53. Ce charmant hôtel n'a pas deux chambres semblables, mais toutes sont ornées de papier peint fleuri et de meubles anciens, lits à baldaquin et fauteuils confortables. 🚗 ▤ TV 🍴	AE DC MC V	38	▨		
PONFERRADA : *El Temple.* w www.hosterialeon.com €€€€ Avenida de Portugal 2, 24400 (León). (987 41 00 58. FAX 987 42 35 25. La façade est une réplique du château des Templiers de la ville. La décoration, avec ses murs de pierre et ses antiquités, évoque le Moyen Âge. 🚗 ▤ TV 🅱	AE DC MC V	112	▨		▨
SALAMANQUE : *Gran Monterrey.* w www.hotelmonterreysalamanca.com €€€€€ Azafranal 21, 37001. (923 21 44 00. Cet hôtel aux chambres spacieuses et calmes, proche de la spectaculaire Plaza Mayor, est très coté auprès des toréadors, accompagnés de leurs escortes. 🚗 ▤ TV	AE DC MC V	144	▨		▨

SALAMANQUE : *Las Torres.* W www.mmteam.com/lastorres Plaza Mayor 26, 37002. 923 21 21 00. FAX 923 21 21 01. Le restaurant de cet hôtel domine la superbe Plaza Mayor. Les résidents peuvent profiter de maints extras : service rapide d'entretien des vêtements, produits pour la toilette. ⊟ ≣ TV ᵬ	€€€€	AE DC MC V	55			▦
SALAMANQUE : *Rector.* W www.hotelrector.com Paseo del Rector Esperabé 10, 37008. 923 21 84 82. FAX 923 21 40 08. La façade de cet hôtel semble ancienne, mais il fut bâti dans les années 1940 par un architecte spécialisé dans la reproduction de styles anciens. Canapés de cuir et vitraux donnent une élégance discrète à son intérieur. ⊟ ≣ TV	€€€€€	AE DC MC V	13	▦		
SANTA MARÍA DE MAVE : *Hostería El Convento.* W www.hosteriaelconvento.com Santa María de Mave, 34492 (Palencia). 979 12 36 11. FAX 979 12 54 92. Près de la N 661, au sud d'Aguilar, cet hôtel tenu par une famille occupe un ancien couvent au cœur d'une jolie campagne. Cuisine castillane traditionnelle au restaurant. ⊟ TV	€€	AE DC MC V	23	▦		▦
SANTO DOMINGO DE SILOS : *Tres Coronas de Silos.* Plaza Mayor 6, 09610 (Burgos). 947 39 00 47. FAX 947 39 00 65. Cette auberge modeste installée dans une demeure du XVIIIᵉ siècle dominant la place du village possède une porte voûtée et de belles armoiries. Atmosphère agréable. ⊟ TV	€€€	AE DC MC V	16			
SÉGOVIE : *Los Linajes.* W www.loslinajes.com Calle Doctor Velasco 9, 40003. 921 46 04 75. FAX 921 46 04 79. À côté des murs de la ville, cet hôtel moderne, doté d'une ancienne façade de briques rouges à colombage, est bâti sur huit niveaux sur le versant de la colline. Plus les chambres sont hautes, plus la vue est belle. ⊟ ≣ TV	€€€€	AE DC MC V	53	▦		
SÉGOVIE : *Infanta Isabel.* W www.hotelinfantaisabel.com Plaza Mayor, 40001. 921 46 13 00. FAX 921 46 22 17. Hôtel moderne mariant le style fin de siècle à la décoration traditionnelle de Ségovie. Chambres confortables. ⊟ ≣ TV	€€€€	AE DC MC V	38	▦		
SÉGOVIE : *Parador de Segovia.* W www.parador.es Carretera de Valladolid, 40003. 921 44 37 37. FAX 921 43 73 62. Parador de luxe stratégiquement situé juste en dehors de Ségovie, de sorte que ses hôtes peuvent admirer la ville en bronzant dans les jardins. Diverses installations dont une salle de sports et une piscine intérieure. ⊟ ≣ ⅈⅈ TV ᵬ	€€€€€	AE DC MC V	113	▦	●	▦
SIGUERUELO : *Posada de Sigueruelo.* W www.posadadesigueruelo.com Calle Badén 40, 40590 (Segovia). et FAX 921 50 81 35. Les propriétaires de cette maison rurale proposent des chambres avec petit déjeuner et dîner compris, et organisent des promenades à cheval, à vélo, à pied et en canoë. ⊟	€€€	MC V	6			▦
SOLOSANCHO : *Sancho de Estrada.* W www.hotelesmayoral.com Castillo de Villaviciosa, 05130 (Ávila). et FAX 920 29 10 82. Le château médiéval de Villaviciosa, bâti pour défendre les routes romaines traversant la sierra de Gredos, a été restauré. Armoiries et autres éléments médiévaux ornent les chambres. ● mi-jan.-7 fév. ⊟ TV	€€€	DC MC V	14	▦		
SORIA : *Valonsadero.* W www.hotelvalonsadero.com Ce châleureux hôtel de montagne est un coin tranquille situé à 5 km de Soria. La marche et la course à pied le long des cascades vous sont proposés. ⊟ ≣ TV ᵬ	€€€€	AE MC V	8			▦
SORIA : *Parador de Soria.* W www.parador.es Parque del Castillo, 42005. 975 24 08 00. FAX 975 24 08 03. Le portrait et les textes du poète espagnol Antonio Machado ornent les murs de ce parador. Situé dans un parc en haut d'une colline, il domine la vallée boisée du río Duero. ⊟ ≣ TV	€€€€€	AE DC MC V	63	▦		
VALLADOLID : *Lasa.* @ reservas.lasa@terra.es Calle Acera de Recoletos 21, 47004. 983 39 02 55. FAX 983 30 25 61. Immeuble rénové du XIXᵉ siècle situé dans le centre-ville. Les chambres sont équipées de double vitrage. ⊟ ≣ TV	€€€	AE DC MC V	62	▦		
VILLAFRANCA DEL BIERZO : *Parador de Villafranca.* Avenida de Calvo Sotelo, 24500 (León). 987 54 01 75. W www.parador.es Ce parador rural possède des jardins bien entretenus et une belle salle à manger. La ville, fondée par des pèlerins français, est une étape traditionnelle sur le chemin de Compostelle. ⊟ TV	€€€€	AE DC MC V	39	▦		▦

Légende des symboles, voir rabat de couverture

	CARTES BANCAIRES	NOMBRE DE CHAMBRES	PARC DE STATIONNEMENT	PISCINE	JARDIN OU TERRASSE

Les prix correspondent à une nuit en chambre double, service et petit déjeuner compris.

€ moins de 50 euros
€€ de 50 à 75 euros
€€€ de 75 à 100 euros
€€€€ de 100 à 125 euros
€€€€€ plus de 125 euros

CARTES BANCAIRES
Un symbole indique que les cartes American Express (AE), Diner's Club (DC), Master Card/Access (MC), Visa (V) sont acceptées.
PARCS DE STATIONNEMENT
Possibilité de garer son véhicule, soit au parking de l'établissement, soit dans un garage à proximité. Certains hôtels font payer l'utilisation de leur parking privé.
PISCINE
Piscine à ciel ouvert sauf indication contraire.
JARDIN
Hôtel disposant d'un jardin, d'une cour intérieure ou d'une terrasse, avec des tables permettant de prendre les repas à l'extérieur.

ZAMORA : *Hostería Real de Zamora.* W www.hosteriasreales.com   €€
Cuesta de Pizarro 7, 49027. ☎ et FAX 980 53 45 45.
L'Inquisition occupa jadis cette demeure du XVIe siècle proche du rempart de la ville et du río Duero. À présent, c'est un hôtel, avec une jolie cour centrale, offrant un bon rapport qualité-prix. Cuisine basque. 🍴 TV

AE DC MC V — 24

ZAMORA : *Parador de Zamora.* W www.parador.es   €€€€€
Plaza de Viriato 5, 49001. ☎ 980 51 44 97. FAX 980 53 00 63.
Parador du centre-ville aménagé dans une demeure Renaissance. L'escalier de la cour, bordée de piliers de pierre sculptés, mène à une grande galerie ensoleillée ornée d'antiquités et de plantes vertes. 🍴 ▤ TV ♿

AE DC MC V — 52 — ■ — ● — ■

CASTILLE-LA MANCHE

ALARCÓN : *Parador de Alarcón.* W www.parador.es   €€€€€
Avda Amigos de los Castillos 3, 16213 (Cuenca). ☎ 969 33 03 15. FAX 969 33 03 03.
Forteresse médiévale magnifiquement située au-dessus de la vallée du río Júcar, aux confins des plaines de la Manche. Le salon et la salle à manger voûtés sont dotés de murs épais. 🍴 ▤ TV ♿

AE DC MC V — 14 — ■ — — ■

ALBACETE : *Los Llanos.* W www.solmelia.com   €€€
Avenida de España 9, 02002. ☎ 967 22 37 50. FAX 967 23 46 07.
Cet hôtel moderne, donnant sur un parc verdoyant, possède une discothèque, un salon de coiffure et une salle de télévision avec écran géant. 🍴 ▤ TV

AE DC MC V — 102 — ■

ALBACETE : *Parador de Albacete.* W www.parador.es   €€€€€
Carretera N301 km 251, 02000. ☎ 967 24 53 21. FAX 967 24 32 71.
Bâti récemment, ce parador avec terrasses ombragées et piscine est orné de jougs de bœufs et autres objets rustiques. 🍴 ▤ TV

AE DC MC V — 68 — ■ — ● — ■

ALMAGRO : *Almagro.* W www.confortel.es   €€€€€
Carretera de Bolaños, 13270 (Ciudad Real). ☎ 926 86 00 11. FAX 926 86 06 18.
Dans la nouvelle ville, ce bâtiment en briques de deux étages avec un balcon appartient à une chaîne hôtelière. Équipements pour hommes d'affaires.
Vélos à louer. 🍴 ▤ TV ♿

AE DC MC V — 50 — ■ — — ■

ALMAGRO : *Parador de Almagro.* W www.trhhoteles.com   €€€€€
Ronda de San Francisco 31, 13270 (Ciudad Real). ☎ 926 86 01 00. FAX 926 86 01 50.
Ce parador, dans un couvent du XVIe siècle, est un des plus beaux d'Espagne. La plupart des chambres donnent sur une de ses 14 cours. 🍴 ▤ TV ♿

AE DC MC V — 54 — ■ — ● — ■

AYNA : *Felipe II.* W www.paralelo40.org   €
Avenida Manuel Carrera 9, 02125 (Albacete). ☎ et FAX 967 29 50 83.
Le plan semi-circulaire de cet hôtel moderne, tenu par une famille, dans les montagnes d'Albacete permet à chaque chambre d'avoir un balcon avec vue panoramique sur la ville et la vallée. 🍴 ▤ TV

AE DC MC V — 41 — ■ — ● — ■

BALLESTEROS DE CALATRAVA : *Palacio de la Serna.*   €€€€€
Calle Cervantes 18, 13432 (Ciudad Real). ☎ 926 84 22 08. W www.palaciodelaserna.com
Ferme du XVIIIe siècle des plaines de la Manche, alliant les styles moderne et castillan. Calme et confortable. Possibilité de promenades à cheval ou en V.T.T. dans les collines des environs. 🍴 ▤ TV ♿

AE DC MC V — 25 — ■ — ● — ■

BETETA : *Los Tilos.* W www.toprural.com   €€
Extrarradio, 16870 (Cuenca). ☎ 969 31 80 97. FAX 969 31 82 99.
Près d'une source dans la Serranía de Cuenca, cette maison traditionnelle, blanchie à la chaux, propose des chambres simples à des prix raisonnables pour les promeneurs et les amoureux de la nature. Cuisine régionale. ● mi-janv. au 1er mars. 🍴 TV

AE DC MC V — 24 — — — ■

CUENCA : *Posada de San José.* W www.posadasanjose.com   €€€
Calle Julián Romero 4, 16001. ☎ 969 21 13 00. FAX 969 23 03 65.
Ce charmant hôtel original, vrai dédale décoré d'antiquités et de fresques, est situé dans un bâtiment historique de la vieille ville. 🍴

AE DC MC V — 30 — — — ■

CUENCA : *La Cueva del Fraile.* W www.hotelcuevadelfraile.com €€€€
Carretera Cuenca–Buenache km 7, 16001. (969 21 15 71. FAX 969 25 60 47.
Dans une verte vallée aux environs de Cuenca, cet hôtel est bâti autour d'un patio blanc. Courts de tennis et vélos à louer. ● 2e janv.-6 fév. 🚗 TV 🏋
| | AE DC MC V | 76 | | ● | |

CUENCA : *Leonor de Aquitania.* W www.hotelleonordeaquitania.com €€€€
Calle San Pedro 58–60, 16001. (969 23 10 00. FAX 969 23 10 04.
Des trophées de chasse ornent le hall de cet hôtel de la vieille ville. Certaines de ses chambres, accueillantes et confortables, donnent sur la gorge du río Huécar. 🚗 TV
| | AE DC MC V | 46 | | | |

CUENCA : *Parador de Cuenca.* W www.parador.es €€€€€
Paseo Hoz del Huécar, 16001. (969 23 23 20. FAX 969 23 25 34.
Beau parador dans le couvent de San Pablo, du xve siècle, séparé de la ville par le río Huécar. Les chambres donnent sur les célèbres maisons suspendues de Cuenca *(p. 367).* 🚗 ▤ TV
| | AE DC MC V | 63 | | ● | |

GUADALAJARA : *España.* @ hegu@he.e.telefonica.net €€
Calle Teniente Figueroa 3, 19001. (949 21 13 03. FAX 949 21 13 05.
Hôtel tenu par une famille dans une demeure du xixe siècle située dans le centre-ville. Des touches originales viennent embellir l'intérieur modernisé. Le personnel vous conseille sur les sites à voir. 🚗 TV
| | AE DC MC V | 40 | | | |

MANZANARES : *Parador de Manzanares.* W www.parador.es €€€€€
Ctra Madrid–Cádiz km 174, 13200 (Ciudad Real). (926 61 04 00. FAX 926 61 09 35.
Ce parador situé dans une des principales villes de la plus importante région viticole de la Manche est idéal pour visiter le pays de Don Quichotte. 🚗 ▤ TV
| | AE DC MC V | 50 | | ● | |

OROPESA : *Parador de Oropesa.* W www.parador.es €€€€€
Plaza del Palacio 1, 45560 (Toledo). (925 43 00 00. FAX 925 43 07 77.
Cette forteresse médiévale, avec la sierra de Gredos à l'arrière-plan, domine une plaine plantée d'oliviers et de vignes. On y trouve tout le confort moderne, y compris un jacuzzi dans une chambre. 🚗 ▤ TV
| | AE DC MC V | 48 | | ● | |

OSSA DE MONTIEL : *Albamanjón.* W www.albamanjon.net €€€
Laguna de San Pedro 16, 02611 (Albacete). (926 69 90 48. FAX 926 69 91 20.
Ce complexe moderne alliant les styles local et andalou est le meilleur hôtel à proximité des lagunas de Ruidera. Il est décoré de céramique et de plantes grimpantes. ● 24-25 déc. 🚗 ▤ TV
| | AE MC V | 11 | | | |

PASTRANA : *Hospedería Real de Pastrana.* W www.hosteriasreales.com €€€€
Convento del Carmen, 19100 (Guadalajara). (et FAX 949 37 10 60.
Hôtel aux chambres simples et calmes, dans une aile du Monasterio del Carmen, fondé par sainte Thérèse d'Ávila, avec d'un côté la vallée du Tage et de l'autre la pittoresque ville de Pastrana. 🚗 ▤ TV 🅰
| | AE DC MC V | 27 | | | |

PUERTO LÁPICE : *Aprisco de Puerto Lápice.* €
Carretera Madrid–Cádiz km 134, 13650 (Ciudad Real). (926 57 61 50. FAX 926 57 60 25.
Hébergement bon marché pour une nuit, près d'un restaurant souvent bondé sur la route entre Madrid et l'Andalousie. De nombreux ornements, dont une tête de sanglier, décorent le salon de style rustique. 🚗 ▤
| | MC V | 17 | | ● | |

SIGÜENZA : *El Molino de Alcuneza.* W www.molinodealcuneza.com €€€€€
Ctra de Alboreca km 0.5, 19264 (Guadalajara). (949 39 15 01. FAX 949 34 70 04.
Cet ancien moulin dans l'Alcarria a des chambres décorées avec beaucoup de goût. Le dîner est servi à partir de produits frais du jardin. ● 1er semaine d'août 🚗 TV
| | AE DC MC V | 10 | | ● | |

SIGÜENZA : *Parador de Sigüenza.* W www.parador.es €€€€€
Plaza del Castillo, 19250 (Guadalajara). (949 39 01 00. FAX 949 39 13 64.
Cet imposant château domine Sigüenza du haut d'une colline. Les Rois Catholiques, entre autres, y résidèrent jadis *(p. 52-53).* Ameublement de style royal. Les chambres donnent sur une cour. 🚗 ▤ TV 🅰
| | AE DC MC V | 81 | | | |

TALAVERA DE LA REINA : *Ébora.* W www.hotelbeatriztalavera.com €€€
Avenida de Madrid 1, 45600 (Toledo). (925 80 76 00. FAX 925 81 58 08.
Hôtel moderne à la limite de la ville, sur la route de Madrid. Le propriétaire a fait bâtir un abri anti-atomique au sous-sol. 🚗 ▤ TV 🅰
| | AE DC MC V | 165 | | | |

TOLÈDE : *La Almazara.* W www.hotelalmazara.com €€
Carretera Toledo-Argés km 3.4, 45080. (925 22 38 66. FAX 925 25 05 62.
Hôtel dans une demeure du xvie siècle sur une colline boisée hors de Tolède avec une vue magnifique. Les chambres sont simples et les équipements sommaires, mais le personnel est fort aimable. 🚗 🅰
| | AE DC MC V | 28 | | | |

Légende des symboles, voir rabat de couverture

Les prix correspondent à une nuit en chambre double, service et petit déjeuner compris.

€ moins de 50 euros
€€ de 50 à 75 euros
€€€ de 75 à 100 euros
€€€€ de 100 à 125 euros
€€€€€ plus de 125 euros

CARTES BANCAIRES
Un symbole indique que les cartes American Express (AE), Diner's Club (DC), Master Card/Access (MC), Visa (V) sont acceptées.
PARCS DE STATIONNEMENT
Possibilité de garer son véhicule, soit au parking de l'établissement, soit dans un garage à proximité. Certains hôtels font payer l'utilisation de leur parking privé.
PISCINE
Piscine à ciel ouvert sauf indication contraire.
JARDIN
Hôtel disposant d'un jardin, d'une cour intérieure ou d'une terrasse, avec des tables permettant de prendre les repas à l'extérieur.

	CARTES BANCAIRES	NOMBRE DE CHAMBRES	PARC DE STATIONNEMENT	PISCINE	JARDIN OU TERRASSE
TOLÈDE : *Hostal del Cardenal.* W www.hostaldelcardenal.com €€€€ Paseo de Recaredo 24, 45004. 902 15 46 45. FAX 925 22 29 91. Cette demeure du XVIIIᵉ siècle proche des remparts était jadis la résidence de l'archevêque de Tolède. Ses plafonds sculptés sont splendides, ses cours de brique adorables. 🛏 ▤ TV	AE DC MC V	27			▪
TOLÈDE : *Pintor El Greco.* W www.hotelpintorelgreco.com €€€€ Calle Alamillos del Tránsito 13, 45002. et 925 21 58 19. Maison du XVIIᵉ siècle dans l'ancien quartier juif. Agrandie, elle a gardé sa façade et son patio d'origine. Fer forgé et céramiques traditionnelles ajoutent au cachet de cet hôtel. 🛏 ▤ TV	AE DC MC V	33			
TOLÈDE : *Parador de Toledo.* W www.parador.es €€€€€ Cerro del Emperador, 45002. 925 22 18 50. FAX 925 22 51 66. Sur une colline dominant la ville, ce parador offre une vue spectaculaire sur Tolède. Réservez à l'avance, car il est très apprécié des amateurs de beaux paysages et des photographes. 🛏 ▤ TV	AE DC MC V	76		●	▪
TRAGACETE : *Hostal El Gamo.* € Plaza de los Caídos 2, 16150 (Cuenca). 969 28 90 08. FAX 969 28 92 28. Bon rapport qualité-prix pour cet hôtel-restaurant dans un village calme qu'entourent collines et bois dans la Serranía de Cuenca, près de la source du río Cuervo. 🛏	MC V	39			
VALDEPEÑAS : *Meliá El Hidalgo.* W www.solmelia.com €€€€ Ctra Madrid–Cádiz km 194, 13300 (Ciudad Real). 926 31 30 88. FAX 926 31 33 36. Motel bâti dans les années 1960 au bord d'une route dans un paysage de vignobles. Les chambres sont situées dans de grands bungalows clairs ayant chacun un parking et l'accès direct à la piscine. 🛏 ▤ TV	AE DC MC V	54	▪	●	▪

EXTRÉMADURE

	CARTES BANCAIRES	NOMBRE DE CHAMBRES	PARC DE STATIONNEMENT	PISCINE	JARDIN OU TERRASSE
ALMENDRAL : *Rocamador.* W www.rocamador.com €€€€€ Carretera Badajoz–Huelva, 06800 (Badajoz). 924 48 90 00. FAX 924 48 90 01. Il règne une atmosphère très spéciale dans cet ancien monastère transformé avec beaucoup de soins en hôtel. Le rafinnement est dans le moindre détail afin que le client passe un agréable séjour. 🛏 ▤ TV	AE DC MC V	30	▪	●	▪
BADAJOZ : *Río.* W www.gruporiodehoteles.com €€€€ Avenida Adolfo Díaz Ambrona 13, 06006. 924 27 26 00. FAX 924 27 38 74. Cet hôtel moderne et confortable du centre-ville propose, outre les installations usuelles, une salle de bingo et un solarium. 🛏 ▤ TV	AE DC MC V	101	▪	●	▪
CÁCERES : *Meliá Cáceres.* W www.solmelia.com €€€€€ Plaza de San Juan 11, 10003. 927 21 58 00. FAX 927 21 40 70. Demeure du XVIᵉ siècle, près des remparts, rénovée par une chaîne d'hôtels. Certaines chambres ont des plafonds voûtés. 🛏 ▤ TV	AE DC MC V	86			
CÁCERES : *Parador de Cáceres.* W www.parador.es €€€€€ Calle Ancha 6, 10003. 927 21 17 59. FAX 927 21 17 29. Petit parador aménagé dans le palais de Torreorgaz du XIVᵉ siècle. L'intérieur est un labyrinthe d'escaliers, de portes, de patios et de couloirs. 🛏 ▤ TV	AE DC MC V	33	▪		▪
GUADALUPE : *Hospedería del Real Monasterio.* W www.monasterioguadalupe.com €€ Plaza de Juan Carlos I, 10140 (Cáceres). 927 36 70 00. FAX 927 36 71 77 Cette *bospedería* fait partie d'un monastère franciscain du XVIᵉ siècle dominant Guadalupe. Maintes chambres donnant sur la cour en pierre étaient jadis des cellules monacales. ● *mi-janv. à mi-fév.* 🛏 ▤	MC V	47	▪		▪
GUADALUPE : *Parador de Guadalupe.* W www.parador.es €€€€€ C/ Marqués de la Romana 12, 10140 (Cáceres). 927 36 70 75. FAX 927 36 70 76. Ancien hospice destiné aux pèlerins au XVIᵉ siècle. Les chambres de l'annexe sont grandes, mais ont moins de succès que celles du vieux bâtiment. 🛏 ▤ TV ♿	AE DC MC V	41	▪	●	▪

JARANDILLA DE LA VERA : *Parador de Jarandilla.* W www.parador.es €€€€€ | AE | 53
Avenida de García Prieto 1, 10450 (Cáceres). 🄲 927 56 01 17. FAX 927 56 00 88. | DC
Imposant château du xv⁰ siècle où l'empereur Charles Quint passa un an. | MC
Modernisé, il a gardé son charme médiéval. Il possède des roseraies, un court | V
de tennis et une aire de jeux pour enfants. 🖪 🗏 TV

JEREZ DE LOS CABALLEROS : *Los Templarios.* W www.hotellostemplarios.com €€ | AE | 49
Carretera de Villanueva, 06380 (Badajoz). 🄲 924 73 16 36. FAX 924 75 03 38. | DC
Hôtel moderne dont le nom rend hommage aux Templiers qui jouèrent un | MC
grand rôle dans l'histoire locale. Toutes les chambres donnent sur la vallée. | V
Vaste terrasse autour de la piscine. 🖪 🗏 TV

LOSAR DE LA VERA : *Antigua Casa del Heno.* W www.antiguacasadelheno.com €€ | MC | 7
Finca Valdepimiena, 10460 (Cáceres). 🄲 927 19 80 77. FAX 927 19 83 48. | V
Vieille ferme de pierre entourée de chênes et de prairies. Appréciée
particulièrement au printemps lors de la floraison des cerisiers.
Petit déjeuner uniquement. ⬤ 10 janv.-10 fév. 🖪

LOSAR DE LA VERA: *Hostería Fontivieja.* W www.hostriafrontivieja.com €€ | MC | 20
Calle Mártires 11, 10460 (Cáceres). 🄲 et FAX 927 57 01 08. | V
Ce petit hôtel hors de la ville, entouré d'oliviers, est tenu par une famille.
Deux chambres possèdent des terrasses donnant sur la campagne. 🖪 🗏 TV

MALPARTIDA DE PLASENCIA : *Cañada Real.* W www.hotelcreal.es €€€€ | AE | 61
Ctra Comarcal 511, 10680 (Cáceres). 🄲 927 45 94 07. FAX 927 45 94 34. | DC
Cet hôtel moderne est idéalement placé entre Plasencia et la réserve. | MC
Les chambres sont confortables et spacieuses.🖪 🗏 TV 🄳 | V

MÉRIDA : *Parador de Mérida.* W www.parador.es €€€€€ | AE | 82
Plaza de la Constitución 3, 06800 (Badajoz). 🄲 924 31 38 00. FAX 924 31 92 08. | DC
Sur une place ombragée, ce couvent baroque du xviie siècle a conservé ses | MC
colonnes romaines, inscriptions en arabe et chapiteaux wisigoths. Salon dans | V
une ancienne chapelle. 🖪 🗏 TV 🄳

MÉRIDA : *Tryp Medea.* W www.solmelia.com €€€€€ | AE | 126
Avenida de Portugal, 06800 (Badajoz). 🄲 924 37 24 00. FAX 924 37 30 20. | DC
Proche du pont romain, cet hôtel moderne dont la structure évoque celle | MC
d'un amphithéâtre possède deux piscines (une intérieure), une salle de sport, | V
un sauna et un court de squash. 🖪 🗏 TV 🄳

MÉRIDA : *Velada Mérida.* W www.veladahoteles.com €€€€€ | AE | 99
Avenida Princesa Sofia, 06800 (Mérida). 🄲 924 31 51 10. FAX 924 31 15 52. | DC
Situé près du centre culturel de Mérida, cet hôtel est bien relié au reste | MC
de la ville.Le restaurant sert les spécialités locales, en terrasse durant | V
les mois d'été. 🖪 🗏 TV 🄳

PLASENCIA : *Alfonso VIII.* W www.hotelalfonsoviii.com €€€€€ | AE | 55
Avenida Alfonso VIII 32, 10600 (Cáceres). 🄲 927 41 02 50. FAX 927 41 80 42. | DC
Personnel très attentionné dans cet hôtel moderne, au centre-ville, près du | MC
Parque de la Isla où l'on trouve une piscine. 🖪 🗏 TV | V

TRUJILLO : *Mesón La Cadena.* € | AE | 9
Plaza Mayor 8, 10200 (Cáceres). 🄲 927 32 14 63. FAX 927 32 31 16. | MC
Moins cher que le parador, ce restaurant avec chambres est situé dans une | V
maison de granite sur la place principale. Les chambres, décorées de tissus de
fabrication locale, sont au 3⁰ étage. 🖪 🗏 TV

TRUJILLO : *Parador de Trujillo.* W www.parador.es €€€€€ | AE | 50
Calle Santa Beatriz de Silva 1, 10200 (Cáceres). 🄲 927 32 13 50. FAX 927 32 13 66. | DC
Ce beau parador des années 1980 abrite des parties d'un couvent du xvi⁰ siècle, | MC
dont l'ancien cloître. Hôtel calme, tout proche des monuments de Trujillo. | V
🖪 🗏 TV 🄳

ZAFRA : *Huerta Honda.* W www.hotelhuertahonda.com €€€ | AE | 48
Avenida López Asme 30, 06300 (Badajoz). 🄲 924 55 41 00. FAX 924 55 25 04. | MC
Nombre d'habitués estiment que cet hôtel est aussi confortable que le parador | V
voisin. Bon restaurant. 🖪 🗏 TV

ZAFRA : *Parador de Zafra.* W www.parador.es €€€€€ | AE | 45
Pl del Corazón de María 7, 06300 (Badajoz). 🄲 924 55 45 40. FAX 924 55 10 18. | DC
Ce château aux tours rondes fut bâti au xv⁰ siècle sur les ruines d'une | MC
forteresse maure. De la cour, dotée d'une galerie à arcades, un bel escalier | V
mène aux chambres. 🖪 🗏 TV

Légende des symboles, voir rabat de couverture

Les prix correspondent à une nuit en chambre double, service et petit déjeuner compris. € moins de 50 euros €€ de 50 à 75 euros €€€ de 75 à 100 euros €€€€ de 100 à 125 euros €€€€€ plus de 125 euros	**CARTES BANCAIRES** Un symbole indique que les cartes American Express (AE), Diner's Club (DC), Master Card/Access (MC), Visa (V) sont acceptées. **PARCS DE STATIONNEMENT** Possibilité de garer son véhicule, soit au parking de l'établissement, soit dans un garage à proximité. Certains hôtels font payer l'utilisation de leur parking privé. **PISCINE** Piscine à ciel ouvert sauf indication contraire. **JARDIN** Hôtel disposant d'un jardin, d'une cour intérieure ou d'une terrasse, avec des tables permettant de prendre les repas à l'extérieur.	**CARTES BANCAIRES**	**NOMBRE DE CHAMBRES**	**PARC DE STATIONNEMENT**	**PISCINE**	**JARDIN OU TERRASSE**

SÉVILLE

	CARTES BANCAIRES	NOMBRE DE CHAMBRES	PARC DE STATIONNEMENT	PISCINE	JARDIN OU TERRASSE
EL ARENAL : *Simón.* Plan 3 B2. @ hotel-simon@yet.es €€€ Calle García de Vinuesa 19, 41001. ☎ 95 422 66 60. FAX 95 456 22 41. Hôtel central dans une maison du XVIIIᵉ siècle avec un joli patio. La taille et la qualité des chambres peuvent varier. Certaines ont un balcon sur rue. 🖩 ☰	AE DC MC V	29			▣
EL ARENAL : *Hotel Adriano.* Plan 3 C1. w www.adrianohotel.com €€€€€ Calle Adriano 12. ☎ 95 429 38 00. FAX 95 422 89 46. Élégant petit hôtel, proche de la Plaza de Toros, du fleuve et de la cathédrale. 🖩 TV	MC	34			
EL ARENAL : *Hotel Amadeus Sevilla.* Map 3 C1. w www.hotelamadeussevilla.com €€€ Calle Farnesio 6, 41004. ☎ 95 450 14 43. FAX 95 450 00 19. L'hôtel s'organise autour du thème de la musique. Certaines chambres ont un piano et sont insonorisées. Des concerts se tiennent parfois dans le patio sévillan du XVIIIᵉ siècle, autour duquel l'hôtel est bâti. De la terrasse, belles vues sur la vieille ville et sur la Giralda. 🖩 ☰ TV ⛾	DC MC V	14	▣		▣
EL ARENAL : *Las Casas de los Mercaderes.* Map 3 C1. €€€€€ Calle Álvarez Quintero 9–13, 41004. ☎ 95 422 12 98. FAX 95 422 98 84. Bien qu'entouré des plus beaux monuments, cet hôtel a pour habitués des hommes d'affaires. La façade de cette demeure sévillane cache un intérieur aménagé. 🖩 ☰ TV	AE DC MC V	47	▣		▣
EL ARENAL : *Las Casa del Rey de Bazea.* Plan 3 C1. w www.hospes.es €€€€€ Plaza Jesus de la Redencion 2. ☎ 95 456 14 96. FAX 95 656 14 41. Récemment rénové, ce bâtiment du XVIIIᵉ siècle propose des chambres situées autour du patio et des jardins de la cour intérieure. La piscine sur le toit permet de se rafraîchir et représente un véritable bol d'air frais dans la chaleur andalouse. 🖩 ☰ TV ⛾	AE DC MC V	41			
EL ARENAL : *Taberna del Alabardero.* Plan 3 B1. €€€€€ Calle Zaragoza 20, 41001. ☎ 95 450 27 21. w www.tabernadelalabardero.com Cet adorable hôtel-restaurant, aménagé dans une demeure du XIXᵉ siècle, possède une cour centrale éclairée par une verrière garnie de vitraux. Les chambres au dernier étage sont très douillettes. 🖩 ☰ TV ▯	AE DC MC V	7	▣		▣
BARRIO DE SANTA CRUZ : *Alcàntara.* w www.hotelalcantara.net €€€ C/Ximénez de Enciso 28, 41004. ☎ 954 50 05 95. FAX 954 50 06 04. Passez la porte cochère de cet ancien château du XVIIIᵉ siècle et vous accéderez à un hôtel moderne, lumineux et accueillant. 🖩 ☰ TV ⛾	AE DC MC V	21			
SANTA CRUZ : *Murillo.* Plan 6 E4. w www.hotelmurillo.com €€ Calle Lope de Rueda 7 et 9, 41004. ☎ 95 421 60 95. FAX 95 421 96 16. Hôtel agréable, aux prix abordables, dans un vieil édifice prés de la plaza Alfaro et de la cathédrale. Réserver longtemps à l'avance pour la semaine sainte et la feria. La direction loue aussi des appartements. 🖩 ☰	AE DC MC V	57			
EN DEHORS DU CENTRE (LA MACARENA) : *Patio de la Cartuja.* Plan 1 C4. €€€ Calle Lumbreras 8 et 10, 41002. ☎ 95 490 02 00. FAX 95 490 20 56. Groupe de maisons anciennes transformées en hôtel. Dans cette ville animée, on apprécie le calme de ses appartements d'excellente qualité et à des prix très compétitifs. 🖩 ☰ TV ⛾	AE MC V	56	▣		▣
EN DEHORS DU CENTRE (LA MACARENA) : *Baco.* Plan 2 E5. €€€€€ Plaza Ponce de León 15, 41003. ☎ 95 456 50 50. FAX 95 456 36 54. Maison ancienne transformée en hôtel moderne dans le style sévillan. Un bel escalier en colimaçon part de la réception. Les chambres sur l'arrière, plus calmes, donnent sur des patios carrelés bien fleuris. 🖩 ☰ TV ▯	AE DC MC V	25			

EN DEHORS DU CENTRE (PARQUE MARÍA LUISA) : *Alfonso XIII.* **Plan 3** C3.€€€€€
Calle San Fernando 2, 41004. (95 491 70 00. w www.westin.com
Élégance et service raffiné sont de mise dans ce grand hôtel de Séville de style
néo-mudéjar, à l'ombre des palmiers. Lustres et statues ornent l'intérieur.
AE DC MC V — 147

EN DEHORS DU CENTRE (SUD) : *Ciudad de Sevilla.* **Plan 4** D5. €€€€€
Avenida Manuel Siurot 25, 41013. (95 423 85 39. w www.ac-hoteles.com
À l'écart du centre, derrière sa vieille façade se cache un hôtel moderne doté
de grandes chambres claires et d'une piscine sur le toit.
AE DC MC V — 94

ANDALOUSIE

ALCALÁ DE GUADAIRA : *Hotel Oromana.* w www.hoteloromana.com €€€
Avenida de Portugal, 41500 (Sevilla). (et FAX 95 568 64 00.
En bordure de la ville, avec accès facile à Séville, l'Oromana est situé à l'ombre des
pins. Personnes handicapées et familles avec enfants bienvenues.
MC V — 31

ALMERÍA : *Torreluz IV.* w www.amtorreluz.com €€€€€
Plaza Flores 5, 04001. (950 23 49 99. FAX 950 23 47 09.
Hôtel chic du centre, avec un bel escalier en colimaçon et une piscine sur le
toit. Les hôtels Torreluz II et III, tout proches, sont moins chers.
AE DC MC V — 109

ARACENA : *Sierra de Aracena.* @ hotelsierraaracena@wanadoo.es €€
Gran Vía 21, 21200 (Huelva). (959 12 61 75. FAX 959 12 62 18.
Hôtel calme dans le centre d'Aracena. Les chambres sur l'arrière donnent sur le
château de cette jolie ville.
AE DC MC V — 43

ARACENA : *Finca Buen Vino.* w www.fincabuenvino.com €€€€€
Los Marines, 21293 (Huelva). (959 12 40 34. FAX 959 50 10 29.
Élégante villa moderne sur une colline au cœur d'une réserve naturelle boisée.
Dans cette maison privée ouverte règne une atmosphère décontractée. Dîner
aux chandelles, cuisine digne d'un cordon bleu.
AE DC — 5

ARCOS DE LA FRONTERA : *Cortijo Faín.* @ cortijofain@eresmes.com €€€
Carretera de Algar km 3, 11630 (Cádiz). (956 23 13 96. FAX 956 71 79 33.
Ferme du XVIIᵉ siècle dans un domaine planté d'oliviers. Chambres au
mobilier ancien. Vieux lits en cuivre dans certaines. Piscine cachée au milieu
des oliviers.
AE DC MC V — 11

ARCOS DE LA FRONTERA: *Parador de Arcos de la Frontera.* €€€€
Plaza del Cabildo, 11630 (Cádiz). (956 70 05 00. w www.parador.es
Belle demeure ayant appartenu à un magistrat, sur la place principale.
Vue superbe depuis la terrasse dominant un précipice.
AE DC MC V — 24

AYAMONTE : *Riu Canela.* w www.riuhotels.com €€€€€
Playa de Isla Canela, 21470 (Huelva). (959 47 71 24. FAX 959 47 71 70.
Avec trois piscines (une pour les enfants), le Riu Palace est plus un centre de
vacances qu'un hôtel. Il se trouve sur une plage de l'isla Canela près de la
frontière portugaise, non loin de l'Algarve.
AE DC MC V — 349

BAEZA : *Hospedería Fuentenueva.* w www.fuentenueva.com €€
Paseo Arca del Agua s/n, 23440 (Jaén). (953 74 31 00. FAX 953 74 32 00.
Hôtel inhabituel que l'ancienne prison pour femmes de cette ville Renaissance.
Géré par une coopérative de cinq jeunes hôteliers, il propose des chambres
décorées avec goût et un salon avec un plafond à coupole.
AE DC MC V — 12

BENAOJÁN : *Molino del Santo.* w www.molinodelsanto.com €€€
Calle Barriada Estación s/n, 29370 (Málaga). (95 216 71 51. FAX 95 216 73 27.
Cet ancien moulin à eau ensoleillé, dans les collines près de Rondail, est tout
à fait propice à la relaxation. On peut également profiter d'une belle piscine
et louer des V.T.T.
AE DC MC V — 17

BUBIÓN : *Villa Turística de Bubión.* w www.villabubion.com €€€
Calle Barrio Alto, 18412 (Granada). (958 76 39 09. FAX 958 76 39 05.
Dans ce mini-village avec ses toits plats et ses hautes cheminées, dans le style
typique des Alpujarras, vous pouvez préparer vos repas dans votre cuisine
ou les prendre au restaurant. Promenades à pied ou à cheval.
AE DC MC V — 43

CARMONA : *Parador de Carmona.* w www.parador.es €€€€€
Calle Alcázar, 41410 (Sevilla). (95 414 10 10. FAX 95 414 17 12.
Parador sur une falaise, dans une forteresse bâtie par les Maures qui devint le
palais du roi chrétien Pierre le Cruel. Carmona, localité historique, est bien
située pour visiter la province de Séville.
AE DC MC V — 63

Les prix correspondent à une nuit en chambre double, service et petit déjeuner compris.

€ moins de 50 euros
€€ de 50 à 75 euros
€€€ de 75 à 100 euros
€€€€ de 100 à 125 euros
€€€€€ plus de 125 euros

CARTES BANCAIRES
Un symbole indique que les cartes American Express (AE), Diner's Club (DC), Master Card/Access (MC), Visa (V) sont acceptées.
PARCS DE STATIONNEMENT
Possibilité de garer son véhicule, soit au parking de l'établissement, soit dans un garage à proximité. Certains hôtels font payer l'utilisation de leur parking privé.
PISCINE
Piscine à ciel ouvert sauf indication contraire.
JARDIN
Hôtel disposant d'un jardin, d'une cour intérieure ou d'une terrasse, avec des tables permettant de prendre les repas à l'extérieur.

	CARTES BANCAIRES	NOMBRE DE CHAMBRES	PARC DE STATIONNEMENT	PISCINE	JARDIN OU TERRASSE
CARMONA : *Casa de Carmona*. W www.casadecarmona.com €€€€€ Plaza de Lasso 1, 41410 (Sevilla). 95 414 33 00. FAX 95 419 01 89. Cet ancien palais du XVIᵉ siècle alliant divers styles ancien et moderne a figuré dans des magazines de décoration.	AE DC MC V	34	■	●	■
CASTELLAR DE LA FRONTERA : *Casa Convento La Almoraima*. €€€ Finca La Almoraima, 11350 (Cádiz). 956 69 30 02. W www.la-almoraima.com Hôtel dans un des plus vastes domaines d'Europe (à présent propriété de l'État). La maison bâtie par les ducs de Medinaceli au XVIIᵉ siècle était leur pavillon de chasse.	AE DC MC V	17	■	●	■
CASTILLEJA DE LA CUESTA : *Hacienda de San Ygnacio*. €€€€€€ Calle Real 190, 41950 (Sevilla). 95 416 92 90. W www.haciendasanignacio.com Ferme andalouse du XVIIᵉ siècle dotée d'un patio planté de palmiers. La salle à manger était jadis un moulin à huile d'olive.	AE DC MC V	18	■	●	■
CAZALLA DE LA SIERRA : *Las Navezuelas*. @ navezuela@arrakis.es €€ Apartado 14, 41375 (Sevilla). 95 488 47 64. FAX 95 448 45 94. Les chambres de cette jolie ferme tenue par une famille sont décorées d'étoffes fabriquées à la main. Il est rare de pouvoir vivre ainsi dans un vrai *cortijo* (une ferme) andalou.	MC V	10	■		■
CAZALLA DE LA SIERRA : *Hospedería La Cartuja*. W www.skill.es/cartuja €€€ Carretera Cazalla–Constantina km 2.5, 41370 (Sevilla). 95 488 45 16. FAX 95 488 47 07. Vieux monastère restauré de façon excentrique par ses propriétaires qui en ont fait un refuge pour artistes. Les murs sont ornés de leurs toiles. Les produits de la ferme sont utilisés dans la cuisine.	AE MC V	12	■	●	■
CAZORLA : *Molino de la Farraga*. W www.molinolafarraga.com €€ Camino de la Hoz, 23470 (Jaén). et FAX 953 72 12 49. Près de la plaza Santa María, ce moulin vieux de 200 ans et récemment rénové permet une halte reposante. Appartement à louer dans l'annexe.		9	■	●	■
CAZORLA : *Parador de Cazorla*. W www.parador.es €€€ Sierra de Cazorla, 23470 (Jaén). 953 72 70 75. FAX 953 72 70 77. Forêts et montagnes de la sierra de Cazorla, une des principales réserves naturelles d'Andalousie, forment l'écrin de ce parador moderne.	AE DC MC V	34	■	●	■
CORDOUE : *Maestre*. W www.hotelmaestre.com € Calle Romero Barros 4-6, 14003. 957 47 24 10. FAX 957 47 53 95. Près de la Mezquita dans le centre de Cordoue, hôtel simple, très bon marché, aux installations sanitaires modernes.	AE DC MC V	26	■		■
CORDOUE : *Alfaros*. W www.maciahoteles.com €€€€€ Calle Alfaros 18, 14001. 957 49 19 20. FAX 957 49 22 10. Situé dans une rue animée, cet hôtel insonorisé possède trois cours de style néo-mudéjar.	AE DC MC V	133	■	●	■
CORDOUE : *Occidental*. W www.occidental-hoteles.com €€€€ Calle Poeta Alonso Bonilla 7, 14012. 957 76 74 76. FAX 957 40 04 39. Plafonds à caissons et lanternes en cuivre ornent cet hôtel moderne situé dans une banlieue résidentielle au nord de la ville.	AE DC MC V	153	■	●	■
DÚRCAL : *La Solanilla*. €€ Calle Larga 36, 18650. FAX 958 78 95 75. Deux maisons d'hôtes récemment rénovées situées dans une vallée peu fréquentée des montagnes de Grenade. Réservations par nuitée.		4	■		■
GIBRALTAR : *The Rock*. W www.rockhotelgibraltar.com €€€€€ 3 Europa Road. 956 77 30 00. FAX 956 77 35 13. Premier hôtel cinq étoiles de Gibraltar, The Rock domine la ville et le port. Son vieux style colonial et son service impeccable sont ses atouts majeurs. Belle vue sur la baie. Maintes célébrités y ont résidé.	AE DC MC V	104	■	●	■

GRENADE : *Hotel Los Tilos*. W www.hotellostilos.com €€
Plaza Bib Rambla 4. 958 26 67 12. FAX 958 26 68 01.
Récemment rénové, ce petit hôtel est situé sur une place pittoresque, à proximité
des commerces, des restaurants et de la cathédrale. 🛏 ▤

| | | DC MC V | 30 |

GRENADE : *Hotel Navas*. W www.hotelesporcel.com €€€
C/ Navas 22–24, 18009. 958 22 59 59. FAX 958 22 75 23.
Cet hôtel est situé dans le secteur piétonnier de Grenade, le long d'une rue
où sont ouverts plusieurs bars à tapas. C'est un bâtiment moderne, inauguré
en 1993. 🛏 ▤ 📺 ♿ 🍴

| | | AE DC MC V | 42 |

GRENADE : *Alhambra Palace*. W www.h-alhambrapalace.es €€€€€
Calle Peña Partida 2 et 4, 18009. 958 22 14 68. FAX 958 22 64 04.
Bâtiment kitsch imitant le style maure sur la même colline que l'Alhambra.
Superbe terrasse avec vue sur le vieux Grenade. 🛏 ▤ 📺 ♿ 🍴

| | | AE DC MC V | 126 | ■ | | ■ |

GRENADE : *Parador de Granada*. W www.parador.es €€€€€
Calle Real de la Alhambra, 18009. 958 22 14 40. FAX 958 22 22 64.
Ce parador élégant dans les jardins de l'Alhambra était jadis un couvent.
Très prisé vu la beauté des lieux. Réserver des mois à l'avance.
🛏 ▤ 📺 ♿ 🍴

| | | AE DC MC V | 36 | ■ | | ■ |

JAÉN : *Parador de Jaén*. W www.parador.es €€€€€
Carretera Sta Catalina, 23001. 953 23 00 00. FAX 953 23 09 30.
Ce château au-dessus de Jaén offre une belle vue sur la sierra Morena.
Couloirs peu éclairés, petites fenêtres voûtées, portes énormes et armures
contribuent à l'atmosphère médiévale. 🛏 ▤ 📺 🍴 ♿

| | | AE DC MC V | 45 | ● | ■ |

LOJA : *La Bobadilla*. W www.la-bobadilla.com €€€€€
Finca La Bobadilla, 18300 (Granada). 958 32 18 61. FAX 958 32 18 10.
Rappelant un village andalou labyrinthique, cet hôtel entouré d'un domaine
est un des plus luxueux d'Europe. De nombreux sports et activités y sont
proposés. 🛏 ▤ 📺 🍴

| | | AE DC MC V | 62 | ■ | | ■ |

MÁLAGA : *Cerro del Hijar*. W www.cerrodehijar.com €€€
Cerro de Hijar s/n, 29109. 952 11 21 11. FAX 952 11 97 45.
Avec des vues imprenables sur la nature, et sur Tolox, plus bas dans la colline,
sa décoration de style andalou, son patio et ses chambres spacieuses,
ce domaine est un véritable havre de paix. 🛏 ▤ 📺 🍴 ♿

| | | AE DC MC V | 18 |

MÁLAGA : *Don Curro*. W www.infonegocio.com/doncurro €€€€
Calle Sancha de Lara 7, 29015. 95 222 72 00. FAX 95 221 59 46.
Hôtel qui ne paye pas de mine, mais dont l'intérieur est charmant et
confortable. Ambiance sympathique. Bon accueil. 🛏 ▤ 📺 🍴

| | | AE DC MC V | 118 | ■ |

MARBELLA : *El Fuerte*. W www.fuertehoteles.com €€€€€
Avenida El Fuerte, 29600 (Málaga). 95 286 15 00. FAX 95 282 44 11.
Cet hôtel, le premier bâti à Marbella, reste un des meilleurs. Certaines
chambres donnent sur la montagne, d'autres sur la mer. Piscine chauffée
derrière des baies vitrées et centre de remise en forme. 🛏 ▤ 📺 🍴 ♿

| | | AE DC MC V | 263 | ■ | ● | ■ |

MARBELLA : *Marbella Club Hotel*. W www.marbellaclub.com €€€€€
Blvr Príncipe von Hohenlohe, 29600 (Málaga). 95 282 22 11. FAX 95 282 98 84.
Complexe occupé par une clientèle fortunée. Construction basse sur une plage
entre Marbella et Puerto Banús. Deux piscines (une intérieure) et des jardins
subtropicaux avec un choix de lieux où manger et se détendre. 🛏 ▤ 📺 🍴

| | | AE DC MC V | 137 | ■ | ● | ■ |

MAZAGÓN : *Parador de Mazagón*. W www.parador.es €€€€€
San Juan del Pto a Matalascañas km 30, 21130. 959 53 63 00. FAX 959 53 62 28.
Parador moderne, sur la côte d'Huelva, entre une grande plage de sable et
une forêt de pins. Bien situé pour découvrir la réserve biologique du parc
national de Doñana, à proximité. 🛏 ▤ 📺 ♿ 🍴

| | | AE DC MC V | 63 | ■ | | ■ |

MIJAS : *Club Puerta del Sol*. W www.clubpuertodelsol.galeon.com €€€
Ctra Fuengirola–Mijas km 4, 29650 (Málaga). 95 248 64 00. FAX 95 248 54 62.
Bel hôtel bas, en forme de U, au pied de la sierra de Mijas. Vue sur
Fuengirola et la côte depuis les jardins, la piscine et les terrasses. Cours de
tennis, salle de sport. 🛏 ▤ 📺 ♿

| | | AE DC MC V | 130 | ■ | | ■ |

MOJÁCAR : *Parador de Mojácar*. W www.parador.es €€€€
Avda Mediterraneo, 04638 (Almería). 950 47 82 50. FAX 950 47 81 83.
Parador bâti récemment sur la côte sèche et ensoleillée d'Almería. Son
architecture rappelle celle des maisons blanches cubiques de Mojácar.
Équipements pour sports aquatiques. 🛏 ▤ 📺 🍴

| | | AE DC MC V | 98 | ■ | ● | ■ |

Légende des symboles, voir rabat de couverture

Les prix correspondent à une nuit en chambre double, service et petit déjeuner compris.

€ moins de 50 euros
€€ de 50 à 75 euros
€€€ de 75 à 100 euros
€€€€ de 100 à 125 euros
€€€€€ plus de 125 euros

CARTES BANCAIRES
Un symbole indique que les cartes American Express (AE), Diner's Club (DC), Master Card/Access (MC), Visa (V) sont acceptées.
PARCS DE STATIONNEMENT
Possibilité de garer son véhicule, soit au parking de l'établissement, soit dans un garage à proximité. Certains hôtels font payer l'utilisation de leur parking privé.
PISCINE
Piscine à ciel ouvert sauf indication contraire.
JARDIN
Hôtel disposant d'un jardin, d'une cour intérieure ou d'une terrasse, avec des tables permettant de prendre les repas à l'extérieur.

	CARTES BANCAIRES	NOMBRE DE CHAMBRES	PARC DE STATIONNEMENT	PISCINE	JARDIN OU TERRASSE
NERJA : *Hostal Avalón.* W www.hostalavalon.com €€ Calle Punta Lara, 29780 (Málaga). (95 252 06 98. FAX 95 252 31 85. Petit hôtel sympathique au-dessus de la route côtière tout près de Nerja. Ses chambres, propres et agréables, donnent toutes sur la mer, sauf une. Salon dotés de canapés confortables. ▪	V	6	▪	●	▪
OJÉN : *Refugio de Juanar.* W www.juanar.com €€€ Sierra Blanca, 29610 (Málaga). (95 288 10 00. FAX 95 288 10 01. Dans les sierras de Ojén, cet ancien pavillon de chasse abrite un hôtel calme et confortable. Faune et flore intéressantes dans ces collines boisées derrière Marbella. Gastronomie régionale. ▪ TV ▪	AE DC MC V	25	▪	●	▪
ORGIVA : *Taray.* W www.turgranada.com/hotelray €€€ Ctra Tablate–Albuñol km 18, 18400 (Granada). (958 78 45 25. FAX 958 78 45 31. Hôtel dans un jardin planté d'oliviers et d'orangers. Ses vastes chambres sont presque de petits appartements. Bonne région pour les promenades à cheval (organisées) ou à pied. ▪ ▪ TV ▪	AE DC MC V	15	▪	●	▪
PALMA DEL RÍO : *Hospedería de San Francisco.* €€€€ Avenida Pío XII 35, 14700 (Córdoba). (957 71 01 83. FAX 957 71 02 36. Hôtel dans un ancien monastère franciscain du XVᵉ siècle. Dans les chambres, cellules monacales d'antan, cuvettes peintes à la main et dessus-de-lit tissés par des religieuses. Repas dans le cloître. ▪ ▪ TV ▪	MC V	35	▪	●	▪
PECHINA : *Balneario de Sierra Alhamilla.* W www.gratisweb.com/sierra-alhamilla €€ Pechina, 04259 (Almería). (950 31 74 13. FAX 950 31 75 51. Hôtel thermal dans de paisibles collines. Restauré, il a retrouvé sa splendeur du XVIIIᵉ siècle. Thermes romains au sous-sol et, non loin, piscine chauffée naturellement. ▪ TV ▪	AE DC MC V	18		●	▪
PINOS GENIL : *La Duquesa.* W www.hotellabellamaria.com € Ctra Sierra Nevada km 8.2, 18191 (Granada). (958 48 86 14. FAX 958 48 86 32. Hôtel moderne, tenu par une famille, tout près de Grenade. Bien situé pour visiter la ville et la sierra Nevada. Chambres confortables et spacieuses. ▪ ▪ TV ▪	AE DC MC V	37	▪		▪
PRADO DEL REY : *Cortijo Huerta Dorotea.* W www.huerta-dorotea.com €€ Ctra Vilamartín–Ubrique km 12, 11660 (Cádiz). (956 72 42 91. FAX 956 72 42 89. Nouvel hôtel géré par une coopérative, sur une colline, au milieu des oliviers, près de la ville blanche de Prado del Rey. Choix entre chambres ou cabanes en rondins. L'équitation est une des activités possibles. ▪ ▪ TV ▪	AE MC V	25	▪	●	▪
EL PUERTO DE SANTA MARÍA : *Monasterio San Miguel.* €€€€€ Calle Larga 27, 11500 (Cádiz). (956 54 04 40. W www.jale.com/monasterio Hôtel élégant, assez luxueux, bien situé pour visiter Cadix et Jerez de la Frontera. On y a recréé une ambiance monacale rappelant l'ancienne fonction de cet édifice baroque. ▪ ▪ TV ▪ ▪	AE DC MC V	150	▪	●	▪
EL ROCÍO : *Hotel Toruño.* W www.toruno.com €€ Plaza Acebuchal 22, 21750 (Huelva). (959 44 23 23. FAX 959 44 23 38. Dans une demeure de style typiquement andalou, cet hôtel moderne possède un patio entouré d'arches. ▪ ▪ TV ▪ ▪	AE DC MC V	30	▪		▪
RONDA : *Husa Reina Victoria.* W www.husa.es €€€€€ Calle Jerez 25, 29400 (Málaga). (95 287 12 40. FAX 95 287 10 75. Cet hôtel perché au bord de la falaise offre un panorama superbe. Grand hôtel de Ronda jusqu'à ce qu'un parador y soit construit. ▪ ▪ TV ▪ ▪	AE DC MC V	90	▪	●	▪
RONDA: *Parador de Ronda.* W www.parador.es €€€€€ Plaza España, 29400 (Málaga). (95 287 75 00. FAX 95 287 81 88. Au bord de la falaise de Ronda et près du centre-ville, ce parador moderne ménage une belle vue sur la gorge, surtout depuis les suites du dernier étage. ▪ ▪ TV ▪	AE DC MC V	78	▪	●	▪

San José : *Cortijo Sotillo.* W www.elsotillo.org €€€ AE 20
Carretera San Jose. ☎ 950 61 10 00. FAX 950 61 11 05.
Petit hôtel isolé, à proximité de la plage. Jolies vues sur les montagnes. Toutes les chambres ont une terrasse. ⊞ ▤ TV ⊞ — DC MC V

Sanlúcar de Barrameda : *Los Helechos.* W www.hotelloshelechos.com €€ AE 56
Plaza Madre de Dios 9, 11540 (Cádiz). ☎ 956 36 13 49. FAX 956 36 96 50.
Agrémenté de céramiques et de plantes en pots, Los Helechos est un élégant havre de paix. Visite du Parque Nacional de Doñana. ⊞ ▤ TV ⊞ — DC MC V

Sanlúcar la Mayor : *Hacienda de Benazuza.* @ rvasbenazuza@jet.es €€€€€ AE 44
Virgen de las Nieves, 41800 (Sevilla). ☎ 95 570 33 44. FAX 95 570 34 10.
Certaines parties de cet hôtel de luxe auraient 1 000 ans. Situé sur une colline, meublé dans le style andalou traditionnel, il propose plusieurs suites, trois restaurants, une réserve de chasse et un héliport. ⊞ ▤ TV ⊞ ⊞ — DC MC V

San Roque : *Hotel Casa Señorial la Solana.* €€€ AE 18
Ctra Cádiz–Málaga N340, 11360 (Cádiz). ☎ et FAX 956 78 02 36.
Halte utile pour les voyageurs vers Tanger. Petit hôtel plaisant dans une maison vieille de 200 ans. Son petit domaine est en retrait de l'autoroute. Les 12 chambres et les 6 suites sont toutes différentes. ⊞ TV — DC MC V

Sierra Nevada : *Santa Cruz.* W www.eh.etursa.es/santacruz €€€ AE 91
Ctra Sierra Nevada, 18160 (Granada). ☎ 958 48 48 00. FAX 958 48 48 06.
Les fenêtres et les balcons de cet hôtel, en haute altitude, donnent sur les pics enneigés de la sierra Nevada. L'hiver, du feu dans les cheminées réchauffe ce bâtiment moderne. ⊞ TV — DC MC V

Tarifa : *Hurricane.* W www.hotelhurricane.com €€€€€ AE 33
Carretera N340 km77, 11380 (Cádiz). ☎ 956 68 49 19. FAX 956 68 03 29.
Tarifa est la Mecque des véliplanchistes, l'Hurricane le temple des sports et de la culture physique. Architecture originale pour cet édifice très ouvert, dans des jardins subtropicaux. Vue sur la mer et l'Afrique. ⊞ ▤ ⊞ — DC MC V

Torremolinos : *Hotel Miami.* W www.residencia-miami.com €€ 26
Calle Aladino 14, 29620 (Málaga). ☎ et FAX 95 238 52 55.
Le Miami, entre Torremolinos et Malaga, diffère pour notre bonheur des constructions modernes de la Costa del Sol. Il est doté de murs blanchis à la chaux, balcons, grilles de fer, céramiques et plantes en pots. ⊞

Trevélez : *Hotel La Fragua.* W www.lafragua.com € AE 24
Calle San Antonio 4, 18417 (Granada). ☎ 958 85 86 26. FAX 958 85 86 14.
Ce *mesón* (auberge) est situé dans un village qui serait le plus haut d'Espagne. Sa terrasse sur le toit offre une belle vue de la vallée. La taille et le style des chambres varient beaucoup. ⊞ TV ⊞ — DC MC V

Turre : *El Nacimiento.* W www.pagina.de/elnacimiento € 5
Cortijo El Nacimiento, 04639 (Almería). ☎ 950 52 80 90.
Maison pleine de charme, tenue par un couple sympathique. Il propose le lit et le petit déjeuner et sert des produits biologiques de sa ferme. ⊞

Turre : *Finca Listonero.* W www.finca-listonero.com €€€ MC 4
Cortijo Grande, 04639 (Almería). ☎ et FAX 950 47 90 94.
Hôtel dans une ferme restaurée dans la campagne près de Mojácar. Légumes du jardin aux repas. Petits déjeuners copieux. ⊞ ▤ ⊞ ⊞ — V

Úbeda : *Palacio de La Rambla.* W www.palaciodelarambla.es €€€ AE 8
Plaza del Marqués 1, 23400 (Jaén). ☎ 953 75 01 96. FAX 953 75 02 67.
Petit hôtel central sélect tenu par le propriétaire de cette demeure aristocratique du xviie siècle. Meubles de famille dans les chambres donnant sur un patio qui serait de Vandelvira, architecte de la Renaissance. ⊞ ▤ TV ⊞ — DC MC V

Úbeda : *Parador de Úbeda.* W www.parador.es €€€€€ AE 36
Plaza Vázquez de Molina 1, 23400 (Jaén). ☎ 953 75 03 45. FAX 953 75 12 59.
Dominant la monumentale place centrale d'Úbeda, ce parador est une ancienne demeure aristocratique du xvie siècle. Des céramiques blanches et bleues ornent la jolie cour du palais. ⊞ ▤ TV ⊞ — DC MC V

Zuheros: *Zuhayra.* W www.zuheros.com/hotelzuhayra €€ AE 18
Calle Mirador 10, 14870 (Córdoba). ☎ 957 69 46 93. FAX 957 69 47 02.
Principal atout de cet hôtel simple : son emplacement dans une ville blanche bâtie au bord d'une chaîne de hautes collines. Édifice dont le style rappelle celui de la noble demeure qu'il a remplacée.
⊞ ▤ TV ⊞ ⊞ — DC MC V

Les prix correspondent à une nuit en chambre double, service et petit déjeuner compris.

€ moins de 50 euros
€€ de 50 à 75 euros
€€€ de 75 à 100 euros
€€€€ de 100 à 125 euros
€€€€€ plus de 125 euros

CARTES BANCAIRES
Un symbole indique que les cartes American Express (AE), Diner's Club (DC), Master Card/Access (MC), Visa (V) sont acceptées.
PARCS DE STATIONNEMENT
Possibilité de garer son véhicule, soit au parking de l'établissement, soit dans un garage à proximité. Certains hôtels font payer l'utilisation de leur parking privé.
PISCINE
Piscine à ciel ouvert sauf indication contraire.
JARDIN
Hôtel disposant d'un jardin, d'une cour intérieure ou d'une terrasse, avec des tables permettant de prendre les repas à l'extérieur.

	CARTES BANCAIRES	NOMBRE DE CHAMBRES	PARC DE STATIONNEMENT	PISCINE	JARDIN OU TERRASSE

BALÉARES

FORMENTERA, ES PUJOLS : *Sa Volta*. ⓦ www.guiaformentera.com €€€€€
Calle Miramar 94, 07871. ☎ 971 32 81 25. FAX 971 32 82 28.
Hôtel économique, tenu par une famille, dans un immeuble moderne de trois étages près de la plage d'une des principales stations balnéaires de Formentera. Chambres avec terrasse. 🅿 ▤ TV ▯
AE DC MC V — 25 — ■ — ■

IBIZA (EIVISSA), IBIZA : *Hostal La Marina*. ⓦ www.hostal-lamarina.com €€€
Calle Barcelona 7, 07800. ☎ 971 31 01 72. FAX 971 31 48 94.
Vieil hôtel à l'intérieur modernisé, mais dont la décoration date pour l'essentiel de 1862. Vastes chambres sur le port. 🅿
AE MC V — 24 — — — ■

IBIZA (EIVISSA), IBIZA : *El Palacio*. ⓦ www.elpalacio.com €€€€€
Calle de la Conquista 2, 07800. ☎ 971 30 14 78. FAX 971 39 15 81.
Hôtel de la vieille ville ayant pour thème le septième art : souvenirs de films dans les salons, suites consacrées à Marilyn au dernier étage, et dans le jardin empreintes de mains comme sur Hollywood Boulevard. ● nov.-avr. 🅿 ▤ TV
AE DC MC V — 7 — — — ■

IBIZA (EIVISSA), SANT ANTONI : *Pikes*. ⓦ www.pikeshotel.com €€€€€
Camino Sa Vorera, 07820. ☎ 971 34 22 22. FAX 971 34 23 12.
Des célébrités résident parfois dans cette demeure restaurée avec goût sur une colline plantée de pins. 🅿 ▤ TV
AE DC MC V — 59 — ■ ● ■

IBIZA (EIVISSA), SANT MIQUEL : *Hacienda Na Xamena*. €€€€€
Urb Na Xamena, 07815. ☎ 971 33 45 00. FAX 971 33 46 06. ⓦ www.hotelhacienda-ibiza.com.com
Cet hôtel moderne perché sur une falaise domine une belle anse rocheuse. Ses chambres et son beau solarium avec piscine offrent une vue unique absolument étourdissante. ● nov.-avril. 🅿 ▤ TV
AE DC MC V — 59 — ■ ● ■

IBIZA (EIVISSA), SANTA EULÀRIA D'ES RIU : *Les Terrasses*. €€€€€
Apto 1235, Carretera de Santa Eulària, 07600 ☎ 971 33 26 43. FAX 971 33 89 78.
Maison de campagne blanche, bleue et jaune, à la décoration simple mais élégante, dans le style d'Ibiza. Les chambres sont toutes différentes. Coins tranquilles pour lire ou se détendre à l'intérieur et à l'extérieur. ● nov.-jan. 🅿 ▤
MC V — 8 — ■ ● ■

MAJORQUE, ANDRATX : *Villa Italia*. ⓦ www.hotelvillaitalia.com €€€€€
Camino Sant Carles 13, Port d'Andratx, 07157. ☎ 971 67 40 11. FAX 971 67 33 50.
Villa de style florentin qu'un riche Italien fit bâtir dans les années 1920 pour son aimée. Plafonds ornés de stucs, sols en marbre, colonnes à chapiteaux romains décorent l'intérieur. ● mi-nov.-mi-fév. 🅿 ▤ TV ▯
AE MC V — 16 — ● ■

MAJORQUE, BANYALBUFAR : *Sa Baronía*. €€
Calle Sa Baronía 16, 07191. ☎ 971 61 81 46. FAX 971 14 87 38.
Une famille tient cet hôtel, extension moderne d'une tour seigneuriale du XVIIᵉ siècle. Situé dans un village de la côte nord-ouest, encore préservé. Toutes les chambres ont une terrasse sur la mer. ● nov.-avril. 🅿
V — 36 — ■ ● ■

MAJORQUE, BINISSALEM : *Scott's Hotel*. ⓦ www.scottshotel.com €€€€€
Plaza de la Inglesia 12, 07350. ☎ 971 87 01 00. FAX 971 87 02 67.
Dans une maison de ville du XVIIIᵉ siècle très bien restaurée, cet hôtel propose jacuzzi, bibliothèque, bar et snacks le soir. 🅿 ▤
MC V — 18 — ■ ● ■

MAJORQUE, DEIÀ : *La Residencia*. @ reservas@hotel-laresidencia.com €€€€€
Finca Son Canals, 07179. ☎ 971 63 90 11. FAX 971 63 93 70.
Cet hôtel, à l'entrée du village de Deià, est formé de deux manoirs restaurés du XVIᵉ siècle. La plupart des chambres possèdent des lits à baldaquin. Toutes ont des meubles espagnols traditionnels. 🅿 ▤ TV ▯
AE DC MC V — 62 — ■ ● ■

MAJORQUE, LLUC : *Santuari de Lluc*. @ info@lluc.net €
Santuari de Lluc, 07315. ☎ 971 87 15 25. FAX 971 51 70 96.
On n'accède qu'en voiture au Santuari de Lluc, perché dans les monts Tramuntana. Chambres simples dans les bâtiments du monastère. 🅿 ♿
MC V — 129 — ■ — ■

MAJORQUE, PALMA DE MAJORQUE : *Born.* w www.hotelborn.com €€€€
Calle Sant Jaume 3, 07012. **971 71 29 42.** FAX 971 71 86 18.
La demeure du marquis de Ferrandel, bâtie au XVIᵉ siècle et rénovée au
XVIIIᵉ siècle, abrite un hôtel doté d'un escalier splendide et d'une cour
majorquine typique où poussent des palmiers.
AE DC MC V | 35

MAJORQUE, POLLENÇA : *Illa d'Or.* w www.hoposa.es €€€€€
Paseo de Colón 265, 07470. **971 86 51 00.** FAX 971 86 42 13.
Cet hôtel des années 1930, bâti pour l'élite du nord de l'Europe qui passait
l'été sur l'île, a gardé le mobilier et l'atmosphère d'antan.
AE DC MC V | 227

MAJORQUE, PUERTO DE POLLENÇA : *Formentor.* w www.hotelformentor.net €€€€€
Playa de Formentor, 07470. **971 89 91 00.** FAX 971 86 51 55.
Le Dalaï Lama, comme maints écrivains, divas et acteurs, signa le livre d'or de
cet hôtel de luxe situé sur la presqu'île au nord-est de Majorque. Centre de
beauté et de remise en forme.
AE DC MC V | 127

MAJORQUE, RANDA : *Es Recó de Randa.* w www.fesrecoderanda.com €€€€€
Font 21, 07629. **971 66 09 97.** FAX 971 66 25 58.
Restaurant avec chambres dans une maison ancienne en pierre, dans un
village paisible au pied du mont Puig de Randa. Certaines chambres offrent
une belle vue du village et des montagnes.
AE MC V | 14

MAJORQUE, SES SALINES : *Es Turó.* w www.esturo.com €€€€€
Camí Casperets, Ses Salines, 07640. **971 64 95 31.** FAX 971 64 95 48.
Calme, confort, élégance et nonchalance majorquine font de cette vieille ferme
un paradis. Entourée d'oliviers et d'amandiers, elle abrite un petit musée de la
vie locale.
DC MC V | 12

MAJORQUE, SÓLLER : *Ca N'Aí.* w www.canai.com €€€€€
Camí de Son Sales 50, 07100. **971 63 24 94.** FAX 971 63 18 99.
Ancienne maison majorquine bâtie sur un versant de la vallée Sóller plantée
d'orangers et de palmiers. La décoration est raffinée, la cuisine excellente et
le service a une touche personnelle.
AE DC MC V | 11

MAJORQUE, VALLDEMOSSA : *Vistamar.* w www.vistamarhotel.es €€€€€
Ctra de Valldemossa–Andratx, 07170. **971 61 23 00.** FAX 971 61 25 83.
Les chambres meublées d'antiquités donnent sur une cour. Chopin et
George Sand ont rendu célèbre le monastère voisin.
AE DC MC V | 19

MINORQUE, CIUTADELLA : *Hostal Ciutadella.* €€€
Calle San Eloy 10, 07760. **971 38 34 62.**
À quelques minutes à pied de la plaça des Borne, cet hôtel moderne, sans
fioritures, offre un bon rapport qualité-prix. Les chambres sont impeccables.
Des repas simples sont servis au bar.
DC MC V | 17

MINORQUE, CIUTADELLA : *Patricia.* w www.hesperia.es €€€€€
Paseo San Nicolás 90–92, 07760. **971 38 55 11.** FAX 971 48 11 20.
Hôtel moderne faisant partie d'une chaîne. Façade crème et fenêtres blanches
en saillie sur une des principales avenues, près du port.
AE DC MC V | 44

MINORQUE, MAHÓN : *Del Almirante.* w www.hotelalmirante.com €€€
Carretera de Es Castell, 07780. **971 36 27 00.** FAX 971 36 27 04.
L'hôtel est aménagé dans une maison du XVIIIᵉ siècle dont le style
georgien évoque l'Angleterre. Elle appartint en effet à un amiral
britannique. L'hôtel a une nouvelle aile bâtie autour de la piscine.
nov.-avr.
AE MC V | 39

MINORQUE, MAHÓN : *Capri.* w www.rtmhotels.com €€€€
Calle San Esteban 8, 07703. **971 36 14 00.** FAX 971 35 08 53.
Hôtel de cinq étages, moderne et central, proche des boutiques, du port et
de la plage. La plupart des chambres ont une terrasse.
AE DC MC V | 75

MINORQUE, MAHÓN : *Catalonia Mirador des Port.* €€€€€
Calle Dalt Vilanova 1, 07701. **971 36 00 16.** FAX 971 36 73 46.
Hôtel moderne, confortable, à l'extrémité ouest de la ville. Maintes chambres
ont des terrasses à volets, idéales pour les soirs d'été. Le bar chic au sous-sol
est l'œuvre d'un décorateur.
AE DC MC V | 69

MINORQUE, MAHÓN : *Port Mahón.* w www.sethotels.com €€€€€
Fort de L'Eau 13, 07701. **971 36 26 00.** FAX 971 35 10 50.
Hôtel dans un édifice rouge et blanc, de style colonial, dominant le port
de Mahón. Il met à disposition de grandes terrasses et une piscine incurvée
entourée de pelouses.
AE DC MC V | 82

Légende des symboles, voir rabat de couverture

	Les prix correspondent à une nuit en chambre double, service et petit déjeuner compris. € moins de 50 euros €€ de 50 à 75 euros €€€ de 75 à 100 euros €€€€ de 100 à 125 euros €€€€€ plus de 125 euros	**CARTES BANCAIRES** Un symbole indique que les cartes American Express (AE), Diner's Club (DC), Master Card/Access (MC), Visa (V) sont acceptées. **PARCS DE STATIONNEMENT** Possibilité de garer son véhicule, soit au parking de l'établissement, soit dans un garage à proximité. Certains hôtels font payer l'utilisation de leur parking privé. **PISCINE** Piscine à ciel ouvert sauf indication contraire. **JARDIN** Hôtel disposant d'un jardin, d'une cour intérieure ou d'une terrasse, avec des tables permettant de prendre les repas à l'extérieur.	CARTES BANCAIRES	NOMBRE DE CHAMBRES	PARC DE STATIONNEMENT	PISCINE	JARDIN OU TERRASSE

CANARIES

		Cartes	Chambres	Parc	Piscine	Jardin
FUERTEVENTURA, ANTIGUA : *Barceló Club El Castillo.* €€ Caleta de Fuste, 35610. (928 16 31 00. FAX 928 16 30 42. @ elcastillo@barcelo.com Ces beaux appartements dans un complexe en forme de village disposent d'un accès direct à une belle plage et à une place centrale bordée de boutiques, bars et restaurants. Idéal pour les sports aquatiques.		AE DC MC V	420	■	●	■
FUERTEVENTURA, CORRALEJO : *Riu Palace Tres Islas.* €€€€€ Grandes Playas, 35660. (928 53 57 00. FAX 928 53 58 58. W www.riuhotels.com Toutes les chambres de ce vaste hôtel disposent de balcons sur la mer. Ses jardins sont dotés de deux immenses piscines.		AE DC MC V	365		●	■
FUERTEVENTURA, COSTA CALMA : *Riu Fuerteventura Playa.* €€€€€ Urb Cañada del Río, Polígono C1, 35627. (928 54 73 44. W www.riuhotels.com Les deux ailes de cet hôtel bordent jardins et piscines. Dans un lieu isolé, il offre un accès direct à la plage. Toutes les chambres sont grandes et sont dotées d'un balcon sur la mer.		AE DC MC V	300	■	●	■
LA GOMERA, PLAYA DE SANTIAGO : *Jardín Tecina.* €€€€ Lomada de Tecina, 38811. (922 14 58 50. W www.jardin-tecina.com Les diverses installations de ce complexe, dans les collines derrière la playa de Santiago, en font presque une station balnéaire. Un ascenseur le long de la falaise amène les clients au club de la plage.		AE DC MC V	434	■	●	■
LA GOMERA, SAN SEBASTIÁN : *Parador de San Sebastián.* €€€€€ San Sebastián de La Gomera, 38800. (922 87 11 00. W www.parador.es Ce parador entouré de jardins tropicaux est situé sur une falaise dominant la principale ville de La Gomera et son port. L'intérieur est directement sous le toit incliné. Des bois sombres décorent les chambres.		AE DC MC V	60	■	●	■
GRAN CANARIA, AGAETE : *Princesa Guayarmina.* W www.hotelguayarmina.com €€ Los Berrazales, 35489. (928 89 80 09. FAX 928 89 85 25. Petit hôtel de montagne dont les chambres simples donnent sur une vallée tropicale. Excellent rapport qualité-prix. Personnel très aimable.		AE MC V	33	■		■
GRAN CANARIA, MASPALOMAS : *Riu Maspalomas Oasis.* €€€€€ Playa de Maspalomas, 35106. (928 14 14 48. FAX 928 14 11 92. W www.riuhotels.com Hôtel calme et isolé à l'ombre des palmiers, près des dunes. Les clients séjournent dans d'élégantes suites sur différents niveaux, aux chambres spacieuses. Le personnel est efficace et agréable.		AE DC MC V	342	■	●	■
GRAN CANARIA, LAS PALMAS : *NH Imperial Playa.* €€€€€ Calle Ferreras 1, 35008. (928 46 88 54. FAX 928 46 94 42. W www.nh-hoteles.es Petit hôtel moderne et confortable, prisé des hommes d'affaires, dominant la plage de Las Canteras, près du port et des commerces.		AE DC MC V	142			
GRAN CANARIA, LAS PALMAS : *Santa Catalina.* €€€€€ Calle León y Castillo 227, 35005. (928 24 30 40. W www.hotel@hotelsantacatalina.com Cet hôtel fort ancien, à l'atmosphère coloniale, est typique des Canaries avec ses balcons de bois travaillés. Il possède un grand parc et un casino luxueux.		AE DC MC V	208	■	●	■
GRAN CANARIA, PLAYA DEL INGLÉS : *Parque Tropical.* €€€€ Avenida de Italia 1, 35100. (928 77 40 12. W www.hoteltropical.com Bel hôtel dans le style local avec des chambres confortables et l'accès direct au bord de mer. Bons équipements sportifs. Réserver.		AE DC MC V	235	●	●	■
GRAN CANARIA, PUERTO DE MOGÁN : *Club de Mar.* €€€ Puerto de Mogán, 35138. (928 56 50 66. FAX 928 56 54 38. W www.clubdemar.com Chambres et appartements dans de beaux bâtiments autour d'une petite baie dotée d'une plage de sable et d'une marina. Le domaine, la piscine et les bars locaux animés sont agréables.		AE MC V	56		●	■

EL HIERRO, FRONTERA : *Punta Grande.* €€€
Las Puntas, 38911. █ et FAX *922 55 90 81.*
Cet hôtel décrit comme le plus petit du monde dans le livre des records, possède
quatre chambres et un salon dans ce qui était jadis un bureau de douane ».
— 4

EL HIERRO, VALVERDE : *Parador El Hierro.* W www.parador.es €€€€€
Carretera General, Las Playas 15, 38910. █ 922 55 80 36. FAX *922 55 80 86.*
Des falaises noires se dressent derrière cet hôtel moderne, sur une plage isolée.
Idéal pour les randonneurs.
AE DC MC V — 47

LANZAROTE, ARRECIFE : *Lancelot.* @ hlancelot@terra.es €€€
Avenida Mancomunidad 9, 35500. █ *928 80 50 99.* FAX *928 80 50 39.*
Nouvel hôtel élégant, proche d'une plage de sable clair. Récifs de corail pas
loin du bord. Bons restaurants à l'hôtel et dans la ville.
AE DC MC V — 113

LANZAROTE, COSTA TEGUISE : *Gran Meliá Salinas.* €€€€€
Avenida Isles Canarias, Urbanización Costa Teguise, 35509.
█ *928 59 00 40.* FAX *928 59 03 90.* W www.solmelia.com
L'atrium avec ses jardins centraux, son bassin et ses plantes ornementales
est le point de mire de cet hôtel contemporain. Grandes chambres paisibles,
boutiques, installations sportives. Belle plage.
AE DC MC V — 310

LANZAROTE, PUERTO DEL CARMEN : *Los Fariones.* €€€€€
Calle Roque del Este 1, 35510. █ *928 51 01 75.* W www.groupofariones.com
Hôtel isolé et paisible sur une belle plage. Confortable et très bien équipé,
il dispose de chambres spacieuses.
AE DC MC V — 249

LANZAROTE, YAIZA : *Lanzarote Princess.* W www.h10.es €€€€€
Calle Maciot, Playa Blanca 35570. █ *928 51 71 08.* FAX *928 51 70 11.*
Hôtel dans une station balnéaire appréciée des familles. Frais et clair, il offre
des espaces sur différents niveaux ornés de jardins et d'une petite cascade.
Grande piscine.
AE DC MC V — 407

LA PALMA, BARLOVENTO : *La Palma Romántica.* €€€€
Calle Las Llanadas, 38726. █ *922 18 62 21.* W www.hotellapalmaromantica.com
Hôtel à flanc de colline, au-dessus de la mer. Clair et spacieux, il possède
de grandes chambres, une piscine intérieure, un sauna et un solarium.
MC V — 48

TENERIFE, ARONA : *Estefanía.* @ info@hotel-estefania.com €€€€
Carretera de Arona, 38660. █ *922 72 93 22.* FAX *922 75 95 33.*
Hôtel dans les collines derrière la playa de las Américas, doté de chambres
luxueuses et d'une décoration raffinée.
AE DC MC V — 35

TENERIFE, COSTA ADEJE : *Jardín Tropical.* €€€€€
Calle Gran Bretaña, Urbanización San Eugenio, 38670. █ *922 74 60 00.* FAX *922 74 60 60.*
Hôtel moderne et original, doté de patios carrelés et de tourelles, au cœur de
la station balnéaire. Accès direct au bord de mer. Sept chambres de fonction.
AE DC MC V — 400

TENERIFE, LA OROTAVA : *Parador de Cañadas del Teide.* €€€€
Apto de Correos 15, Cañadas del Teide, 38300. █ *922 38 64 15.* W www.parador.es
Ce parador moderne, façon de chalet alpin, ménage une bonne vue sur le
mont Teide. Situé dans le parc national, c'est une bonne base pour visiter
cette région volcanique.
AE DC MC V — 37

TENERIFE, PUERTO DE LA CRUZ : *Monopol.* @ monopol@interbook.net €€€
Calle Quintana 15, 38400. █ *922 38 46 11.* FAX *922 37 03 10.*
Hôtel familial de style ancien, aux chambres spacieuses et modernes. De
nombreuses plantes ornent son patio aux balustrades en bois.
AE DC MC V — 93

TENERIFE, PUERTO DE LA CRUZ : *Botánico.* €€€€€
Calle Richard J Yeoward 1, 38400. █ *922 38 14 00.* W www.hotelbotanico.com
Cet hôtel reposant, près des jardins botaniques, est un peu loin de la mer,
mais il est bien équipé pour les loisirs.
AE DC MC V — 252

TENERIFE, SANTA CRUZ DE TENERIFE : *Náutico.* W www.a-caledonia.com €€€
Avda. Profesor Peraza de Ayala 13, 38001. █ *922 24 70 66.* FAX *922 24 72 76.*
Petit hôtel moderne derrière le port, près de l'arrêt d'autobus allant à la plage de
Las Teresitas. Son café sert un bon petit déjeuner espagnol.
AE DC MC V — 40

TENERIFE, VILAFLOR : *Alta Montaña.* €€€
Calle Morro del Cano 1, 38613. █ *922 70 90 00.* FAX *922 70 92 93.*
Ce petit hôtel simple, offrant une vue superbe, est tenu par un couple
de Belges. Cuisine à base de produits biologiques.
— 17

Légende des symboles, voir rabat de couverture

RESTAURANTS ET BARS

La convivialité des Espagnols ajoute au plaisir d'aller manger dehors. Du début de la journée jusqu'à minuit passé, on peut voir attablés familles et amis. La cuisine espagnole est marquée par les influences régionales. Les restaurants traditionnels étaient jadis des tavernes et des bars à tapas servant des plats à base de produits locaux. L'Espagne compte aussi

Carrelage mural vantant un restaurant

nombre d'excellentes tables, notamment au Pays basque.

Les restaurants des pages 578 à 609 ont été choisis pour leur cuisine et leur accueil. Les pages 574 à 577 présentent certaines des meilleures tapas et boissons. Les cinq parties de ce guide, consacrées aux différentes régions, comportent des remarques sur les spécialités et les vins locaux.

Les bodegas sont des bars à vins où on ne peut manger

RESTAURANTS ET BARS

Les bars et les cafés servant des tapas sont les lieux meilleur marché et où le service est le plus rapide. Certains bars ne servent pas à manger, notamment les *pubs*. On peut prendre un repas bon marché dans les *bar-restaurantes, ventas, posadas, mesones, fondas* (mots anciens pour différents types d'auberges) familiaux. Les *chiringuitos* sont des bars de plage, ouverts en été.

Les meilleurs tables se trouvent en général au Pays basque, en Galice, en Catalogne, à Barcelone et Madrid.

La plupart des restaurants ferment un jour par semaine (certains uniquement pour le déjeuner ou le dîner) et lors des congés annuels. Ils sont aussi fermés lors de certaines fêtes légales. Les grandes périodes de fermeture sont indiquées pour les restaurants présentés *(p. 578-609)*. Vérifiez à la réservation.

L'HEURE DES REPAS

Les Espagnols prennent deux petits déjeuners *(desayunos)*. Le premier est composé d'un *café con leche* (café au lait) avec soit des biscuits, soit du pain grillé avec de l'huile d'olive ou du beurre et de la confiture. Le second se prend entre 10 et 11 h, parfois au café. Il consiste en une épaisse tranche de *tortilla de patatas* (omelette aux pommes de terre) ou en un *bocadillo* (sandwich) avec une saucisse, du jambon ou du fromage et un jus de fruit, un café ou une bière.

À partir de 13 h, les Espagnols vont au bar prendre une bière ou une *copa* (verre) de vin avec des tapas. *La comida* (déjeuner), principal repas de la journée, a lieu à 14 h.

Cafés, *salones de té* (salons de thé) et *pastelerías* (pâtisseries) se remplissent vers 17 h 30 pour *la merienda*

Ornement, bar barcelonais

(goûter). On y déguste alors sandwiches, viennoiseries ou gâteaux, avec du café, du thé ou des jus de fruits. On peut aussi acheter aux éventaires des en-cas tels les *churros* (bâtons de pâte à crêpe frits).

Vers 19 h, les Espagnols vont au bar prendre des tapas avec du xérès, du vin ou de la bière. *La cena* (dîner) ne débute qu'à 22 h, mais les restaurants avancent parfois leur service pour les touristes. L'été, les Espagnols ne dînent souvent qu'à minuit. Le week-end, surtout à la belle saison, les restaurants bondés à l'heure du déjeuner sont le cadre de réunions familiales animées.

COMMENT S'HABILLER

Veste et cravate sont rarement exigées, bien que les Espagnols s'habillent pour sortir. Au bord de la mer, les tenues sont décontractées, mais le soir le short est parfois mal vu.

Restaurant du parador de Pedraza de la Sierra, près de Ségovie *(p. 595)*

Terrasse d'une cafétéria de Cadaqués sur la Costa Brava

LIRE LA CARTE

Dans les restaurants espagnols, les choix meilleur marché, hormis les tapas, sont les *platos combinados* à prix fixe (viande ou poisson avec des légumes et habituellement des pommes de terre) et le *menú del día*. Le *plato combinado* n'est servi que dans les établissements bon marché. La plupart des restaurants offrent un *menú del día*, en général composé de trois plats. Les restaurants gastronomiques proposent un *menú de degustación* avec six ou sept spécialités du chef, au choix.

La carta (carte) commence par des *sopas* (soupes), *ensaladas* (salades), *entremeses* (hors-d'œuvre), *huevos y tortillas* (œufs et omelettes) et *verduras y legumbres* (légumes). Les plats principaux sont les *pescados y mariscos* (poissons et coquillages) et les *carnes y aves* (viandes et volailles). Paella et autres plats de riz peuvent être servis en entrée et suivis de viande. Vous pouvez aussi commencer par du jambon *serrano* ou de la salade, puis prendre une paella.

Hormis les fruits habituels, la gamme des *postres* (desserts) est en général limitée. Les meilleurs restaurants offrent un choix restreint, parfois des *natillas* (crèmes) et du *flan* (crème caramel). Les restaurants gastronomiques ont des desserts plus originaux.

Les végétariens seront peu favorisés en Espagne, mais dans les grandes villes, comme Madrid, il y a de nombreux restaurants végétariens. Beaucoup de plats sont à base de légumes ou d'œufs.

Les enfants sont les bienvenus dans tous les restaurants qui servent des petites portions à la demande.

Las Torres de Ávila *(p. 185)*, un bar original de Barcelone

LES VINS

Les vins secs finos vont avec les coquillages, les olives, les soupes, le jambon *serrano* et la plupart des entrées. Avec les plats principaux on boira des vins de Ribera del Duero, Rioja, Navarre ou Penedès. Un bar typique peut servir des vins de Valdepeñas ou des vignobles locaux. Les vins olorosos *(p. 577)* sont souvent pris en digestif.

FUMEURS/NON-FUMEURS

Les restaurants raffinés offrent des *puros* (cigares) avec le café et le cognac. Nombre d'Espagnols fument et très peu d'établissements ont des tables pour non-fumeurs.

PRIX ET MOYENS DE PAIEMENT

Si vous prenez *la carta*, l'addition peut dépasser celle du *menú del día*, surtout si vous commandez des plats chers : fruits de mer, poisson du jour ou jambon *ibérico* *(p. 438)*. Si un poisson cher comme la sole ou l'espadon est proposé à un prix avantageux, il est sans doute surgelé. Le prix du bar et autres poissons appréciés, ainsi que de certains crustacés (crabe, langoustine, homard), est fonction du poids.

La cuenta (addition) comprend le service et parfois le couvert. Les prix de la carte n'incluent pas la TVA *(IVA)* de 7 %, généralement ajoutée au moment de l'addition. Les Espagnols laissent rarement plus de 5 % de pourboire. Ils se contentent souvent d'arrondir le total.

Les chèques sont peu utilisés en Espagne. Les chèques de voyage sont acceptés, mais le taux de change peut être défavorable. La plupart des restaurants prennent les principales cartes bancaires. Les petites auberges et la plupart des débits de boissons refusent les cartes de paiement.

ACCÈS POUR FAUTEUILS ROULANTS

Il est préférable d'appeler le restaurant (ou de demander au personnel de l'hôtel de le faire) pour savoir si tables et toilettes sont accessibles.

Décoration du début du siècle dans un bar de Madrid

Choisir les tapas

L es tapas, ou pinchos, sont des amuse-gueule. Elles furent crées au siècle dernier en Andalousie pour accompagner le xérès. Les serveurs couvraient jadis les verres avec une soucoupe ou *tapa* (couvercle) pour protéger la boisson des mouches. Puis on prit l'habitude de servir un gros morceau de fromage ou quelques olives avec les boissons. Les tapas, jadis gratuites, sont en général payantes. Il en existe toutes sortes de variétés : viandes froides, fromages, plats chauds de fruits de mer, viande ou légumes savamment préparés.

Xérès fino et léger

La fritura de pescado *est un mélange de poissons frits et de fruits de mer. Rougets, calmars, petits colins, etc., sont servis avec du citron.*

Les albondigas *sont de copieuses boulettes de viande, parfois à la sauce tomate.*

Le jamón serrano, *jambon salé, séché à l'air de la montagne* (serrano), *peut être servi en gros morceaux* (tacos) *ou en tranches fines* (lonchas) *souvent accompagnés de pain.*

Les gambas a la plancha *sont de grosses crevettes grillées non décortiquées.*

La tortilla a la española *est une épaisse omelette à l'oignon et aux pommes de terre. Elle est servie en parts ou en petits cubes.*

Les mejillones a la marinera *sont des moules avec une sauce mariant ail et oignon revenus, vin blanc, huile d'olive, jus de citron et persil.*

Les almendas fritas *(amandes grillées salées) sont communes, les amandiers poussant dans maints endroits d'Espagne. Sont aussi servies pistaches* (pistachos), *cacahuètes salées* (cacahuetes) *et graines de tournesol* (pipas).

Le pollo al ajillo, *tapa très répandue, est faite de petits morceaux de poulet (souvent les ailes ou les cuisses) revenus à l'huile qui ont ensuite mijoté dans une sauce parfumée à l'ail.*

Les banderillas *sont de petites brochettes faites notamment de légumes et poisson mariné, œufs durs, crevettes, cornichons et olives. La banderilla doit être mangée en une fois pour obtenir un délicieux mélange de saveurs.*

L'ensaladilla rusa, *salade composée de thon, crevettes, pommes de terre, carottes et petits pois à la mayonnaise, peut être garnie de poivrons ou d'œuf.*

Le chorizo *est une saucisse très appréciée, parfumée à l'ail et au paprika. On la mange généralement froide ou parfois grillée et chaude.*

Les patatas bravas *sont des pommes de terre frites enrobées d'une sauce tomate piquante aux piments rouges, à l'oignon, à l'ail, au persil et au vin blanc. Les morceaux de la taille d'une bouchée sont délicieux et rassasient.*

Les olives *sont communes mais variées, comme les gordals, de grosses olives de Séville, ou les* manzanillas *fourrées aux anchois, amandes ou pimientos. Certaines olives sont marinées avec des herbes dans de l'huile ou du vinaigre.*

Le salpicón de mariscos *est une salade composée de homard, crabe et crevettes et autres fruits de mer frais et de tomates en morceaux. Elle est assaisonnée avec une vinaigrette parfumée à l'oignon et aux poivrons rouges.*

Les calamares fritos *sont des calmars coupés en rondelles, farinés et frits à l'huile d'olive ou autre. Ils sont servis avec une tranche de citron.*

L'ensalada de pimientos rojos *est une salade colorée de poivrons rouges et de tomates grillées. Les jus de cuisson sont mélangés à de l'huile d'olive et du vinaigre pour assaisonner cette salade.*

Le queso manchego, *fromage de brebis de la Manche (p. 321), est le fromage favori des Espagnols. Servi avec du pain, il peut être doux* (semicurado) *ou bien fait et fort* (curado).

LES BARS À TAPAS

Le moindre village a au moins un bar où prendre un verre entre amis et manger des tapas. Le dimanche et lors des vacances, les bars favoris sont remplis de familles entières savourant des tapas. Dans les localités plus importantes, on va de bar en bar goûter les spécialités de chacun. Une tapa convient à une personne, une *ración* à deux ou trois. Les *bocadillos* sont des sandwichs dont les ingrédients sont similaires à ceux des tapas. D'ordinaire on mange les tapas debout au comptoir plutôt qu'assis à une table pour laquelle il faut généralement payer un supplément.

Amis discutant autour d'une sélection de tapas dans un bar local

Que boire en Espagne

L'Espagne est un des plus grands producteurs de vin au monde. Les nombreux vins sont de bonne qualité comme les vins rouges de La Rioja et le xérès d'Andalousie. Les cafés et les bars, lieux essentiels de la vie espagnole, servent beaucoup d'autres boissons, alcoolisées ou non. Les Espagnols aiment aussi beaucoup le café. L'été, outre la bière toujours disponible, toutes sortes de boissons rafraîchissantes sont proposées. Le cognac et diverses liqueurs, comme l'*anís*, sont consommés en apéritifs et en digestifs, de même que le xérès *fino*, servis frais, de couleur or pale.

Clients prenant un verre en terrasse à Séville

Chocolat chaud

Churros (bâtons de pâte à crêpes)

Café con leche

Camomille

Tilleul

LES BOISSONS CHAUDES

L e *café* peut être *con leche* (au lait), *cortado* (express avec un soupçon de lait) ou *solo* (noir). Le chocolat chaud est souvent accompagné de *churros* (bâtons de pâte à crêpes frits). Les tisanes comprennent la *manzanilla* (camomille) et la *tila* (tilleul).

LES BOISSONS FRAÎCHES

D ans la plupart des villes espagnoles, l'eau du robinet est potable, mais on lui préfère généralement l'eau minérale plate *(sin gas)* ou gazeuse *(con gas)*. Hormis les sodas, il existe beaucoup de boissons désaltérantes, dont l'*horchata (p. 243)*, boisson sucrée et laiteuse à base de *chufas* de terre (amandes de terre). La *leche merengada* (lait glacé à la surface duquel flotte une meringue) est aussi une boisson rafraîchissante très appréciée. La *gaseosa*, limonade pétillante, peut être bue telle quelle ou mélangée, généralement avec du vin. Le *zumo de naranja natural* (jus d'oranges pressées) étanche très bien la soif.

Horchata à base de *chufas*

Eaux minérales gazeuse et plate

LES VINS ESPAGNOLS

Dans la péninsule Ibérique, on produisait déjà du vin avant l'arrivée des Romains. Aujourd'hui, il en existe une grande variété et certains, comme celui de La Rioja, sont réputés. Appellation capitale pour l'industrie vinicole, la *Denominación de Origen* (DO) garantit l'origine et la qualité d'un vin. Le *vino de la Tierra*, classe inférieure à la DO, assure que plus de 60 % des raisins proviennent d'une région précise. Le *vino de Mesa* est la catégorie la plus basse, attribuée aux vins de table. Pour plus de renseignements sur les principales régions vinicoles d'Espagne, consultez les pages sur le Nord *(p. 74-75)*, l'Est *(p. 192-193)*, le Centre *(p. 322-323)* et le Sud de l'Espagne *(p. 402-403)*.

Vin blanc de Penedès

Vin rouge de La Rioja

Vin mousseux *(cava)*

Les spiritueux et liqueurs

L e cognac espagnol *(coñac)* est vieilli en fût ; il provient surtout des bodegas de Jerez. La plupart en produisent au moins trois sortes à des prix différents. Le magno est un bon cognac. Le lepanto et le larios sont de qualité supérieure. L'*anís* est une liqueur à l'anis appréciée. Le *pacharán*, à base de prunelles, est doux et a aussi un goût d'anis. La licor 43 est une liqueur à la vanille, le ponche un cognac vieilli, parfumé aux herbes.

Anís *Pacharán* *Licor 43* *Ponche*

La bière

L a bière *(cerveza)* espagnole est en général une bière blonde en bouteille, parfois à la pression. La San Miguel, la Cruzcampo Mahou et l'Aguila sont appréciées. On peut prendre un verre de bière *(una caña)* ou une bière sans alcool *(sin alcohol)*, vendue dans la plupart des bars.

Bières en bouteille

Le xérès

L e xérès est produit en Andalousie à Jerez et dans les villes proches, Sanlúcar de Barrameda et El Puerto de Santa María *(p. 402-403)*.

Des vins de même type sont produits à Montilla, près de Cordoue, mais ne sont pas des xérès. Le fino pale, sec et léger, est un excellent apéritif. L'amontillado ambré (fino vieilli) a un goût de terroir. L'oloroso a du corps et une belle couleur.

Deux marques de xérès fino

Vin rouge et limonade

Sangria

Les cocktails

L a sangria est un mélange de vin rouge, de *gaseosa* (limonade) et d'autres ingrédients dont des fruits en morceaux et du sucre. Le vin dilué avec de la limonade est appelé *vino con gaseosa*. L'*Agua de Valencia*, mélange de *cava* (vin mousseux) et de jus d'orange, est aussi très appréciée. Les jeunes boivent souvent des *cubalibres*, du cola avec du rhum ou du gin.

Cubalibre *Vino con gaseosa*

Lire l'étiquette

L'étiquette vous renseigne sur l'arôme et la qualité d'un vin. Elle indique son nom, celui de son producteur ou de sa bodega *(p. 619)*, son cru le cas échéant, et sa *Denominación de Origen* (DO) s'il entre dans cette catégorie. Le mot *cosecha* désigne les vins récents, les moins chers. Les vins *crianza* et *reserva*, eux, ont vieilli au moins deux ou trois ans, dont un certain temps dans des fûts en chêne, et sont donc plus chers. Le vin de table *(vino de Mesa)* peut être *tinto* (rouge), *blanco* (blanc) ou *rosado* (rosé). Le *cava* est un vin mousseux produit dans des régions précises selon la méthode champenoise.

Marque **Blason de l'entreprise**

Contenance de la bouteille

Mis en bouteille à la propriété

Denominación de Origen du vin

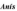

ɔ cl. 13% Alc.

MARQUÉS DE MURRIETA
Embotellado por: BODEGAS MARQUÉS DE MURRIETA, S.A. - YGAY

Vinos de Rioja

YGAY

(LOGROÑO)

RESERVA
COSECHA 1970

Cru **Symbole de la région**

Choisir un restaurant

Les restaurants de cette sélection ont été choisis dans une large gamme de prix pour leur bon rapport qualité-prix, la qualité de leur cuisine et l'attrait de leur emplacement. Ils sont présentés par région, en commençant par la Galice. Les repères de couleur correspondant aux différentes régions décrites dans le guide vous permettent de trouver celle qui vous intéresse.

	CARTES BANCAIRES	BAR À TAPAS	MENU À PRIX FIXE	BONNE CARTE DES VINS	TABLES EN TERRASSE

GALICE

BAIONA : *Moscón.* €€ Calle Alférez Barreiro 2 (Pontevedra). 📞 986 35 50 08. Cuisine galicienne, dont un savoureuse *caldeirada* de poisson (poisson en cocotte) relevé au paprika. Belle vue sur le port 🍽 🕭	AÉ DC MC V			●	
BETANZOS : *La Casilla.* €€ Avenida de Madrid 90 (A Coruña). 📞 981 77 01 61. Cette maison de pierre ancienne en bordure de route est connue dans toute l'Espagne pour ses omelettes. De la terrasse on peut admirer le jardin. ● *lun.* 🕭 🍽	DC MC V		▦	●	●
BUEU : *A Centoleira.* €€ Playa de Beluso 27 (Pontevedra). 📞 986 32 08 96. Choisissez votre homard dans l'aquarium ou essayez le colin aux clams accompagné de bon vin d'Albariño. 🍽 🕭	AE DC MC V	●	▦	●	●
LA COROGNE : *La Penela.* €€ Plaza de María Pita 12. 📞 981 20 92 00. Cuisine sans prétention à savourer à l'intérieur ou à l'extérieur. Ses spécialités sont le veau rôti, l'omelette et la lotte à la galicienne. ● *dim.* 🍽	AE MC V			●	●
LA COROGNE : *Casa Pardo.* €€€€ Calle Novoa Santos 15. 📞 981 28 00 21. Taverne sur le port réputée pour sa lotte, préparée de différentes manières. La crème caramel aux mûres est délicieuse. ● *dim., 2 dern. sem. de juin.* 🍽 🕭	AE DC MC V		▦	●	
O GROVE : *Crisol.* €€€€ Calle Hospital 10–12 (Pontevedra). 📞 986 73 00 29. Grand choix de plats de fruits de mer et de coquillages avec les meilleurs produits. La salle donne sur la mer. ● *dim.* 🍽	AE DC MC V		▦	●	
A GUARDA : *Anduriña.* €€ Paseo del Puerto 58 (Pontevedra). 📞 986 61 11 08. Ce restaurant sur le port permet de regarder les pêcheurs ramener leur prise en dégustant un colin frais, un turbot ou du poisson en cocotte. 🍽 🕭	AE DC MC V		▦	●	●
LUGO : *Alberto.* €€€ Calle Cruz 4. 📞 982 22 83 10. Le chef a été récompensé pour ses mets délicats, dont l'entrecôte de bœuf avec une sauce aux navets et le bar aux civelles. ● *dim.* 🍽 🕭	AE DC MC V	●	▦	●	
LUGO : *Verruga.* €€€ Calle Cruz 12. 📞 982 22 98 55. Ce restaurant offre un grand choix de fruits de mer de son vivier. Les poivrons rouges farcis au crabe sont exquis, ainsi que les *filloas* (crêpes) maison préparées de différentes façons. ● *lun. et dim.soir.* 🍽 🕭	AE DC MC V	●	▦	●	
OURENSE : *Pingallo.* €€ Rúa San Juan 6. 📞 988 22 00 57. Plats sains, faits maison, dont le *lacón con grelos* (épaule de porc aux feuilles de navet) typiquement galicien et les côtes de bœuf ou de cabri. 🍽 🕭	AE MC V	●	▦		●
OURENSE : *San Miguel.* €€€€ Rúa San Miguel 12–14. 📞 988 22 12 45. Cuisine galicienne innovatrice, spécialisée dans les fruits de mer. Le bar à la sauce à l'écrevisse, les huîtres et les coques sont conseillés. ● *jan.* 🍽 🕭	AE DC MC V	●	▦	●	
PADRÓN : *Chef Rivera.* €€€ Enlace Parque 7, 15900. 📞 981 81 04 13. Cet agréable restaurant est situé au cœur de la ville. Parmi les plats proposés par le chef Jose Rivera : poisson, fruits de mer et gibier. 🍽 🕭	AE DC MC V	●	▦	●	

	Prix moyen par personne pour un dîner comprenant trois plats et une demi-bouteille de vin de la maison, taxe et service compris :	CARTES BANCAIRES	BAR À TAPAS	MENU À PRIX FIXE	BONNE CARTE DES VINS	TABLES EN TERRASSE

BAR À TAPAS
Outre la salle principale, un bar sert des tapas (p. 574-575) et des *raciones* (portions plus importantes).
MENU À PRIX FIXE
Menu en général composé de trois plats, proposé au déjeuner et/ou au dîner. Bon rapport qualité-prix.
BONNE CARTE DES VINS
Le restaurant propose un vaste choix de bons vins ou une sélection particulière de vins locaux.
REPAS À L'EXTÉRIEUR
Possibilité de manger en terrasse, dans un jardin, une cour ou un patio, souvent avec une belle vue.

€ moins de 20 euros
€€ de 20 à 30 euros
€€€ de 30 à 40 euros
€€€€ plus de 40 euros

Restaurant	Prix	Cartes bancaires	Bar à tapas	Menu à prix fixe	Bonne carte des vins	Tables en terrasse
PONTEVEDRA : *Doña Antonia.* €€€ Calle Soportales, Plaza de la Herrería 9 primer piso. 986 84 72 74. Cuisine européenne moderne dans un cadre raffiné dominant la jolie plaza de la Herrería. La salade tiède de lotte et la glace au nougat avec des noisettes et des pistaches sont exceptionnelles. ● dim., lun. après-midi. ▤		AE DC MC V		■	●	
SAN SALVADOR DE POYO : *Casa Solla.* €€€€ Avenida Sineiro 5 (Pontevedra). 986 87 28 84. Les spécialités de ce restaurant élégant dans un *pazo* (manoir) ancien comprennent la salade de homard avec une vinaigrette à la tomate et le bar sur un lit de poireaux. ● lun., mar. soir, dim. soir, 25 déc.▤		AE DC MC V			●	■
SAINT-JACQUES-DE-COMPOSTELLE : *Moncho Vilas.* €€€€ Avenida de Villagarcía 21 (A Coruña). 981 59 83 87. Plats traditionnels du Galice : les poissons, les fruits de mer et les coquillages sont très frais, et les viandes et empanadas excellents. À côté, un bar sert des tapas. ● Mon. ▤		AE DC MC V	●	■	●	
SAINT-JACQUES-DE-COMPOSTELLE : *Toñi Vicente.* €€€€ Avenida Rosalía de Castro 24 (A Coruña). 981 59 41 00. Les adeptes de la gastronomie galicienne retournent toujours dans ce temple de la cuisine. La salade de bar mariné et le colin dans une croûte de pomme de terre sont deux de ses nombreuses créations. ● dim., 2 sem. en janv., 2 sem. en sept. ▤ ♿		AE DC MC V		■	●	
SANXENXO : *La Taberna de Rotilio.* €€€ Avenida del Puerto (Pontevedra) 7 & 9. 986 72 02 00. Ce restaurant élégant est devenu célèbre par son approche novatrice de la cuisine galicienne. Les créations du chef comprennent une *caldeirada* de lotte, une des meilleures qui soient. ● lun. et de mi-déc. à mi-janv. ▤		AE DC MC V		■	●	
VEDRA : *Roberto.* €€€ San Julián de Sales (A Coruña). 981 51 17 69. Avec une prédilection pour les poissons et les légumes, Roberto Crespo utilise des produits du jardin pour créer des plats intéressants comme le bar aux feuilles de navet. Un magnolia vieux de 300 ans parfume le jardin. ● dim. soir, lun. et janv. ♿		DC MC V			●	■
VERÍN : *Gallego.* €€ Carretera N525, Albarellos de Monterrei (Ourense). 988 41 82 02. Savourez les plats galiciens traditionnels, dont une grande variété de fruits de mer, dans ce restaurant clair avec vue sur la campagne. ▤		AE DC MC V		■	●	
VIGO : *El Castillo.* €€€ Parque del Castro (Pontevedra). 986 42 11 11. Ce restaurant sur une colline donne sur Vigo et la ria. Ses spécialités sont les grillades de poissons et de viande. ● lun. ▤ ♿		AE DC MC V		■	●	
VILAGARCÍA DE AROSA : *El Lagar.* €€ Pazo Sobrán, Villajuan de Arosa (Pontevedra). 986 50 47 26. Ce bâtiment situé dans un grand *pazo* (manoir) du XIe siècle serait plus vieux que la cathédrale de Compostelle. Atmosphère détendue et bonne cuisine régionale. ● dim. soir ♿		AE DC MC V	●	■		
VILAGARCÍA DE AROSA : *Chocolate.* €€€€ Avenida de Cambados 151 (Pontevedra). 986 50 11 99. Manolo Cores, personnalité locale qui officie au gril, vous offre un choix équilibré de fruits de mer et de viande. Il vous dira qu'il n'y a pas meilleurs maïs et tourtes aux coques que ceux de sa femme. ● dim. soir ▤ ♿		AE DC MC V	●		●	
VILLAFRAMIL : *La Villa.* €€€ Carretera Oviedo–A Coruña (Lugo). 982 12 30 01. Maison de village vieille de 300 ans, savamment restaurée, où l'on sert la cuisine régionale traditionnelle. Le colin accompagné de caviar et le veau galicien bien tendre sont conseillés. ♿ ▤		AE DC MC V	●	■	●	■

	CARTES BANCAIRES	**BAR À TAPAS**	**MENU À PRIX FIXE**	**BONNE CARTE DES VINS**	**TABLES EN TERRASSE**

Prix moyen par personne pour un dîner comprenant trois plats et une demi-bouteille de vin de la maison, taxe et service compris :

€ moins de 20 euros
€€ de 20 à 30 euros
€€€ de 30 à 40 euros
€€€€ plus de 40 euros

BAR À TAPAS
Outre la salle principale, un bar sert des tapas *(p. 574-575)* et des *raciones* (portions plus importantes).
MENU À PRIX FIXE
Menu en général composé de trois plats, proposé au déjeuner et/ou au dîner. Bon rapport qualité-prix.
BONNE CARTE DES VINS
Le restaurant propose un vaste choix de bons vins ou une sélection particulière de vins locaux.
REPAS À L'EXTÉRIEUR
Possibilité de manger en terrasse, dans un jardin, une cour ou un patio, souvent avec une belle vue.

ASTURIES ET CANTABRIE

AVILÉS : *Real Balneario de Salinas.* €€€€ Calle Juan Sitges 3, Salinas (Asturias). ☎ 98 551 86 13. Ce joli restaurant de la station balnéaire de Salinas appartient à un prestigieux restaurateur d'Avilés. Le menu de saison privilégie les fruits de mer. Les petites anguilles sont la spécialité de la maison. ● *janv.* ▤ ᵹ	AE DC MC V	●	▦	●	▦
CANGAS DE ONÍS : *La Cabaña.* €€€ Calle Susierra 34 (Asturias). ☎ 98 594 00 84. Grill-room apprécié où cochons de lait et agnelets sont rôtis au feu de bois. Finissez par le fromage ou la tarte aux pommes. ● *mer. soir, jeu.* ▤ ᵹ	AE DC MC V		▦		
CASTAÑEDA : *Hostería de Castañeda.* €€ Calle Villabañez (Cantabria). ☎ 942 59 81 13. Après avoir visité les grottes voisines de Puente Viesgo, arrêtez-vous dans les anciennes écuries de cette ferme du XVIIᵉ siècle pour goûter le sanglier aux fines herbes ou le faux-filet aux champignons. ▤	AE DC MC V		▦	●	
CASTRO URDIALES : *Mesón del Marinero.* €€€€ Calle Correría 23 (Cantabria). ☎ 942 86 00 05. Cet élégant restaurant de fruits de mer est aménagé dans un bâtiment ancien classé. Proche du port de pêche, il sert des produits frais. Les portions sont copieuses et le choix des vins excellent. ▤ ᵹ	AE DC MC V	●	▦	●	▦
CASTROPOL : *El Risón de Peñamar.* €€€ Calle del Puerto (Asturias). ☎ 98 563 50 65. Jolie maison de campagne avec terrasse, sur les rives de l'Eo, où l'on sert la vraie cuisine asturienne. Les crêpes aux fruits de mer *(frixuelos)* et le bar au vin blanc d'Albarino sont exquis. ● *lun. et nov.* ▤ ᵹ	AE DC MC V	●	▦	●	▦
COMILLAS : *El Capricho de Gaudí.* €€€ Barrio de Sobrellano (Cantabria). ☎ 942 72 03 65. L'architecture fantaisiste de Gaudí offre un cadre unique à ce restaurant raffiné. Le saumon à la crème d'anchois et le turbot aux pousses d'ail sont recommandés. ● *lun. en hiver et de mi-janv. à mi-fév.* ▤ ᵹ	AE DC MC V		▦	●	
COSGAYA : *Mesón del Oso.* €€€ Carretera Potes–Fuente Dé, km 14 (Cantabria). ☎ 942 73 30 18. Ravissant hôtel-restaurant à la campagne, près du río Deva, donnant sur les Pics d'Europe. Les spécialités locales sont les steaks de veau et le *cocido lebaniego* (ragoût de porc aux pois chiches). ● *de janv. à mi-fév.*	MC V	●	▦	●	▦
CUDILLERO : *Mariño.* €€ Playa de la Concha de Arteda (Asturias). ☎ 98 559 01 86. Les poissons en cocotte *(calderadas)* sont la spécialité de la maison. Le *curadillo* (poisson de la famille des requins) en sauce est un plat typique. ● *fév.* ᵹ	AE DC MC V	●	▦	●	▦
ESCALANTE : *San Román de Escalante.* €€€€ Carretera Escalante–Castillo, km 2 (Cantabria). ☎ 942 67 77 28. Ancienne maison de montagne dotée d'une chapelle du XIIᵉ siècle et de jardins. Cadre charmant où savourer une cuisine à la française. ● *mi-déc. à mi-janv.* ▤ ᵹ	AE DC MC V	●	▦	●	▦
LAREDO : *Risco.* €€€ Calle la Arenosa 2 (Cantabria). ☎ 942 60 50 30. Réservez une table près d'une des grandes fenêtres sur la baie pour vous régaler avec un ragoût de colin aux pommes de terre, des clams à la *salsa verde* (sauce à l'ail et au persil) ou une morue aux poivrons frits. ᵹ	AE DC MC V	●	▦	●	▦
LASTRES : *El Cafetín.* €€ Calle Matemático Pedrayes (Asturias). ☎ 98 585 00 85. Produits frais de la mer et spécialités régionales, dont le *pote asturiano* (ragoût de haricots blancs et de chair à saucisse). ● *mer. (excepté août), jan.-mi-fév.*	AE DC MC V	●	▦	●	▦

LUARCA : *Villa Blanca.* €€
Avenida de Galicia 25–27 (Asturias). 98 564 10 79.
Après vous être servi en cidre au bar rustique, dégustez le *pitu de aldea* (poulet aux petits pois et petites pommes de terre). 目 &

AE DC MC V

OVIEDO : *El Raitán.* €€
Plaza de Trascorrales 6 (Asturias). 98 521 42 18.
Découvrez la variété de la cuisine asturienne avec le *menú de degustación* (neuf plats) servi à midi par des garçons en costume régional. ● dim. soir 目 &

DC MC V

POTES : *Martín.* €
Calle Roscabao, Urbanización Ivana (Cantabria). 942 73 02 33.
Authentiques plats du terroir, dont le *cocido lebaniego* (ragoût de porc aux pois chiches) et les poivrons farcis au Treviso, un fromage local. Belle vue sur la campagne. ● janv. et fév. &

AE DC MC V

PRENDES : *Casa Gerardo.* €€€€
Carretera A19 (Asturias). 98 588 77 97.
Ce restaurant ravissant est réputé servir la meilleure *fabada* (riche ragoût de haricots blancs et de boudin noir) d'Espagne. ● dim.-mar. soir et janv. 目 &

AE DC MC V

PUENTE ARCE : *El Molino.* €€€
Carretera Nacional (Cantabria). 942 57 50 55.
Ce restaurant est le meilleur de la région tant pour son esthétique que pour sa table. Situé dans un ancien moulin avec vue sur un cours d'eau, il propose une cuisine cantabrique raffinée. ● lun. en hiver.

AE DC MC V

RAMALES DE LA VICTORIA : *Río Asón.* €€€€
Calle Barón de Adzaneta 17 (Cantabria). 942 64 61 57.
Hors des sentiers battus, ce restaurant méconnu des touristes est un des meilleurs de Cantabrie. Le saumon est pêché dans le río Asón voisin et le menu de saison ravira même les palais les plus fins. ● lun. 目 &

AE DC MC V

REINOSA : *Vejo.* €€€
Avenida de Cantabria 83 (Cantabria). 942 75 17 00.
La spécialité de ce restaurant moderne est le veau bien tendre. Le faux-filet au foie gras et aux truffes est un régal. Le plateau de fromages rappelle que la Cantabrie est réputée pour ses produits laitiers. 目 &

AE DC MC V

SANTANDER : *Bodega del Riojano.* €€
Calle Río de la Pila 5 (Cantabria). 942 21 67 50.
Cette bodega pittoresque est connue tant pour ses tonneaux de vin peints par des artistes espagnols que pour sa cuisine délicieuse. Ses poivrons rouges farcis seraient les meilleurs du monde. Bon choix de tapas. ● lun. en hiver. &

AE DC MC V

SANTANDER : *Zacarías.* €€€
Calle Hernán Cortés 38 (Cantabria). 942 21 23 33.
Ce restaurant proposant de vrais plats cantabriques est aussi un bar à tapas animé. On peut y savourer toutes les spécialités régionales. 目

AE DC MC V

TARAMUNDI : *El Mazo.* €€
Cuesta de la Rectoral (Asturias). 98 564 67 60.
Ancien presbytère, dans un cadre rural enchanteur, proposant des plats simples comme le faux-filet au Cabrales, fromage bleu local. ● mer. 目 &

AE DC MC V

PAYS BASQUE, NAVARRE ET RIOJA

AOIZ : *Beti Jai.* €€€
Calle Santa Agueda 2 (Navarra). 948 33 60 52.
Située sur la place principale, cette maison donnant sur le fleuve propose des plats navarrais et des spécialités locales comme les tripes de mouton *(menudicos)*, les pieds de porc et le gâteau maison. ● fin nov.-1er jan. 目

AE DC MC V

AZPEITIA : *Kiruri Jatetxea.* €€€
Barrio de Loiola 23 (Guipúzcoa). 943 81 56 08.
La famille Guridi prépare des mets basques traditionnels comme le *txangurro* (araignée de mer au four servie dans sa carapace) ou la *lubina al txacoli* (bar cuisiné au vin blanc local). ● lun. soir. 20 déc.-8 jan. 目 &

AE MC V

BILBAO (BILBO) : *Zortziko.* €€€€
Calle Alameda Mazarredo 17 (Vizcaya). 94 423 97 43.
Grande cuisine contemporaine dans un édifice classé monument historique. La carte, qui varie selon la saison, et la cuisine basque inventive sont sublimes. ● dim. lun. après-midi, fin août-mi-sept. 目 &

AE DC MC V

Légende des symboles, voir rabat de couverture

Prix moyen par personne pour un dîner comprenant trois plats et une demi-bouteille de vin de la maison, taxe et service compris :

€ moins de 20 euros
€€ de 20 à 30 euros
€€€ de 30 à 40 euros
€€€€ plus de 40 euros

BAR À TAPAS
Outre la salle principale, un bar sert des tapas (p. 574-575) et des *raciones* (portions plus importantes).

MENU À PRIX FIXE
Menu en général composé de trois plats, proposé au déjeuner et/ou au dîner. Bon rapport qualité-prix.

BONNE CARTE DES VINS
Le restaurant propose un vaste choix de bons vins ou une sélection particulière de vins locaux.

REPAS À L'EXTÉRIEUR
Possibilité de manger en terrasse, dans un jardin, une cour ou un patio, souvent avec une belle vue.

	CARTES BANCAIRES	BAR À TAPAS	MENU À PRIX FIXE	BONNE CARTE DES VINS	TABLES EN TERRASSE

CINTRUÉNIGO : *Maher*. €€€ — AE DC MC V
Calle Ribera 19 (Navarra). 948 81 11 50.
Ce restaurant en sous-sol propose une cuisine novatrice très bien présentée. Parmi les spécialités : flan aux asperges, lièvre avec du riz et côtes d'agneau de lait à la sauce aux champignons. ● *dim. soir, lun.*
(Menu à prix fixe, Bonne carte des vins)

EGÜES : *Mesón Egües*. €€€ — AE DC MC V
Carretera de Aoiz (Navarra). 948 33 00 81.
Restaurant à l'ambiance rustique proposant viandes et poissons excellents. Parmi ses spécialités : le turbot, les steaks grillés et le foie gras frais. Bons desserts. ● *lun.*
(Bonne carte des vins)

ELORRIO : *El Katxarro*. €€€ — AE DC MC V
C/San Fausto 17, 48230 (Vizcaya). 946 58 29 67.
À cinq minutes du centre-ville, ce restaurant populaire, décoré de poutres en bois et de futailles de cidre, sert une cuisine basque novatrice.

ESTELLA (LIZARRA) : *Navarra*. €€ — AE MC V
Calle Gustavo de Maeztu 16, Los Llanos (Navarra). 948 55 10 69.
Cuisine traditionnelle et régionale dans une demeure où des céramiques représentent les anciens rois de Navarre. *La blanca de navarra* (glace au citron et au miel servie avec de la crème fraîche et des noix) est exquise. ● *lun.*
(Bar à tapas, Menu à prix fixe, Bonne carte des vins, Tables en terrasse)

EZCARAY : *Echaurren*. €€€€ — AE DC MC V
Calle Héroes del Alcázar 2 (La Rioja). 941 35 40 47.
L'Echaurren, tenu par la famille Paniego, est un des restaurants emblématiques de La Rioja. Les légumes de la région sont cuisinés à la perfection. Grande variété de vins de La Rioja et d'Albarino. ● *dim. soir et nov.*
(Menu à prix fixe, Bonne carte des vins)

GALDÁCANO : *Aretxondo*. €€€€ — AE MC V
Calle Elexalde 20 (Vizcaya). 944 56 76 71.
Cette table, une des meilleures de la région, atteste le raffinement de la cuisine basque. À 10 km de Bilbao, elle vaut le détour, mais avant de prendre sa voiture mieux vaut réserver. ● *lun.*
(Menu à prix fixe, Bonne carte des vins)

GETARIA : *Elkano*. €€€€ — AE DC MC V
Calle Herrerita 2 (Guipúzcoa). 943 14 06 14.
Pedro Arregui est réputé pour ses poissons grillés. Le calmar à l'encre et le turbot sont excellents. La maison a en réserve du Txomín Echaniz, le meilleur des vins basques *txacoli*. ● *dim. soir, lun. en hiver.*
(Bonne carte des vins)

HARO : *Terete*. €€€ — MC V
Calle Lucrecia Arana 17 (La Rioja). 941 31 00 23.
Ce four à bois sert aux grillades d'agneaux depuis 1877. Assis à l'une des longues tables en bois, savourez les spécialités de La Rioja avec du vin de la maison. ● *dim. soir et lun.*
(Menu à prix fixe, Bonne carte des vins)

HONDARRIBIA (FUENTERRABÍA) : *Sebastián*. €€€€ — AE DC MC V
Calle Mayor 9–11 (Guipúzcoa). 943 64 01 67.
Dans cette maison du XVIᵉ siècle, dans le quartier historique, on sert de la cuisine basque et française. On peut déguster du gibier en saison de chasse. ● *dim. soir, lun. nov., 15 jours en mars*
(Menu à prix fixe, Bonne carte des vins)

KORTEZUBI : *Lezika*. €€€€ — AE DC MC V
Barrio Basondo 8, Santimamiñe (Vizcaya). 946 25 29 75.
Maison de campagne du XVIIIᵉ siècle, près des grottes de Santimamiñe. Cuisine basque traditionnelle (colin à la *salsa verde*, haricots rouges avec du jambon et des saucisses) et bon choix de vins. ● *dim.-mer. soir*
(Bar à tapas, Bonne carte des vins, Tables en terrasse)

LAGUARDIA : *Posada Mayor de Migueloa*. €€€ — AE DC MC V
Calle Mayor de Migueloa 20 (Álava). 945 62 11 75.
Le palais de Viana (XVIIᵉ siècle), bien restauré, abrite un des meilleurs restaurants de La Rioja. L'agneau rôti et les pommes de terre à la mode de La Rioja (*a la riojana*) sont deux de ses nombreuses spécialités. ● *21 déc.-21 jan.*
(Bar à tapas, Menu à prix fixe, Bonne carte des vins, Tables en terrasse)

LASARTE : *Martín Berasategui.* €€€€ AE DC MC V
Calle Loidi 4 (Guipúzcoa). **[** *943 36 64 71.*
Cette ancienne ferme est un des meilleurs restaurants de la région. La soupe
froide de pommes de terre au lard fumé est une des créations de Martín qui vous
concoctera un menu selon votre budget. ● *dim. soir, lun., mar., sam. midi.* 目 ⑤

LEKEITIO : *Mesón Arropain.* €€€€ AE DC MC V
Carretera de Marquina, Arropain, Ispaster (Vizcaya). **[** *94 684 03 13.*
Cette ferme propose fruits de mer et spécialités, dont le turbot grillé, l'écrevisse
au four et l'araignée de mer. La *cuajada* maison (gâteau au lait caillé) est
typique de la région. ● *jan., dernier w.-e. de sept., lun. et jeu. soir (d'oct. à mai).* ⑤

LOGROÑO : *El Cachetero.* €€€€ MC V
Calle Laurel 3 (La Rioja). **[** *941 22 84 63.*
Restaurant confortable servant une cuisine familiale locale, dont des
légumes excellents tout comme le chevreau rôti. Les desserts comprennent
l'*arroz con leche* (gâteau de riz). ● *dim. et mer. soir.* 目 ⑤

OIARTZUN : *Zuberoa.* €€€€ AE DC MC V
Calle Iturriotz Auzoa 8 (Guipúzcoa). **[** *943 49 12 28.*
Ce restaurant, un des meilleurs d'Espagne, est situé dans une ferme vieille
de 600 ans. Les frères Arbelaitz sont de véritables artistes et leur foie gras à
la sauce aux pois chiches est un classique. ● *mer. et dim.* 目 ⑤

PAMPELUNE (IRUÑA) : *Alhambra.* €€€€ AE DC MC V
Calle Bergamín 7 (Navarra). **[** *948 24 50 07.*
Restaurant accueillant servant une cuisine navarraise typique. Les artichauts,
la purée de légumes aux truffes et le risotto aux champignons sont tous de
délicieuses entrées. Bonne sélection de vins locaux. ● *dim.* 目 ⑤

PAMPELUNE (IRUÑA) : *Europa.* €€€€ AE DC MC V
Calle Espoz y Mina 11 Olave (Navarra). **[** *948 22 18 00.*
Situé dans la vieille ville, près de la cathédrale, ce restaurant propose de la
cuisine traditionnelle navarraise. L'une de ses spécialités est un plat de
légumes, le *menestre de verdura.* ● *dim.* 目 ⑤

PASAI DONIBANE : *Casa Cámara.* €€ MC V
Pasajes de San Juan 79 (Guipúzcoa). **[** *943 52 36 99.*
Dégustez le homard que vous aurez choisi dans l'aquarium ou savourez
une araignée de mer au four en contemplant l'Océan. ● *lun. et dim. soir.* ⑤

PUENTE LA REINA : *Mesón el Peregrino.* €€€€ AE DC MC V
Carretera Pamplona–Logroño (Navarra). **[** *948 34 00 75.*
Cette auberge de campagne offre une cuisine régionale raffinée dans un cadre
paisible. Les joues de veau à la sauce à l'oignon sont recommandées. ● *lun.* 目

SAINT-SÉBASTIEN (DONOSTIA) : *Akelaré.* €€€€ AE DC MC V
Paseo Padre Orcolaga 56, Barrio de Igueldo (Guipúzcoa). **[** *943 21 20 52.*
Ce temple de la gastronomie espagnole donne sur des collines plongeant dans
la mer. Pour savourer les spécialités du chef, prenez le *menú de degustación*
à sept plats. Tenue correcte exigée. ● *lun., dim. soir* 目 ⑤

SAINT-SÉBASTIEN (DONOSTIA) : *Arzak.* €€€€ AE DC MC V
Calle Alto del Miracruz 21 (Guipúzcoa). **[** *943 27 84 65.*
Ce restaurant serait, selon les dires de gourmets, le meilleur d'Espagne, et
son chef, Juan Mari Arzak, a acquis une réputation internationale pour sa
cuisine basque novatrice. ● *dim. soir, lun., fin juin et nov.* 目 ⑤

TAFALLA : *Túbal.* €€€€ AE DC MC V
Plaza de Navarra 6 (Navarra). **[** *948 70 08 52.*
Cet édifice historique dispose de 18 balcons donnant sur la place. Goûtez
les crêpes fourrées à la bourrache, légume navarrais traditionnel. ● *dim. soir, lun.*
目 ⑤

VIANA : *Borgia.* €€€€ AE DC MC V
Calle Serapio Urra (Navarra). **[** *948 64 57 81.*
Ce petit restaurant du quartier historique propose un menu de saison
intéressant et des spécialités : artichauts au foie gras sur un lit de cresson et
agneau mariné aux herbes avec une sauce au genièvre. ● *dim. et août.* ⑤

VITORIA (GASTEIZ) : *Dos Hermanas.* €€€€ AE DC MC V
Madre Vedruna 10 (Álava). **[** *945 13 29 34.*
Cuisine régionale classique avec un menu de saison. Le thon servi sur un lit
de poivrons et le ragoût de queue de bœuf sont excellents. ● *dim.* 目 ⑤

Légende des symboles, voir rabat de couverture

Prix moyen par personne pour un dîner comprenant trois plats et une demi-bouteille de vin de la maison, taxe et service compris : € moins de 20 euros €€ de 20 à 30 euros €€€ de 30 à 40 euros €€€€ plus de 40 euros	**BAR À TAPAS** Outre la salle principale, un bar sert des tapas *(p. 574-575)* et des *raciones* (portions plus importantes). **MENU À PRIX FIXE** Menu en général composé de trois plats, proposé au déjeuner et/ou au dîner. Bon rapport qualité-prix. **BONNE CARTE DES VINS** Le restaurant propose un vaste choix de bons vins ou une sélection particulière de vins locaux. **REPAS À L'EXTÉRIEUR** Possibilité de manger en terrasse, dans un jardin, une cour ou un patio, souvent avec une belle vue.			

	CARTES BANCAIRES	BAR À TAPAS	MENU À PRIX FIXE	BONNE CARTE DES VINS	TABLES EN TERRASSE
VITORIA (GASTEIZ) : *Ikea.* €€€€ Portal de Castilla 27 (Álava). **[** 945 14 47 47. José Ramón Berriozabal marie avec maestria cuisine basque traditionnelle et influence française. Le filet de colin à la *salsa verde* est un classique. La terrine de foie gras et le pigeon de Bresse sont exquis. ● *dim. soir et lun.* ▤	AE DC MC V		▤	●	
BARCELONE					
VIEILLE VILLE : *Agua.* **Plan** 5 A3. €€€ Passeig Marítim de la Barceloneta, 30. **[** 93 225 12 72. Les amateurs de cuisine catalane ne manqueront pas de déguster des tapas, des poissons et des plats à base de riz dans ce restaurant chic avec vue sur la mer à travers des grandes baies vitrées. ▤ ↺	AE DC MC V				
VIEILLE VILLE : *Agut.* **Plan** 5 A3. €€ Carrer Gignàs 16. **[** 93 315 17 09. Restaurant jadis fréquenté par des peintres qui échangeaient une toile contre un copieux repas catalan. Aujourd'hui, la terrine d'aubergines et les délicieux steaks saignants de Gérone sont deux de ses spécialités. ● *dim. soir, lun. et août.* ▤ ↺	MC V		▤	●	
VIEILLE VILLE : *Café de l'Acadèmia.* **Plan** 2 F3. €€ Carrer de l'Edó 1. **[** 93 315 00 26. Ce restaurant animé propose une nouvelle version de la cuisine catalane traditionnelle. Peintures et design animent au bonheur les murs de pierre. ● *sam., dim. et jours fériés.* ▤ ↺	AE DC MC V		▤		▤
VIEILLE VILLE : *Ca L'Estevet.* **Plan** 2 F1. €€ Carrer de Valldonzella 46. **[** 93 302 41 86. Ce restaurant charmant et traditionnel est décoré de céramiques et de peintures de la région. Vous serez accueillis par le pétulent propriétaire. Son chèvre rôti est très populaire. ● *dim. et j. fériés.* ▤ ↺	AE DC MC		▤	●	
VIEILLE VILLE : *Cal Pep.* **Plan** 5 B3. €€€ Plaça de les Olles 8. **[** 93 310 79 61. Selon certains connaisseurs, le *pescado frito* (poisson frit) de Pep est le meilleur du monde ! Sont aussi conseillés les clams au jambon, les petits calmars frits et les écrevisses à l'oignon. ● *lun. midi, dim., j. fériés, Pâques, août, 24, 25 et 26 déc.* ▤	AE DC MC V	●		●	
VIEILLE VILLE : *Can Culleretes.* **Plan** 5 A2. € Carrer Quintana 5. **[** 93 317 30 22. Le plus vieux restaurant de la ville (1786) propose des mets catalans traditionnels, dont la *pica pica de pescado* (mélange de produits de la mer). ● *dim. soir, lun. et 3 sem. en juil.* ▤ ↺	MC V		▤	●	
VIEILLE VILLE : *Can Majó.* **Plan** 5 B5. €€€ Carrer de l'Almirall Aixada 23. **[** 93 221 54 55. Célèbre restaurant de fruits de mer de Barceloneta proposant de bonnes paellas et un *suquet* (ragoût de pommes de terre et de poisson). ● *dim. soir et lun.* ▤ ↺	AE DC MC V		▤	●	▤
VIEILLE VILLE : *Egipte.* **Plan** 2 F2. € Ramblas 79. **[** 93 317 74 80. Ce lieu animé, où jadis vivaient des moines, propose des spécialités méditerranéennes et dix recettes de morue salée. ▤ ↺	AE DC MC V		▤	●	
VIEILLE VILLE : *Fonda Senyor Parellada.* **Plan** 5 B3. € Carrer de la Argentería 37. **[** 93 310 50 94. Bancs de bois, lustres anciens et chandeliers ornent ce restaurant vivement conseillé pour sa cuisine catalane authentique et ses prix raisonnables. ▤ ↺	AE DC MC V			●	
VIEILLE VILLE : *Hofmann.* **Plan** 5 B3. €€€€ Carrer de la Argentería 74-78. **[** 93 319 58 89. Dégustez une cuisine méditerranéenne créative de grande qualité dans ce restaurant étoilé au guide Michelin, au cadre élégant. ● *août.* ▤	AE DC MC V				

VIEILLE VILLE : *Les Quinze Nits.* **Plan 5 A3.** €
Plaça Reial 6. 93 317 30 75.
Ce beau restaurant bien situé attire nombre de jeunes qui y savourent de bons plats catalans pour un prix modique. 24 au soir et 25 déc.

AE DC MC V

VIEILLE VILLE : *Reial Club Marítim de Barcelona.* **Plan 5 A4.** €€€
Moll d'Espanya. 93 221 62 56.
Restaurant d'un club nautique où, en contemplant le port, on savoure des mets raffinés comme la terrine d'aubergines avec du fromage de chèvre et la daurade avec des pommes et une sauce au cidre. dim. soir, 24 et 25 déc.

AE DC MC V

VIEILLE VILLE : *Romesco.* **Plan 2 F3.** €
Carrer de Sant Pau 28. 93 318 93 81.
Tout près des Ramblas, ce lieu animé propose une cuisine familiale à des prix imbattables. Les *frijoles* (plat cubain de riz, haricots noirs, banane frite et œufs) sont sa spécialité. dim. et août.

VIEILLE VILLE : *Set Portes.* **Plan 5 B3.** €€€
Passeig de Isabel II 14. 93 319 29 50.
Ce restaurant à la décoration luxueuse rappelle un élégant café parisien. Ses spécialités comprennent 11 sortes de paellas et des cannellonis faits maison. Service efficace et bonne carte des vins.

AE DC MC V

EIXAMPLE : *Amaltea.* **Plan 3 A5.** €
Carrer de la Diputacion 164. 93 454 86 13.
Un restaurant végétarien qui propose une nourriture simple mais innovante, à base de légumes de saison. dim.

MC V

EIXAMPLE : *El Tragaluz.* **Plan 3 A3.** €€€
Passeig Concepció 5. 93 487 06 21.
Deux possibilités vous sont offertes : un bar de sushi au deuxième étage ou cuisine méditerranéenne contemporaine au troisième. Le logo du restaurant a été conçu par le graphiste Javier Mariscal.

AE DC MC V

EIXAMPLE : *La Venta.* www.restaurantelaventa.com €€€
Plaça Doctor Andreu. 93 212 64 55.
Ce beau restaurant, au pied du Tibidabo, dispose de terrasses qu'on ferme l'hiver par des verrières. Elles sont alors transformées en de belles serres avec vue sur la ville. Cuisine franco-catalane. dim., 25 déc., 1er jan.

AE DC MC V

EIXAMPLE : *Roig Robí.* **Plan 3 A2.** €€€€
Carrer de Séneca 20. 93 218 92 22 or 93 217 97 38.
L'été, on mange dans la cour intérieure de ce restaurant intime. Sa cuisine catalane est authentique. Ses terrines, salades, plats de riz ou de fruits de mer ne peuvent que plaire. sam. midi, dim. et jours fériés.

AE DC MC V

EN DEHORS DU CENTRE (NORD-OUEST) : *Chicoa.* €€
Carrer d'Aribau 73. 93 453 11 23.
Les amateurs de morue salée ont le choix entre au moins dix recettes de la fameuse *bacallà*. Nombreux autres plats de produits de la mer et viandes. Bon rosé de Penedès de la maison. dim., lun. soir, août et jours fériés.

AE MC V

EN DEHORS DU CENTRE (NORD-OUEST) : *El Asador de Aranda.* €€
Avinguda del Tibidabo 31. 93 417 01 15.
Au pied de Tibidabo, ce restaurant typiquement castillan, aménagé dans une étonnante maison Art nouveau, est le rêve de tout amateur de viandes : l'agneau rôti au four à bois est la spécialité de la maison. Excellente carte de vins. dim. et jours fériés.

AE DC MC V

EN DEHORS DU CENTRE (NORD-OUEST) : *Giardinetto Notte.* **Map 3 A2.** €€€
Carrer Granada del Penedès 22. 93 218 75 36.
Cuisine méditerranéenne et italienne dans un cadre romantique. Accompagnez les pâtes faites maison de vin catalan. sam. midi, dim. jours fériés, août.

AE DC MC V

EN DEHORS DU CENTRE (NORD-OUEST) : *La Balsa.* €€€
Carrer de Infanta Isabel 4. 93 211 50 48.
La terrasse de ce restaurant offre une belle vue de Barcelone. Plats catalans, dont un bon foie d'oie en entrée. lun. midi, dim., 25 et 26 déc., Pâques, à midi en août.

AE DC MC V

EN DEHORS DU CENTRE (NORD-OUEST) : *Botafumeiro.* **Plan 3 A2.** €€€€
Carrer Gran de Gràcia 81. 93 218 42 30.
Restaurant proposant des produits de la mer et des spécialités galiciennes excellentes. Les plats de fruits de mer sont copieux et les desserts mettent l'eau à la bouche. Longue carte de vins. 3 sem. en août.

AE DC MC V

Légende des symboles, voir rabat de couverture

Prix moyen par personne pour un dîner comprenant trois plats et une demi-bouteille de vin de la maison, taxe et service compris :

€ moins de 20 euros
€€ de 20 à 30 euros
€€€ de 30 à 40 euros
€€€€ plus de 40 euros

BAR À TAPAS
Outre la salle principale, un bar sert des tapas *(p. 574-575)* et des *raciones* (portions plus importantes).
MENU À PRIX FIXE
Menu en général composé de trois plats, proposé au déjeuner et/ou au dîner. Bon rapport qualité-prix.
BONNE CARTE DES VINS
Le restaurant propose un vaste choix de bons vins ou une sélection particulière de vins locaux.
REPAS À L'EXTÉRIEUR
Possibilité de manger en terrasse, dans un jardin, une cour ou un patio, souvent avec une belle vue.

	CARTES BANCAIRES	BAR À TAPAS	MENU À PRIX FIXE	BONNE CARTE DES VINS	TABLES EN TERRASSE
EN DEHORS DU CENTRE (NORD-OUEST) : *Jaume de Provença.* €€€ Carrer de Provença 88. 📞 93 430 00 29. La cuisine catalane de son chef, originale et créative, fait de ce restaurant un des plus raffinés de la ville. Décoration impersonnelle mais nourriture excellente et service attentionné. ● *dim. soir, lun. et août.* 🍴 ♿	AE DC MC V		■	●	
EN DEHORS DU CENTRE (OUEST) : *Peixerot.* **Plan 1 B1.** €€€ Torre Catalunya, Carrera de Tarragona 177. 📞 93 424 69 69. Produits de la mer de premier choix dans ce restaurant moderne et confortable. Excellents plats de riz et de fruits de mer. ● *sam. soir, dim., lun., août.* 🍴	AE DC MC V			●	
EN DEHORS DU CENTRE (OUEST) : *Neichel.* €€€€ Beltrán i Rózpide 1–5. 📞 93 203 84 08. Ce restaurant, un des plus prestigieux de la ville, propose une gastronomie européenne aux influences catalanes. Excellent choix de fromages et plus de 350 vins. ● *dim., lun., août et jours fériés.* 🍴	AE DC MC V		■	●	
CATALOGNE					
ALTAFULLA : *Faristol.* €€ Carrer de Sant Martí 5 (Tarragona). 📞 977 65 00 77. On faisait jadis du vin dans cette maison du XVIIIᵉ siècle, aux meubles anciens. La mousse au chocolat est exquise. ● *d'oct. à mai : du lun. au jeu ; juin-15 sept. à midi.*	DC MC V			●	■
ANDORRA LA VELLA : *Borda Estevet.* €€€ Carretera de la Comella 2 (Andorra). 📞 376 86 40 26. Maison ancienne, à la décoration rustique, où le tabac provenant des champs voisin était encore utilisé jusqu'à peu. La viande *a la « llosa »* (servie sur une ardoise chaude) est conseillée. ● *1ᵉʳ janv.* 🍴 ♿	AE MC V			●	■
ARENYS DE MAR : *Hispania.* €€€€ Carrer Real 54, Carretera NII (Barcelona). 📞 93 791 04 57. Cuisine catalane authentique, reconnue localement et au-delà. Le *suquet* aux clams (sorte de fricassée) et la *crema catalana* (crème caramel riche) sont délicieux. ● *dim. soir, mar., oct., Pâques.* 🍴 ♿	AE DC MC V			●	
ARTIES : *Casa Irene.* €€€€ Hotel Valarties, Calle Mayor 3 (Lleida). 📞 973 64 43 64. Restaurant, dans un village pittoresque, proposant une merveilleuse cuisine d'influence française et trois *menús de degustación*. ● *lun., mar. midi, nov.* 🍴 ♿	AE DC MC V		■	●	■
BERGA : *Sala.* €€€ Passeig de la Pau 27 (Barcelona). 📞 93 821 11 85. Mets catalans traditionnels, dont beaucoup comportent des champignons, et gibier en saison. ● *dim. soir, lun.*	AE DC MC V			●	
BOLVIR DE CERDANYA : *Torre del Remei.* €€€€ Camí Reial (Girona). 📞 972 14 01 82. Ce palais entouré de jardins, savamment restauré, abrite un élégant restaurant et un hôtel. Vous serez ravi par les plats gastronomiques du chef et l'extraordinaire sélection de vins. 🍴 ♿	AE DC MC V		■	●	■
CALAFELL PLAYA : *Giorgio.* €€ Carrer Ángel Guimerá 4 (Tarragona). 📞 977 69 11 59. Excellent restaurant italien avec terrasse sur la mer. Le pain, les desserts et les pâtes, dont les fameuses lasagnes, sont faits maison. Réservez, car le restaurant ne dispose que de dix tables. ● *ven., sam., dim., jours fériés, t.l.j. en été.*			■	●	■
CAMBRILS : *Joan Gatell-Casa Gatell.* €€€ Passeig Miramar 26, Cambrils Port (Tarragona). 📞 977 36 00 57. Le poisson est la spécialité de la maison. Les plats de riz, les fruits de mer et le homard en cocotte sont exquis. ● *dim. soir, lun., mi-déc. à mi-janv., 1ᵉʳ au 15 mai.* 🍴	AE DC MC V		■	●	■

FALSET : *El Cairat.* €€ AE MC V
Carrer Nou 3 (Tarragona). 977 83 04 81.
Un des meilleurs retaurants dans la région des vignobles du Priorat. Plats régionaux très créatifs comme la morue aux aubergines ou les boulettes de viande aux champignons sauvages. Excellents vins de pays. ● *dim. soir, lun. et du mar. au ven. le soir.* ▤

FIGUERES : *Emporda.* €€€€ AE DC MC V
Hotel Emporda, Carretera NII (Girona). 972 50 05 62.
Les gourmets se réunissent ici pour goûter la cuisine légendaire de Josep Mercader. Les fèves fraîches à la menthe et la morue salée à la mousseline d'ail sont exquises. Charmante terrasse pour dîners d'été. ▤ ⓑ

GÉRONE : *El Celler de Can Roca.* €€€€ AE DC MC V
Carretera Taialá 40. 972 22 21 57.
Ce restaurant est le meilleur de Gérone. Juan Roca y invente des plats comme l'agneau farci aux ris et à la cannelle. ● *dim., lun., 1er-15 juil., 25 déc.* ▤ ⓑ

LLEIDA (LÉRIDA) : *Lo Punt del Gourmet.* €€€ AE DC MC V
Carrer Salmerón 10. 973 23 45 10.
Excellente cuisine régionale. Légumes grillés au charbon de bois *(escalivada)* et escargots *a la llauna* (au four). ● *dim. soir, lun., début août.* ▤ ⓑ

LLORET DE MAR : *El Trull.* €€€ AE DC MC V
Ronda Europa, Cala Canyellas (Girona). 972 36 49 28.
Cette salle à la décoration marine est dotée d'un aquarium. Vous pouvez y choisir votre homard, puis le voir cuire sur le gril. L'*arrosat* (nouilles aux fruits de mer) est aussi conseillé. ● *24 déc.* ▤ ⓑ

MARTINET : *Boix.* €€€ AE DC MC V
Carretera N260 km 264 (Lleida). 973 51 50 50.
Ce restaurant catalan réputé est situé sur la rive du río Segre. Son gigot d'agneau rôti est si tendre qu'on peut le manger à la cuiller. ▤ ⓑ

PERALADA : *Castell de Peralada.* €€€€ AE MC V
Casino Castell de Peralada, Carrer San Joan (Girona). 972 53 81 25.
Goûtez aux plats de la région Empordà et au vin de ce château transformé en casino où vous mangerez dans un cadre médiéval incomparable. ▤

REUS : *El Pa Torrat.* €€ AE MC V
Avinguda Reus 24, Castellvell del Camp (Tarragona). 977 85 52 12.
Bonne cuisine familiale et régionale avec des plats comme les *calamares* (calmars) farcis. ● *dim. soir, lun. soir, mar., fin août, 22 déc.-6 jan.* ▤ ⓑ

ROSES : *El Bulli.* www.elbulli.com €€€€ AE DC MC V
Cala Montjoi (Girona). 972 15 04 57.
Ce restaurant, considéré par beaucoup comme un des meilleurs d'Espagne et un des plus chers d'Europe, est un passage obligé pour les gourmets. Il est cher mais le repas vaut bien le prix. ● *30 sept.-début avr.*

SANT CARLES DE LA RÀPITA : *Miami Can Pons.* €€€€ AE DC MC V
Avinguda Constitució 37 (Tarragona). 977 74 05 51. www.miamicanpons.com
La famille Pons vous sert une cuisine catalane de qualité. Le *suquet* et la *crema catalana* sont deux de ses nombreuses spécialités. ● *3 sem. en janv.* ▤

SANT CELONI : *El Racó de Can Fabes.* www.canfabes.com €€€€ AE DC MC V
Carrer de Sant Joan 6 (Barcelona). 93 867 28 51.
Santi Santamaría, un des meilleurs chefs d'Espagne, fait de ce restaurant à la campagne un paradis gastronomique. Le menu de saison, composé de toutes sortes de produits frais régionaux, varie en permanence. ● *dim. soir, lun.* ▤ ⓑ

SANT FELIÚ DE GUIXOLS : *Can Toni.* €€ DC MC V
Carrer Garrofers 54 (Girona). 972 32 10 26.
Savoureuse cuisine traditionnelle de la région Empordà. Nombreux plats aux champignons de septembre à mars. ● *lun.* ▤ ⓑ

SANT FELIÚ DE GUIXOLS : *Eldorado Petit.* €€€€ AE DC MC V
Rambla de Vidal 23 (Girona). 972 32 18 18.
Des ingrédients de premier choix sont proposés dans cette cuisine méditerranéenne comme les carpaccios de viandes et de poissons. ● *mer. en hiver.* ▤ ⓑ

SANT SADURNI D'ANOIA : *El Mirador de les Caves.* €€€ AE DC MC V
Carretera Sant Sadurni–Ordal km 4, Subirats (Barcelona). 93 899 31 78.
Le canard avec une sauce au foie gras et aux truffes extraordinaires de ce restaurant. ● *dim. et lun. soir, 8-23 août, 23 déc.-7 janv.* ▤ ⓑ

Légende des symboles, voir rabat de couverture

Prix moyen par personne pour un dîner comprenant trois plats et une demi-bouteille de vin de la maison, taxe et service compris :

€ moins de 20 euros
€€ de 20 à 30 euros
€€€ de 30 à 40 euros
€€€€ plus de 40 euros

BAR À TAPAS
Outre la salle principale, un bar sert des tapas (p. 574-575) et des raciones (portions plus importantes).
MENU À PRIX FIXE
Menu en général composé de trois plats, proposé au déjeuner et/ou au dîner. Bon rapport qualité-prix.
BONNE CARTE DES VINS
Le restaurant propose un vaste choix de bons vins ou une sélection particulière de vins locaux.
REPAS À L'EXTÉRIEUR
Possibilité de manger en terrasse, dans un jardin, une cour ou un patio, souvent avec une belle vue.

	CARTES BANCAIRES	BAR À TAPAS	MENU À PRIX FIXE	BONNE CARTE DES VINS	TABLES EN TERRASSE
LA SEU D'URGELL : El Castell. €€€€ Carretera N260 km 229 (Lleida). 973 35 07 04. Cet hôtel-restaurant de rêve est situé au pied du château de La Seu d'Urgell, au cœur d'un beau paysage. Il propose une cuisine catalane moderne, et sa carte des vins ravira même les connaisseurs. 🍽 ♿	AE DC MC V			●	
SITGES : El Velero. €€€€ Passeig de la Ribera 38 (Barcelona). 93 894 20 51. Restaurant au bord de la mer servant de la sole aux champignons avec une sauce au crabe. ● dim., lun. en hiver, 23 déc.-7 janv., lun. et mar. en été. 🍽 ♿	AE DC MC V		■	●	
TARRAGONA : El Merlot. €€€€ Carrer Caballers 6. 977 22 06 52. Restaurant de la vieille ville où l'on goûte une cuisine méditerranéenne faite de produits locaux de premier choix. Spécialités, dont le gibier (en saison) et les desserts maison. ● dim., lun. midi. 🍽	AE DC MC V		■	●	■
VALLS : Masía Bou. €€€€ Carretera Lleida km 21.5 (Tarragona). 977 60 04 27. Les calçotadas (oignons cuits sur la braise, servis avec une sauce romesco) sont la spécialité maison. ● mar. en été. ♿	AE MC V		■	●	■
VIC : Floriac. €€€ Carretera Manresa–Vic N 141 km 39.5, Collsuspina (Barcelona). 93 743 02 25. Masía (ferme) du XVIᵉ siècle entourée de bois où l'on savoure une délicieuse cuisine régionale. ● 2 sem. en fév., 2 sem. en juil.	AE DC MC V		■	●	■
VILAFRANCA DEL PENEDÈS : Cal Ton. €€€€ Calle Casal 8 (Barcelona). 93 890 37 41. C'est une cuisine méditerranéenne créative qui utilise les produits locaux. Le vin et le service sont à la hauteur de la cuisine. ● dim. soir, lun., j. fériés. 🍽	AE DC MC V			●	
ARAGON					
AINSA : Bodegas del Sobrarbe. €€€€ Plaza Mayor 2 (Huesca). 974 50 02 37. Dans la cave à vins voûtée de cette maison du XIᵉ siècle règne une atmosphère médiévale. Plats typiquement pyrénéens, dont le ternasco (agneau de lait rôti au feu de bois). ● janv.-fév.	DC MC V		■	●	■
ALCAÑIZ : Meseguer. €€€ Avenida del Maestrazgo 9 (Teruel). 978 83 10 02. Table appréciée pour sa cuisine familiale moderne et ses prix raisonnables. La carte de Félix Meseguer propose un délicieux ragoût de légumes (menestra) et du perdreau aux haricots blancs. Bons vins régionaux. ● dim., fin sept. 🍽 ♿	AE DC MC V		■	●	
BARBASTRO : Flor. €€€ Calle Goya 3 (Huesca). 974 31 10 56. Menu de saison à base de produits frais de la vallée Nero et bonne cave. Le colin au four à l'ail et la salade de tomates au fromage frais et aux olives noires locales sont conseillés. ● lun. soir. 🍽 ♿	AE DC MC V		■	●	
BIESCAS : Casa Ruba. €€ Calle Esperanza 18–20 (Huesca). 974 48 50 01. La famille Ruba sert depuis 1884 des plats aragonais traditionnels dans ce bel hôtel de montagne. On y savoure du gibier (en saison), d'excellents champignons et des tourtes aux légumes. 🍽 ♿	AE MC V	●	■	●	
BORJA : La Bóveda del Mercado. €€€ Plaza del Mercado 4 (Zaragoza). 976 86 82 51. Cave à vins du XVIᵉ siècle, restaurée, où l'on sert des plats originaux faits à partir de recettes juives et arabes comme les delicias de sartén (pâtisserie frite à l'anis et à la cannelle). ● dim. soir et lun.	MC V		■	●	

CANTAVIEJA : *Buj.* €€€€

Avenida del Maestrazgo 6 (Teruel). 964 18 50 33.

Restaurant simple, tenu par une famille, en bordure de route. Vu leur succès, on sert toujours les pommes de terres farcies et la soupe aux champignons.Gibier en saison. Déjeuner uniquement. ● *fév.* ⓖ

CARIÑENA : *La Rebotica.* €€ | MC V

Calle San José 3 (Zaragoza). 976 62 05 56.

58 variétés de Cariñena (vin local) sont servies dans cette ancienne pharmacie de village. Le vin fait partie de la plupart des plats, dont le faux-filet de cochon de lait à la sauce au vin blanc. ● *lun., dim.-ven. soir, 3 sem. en août, 1 sem. après Pâques.* ▤ ⓖ

ESQUEDAS : *Venta del Sotón.* €€€€ | AE DC MC V

Carretera Tarragona–San Sebastián km 227 (Huesca). 974 27 02 41.

Cette auberge, une des meilleures tables d'Aragon, propose une cuisine créative ; spécialités locales et excellentes grillades. ● *dim. soir, lun., 15 janv.-15 fév.* ▤ ⓖ

HUESCA : *Las Torres.* €€€€ | AE DC MC V

Calle María Auxiliadora 3. 974 22 82 13.

Les frères Abadía proposent un menu de saison avec des créations comme le mérou croustillant sur un lit de pieds de porc avec une sauce aux raisins secs et aux pignons. ● *dim., Pâques, 15-30 août.* ▤

LA IGLESUELA DEL CID : *Casa Amada.* € | MC V

Calle Fuente Nueva 10 (Teruel). 964 44 33 73.

Restaurant simple fréquenté par des habitués pour sa cuisine du terroir et ses prix abordables. ● *dim. soir en hiver, 24 et 25 déc.* ▤ ⓖ

JACA : *La Cocina Aragonesa.* €€€€ | AE MC V

Calle Cervantes 5 (Huesca). 974 36 10 50.

Sa cuisine régionale raffinée fait de cette table une des meilleures des environs. L'hiver, le perdreau farci au foie gras ou les boulettes de sanglier se dégustent autour de la cheminée. ▤ ⓖ

NUÉVALOS : *Reyes de Aragón.* €€ | AE DC MC V

Hotel Monasterio de Piedra (Zaragoza). 976 84 90 11.

Une cuisine aragonaise typique est servie dans cet ancien monastère du XIIᵉ siècle, dans une réserve naturelle. ▤ ⓖ

RUBIELOS DE MORA : *Portal del Carmen.* €€€ | DC MC V

Calle Glorieta 2 (Teruel). 978 80 41 53.

Ancien monastère de carmélites avec un joli cloître, spécialisé dans la cuisine régionale. On y déguste saumons et truites, élevés non loin de là, et le *tocinillo de cielo* (dessert à base de jaune d'œuf et de sucre). ● *jeu., 5-25 mai.* ▤ ⓖ

SENEGÜÉ : *Casbas.* €€ | AE DC MC V

Carretera a Biescas (Huesca). 974 48 01 49.

Restaurant, doté d'une grande cheminée, où skieurs et randonneurs savourent la cuisine du terroir. Très prisées, les pêches au vin vieux sont un dessert typique de la montagne. ● *sept.* ▤ ⓖ

TERUEL : *La Menta.* €€€ | AE DC MC V

Calle Bartolomé Esteban 10. 978 60 75 32.

Ce restaurant, un des meilleurs des environs, propose une carte originale aux influences basque et catalane. Le *pastel ruso*, gâteau aragonais traditionnel, est fait de jaunes d'œufs et d'amandes. ● *dim., fin janv., fin juil.* ▤ ⓖ

UNCASTILLO : *Casa Sierra.* €€ | MC V

Calle Mediavilla 71 (Zaragoza). 976 67 94 81.

Mets régionaux simples mais bons comme les haricots blancs secs à l'huile d'olive et les *migas a la pastora* (petits bouts de pain et raisins). ● *sam., dim., jours fériés ; juil.-15 sept., t.l.j.* ▤ ⓖ

SARAGOSSE : *La Rinconada de Lorenzo.* €€ | AE DC MC V

Calle la Salle 3. 976 55 51 08.

Plats aragonais typiques comme les *migas con jamón* (petits bouts de pain au jambon) et le *ternasco al horno* (agneau rôti). Desserts maison, dont l'*higos con nueces* (figues avec des noisettes). ● *dim. soir et lun. en juil. et août, Pâques.* ▤

SARAGOSSE : *Gayarre.* €€€ | AE DC MC V

Carretera del Aeropuerto 370. 976 34 43 86.

Belle maison avec jardin, juste en dehors de la ville. Sa carte varie selon la saison et privilégie les légumes régionaux (bourrache) dans toutes sortes de salades. Bons service et carte des vins. ● *dim. soir, lun.* ▤ ⓖ

Légende des symboles, voir rabat de couverture

Prix moyen par personne pour un dîner comprenant trois plats et une demi-bouteille de vin de la maison, taxe et service compris :

€ moins de 20 euros
€€ de 20 à 30 euros
€€€ de 30 à 40 euros
€€€€ plus de 40 euros

BAR À TAPAS
Outre la salle principale, un bar sert des tapas (p. 574-575) et des *raciones* (portions plus importantes).
MENU À PRIX FIXE
Menu en général composé de trois plats, proposé au déjeuner et/ou au dîner. Bon rapport qualité-prix.
BONNE CARTE DES VINS
Le restaurant propose un vaste choix de bons vins ou une sélection particulière de vins locaux.
REPAS À L'EXTÉRIEUR
Possibilité de manger en terrasse, dans un jardin, une cour ou un patio, souvent avec une belle vue.

	CARTES BANCAIRES	BAR À TAPAS	MENU À PRIX FIXE	BONNE CARTE DES VINS	TABLES EN TERRASSE

SARAGOSSE : *El Cachirulo.* €€€€ — AE DC MC V | • (BONNE CARTE DES VINS)
Autovía de Logroño km 1.5 (Zaragoza). 976 46 01 46.
Élégante maison aragonaise où l'on vous sert votre côte de bœuf sur un lit de braises salées. Nombreux plats de légumes. ● *dim. soir, 1ᵉʳ-15 août.* ▤

COMMUNAUTÉ VALENCIENNE ET MURCIE

ALICANTE (ALACANT) : *Dársena.* €€€€ — AE DC MC V | • (BAR À TAPAS) • (BONNE CARTE DES VINS)
Marina Deportiva, Muelle 6, Puerto. 96 520 75 89.
Les 75 plats de riz de la carte sont servis en portions généreuses dans des plats à paella individuels. ▤ 🔊

ALICANTE (ALACANT) : *Nou Manolín.* €€€ — AE DC MC V | • (BAR À TAPAS)
Villegas 3. 96 520 03 68.
Au cœur du centre historique, ce restaurant occupe la maison où est né l'écrivain Gabriel Miró. L'une des spécialités est le poisson cuit dans le sel (*dorada a la sal*). ▤ 🔊

ALTEA : *Raco de Toni.* €€ — AE DC MC V | • (BAR À TAPAS) ▪ (MENU À PRIX FIXE) • (BONNE CARTE DES VINS)
Calle de la Mar 127 (Alicante). 96 584 17 63.
Ce restaurant simple et confortable sert des plats régionaux, notamment à base de riz et de poisson. Le riz à la morue salée et aux légumes et les anchois farcis aux poivrons y sont des spécialités. ● *nov.* ▤ 🔊

BENIDORM : *El Molino.* €€€ — AE MC V | • (BONNE CARTE DES VINS) ▪ (TABLES EN TERRASSE)
Carretera Alicante–Valencia km 123 (Alicante). 96 585 71 81.
Des milliers de bouteilles de vin ornent ce restaurant. Le chef sert des mets traditionnels, dont les *nayuscas* (crêpes grillées au jambon et au caviar). ● *dim. soir et lun.* ▤

BENIDORM : *La Palmera-Casa Paco Nadal.* €€ — AE DC MC V | • (BONNE CARTE DES VINS) ▪ (TABLES EN TERRASSE)
Avenida Severo Ochoa, Rincón de Loix (Alicante). 96 585 32 82.
Restaurant agréable juste en dehors de Benidorm proposant des spécialités régionales. 15 plats de riz, dont la lotte et aux clams. ● *lun., 24 déc.-8 janv.* ▤ 🔊

BENIMANTELL : *L'Obrer.* €€ — AE DC MC V | ▪ (MENU À PRIX FIXE)
Carretera de Alcoi 27 (Alicante). 96 588 50 88.
Restaurant dans le style rustique orné de céramiques locales. L'agneau rôti et les desserts maison sont conseillés. ● *ven. et juil.* ▤ 🔊

BENIMANTELL : *Venta la Montaña.* €€ — MC V | • (BAR À TAPAS) ▪ (MENU À PRIX FIXE) • (BONNE CARTE DES VINS) ▪ (TABLES EN TERRASSE)
Carretera de Alcoi 9, Benimantell (Alicante). 96 588 51 41.
Auberge de montagne pittoresque ornée d'anciens outils de ferme. On y sert une cuisine saine et des plats comme la typique *olleta de trigo* (bouillon de porc, légumes et blé). ● *lun., le soir t.l.j. en hiver.* ▤

BENISSANÓ : *Levante.* €€ — AE MC V | • (BAR À TAPAS) ▪ (MENU À PRIX FIXE) • (BONNE CARTE DES VINS)
Calle Virgen del Fundamento 27 (Valencia). 96 278 07 21.
Vous ne pouvez quitter Valence sans goûter les paellas cuites au feu de bois de ce restaurant doté d'une des plus grandes et des meilleures caves à vins de la région. Déjeuner uniquement. ● *mar. et de mi-juil. à début août.* ▤ 🔊

BUÑOL : *Venta L'Home.* €€€ — AE DC MC V | • (BAR À TAPAS) ▪ (MENU À PRIX FIXE) • (BONNE CARTE DES VINS) ▪ (TABLES EN TERRASSE)
Autovía NIII Madrid–Valencia, Ventamina exit (Valencia). 96 250 35 15.
Relais de poste du XVIIᵉ siècle, ce restaurant à la décoration rustique propose des plats valenciens comme le lapin au miel et l'agneau aux olives. Bons vins locaux. ▤ 🔊

CASTELLÓ DE LA PLANA : *La Tasca del Puerto.* €€€ — AE DC MC V | ▪ (MENU À PRIX FIXE) • (BONNE CARTE DES VINS)
Avenida del Puerto 13, El Grao (Castellón). 964 28 44 81.
Les spécialités maison comprennent les plats de riz, la *fideuà* (nouilles) et les *calderetas* (poissons en cocotte). Belle vue sur le port et la mer. ● *dim.* ▤ 🔊

COCENTAINA : *L'Escaleta.* €€€€
Subida Estación Norte 205 (Alicante). (96 559 21 00.
Restaurant en sous-sol décoré avec goût de céramiques et d'anciens cuivres. On y déguste des plats originaux tels les filets de sole au *cava*. Excellents desserts, dont les poires à la menthe avec de la glace au miel. ● *lun., dim. soir.* ▤ &

AE DC MC V

CULLERA : *Casa Salvador.* €€
L'Estany de Cullera (Valencia). (96 172 01 36.
Situé au bord du lac Estany, ce restaurant occupant deux maisons propose 20 plats de riz différents et des spécialités de poissons. Certains proviennent du lac et les légumes sont du jardin. ▤ &

AE DC MC V

ELX : *Mesón El Granaíno.* €€€€
Calle José María Buch 40 (Alicante). (96 666 40 80.
Le bar, très fréquenté, propose plus de 30 sortes de tapas. Des plats de la région et du Sud sont servis dans la salle de restaurant décorée dans le style andalou. Plus de 5 000 bouteilles de vin en réserve. ● *dim., 2 sem. en août.* ▤ &

AE DC MC V

FORCALL : *Mesón de la Vila.* €€
Plaza Mayor 8 (Castellón). (964 17 11 25.
Dans le sous-sol voûté de cet édifice du xve siècle (l'ancienne mairie), on sert des plats régionaux, dont un excellent lapin aux truffes et des escargots blancs de la région. ● *lun. et fin oct.* ▤ &

AE DC MC V

GANDIA : *Gamba.* €€€€
Carretera Nazaret–Oliva, Gandía-Playa (Valencia). (96 284 13 10.
Bien que l'on ne voie pas la mer du restaurant, poissons et fruits de mer viennent tout droit des filets des pêcheurs. Le menu *(menú dirigido)* comprend des fruits de mer et un plat de riz. Déjeuner seulement. ▤ &

AE DC MC V

MORAIRA : *Girasol.* €€€€
Carretera Moraira–Calpe km 1.5 (Alicante). (96 574 43 73.
La cuisine méditerranéenne novatrice de Joachim Koerper a conquis les gourmets de toute l'Europe. Le plaisir de la table est accru par la décoration raffinée de cette villa au bord de la mer. ● *lun.* ▤ &

AE DC MC V

MORELLA : *Casa Roque.* €€
Cuesta San Juan 1 (Castellón). (964 16 03 36.
On vient de loin pour savourer l'agneau farci aux truffes de Roque Gutiérrez. Le canard au vin rouge et à l'essence d'orange amère et les champignons servis avec des truffes sont exquis. ● *dim. soir, lun. (sauf juil. et août).* ▤

AE DC MC V

MURCIE : *Morales.* €€€€
Avda de la Constitución. (968 23 10 26.
Ce restaurant du centre propose une grande variété de plats, dont la tarte de *turrón*. ● *sam. soir, dim., 15-31 août.* ▤ &

AE DC MC V

MURCIE : *Hispano.* €€
Calle Arquitecto Cerdán 7. (968 21 61 52.
Plats régionaux, dont le *caldero marinero del Mar Menor* (ragoût de fruits de mer typique). La paella aux légumes et la tête de truie cuite au sel sont aussi délicieuses. Bonne sélection de vins régionaux. ● *dim. en juil. et en août* ▤ &

AE DC MC V

ORIHUELA : *Casa Corro.* €€
Palmeral de San Antón (Alicante). (96 530 29 63.
Ce restaurant apprécié, tenu par une famille, sert des plats typiques tels l'*arroz con costra* (riz avec une croûte cuit au four). ● *lun. soir, 15 août-1er sept.* ▤ &

DC MC V

ORIHUELA : *Cabo Roig.* €€€
Urbanización Cabo Roig, Playas de Orihuela (Alicante). (96 676 02 90.
Ce restaurant en haut d'une falaise offre une vue superbe sur la Costa Blanca. Grande variété de fruits de mer et de plats de riz. L'ancienne tour de guet abrite une collection de plus de 20 000 bouteilles de vin. ▤ &

AE DC MC V

POLOP DE LA MARINA : *Ca l'Angeles.* €€€€
Calle Gabriel Miró 12 (Alicante). (96 587 02 26.
Dans ces trois salles aux poutres apparentes et à la décoration rustique, on sert notamment du jeune chevreau rôti aux amandes. ● *mar. et juil.* ▤ &

MC V

SANTA POLA : *Batiste.* €€€
Avenida Pérez Ojeda 6, Playa de Poniente (Alicante). (96 541 14 85.
Ce restaurant classique, aux prix raisonnables, propose des poissons, des fruits de mer et de délicieux plats de riz comme l'*arroz a banda* (risotto au poisson). Le bar en pâte feuilletée est aussi une de ses spécialités. ● *19 mars soir, 6 sept. midi, 24 déc. soir.* ▤ &

AE DC MC V

Légende des symboles, voir rabat de couverture

	CARTES BANCAIRES	BAR À TAPAS	MENU À PRIX FIXE	BONNE CARTE DES VINS	TABLES EN TERRASSE

Prix moyen par personne pour un dîner comprenant trois plats et une demi-bouteille de vin de la maison, taxe et service compris.

€ moins de 20 euros
€€ de 20 à 30 euros
€€€ de 30 à 40 euros
€€€€ plus de 40 euros

BAR À TAPAS
Outre la salle principale, un bar sert des tapas *(p. 574-575)* et des *raciones* (portions plus importantes).
MENU À PRIX FIXE
Menu en général composé de trois plats, proposé au déjeuner et/ou au dîner. Bon rapport qualité-prix.
BONNE CARTE DES VINS
Le restaurant propose un vaste choix de bons vins ou une sélection particulière de vins locaux.
REPAS À L'EXTÉRIEUR
Possibilité de manger en terrasse, dans un jardin, une cour ou un patio, souvent avec une belle vue.

		CARTES BANCAIRES	BAR À TAPAS	MENU À PRIX FIXE	BONNE CARTE DES VINS	TABLES EN TERRASSE
VALENCE : *La Rosa.* €€€ Paseo del Neptuno 70. (96 371 20 76. Restaurant de plage typique. 30 plats de riz différents et un bon assortiment de poissons et de fruits de mer frais. Déjeuner uniquement. ● *week-ends et fin juin-sept.* 🍴 ⌨		AE DC MC V		▦	●	
VALENCE : *Albacar.* €€€€ Calle Sorní 35. (96 395 10 05. Cuisine novatrice dans un cadre élégant. La salade tiède de poisson à la vinaigrette à l'estragon et le millefeuille aux pommes maison avec de la glace sont conseillés. ● *sam. midi, dim., j. fériés, Pâques, août* 🍴 ⌨		AE MC V			●	
VINARÒS : *El Langostino de Oro.* €€€€ Calle San Francisco 31. (964 45 12 04. Composée avec soin, la carte de fruits de mer propose un *suquet* de fruits de mer. Les plats de riz, les *fideus rosetjats* (nouilles préparées spécialement) et la tarte aux dattes maison sont très appréciés. 🍴		AE DC MC V		▦	●	

MADRID

		CARTES BANCAIRES	BAR À TAPAS	MENU À PRIX FIXE	BONNE CARTE DES VINS	TABLES EN TERRASSE
LE VIEUX MADRID : *Malacatín.* **Plan 2 E5.** € Calle de la Ruda 5. (91 365 52 41. Ce vieux bar n'offre qu'un seul menu : *cocido madrileño.* Il faut le commander la veille. Vins et desserts compris. ● *dim. et août.* 🍴		V	●	▦		
LE VIEUX MADRID : *El Estragón.* **Plan 1 C4.** € Plaza de la Paja 10. (91 365 89 82. Situé sur une place tranquille près du Palacio Real, ce restaurant végétarien est agréablement décoré. 🍴 ⌨ *rez-de-chaussée seulement.*		AE DC MC V	●	▦		
LE VIEUX MADRID : *Casa Ciriaco.* **Plan 1 C4.** €€ Calle Mayor 84. (91 548 06 20. Taverne traditionnelle, près du palais royal, réputée pour sa *gallina en pepitoria* (ragoût de poulet à l'œuf et au safran). ● *mer. et août.* 🍴 ⌨		DC MC V	●	▦	●	
LE VIEUX MADRID : *Casa Patas.* **Plan 5 A2.** €€ Calle Cañizares 10. (91 369 04 96. Connue pour ses spectacles de flamenco le soir, la Casa Patas est aussi un restaurant original au cœur du vieux Madrid. Bar à tapas bien fourni et menu à un prix imbattable. ● *dim.* 🍴 ⌨		AE DC MC V	●	▦	●	
LE VIEUX MADRID : *Taberna Bilbao.* **Plan 1 C4.** €€ Calle Costanilla de San Andres 8. (91 365 61 25. Taverne basque servant des spécialités comme le *bacalao* (morue) préparé de différentes manières. Le poulpe (*chipirones*) préparé dans son encre est également excellent. ● *lun.* 🍴 ⌨		MC V	●		●	
LE VIEUX MADRID : *Botín.* **Plan 2 E4.** €€€€ Calle de Cuchilleros 17. (91 366 42 17. Créé en 1725, ce restaurant serait le plus vieux du monde. Le four à bois d'origine sert encore à rôtir l'agneau et le cochon de lait, plats traditionnels castillans. Menu à prix raisonnable. 🍴		AE DC MC V		▦	●	
LE VIEUX MADRID : *Casa Lucio.* **Plan 2 D5.** €€€€ Calle Cava Baja 35. (91 365 32 52. Cette ancienne taverne sert des spécialités catalanes. L'omelette aux pommes de terre est délicieuse et le gâteau de riz réputé. ● *sam. midi et août.* 🍴		AE DC MC V	●		●	
LE VIEUX MADRID : *Lhardy.* **Plan 2 F3.** €€€€ Carrera de San Jerónimo 8. (91 521 33 85. Créé en 1839, ce restaurant orné de lustres, miroirs et boiseries sombres n'a rien perdu de son caractère. On y sert indubitablement le *cocido madrileño* le plus classique qui soit. ● *dim. soir et août.* 🍴		AE DC MC V	●	▦	●	

LE MADRID DES BOURBONS : *Arrocería.* **Plan** 5 B2.

Calle Moratín 22. 91 429 25 62.

On appréciera le patio, les spécialités catalanes du menu et les prix raisonnables.

€

| | | | |

LE MADRID DES BOURBONS : *Pimiento Verde.* **Plan** 4 E4. €€€

Calle Lagasca 46. 91 576 41 35.

Ce restaurant décoré comme un bar à cidre sert de la cuisine typiquement basque. Excellents tapas dans la taverne qui jouxte le restaurant. ● *dim.*

AE MC V

LE MADRID DES BOURBONS : *Teatriz.* **Plan** 4 E3. €€€

Calle Hermosilla 15. 91 577 53 79.

Restaurant dans un vieux théâtre avec un bar à cocktails sur la scène. Cuisine d'inspiration italienne. *Carpaccio* de saumon et de sole.

AE DC MC V

LE MADRID DES BOURBONS : *Alkalde.* **Plan** 4 E3. €€€€

Calle Jorge Juan 10. 91 576 33 59.

Spécialités basques servies en salle et dans le bar à tapas animé. La soupe à l'araignée de mer, les *chipirones* (petits calmars à l'encre) et les clams à la sauce au vin blanc, à l'ail et à l'oignon sont tous bons. ● *en juil. et en août : sam. et dim.*

AE DC MC V

LE MADRID DES BOURBONS : *Al Mounia.* **Plan** 4 D4. €€€€

Calle de Recoletos 5. 91 435 08 28.

Ce restaurant marocain, le meilleur de Madrid, sert des couscous et *tajine* (ragoût d'agneau) très copieux et un dessert maison au miel, aux amandes et à l'eau de fleur d'oranger. ● *dim., lun., Pâques et août.*

AE DC MC

LE MADRID DES BOURBONS : *El Amparo.* **Plan** 4 E4. €€€€

Callejón de Puigcerdá 8. 91 431 64 56.

Nouvelle cuisine basque dans un restaurant, doté d'une verrière, qui est pour beaucoup de gens le plus joli de Madrid. Créations, dont une mousse au thon avec du homard et de l'huile au persil. ● *sam. midi, dim., jours fériés et août.*

AE MC V

LE MADRID DES BOURBONS : *Paradis.* **Plan** 5 B1. €€€€

Calle Marqués de Cubas 14. 91 429 73 03.

Restaurant faisant partie d'une chaîne catalane à succès, offrant une excellente cuisine méditerranéenne. Légumes grillés et plats de riz en entrée peuvent être suivis de poissons frais. ● *sam. midi, dim. j. fériés.*

AE DC MC V

LE MADRID DES BOURBONS : *Viridiana.* **Plan** 6 D1. €€€€

Calle Juan de Mena 14. 91 523 44 78.

Restaurant orné de photographies de *Viridiana*, un film de Luis Buñuel, proposant une cuisine espagnole novatrice et une longue liste de vins. La carte inventive change souvent. ● *dim. et août.*

AE MC V

EN DEHORS DU CENTRE (EST) : *La Taberna de la Daniela.* €€

Calle General Pardiñas 21. 91 575 23 29.

La carte de ce restaurant est courte, mais les plats sont bien choisis. À l'heure du déjeuner, on ne sert que du *cocido madrileño*, mais le bar propose toutes sortes de tapas. Bons desserts maison.

AE MC V

EN DEHORS DU CENTRE (NORD) : *La Barraca.* **Plan** 3 A5. €€

Calle de la Reina 29. 91 532 71 54.

Plus de dix plats de riz et paellas à la valencienne, faits avec des ingrédients de premier choix, sont proposés. Bons desserts maison.

AE DC

EN DEHORS DU CENTRE (NORD) : *El Puchero.* **Map** 3 A2. €€€

Calle de Larra 13. 91 445 05 77.

Restaurant apprécié, calme, servant une cuisine familiale. Les jeunes fèves au jambon, le cochon de lait rôti et les ragoûts de gibier sont devenus aussi légendaires que ses serveuses revêches. ● *dim. et août.*

AE MC V

EN DEHORS DU CENTRE (NORD-OUEST) : *Baden.* €€€

Calle General Rodrigo 17. 91 553 87 96.

Un bar à tapas très vivant et un restaurant sont côte à côte dans le quartier étudiant de Baden. Les viandes et les poissons sont délicieux ; quant aux pizzas, ce sont les meilleures de la ville.

AE DC MC V

EN DEHORS DU CENTRE (NORD) : *Casa Ricardo.* €€€

Calle Fernando El Católico 31. 91 447 61 19.

Bar typiquement espagnol servant une bonne cuisine familiale. La soupe de queue de bœuf et les petits calmars à l'encre sont délicieux. ● *dim. soir.*

DC MC V

Légende des symboles, voir rabat de couverture

Prix moyen par personne pour un dîner comprenant trois plats et une demi-bouteille de vin de la maison, taxe et service compris :
€ moins de 20 euros
€€ de 20 à 30 euros
€€€ de 30 à 40 euros
€€€€ plus de 40 euros

BAR À TAPAS
Outre la salle principale, un bar sert des tapas *(p. 574-575)* et des *raciones* (portions plus importantes).
MENU À PRIX FIXE
Menu en général composé de trois plats, proposé au déjeuner et/ou au dîner. Bon rapport qualité-prix.
BONNE CARTE DES VINS
Le restaurant propose un vaste choix de bons vins ou une sélection particulière de vins locaux.
REPAS À L'EXTÉRIEUR
Possibilité de manger en terrasse, dans un jardin, une cour ou un patio, souvent avec une belle vue.

	CARTES BANCAIRES	BAR À TAPAS	MENU À PRIX FIXE	BONNE CARTE DES VINS	TABLES EN TERRASSE
EN DEHORS DU CENTRE (NORD) : *Goizeko Kabi.* €€€€ Calle Comandante Zorita 37. 91 533 01 85. Cuisine basque traditionnelle dans un cadre raffiné. Les créations du chef sont à base d'excellents produits frais et de fruits de mer. Bonne carte des vins et desserts exquis. ● *sam. midi, juil, et août.* 🍽	AE DC MC V			●	
EN DEHORS DU CENTRE (NORD) : *Jockey.* **Plan 4 D2.** €€€€ Calle Amador de los Ríos 6. 91 319 10 03. Cette table, une des cinq meilleures de Madrid, fréquentée par les gourmets et les célébrités, propose un menu de saison. Plats de volaille et de gibier exquis. Excellente carte des vins. Tenue correcte exigée. ● *sam. midi, dim. et jours fériés.* 🍽 ♿	AE DC MC V			●	
EN DEHORS DU CENTRE (NORD) : *Zalacain.* €€€€ Calle Álvarez de Baena 4. 91 561 48 40. Cette table considérée comme la meilleure de Madrid fait honneur à sa réputation avec son exquise cuisine d'inspiration basque, son cadre luxueux et son service attentif. Tenue correcte exigée. ● *sam. midi, dim. Pâques, août et jours fériés.* 🍽 ♿	AE DC MC V			●	
EN DEHORS DU CENTRE (NORD-EST) : *Sacha.* €€€€ Calle Juan Hurtado de Mendoza 11, Entrada Posterior. 91 345 59 52. Décoré comme un bistro confortable, ce restaurant sert des spécialités comme le perdreau au riz et aux champignons. ● *jours fériés, dim. et août.* 🍽 ♿	AE DC MC V			●	■
EN DEHORS DU CENTRE (NORD-EST) : *Cabo Mayor.* €€€€ Calle Juan Ramón Jiménez 37. 91 350 87 76. Un des meilleurs restaurants de produits de la mer de Madrid servant une cuisine de Cantabrie et de Navarre. Pâtes fraîches, salade de langoustines et lotte aux champignons sont délicieuses. ● *sam. midi, dim. et jours fériés.* 🍽	AE DC MC V		■	●	
EN DEHORS DU CENTRE (NORD-EST) : *El Olivo.* €€€€ Calle General Gallegos 1. 91 359 15 35. Excellente cuisine méditerranéenne avec l'huile d'olive comme thème culinaire dominant. Le propriétaire vous conseillera celle des 40 huiles d'olive qui accompagnera le mieux votre plat. ● *dim., lun., jours fériés et fin août.* 🍽	AE DC MC V		■	●	

PROVINCE DE MADRID

	CARTES BANCAIRES	BAR À TAPAS	MENU À PRIX FIXE	BONNE CARTE DES VINS	TABLES EN TERRASSE
ARANJUEZ : *Casa Pablo.* €€€ Calle Almíbar 42. 91 891 14 51. Taverne centrale offrant une solide cuisine familiale. Faisan aux raisins, asperges et fraises fraîches sont conseillés. ● *août.* 🍽 ♿	AE MC V	●	■	●	
CHINCHÓN : *Mesón de la Virreina.* €€ Plaza Mayor 28. 91 894 00 15. Dans cet édifice du XVIᵉ siècle, goûtez la cuisine castillane traditionnelle, dont la *sopa castellana* (soupe à l'ail et aux pois chiches). 🍽 ♿	AE DC MC V	●	■	●	■
MORALZARZAL : *El Cenador de Salvador.* €€€€ Avenida de España 30. 91 857 77 22. Maints gourmets font la route de Madrid à Moralzarzal pour le simple plaisir de dîner dans ce joli chalet. L'exquise cuisine de saison ravira même les palais les plus fins. ● *dim. soir, lun.* 🍽 ♿	AE DC MC V		■	●	■
PATONES DE ARRIBA : *El Poleo.* €€€€ Travesía del Arroyo 1-3. 91 843 21 01. Ville pittoresque aux toits d'ardoises dotée d'un merveilleux restaurant. Cuisine d'inspiration navarraise. ○ *ven.-dim. et jours fériés.* 🍽	AE DC MC V	●		●	■
SAN LORENZO DE EL ESCORIAL : *Taberna La Cueva.* €€ Calle San Antón 4. 91 890 15 16. L'architecte du Prado, Juan de Villanueva, conçut cette auberge du XVIIIᵉ siècle. Les *huevos a la cueva* (œufs frits au jambon entourés de pommes de terre frites) sont une de ses spécialités. ● *lun.*	MC V	●	■	●	

CASTILLE-LÉON

ARANDA DE DUERO : *Mesón La Villa.* €€
Plaza Mayor 3 (Burgos). 947 50 10 25.
Excellente cuisine régionale : perdreau mariné, ris aux champignons et *menestra de verduras* (ragoût de légumes). Choix de vins locaux impressionnant. ● *lun.* ▤

ARÉVALO : *Asador La Cubas.* €€
Calle Figones 9 (Ávila). 920 30 01 25.
Ancienne cave à vins avec des fûts d'argile encastrés dans les murs. Délicieux agneau et cochon de lait rôtis au feu de bois et desserts régionaux comme les beignets sucrés à la crème *(leche frita).* ● *dim.-ven. soir et fin juin.* ▤

ASTORGA : *La Peseta.* €€
Plaza de San Bartolomé 2 (León). 987 61 72 75.
Cuisine saine et copieuse dans ce restaurant tenu par une famille. Accompagnez le porc aux haricots d'un bierzo (vin local). ● *dim. soir, fin oct.* ▤

ÁVILA : *Mesón del Rastro.* €€
Plaza del Rastro 1. 920 21 12 18.
Cuisine régionale dans un vrai restaurant castillan niché dans le rempart de la ville. Les *judías de El Barco de Ávila* (haricots blancs secs au chorizo avec une sauce épaisse) sont un des meilleurs plats qui soient. ▤ ♿

BURGOS : *Casa Ojeda.* €€€€
Calle Vitoria 5. 947 20 90 52.
Ce restaurant, le plus traditionnel de la ville, sert des plats classiques comme l'agneau de lait rôti et la *morcilla* (boudin noir) avec des poivrons rouges.Grand choix de vins de Ribera del Duero et de La Rioja. ● *dim. soir.* ▤

COVARRUBIAS : *El Galín* €
Plaza de Doña Urraca 4 (Burgos). 947 40 65 52.
Restaurant simple et animé, sur la place principale. Succulent agneau de lait et autres mets régionaux copieux comme l'*olla podrida* (épaisse soupe aux haricots). Bon bar à tapas. ● *mar. et sept.*

EL BURGO DE OSMA : *Virrey Palafox.* €€€
Calle Universidad 7, El Burgo de Osma (Soria). 975 34 02 22.
Ce restaurant, près du centre, est très fréquenté en février et en mars, quand il propose son « menu de cochon » : le cochon, tué le matin, est mangé dans la journée. ● *dim. soir.* ▤ ♿

FRÓMISTA : *Hostería de Los Palmeros.* €€€
Plaza San Telmo 4 (Palencia). 979 81 00 67.
Ancienne auberge joliment restaurée sur la route de Compostelle. Sa carte propose des spécialités castillanes, dont un ragoût de jeune pigeon et un *tocinillo de cielo* (dessert à base de jaunes d'œufs au sucre). ● *lun. soir et mar.* ▤

LEÓN : *Mesón Leonés del Racimo de Oro.* €€
Calle Caño Vadillo 2. 987 25 75 75.
Cuisine traditionnelle dans d'anciennes écuries du XVIIe siècle. L'hiver, on sert du gibier et des ragoûts comme le *cocido leonés* (ragoût de pois chiches, pommes de terre, lard, boudin et chou). ● *dim. soir et mar. soir.* ♿

PALENCIA : *Casa Damián.* €€€
Calle Ignacio Martinez de Azcoitia 9. 979 74 46 28.
Restaurant sérieux. Spécialités provinciales, dont une *menestra de verduras* fraîche et de délicieux *buñuelos* (beignets sucrés). ● *lun., dim. soir et août.* ▤ ♿

PEDRAZA DE LA SIERRA : *Hostería Pintor Zuloaga.* €€
Calle Matadero 1 (Segovia). 921 50 98 35.
Restaurant dans une ancienne maison de l'Inquisition. Plats castillans traditionnels comme le porc et l'agneau rôtis et de copieux ragoûts. ● *mar.* ▤

PONFERRADA : *Azul-Montearenas.* €€
Carretera NVI Madrid–A Coruña km 380 (León). 987 41 70 12.
Cuisine simple et familiale dans ce restaurant donnant sur les montagnes. Essayez les blettes farcies aux crevettes et à la lotte. ● *dim. soir.* ▤ ♿

QUINTANA DE RANEROS : *Bodega El Cercao.* €€
Calle de la Bodega 4, Finca El Cercao (León). 987 28 01 28.
Cette vaste cave à vins du XVIIe siècle est un dédale de passages souterrains et de salles à manger rustiques. Plats traditionnels comme la *morcilla* (boudin) avec des poivrons rouges cultivés localement.

Légende des symboles, voir rabat de couverture

<table>
<tr><td>

Prix moyen par personne pour un dîner comprenant trois plats et une demi-bouteille de vin de la maison, taxe et service compris :

€ moins de 20 euros
€€ de 20 à 30 euros
€€€ de 30 à 40 euros
€€€€ plus de 40 euros

</td><td>

BAR À TAPAS
Outre la salle principale, un bar sert des tapas *(p. 574-575)* et des *raciones* (portions plus importantes).
MENU À PRIX FIXE
Menu en général composé de trois plats, proposé au déjeuner et/ou au dîner. Bon rapport qualité-prix.
BONNE CARTE DES VINS
Le restaurant propose un vaste choix de bons vins ou une sélection particulière de vins locaux.
REPAS À L'EXTÉRIEUR
Possibilité de manger en terrasse, dans un jardin, une cour ou un patio, souvent avec une belle vue.

</td></tr>
</table>

	CARTES BANCAIRES	BAR À TAPAS	MENU À PRIX FIXE	BONNE CARTE DES VINS	TABLES EN TERRASSE
SALAMANQUE : *Río de la Plata.* €€€€ — Plaza del Peso 1. ☎ 923 21 90 05. Minuscule restaurant à la mode, proche de la Plaza Mayor. Grand choix de poissons frais et de plats castillans, tous excellents. ● *lun. et juil.* ▤	AE MC V	●	▦	●	
SANTA MARÍA DE MAVE : *Hostería El Convento.* €€ — Santa María de Mave (Palencia). ☎ 979 12 36 11. Ce monastère bénédictin sur la rive du río Pisuerga sert désormais des plats castillans traditionnels, dont l'agneau rôti au feu de bois. ♿	AE DC MC V	●	▦	●	▦
SANTO DOMINGO DE SILOS : *Casa Emeterio.* €€ — Hotel Tres Coronas de Silos, Plaza Mayor 6 (Burgos). ☎ 947 39 00 47. Après avoir admiré le monastère, vous pourrez savourer des plats régionaux dans la salle à manger de cette vaste maison du XVIIIe siècle. ♿	AE DC MC V	●	▦	●	▦
SÉGOVIE : *José María.* €€€ — C/Cronista Lecea 11. ☎ 921 46 60 17. Situé dans un bâtiment du xixe siècle, ce restaurant a un décor et un style castillan avec des poutres en bois. Il est célèbre pour son cochon rôti et ses desserts. ▤ ♿	AE DC MC V		▦		
SÉGOVIE : *Mesón de Cándido.* €€€€ — Plaza del Azoguejo 5. ☎ 921 42 81 03. Ne quittez pas la ville sans vous arrêter au Mesón de Cándido. Belle vue sur l'aqueduc romain. Spécialités locales. ▤ ♿	AE DC MC V	●		●	▦
SEPÚLVEDA : *Cristóbal.* €€ — Calle Conde de Sepúlveda 9 (Segovia). ☎ 921 54 01 00. Restaurant donnant sur les gorges du río Duratón. Son agneau rôti serait le meilleur de la région. Copieux ragoûts traditionnels. ● *mar., début sept. et fin déc.* ▤	AE DC MC V	●	▦		
TORDESILLAS : *El Torreón.* €€€€ — Calle Burgos Portugal 11 (Valladolid). ☎ 983 77 01 23. El Torreón possède une reproduction du plafond du Convento de Santa Clara. Sa spécialité : d'excellentes viandes grillées. Mieux vaut réserver. ● *dim., fin sept.*	AE DC MC V			●	
TORRECABALLEROS : *El Rancho de la Aldegüela.* €€ — Plaza Marques de Lozoya 3 (Segovia). ☎ 921 40 10 46. Maison de campagne au décor rustique proposant des spécialités régionales comme le *revuelto de morcilla* (œufs brouillés au boudin). ● *oct.-juin : lun.-jeu. soir.* ▤	AE DC MC V	●		●	
VALLADOLID : *La Dovela.* €€ — Paseo de Zorrilla 10. ☎ 983 33 87 85. Restaurant castillan authentique comme le prouvent la soupe à l'ail, le ragoût de veau et celui d'agneau au vin blanc et aux légumes printaniers. ▤ ♿	AE DC MC V	●		●	
VILLAFRANCA DEL BIERZO : *La Charola.* € — Carretera NVI Madrid–A Coruña km 406 (León). ☎ 987 54 00 95. Située au bord de la route, cette maison sérieuse est tenue par une famille. Cuisine régionale copieuse, simple et bon marché. ▤ ♿	AE DC MC V	●	▦	●	▦
VALSAÍN DE SAN ILDEFONSO : *Hilaria.* € — Carretera Madrid-Valladolid km 124 (Segovia). ☎ 921 47 02 92. Délicieux ragoût aux haricots blancs ● *15 jours en juin, nov.* ▤ ♿	AE MC V	●	▦	●	▦
ZAMORA : *Pizarro.* €€ — Cuesta de Pizarro 7. ☎ 980 53 45 45. Palais du XVIe siècle, jadis occupé par l'Inquisition. Spécialités régionales et basques comme la sole avec une sauce aux anchois.	AE DC MC V	●	▦	●	
ZAMORA : *Rey Sancho II.* €€€ — Parque de la Marina Española (Zamora). ☎ 980 52 60 54. Ce restaurant donne sur un parc, dans le centre moderne de la ville. La carte propose des plats de la région. ▤ ♿	AE DC MC V		▦		▦

CASTILLE-LA MANCHE

ALBACETE : *Nuestro Bar.* €€
Calle Alcalde Conangla 102. ☎ 967 24 33 73.
Son restaurant propose des plats régionaux et un *menú de degustación* avec des
spécialités de la Manche comme le *gazpacho manchego* (ragoût de gibier épaissi
avec des biscuits). Très bon bar à tapas. ● dim. soir et juil.
AE DC MC V

ALMAGRO : *El Corregidor.* €€€
Calle Fray Fernando Fernandez de Cordoba 2 (Ciudad Real). ☎ 926 86 06 48.
Cette vieille maison dotée de plusieurs salles à manger et d'un patio central est
un très joli restaurant.Cuisine régionale inventive servant la spécialité de la ville :
les aubergines macérées à l'huile et au vinaigre. ● sept.-juin : le lun. ; août. &
AE DC MC V

ALMANSA : *Mesón de Picelín.* €€€
Calle Norias 10 (Albacete). ☎ 967 34 00 07.
Table considérée par beaucoup comme une des meilleures de la région.
Plats régionaux authentiques comme son fameux *gazpacho manchego* fait
avec du poulet, du lapin et du perdreau. ● dim. soir, lun. et août. &
AE DC MC V

BETETA : *Hotel Los Tilos.* €€
Extrarradio (Cuenca). ☎ 969 31 80 98.
Restaurant d'un hôtel, simple et calme. Plats de la montagne comme la soupe
à l'oignon, les ragoûts de chevreuil et le *morteruelo* (pâté de gibiers).
● fév. &
AE DC MC V

BRIHUEGA : *Asador El Tolmo.* €€€
Avenida de la Constitución 26 (Guadalajara). ☎ 949 28 11 30.
Le cadre de ce restaurant est castillan et traditionnel comme le sont ses plats,
dont le cabri rôti et le perdreau aux haricots. Desserts maison. &
MC V

CIUDAD REAL : *Gran Mesón.* €€€
Ronda de Ciruela 34. ☎ 926 22 72 39.
Grand menu aux spécialités régionales : *gachas* (gruau), *pisto* (mélange de
légumes), cochon de lait, vins et fromage locaux. ● dim. soir. &
AE MC V

CUENCA : *Mesón Casas Colgadas.* €€€€
Calle Obispo Valero. ☎ 969 22 35 09.
Restaurant dominant la gorge, dans une des fameuses maisons suspendues
de Cuenca. La vue et l'excellente cuisine régionale (plats de gibier) rendent
le repas inoubliable. ● lun. soir., mar.
AE DC MC V

CUENCA : *Marlo.* €€€
Calle Colón 41. ☎ 969 21 11 73.
Carte moderne privilégiant poissons et fruits de mer. Bons plats de viande.
Le perdreau farci, le steak dans le filet à la sauce au fromage, la tourte à
l'aubergine et au fromage sont conseillés. ● dim. soir.
AE MC V

GUADALAJARA : *Minaya.* €€
Calle Mayor 23. ☎ 949 21 22 53.
Palais du XVIe siècle aux meubles d'époque. Menu de saison privilégiant
les viandes grillées et le cabri rôti. ● dim.
AE DC MC V

GUADALAJARA : *Amparito Roca.* €€€€
Calle Toledo 19. ☎ 949 21 46 39.
Maison bien décorée proposant une cuisine espagnole traditionnelle aux
aspects inventifs comme le chevreuil à la sauce aux champignons et les œufs
brouillés aux pommes de terre et au saumon. ● dim., août et Pâques. &
AE MC V

JADRAQUE : *El Castillo.* €€
Carretera de Soria km 46 (Guadalajara). ☎ 949 89 02 54.
Après la visite du château, dégustez du cabri rôti ou un des plats castillans
de ce *mesón* (auberge) typique. ● mer.
AE DC MC V

MANZANARES : *Mesón Sancho.* €€
Calle Jesús del Perdón 26 (Ciudad Real). ☎ 926 61 10 16.
Restaurant simple servant des plats typiques consistants, comme la soupe à
l'ail, les *duelos y quebrantos* (œufs brouillés avec du porc), le lapin *a la
manchega* (en sauce), à accompagner d'un vin du pays. &
AE DC MC V

LAS PEDROÑERAS : *Las Rejas.* €€€€
Avenida de Brasil (Cuenca). ☎ 967 16 10 89.
La capitale de l'ail possède une excellente table. Son menu de saison est
appétissant, sa soupe à l'ail inoubliable. ● lun. et fin juil. &
AE DC MC V

Légende des symboles, voir rabat de couverture

	CARTES BANCAIRES	BAR À TAPAS	MENU À PRIX FIXE	BONNE CARTE DES VINS	TABLES EN TERRASSE

Prix moyen par personne pour un dîner comprenant trois plats et une demi-bouteille de vin de la maison, taxe et service compris :

€ moins de 20 euros
€€ de 20 à 30 euros
€€€ de 30 à 40 euros
€€€€ plus de 40 euros

BAR À TAPAS
Outre la salle principale, un bar sert des tapas (p. 574-575) et des raciones (portions plus importantes).
MENU À PRIX FIXE
Menu en général composé de trois plats, proposé au déjeuner et/ou au dîner. Bon rapport qualité-prix.
BONNE CARTE DES VINS
Le restaurant propose un vaste choix de bons vins ou une sélection particulière de vins locaux.
REPAS À L'EXTÉRIEUR
Possibilité de manger en terrasse, dans un jardin, une cour ou un patio, souvent avec une belle vue.

PUERTO LÁPICE : *Venta del Quijote.* €€ Calle Molino 4 (Ciudad Real). 926 57 61 10. Au cœur du pays de Don Quichotte, cette auberge légendaire évoque le livre de Cervantes. Asseyez-vous en savourant des spécialités de la Manche autour de la cour pavée. 🍽 ⛄	AE DC MC V		▦	●	▦
SIGÜENZA : *El Motor.* €€ Avenida Juan Carlos I, 2 (Guadalajara). 949 39 08 27. Sont conseillés le cochon de lait et l'agneau rôtis, les petits bouts de pain frits (migas) et la soupe à l'ail (sopa castellana). 🍽 ⛄	AE MC V	●	▦	●	▦
TALAVERA DE LA REINA : *Antonio.* € Avenida de Portugal 8 (Toledo). 925 80 40 17. Restaurant très apprécié pour son bar servant de bonnes tapas à des prix raisonnables et pour son excellente cuisine régionale. ● dim. soir, 1er -15 juil. 🍽 ⛄	AE DC MC V	●	▦		
TOLÈDE : *Hostal del Cardenal.* €€€ Paseo de Recaredo 24. 925 22 08 62. Jadis résidence d'été du cardinal Lorenzana, ce palais du XVIIIe siècle possède toujours son beau jardin, dans l'enceinte de la ville. On y sert une soupe à l'ail, du cochon de lait et le fameux mazapán (massepain) de Tolède. 🍽 ⛄	AE DC MC V		▦	●	▦
TOLÈDE : *Adolfo.* €€€€ Calle de Granada 6. 925 22 73 21. L'Adolfo, au cœur du quartier juif, est décoré de céramiques, colonnes et antiquités. Son plafond à caissons mudéjar date du XVe siècle. Il sert du gibier (l'hiver) et des truites fraîches du Tage. ● dim. soir et fin juil. ⛄	AE DC MC V	●	▦	●	
TOLÈDE : *La Lumbre.* €€€€ Calle Real de Arrabal 3. 925 22 03 73. Jolie maison ancienne, aux poutres apparentes, près de la puerta de Bisagra. Les viandes, dont le cochon et l'agneau de lait rôtis, sont particulièrement bonnes. Délicieux gâteau au fromage manchego. ● dim. et juil. 🍽 ⛄	AE DC MC V		▦	●	
TRAGACETE : *El Gamo.* € Plaza Fuente del Pino 2 (Cuenca). 969 28 90 08. Auberge de montagne avec un restaurant tenu par une famille. Cuisine familiale, dont du ragoût de chevreuil et du morteruelo. ⛄	MC V	●	▦		▦
VALDEPEÑAS : *Venta la Quinteria.* €€ Autovia de Andalucia, km 197.4 (Ciudad Real). 926 32 82 93. Cette vieille auberge de campagne au décor rustique, située à 2 km du village de Valdepeñas, propose de nombreux plats régionaux. Bonne sélection de vins du pays. ● mer. 🍽 ⛄	AE DC MC V		▦	●	
VILLALBA DE LA SIERRA : *Nelia.* €€€ Ruta de la Ciudad Encantada km 21 (Cuenca). 969 28 10 21. Restaurant en pierre et bois, au bord du río Júcar. Les boulettes de sanglier, le chevreuil mariné et les légumes en pâte feuilletée sont exquis. Bons vins de Valdepeñas. ● mer. et de mi-janv. à mi-fév. 🍽 ⛄	AE MC V	●	▦	●	▦
EXTRÉMADURE					
ALMENDRALEJO : *Nando.* €€ Calle Ricardo Romero 12 (Badajoz). 924 66 12 71. Le lapin avec du riz, les judiones (haricots, cultivés localement, avec du jarret de porc ou du perdreau) et les poissons frais sont servis en portions généreuses. Bon bar à tapas où goûter les spécialités locales. ● dim. soir. 🍽	AE MC V	●	▦		
BADAJOZ : *Aldebarán.* €€€€ Avenida de Elvas, Urbanización Guadiana. 924 27 42 61. Une des meilleures tables de la province. Créations, dont le carpaccio de veau au foie de canard. ● dim. 🍽 ⛄	AE DC MC V		▦	●	

CÁCERES : *El Figón de Eustaquio.* €€€
Plaza de San Juan 14. **☎** *927 24 81 94.*
Restaurant simple de la vieille ville où goûter la vraie cuisine d'Estrémadure comme la truite *a la extremeña* (farcie au jambon) et la soupe maison à la tomate avec des œufs pochés. 🍽 ♿

	AE			
	DC	▦	●	
	MC			
	V			

CÁCERES : *Atrio.* €€€€
Avenida de España 30. **☎** *927 24 29 28.*
Cette table, la plus raffinée de Cáceres, propose une cuisine contemporaine novatrice dans un cadre élégant. Les tendres filets de chevreuil aux raisins muscat et aux poires sont une des nombreuses créations du chef. ● *dim. soir.* ♿

	DC			
	MC	▦	●	
	V			

GUADALUPE : *Hospedería del Real Monasterio.* €
Plaza de Juan Carlos I (Cáceres). **☎** *927 36 70 00.*
Restaurant appartenant aux franciscains. Plats régionaux simples. La soupe à la tomate, le cabri rôti et les *migas extremeñas* (bouts de pains avec du porc) sont recommandés. ● *de mi-janv. à mi-fév.* 🍽

	MC			
	V	▦	●	▦

GUADALUPE : *Mesón El Cordero.* €€
Calle Alfonso Onceno 27 (Cáceres). **☎** *927 36 71 31.*
Spécialités régionales servies dans une salle confortable dotée de boiseries. Savourez une *menestra* de légumes frais (ragoût) ou du perdreau en cocotte, en contemplant les montagnes. ● *lun. et fév.* 🍽

	AE			
	DC			
	MC	▦		
	V			

JARANDILLA DE LA VERA : *Cueva de Puta Parió.* €
Calle Francisco Pizarro 8 (Cáceres). **☎** *927 56 03 92.*
Taverne animée. Bons plats régionaux, dont la soupe à la tomate et l'agneau en cocotte. Vin de la maison produit localement. ● *lun. et fin sept.* 🍽

	AE			
	DC	●		
	MC			
	V			

JEREZ DE LOS CABALLEROS : *La Ermita.* €€
Calle Doctor Benítez 9 (Badajoz). **☎** *924 73 14 76.*
Chapelle du XVIIe siècle transformée en cave à vins, puis en restaurant de cuisine locale. Le ragoût de perdreau et le *revuelto de espárragos* typique (œufs brouillés et pointes d'asperges) sont délicieux. ● *mer.* ♿

	MC			
	V	●		▦

LOSAR DE LA VERA : *Carlos V.* €€
Avenida de Extremadura 45 (Cáceres). **☎** *927 57 06 36.*
Cuisine familiale dans ce restaurant donnant sur les montagnes et la vallée du Tiétar. Spécialités maison : le *revuelto con criadillas de tierra* (œufs brouillés aux truffes blanches), le cabri rôti et les steaks. ● *lun. et mi-oct.-nov.* ♿

	AE			
	DC	●	▦	●
	MC			
	V			

MÉRIDA : *Nicolás.* €€
Calle Félix Valverde Lillo 13 (Badajoz). **☎** *924 31 96 10.*
Vous voudrez prendre un apéritif dans la petite cave à vins en brique avant de passer aux spécialités régionales comme l'agneau aux prunes ou le porc aux poivrons. Jolis jardin et terrasse. ● *dim. soir, 1-15 juil.* 🍽

	AE			
	DC	●	▦	●
	MC			
	V			

MÉRIDA : *Parador de Mérida.* €€€€
Plaza de la Constitución 3 (Badajoz). **☎** *924 31 38 00.*
Cet ancien couvent abrite un hôtel et un restaurant méritant une visite. Spécialités régionales, dont les fromages d'Estrémadure, les viandes froides et la *calderata de cordero* (agneau en cocotte). 🍽 ♿

	AE			
	DC	●	▦	●
	MC			
	V			

MÉRIDA : *Rufino.* €€€
Plaza Santa Clara 2 (Badajoz). **☎** *924 31 20 01.*
Cuisine typique de la région dans ce restaurant de grand standing. Plats classiques comme les œufs brouillés aux truffes. ● *dim., 1er-15 sept.* 🍽 ♿

	AE			
	DC	●	▦	●	▦
	MC			
	V			

PLASENCIA : *Alfonso VIII.* €€€€
Avenida Alfonso VIII 32 et 34 (Cáceres). **☎** *927 41 02 50.*
Cuisine inventive, essentiellement à base de produits locaux, selon des recettes traditionnelles. Bons ragoût de cabri et jambon ibérique. 🍽 ♿

	AE			
	DC			
	MC	▦	●	
	V			

PLASENCIA : *El Rincón Extremeño.* €€
Calle Vidrieras 8 (Cáceres). **☎** *927 41 11 50.*
Plats locaux traditionnels comme les grenouilles à la *salsa verde*, le lézard (en saison), et mets plus « habituels » comme le cochon de lait. Le *Tío Pichu* est un bon dessert mariant framboises, fromage et miel. 🍽

	AE			
	DC	●		
	MC			
	V			

PUEBLA DE LA REINA : *Mesón La Jara-Casa Andrés.* €€
Calle Luis Chamizo 14 (Badajoz). **☎** *924 36 00 05.*
Charmant *mesón* devenu un sanctuaire de la vraie cuisine régionale. Les gros mangeurs peuvent prendre le menu à 14 plats. 🍽

	MC			
	V	●	▦	●	▦

Légende des symboles, voir rabat de couverture

Prix moyen par personne pour un dîner comprenant trois plats et une demi-bouteille de vin de la maison, taxe et service compris :

€ moins de 20 euros
€€ de 20 à 30 euros
€€€ de 30 à 40 euros
€€€€ plus de 40 euros

BAR À TAPAS
Outre la salle principale, un bar sert des tapas *(p. 574-575)* et des *raciones* (portions plus importantes).
MENU À PRIX FIXE
Menu en général composé de trois plats, proposé au déjeuner et/ou au dîner. Bon rapport qualité-prix.
BONNE CARTE DES VINS
Le restaurant propose un vaste choix de bons vins ou une sélection particulière de vins locaux.
REPAS À L'EXTÉRIEUR
Possibilité de manger en terrasse, dans un jardin, une cour ou un patio, souvent avec une belle vue.

	CARTES BANCAIRES	BAR À TAPAS	MENU À PRIX FIXE	BONNE CARTE DES VINS	TABLES EN TERRASSE
TRUJILLO : *Mesón La Troya.* € Plaza Mayor 10 (Cáceres). 927 32 13 64. Ce *mesón* typique, du XVIe siècle, sert en portions généreuses des plats régionaux. ▤	MC V	●	▥	●	
TRUJILLO : *Pizarro.* €€ Plaza Mayor 13 (Cáceres). 927 32 02 55. Le cadre de ce restaurant a peu changé depuis son ouverture avant la guerre civile. Plats traditionnels comme la soupe à la tomate aux figues et aux raisins ou le poulet farci aux truffes. ● *jan. et fév.* ▤ 🛇	DC MC V		▥	●	
ZAFRA : *Barbacana.* €€€ Hotel Huerta Honda, Avenida López Asme 30 (Badajoz). 924 55 41 00. Cette maison du XVIe siècle, décorée d'antiquités, offre un beau cadre pour savourer des plats régionaux et basques, dont l'agneau de lait rôti au romarin et le filet de colin aux clams. ● *dim. soir.* ▤ 🛇	AE DC MC V		▥	●	

SÉVILLE

	CARTES BANCAIRES	BAR À TAPAS	MENU À PRIX FIXE	BONNE CARTE DES VINS	TABLES EN TERRASSE
ALFALA : *Habanita.* €€ Calle Golfo 3. 606 71 64 56. Cuisine cubaine. Plats végétariens et végétaliens composés de riz, haricots, filet de porc assorti de dattes et de salade exotique. 🛇	MC V	●	▥	●	▥
EL ARENAL : *El Burladero.* Plan 3 B1. €€€ Hotel Colón, Calle Canalejas 1. 95 450 55 99. Orné de souvenirs tauromachiques, ce restaurant sert du caviar, du filet mignon et des plats locaux comme le *puchero* (pot-au-feu). ▤ 🛇	AE DC MC V	●	▥	●	
EL ARENAL : *Enrique Becerra.* Plan 3 B1. €€€ Calle Gamazo 2. 95 421 30 49. Bar-restaurant luxueux, dont apéritifs et repas attirent une clientèle aisée. Bon choix de plats de poissons et de viandes. ● *dim.* ▤	AE DC MC V	●		●	
EL ARENAL : *La Isla.* Plan 3 B2. €€€€ Calle Arfe 25. 95 421 26 31. FAX 95 456 22 19. Ce beau restaurant central propose d'excellents produits de la mer : turbot, dorade et de délicieux *percebes* (bernacles). ● *août.* ▤	AE DC MC V	●		●	▥
SANTA CRUZ : *La Madraza.* Plan 3 D1. € Calle Peris Mancheta. 95 490 81 88. La cuisine de bonne qualité, les prix raisonnables et l'atmosphère chic de ce restaurant en font un endroit populaire. ● *août.* ▤ 🛇	MC V				
SANTA CRUZ : *Casa Robles.* Plan 3 C1. €€€ Calle Álvarez Quintero 58. 95 456 32 72. Ce restaurant animé, au cœur de Séville, possède trois petites salles. Le poisson frit, au four ou avec du riz, est la spécialité de la maison. Excellent choix de crustacés. Plats de viandes et tapas savoureux. ▤	AE DC MC V	●	▥	●	▥
SANTA CRUZ : *Mesón de la Infanta.* Plan 3 B2. €€€ Calle Dos de Mayo 26. 95 422 19 09. Installé dans un bâtiment ancien au cœur du charmant quartier d'El Arenal, ce restaurant propose un large choix de plats traditionnels. ● *mar.* ▤ 🛇	MC V	●		●	
SANTA CRUZ : *Taberna del Alabardero.* Plan 3 B1. €€€ Zaragoza. 95 456 06 37. Situé en plein centre de Séville, ce restaurant tenu par le chef cuisinier Juan Marcos sert une cuisine espagnole traditionnelle. ▤ 🛇	AE DC MC V	●		●	
SANTA CRUZ : *Hostería del Laurel.* Plan 3 C2. €€€ Plaza de los Venerables 5. 95 422 02 95. Intérieur rustique aux fûts de bois et céramiques murales colorées. Spécialités locales : le jambon *serrano* et la *tortilla de patatas.* ▤ 🛇	AE DC MC V	●	▥	●	▥

SANTA CRUZ : *La Albahaca*. **Plan 3 D2.**　€€€
Plaza de Santa Cruz 12. [95 422 07 14. W www.andalunet.com/la-albahaca
Demeure des années 1920, meublée d'antiquités du XVIIe siècle. Dans ce
cadre raffiné, on savoure une cuisine d'influence basque. ● *dim.* 目

	AE DC MC V		▦	●	▦

SANTA CRUZ : *Corral del Agua*. **Plan 3 C2.**　€€€€
Callejón del Agua 6. [95 422 48 41.
Repas servis dans un patio frais, à l'abri des murs des jardins Reales
Alcázares. Spécialités de saison, préparées et servies avec soin. ● *dim.*

	AE DC MC V		▦	●	

SANTA CRUZ : *Egaña Oriza*. **Plan 3 C3.**　€€€€
Calle San Fernando 41. [95 422 72 11. FAX 95 450 27 27. @ oriza@yet.es
Beau restaurant blotti contre les murs des jardins de l'Alcázar. Sa spécialité
est le poisson. Plats de viandes et desserts superbes. ● *sam. midi, dim.* 目

	AE DC MC V	●	▦	●	▦

SANTA CRUZ : *Il Forno*. **Plan 3 C3.**　€
Calle Trajano 44. [95 438 09 01.
Ce bar-restaurant sert une cuisine internationale. Au menu : pizzas, pâtes,
plats mexicains, grecs et espagnols. ● *août* 目

	MC V			●	

EN DEHORS DU CENTRE (OUEST) : *Río Grande*. **Plan 3 B3.**　€€€€
Calle Betis. [95 427 83 71. FAX 95 427 98 46.
Emplacement extraordinaire où l'on peut déguster un gazpacho ou une
queue de taureau braisée sur une terrasse donnant sur la Quadalquivir. 目 &

	AE DC MC V	●	▦	●	▦

ANDALOUSIE

ALJARAQUE : *Las Candelas*.　€€
Avenida de Huelva 21110 (Huelva). [959 31 84 33. FAX 959 31 84 33.
Beau restaurant, avec une salle à la décoration rustique, servant de bons
produits de la mer locaux et d'excellents plats de viandes. ● *dim.* 目 &

	AE DC MC V		▦	●	

ALMERÍA : *Rincón de Juan Pedro*.　€
Calle Federico Castro 2. [950 23 58 19.
Spécialités andalouses à base de viande et de produits de la mer. Plats locaux
comme le *trigo a la cortijera* (ragoût de blé, viande et saucisse). ● *lun.* 目 &

	AE DC MC V	●	▦	●	

ALMERÍA : *Bellavista*.　€€€
Urbanizacion Bellavista Llanos del Alquián. [950 29 71 56.
Ce restaurant, hors de la ville, sert poissons et crustacés de premier choix,
accommodés de diverses façons. ● *dim. soir, lun., mi-oct.-déc.* 目

	AE DC MC V			●	▦

ALMERÍA : *Club de Mar*.　€€€
Playa de la Almadravilla 1. [950 23 50 48. @ restclubmar@larural.es
Restaurant au bord de la mer servant poissons frais et crustacés.
Ses spécialités : la *bullabesa* (bouillabaisse espagnole)
et la *fritura* (friture de poissons). 目 &

	AE DC MC V	●	▦	●	

ALMUÑÉCAR : *El Bodegón*.　€
Avenida del Mediterraneo 51, 18690. [958 63 33 44. FAX 958 63 43 04.
Dans ce restaurant du bord de mer, la cuisine mélange plats typiquement
andalous et standards internationaux. Un pianiste crée l'ambiance. 目

	AE DC MC V	●	▦	●	

ANTEQUERA : *La Espuela*.　€€
Calle San Agustin 1 (Málaga). [952 70 30 31.
Emplacement unique pour ce restaurant installé dans une arène. Plats
andalous, dont la *porra* (épais gaspacho), spécialité de la ville. &

	AE DC MC V			●	

BAEZA : *Juanito*.　€€
Avenida Arca del Agua (Jaén). [953 74 00 40. FAX 953 74 23 24.
Au cœur de la région des oliviers, le Juanito propose diverses huiles
d'olive pour accompagner les plats. Spécialités, dont les épinards en cocotte.
● *lun. soir, dim.* 目

	MC V			●	

BAEZA : *Andrés de Vandelvira*.　€€€
Calle San Francisco 14 (Jaén). [953 74 81 72. FAX 953 74 81 72.
Restaurant dans un monastère (XVIe siècle) bâti par Vandelvira, l'architecte
qui embellit Jaén à la Renaissance. Cuisine régionale : *cardos* (cardons, sorte
d'artichaut) avec une sauce à la crème et salade de perdreau. ● *lun.* 目

	DC MC V	●	▦	●	▦

BAILÉN : *Zodíaco*. @ hzodiaco@ocijaen.com　€
Carretera Madrid–Cádiz km 294 (Jaén). [953 67 10 58. FAX 953 67 19 06.
L'été, les soupes froides comme l'*ajo blanco* (à l'ail blanc et aux amandes)
sont à l'honneur. Autres spécialités : le *revuelto* (œufs brouillés aux
asperges, langoustines, civelles et jambon) et le perdreau. 目 &

	AE DC MC V	●	▦	●	

Légende des symboles, voir rabat de couverture

Prix moyen par personne pour un dîner comprenant trois plats et une demi-bouteille de vin de la maison, taxe et service compris :

€ moins de 20 euros
€€ de 20 à 30 euros
€€€ de 30 à 40 euros
€€€€ plus de 40 euros

BAR À TAPAS
Outre la salle principale, un bar sert des tapas (p. 574-575) et des raciones (portions plus importantes).
MENU À PRIX FIXE
Menu en général composé de trois plats, proposé au déjeuner et/ou au dîner. Bon rapport qualité-prix.
BONNE CARTE DES VINS
Le restaurant propose un vaste choix de bons vins ou une sélection particulière de vins locaux.
REPAS À L'EXTÉRIEUR
Possibilité de manger en terrasse, dans un jardin, une cour ou un patio, souvent avec une belle vue.

	CARTES BANCAIRES	BAR À TAPAS	MENU À PRIX FIXE	BONNE CARTE DES VINS	TABLES EN TERRASSE

LOS BARRIOS : *Mesón El Copo.* €€€
Autovía Cádiz–Malaga, Salida 111/112, Palmones (Cádiz). 956 67 77 10.
Excellents produits de la mer : anchois frits, homard, bar, etc. Prenez quelques plats de crustacés *para picar* (pour partager en entrée), puis une *dorada al horno* (dorade en cocotte avec des pommes de terre). ● dim. ▤
AE DC MC V — ● ■ ●

BUBIÓN : *Villa Turística de Bubión.* €€
Calle Barrio Alto (Granada). 958 76 39 09.
Restaurant dans les Alpujarras. Plats de la montagne comme le *plato alpujarreño* (pommes de terre, œufs, saucisse, jambon et échine de porc). ▤ &
AE DC MC V — ■ ● ●

CÁDIZ : *Ventorillo del Chato.* €€€€
Carretera Cádiz–San Fernando km 684. 956 25 00 25. FAX 956 25 32 22.
Vieille auberge servant des produits de la mer, du chevreuil et du ragoût comme la *berza* (légumes et saucisse) ou le *menudo* (tripes). ● dim. ▤ &
AE DC MC V — ●

CÁDIZ : *El Faro.* €€€
Calle San Félix 15. 956 21 10 68. FAX 956 21 21 88.
La carte, aux plats modernes et traditionnels, change chaque jour, mais propose toujours des produits de la mer locaux comme dans les *tortillitas de camarones* (beignets de petites crevettes). Atmosphère chaleureuse. ▤ &
AE DC MC V — ● ■ ●

CÁDIZ : *El Aljibe.* €€
Calle Plocia 25. 956 26 66 56.
Ce restaurant est réputé pour la qualité de ses produits et sa cuisine imaginative. Les clams sont délicieux. ▤ &
AE DC MC V — ● ● ■

CORDOUE : *Federación de Peñas.* €
Calle Conde y Luque 8. 957 47 54 27. FAX 957 47 21 00.
Plats locaux bon marché, dont le *rabo de toro* (queue de taureau braisée), spécialité maison, et les *cardos* (cardons) aux clams. &
AE DC MC V — ■ ● ●

CORDOUE : *Almudaina.* €€€
Jardines de los Santos Mártires 1. 957 47 43 42. FAX 957 48 34 94.
Ancien palais de l'évêque Léopold d'Autriche. On y sert des plats de la sierra Morena, notamment du chevreuil et du sanglier. ● dim. soir. ▤
AE DC MC V — ■ ● ●

CORDOUE : *El Churrasco.* €€€
Calle Romero 16. 957 29 08 19. FAX 957 29 40 81.
Sa spécialité est la viande grillée au charbon de bois. Bons plats de légumes, dont le *salmorejo* (soupe à la tomate servie avec des tranches croustillantes d'aubergine). Apéritif dans les caves à vins tout près de là. ● août. ▤
AE DC MC V — ● ■ ● ●

CORDOUE : *Taberna Pepe de la Judería.* €€
Calle Romero 1. 957 20 07 44. FAX 957 42 20 63.
Taverne ornée de photographies de clients célèbres. Le gaspacho et le *flamenquín* (rouleaux frits de veau et de jambon) sont conseillés. ▤
AE DC MC V — ● ■ ● ■

CORDOUE : *El Blasón.* €€€
Calle José Zorilla 11 (Córdoba). 957 48 06 25.
Café dans une belle maison ancienne, près du principal quartier commerçant de Cordoue. Idéal pour prendre un repas léger. ▤
AE DC MC V — ● ■ ● ●

CORDOUE : *Caballo Rojo.* @ cabellorojo@teleline.es €€€
Calle Cardenal Herrero 28 (Córdoba). 957 47 53 75. FAX 957 47 47 42.
Joli restaurant. Plats traditionnels souvent inspirés de recettes maures et séfarades. L'agneau au miel et la salade *sefardi* (champignons sauvages, asperges, poivrons rôtis et morue salée) sont délicieux. ▤ &
AE DC MC V — ● ■ ● ●

ESTEPONA : *La Alborada.* €€
Puerto Deportivo de Estepona (Málaga). 95 280 20 47.
Café-restaurant sur les quais. Paella et plats de riz excellents comme l'*arroza la banda* (risotto au poisson), poissons et steaks. ● mer., week-end en hiver. &
AE DC MC V — ● ■

FUENGIROLA : *Portofino.* €€ Edificio Perla 1, Paseo Marítimo 29 (Málaga). (952 47 06 43. FAX 952 66 56 15. Restaurant du bord de mer apprécié pour son service et ses plats italiens comme les brochettes de poisson et fruits de mer. ● *mi-juil.-mi-sept. à midi, lun., début juil.* ▤ Ċ	AE DC MC V				▨
GRENADE : *Don Giovanni.* € Avenida de Cádiz Zaidin 65. (958 81 87 51. Prix quasiment imbattables pour ses pizzas au four et sa grande variété de pâtes, plats de viandes et salades. ● *lun.* ▤ Ċ	AE DC MC V		▨		▨
GRENADE : *Carmen de San Miguel.* €€€ Plaza Torres Bermejas 3. (958 22 67 23. FAX 958 53 51 98. Les spécialités de ce restaurant sont les salades aux fruits de mer et les desserts sont à base de fraises et d'amandes. Vue sur l'Albaicín. ● *dim.* ▤	AE DC MC V		▨	●	▨
GRENADE : *Arrayanes.* € Cuesta Maranñas 4. (958 22 84 01. Cuisine authentique et sophistiquée du Moyen-Orient et de l'Afrique du Nord, proposant des plats sucrés, salés et végétariens. ● *lun.* ▤	MC V	●	▨	●	▨
GRENADE : *Chikito.* €€ Plaza Campillo 9. (958 22 33 64. FAX 958 22 37 55. Bâti à l'emplacement d'un café où se réunissaient Lorca et ses contemporains, le Chikito a pour spécialités les fèves au jambon et l'omelette Sacromonte. Bon *piononos* (gâteau parfumé à l'anis). ● *mer.* ▤ Ċ	AE DC MC V	●	▨	●	▨
GRENADE : *Mirador de Morayma.* €€ Calle Pianista García Carrillo 2. (958 22 82 90. FAX 958 22 81 25. Restaurant situé dans l'Albaicin avec vue sur l'Alhambra. Il est spécialisé dansles plats grenadins typiques comme le *remojón* (salade d'oranges et de morue) et le *choto albaicinero* (cabri frit à l'ail). ▤	AE MC V			●	▨
GRENADE : *Velázquez.* €€€ Calle Emilio Orozco 1. (958 28 01 09. FAX 958 28 79 66. Cuisine inventive aux plats inspirés de recettes maures, dont la *bstella* (chausson à la viande avec pignons et amandes), et une soupe à la crème et aux amandes. Ambiance chaleureuse. ● *dim. et août.* ▤ Ċ	AE DC MC V			●	
GRENADE : *Ruta del Veleta.* €€€ Carretera Sierra Nevada 136, Cenes de la Vega. (958 48 61 34. FAX 958 48 62 93. Tissus et cruches des Alpujarras ornent cet intérieur aussi traditionnel que la cuisine (jeune cabri rôti et bons produits de la mer). ▤	AE DC MC V			●	
HUELVA : *El Estero.* € Avenida Martín Alonso Pinzón 13. (959 25 65 72. FAX 959 28 27 11. Restaurant central servant des plats locaux. La seiche aux haricots *(chocos con babas)* et la sole farcie aux huîtres sont délicieuses. ▤	AE DC MC V	●	▨	●	▨
ISLA CRISTINA : *Casa Rufino.* €€ Avenida de la Playa (Huelva). (959 33 08 10. FAX 959 34 34 70. Restaurant apprécié, sur la plage. Le *menu el tonteo* (pour quatre) comprend huit plats de poisson, dont la baudroie à la sauce aux raisins secs. ● *jan.*	AE DC MC V		▨	●	▨
JABUGO : *Mesón 5 Jotas.* €€€ Carretera San Juan del Puerto (Huelva). (959 12 10 71. FAX 959 12 15 15. Vous pourrez goûter dans le bar-restaurant attenant les bons jambons de Jabugo fabriqués ici. Les plats au jambon et à la saucisse et ceux au porc *ibérico*, comme la *presa de paletilla al mesón*, ne vous décevront pas. ▤	AE MC V	●			▨
JAÉN : *Casa Vicente.* €€ Calle Francisco Martín Mora 1. (953 23 28 16. Plats typiques de Jaén : ragoût d'agneau, épinards en cocotte et artichauts en sauce. Restaurant au cadre classique, avec un patio central. ▤ Ċ	DC MC V	●	▨	●	▨
JEREZ DE LA FRONTERA : *Gaitán.* €€€ Calle Gaitán 3 (Cádiz). (956 34 58 59. Son chef imaginatif mêle les influences basque et andalouse pour créer des plats comme le confit de colin aux légumes rôtis et au laurier ou le blanc de poulet au foie gras et aux pignons. ▤	AE DC MC V		▨	●	
JEREZ DE LA FRONTERA : *La Mesa Redonda.* € Calle Manuel de la Quintana 3 (Cádiz). (& FAX 956 34 00 69. Petit restaurant charmant où l'on est manifestement attaché à la bonne cuisine. La *mojama* (thon) est une entrée délicieuse. ● *dim. et jours fériés 17 juil.-17 août.* ▤ Ċ	AE DC MC V			●	

Légende des symboles, voir rabat de couverture

Prix moyen par personne pour un dîner comprenant trois plats et une demi-bouteille de vin de la maison, taxe et service compris :

€ moins de 20 euros
€€ de 20 à 30 euros
€€€ de 30 à 40 euros
€€€€ plus de 40 euros

BAR À TAPAS
Outre la salle principale, un bar sert des tapas (p. 574-575) et des *raciones* (portions plus importantes).
MENU À PRIX FIXE
Menu en général composé de trois plats, proposé au déjeuner et/ou au dîner. Bon rapport qualité-prix.
BONNE CARTE DES VINS
Le restaurant propose un vaste choix de bons vins ou une sélection particulière de vins locaux.
REPAS À L'EXTÉRIEUR
Possibilité de manger en terrasse, dans un jardin, une cour ou un patio, souvent avec une belle vue.

	CARTES BANCAIRES	BAR À TAPAS	MENU À PRIX FIXE	BONNE CARTE DES VINS	TABLES EN TERRASSE
LOJA : *La Finca.* €€€€ Hotel La Bobadilla, Autovía Granada–Sevilla (Granada). ☎ 958 32 18 61. Restaurant exceptionnel méritant que l'on sorte de l'*autovía*. Son chef accommode de façon originale légumes frais, chapon et porc de la ferme, fruits de mer et gibier (en saison). ▤	AE DC MC V		■	●	■
MÁLAGA : *Marisquería Santa Paula.* €€ Avenida de los Guindos, Barriada Santa Paula. ☎ 95 223 65 57. FAX 952 23 94 45. Un des bars locaux traditionnels servant des produits de la mer : *fritura* (friture de poissons) et *mariscada* (sélection de fruits de mer). ▤ ♿	AE DC MC V	●		●	■
MÁLAGA : *Mesón Astorga.* €€ Calle Gerona 11. ☎ & FAX 95 234 68 32. Table appréciée pour sa cuisine inventive, à base de bons produits de Málaga : aubergines frites à la mélasse, salade de thon frais assaisonnée au xérès et au vinaigre. Bar à tapas animé. ● *dim.* ▤ ♿	AE DC MC V	●		●	■
MANILVA : *Macues.* €€€ Puerto Deportivo de la Duquesa Local 13 (Málaga). ☎ 95 289 03 95. Dans ce restaurant à la terrasse couverte donnant sur le port, la spécialité est le poisson au sel. Les viandes aussi sont bonnes. ● *lun. et fév.* ▤ ♿	AE DC MC V			●	■
MARBELLA : *Santiago.* €€€ Paseo Maritimo 5 (Málaga). ☎ 95 277 43 39. FAX 95 282 45 03. Probablement le meilleur restaurant de la Costa del Sol pour ses fruits de mer, dont il propose chaque jour 40 à 50 plats. ● *nov.* ▤ ♿	AE DC MC V	●	■	●	■
MARBELLA : *Cerro del Hijar.* €€€ Cerro de Hijar s/n (Málaga). ☎ 952 11 21 11. FAX 952 11 97 45 Dans l'hôtel du même nom, ce restaurant propose une cuisine andalouse originale. Essayez la brème aux artichauts et poivre rouge. ▤ ♿	AE DC MC V		■	●	
MARBELLA : *Toni Dalli.* €€€€ El Oasis, Carretera de Cádiz km 176 (Málaga). ☎ 95 277 00 35. FAX 95 277 92 53. Sur la plage, bel édifice blanc à l'ombre de palmiers, idéal pour un grand dîner. Cuisine d'influence italienne avec ses pâtes maison, poissons et viandes. La musique est parfois jouée par Toni en personne. ♿	AE DC MC V		■	●	■
MARBELLA : *Triana.* €€€ Calle Gloria 11 (Málaga). ☎ 95 283 39 33. Restaurant intime de la vieille ville, spécialisé dans les plats de riz à la valencienne. ● *lun.* ▤	AE DC MC V			●	
MARBELLA : *La Hacienda.* €€€€ Urbanización Hacienda Las Chapas, Ctra Cádiz km 193 (Málaga). ☎ 95 283 12 67. Restaurant dans une belle villa, avec jardins donnant sur la mer. Cuisine andalouse avec des petites touches françaises. ● *de mi-nov. à mi-déc.* ♿	AE DC MC V		■	●	■
MARBELLA : *La Meridiana.* €€€€ Camino de la Cruz (Málaga). ☎ 95 277 76 25. FAX 95 282 60 24. Sur les hauteurs de la ville, ce beau restaurant agrémenté de plantes dispose d'un bar dans le patio. Essayez le *carpaccio* d'espadon. ● *janv.* ▤	AE DC MC V	●	■	●	■
MIJAS : *El Castillo.* €€€ Plaza de la Constitución, Pasaje de los Pescadores 2 (Málaga). ☎ 95 248 53 48. Ce restaurant rustique sert des plats traditionnels andalous et internationaux. Une démonstration de flamenco vous est proposée le week-end. ● *ven.*	AE DC MC V			●	■
MOTRIL : *Tropical.* €€€ Avenida Rodríguez Acosta 23 (Granada). ☎ et FAX 95 860 04 50. Spécialités de produits de la mer comme le bar à l'*ajo verde* (ail vert) et de viandes comme le *choto a la brasa* (jeune cabri rôti). ● *dim.* ▤	AE DC MC V		■	●	

PALMA DEL RÍO : *Hospedería de San Francisco.* €€€
Avenida Pio XII 35 (Córdoba). **(** *957 71 01 83.* FAX *957 71 02 36.*
Ancien monastère retiré. Dans ses cloîtres on savoure les spécialités
basques d'une carte qui change sans cesse. 🍽

EL PUERTO DE SANTA MARÍA : *El Faro del Puerto.* €€€
Carretera de Rota km 0.5 (Cádiz). **(** *956 87 09 52.* FAX *956 54 04 66.*
Sa carte propose des interprétations raffinées de plats modernes. Ne pas
manquer les desserts, notamment la glace au xérès oloroso. 🍽 ♿

EL PUERTO DE SANTA MARÍA : *Las Bóvedas.* €€€
Monasterio de San Miguel, Calle Larga 27 (Cádiz). **(** *956 54 04 40.*
Restaurant doté de voûtes en brique, dans un ancien monastère. On y sert
des poissons, des crustacés et le *tocino de cielo* ou « lard du ciel », dessert à
base de jaunes d'œufs, fait par des religieuses. 🍽 ♿

LA RÁBIDA : *Hostería de la Rábida.* €€
Paraje de la Rábida (Huelva). **(** *959 35 00 35.*
Restaurant proche d'un monastère du XIVᵉ siècle où réside Christophe
Colomb. Spécialités de viande et de produits de la mer. 🍽

RONDA : *Pedro Romero.* €€€
Calle Virgen de la Paz 18 (Málaga). **(** *95 287 11 10.* FAX *95 287 10 61.*
Restaurant face aux arènes servant une bonne cuisine du pays. Le lapin au
thym et la queue de taureau braisée sont délicieux. 🍽 ♿

SAN FERNANDO : *Venta Vargas.* €€
Avenida Puente Zuazo (Cádiz). **(** *956 88 16 22.*
Café-restaurant à l'ambiance flamenco. Prenez des *raciones* de classiques
comme la salade de pommes de terre *(aliñadas).* ● *lun.* 🍽 ♿

SAN ROQUE : *Los Remos en Villa Victoria.* €€€€
Ctra San Roque–La Línea 351 km 2.8, Gibraltar Campamento (Cádiz). **(** *956 69 84 12.*
Établissement sis dans une demeure restaurée, à la décoration
méditerranéenne. Produits de la mer de premier choix. Menu de dégustation
proposant des algues et des beignets de crevettes. ● *dim.* 🍽 ♿

SANLÚCAR DE BARRAMEDA : *Casa Bigote.* €€€
Bajo de Guía (Cádiz). **(** *956 36 26 96.* FAX *956 36 87 21.*
À l'embouchure du Guadalquivir, cette *taberna* de marins est idéale pour
déguster des *langostinos de Sanlúcar* (langoustines douces au goût) et du
poisson frais comme les jeunes anguilles. ● *dim.* 🍽 ♿

SANLÚCAR LA MAYOR : *La Alquería.* €€€€
Hacienda de Benazuza, Virgen de las Nieves (Sevilla). **(** *95 570 33 44.*
Belle hacienda à la campagne. Son chef propose des plats simples et
originaux, tous à base de produits de qualité. ● *jan.* 🍽

TORREMOLINOS : *Bar Restaurante Casa Juan.* €€
Calle Mar 14, La Carihuela (Málaga). **(** *95 238 41 06.* FAX *95 238 55 27.*
Restaurant apprécié, sur la plage, servant poissons dans une croûte de sel, cuits
au four, et *fritura malagueña* (friture de poissons). ● *jan.* 🍽 ♿

TORREMOLINOS : *Frutos.* €€€
Urbanización Los Álamos, Carretera a Cádiz km 228 (Málaga). **(** *95 238 14 50.*
Table illustre de la Costa del Sol. Viandes et poissons de qualité. Le cochon
de lait et l'*arroz con leche* (gâteau au riz) sont exquis. 🍽

VERA : *Terraza Carmona.* €€
Calle Manuel Giménez 1 (Almería). **(** *950 39 07 60.* FAX *950 39 13 14.*
Excellents produits de la mer et plats régionaux inhabituels comme les
gurullos con conejo (pâtes avec du lapin). ● *lun.* 🍽 ♿

BALÉARES

FORMENTERA, ES PUJOLS : *Sa Palmera.* €€
Playa Es Pujols. **(** *971 32 83 56.*
Restaurant du bord de mer. La paella aux poissons et les fruits de mer en
cocotte *(zarzuela de mariscos)* sont bons. Produits frais. ● *nov.-fév.* ♿

IBIZA (EIVISSA), IBIZA : *Ca'n Alfredo.* €€
Paseo Vara de Rey 16. **(** *971 31 12 74.*
Établissement apprécié servant des plats régionaux. Nombreux plats de riz et
bonne *borrida de ratjada* (ragoût de raie). ● *lun.* 🍽 ♿

Prix moyen par personne pour un dîner comprenant trois plats et une demi-bouteille de vin de la maison, taxe et service compris :

€ moins de 20 euros
€€ de 20 à 30 euros
€€€ de 30 à 40 euros
€€€€ plus de 40 euros

BAR À TAPAS
Outre la salle principale, un bar sert des tapas *(p. 574-575)* et des *raciones* (portions plus importantes).
MENU À PRIX FIXE
Menu en général composé de trois plats, proposé au déjeuner et/ou au dîner. Bon rapport qualité-prix.
BONNE CARTE DES VINS
Le restaurant propose un vaste choix de bons vins ou une sélection particulière de vins locaux.
REPAS À L'EXTÉRIEUR
Possibilité de manger en terrasse, dans un jardin, une cour ou un patio, souvent avec une belle vue.

	CARTES BANCAIRES	BAR À TAPAS	MENU À PRIX FIXE	BONNE CARTE DES VINS	TABLES EN TERRASSE
IBIZA (EIVISSA), SANTA EULÀRIA D'ES RIU : *Doña Margarita.* €€€ Puerto Deportivo. 971 33 22 00. Restaurant sur le port. Poissons frais, parfaitement préparés, et délicieuse mousse au yaourt avec une sauce à la framboise. ● *lun., déc. et janv.* ■ ♿	AE DC MC V	●		●	■
IBIZA (EIVISSA), SANTA GERTRUDIS : *Ca'n Pau.* €€€ Carretera de Sant Miquel. 971 19 70 07. Cette *masía* (ferme) rustique typique d'Ibiza sert une bonne cuisine catalane et méditerranéenne. Le cabri rôti et le lapin sont quelques-unes de ses spécialités. Bonne sélection de vins catalans. ● *lun., mar. midi.* ■	AE MC V			●	■
IBIZA (EIVISSA), IBIZA : *El Cigarral.* €€€ Calle Fray Vicente Nicolás 9. 971 31 12 46. Restaurant tenu par une famille. La carte change selon ce qu'il y a de frais au marché. Délicieux steaks et poissons grillés. Une des plus grandes sélections de vins d'Ibiza. ● *20 août-15 sept.* ■ ♿	AE DC MC V			●	
IBIZA (EIVISSA), SANT ANTONI : *Sa Capella.* €€€€ Carretera Can Germà km 1. 971 34 00 57. Restaurant dans une ancienne chapelle. Carte internationale avec des steaks et des poissons de qualité. Dîner uniquement. ● *de nov. à mars.* ♿	MC V			●	
IBIZA (EIVISSA), SANT JOSEP : *Cana Joana.* €€€ Carretera Ibiza–Sant Josep km 10. 971 80 01 58; 971 80 03 12. Une des tables les plus intéressantes de l'île. Son menu de saison, aux influences catalanes et méditerranéennes, propose des plats comme les pommes de terre aux fruits de mer. ● *nov.-janv. ; juin-oct. : le soir ; fév.-mai : dim. soir, lun.* ♿	AE MC V			●	■
MAJORQUE, ALCÚDIA : *Mesón Los Patos.* €€ Carretera Sa Pobla–Alcúdia. 971 89 02 65. Restaurant familial, bien décoré, avec un jardin et une aire de jeux pour les enfants. Plats typiques de Majorque, dont l'*arroz brut* (riz en sauce servi avec de la viande). ● *mar. et de mi-janv. à fév.* ■ ♿	AE DC MC V		■		■
MAJORQUE, CALA D'OR : *Port Petit.* €€€ Avenida Cala Llonga. 971 64 30 39. Restaurant donnant sur une marina. Cuisine méditerranéenne inventive avec des classiques : *carpaccio* de saumon et de lotte, turbot à la sauce à la moutarde, fondue au chocolat. Dîner seulement. ● *de nov. à avril.*	AE DC MC V		■	●	
MAJORQUE, CALA RATJADA : *Ses Rotges.* €€€€ Calle Rafael Blanes 21. 971 56 31 08. À l'ombre des palmiers, cette vieille demeure entourée d'azalées est le cadre idéal pour savourer une cuisine française raffinée à base de produits locaux. Bons vins locaux. ● *de nov. à mars.*	AE DC MC V		■	●	
MAJORQUE, DEIÀ : *Bens d'Avall.* €€€€ Urbanización Costa Deià. 971 63 23 81. Perché sur une falaise, ce restaurant offre une belle vue de la côte. Il sert des plats régionaux traditionnels, légèrement modernisés, comme le *carpaccio* de crevettes au pistou et au parmesan. ● *dim. soir, lun. ; nov.-mars.* ■ ♿	AE DC MC V		■	●	■
MAJORQUE, DEIÀ : *El Olivo.* €€€€ Hotel la Residencia, Finca Son Canals. 971 63 93 92. Jolie décoration pour ce restaurant, un des meilleurs de l'île, donnant sur les montagnes. Nouvelle cuisine, délicieuse, aux influences méditerranéennes avec des plats comme l'agneau aux olives cuit au four. ■ ♿	AE DC MC V		■	●	
MAJORQUE, INCA : *Celler Ca'n Amer.* €€ Calle Pau 39. 971 50 12 61. Vieille cave à vins, superbe. On y sert les plats régionaux les plus authentiques de l'île comme la *sopa mallorquina* (soupe de pain et de légumes). Les plats de riz et le cochon de lait rôti sont bons. ● *dim. ; mai-sept. : sam. et dim.* ■	AE MC V			●	

MAJORQUE, PAGUERA : *La Gran Tortuga.* €€€ | AE DC MC V | ● | ▦ | ● | ▦

Aldea Cala Fornells 37. [971 68 60 23.
Belle vue sur la mer de la terrasse où vous pouvez goûter le foie gras maisonou la lotte farcie au saumon fumé avec une sauce aux épinards. L'ambiance est agréable, le service efficace. ● *lun. de déc. à janv.*

MAJORQUE, PALMA DE MAJORQUE, : *Ca'n Carlos.* €€ | AE MC V | | | ● |

Calle del Agua 5. [971 71 38 69.
Ce restaurant a remis à la mode de vieilles recettes des Baléares. On y savoure des plats insulaires authentiques comme l'agneau de lait rôti au four ou le mérou au chou. ● *dim. et jours fériés.* ▤ &

MAJORQUE, PALMA DE MAJORQUE, : *Porto Pí.* €€€€ | AE DC MC V | ▦ | ● | ▦

Calle Garita 25. [971 40 00 87.
Vieille maison élégante, entourée de jardins. On y déguste une cuisine méditerranéenne, à base d'ingrédients de premier choix. ● *dim.* ▤ &

MAJORQUE, PORT D'ANDRATX : *Layn.* €€€€ | AE DC MC V | ▦ | | ●

Calle Almirante Riera Alemany 20. [971 67 18 55.
Le Layn, grâce à son bateau de pêche, sert les produits les plus frais qui soient. Il propose aussi des spécialités de viande (cochon de lait rôti, bœuf au chou,etc.). Terrasse sur la mer. &

MAJORQUE, PORT D'ANDRATX : *Miramar.* €€ | AE DC MC V | ▦ | ● | ▦

Avenida Mateo Bosch 18. [971 67 16 17.
Restaurant donnant sur une marina. La famille qui le tient sert de bons produits de la mer et des spécialités comme l'*arroz negro* (riz à l'encre de calmar) et les crevettes dans le gros sel. Service impeccable. ▤

MAJORQUE, PUERTO DE POLLENÇA : *Stay.* €€€ | AE MC V | ▦ | ● | ▦

Muelle Nuevo 07470, Puerto de Pollença. [971 86 40 13.
Cuisine régionale à base de poissons et de crustacés. Goûtez à la *salsa de eneldo* (filets de poisson avec des légumes et une sauce à l'aneth) . &

MAJORQUE, SÓLLER : *El Guía.* €€€ | AE DC MC V | ▦ | ● |

Calle Castañer 2. [971 63 02 27.
On vient de loin pour les artichauts farcis aux épinards de l'El Guía. Cuisine familiale savoureuse à des prix très intéressants. ● *lun. soir de nov. à avr.* ▤

MAJORQUE, SON SERVERA : *S'Era de Pula.* €€€€ | AE DC MC V | ● | | ● | ▦

Carretera Son Servera–Capdepera. [971 56 79 40.
Maison rustique dans un lieu paisible avec vue sur les montagnes. Le mélange intéressant des cuisines continentale et locale donne des plats comme la morue à l'ail. ● *lun. et janv.-mi-fév.* ▤ &

MINORQUE, CIUTADELLA : *Club Nautico Ca's Quintu.* €€€ | AE MC V | ● | ▦ | ● | ▦

Cami Baex 8, Puerto. [971 38 10 02.
Table du centre-ville proposant des plats minorquins traditionnels et particulièrement du poisson frais. Spécialité maison : la *caldera de langosta* (langouste en cocotte). Bonne *caldera de mariscos* (aux fruits de mer).

MINORQUE, CIUTADELLA : *Balear.* €€€ | AE DC MC V | ▦ | ● | ▦

Plaza Saint Joan 15. [971 38 00 05.
Ce restaurant situé sur le port sert des spécialités de poisson et de fruits de mer telles que la *caldera de langosta* (casserole de homard) et la *fritada de gambas* (crevettes grillées). ● *dim.* ▤

MINORQUE, FORNELLS : *Es Cranc.* €€€ | MC V | ▦ | ● |

Calle Escoles 31. [971 37 64 42.
Établissement réputé, avec raison, dans toute l'île pour la fraîcheur de ses produits de la mer et leur préparation. La *calderata* de langouste et les crevettes grillées sont délicieuses. ● *mer. et de déc. à fév.* ▤ &

MINORQUE, MAHON : *Cap Roig.* €€€ | AE DC MC V | ▦ | ● | ▦

Ctra. Cala Mesquida. [917 18 83 83.
À midi, savourez le menu du jour, très original, ou les spécialités du chef comme le poisson frais et les homards. Le *pescado frito* est particulièrement recommandé. ● *lun.* ▤

MINORQUE, ES MERCADAL : *Ca'n Aguedet.* €€€ | AE DC MC V | ▦ | ● |

Calle Lepanto 23–30. [971 37 53 91.
Vrais plats minorquins comme le lapin aux figues, la seiche aux crevettes et aux pignons ou l'*arroz de tierra* (plat de riz et de viande) de l'époque maure. Bon vin produit par le propriétaire. ▤

Légende des symboles, voir rabat de couverture

Prix moyen par personne pour un dîner comprenant trois plats et une demi-bouteille de vin de la maison, taxe et service compris :

€ moins de 20 euros
€€ de 20 à 30 euros
€€€ de 30 à 40 euros
€€€€ plus de 40 euros

BAR À TAPAS
Outre la salle principale, un bar sert des tapas (p. 574-575) et des *raciones* (portions plus importantes).
MENU À PRIX FIXE
Menu en général composé de trois plats, proposé au déjeuner et/ou au dîner. Bon rapport qualité-prix.
BONNE CARTE DES VINS
Le restaurant propose un vaste choix de bons vins ou une sélection particulière de vins locaux.
REPAS À L'EXTÉRIEUR
Possibilité de manger en terrasse, dans un jardin, une cour ou un patio, souvent avec une belle vue.

CANARIES

	Cartes bancaires	Bar à tapas	Menu à prix fixe	Bonne carte des vins	Tables en terrasse
FUERTEVENTURA, PUERTO DEL ROSARIO : *Benjamín*. €€ Calle León y Castillo 139. 928 85 17 48. Cuisine des Canaries inventive, à base de produits locaux uniquement. Les pommes de terre au *mojo* (sauce épicée), le fromage de chèvre et le sorbet de figues de Barbarie sont conseillés. ● *dim. et jours fériés.*	MC V		■	●	
FUERTEVENTURA, PUERTO DEL ROSARIO : *La Casa del Jamón*. €€€ La Asomada. 928 53 00 64. Restaurant décoré comme un *mesón* espagnol traditionnel. La famille qui le tient sert des plats basques et régionaux, dont le cabri rôti. Bon choix de fromages et de viandes froides ibériques. ● *lun., dim. soir.*	DC MC V			●	
LA GOMERA, SAN SEBASTIÁN DE LA GOMERA : *Casa del Mar*. € Avenida Fred Olsen 2. 922 87 03 20. Restaurant de style familial, proche du port, servant des plats simples de produits de la mer. Marmite, grillade et paella de poisson. ● *mar.*	MC V	●	■		
GRAN CANARIA, CRUZ DE TEJEDA : *El Refugio*. € Cruz de Tejeda. 928 66 65 13. Cet hôtel-restaurant rustique domine les belles montagnes du centre de l'île. Essayez la cuisine traditionnelle des Canaries, comme le cabri rôti *(cabrito asado)* ou la soupe de légumes *(potaje canario)*. ▤	AE DC MC V	●			■
GRAN CANARIA, MASPALOMAS : *Orangerie*. €€€€ Hotel Palm Beach, Avenida Oasis. 928 14 08 06. Cadre tropical luxueux. Cuisine inventive, haut de gamme, à savourer à l'intérieur ou à l'extérieur. Dîner seulement. ● *jeu., dim., juin.-juil.* ▤	AE DC MC V		■	●	
GRAN CANARIA, LAS PALMAS : *Mesón La Cuadra*. €€ Calle General Mas de Gaminde 32. 928 24 33 80. Vous avez le choix entre les tapas variées et alléchantes, au bar, ou la carte « de la ferme » du propriétaire. Elle propose de l'agneau de lait, du fromage de chèvre et un dessert au lait caillé. ● *lun.* ▤ ♿	AE DC MC V		■		
GRAN CANARIA, LAS PALMAS : *Casa Carmelo*. €€ Paseo de las Canteras 2. 928 46 90 56. La salle du premier étage offre une vue superbe sur Las Palmas et la mer. La nuit, le spectacle est plus beau encore. Spécialités de viandes grillées au charbon de bois et de poissons frais. ▤	AE DC MC V		■		
GRAN CANARIA, PLAYA DEL INGLÉS : *Tenderete II*. €€ Avenida Tirajana 5. 928 76 14 60. Cuisine typique dans un restaurant privilégiant les produits de la mer. Le poisson au gros sel et le *potaje de berros* (soupe au cresson) sont des spécialités maison. Goûtez la *manga* locale, sorte de mangue. ● *dim.* ▤ ♿	AE DC MC V			●	■
GRAN CANARIA, SANTA BRÍGIDA : *Las Grutas de Artiles*. € Las Meleguinas. 928 64 05 75. Restaurant dans des grottes. Spécialités des Canaries et grillades de viande. Les jardins et la piscine enchantent les enfants.	AE DC MC V	●	■		
GRAN CANARIA, VEGA DE SAN MATEO : *La Cantonera*. €€€ Avenida de Tinamar. 928 66 17 95. Restaurant dans de vieilles maisons de fermiers. Plats traditionnels des Canaries comme le *cherne* (poisson local) à la sauce à la coriandre et la soupe au cresson. Déjeuner uniquement. ● *lun.*	AE DC MC V			●	■
EL HIERRO, LA RESTINGA : *Casa Juan*. € Calle Juan Gutiérrez Monteverde 23. 922 55 71 02. Restaurant peu cher, sans fioritures, où les familles viennent en nombre. Délicieux poissons comme la *vieja* et le *cherne* à la sauce *mojo*. ● *mer.*	MC V	●			

LANZAROTE, ARRECIFE : *Castillo de San José.* €€€€ Castillo de San José. **(** *928 81 23 21.* Cette forteresse du XVIe siècle abrite désormais une galerie d'art contemporain et un restaurant. Spécialités internationales et régionales à savourer en contemplant les œuvres d'art aux murs et le port. ▤	AE MC V		■	●	
LANZAROTE, ARRECIFE : *El Cable.* €€€ Calle Cáctus Cuidad Jardin, Playa del Cable. **(** *928 80 56 49.* Ce restaurant à la décoration nautique propose une cuisine internationale et régionale. Sa carte comporte du foie gras frais de canard et des plats de poisson de la meilleure qualité. Excellente carte des vins. ● *dim. soir* ▤ ৬	AE DC MC V	●	■	●	■
LANZAROTE, COSTA TEGUISE : *Mesón La Jordana.* €€€ Centro Comercial de Lanzarote, Lanzarote Bay. **(** *928 59 03 28.* Jolie auberge très appréciée. Plats locaux avec une petite touche française. Le *cherne* frais et le cabri rôti sont très bons. ● *dim. et sept.* ▤ ৬	AE MC V			●	
LANZAROTE, YAIZA : *El Campo.* € Calle General de Yaiza. **(** *928 83 03 44.* Plats traditionnels des Canaries à apprécier dans un cadre calme entouré de terrasses.	AE DC MC V		■	●	
LANZAROTE, YAIZA : *La Era.* €€ Calle El Barranco 3. **(** *928 83 00 16.* La Era est dans une des rares maisons de campagne épargnées par les éruptions entre 1730 et 1736. Spécialités régionales comme l'agneau, le cabri ou le ragoût de lentilles. Jolies salles rustiques. ● *lun.* ▤ ৬	AE DC MC V		■	●	
LA PALMA, SANTA CRUZ DE LA PALMA : *Chipi Chipi.* € Calle Juan Mayor 42. **(** *922 41 10 24.* À 6 km à peine de la ville, ce restaurant possède des salles donnant sur un joli patio. Ses spécialités sont les grillades de viandes et les plats locaux, dont la soupe aux pois chiches. Bonne sélection de vins de l'île. ● *mer., dim. et d'oct. à mi-nov.* ৬	DC MC V	●	■	●	■
TENERIFE, COSTA ADEJE : *El Patio.* €€€€ Hotel Jardín Tropical, Urbanización San Eugenio. **(** *922 74 60 00.* Ce restaurant au cadre enchanteur possède un adorable patio fleuri, idéal pour les douces nuits d'été. Cuisine moderne, inventive, à base de produits locaux. Dîner uniquement.	AE DC MC V		■	●	
TENERIFE, ARONA : *Los Corales.* €€ Carretera General del Norte 130, Santa Úrsula. **(** *922 30 19 18.* La vraie cuisine des Canaries, avec des touches originales, à savourer en contemplant la vallée. Le *carpaccio* de viande ou de poisson et le traditionnel *conejo en salmorejo* (terrine de lapin) sont recommandés. ● *lun.* ৬	AE DC MC V	●	■		
TENERIFE, PUERTO DE LA CRUZ : *Regulo.* €€€€ Calle Perez Zamora 16. **(** *922 38 45 06.* Une ancienne demeure du XVIe siècle, près du centre et du vieux port, avec un agréable patio. Le menu fait la part belle au poisson frais. ● *dim, juil.* ▤ ৬	AE MC V			●	
TENERIFE, PUERTO DE LA CRUZ : *Magnolia "Felipe el Payés".* €€ Avenida Marqués de Villanueva del Prado. **(** *922 38 56 14.* Cuisine catalane garantie, dont le traditionnel *pan con tomate* (pain avec de la tomate) et le *suquet* (poisson en cocotte), servie dans une superbe salle moderne ou dans les jardins. ● *mar.* ▤ ৬	AE DC MC V		■	●	
TENERIFE, SANTA CRUZ DE TENERIFE : *Café del Príncipe.* € Plaza del Príncipe de Asturias. **(** *922 27 88 10.* Bons plats locaux dans un joli restaurant donnant sur la place du centre-ville. ● *lun.* ৬	MC V	●	■	●	■
TENERIFE, SANTA CRUZ DE TENERIFE: *El Coto de Antonio.* €€€ Calle General Goded 13. **(** *922 27 21 05.* Excellentes spécialités régionales dans ce restaurant simple, près des arènes. La salade de pommes de terre, morue et poivrons, à l'huile d'olive, est un des plats favoris, ainsi que la *vieja* à la sauce à la coriandre. ● *dim. et août.* ▤ ৬	AE DC MC V			●	
TENERIFE, TEGUESTE: *El Drago.* €€€ Marqués de Estelada 2, Urbanización del Socorro. **(** *922 54 30 01.* Dans cette ravissante ferme rustique du XVIIIe siècle, on savoure d'excellents plats des Canaries comme la traditionnelle soupe au cresson, le *puchero* (soupe de légumes et de viande) et le poisson en cocotte. ● *lun., mar.-jeu. et dim. soir, 15 jours en août.* ৬	AE DC MC V		■	●	

Légende des symboles, voir rabat de couverture

RENSEIGNEMENTS PRATIQUES

L'Espagne mode d'emploi 612-625

Aller en Espagne et y circuler 626-635

MODE D'EMPLOI

L'Espagne a enfin commencé à promouvoir le tourisme ailleurs que sur ses côtes. Elle possède désormais une solide infrastructure d'information : offices du tourisme nationaux dans les grandes villes, régionaux dans les autres. Ils aident à découvrir les activités locales, à trouver logements et restaurants. Nombre d'entreprises ferment en août, la plupart des

Panneaux anciens

Espagnols prenant alors leurs congés. Les routes sont donc encombrées au début et à la fin du mois. Quelle que soit la date de votre séjour, vérifiez s'il coïncide avec des fêtes locales. Elles attirent certes du monde, mais entraînent la fermeture de nombreux commerces. Presque toute activité cesse en Espagne de 14 h à 17 h ; aussi, prenez votre temps pour déjeuner.

Panneau de parking en basque et en castillan

LES LANGUES

Le *castellano* (castillan), principale langue d'Espagne, est parlé par presque tout le monde. Les trois grandes langues régionales sont le *catalan*, le *gallego* (galicien) et l'*euskera* (basque). Des langues proches du catalan sont parlées dans la région de Valence et aux Baléares.

Vous trouverez souvent des personnes parlant français dans les endroits fréquentés par les touristes.

LES US ET COUTUMES

Ne soyez pas surpris de voir les Espagnols dire bonjour et au revoir à des inconnus aux arrêts de bus, dans les ascenseurs et autres lieux publics. Ils abordent facilement des gens qu'ils ne connaissent pas, sans aucune intention de les importuner. N'hésitez donc pas à leur demander un renseignement, ils feront tout pour vous aider.

VISAS ET PASSEPORTS

Les visas ne sont pas nécessaires pour les ressortissants de l'Union européenne. Il leur suffit d'une carte d'identité ou d'un passeport, même périmé depuis moins de cinq ans.

La liste des formalités d'entrée en Espagne est fournie par les ambassades d'Espagne. Elle indique 35 autres pays, notamment le Canada et la Suisse, dont les citoyens n'ont pas besoin de visa pour un séjour de moins de 90 jours. S'ils veulent le prolonger, ils peuvent s'adresser sur place au *gobierno civil* (représentation du gouvernement à l'échelon local). Il faut habituellement fournir la preuve qu'on a un emploi ou des fonds suffisants pour subvenir à ses besoins au cours d'un long séjour.

Si vous comptez rester longtemps en Espagne, contactez l'ambassade d'Espagne plusieurs mois à l'avance pour savoir quelles sont les conditions requises dans votre cas.

LA DOUANE ET LES PRODUITS DÉTAXÉS

Qui n'appartient pas à l'UE peut demander le remboursement de l'*IVA* (TVA) sur les articles de plus de 90 euros chacun, achetés dans les magasins indiquant « détaxe pour touristes » (nourriture, boissons, tabac, voitures, motos et

médicaments sont exemptés). Il faut payer la totalité, demander au vendeur un *formulario* (formulaire d'exemption de taxe) et le faire tamponner (il doit dater de moins de six mois) par le douanier en quittant l'Espagne. On est remboursé par le Banco Exterior dans les aéroports de Barcelone, Madrid, Majorque, Malaga, Oviedo, Santander et Séville sur présentation des *formularios* tamponnés, ou plus tard par courrier ou virement.

L'INFORMATION TOURISTIQUE

Les grandes et petites villes proposent des *oficinas de turismo* qui fournissent des plans de la ville, la liste des hôtels et restaurants, des informations sur la localité, ses activités, ses fêtes, etc.

À l'étranger, chaque grande ville possède un **office espagnol du tourisme**.

LES HEURES D'OUVERTURE

La plupart des monuments et musées sont fermés le lundi. Les autres jours, ils ouvrent en général de 10 h à 14 h, ferment de 14 h à 17 h, et rouvrent parfois de 17 h à 20 h. Les églises suivent ces horaires ou n'ouvrent que pour les messes. Musées et monuments publics sont en général payants mais gratuits le dimanche.

Dans les petites villes,

OFICINA DE TURISMO   *i*

Enseigne des offices du tourisme avec un « i » pour logo

◁ **La vieille ville d'Ibiza et ses remparts du XVIᵉ siècle vus depuis le port**

Les étudiants bénéficient de réductions dans les musées

églises, châteaux, etc., sont souvent fermés. Il est possible pour les visiteurs de demander la clé au gardien..

LES AMÉNAGEMENTS POUR HANDICAPÉS

L'association nationale d'Espagne pour les handicapés, ou Confederación Coordinadora Estatal de Minusválidos Fisicos de España (COCEMFE),

signe de COCEMFE pour l'accès des handicapés

possède un tour-opérateur, Servi-COCEMFE *(p. 533)*. Il publie des guides des hébergements adaptés en Espagne et aide les handicapés à organiser leurs vacances selon leurs besoins individuels. Offices du tourisme, services sociaux des mairies peuvent vous renseigner sur les conditions et les hébergements locaux. L'agence de voyages **Viajes 2000** est spécialisée dans les vacances pour les personnes handicapées. IDH France *(p. 533)* se charge entre autres du transport des handicapés vers l'Espagne.

L'HEURE LOCALE

É té comme hiver, l'Espagne vit à la même heure que la France. Seules les îles Canaries ont toujours une heure de-moins que la France. En Espagne, si vous désirez obtenir l'horloge parlante, composez le 093.

La journée est divisée en quatre moments. *La madrugada* désigne l'aube. *La mañana* (matin) dure jusqu'au déjeuner qui, en Espagne, n'a lieu qu'aux alentours de 14 h. Le *mediodía* (midi) va de 13 h à 16 h. *La tarde* comprend l'après-midi et le soir.

LES FACILITÉS POUR ÉTUDIANTS

L a carte internationale d'étudiant donne droit à certaines réductions sur les voyages et les entrées dans les musées et les expositions. En France, informez-vous auprès du **Centre Régional des Œuvres Universitaires et Scolaires (CROUS)**. Dans les grandes villes espagnoles, adressez-vous aux **Centros de Información Juvenil (CIJ)**. **Turismo y Viajes Educativos (TIVE)** est spécialisé dans les voyages pour étudiants.

LES ADAPTATEURS ÉLECTRIQUES

E n Espagne, l'électricité est en 220 volts, mais de vieux immeubles ont encore du 125 volts. Les prises pour les deux systèmes ont des broches rondes. Pensez à apporter un adaptateur, notamment si vos appareils ont des broches plates. N'utilisez les radiateurs qu'avec du 220 volts.

Santé et sécurité

En Espagne, les campagnes sont en général sûres, mais certains quartiers des grandes villes le sont moins. Portez donc cartes et argent dans une ceinture et ne laissez rien dans votre voiture. Si vous perdez vos papiers, contactez votre consulat ou la police.

Si vous êtes malade, les pharmaciens espagnols peuvent conseiller et parfois prescrire des médicaments. Les numéros d'urgence varient selon les régions. Les principaux sont cités à la page suivante.

Enseigne d'une pharmacie

EN CAS D'URGENCE

Seule la *policía nacional* a un numéro d'urgence pour tout le pays. Même si vous avez besoin d'un autre service, composez-le et on vous dira où trouver de l'aide. Les numéros d'urgence locaux sont dans l'annuaire, à la rubrique *Servicios de Urgencia*, et sur les plans et dépliants touristiques.

Pour les urgences médicales, appelez la *Cruz Roja* (Croix-Rouge) ou les *ambulancias* indiquées dans l'annuaire, ou allez aux urgences (*urgencias*) de l'hôpital.

LES SOINS MÉDICAUX

Les ressortissants de l'UE sont couverts en Espagne s'ils sont munis du formulaire E 111, disponible dans leur propre centre de sécurité sociale. Faites-en des photocopies, car vous devrez en donner un exemplaire à qui vous soignera. Il est accompagné d'une notice

précisant vos droits. Vous aurez peut-être à payer et serez remboursé ultérieurement.

Tous les traitements ne sont pas couverts par le formulaire E 111 et certains coûtent cher. Arrangez-vous pour avoir une couverture médicale avant de voyager.

Pour les consulations

Panneau indiquant un centre d'urgence de la Cruz Roja (Croix-Rouge)

privées, demandez à un office du tourisme, à votre ambassade ou à l'hôtel les coordonnées d'un médecin qui parle le français si besoin est.

LES PHARMACIES

Les pharmaciens espagnols peuvent prescrire des médicaments sans avis du médecin. S'il n'y a pas

urgence, voyez d'abord un *farmacéutico*. Beaucoup parlent l'anglais ou le français.

Les *farmacias* sont signalées par une croix rouge ou verte. En ville, celles ouvertes la nuit sont indiquées sur la vitrine des autres pharmacies. Ne les confondez pas avec les *perfumerías* qui ne vendent que des produits de beauté.

LA SÉCURITÉ DES PERSONNES

En Espagne comme partout, mieux vaut ne pas traîner seul dans les coins mal famés et porter sacs et appareils-photos en bandoulière. Par ailleurs, les hommes font souvent des compliments (*piropos*) aux femmes dans la rue. Ce n'est qu'une habitude et il n'y a pas lieu de s'en formaliser.

LA POLICE

Il y a trois grandes polices en Espagne. La *guardia civil* (garde nationale), en uniforme vert olive avec des variantes locales, intervient surtout en zone rurale. Elle donne des amendes en cas d'infraction au code de la route.

La *policía nacional*, en uniforme bleu, opère dans les villes de plus de 30 000 habitants. Elle a été remplacée par l'*ertzaintza* au Pays basque et la *mossos d'esquadra* en Catalogne, reconnaissables à leur béret respectivement rouge et bleu.

La *policía local*, dite *policía municipal* ou *guardia urbana*, est vêtue de bleu. Elle agit de manière indépendante dans chaque ville et a une section chargée de la circulation urbaine.

Guardia civil

Policía nacional

Policía local

La voiture de la Policía nacional, la plus importante police urbaine

La voiture de la Policía local qu'on voit surtout dans les petites villes

L'ambulance de la Cruz Roja (Croix-Rouge)

Le numéro des pompiers inscrit sur leur camion varie selon la région

Ces trois polices vous guideront vers l'autorité compétente en cas d'incident nécessitant l'aide de la police.

L'AIDE JURIDIQUE

Certaines assurances couvrent les frais juridiques, après un accident par exemple. Si vous n'êtes pas couvert, appelez votre consulat local ou l'association d'avocats *(colegio de abogados)* la plus proche ; elle vous indiquera où obtenir des conseils juridiques ou vous recommandera un avocat. S'il vous faut un interprète, cherchez la rubrique *Traductores* ou *Intérpretes* dans les *páginas amarillas* (pages jaunes) de l'annuaire régional. Seuls les *traductores oficiales* et *traductores jurados* peuvent traduire les documents légaux ou officiels.

LES BIENS PERSONNELS

L'assurance vacances vous protège financièrement en cas de perte ou de vol, mais le mieux est toujours de prendre ses précautions.

Si vous devez porter de grosses sommes, prenez des chèques de voyage. Ne transportez pas deux cartes bancaires ensemble. Veillez à vos bagages et à votre sac à main où que vous soyez, notamment dans les cafés. En cas de vol ou de perte, allez au commissariat dès que vous vous en rendez compte. Pour de nombreuses compagnies

d'assurance, vous n'êtes plus couvert si vous ne l'avez pas fait dans les 24 heures ! Demandez à la police une *denuncia* (déclaration) ; il la faut pour votre compagnie d'assurance. Si votre passeport a été volé ou perdu, informez aussi votre consulat.

TOILETTES PUBLIQUES

Les toilettes publiques (en général appelées *los servicios*) sont rarement payantes en Espagne, mais le papier hygiénique n'est pas toujours fourni. Il vous faudra parfois demander la clef *(la llave)* dans les stations-service et dans certains bars de village.

LES IMPRÉVUS

L'Espagne est en proie chaque été à des feux qu'attisent les vents et qu'alimente une végétation très sèche. Ne jetez donc pas de mégot par la fenêtre de votre voiture et n'oubliez pas vos bouteilles vides.

En forêt, le panneau *coto de caza* indique une réserve de chasse réglementée. *Toro bravo* signifie « taureau de combat » ; n'approchez surtout pas. Le panneau *camino particular* indique une voie privée.

En montagne, grimpeurs et randonneurs doivent être équipés et prévenir à quelle heure ils pensent rentrer.

Banques et monnaie

On peut introduire en Espagne n'importe quelle somme d'argent, mais pour sortir plus de 6 000 euros, il faut faire une déclaration. Les Eurochèques sont largement acceptés. Les chèques de voyage peuvent être échangés dans certains hôtels et magasins, les *cajas de cambio* (bureaux de change) et les banques. Ces dernières offrent en général le meilleur taux. Le plus avantageux est parfois de tirer de l'argent avec sa carte bancaire dans un distributeur automatique portant le sigle approprié.

Distributeur automatique (24 h/24)

LES HORAIRES DES BANQUES

Les grandes agences bancaires des villes restent ouvertes de plus en plus longtemps. En général, elles ouvrent de 8 h à 14 h en semaine. Certaines sont ouvertes jusqu'à 13 h le samedi. En août, la plupart ferment ce jour-là. Dans certaines villes, elles sont aussi fermées le samedi de mai à septembre.

Bureau de change

LE CHANGE

La plupart des banques ont un bureau de change (*cambio* ou *extranjero*). Apportez votre passeport pour toute transaction.

Dans une banque, on peut retirer jusqu'à 300 euros avec les principales cartes de paiement. Certaines banques françaises comme la Banque Nationale de Paris et le Crédit Lyonnais ont des agences en Espagne.

Les bureaux de change (*caja de cambio* ou « change ») prennent une commission plus élevée que les banques, mais ouvrent souvent plus longtemps. En ville, ils sont situés près des sites touristiques.

Vous pouvez aussi échanger vos devises dans les *cajas de aborro* (caisses d'épargne). Elles ouvrent de 8 h 30 à 14 h en semaine et le jeudi après-midi de 16 h 30 à 19 h 45.

CHÈQUES DE VOYAGE ET CARTES DE CRÉDIT

Les chèques de voyage peuvent être achetés auprès d'**American Express** (AmEx), **Travelex** ou de votre banques. Tous sont acceptés en Espagne. Si vous échangez des AmEx dans un bureau du même nom, vous ne payez pas de commission.

Pour encaisser des chèques de plus de 3000 €, il faut prévenir la banque 24 heures à l'avance. Pour retirer plus de 600 € en chèques de voyage, l'établissement demandera le certificat d'achat de vos chèques. La carte la plus acceptée en Espagne est la **Visa**. La **Mastercard** (Access)/Eurocard et l'American Express sont aussi répandues. Les principales banques acceptent les retraits de liquide avec les cartes de crédit. Tous les distributeurs acceptent les cartes étrangères, mais la commission prélevée dépendra de votre propre banque.

Quand vous payez par carte, les caissiers utilisent une machine, parfois reliée à un petit boîtier sur lequel il faut taper son code secret.

Dans les magasins, on vous demandera une pièce d'identité avec photo. Il est recommandé de laisser son passeport au coffre de l'hôtel, mais gardez toujours sur vous un autre justificatif de votre identité, votre permis de conduire, par exemple. Les photocopies sont rarement reconnues.

LES DISTRIBUTEURS AUTOMATIQUES

Pour tirer de l'argent sur votre compte en France, il suffit d'utiliser les distributeurs automatiques. Presque tous prennent la Mastercard (Access) ou la Visa. Quand vous tapez votre code secret, les instructions sont données en français, en espagnol, en anglais et en allemand. Beaucoup de distributeurs sont dans un local fermé. Pour y entrer, glissez votre carte dans la fente près de la porte.

Les cartes avec les logos Cirrus et Maestro sont acceptées dans de nombreux distributeurs.

L'EURO

Douze pays ont remplacé leur monnaie nationale par une monnaie unique européenne, l'euro : l'Allemagne, l'Autriche, la Belgique, l'Espagne, la Finlande, la France, la Grèce, l'Irlande, le Luxembourg, les pays-Bas, le Portugal et l'Italie. Le Royaume-Uni, le Danemark et la Suède, ne font pour l'instant pas partie de la zone euro. Les pièces et les billets ont été mis en circulation le 1er janvier 2002. En Espagne, une période de transition a permis d'utiliser les pesetas et les euros simultanément, et la peseta a disparu en mars 2002 (avec des décalages selon les régions). Toutes les pièces et les billets en euros sont utilisables partout dans les pays de la zone euro.

Les billets

Les billets en euros existent en 7 coupures. Leur taille et leur couleur sont différentes selon leur valeur. Le billet de 5 € (de couleur grise) est le plus petit, le billet de 10 € est rouge, le billet de 20 € est bleu, le billet de 50 € est orange, le billet de 100 € est vert, le billet de 200 € est brun-jaune et celui de 500 € est violet.

5 euros

10 euros

20 euros

50 euros

100 euros

200 euros

500 euros

2 euros   1 euro   50 cents   20 cents   10 cents

Les pièces

Il existe 8 pièces en euros : 1 euro et 2 euros, 50 cents, 20 cents, 10 cents, 5 cents, 2 cents et 1 cent. Les pièces de 1 et de 2 euros sont dorées et argentées. Les pièces de 5, 2 et 1 cents sont de couleur bronze.

5 cents   2 cents   1 cent

Les magasins et les marchés

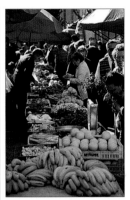

Il est plaisant de faire des achats en Espagne, surtout pour ceux qui ne sont pas pressés et s'accordent souvent des pauses café. Dans les petites boutiques, tenues par des familles, les commerçants se mettront en quatre pour satisfaire vos moindres demandes. Les marchés proposent les produits les plus frais et presque tous les épiciers vendent des vins de qualité. Le cuir reste un des artisanats les plus prisés d'Espagne. Le design occupe une place prépondérante dans la décoration et la mode. Vous trouverez ci-dessous quelques conseils pour faire au mieux vos emplettes en Espagne.

Cruche ou *porrón* de verre

LES HEURES D'OUVERTURE

Les boutiques ouvrent de 10 h à 14 h et de 17 h à 20 h, mais boulangeries et bars sont ouverts dès 8 h. Hypermarchés et grands magasins ne ferment pas à l'heure du déjeuner. Les marchés n'ont lieu que le matin. Les commerces restent ouverts le dimanche dans de nombreux lieux de vacances. Ailleurs, seuls les boulangeries, *pastelerías* et kiosques ouvrent ce jour-là.

COMMENT PAYER

En Espagne, on paye surtout en espèces ou par carte bancaire. On peut demander le remboursement de l'*IVA* (TVA) pour tout achat, sauf la nourriture, les boissons, les véhicules à moteur et les médicaments *(p. 612)*. Pour le change et la monnaie, voir pages 616 et 617.

LES GRANDS MAGASINS

Les *hipermercados* sont hors des villes. On y parvient en suivant les panneaux *centro commercial*. Les principaux sont Alcampo, Carrefour et Hipercor. El Corte Inglés, le grand magasin le plus connu du pays, a des boutiques dans toutes les villes importantes.

Les soldes importants sont annoncés par le mot *Rebajas* inscrit dans les vitrines.

LES MAGASINS D'ALIMENTATION

Ces boutiques sont tenues de père en fils. Les *panaderías* (ou *hornos*) vendent du pain, des *bollos* (petits pains) et des viennoiseries ; les *pastelerías*, des gâteaux et souvent des chocolats. Vous pouvez acheter de la viande fraîche à la *carnicería*, mais les meilleures viandes froides se trouvent dans les *charcuterías*, qui proposent aussi du fromage. Elles sont souvent dans les marchés ou à côté. Les *pescaderías* vendent poissons et fruits de mer, mais les meilleurs s'achètent sur les marchés. Les *fruterías* et *verdulerías* ont d'excellents fruits et légumes car elles ne vendent que des primeurs. Les quincailleries sont appelées *ferreterías*. Les *librerías* sont

L'éventail, objet usuel et accessoire de costume

des librairies, les *papelerias* des papeteries. Si vous voulez offrir un *regalo* (présent), un paquet cadeau vous sera fait à la demande. Quand vous achetez des fleurs à la *floristería*, le vendeur vous confectionne un bouquet.

LES MARCHÉS

Dans chaque grande ville, le marché *(mercado)* se tient chaque jour, de 9 h à 14 h. Dans les petites villes, il a lieu une ou plusieurs fois par semaine. Ce guide indique les jours de marché pour toutes les villes.

D'habitude, on y trouve les meilleurs produits frais ou de saison, tels les champignons, les petits fruits et le gibier, et toutes sortes d'aliments comme les *frutos secos* (fruits secs). En général, on y vend aussi d'autres types d'articles :

Produits frais sur un marché de Pollença (Majorque)

Céramiques peintes à la main à Tolède

fleurs, ustensiles ménagers, vêtements, etc.

Les marchés aux puces *(rastros)* ont lieu dans toute l'Espagne, mais le principal se trouve à Madrid *(p. 292)*.

LES PRODUITS RÉGIONAUX

L es spécialités régionales sont souvent moins chères quand elles sont vendues sur place. Chaque région a un type particulier de saucisse : la *morcilla* (boudin) à Burgos ; le chorizo rouge vif à Guijuelo, en Estrémadure. L'Andalousie est connue pour ses olives et son huile, la Galice pour ses fromages. Les *rovellons* (gros champignons dorés) de Catalogne et les *pimientos de Padrón*, en Galice, petits piments très forts, sont de bons produits de saison.

Certaines techniques artisanales comme celles du métal filigrané de Tolède et des *azulejos* (carreaux de céramique) d'Andalousie ont été héritées des Maures. Les villes de Paterna et de Manises, près de Valence, et celle de Talavera de la Reina en Castille-La Manche sont connues pour leurs céramiques. Les dentelles des villages de la sierra de Gata, en Estrémadure, et de la Costa del Morte, en Galice, sont très prisées. Les violons et les sabots sculptés sont des spécialités cantabriques. Quant aux objets typiquement espagnols (guitares, éventails, castagnettes, chaussures de flamenco, etc.), ils sont vendus dans les grandes villes.

LE VIN ET LES AUTRES BOISSONS

L es épiceries et les supermarchés vendent du vin, mais seuls les vendeurs spécialisés font honneur aux nombreuses régions vinicoles d'Espagne. Les vins peuvent être achetés au litre dans les caves (bodegas) des bourgs et villages ou encore dans les

Olives, dont certaines parfumées aux herbes, sur l'étal d'un marché

vignobles (aussi appelés bodegas), mais il faut prendre rendez-vous pour les visiter.

Les grandes régions viticoles sont La Rioja et la Navarre *(p. 74-75)*, celles de Valdepeñas *(p. 322-323)*, de Ribera del Duero *(p. 322-323)*. La région de Penedès produit du *cava* *(p. 192-193)* et celle de Jerez du xérès *(p. 402-403)*.

Les liqueurs espagnoles comme le *Pacharán (p. 577)* à base de prunelles ou la *licor de bellota*, faite à partir de glands, sont variées et d'excellente qualité.

Paniers en vente dans toute l'Espagne

ARTICLES MÉNAGERS ET USTENSILES DE CUISINE

L es grands magasins proposent évidemment un choix important d'articles ménagers, mais, pour en trouver de plus authentiques, mieux vaut se rendre dans les *ferreterias* (petites quincailleries). Les poteries traditionnelles, comme les *cazuelas* (plats) en argile rouge pouvant passer au four ou sur les plaques de cuisson, sont bon marché. Les plats à paella, qui étaient jadis en fer ou en émail, sont désormais en inox ou recouverts d'un revêtement anti-adhésif. Le linge de table vendu sur les marchés offre souvent un bon rapport qualité-prix. Les luminaires espagnols, admirés pour leur beauté, s'achètent dans les *Tienda de Illuminacion*. Les articles

traditionnels en fer forgé comme les chandeliers et les ferronneries pour les portes sont très prisés.

LES VÊTEMENTS ET LES CHAUSSURES

L es magasins de vêtements sont légion dans les grandes villes, mais même dans les petites vous pouvez trouver de grandes marques espagnoles.

Les tailles espagnoles sont les mêmes que les tailles françaises, mais il est toujours préférable d'essayer le vêtement que l'on compte acheter. Si celui-ci nécessite quelques retouches, n'hésitez pas à en faire part au vendeur. En effet, les boutiques proposent pour une somme modique les services d'une couturière. La plupart des retoucheuses accepteront, si vous le leur demandez, d'effectuer ce travail dans un délai de deux jours.

Les chaussures et les accessoires de cuir peuvent être bon marché, mais vous en trouverez de qualités diverses et par conséquent à différents prix. Dans les boutiques, l'usage veut que le client choisisse son article en vitrine et donne au vendeur le numéro correspondant. Bien sûr, il lui indiquera aussi sa *talla* (pointure). Les pointures espagnoles correspondent aux pointures françaises, et vous n'avez pas à vous faire de souci de ce côté-là. Si vous désirez acheter des chaussures entièrement en cuir, vérifiez qu'elles portent bien l'indication *cuero*. Les vêtements en cuir, eux aussi, sont élégants et de bonne qualité.

Communications et médias

Telefónica, l'entreprise de télécommunication espagnole, est très performante depuis qu'elle a numérisé son réseau en 1995. Les téléphones publics, nombreux, fonctionnent avec une carte ou des pièces. Le prix des communications internationales est élevé.

La poste, ou Correos, est reconnaissable à sa couronne rouge ou blanche sur fond jaune. Lettres en recommandé et télégrammes peuvent être envoyés des bureaux Correos (p. 622-623). On y vend des timbres, de même que dans les *estancos* (tabacs). Il n'y a pas de cabines téléphoniques dans les Correos.

Logo de la compagnie espagnole de téléphone

TÉLÉPHONER EN ESPAGNE

Outre les cabines publiques *(cabinas)*, on trouve presque toujours des téléphones dans les bars. Tous acceptent des pièces. Prévoyez de la monnaie, en quantité, surtout pour les appels internationaux, car généralement, vous aurez à payer une connection minimum assez chère.

Les cartes de téléphone, vendues dans les kiosques et *estancos*, sont plus pratiques. Certains téléphones offrent des instructions fournies par affichage électronique en plusieurs langues.

Dans les *locutorios*, locaux dotés de téléphones publics, on peut téléphoner et payer ensuite. On y est beaucoup plus tranquille que dans les cabines et il n'est pas nécessaire de prévoir de la monnaie. Les téléphones les moins onéreux sont ceux gérés par Telefónica. Les autres, privés et plus chers, se trouvent souvent dans des boutiques.

Il existe quatre catégories de prix pour les appels internationaux : pays de l'UE ; pays hors de l'UE et Afrique du Nord-Ouest ; Amérique

MODE D'EMPLOI D'UN TÉLÉPHONE À PIÈCES ET À CARTE

1 Décrochez, attendez la tonalité et que l'écran affiche *Insere monedas o tarjeta*.

2 Insérez les pièces *(monedas)* grâce au bouton en haut à droite ou une carte *(tarjeta)*.

3 Composez le numéro, en appuyant bien sur les touches, mais pas trop vite. Mieux vaut faire une petite pause entre chaque chiffre.

4 Tandis que vous appuyez sur les touches, le numéro que vous composez apparaît à l'écran. Sont aussi indiqués combien d'argent ou d'unités il vous reste et le moment de rajouter des pièces.

5 Une fois l'appel terminé, raccrochez. La carte ressort automatiquement. Les pièces non utilisées vous sont rendues.

Carte téléphonique espagnole

CODES TÉLÉPHONIQUES ESPAGNOLS UTILES

- Pour appeler à l'intérieur d'une province, faites directement le numéro.
- Pour appeler dans une autre province, faites l'indicatif régional (il commence par 9).
- Les indicatifs sont dans l'annuaire (de A à K) ou peuvent être fournis par le service des renseignements.
- Pour appeler à l'étranger, faites le 00, faites l'indicatif du pays, l'indicatif régional, puis le numéro.
- Les indicatifs nationaux sont pour la Belgique le 32, le Canada le 1, la France le 33, la Suisse le 41. Il faut parfois omettre le premier chiffre

du code régional de destination.
- Pour le service opératrice/renseignements, composez le 1003.
- Pour les renseignements internationaux, faites le 025.
- Pour les appels en PCV dans l'UE, faites 08 00 99 00, puis l'indicatif du pays. Faites le même numéro, puis le 15 pour le Canada et le 41 pour la Suisse. Les numéros pour les autres pays sont au début de l'annuaire (de A à K).
- En cas de dérangements, faites le 1002.
- Pour l'horloge parlante faites le 093, la météo le 094 et le service du réveil le 096.

du Nord et du Sud ; et le reste du monde.

Hormis les appels locaux, les télécommunications peuvent être assez chères, surtout celles passées depuis les hôtels faisant payer un supplément. Appeler depuis une *cabina* ou un *locutorios* coûte 35% plus cher que depuis une habitation privée. Pour la plupart des appels en PCV, il faut passer par l'opératrice, mais ce n'est pas nécessaire pour les pays appartenant à l'Union européenne.

En Espagne, les indicatifs régionaux commencent tous par 9, le deuxième chiffre variant selon la région (93 pour Barcelone). Si vous appelez en Espagne depuis l'étranger, faites l'indicatif du pays (le 34), puis le numéro en entier.

Quotidiens espagnols   Magazines espagnols

étrangers passant à la télévision (et au cinéma) sont doublés ; mais il y en a de sous-titrés.

Plusieurs chaînes par satellites, comme CNN, Eurosport et Cinemanía, sont reçues dans toute l'Espagne.

La radio de service public est Radio Nacional de España avec quatre stations plus la station internationale (R4). La radio des spectacles est sur R1, la musique classique sur R2, la Pop Music sur R3, les informations sur R5. Radio France International peut être écoutée dans toute l'Espagne et Radio Mon Amie, à Benidorm, propose des émissions en français.

Logo de Radio
Nacional de España

relate les événements principaux de l'actualité et s'adresse à un lectorat plus jeune que les trois autres publications qui

traitent plus en détail l'actualité internationale.

Des hebdomadaires sur les arts et les événements sont publiés à Barcelone *(p. 184)*, Madrid *(p. 306)* et Séville. Il s'agit du *Guía del Ocio* à Barcelone et Madrid et d'*El Giraldillo* à Séville. D'autres villes ont aussi des publications similaires.

Les journaux locaux en espagnol comme *Levante* à Valence et *La Gaceta de Canarias* aux Canaries sont de bonnes sources d'informations sur les manifestations locales et régionales.

La Chambre française de commerce et d'industrie publie le magazine *Perspectives*.

Il existe quelques publications en anglais, telles *Sur* sur la Costa del Sol ou le *Mallorca Daily Bulletin*, qui peuvent offrir de précieuses informations.

Cabine téléphonique, facilement repérable dans les rues des villes

LA TÉLÉVISION ET LA RADIO

Television Española, entreprise publique de télévision, a deux chaînes, TVE1 et TVE2.

Plusieurs des *comunidades* *(p. 622-623)* ont leurs propres chaînes de télévision émettant dans la langue locale.

Il existe trois chaînes nationales indépendantes, Antena 3, Tele-5 (Telecinco) et Canal Plus.

La plupart des films

LES JOURNAUX ET LES MAGAZINES

Pour trouver des journaux et des magazines en français, mieux vaut aller dans les kiosques situés près des gares ou au centre des villes. Certains quotidiens, dont *Le Figaro* et *Libération*, sont distribués le même jour en France et dans les grandes villes espagnoles. D'autres titres, comme *Le Monde* ou *France-Soir*, sont vendus le lendemain de leur parution dans l'Hexagone.

Les journaux espagnols les plus lus sont dans l'ordre *El País, El Mundo, ABC, La Razon, Dario 16* et *La Vanguardia* (en Catalogne). *El Mundo*

Prensa indique un marchand de journaux

LE SERVICE POSTAL

L e service postal espagnol est appelé Correos. Une lettre envoyée dans la ville où elle a été postée arrive généralement en une journée ; d'une ville à l'autre, cela peut mettre deux ou trois jours. Le courrier urgent ou important peut être

Logo indiquant la vente de timbres

envoyé *urgente* (express) ou *certificado* (recommandé). Pour être assuré d'une livraison rapide mieux vaut utiliser le service express ou une entreprise privée. Les télégrammes peuvent être envoyés de tous les Correos. Pour acheter des timbres, mieux vaut aller dans un tabac *(estanco)*. Les tarifs postaux correspondent à quatre catégories : l'UE ; le reste de l'Europe ; les États-Unis ; le reste du monde. Les colis doivent être pesés et affranchis par les Correos et fermés par vous avec une ficelle.

Les principaux Correos ouvrent de 8 h à 21 h du lundi au vendredi, et de 9 h à 19 h le samedi. Ceux des banlieues et des villages ouvrent de 9 h à 14 h du lundi au vendredi, et de 9 h à 13 h le samedi. Ces horaires varient dans les zones rurales.

Timbres espagnols

LES ADRESSES

D ans les adresses, le nom de la rue précède le numéro de la maison. Pour les appartements, l'étage est indiqué après un tiret. Ainsi, 4-2° signifie deuxième étage de l'immeuble situé au numéro 4. Les codes postaux ont cinq chiffres.

LES LOTERIES ESPAGNOLES

La fièvre de la loterie est plus forte en Espagne qu'ailleurs en Europe. La Lotería Nacional organise des tirages presque tous les samedis, et quelques tirages spéciaux, les *extraordinarios*, dont le plus gros, El Gordo (« le gros »), a lieu à Noël *(p. 39)*. Il est courant d'acheter un *décimo* (un dixième d'un nombre) plutôt qu'un billet entier. On peut aussi jouer à la loterie quotidienne ONCE, à la Lotería Primitiva le jeudi et le samedi ou au Bono-Loto (quatre tirages par semaine).

Loterie Once

LETTRES ET TÉLÉCOPIES

L e courrier posté dans une grande poste arrive en général plus vite que celui mis dans les boîtes aux lettres *(buzón)*. Dans les villes, elles sont grandes et jaunes ; dans les bourgs et les villages, elles sont en général petites et fixées à un mur. Les lettres en poste restante doivent porter la mention *Lista de Correos* et le nom de la ville. Vous pouvez aller les chercher dans les principaux bureaux de poste. Le *giro internacional* permet d'envoyer ou de recevoir de l'argent par la poste.

Boîte aux lettres

Vous trouverez parfois des télécopieurs dans les *locutorios (p. 620)*, les hôtels et nombre de boutiques privées indiquant *telefax*.

LE GOUVERNEMENT LOCAL

L 'Espagne est un des États européens les plus décentralisés. De nombreux pouvoirs ont été attribués aux 17 régions *(comunidades autónomas)* qui élisent leur propre parlement. Ces régions sont plus ou moins indépendantes de Madrid ; le Pays basque et la Catalogne sont celles qui ont la plus grande autonomie.

Les *comunidades* sont chargées de missions, comme la promotion du tourisme, jadis effectuées par le gouvernement.

Le pays est divisé en 50 provinces ayant chacune une *diputación* (conseil). Chaque île des Baléares et des Canaries a un conseil gérant ses affaires.

Chaque ville, ou groupe de villages, est administrée par un *ayuntamiento* (conseil de ville – le terme désigne aussi la mairie).

Mairie de Murcie (*ayuntamiento* ou *Casa Consistorial*)

Les provinces d'Espagne
Elles sont groupées en 17 comunidades autónomas et 2 ciudades autónomas (cités autonomes) : Ceuta et Melilla en Afrique du Nord.

LES ÎLES CANARIES

LES COMUNIDADES D'ESPAGNE ET LEURS PROVINCES

ESPAGNE DU NORD

Galice
15 La Corogne
27 Lugo
32 Orense
36 Pontevedra

Asturies **Cantabrie**
33 Asturies
39 Cantabrie

Pays basque **Navarre** **La Rioja**
Pays basque (Euskadi)
01 Álava
20 Guipúzcoa
48 Biscaye
Comunidad Foral de Navarra
31 Navarre
La Rioja
26 La Rioja

ESPAGNE ORIENTALE

Catalogne
08 Barcelone
17 Gérone
25 Lleida
43 Tarragone

Aragon
22 Huesca
44 Teruel
50 Saragosse

Valence **Murcie**
Comunidad Valenciana
03 Alicante
12 Castellón
46 Valence
Murcie
30 Murcie

ESPAGNE CENTRALE

Madrid
28 Comunidad de Madrid

Castille-La Manche
02 Albacete
13 Ciudad Real
16 Cuenca
19 Guadalajara
45 Tolède

Estrémadure
06 Badajoz
10 Cáceres

Castille et León
05 Ávila
09 Burgos
24 León
34 Palencia
37 Salamanque
40 Ségovie
42 Soria
47 Valladolid
49 Zamora

ESPAGNE MÉRIDIONALE

Andalousie
04 Almería
11 Cadix
14 Cordoue
18 Grenade
21 Huelva
23 Jaén
29 Málaga
41 Séville

ÎLES ESPAGNOLES

Les îles Baléares (Islas Baleares)
07 Baléares

Les îles Canaries (Islas Canarias)
35 Las Palmas
38 Santa Cruz de Tenerife

Sports et activités de plein air

L'Espagne est un des pays européens dont la géographie est la plus variée. Outre ses plages, elle est riche de monts, forêts et deltas propices aux excursions et aux vacances sportives. L'Espagne offre un calendrier riche en manifestations et en activités *(p. 36-39)*. Les offices du tourisme vous renseigneront sur les loisirs et les sports de leur région. Ces pages recensent quelques-unes des diverses activités praticables en Espagne.

Partie de golf sur un terrain d'Ibiza, aux îles Baléares

VACANCES THÉMATIQUES

L es offices du tourisme espagnols vous informeront sur les séjours à thèmes. Ceux consacrés à la cuisine, au vin, à la peinture connaissent un succès croissant, ainsi que les excursions dirigées par des historiens et des archéologues. Passionnés de nature et photographes apprécieront notamment les nombreux parcs nationaux.

L'**Instituto Cervantes** à Paris et à Madrid vous informera sur les cours de culture et de langue espagnoles.

LE GOLF ET LE TENNIS

C ertains des nombreux terrains de golf d'Espagne offrent des activités aux non-golfeurs. Pour plus de détails, contactez la **Real Federación Española de Golf**. La plupart des sites touristiques et certains hôtels *(p. 536-571)* possèdent des courts de tennis. Les agences de voyages proposent des séjours pour passionnés de tennis. Pour en savoir plus, contactez la **Real Federación Española de Tenis**.

À PIED, À CHEVAL, À VÉLO

N ombre de tours-opérateurs sont spécialisés dans les vacances en plein air. La **Real Federación Hípica Española** et les offices du tourisme espagnols vous informeront sur les promenades à cheval dans les différentes régions. Le chemin de Compostelle *(p. 78-79)* est l'itinéraire le plus connu d'Espagne. Certains parcs nationaux *(p. 26-27)* offrent de superbes parcours de randonnée. Les routes pittoresques sont idéales pour les balades à vélo.

Ballade le long del río Cares dans les Pics d'Europe (Asturies)

SPORTS DE MONTAGNE

L es stations les plus appréciées pour le ski alpin sont situées dans la Vall d'Aran en Catalogne *(p. 200-201)* et dans la sierra Nevada, près de Grenade *(p. 461)*. Souvent, on peut aussi skier dans la sierra de Guadarrama, au nord de Madrid, et faire du ski de fond dans d'autres régions.

Chaque région de montagne possède une association d'escalade. La **Federación Española de Deportes de Montañã y Escalada** vous fournira des détails. Cette organisation nationale procure des informations sur l'escalade et sur de nombreux autres sports de montagne.

LES SPORTS AÉRIENS

U n brevet de pilote est valable 6 mois en Espagne. La **Real Federación Aeronáutica Española** vous informera sur les terrains d'aviation et sur les clubs espagnols où voler *(volar)*, faire du vol à voile *(vuelo sin motor)* ou du parachute *(salto en paracaídas)*.

Elle vous indiquera aussi les lieux où voler en ballon *(volar en globo)*, faire du deltaplane *(ala delta)* et du parapente *(parapente)*. Certaines régions de Castille et León et de Castille-La Manche sont réputées pour le deltaplane, et la Valle de Abdalajis, au nord de Màlaga, est connue pour le parapente.

Parapente au-dessus de la Vall d'Aran, dans les Pyrénées catalanes

Rafting dans les Pyrénées espagnoles

LES SPORTS AQUATIQUES

On peut faire du rafting et du canoë en Catalogne, en Aragon et dans diverses régions. Sort, dans les Pyrénées catalanes, est un des meilleurs sites d'Europe pour les sports de rivière.

Canotage, voile et planche à voile sont très pratiqués. Les offices du tourisme des côtes et des îles vous informeront sur les locations de bateaux et de planches à voile. Les véliplanchistes expérimentés se rendent à Tarifa *(p. 444)*, une des capitales européennes de la planche à voile. Des informations sur la voile sont disponibles auprès de la **Real Federación Española de Vela**.

Les plages, marinas et ports répondant aux normes européennes de propreté et de sécurité sont autorisés à hisser la *bandera azul* (le drapeau bleu).

Véliplanchiste au large de Fuerteventura, aux Canaries

LE NATURISME

Contactez la **Asociacion Naturista de Almeria y Murcia** pour savoir sur quelle plage faire du nudisme.

Pêche dans les rivières de Castille et León, connues pour leurs truites

LA CHASSE ET LA PÊCHE

Si vous voulez chasser en Espagne, il faut d'abord que vous obteniez un permis et que vous soyez bien assuré. Pour l'obtenir, adressez-vous à la *comunidad* de la région où vous voulez chasser. Les tarifs sont plutôt chers.

Quelle que soit leur durée de validité, les permis pour les concours de pêche, pour pêcher en eau douce ou en mer, sont délivrés par les *comunidades*. La **Real Federación Española de Caza** (chasse) et la **Federación Española de Pesca** (pêche) vous informeront sur l'obtention du permis et sur les lieux et les périodes de pêche et de chasse. Les agences de voyages et les hôtels spécialisés procureront ces permis à leurs clients

ALLER EN ESPAGNE ET Y CIRCULER

L'Espagne a un système de transports de plus en plus efficace. De nombreuses compagnies aériennes internationales proposent des vols vers les aéroports de Madrid et Barcelone. Les réseaux routier et ferroviaire ont connu de sensibles améliorations dans les années 1980 et avant l'Exposition universelle et les Jeux olympiques. Le train est pratique pour aller d'une grande ville à l'autre. Entre les villes de moindre importance, les cars sont plus fréquents et plus rapides. Dans la plus grande partie de l'Espagne rurale, la voiture est le moyen de transport le plus commode pour circuler.

Panneau indiquant un aéroport

Shopping à l'aéroport El Prat de Barcelone

ARRIVER EN AVION

L es aéroports de Barajas à Madrid et d'El Prat à Barcelone sont les plus importants d'Espagne. Le pays est desservi par la plupart des compagnies aériennes internationales. La compagnie espagnole, **Iberia**, propose des vols quotidiens pour Madrid et Barcelone au départ de toutes les capitales d'Europe de l'Ouest, et une ou deux fois par semaine depuis la plupart de celles d'Europe de l'Est.

Air France assure tous les jours des vols pour Madrid, Barcelone et Málaga depuis Paris. Il existe également des vols partant de Lille, Marseille, Bordeaux, Nice, Strasbourg et Toulouse.

Sabena propose des vols quotidiens pour Barcelone et Madrid depuis Bruxelles. **Swissair** assure des liaisons quotidiennes entre Genève et les principales villes espagnoles.

AÉROPORT BARAJAS DE MADRID

Il est situé à 13 km du centre-ville. Le terminal international est le Terminal 1, sauf pour les vols entre l'Espagne et l'UE, depuis le Traité de Schengen, qui sont au Terminal 2 (Allemagne, Autriche, Belgique, France, Hollande, Italie, Luxembourg et Portugal). Les vols nationaux sont aux Terminaux 2 et 3. Il faut 12 mn en métro pour atteindre la station de Nuevos Ministerios où plusieurs compagnies ont un comptoir d'enregistrement. Une navette part toutes les 12 mn pour le centre de Madrid. On peut aussi prendre un taxi.

TERMINAL UN   **TERMINAL DEUX**   **TERMINAL TROIS**

Second étage

Vers les autres portes

To parking

Premier étage

Point de rencontre

Urgences

Rez-de-chaussée

LÉGENDE

- Départs
- Arrivées
- Enregistrement
- Contrôle des passeports
- Accès du public
- Ventes de billets
- Accès privé
- Accès réservé

LES AÉROPORTS INTERNATIONAUX

L es liaisons internationales avec Madrid, Barcelone et Málaga sont les plus régulières. Les autres grands aéroports internationaux d'Espagne figurent sur la carte *(p. 10-11)*.

Ceux de Palma de Majorque, Tenerife Sur, Las Palmas (Canaries) et Málaga sont très fréquentés (19 millions de passagers à Palma en 1999), surtout l'été, par des touristes venant principalement d'Europe du Nord. Aussi, ces aéroports sont-ils parfois bondés en été. Des informations sur les transports publics desservant les principaux aéroports d'Espagne sont fournies page 628. Les îles des Baléares et des Canaries ont toutes un aéroport international, sauf Hierro et La Gomera (vols intérieurs seulement). Ceuta et Melilla

Avion d'Iberia à l'aéroport de Séville

ne sont desservies que par des vols intérieurs.

LES TARIFS

L es prix des vols pour l'Espagne varient, pendant l'année, selon la demande. C'est l'été qu'ils sont le plus chers. L'hiver, des tarifs spéciaux incluant parfois des nuits d'hôtel sont proposés, surtout pour des week-ends dans certaines villes. Les tarifs « Bravo » d'Iberia et les

promotions de **GO** sont intéressants. Pour Noël et Pâques, il est préférable de réserver longtemps à l'avance.

Les nombreuses compagnies françaises de charters desservent nombre de villes espagnoles. Les tarifs sont souvent avantageux, mais les horaires des vols ne sont pas toujours pratiques. Dans certains aéroports espagnols, vous pouvez louer une voiture à un prix avantageux, mais lisez soigneusement le contrat.

AÉROPORT EL PRAT DE BARCELONE

Cet aéroport est situé à 12 km du centre-ville. Arrivées internationales et départs des compagnies étrangères au terminal A. Aux terminaux B et C, départs des compagnies espagnoles et arrivées des pays de l'Union européenne. Des trains partent toutes les 30 mn pour la plaça de Catalunya, dans le centre-ville. Pour la correspondance avec les grandes lignes, descendez à la gare de Sants. Une navette, l'Aerobús, part toutes les 15 mn et s'arrête aussi plaça de Catalunya.

Enseigne d'Iberia

LES VOLS INTÉRIEURS

La plupart des vols intérieurs en Espagne étaient autrefois proposés par **Iberia**. Ce monopole a été brisé récemment pour encourager la concurrence. Les deux autres grandes compagnies sont **Air Europa** et **Spanair**.

Les avions faisant le plus fréquemment la navette entre Barcelone et Madrid sont ceux de Puente Aéreo, filiale d'Iberia. Ils décollent toutes les 15 mn, aux heures de pointe, et toutes les 60 mn le reste du temps. Un distributeur automatique permet d'acheter des billets jusqu'à 15 mn avant le départ. Lorsqu'un vol est complet, on propose toujours, aux passagers qui attendent, une place sur le prochain avion disponible.

Air-Nostrum, Air Europa et Spanair entre Madrid et les capitales régionales sont moins fréquents que le Puente Aéreo, mais

généralement un peu moins chers. Ils fonctionnent comme les billets Apex. Plus on réserve tôt, plus la remise est importante. Le billet le moins cher, qui doit être réservé une semaine à l'avance, peut faire économiser jusqu'au tiers du prix. Les vols pour les villes de province ont lieu en général le matin et le soir. Ils peuvent être chers (jusqu'à 120 euros pour un aller simple). La concurrence du train peut éventuellement faire baisser les prix.

Les vols pour les Baléares et les Canaries et les vols d'île à île sont proposés par une entreprise affiliée à Iberia : **Binter**. Les agences de voyages offrent souvent des tarifs spéciaux sur les vols intérieurs pouvant inclure une nuit ou plus à l'hôtel. Ces tarifs font l'objet de publicités dans la presse espagnole.

Attention, car il peut y avoir certains vols internationaux qui comportent une escale à Madrid ou à Barcelone.

Distributeur de billets

Tableau des départs à l'aéroport de Séville

AIRPORT	INFORMATIONS	DISTANCE DU CENTRE-VILLE	COURSE EN TAXI CENTRE-VILLE	TRANSPORT PUBLIC VERS LE CENTRE-VILLE
Alicante	96 691 91 00	10 km	12-14 €	Bus : 20 min
Barcelone	93 298 38 38	14 km	20 €	Train : 20 min Bus : 25 min
Bilbao	94 486 96 64	12 km	20 €	Bus : 30 min
Madrid	90 235 35 70	16 km	11 €	Bus : 20 min Métro : 30-40 min
Málaga	95 204 88 38	8 km	15 €	Train : 15 min Bus : 20 min
Palma de Majorque	971 78 90 99	9 km	15-20 €	Bus : 30 min
Las Palmas de Gran Canaria	928 57 91 30	24 km	24 €	Bus : 60 min
Saint-Jacques de Compostelle	981 54 75 01	12 km	15 €	Bus : 20-30 min
Séville	95 444 90 00	10 km	17-20 €	Bus : 25-30 min
Tenerife Sur – Reina Sofía	922 75 95 10	64 km pour Santa Cruz	50 €	Bus : 60 min
Valence	96 159 85 15	9 km	15-20 €	Bus : 60 min

ARRIVER EN BATEAU

Des ferries relient l'Espagne aux Baléares, aux Canaries et à l'Afrique du Nord. Les ferries effectuent tous les trajets importants. Mieux vaut réserver à l'avance, surtout pour les traversées d'été.

FERRIES POUR LES ÎLES

Nombreuses sont les traversées au départ de Barcelone et Valence pour les trois principales îles des Baléares. Avec la **Trasmediterránea**, les traversées en ferry durent entre trois heures et demie (avec le ferry rapide au départ de Barcelone) et huit heures. Cette compagnie assure aussi des liaisons interinsulaires fréquentes. De petites compagnies proposent des voyages d'une journée (passagers uniquement) d'Ibiza à Formentera. Les tempêtes sont rares en été et les traversées sont en général calmes et confortables.

Trasmediterránea assure une traversée hebdomadaire de Cadix en Andalousie aux principaux ports des Canaries : Las Palmas de Gran Canaria et Santa Cruz de Tenerife. Les traversées durent normalement 39 heures. Des ferries relient les îles entre elles. Trasmediterránea assure des traversées pour passagers uniquement entre les îles de Gran Canaria, Tenerife et

Ferry amarré à Los Cristianos
(Tenerife) aux îles Canaries

Fuerteventura, ainsi qu'entre Tenerife et La Gomera.

Les ferries pour les îles espagnoles sont dotés de cabines, cafés, restaurants, bars, boutiques, cinémas, piscines et de ponts où l'on peut bronzer l'été. Ils sont aussi équipés d'ascenseurs et d'autres équipements pour les personnes ayant des besoins particuliers, et sont même dotés de chenils. Des divertissements sont proposés au cours des traversées entre le continent et les Canaries.

Logo des ferries Trasmediterránea

FERRIES POUR L'AFRIQUE

Les ferries de Trasmediterránea relient chaque jour l'Espagne à l'Afrique du Nord : de Málaga et Almería à Melilla, et d'Algésiras à Ceuta. Des ferries partent aussi d'Algésiras pour Tanger, au Maroc.

Dans le port de Barcelone, un ferry pour les Baléares

Circuler en train

Logo des chemins de fer espagnols

Les chemins de fer espagnols, **RENFE** *(Red Nacional de Ferrocarriles Españoles)*, offrent un service en amélioration constante, surtout entre les villes. Les liaisons interurbaines les plus rapides sont effectuées par le TALGO et l'AVE, l'équivalent du train à grande vitesse français. Les trains *largo recorrido* (longue distance) et *regionales y cercanías* (régionaux et locaux) sont très lents ; beaucoup sont d'ailleurs des omnibus. Toutefois, ils sont bien moins chers que les trains à grande vitesse.

ARRIVER EN TRAIN

Les trains pour l'Espagne empruntent différents trajets depuis Paris. Ceux pour Saint-Sébastien, à l'ouest, traversent Hendaye. Ceux pour Barcelone, à l'est, passent par Cerbère et Port-Bou. Les trains pour Barcelone au départ d'Amsterdam, Bruxelles, Genève, Londres, Milan et Zurich s'arrêtent tous à Cerbère. Là, on peut prendre le TALGO ou les trains *largo recorrido* (longue distance) pour Valence, Málaga, Séville et Madrid et autres destinations importantes. Si vous avez réservé une couchette dans le TALGO depuis Paris, vous n'aurez pas à changer de train.

VISITER L'ESPAGNE EN TRAIN

Ces dix dernières années, les chemins de fer espagnols ont perdu leur réputation d'inefficacité grâce aux trains à grande vitesse TALGO. On peut désormais parcourir très vite les longues distances séparant les grandes villes.

Les places dans les trains à grande vitesse sont moins chères que dans maints autres pays d'Europe. L'AVE est celui qui relie Madrid à Séville en deux heures et demie et Madrid à Lleida en deux heures quarante.

Les trains *largo recorrido* (longue distance) sont si lents ('on prend en général ceux ?uit. Vous avez le choix

Trains à grande vitesse AVE dans la gare Santa Justa de Séville

entre la *cochecama* (compartiment avec deux *camas* ou couchettes) ou la *litera*, un des six sièges de compartiment transformables en couchettes. Il faut payer un supplément quand vous les réservez. Faites-le au moins un mois à l'avance, mais n'oubliez pas qu'il est difficile de changer un billet déjà acheté.

Les trains *regionales y cercanías* (régionaux et locaux) sont fréquents et peu chers. Vous pouvez acheter votre billet dans un distributeur, à la gare.

Logo d'un train à grande vitesse

Les principales gares de Madrid pour les trains régionaux et longue distance sont Atocha, Chamartín et Norte. Le TALGO part des trois, l'AVE d'Atocha seulement. Barcelone possède deux grandes gares, Sants et Francia. Séville n'en a qu'une, Santa Justa, pour les trains régionaux et internationaux.

LES TARIFS

La RENFE offre une réduction de 10 % lors des *días azules* (jours bleus), indiqués en bleu dans les horaires.

En Espagne, les prix dépendent de la brièveté du voyage et du service. Les places de TALGO et d'AVE sont les plus chères.

Les billets Interrail et Eurodomino, respectivement pour les moins et les plus de 26 ans, se vendent dans les grandes agences de voyages d'Europe et les bureaux de la RENFE en Espagne. Pour réserver, se munir d'une pièce d'identité.

Deux trains de luxe circulent, chers, mais d'un grand confort.

LES CHEMINS DE FER RÉGIONAUX

Trois *comunidades autónomas* ont leur propre chemin de fer. La Catalogne et Valence ont chacune leur *Ferrocarils de la Generalitat*

Principales lignes de la **RENFE**

Le réseau national espagnol offre diverses possibilités. Consultez une brochure RENFE ou un horaire des trains avant d'acheter un billet.

Légende

- ● Gare principale
- ▬ Ligne principale
- ▬ Ligne rapide de l'AVE
- ▬ ▬ Ligne de l'AVE en construction

(respectivement **FGC** et **FGV**). Le chemin de fer basque est l'**ET** *(Eusko Trenbideak).* Iberrail vend des billets pour deux trains semblables à l'Orient-Express. L'un, l'Andalus Expres, parcourt l'Andalousie. Il s'arrête à Séville, Cordoue, Grenade, Jerez et Ronda. L'autre, le Transcantábrico, dépend des **FEVE** *(Ferrocarriles de Vía Estrecha).* Il va de Saint-Sébastien à Compostelle en longeant la côte nord de l'Espagne. Les passagers voyagent dans 14 wagons restaurés, datant de 1900 à 1930.

Les offices du tourisme régionaux recommandent les trains inhabituels, tels ceux roulant sur des voies étroites vers Inca et Sóller, à Majorque.

Les réservations

On peut réserver ou acheter des billets pour le TALGO, l'AVE et les trains *largo recorrido* à la *taquilla* (guichet) des grandes gares. Les agences de voyages d'Espagne en vendent, mais prennent une commission. Les billets de la RENFE sont parfois vendus par des agents de voyages à l'étranger. Vous pouvez réserver en téléphonant à la RENFE et en

Distributeur de billets de trains

donnant votre numéro de carte bancaire. On peut réserver sur le site Internet de RENFE. Les billets pour les liaisons locales et régionales sont vendus à la *taquilla* de la gare. Dans les grandes gares, ils peuvent être achetés dans des distributeurs automatiques (ils n'acceptent que les pièces). Il n'y a pas de réservations pour les trains *cercanías* (locaux). Un aller simple est une *ida*, un aller-retour une *ida y vuelta*.

Les horaires

Les horaires de la RENFE changent en mai et en octobre. Vous pouvez les obtenir au bureau de la RENFE, sur leur site Internet ou auprès de votre agent de voyages. La plupart sont présentés sous forme de feuillets et sont répartis selon différents types de voyages : interurbain, *largo recorrido* et *regionales.* Les horaires pour les *cercanías* sont indiqués sur les panneaux dans les gares.

Atocha, une des plus importantes gares de Madrid

Circuler en voiture

L es routes les plus rapides sont les *autopistas* à quatre voies et à *peajes* (péages). Les *autovías*, elles, n'ont pas de péage. La *carretera nacional* est le réseau national des routes principales et des autoroutes signalées par le préfixe N. Les routes plus petites sont en général moins bien entretenues, mais c'est un moyen agréable pour visiter la campagne espagnole. Vous trouverez ci-dessous des renseignements sur les routes, péages, parcmètres, carburants et le code de la route.

Panneau pour l'autoroute nationale N 110

Cambio de sentido (demi-tour) dans 300 m

ARRIVER EN VOITURE

N ombreux sont ceux qui utilisent l'autoroute pour aller en Espagne. Le moyen le plus rapide est de prendre celles qui franchissent les Pyrénées en passant à l'ouest par Hendaye et à l'est par Port-Bou. On peut aussi emprunter des routes pittoresques, mais tortueuses, comme, par exemple, celle qui part de Toulouse et passe par la Vall d'Aran.

LES OBLIGATIONS ADMINISTRATIVES

I l vous faut un certificat d'assurance (carte verte) pour être couvert aussi en Espagne. Si le propriétaire n'est pas dans le véhicule, le conducteur doit avoir une autorisation de sa part. UAP Assistance et Europe Assistance ont des services d'assistance téléphoniques et des polices avec une couverture européenne.

Selon la loi espagnole, il faut toujours avoir sur soi son passeport ou sa carte d'identité, son permis, sa carte grise et un certificat d'assurance en cours de validité. Il faut aussi mettre à l'arrière de son véhicule un autocollant indiquant le pays d'immatriculation.

Vous risquez d'être verbalisé si vous n'avez pas de triangle rouge, d'ampoules électriques de rechange et de trousse à pharmacie.

L'hiver, mieux vaut prendre des chaînes pour conduire en montagne. L'été, pensez à emporter de l'eau potable si vous allez dans des zones retirées.

LE CARBURANT

L e *gasóleo* (diesel), la *gasolina* (essence) et la *gasolina sin plomo* (sans plomb) sont en vente partout. Leur prix est plus élevé dans les stations-service des *autopistas*. Aux pompes où l'on vous sert, l'employé vous demandera *¿cuanto?* (combien ?). Vous pouvez répondre *lleno* (le plein) ou indiquer un montant en euros, par exemple *dos euros por favor*. Les stations en libre-service sont très répandues. Les plus modernes disposent de machines pour le paiement automatique. Il faut, en premier lieu, y insérer sa carte bancaire, puis taper la somme en euros correspondant à la quantité de carburant désirée, enfin il suffit de se servir.

Les cartes bancaires, parfois refusées dans les petites stations d'essence, sont acceptées sur présentation d'une pièce d'identité dans celles en bordure d'autoroute.

Vitesse limitée à 50 km/h

Passage pour piétons

LE CODE DE LA ROUTE

E n Espagne, seuls quelques panneaux et indications ne sont pas familiers aux étrangers.

Pour tourner à gauche à un carrefour important ou pour traverser une voie où les voitures roulent en sens inverse, il faut parfois tourner d'abord à droite et traverser une route principale, souvent au moyen de feux rouges, d'un pont ou d'un passage souterrain. Si vous avez pris par erreur une autoroute ou une grande route avec une ligne blanche continue, faites demi-tour là où vous voyez un panneau *cambio de sentido*.

La priorité est à droite sauf si un panneau indique le contraire. La ceinture de sécurité est obligatoire à l'avant et à l'arrière s'il y en a. Les conducteurs venant en sens inverse peuvent faire des appels de phares pour dire « allez-y », « danger », « vos phares sont allumés » ou (la plupart du temps) « radar ».

Une des nombreuses stations-service Campsa d'Espagne

LES LIMITATIONS DE VITESSE ET LES AMENDES

Les limitations de vitesse pour les voitures sans remorque sont de :
• 120 km/h sur les *autopistas* (autoroutes à péage) ;
• 100 km/h sur les *autovías* (autoroutes sans péage) ;
• 90 km/h sur les *carreteras nacionales* (routes principales) et les *carreteras comarcales* (routes secondaires) ;
• 50 km/h dans les agglomérations.

Les amendes pour excès de vitesse sont données sur-le-champ. Chaque kilomètre/heure au-dessus de la limite coûte 6 euros. Les amendes pour les autres infractions dépendent de la gravité de l'infraction et de l'humeur du policier.

On donne fréquemment dans tout le pays des amendes pour ceux qui ont dépassé le taux légal d'alcoolémie (qui est de 30 mg par ml).

LES AUTOROUTES

L'Espagne compte plus de 2 000 km d'*autopistas*. Ces routes à péage sont assez chères. L'Espagne est en train de changer le système de numérotation de ses routes, et certaines routes mentionnées peuvent avoir changé de numéro. Une route est gratuite si elle porte la lettre « A » en préfixe et elle est à péage si c'est la lettre « AP ». Les prix sont calculés au kilomètre et varient d'une région à l'autre. L'A 7, qui longe la côte sud jusqu'à Alicante, et l'A 68 Bilbao-Saragosse sont parmi les plus fréquentées et les plus chères.

On trouve des stations-service tous les 40 km environ sur les *autopistas*. Elles sont signalées par un panneau bleu et blanc avec un « P » pour parking ou un panneau indiquant les services disponibles. À environ 1 km d'une station-service, un panneau annonce la distance jusqu'à la suivante et les services qu'elle offre. La plupart ont des toilettes et proposent, outre le

Dans la Sierra Nevada passe une des plus hautes routes d'Europe

carburant, cartes, boissons chaudes et fraîches et repas.

Le long des *autopistas*, il y a des téléphones pour les urgences tous les 2 km.

LES PÉAGES

Si vous devez parcourir une longue distance sur une *autopista*, prenez un ticket au péage *(peaje)* à l'entrée et rendez-le à un péage quand vous la quittez. Le prix varie selon la distance parcourue, mais il est fixe pour de petites portions d'autoroutes près des villes. Vous pouvez payer en liquide ou par carte bancaire.

Vous devez prendre au *peaje* une des trois voies qui mènent aux différentes cabines. Évitez le *telepago*, système de crédit nécessitant un pare-brise équipé d'une puce. L'*automático* a des machines permettant de payer en faisant l'appoint ou par carte bancaire. L'employé du *manual* prend votre ticket et votre argent.

Péage d'*autopista*

LES AUTRES ROUTES

Les routes principales, ou *carreteras nacionales*, ont des panneaux blancs et noirs et sont indiquées par un N *(Nacional)* suivi d'un chiffre. Celles dotées de chiffres romains (N III) ont des bornes signalant la distance depuis la Puerta del Sol, à Madrid *(p. 262)*. Les *autopistas* à chiffres arabes (N 6) ont des bornes indiquant la distance depuis la capitale de la province. Certaines *carreteras nacionales* ont quatre voies, mais la plupart n'en ont qu'une et la circulation y est lente. Elles sont moins fréquentées de 14 h à 17 h, quand les camionneurs s'arrêtent pour déjeuner.

Les *autovías* sont des autoroutes construites récemment pour remplacer les routes N. Elles sont indiquées par des panneaux bleus comme les *autopistas*, mais sont gratuites et donc plus fréquentées.

Les *carreteras comarcales* sont des routes secondaires signalées par un C suivi d'un chiffre. D'autres routes ont des lettres correspondant au nom de la province, comme la LE 1313 pour Lleida. L'hiver, les panneaux indiquent si un col est ouvert *(abierto)* ou fermé *(cerrado)*.

Employée du *peaje manual*

LOCATION DE VOITURES

Des sociétés internationales et espagnoles, comme **Atesa**, louent des voitures dans tout le pays. Le plus intéressant est de s'adresser en France à une firme internationale. Il existe aussi différentes formules pour louer un véhicule, certaines incluant le prix de l'avion.

Les agences de location ont des guichets dans les aéroports et des bureaux en ville. Sur place, si l'on veut louer une voiture pour une semaine au plus, on peut s'adresser à une agence de voyages. Une voiture de location se dit *coche de alquiler*.

Pour les voitures avec chauffeur, **Avis** offre des formules depuis les grandes villes. Le prix et les conditions d'une location varient selon la région et la localité.

Quelques-uns des loueurs de voitures opérant en Espagne

LES CARTES ROUTIÈRES

Aéroports, ferries et offices du tourisme proposent des cartes routières dépliantes. Celle du ministère espagnol des Transports, très complète, est présentée sous forme de livre : la *Mapa Oficial de Carreteras*. La société de carburants Campsa édite le *Guía Campsa*, un guide des restaurants comprenant une carte routière. Les cartes Michelin à couverture orange, numérotées de 440 à 448, portent sur l'Espagne et ses îles (1 cm = 4 km). Elles sont vendues dans les librairies et les stations d'essence.

Des cartes plus précises (1 cm = 2 km) pour cyclistes, randonneurs, etc., sont publiées par Plaza y Janés. Les cartes militaires (1 cm = 500 m et 1 cm = 1 km) s'achètent dans les librairies spécialisées en France et chez certains libraires espagnols.

Taxis de ville avec leur logo et leurs numéros officiels

Les offices du tourisme procurent en général des plans de leur ville indiquant les principaux sites.

Ce guide fournit des plans détaillés du centre de Barcelone *(p. 176-181)*, de Madrid *(p. 298-303)* et de Séville *(p. 430-433)*.

STATIONNER

En Espagne, le stationnement est payant de 8 h à 14 h et de 16 h à 20 h du lundi au samedi. Il ne faut pas se garer le long des trottoirs dont le bord est peint en jaune ou dans une zone interdite au stationnement. Vous verrez parfois des panneaux de chaque côté de la chaussée, certains indiquant « 1-15 », les autres « 16-30 ». Vous ne pouvez stationner d'un côté de la rue que pendant les quinze jours indiqués sur le panneau.

En ville, les rues sans parcmètres sont rares. Il existe un autre système pour payer sa place : il faut acheter un disque en vente dans les postes et les tabacs que l'on place derrière son pare-brise.

Le prix varie, mais il est en moyenne de 1-2 euros par heure. En général, vous pouvez rester garé à la même place pendant deux heures. Attention ! les amendes varient d'une ville à l'autre.

Les grandes villes sont équipées de grands parcs de stationnement souterrains. Gardez le ticket que vous avez pris en entrant et payez le gardien en sortant.

Parcmètre

LES TAXIS

Il n'existe pas de système central pour les taxis espagnols. Chaque ville et/ou région a une structure et des prix qui lui sont propres. Tous les taxis ont une lumière verte allumée lorsqu'ils sont libres. La plupart ont un compteur et affichent une somme minimum au début de la course. Dans les petits villages, le chauffeur est parfois un habitant qui possède une voiture sans compteur. Mieux vaut négocier le prix de la course avant le départ. En ville, on trouve de nombreux taxis aux aéroports, aux gares et arrêts de bus et dans les principaux quartiers commerçants. Vous pouvez laisser un pourboire d'environ 1 euro.

L'ÉTAT DES ROUTES ET LA MÉTÉOROLOGIE

Pour obtenir des informations enregistrées sur les routes et la circulation, composez le numéro national gratuit pour l'**Informacíon de Tráfico de Carreteras**. Ce service est uniquement en espagnol. Si vous ne le comprenez pas, demandez au réceptionniste de votre hôtel s'il peut vous le traduire. Un service téléphonique de météorologie, **Teletiempo**, donne des prévisions pour les différentes régions et provinces d'Espagne, et pour le reste du monde.

Interdiction de stationner

ARRIVER EN CAR

Le car est le moyen le moins cher pour aller et circuler en Espagne. Ceux d'**Eurolines**, au départ de Paris, desservent chaque jour Madrid (19 heures de trajet) et Barcelone (15 heures).

À Paris, les cars partent de la gare de Paris-Gallieni. Eurolines et les agences de voyages vendent des places. On peut réserver par téléphone en donnant son numéro de carte bancaire.

CIRCULER EN CAR

En Espagne, il n'y a que des entreprises régionales de cars, mais ceux-ci sillonnent tout le pays. La principale, **Autocares Juliá**, est le représentant d'Eurolines. Elle propose trajets, vacances en car et excursions dans tout le pays. Certaines entreprises s'occupent de régions précises ; Alsina Graells, par exemple, couvre presque tout le sud et l'est de l'Espagne. Billets et informations pour les longs trajets sont fournis par les grandes gares routières et les agences de voyages, mais les réservations ne sont pas toujours possibles. À Madrid, il existe plusieurs gares routières. Les principales sont **Estación Sur** (cars pour toute l'Espagne), **Terminal Auto Res** (cars pour Valence, l'Estrémadure et l'Andalousie) et **Intercambiador des Autobuses** (cars pour le nord du pays).

À BICYCLETTE

On loue des vélos dans de nombreux lieux touristiques, mais les pistes cyclables sont rares, même dans les villes. Les vélos peuvent être transportés dans les trains *cercanías* du vendredi à 14 h jusqu'au samedi soir par le dernier train, par

L'Espagne se prête bien aux balades à vélo

les trains régionaux ayant un wagon de marchandises et les trains de nuit des grandes lignes. Si vous devez faire un long voyage à un autre moment, enregistrez votre vélo une heure avant le départ. Si vous l'envoyez comme bagage, le prix à payer dépendra du poids. Vous ne pourrez peut-être pas voyager avec lui ; il faudra le récupérer à l'arrivée.

Car de la compagnie régionale Alsina Graells

L'AUTOBUS

Trajets et horaires sont affichés aux terminus et aux arrêts. On paye dans le bus ou on achète des carnets de 10 tickets dits *billetes bonobus* dans les *estancos* (tabacs).

Trajets de bus à Séville

CARNET D'ADRESSES

LOCATION DE VOITURES

Atesa
📞 902 10 01 01
🌐 www.atesa.com

Avis
📞 902 13 55 31
🌐 www.avis.com

Europcar
📞 902 10 50 30
🌐 www.europcar.com

Hertz
📞 901 10 10 01 appel gratuit en Espagne.
🌐 www.hertz.es

COMPAGNIES DE CARS

Autocares Juliá
📞 93 402 69 00

(Barcelone).

Eurolines
📞 934 90 40 00
(Barcelone).
📞 915 06 33 60
(Madrid).

GARES ROUTIÈRES

Madrid
Estación Sur
Calle Méndez Alvaro 83.
📞 91 468 42 00.
🌐 www.estacionautobues madrid.com

Terminal Auto Res
Calle Fernández Shaw 1.
📞 902 02 09 99.
🌐 www.auto-res.net

Intercambiador de Autobuses
Avenida de América.
📞 917 45 63 00.

Barcelone
Estació del Nord
Calle Ali Bei 80.
📞 902 61 06 06.
🌐 www.barcelonanord. com

Estació de Sants
Calle Viriato.

Séville
Estación Plaza de Armas
Calle Cristo de la Expiración.
📞 954 90 80 40.

CARTES

Altair S.A.
Gran Via 616,
08007 Barcelona.
📞 933 42 71 71.

Instituto Geográfico Nacional
C/ General Ibáñez Ibero 3, 28003 Madrid.
📞 91 554 14 50.
🌐 www.cnig.ign.es

MÉTÉOROLOGIE

Teletiempo Nacional
📞 906 36 53 65

Teletiempo Provincial
📞 906 36 53 +
les deux premiers chiffres du code postal régional.

CIRCULATION ET ÉTAT DES ROUTES

Información de Tráfico de Carreteras
📞 900 12 35 05
appel gratuit.

Index

Les numéros de page en **gras**
renvoient aux principales entrées.

Remerciements

L'éditeur remercie les organismes, les institutions et les particuliers suivants dont la contribution a permis la préparation de cet ouvrage.

AUTEURS

JOHN ARDAGH est journaliste et écrivain. Il est l'auteur de plusieurs livres sur l'Europe moderne.

DAVID BAIRD, qui a vécu en Andalousie de 1971 à 1995, est l'auteur d'*Inside Andalusia*.

VICKY HAYWARD, écrivain, journaliste et éditeur, habite Madrid et a voyagé dans toute l'Espagne.

ADAM HOPKINS, auteur de nombreux récits de voyages, est l'auteur de *Spanish Journeys : A Portrait of Spain*.

LINDSAY HUNT a beaucoup voyagé et a apporté sa contribution à plusieurs *Guides Voir*.

NICK INMAN écrit régulièrement sur l'Espagne pour des livres et des magazines.

PAUL RICHARDSON est l'auteur de *Not Part of the Package*, un livre sur Ibiza où il réside.

MARTIN SYMINGTON apporte régulièrement sa contribution au *Daily Telegraph*. Il a aussi participé au *Guide Voir Grande-Bretagne*.

NIGEL TISDALL, qui a apporté sa contribution à la rédaction du *Guide Voir France*, est l'auteur de *Insight Pocket Guide to Seville*.

ROGER WILLIAMS a participé aux *Insight Guides* sur Barcelone et la Catalogne. En outre, il a été le principal collaborateur du *Guide Voir Provence-Côte d'Azur*.

AUTRES COLLABORATEURS

Mary Jane Aladren, Pepita Aris, Emma Dent Coad, Rebecca Doulton, Harry Eyres, Josefina Fernández, Anne Hersh, Nick Rider, Mercedes Ruiz Ochoa, David Stone, Clara Villanueva, Christopher Woodward, Patricia Wright.

ILLUSTRATIONS D'APPOINT

Arcana Studio, Richard Bonson, Louise Boulton, Martine Collings, Brian Craker, Jared Gilbey (Kevin Jones Associates), Paul Guest, Steven Gyapay, Claire Littlejohn.

PHOTOGRAPHIES D'APPOINT

Tina Chambers, Geoff Dann, Phillip Dowell, Mike Dunning, Neil Fletcher, Steve Gorton, Frank Greenaway, Derek Hall, Colin Keates, Alan Keohane, Dave King, D. Murray, Cyril Laubscuer, Stephen Oliver, J. Selves, Mathew Ward.

RECHERCHE CARTOGRAPHIQUE

Lovell Johns Ltd (Oxford), ERA-Maptec Ltd.

COLLABORATION ARTISTIQUE ET ÉDITORIALE

Sam Atkinson, Pilar Ayerbe, Cristina Barrallo, Jill Benjamin, Chris Branfield, Daniel Brett, Rosemary Bailey, Vicky Barber, Teresa Barea, Gretta Britton, Lola Carbonell, Peter Casterton, Elspeth Collier, Carey Combe, Jonathan Cox, Martin Cropper, Linda Doyle, Helena González, Des Hemsley, Tim Hollis, Michael Lake, Erika Lang, Rebecca Lister, Sarah Martin, Jane Oliver, Simon Oon, Mike Osborn, Malcolm Parchment, Anna Pirie, Zoë Rass, Anna Streiffert, Helen Townsend, Andy Wilkinson, Robert Zonenblick.

LECTEUR

Stewart J. Wild.

RESPONSABLE DE L'INDEX

Hilary Bird.

AVEC LE CONCOURS SPÉCIAL DE :

L'éditeur exprime sa reconnaissance à tous les offices de tourisme régionaux et locaux, *ayuntamientos*, magasins, hôtels, restaurants et autres organisations d'Espagne pour leur aide précieuse. Il tient également à remercier Giray Ablay (Université de Bristol) ; María Eugenia Alonso et María Dolores Delgado Peña (Museo Thyssen-Bornemisza) ; Ramón Álvarez (Consejería de Educación y Cultura, Castilla y León) ; Señor Ballesteros (Office du tourisme de Saint-Jacques-de-Compostelle) ; Carmen Brieva, Javier Campos et Luis Esteruelas (Ambassade d'Espagne, Londres) ; Javier Caballero Arranz ; Fernando Cañada López ; Le Club Taurino de Londres ; Consejería de Turismo, Castilla-La Mancha ; Consejería de Turismo et Consejería de Cultura, Junta de Extremadura ; Mònica Colomer et Montse Planas (Office du tourisme de Barcelone) ; María José Docal et Carmen Cardona (Patronato de Turismo, Lanzarote) ; Edilesa ; Klaus Ehrlich ; Juan Fernández, Lola Moreno et autres à El País-Aguilar ; Belén Galán (Centro de Arte Reina Sofía) ; Amparo Garrido ; Adolfo Díaz Gómez (Office du tourisme d'Albacete) ; le professor Nigel Glendinning (Queen Mary et Westfield College, Université de Londres) ; Pedro Hernández ; Insituto de Cervantes, Londres ; Victor Jolín (SOTUR) ; Joaquim Juan Cabanilles (Servicio de Investigación Prehistórica, Valence) ; Richard Kelly ; Mark Little (Lookout Magazine) ; Carmen López de Tejada et Inma Felipe (Office national du tourisme d'Espagne, Londres) ; Caterine López et Ana Roig Mundi (ITVA) ; Julia López de la Torre (Patrimonio Nacional, Madrid) ; Lovell Johns Ltd (Oxford) ; Josefina Maestre (Ministerio de Agricultura, Pesca y Alimentación) ; Juan Malavia García et Antonio Abarca (Office du tourisme de Cuenca) ; Mario (Promoción Turismo, Tenerife) ; Janet Mendel ; Javier Morata (Acanto Arquitectura y Urbanismo. Madrid) ; Juan Carlos Murillo ; Sonia Ortega et Bettina Krücken (Spain Gourmetour) ; Royal Society for the Protection of Birds (UK) ; Alícia Ribas Sos ; Katusa Salazar-Sandoval (Fomento de Turismo, Ibiza) ; María Ángeles Sánchez et Marcos ; Ana Sarrieri (Departamento de Comercio, Consumo y Turismo, Gobierno Vasco) ; Klaas Schenk ; María José Sevilla (Foods From Spain) ; The Sherry Institute of Spain (Londres) ; Anna Skidmore

(Fomento de Turismo, Mallorca) ; Philip Sweeney ; Rupert Thomas ; Mercedes Trujillo et Antonio Cruz Caballero (Patronato de Turismo, Gran Canaria) ; Gerardo Uarte (Gobierno de Navarra) ; Fermín Unzue (Dirección General de Turismo, Cantabria) ; Puri Villanueva.

RÉFÉRENCES ARTISTIQUES
Sr. Joan Bassegoda, Catedral Gaudí (Barcelone) ; José Luis Mosquera Muller (Mérida) ; Jorge Palazón, Paisajes Españoles (Madrid).

AUTORISATION DE PHOTOGRAPHIER
L'éditeur remercie les responsables qui ont autorisé la prise de vues dans leur établissement : © Patrimonio Nacional, Madrid ; Palacio de la Almudaina, Palma de Majorque ; El Escorial, Madrid ; La Granja de San Ildefonso ; Convento de Santa Clara, Tordesillas ; Las Huelgas Reales, Burgos ; Palacio Real, Madrid ; Monasterio de las Descalzas ; Bananera « El Guanche S.L. » ; Museo Arqueológico de Tenerife-OACIMC del Excmo. Cavildo Insular de Tenerife ; Asociación de Encajeras de Acebo-Cáceres ; Museo de Arte Abstracto Español, Cuenca ; Fundación Juan March ; Pepita Alia Lagartera ; Museo Naval de Madrid ; © Catedral de Zamora ; Museo de Burgos ; Claustro San Juan de Duero, Museo Numantino, Soria ; San Telmo Museoa Donostia-San Sebastián ; Hotel de la Reconquista, Oviedo ; Catedral de Jaca ; Museo de Cera, Barcelone ; Museu D'Història de la Ciutat, Barcelone ; © Capitol Catedral de Lleida ; Jardí Botànic Marimurtra, Estació Internacional de Biologia Mediterrània, Gérone ; Museo Arqueológico Sagunto (Teatro Romano-Castillo) ; Museo Municipal y Ermita de San Antonio de la Florida, Madrid. L'éditeur exprime également sa reconnaissance à tous ceux qui ont autorisé la prise de vues dans les églises, musées, hôtels, restaurants, magasins, galeries et sites trop nombreux pour être tous cités.

CRÉDIT PHOTOGRAPHIQUE
b = en bas ; bc = en bas au centre ; bd = en bas à droite ; bg = en bas à gauche ; c = au centre ; cb = au centre en bas ; cbd = au centre en bas à droite ; cbg = au centre en bas à gauche ; cd = au centre à droite ; cg = au centre à gauche ; ch = au centre en haut ; chd = au centre en haut à droite ; chg = au centre en haut à gauche ; h = en haut ; hc = en haut au centre ; hd = en haut à droite ; hg = en haut à gauche ; (d) = détail.

Nous prions par avance les propriétaires des droits photographiques de bien vouloir excuser toute erreur ou omission subsistant dans cette liste en dépit de nos soins. La correction appropriée serait effectuée à la prochaine édition de cet ouvrage.

Les œuvres d'art ont été reproduites avec l'aimable autorisation des organismes suivants : *Dona i Ocell* Joan Miró © ADAGP, Paris & DACS, London 172hg ; *Guernica* Pablo Ruiz Picasso 1937 © DACS 1996 289cb ; *Matin* George Kolbe © DACS 1996 ; *Peine de los Vientos* Eduardo

Chillida 118b ; Travaux de Joaquín Sorolla © DACS 1996 295h ; *Taxi pluvieux* Salvador Dalí © DEMART PRO ARTE BV/DACS 1996 205hd ; Tapisserie de la Fondation Joan Miró 1975 © ADAGP, Paris & DACS, London ; *Trois jeunes gitans* © Joan Rebull 1976 140bl.

L'éditeur exprime également sa reconnaissance aux particuliers, sociétés et bibliothèques qui ont autorisé la reproduction de leurs photographies : ACE PHOTO AGENCY : Bob Masters 22b ; Mauritius 19h ; Bill Wassman 306b ; AISA ARCHIVO ICONOGRÁFICO, BARCELONE : 18h, 32bg, 42g, 44ch, 44cb, 45bg, 45bd, 46chd, 46cb, 47hg, 48chg, 48bg(d), 50bg, 50bd, 50chg, 50–51, 51cg, 51chd, 51bg, 52bg, 57bd, 61hd, 63hg, 63b, 264h, 293b, 337bg, 405bg, 405bd, 406cg, 465bd ; Biblioteca Nacional, Madrid *Felipe V* Luis Meléndez 67bg ; Catedral de Sevilla *Ignacio de Loyola* Alonso Vázquez 120bg(d) ; *Camilo José Cela* Álvaro Delgado 1916 © DACS 1996 31bd (d) ; *La Tertulia del Pombo* José Gutiérrez Solana 1920 © DACS 1996 289h ; Museo de América, Madrid *Vista de Sevilla* Alonso Sánchez Coello 54cb ; Museo de Bellas Artes, Seville *Sancho Panza y El Rucio* Moreno Carbonero 56ch ; Museo de Bellas Artes, Valence *Ecce Homo* Juan de Juanes 242bd ; Museo Frankfurt *La Armada* 55hg ; Museo de Historia de México *Hernán Cortés* S.E. Colane 54bg(d) ; Museo Histórico Militar, Saint-Sébastien *Guerra Carlista* 59bd(d) ; Museo Lázaro Galdiano, Madrid *Lope de Vega* Caxes 280hd ; Museo Nacional del Teatro *Affiche pour* « *Yerma* » (F.G. Lorca) Juan Antonio Morales y José Caballero © DACS 1996 31hd ; Museo del Prado, Madrid *La Rendición de Breda* Diego Velázquez 57cb, *El Tres de Mayo de 1808 en Madrid* Francisco de Goya y Lucientes 58-59(d), *La Reina María Luisa María* Francisco de Goya 58chg, *Carlos IV* Francisco de Goya 67bc, *Los Borrachos* Diego de Velázquez 282h, *Saturno devorando a un hijo* Francisco de Goya 284hd, *El Descendimiento* Van der Weyden 285b ; Real Academia de Bellas Artes de San Fernando, Madrid *El Sueño del Caballero* Antonio de Pereda 56–57(d) ; AKG, London : 63cd ; ALLSPORT : Stephen Munday 38cd ; AQUILA : Adrian Hoskins 200chg, 200hg ; Mike Lane 325cbg ; James Pearce 195bg ; ARCAID : Paul Raftery 116 bg ; ARXIU MAS : 32bd, 33bg, 47cbd, 52hg, 53cg, 53bd(d) ; Museo del Prado, Madrid *Felipe II* Sánchez Coello 66bd(d) ; Patrimonio Nacional 55cg, 55b(d).

JAUME BALANYA : 1634 cbd ; BIOFOTOS : Heather Angel 76chg, 76bg ; BRIDGEMAN ART LIBRARY : *L'intronisation de saint Dominique Silos* Bartolomé Bermejo 284hg ; Index/Museo del Prado, Madrid *Autodafé sur la Plaza Mayor* Francisco Rizi 264c ; Musée des Beaux Artes, Berne *Colosse de Rhodes* Salvador Dalí 1954 DEMART PRO ARTE BV/DACS 1996 29hd ; Museo del Prado, Madrid *La Famille du Charles IV* Francisco de Goya y Lucientes 29cb, *L'Adoration des bergers* 282hc, *L'Annonciation* Fra Angelico 282cb, *La Maja vestida* Francisco de Goya y Lucientes 283h, *La Maja desnuda* Francisco de Goya y Lucientes 283ch, *Les Trois Grâces* Peter Paul Rubens 283cb, *Le Martyre de saint Philippe* José de

Ribera 283b ; Museo Picasso, Barcelone *Las Meninas, Infanta Margarita* Pablo Ruiz Picasso 1957 © DACS 1996 28hg ; *Enfants sur la plage* Joaquin y Bastida Sorolla © DACS 1996 285h ; Phoenix Galleries, London *Rooftops, Fortna Luxt, Mallorca* Frederick Gore 8-9 ; MICHAEL BUSSELLE : 197r, 199b, 200h.

CENTRO DE ARTE REINA SOFÍA : *Bertsolaris* Zubiaurre © DACS 1996 121cb, *Paisaje de Cadaqués* Salvador Dalí 1923 © DEMART PRO ARTE BV/DACS 1996 288cb, *Accidente* Ponce de León 288b ; Toki-Egin (Homenaje a San Juan de la Cruz) Eduardo Chillida 1952 © DACS 2002 289bg ; CEPHAS : Mick Rock 25bg, 38h, 74h, 192hd, 192cg, 193hd, 322hd, 402hd, 403bd, 403cd ; Roy Stedall 403hd ; COCOMFE : 613b ; BRUCE COLEMAN : Eric Crichton 194hd ; José Luis González Grande 195hd ; Werner Layer 325hg ; Andy Purcell 27ch ; Hans Reinhard 76cbd ; Norbert Schwirtz 195hg ; Colin Varndell 195cbd ; DEE CONWAY : 407cg, 407cd ; SYLVIA CORDAIY PHOTO LIBRARY : Chris North 34hg ; Joe Cornish : 24ch, 328, 346b, 354hd ; GIANCARLO COSTA : 33bc ; COVER : Genin Andrada 36b, 39b ; Angel Bocalandro 624hg ; Austin Catalan 64bg ; Juan Echeverria 27chd, 37bd, 521bg ; Pepe Franco 182c ; Quim Llenas 121ch, 305hg ; Matías Nieto 39c ; José R. Platón 624hd ; F.J. Rodríguez 121bg.

J.D. DALLET : 65hd,440hg, 575bd.

EDEX : 47bg, 387b ; EDILESA : 334b ; EL DESEO : Pedro Almodóvar 295b ; PACO ELVIRA : 26cbd ; EMI : Hispavox 358b ; EQUIPO 28 : 407h ; ET ARCHIVE : 48bd ; Europa Press : 19c, 64hg, 65ch ; MARY EVANS PICTURE LIBRARY : 9h, 52chg, 59bg, 69h, 133d, 187h, 255d, 264bg, 317, 397r, 447b, 479, 529h, 611r ; Explorer 406h ; EYE UBIQUITOUS : James Davis Travel Photography 17h, 208bd.

FIRO FOTO : 153c ; 509h ; FOTOTECA : IFEMA : Philipe Imbault 304bd ; FUNDACIÓN CÉSAR MANRIQUE : 524bd ; FUNDACIÓN COLECCIÓN THYSSEN-BORNEMISZA : *Vierge d'humilité* Fra Angelico 173h, *La Virgen del Árbol* Petrus Christus 278hd, *Arlequin au miroir* Pablo Ruiz Picasso 1923 © DACS 1996 278c, *Chambre d'hôtel* © Edward Hopper 1931 278bg, *Portrait du baron H.H. Thyssen-Bornemisza* © Lucian Freud 1981–82 278bd, *Vénus et Cupidon* Peter Paul Rubens (après 1629) 279hg, *Saint Jérôme au désert* Titien c. 1575 279hd, *Santa Casilda* Francisco de Zurbarán 1640–1645 279c, *Paysage d'Automne en Oldenburg* Karl Schmidt-Rottluff 1907 © DACS 1996 279b ; FUNDACIÓ JOAN MIRO, BARCELONE : *Flama en L'espai i dona nua* Joan Miró 1932 © ADAGP, Paris et DACS, London 1996 168h.

GODO FOTO : 210b, 211h, 215h, 239h, 245h, 315bg ; RONALD GRANT ARCHIVE : *Pour quelques dollars de plus* © United Artists 476b. FMGB GUGGENHEIM BILBAO MUSEOA : London 1999. Erica Barahona Ede. Tous droits réservés partiellement ou totalement 116h, 116bd, 117h, 117b. ROBERT HARDING PICTURE LIBRARY : 15h, 137hd, 156ch, 168b, 169b, 239h, 293h, 487bd ; Julia

Bayne 186–187 ; Nigel Blythe 15b, 145c ; Bob Cousins 22cbg ; Robert Frerck 439hd ; James Strachan 270hg ; MARÍA VICTORIA HERNÁNDEZ : 509b ; HULTON DEUTSCH COLLECTION : 62b, 373bd. IBERDIAPO : Triangle 500-501 ; THE IMAGE BANK, LONDON : Andra Pistolesi 170 ; Mark Romanelli 136bg ; Mathew Weinreb 157b ; IMAGES COLOUR LIBRARY : 629b ; A.G.E Fotostock 24hd, 25hd, 26chd, 26ch, 26bd, 32hd, 33ch, 36c, 38cg, 118b, 164, 183h, 183c, 201bd, 223ch, 223bd, 304h, 307c, 325chg, 331hd, 403cg, 406bd, 442b, 473h, 507h, 533hd, 625c, 625b ; Horizon International 32-33, 136cb ; INCAFO : J. A. Fernández & C. De Noriega 71bg, 121bd ; Juan Carlos Muñoz 378b, 473b ; A. Ortega 26bg ; Index : 30hg, 44c, 44b, 45c, 45cb, 46hg, 49b, 50chd, 52bd (d), 55hd, *Los Moriscos suplicando al rey Felipe III* 57c, 60–61, 61b, 63cg, *Carlos I* 66hc, 66 bg, 67bd, 467ch ; Bridgeman, London 54chd ; CCJ 19b ; X. Correa 44hg ; *Garrote Vil* José Gutiérrez Solana 1931 © DACS 1996 61cbg(d) ; Galería del Ateneo, Madrid *Lucio Anneo Seneca* Villodas 46chg (d) ; Galeria Illustres Catalonia, Barcelone *Joan Prim I Prats* J. Cusachs 59ch(d) ; Image *José Zorilla* 31bg ; Instituto Valencia de Don Juan, Madrid *Carlos V* Simón Bening 55cbd ; Iranzo 52chd ; Mithra 48cbg, 54bd (d), 60hg ; Museo de América, Madrid *Indio Yumbo y Frutas Tropicales* 55chd ; Museo Lázaro Galdiano, Madrid *Lope de Vega* Anonyme 30c, *Félix Lope de Vega* Francisco Pacheco 56bd(d) ; Museo Municipal, Madrid *Fiesta en la Plaza Mayor de Madrid* Juan de la Corte 57hg ; Museo del Prado, Madrid *Ascensión de un globo Montgolfier en Madrid* Antonio Carnicero 58chd(d), *José Moreño Conde de Floridablanca* Francisco de Goya 58bd(d), *Flota del Rey Carlos III de España* A. Joli 59h(d) ; National Maritime Museum, Greenwich *Batalla de Trafalgar* Chalmers 58cb ; A. Noé 52cb ; Palacio del Senado, Madrid *Alfonso X « El Sabio »* Matías Moreno 30b(d), *Rendición de Granada* Francisco Pradilla 52–53(d) ; Patrimonio Nacional 47bd ; Collection particulière, Madrid *Pedro Calderón de la Barca* Antonio de Pereda 57bg(d) ; Real Academia de Bellas Artes de San Fernando, Madrid *San Diego de Alcalá dando de comer a los pobres* Bartolomé Esteban Murillo 57ch(d), *Fernando VII* Francisco de Goya 67hg(d), *Isabel II* 67hc, *Autoportrait* Francisco de Goya 229b ; A. Tovy 65cb ; NICK INMAN : 194bc, 243hd, 612h, 615cb, 622hd, 631b ; INSTITUT TURÍSTIC VALENCIÀ : 235bd.

CÉSAR JUSTEL : 335b.

ANTHONY KING : 281h.

LIFE FILE PHOTOGRAPHIC : 207c ; Tony Abbott 324chg ; Xavier Catalan 137cb ; Emma Lee 137chd, 402hg, 635hd ; NEIL LUKAS : 440cb, 440b.

MAGNUM : S. Franklin 64cb ; Jean Gaumy 64bd, 65hg ; IMAGEN MAS, LEON : 337hd ; JOHN MILLER : 196g, 478-479, 481cb, 505d, 514b, 519b, 524h, 525b ; Museo Arqueológico De Villena : 44-45 ; MUSEU NACIONAL D'ART DE CATALUNYA : Museu d'Art Modern *El Tombant del Loing* Alfred Sisley 151h ; MUSEO NACIONAL DEL PRADO : *El Jardín de las Delicias*

282b ; Museu Arqueològic De Barcelona : 167c ; Museu Picasso Barcelona : *Auto Retrato* Pablo Ruiz Picasso 1899–1900 © DACS 1996 148b ; *Las Meninas* Pablo Ruiz Picasso 1957 © DACS 1996 149b.

Naturpress : Oriol Alamany 27bg ; J. L. Calvo & J. R. Montero 325cbd ; José Luis Grande 441b ; Walter Kwaternik 26cbg, 27bc, 324chd, 325chd ; Francisco Márquez 441cb, 398bg ; Aurelio Martín 27bd, Sebastián Martín 325bc ; José A. Martínez 76hd, 197b, 324cbg, 324cbd ; © National Maritime Museum : 54-55 ; Network : Bilderberg/W. Kunz 403hg ; NHPA : Laurie Campbell 76chd ; Stephen Dalton 77cg ; Vicente García Canseco 27chg, 441ch ; Manfred Daneggar 76bd, 77bd ; Natural Science Photos : Nigel Charles 104hg ; C. Dani & I. Jeske 100b, 325bd ; J. Plant 222cb ; Richard Revels 324bd ; Brian Sutton 324bg ; W. Tarboton 324hg ; P. & S. Ward 222bd.

Office du tourisme de L'Estartit : 207c. Omega Foto : 106hg, Manuel Pinilla 38b, 119b ; Oronoz : 4, 29bd, 32cg, 33bd, 43b, 45h, 46b, 49h, 49cbg, 49cbd, 50hg, 50cb, 51h, 51bd, 54hg, 54chg, 56cb, 61hg, 64ch, 65c, 78hg, 108h, 295cd, 337bd, 345bd, 352b, 416bg, 423bg, 443hg, 455h, 456g, 465bg ; Biblioteca Nacional, Madrid *Isabel la Católica* Luis Madrazo 66hg(d) ; *El Espíritu de los Pájaros o Pájaros Volando* Eduardo Chillida 1953 © DACS 1996 289b ; Iglesia Santo Tomé, Tolède *El Entierro del Conde de Orgaz* El Greco 28ch ; *Portrait II* Joan Miró 1938 © ADAGP, Paris et DACS, London 1996 288h ; Monasterio Santa Maria, Barcelone *Virgen con Niño* Ferrer Bassa 28cbg(d) ; Museo de Bellas Artes, Cadix *San Bruno en Éxtasis* Zurbarán 443hd ; Museo Casa Gredo, Tolède *Carlos II* Miranda Correño 66hd(d) ; Museo del Ejército, Madrid *Isabel II* Madrazo 58hg ; Museo Municipal de Bellas Artes, Tenerife *Retrato de Boabdil o Abu Abdala* 53hd(d) ; Museo Nacional de Escultura, Valladolid *Natividad* Berruguete 349hd ; Museo Naval, Madrid *Desembarco de Colón* José Garnelo 53hg ; Museo Naval Laminas, Madrid *Carabelas de Colón* Monleón 53bg(d) ; Museo del Prado, Madrid *El Salvador* José de Ribera 28cbd, *Las Meninas o Familia de Felipe V* Diego Velázquez 28–29, *Felipe III* Pedro A. Vidal 56bg, *Felipe V* 58bg, *Guernica* Pablo Ruiz Picasso 1937 © DACS 1996, 62–63, *Felipe IV* Diego Velázquez 66bc(d), *Bodegón* Zurbarán 284b, *David Vencedor de Goliat* Le Caravage 285c ; Palacio Moncloa *Interior de la Catedral de Santiago* Villaamil Pérez 78-79 ; *Mujer en Azul* Pablo Ruiz Picasso 1901 © DACS 1996 288ch ; collection particulière, Palma *Oleo Sobre Lienzo* Joan Miró 1932 © ADAGP, Paris et DACS, London 29ch ; Real Academia de Bellas Artes de San Fernando *Fray Pedro Machado* Zurbarán 271hd.

Panos Pictures : Adrian Evans 64–65 ; José M. Pérez De Ayala : 26cd, 440hd, 440ch, 441h, 441ch ; The Photographers Library : 499hd ; Pictures Colour Library : 18b, 26hd, 158-159, 248b, 398cg ; Prisma : 60ch, 61cbd, 62ch, 62cb, 63hd, 93h, 136bd, 229c, 240h, 307h, 435, 492bd, 508cg, 515cbg, 515cb, 515cbd, 515bg, 519h, 527bg, 527bd ; Franco Aguiar 67hd ; *El ingenioso hidalgo Don Quixote de la Mancha* 1605 Ricardo Balaca 377bd ; Diputación de Madrid *Francisco Bahamonde Franco* Enrique Segura 62hg ; Domenech & Azpiliqueta 114h ; Albert Heras 182b ; Marcel Jaquet 507b, 517b ; Hans Lohr 459b ; *Los Niños de la Concha* Bartolomé Esteban Murillo 29bg(d) ; Museo de Arte Moderno, Barcelona *Pío Baroja* Ramón Casas 60cb(d) ; Museo de Bellas Artes, Bilbao *Condesa Mathieu de Noailles* Ignacio Zuloaga y Zubaleta © DACS 1996 114b ; Museo de Bellas Artes, Saragosse *Príncipe de Viana* José Moreno Carbonero 126b(d) ; Mateu 185c ; Palacio del Senado, Madrid *Alfonso XIII* Aquino © DACS 1996 67cd ; Patrimonio Nacional Palacio de Riofrío, Ségovie : 60bd ; *Auto Retrato* Pablo Ruiz Picasso 1907 © Succession Picasso DACS 1996 61ch ; Marta Povo 626h ; Real Academia de Bellas Artes de San Fernando, Madrid *Las Bodas de Camacho* José Moreno Carbonero 31hg(d), *La Procession des Flagellants* Francisco de Goya 264bd(d) ; *Emilio Castelar* Joaquin Sorolla © DACS 1996 60bg.

Rex Features : Sipa Press 205cb ; © Royal Museum Of Scotland : Michel Zabé 43h.

María Ángeles Sánchez : 34hd, 35b, 39h, 75h, 94cg, 14g, 280hg, 294b, 369c, 387hd, 508h, 508cd, 508b, 512c, 523h ; Science Photo Library : Geospace 19h ; 6 Toros 6 : 33cb ; Office espagnol du tourisme : 245c ; Spectrum Colour Library : 132–133, 136hd, 528–529 ; Stockphotos, Madrid : Marcelo Brodsky 36h ; Campillo 625h ; Heinz Hebeisen 37bg ; Mikael Helsing 624b, 314hg ; David Hornback 17b ; Javier Sánchez 314hg ; Werner Otto Reisefotografie 629h ; James Strachan : 281b, 292h, 292c, 294h ; Tony Stone Worldwide : Doug Armand 16b ; Jon Bradley 304bg ; Robert Everts 422ch.

Visions Of Andalucia : Michelle Chaplow 406–407 ; J.D. Dallet 379hd ; VU : Christina García Rodero 2–3, 16c, 34b, 35c, 35h, 128cg, 246–247, 350g, 413cd.

Charlie Waite : 470–471 ; Werner Forman Archive : Museo de Arte Hispanomusulmán 48h ; Musée d'Art catalan, Barcelone 326hg ; National Maritime Museum, Greenwich 48cd ; Alan Williams : 74b ; Peter Wilson : 254–255, 272, 444b, 445c, 451h, 457h ; World Pictures : 305c, 488h ; Zefa : 1.

Première page de garde : photos de commande, à l'exception de Joe Cornish cbg ; John Miller hd ; Spectrum Colour Library ch ; Peter Wilson cbd.

1ʳᵉ de couv. - Photothèque DK : Max Alexander cd ; Getty Images : Michelle Chaplow c ; Shaun Egan bg ; Robert Everts photo principale. 4ᵉ de couv. - Corbis : Bob Krist h ; Getty Images b. Dos - Getty Images : Robert Everts.

Autres images © Dorling Kindersley. Renseignements : www.DKimages.com

Lexique

EN CAS D'URGENCE

Au secours !	¡Socorro!	so-ko-ro
Arrêtez !	¡Pare!	pa-ré
Appelez un médecin !	¡Llame a un médico!	ya-mé a oun mé-di-ko
Appelez une ambulance !	¡Llame a una ambulancia!	ya-mé a ouna ahm-bou-lahn-ssi-a
Appelez la police !	¡Llame a la policía!	ya-mé a la po-li-ssi-a
Appelez les pompiers !	¡Llame a los bomberos!	ya-mé a los bohm-bé-ros
Où est le téléphone le plus proche ?	¿Dónde está el teléfono más próximo?	don-dé és-ta él té-lé-fo-no mas prox-i-mo
Où est l'hôpital le plus proche ?	¿Dónde está el hospital más próximo?	don-dé és-ta él os-pi-tal mas prox-i-mo ?

L'ESSENTIEL

Oui	Sí	si
Non	No	no
S'il vous plaît	Por favor	por fa-vor
Merci	Gracias	gra-ssi-as
Excusez-moi	Perdone	pér-do-né
Bonjour	Hola	o-la
Au revoir	Adireva-di-os	
Bonne nuit	Buenas noches	boué-nas no-chés
Matin	La ma	nocla ma-nya-na
Après-midi	La tarde	la tar-dé
Soir	La tarde	la tar-dé
Hier	Ayer	a-yér
Aujourd'hui	Hoy	oil
Demain	Mamain	ma-nya-na
Ici	Aquí	a-ki
Là	Allí	a-yi
Quoi ?	¿Qué?	ké
Quand ?	¿Cuándo?	kouahn-do
Pourquoi ?	¿Por qué?	por-ké
Où ?	¿Dónde?	dohn-dé

QUELQUES PHRASES UTILES

Comment allez-vous ?	¿Cómo está usted?	ko-mo és-ta ous-téd
Très bien, merci.	Muy bien, gracias.	moui bi-én gra-ssi-as
Ravi de faire votre connaissance.	Encantado de conocerle.	én-kan-ta-do dé ko-no-ssér-lé
À bientôt.	Hasta pronto.	as-ta prohn-to
C'est parfait.	Está bien.	és-ta bi-én
Où est/sont...?	¿Dónde está/están...?	dohn-dé és-ta/és-tahn
À quelle distance se trouve...?	Cuántos metros/ kilómetros hay de aquí a...?	kouahn-tos mé-tros/ ki-lo-mé-tros ail dé a-ki a
Comment aller à...?	¿Por donde se va a...?	..por dohn-dé sé ba a
Parlez-vous français ?	¿Habla frances?	a-bla frahn-ces
Je ne comprends pas.	No comprendo	no kohm-prén-do
Pouvez-vous parler plus lentement s'il vous plaît ?	¿Puede hablar más despacio por favor?	pwé-dé a-blar mas dés-pa-ssi-o por fa-vor
Excusez-moi.	Lo siento.	lo si-én-to

QUELQUES MOTS UTILES

grand	grande	grahn-dé
petit	pequeño	pé-ké-nyo
chaud	caliente	ka-li-én-té
froid	frío	fri-o
bon	bueno	boué-no
mauvais	malo	ma-lo
assez	bastante	bas-tahn-té
bien	bien	bi-én
ouvert	abierto	a-bi-ér-to
fermé	cerrado	ssér-ra-do
gauche	izquierda	iss-qui-ér-da
droite	derecha	dé-ré-cha
tout droit	todo recto	to-do rék-to
près	cerca	ssér-ka
loin	lejos	lé-hos
en haut	arriba	a-ri-ba
en bas	abajo	a-ba-ho
tôt	temprano	tém-pra-no
tard	tarde	tar-dé
entrée	entrada	én-tra-da
sortie	salida	sa-li-da
toilettes	lavabos, servicios	la-va-bos sér-bi-ssi-os
plus	más	mas
moins	menos	mé-nos

LE SHOPPING

Combien cela coûte-t-il ?	¿Cuánto cuesta esto?	kouahn-to koués-ta és-to
Je voudrais...	Me gustaría...	mé gous-ta-ri-a
Avez-vous...?	¿Tienen?	ti-yé-nén
Je ne fais que regarder.	Sólo estoy mirando, gracias.	so-lo és-toil mi-rahn-do gra-ssi-as
Acceptez-vous les cartes de crédit ?	¿Aceptan tarjetas de crédito?	a-ssép-tahn tar-hé-tas dé kré-di-to
À quelle heure ouvrez-vous ?	¿A qué hora abren?	a ké o-ra a-brén
À quelle heure fermez-vous ?	¿A qué hora cierran?	a ké o-ra ssi-ér-rahn
Ceci.	Éste.	és-té
Cela.	Ése.	é-sé
cher	caro	kar-o
bon marché	barato	ba-ra-to
la taille (vêtement)	talla	ta-ya
la pointure	número	nou-mér-o
blanc	blanco	blahn-ko
noir	negro	né-gro
rouge	rojo	ro-ho
jaune	amarillo	a-ma-ri-yo
vert	verde	bér-dé
bleu	azul	a-ssoul
l'antiquaire	la tienda de antigüedades	la ti-én-da dé ahn-ti-goué-da-dés
la boulangerie	la panadería	la pa-na-dé-ri-a
la banque	el banco	él bahn-ko
la librairie	la librería	la li-bré-ri-a
la boucherie	la carnicería	la kar-ni-ssé-ri-a
la pâtisserie	la pastelería	la pas-té-lé-ri-a
la pharmacie	la farmacia	la far-ma-ssi-a
la poissonnerie	la pescadería	la pés-ka-dé-ri-a
le marchand de légumes	la frutería	la frou-té-ri-a
l'épicerie	la tienda de comestibles	la ti-yén-da dé ko-més-ti-blés
le coiffeur	la peluquería	la pé-lou-ké-ri-a
le marché	el mercado	él mér-ka-do
le marchand de journaux	el kiosko de prensa	él ki-os-ko dé prén-sa
la poste	la oficina de correos	la o-fi-ssi-na dé kor-ré-os
le marchand	la zapatería	la ssa-pa-té-ri-a
le supermarché	el supermercado	él sou-pér-mér-ka-do
le débit de tabac	el estanco	él és-tahn-ko
l'agence de voyages	la agencia de viajes	la a-hén-ssi-a dé bi-a-hés

LE TOURISME

le musée	el museo de arte	él mou-sé-o dé ar-té
la cathédrale	la catedral	la ka-té-dral
l'église	la iglesia	la i-glé-si-a
	la basílica	la ba-si-li-ka
le jardin	el jardín	él har-dihn
la bibliothèque	la biblioteca	la bi-bli-o-té-ka
le musée	el museo	él mou-sé-o
l'office du tourisme	la oficina de turismo	la o-fi-ssi na dé tou-ris-mo
l'hôtel de ville	el ayuntamiento	él a-youn-ta-mi-én-to
fermé les jours fériés	cerrado por vacaciones	ssér-ra-do por ba-ka-ssi-o-nés
arrêt de bus	la estacibus autobuses	la és-ta-ssi- ohn dé aouto-bou-sés
la gare	la estaci de trenes	la és-ta-ssi ohn dé tré-nés

À L'HÔTEL

Avez-vous	¿Tienen	ti-é-nén
une chambre	una	ou-na
libre ?	habitaci?	a-bi-ta-ssi-**ohn**
	libre?	li-bré
une chambre	habitacibrea-bi-ta-ssi-	
pour deux personnes	**doble**	ohn do-blé
avec un grand lit	con cama de	kohn **ka**-ma dé
	matrimonio	ma-tri-**mo**-ni-o
une chambre	habitacibrea-bi-ta-ssi-	
à deux lits	con dos camas	ohn kohn dos **ka**-
mas		
une chambre pour	habitacibrea-bi-ta-ssi-**ohn**	
une personne	individual	in-di-vi-dou-**al**
une chambre	habitacibrea-bi-ta-ssi-**ohn**	
avec bain	con ba bai kohn ba-**n**yo	
douche	ducha	**dou**-cha
le portier	el botones	él bo-**to**-nés
la clef	la llave	la **ya**-vé
J'ai réservé	Tengo una	tén-go **ou**-na
une chambre.	habitaciación	a-bi-ta-ssi-**ohn**
	reservada.	ré-sér-**ba**-da

AU RESTAURANT

Avez-vous	¿Tiene	ti-é-né
une table	mesa	mé-sa
pour...?	para...?	pa-**ra**
Je voudrais	Quiero	ki-é-ro
réserver	reservar	ré-sér-**bar**
une table.	una mesa.	ou-na mé-sa
L'addition	La cuenta	la **kwén**-ta
s'il vous plaît.	por favor.	por fa-**vor**
Je suis	Soy	soy bé-hé-ta-
végétarien/ne	vegetariano/a	ri-a-no/na
la serveuse	camarera	ka-ma-**ré**-ra
le serveur	camarero	ka-ma-**ré**-ro
la carte	la carta	la **kar**-ta
menu	menú del	mé-**nou** dél
à prix fixe	día	**di**-a
la carte des vins	la carta de	la **kar**-ta dé
	vinos	**bi**-nos
un verre	un vaso	oun **ba**-so
une bouteille	una botella	ou-na bo-**té**-ya
un couteau	un cuchillo	oun kou-**chi**-yo
une fourchette	un tenedor	oun té-né-**dor**
une cuillère	una cuchara	ou-na kou-**cha**-ra
le petit déjeuner	el desayuno	él dé-sa-**you**-no
le déjeuner	la comida/	la ko-**mi**-da/
	el almuerzo	él al-mouér-sso
le dîner	la cena	la **sé**-na
le plat principal	el primer plato	él pri-**mér pla**-to
l'entrée	los entremeses	los én-tré-**mé**-sés
le plat du jour	el plato del día	el **pla**-to dél **di**-a
le café	el café	él ka-**fé**
saignant	poco hecho	**po**-ko é-cho
à point	medio hecho	**mé**-di-o
		é-cho
bien cuit	muy hecho	moui é-cho

LIRE LE MENU

al horno	al **or**-no	cuit au four
asado	a-**sa**-do	rôti
el aceite	a-**ssi**-é-té	l'huile
las aceitunas	a-ssé-**toun**-as	les olives
el agua mineral	a-goua mi-né-**ral**	eau minérale
sin gas/con gas	sin gas/kohn gas	plate/pétillante
el ajo	a-ho	l'ail
el arroz	ar-**ross**	le riz
el azúcar	a-**ssou**-kar	le sucre
la carne	**kar**-né	la viande
la cebolla	ssé-**bo**-ya	l'oignon
el cerdo	**sserh**-do	le porc
la cerveza	ssér-**bé**-ssa	la bière
el chocolate	cho-ko-**la**-té	le chocolat
el chorizo	cho-**ri**-sso	le chorizo
el cordero	kor-**dé**-ro	l'agneau
el fiambre	fi-**ahm**-bré	la viande froide
frito	**fri**-to	frit
la fruta	**frou**-ta	le fruit
los frutos secos	**frou**-tos sé-kos	les fruits secs
las gambas	**gahm**-bas	les crevettes
el helado	é-**la**-do	la crème glacée
el huevo	ou-**é**-vo	l'œuf
el jamón serrano	ha-**mohn**	le jambon
	sér-**ra**-no	de montagne
el jerez	hé-**réz**	le xérès

la langosta	lahn-**gos**-ta	la langouste
la leche	**lé**-ché	le lait
el lime	lli-**mohn**	le citron
la limonada	li-mo-**na**-da	la limonade
la mantequilla	mahn-té-**ki**-yale	le beurre
la manzana	mahn-**ssa**-na	la pomme
los mariscos	ma-**ris**-kos	les fruits de mer
la menestra	mé-**nés**-tra	la soupe de légumes
la naranja	na-**rahn**-ha	l'orange
el pan	pahn	le pain
el pastel	pas-**tél**	le gâteau
las patatas	pa-**ta**-tas	les pommes de terre
el pescado	pés-**ka**-do	le poisson
la pimienta	pi-mi-**yén**-ta	le poivre
el plátano	**pla**-ta-no	la banane
el pollo	**po**-yo	le poulet
el postre	pos-**tré**	le dessert
el queso	**ké**-so	le fromage
la sal	sal	le sel
las salchichas	sal-**chi**-chas	les saucisses
la salsa	**sal**-sa	la sauce
seco	**sé**-ko	sec
el solomillo	so-lo-**mi**-yo	le rumsteack
la sopa	**so**-pa	la soupe
la tarta	**tar**-ta	la tarte
el té	té	le thé
la ternera	tér-**né**-ra	le bœuf
las tostadas	tos-**ta**-das	les toasts
el vinagre	bi-**na**-gré	le vinaigre
el vino blanco	**bi**-no **blahn**-ko	le vin blanc
el vino rosado	**bi**-no ro-**sa**-do	le vin rosé
el vino tinto	**bi**-no **tihn**-to	le vin rouge

LES NOMBRES

0	cero	**ssé**-ro
1	uno	**ou**-no
2	dos	dos
3	tres	trés
4	cuatro	**koua**-tro
5	cinco	**ssihn**-ko
6	seis	seils
7	siete	**si**-é-té
8	ocho	o-cho
9	nueve	**noué**-vé
10	diez	di-**éss**
11	once	**ohn**-ssé
12	doce	**do**-ssé
13	trece	**tré**-ssé
14	catorce	ka-**tor**-ssé
15	quince	**kihn**-ssé
16	dieciséis	di-é-ssi-**sé**-is
17	diecisiete	di-é-ssi-si-é-té
18	dieciocho	di-é-ssi-**o**-cho
19	diecinueve	di-é-ssi-**noué**-vé
20	veinte	**bé**-ihn-té
21	veintiuno	bé-ihn-ti-**ou**-no
22	veintidós	bé-ihn-ti-**dos**
30	treinta	**tré**-ihn-ta
31	treinta y uno	tré-ihn-ta i **ou**-no
40	cuarenta	koua-**rén**-ta
50	cincuenta	ssin-**kouén**-ta
60	sesenta	sé-**sén**-ta
70	setenta	sé-**tén**-ta
80	ochenta	o-**chén**-ta
90	noventa	no-**vén**-ta
100	cien	ssi-**én**
101	ciento uno	ssi-**én**-to **ou**-no
102	ciento dos	ssi-**én**-to dos
200	doscientos	dos-ssi-**én**-tos
500	quinientos	ki-ni-**én**-tos
700	setecientos	sé-té-ssi-**én**-tos
900	novecientos	no-vé-ssi-**én** tos
1 000	mil	mil
1 001	mil uno	mil **ou**-no

LE JOUR ET L'HEURE

une minute	un minuto	oun mi-**nou**-to
une heure	una hora	ou-na o-ra
une demi-heure	media hora	mé-di-a o-ra
lundi	lunes	**lou**-nés
mardi	martes	**mar**-tés
mercredi	miércoles	mi-**ér**-ko-lés
jeudi	jueves	hou-**wé**-vés
vendredi	viernes	bi-**ér**-nés
samedi	sábado	**sa**-ba-do
dimanche	domingo	do-**mihn**-go